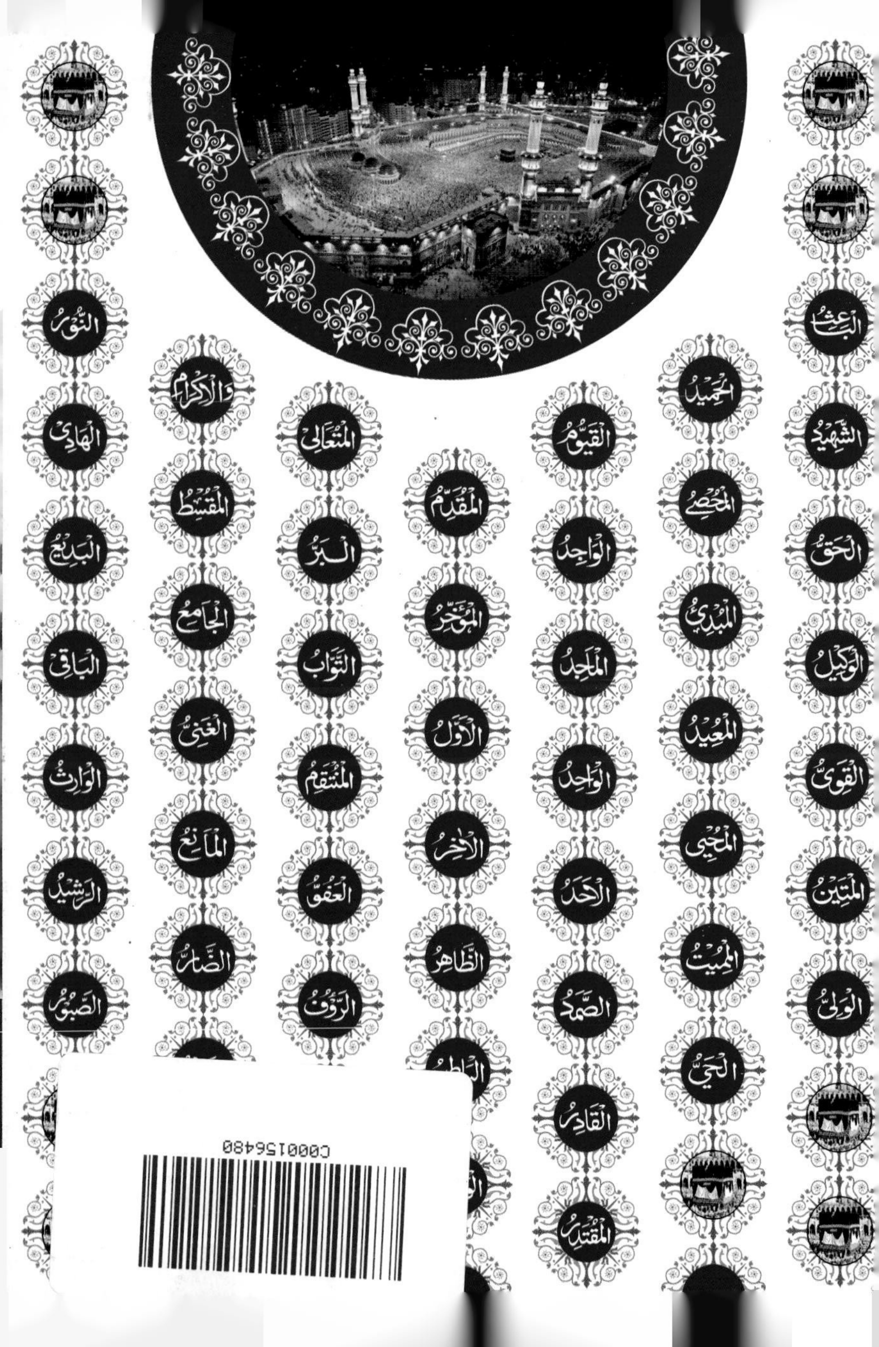
الباعث
الشهيد
الحق
الوكيل
القوى
المتين
الولى
الحميد
المحصى
المبدئ
المعيد
المحيى
المميت
الحى
القيوم
الواجد
الماجد
الواحد
الاحد
الصمد
القادر
المقتدر
المقدم
المؤخر
الاول
الآخر
الظاهر
المتعالى
البر
التواب
المنتقم
العفو
الرؤف
والاكرام
المقسط
الجامع
الغنى
المانع
الضار
النور
الهادى
البديع
الباقى
الوارث
الرشيد
الصبور
C000156480

ذٰلِكَ الْكِتٰبُ لَا رَيْبَ ۛ فِيْهِ ۛ
القرآن الكريم
اسلامک بک سروس

THE HOLY QUR'ÂN

COLOUR CODED TAJWEED RULES

It is a great pleasure for **Islamic Book Service, New Delhi** to introduce this project in India for the first time. This humble effort is an attempt to facilitate the Tilaawah of the Qur'ân with Tajweed.

Seven different colour shades have been used and each colour represents a Tajweed Rule.

The colour coding system has been introduced to highlight the Rules of Tajweed found in the Qur'ânic text. Having a colour block on the Tajweed Rule allows the reciter to emphasise the accent, phonetics, rhythm and temper of the Qur'ânic recitation.

It is imperative for the reciter to have a working knowledge of the Rules of Tajweed in order to know how to pronounce the letters on which emphasis has to be laid.

We shall appreciate feedback, if any, on this colour coded concept for the benefit of the reciter.

IBS **Islamic Book Service**

4866/1, Harbans Singh Street, 24, Ansari Road
Darya Ganj, New Delhi 110 002 (INDIA)
Ph.: 011-23253514, 23286551, 23244556
Fax: 011-23277913, 23247899
E-mail: islamic@eth.net / ibsdelhi@del2.vsnl.net.in
Website: www.islamicbookservice.co

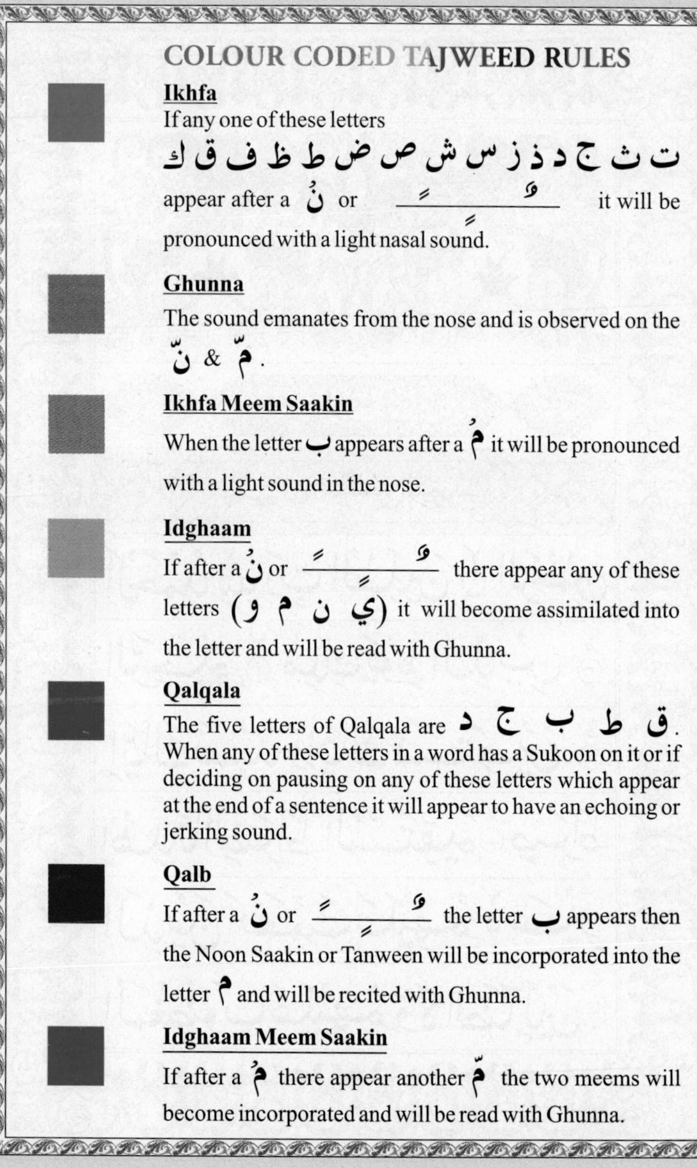

COLOUR CODED TAJWEED RULES

Ikhfa

If any one of these letters

ت ث ج د ذ ز س ش ص ض ط ظ ف ق ك

appear after a نْ or ______ it will be pronounced with a light nasal sound.

Ghunna

The sound emanates from the nose and is observed on the نّ & مّ.

Ikhfa Meem Saakin

When the letter ب appears after a مْ it will be pronounced with a light sound in the nose.

Idghaam

If after a نْ or ______ there appear any of these letters (و م ن ي) it will become assimilated into the letter and will be read with Ghunna.

Qalqala

The five letters of Qalqala are ق ط ب ج د. When any of these letters in a word has a Sukoon on it or if deciding on pausing on any of these letters which appear at the end of a sentence it will appear to have an echoing or jerking sound.

Qalb

If after a نْ or ______ the letter ب appears then the Noon Saakin or Tanween will be incorporated into the letter م and will be recited with Ghunna.

Idghaam Meem Saakin

If after a مْ there appear another مّ the two meems will become incorporated and will be read with Ghunna.

(١) سُوْرَةُ الْفَاتِحَةِ مَكِّيَّةٌ (٥) — اٰيَاتُهَا ٧ — رُكُوْعُهَا ١

بِسْمِ اللّٰهِ الرَّحْمٰنِ الرَّحِيْمِ

اَلْحَمْدُ لِلّٰهِ رَبِّ الْعٰلَمِيْنَ ۙ﴿١﴾ الرَّحْمٰنِ
الرَّحِيْمِ ۙ﴿٢﴾ مٰلِكِ يَوْمِ الدِّيْنِ ؕ﴿٣﴾
اِيَّاكَ نَعْبُدُ وَاِيَّاكَ نَسْتَعِيْنُ ؕ﴿٤﴾
اِهْدِنَا الصِّرَاطَ الْمُسْتَقِيْمَ ۙ﴿٥﴾ صِرَاطَ
الَّذِيْنَ اَنْعَمْتَ عَلَيْهِمْ ۙ۬ غَيْرِ
الْمَغْضُوْبِ عَلَيْهِمْ وَلَا الضَّآلِّيْنَ ﴿٧﴾ ع

منزل ١

اَلْمَنْزِلُ الْاَوَّلُ (١)

ع ١

آياتها ٢٨٦ (٢) سُوْرَةُ الْبَقَرَةِ مَدَنِيَّةٌ (٨٧) رُكُوعاتها ٤٠

بِسْمِ اللّٰهِ الرَّحْمٰنِ الرَّحِيْمِ

الٓمّٓ ١ ذٰلِكَ الْكِتٰبُ لَا رَيْبَ ۛۚ فِيْهِ ۛۚ
هُدًى لِّلْمُتَّقِيْنَ ٢ الَّذِيْنَ يُؤْمِنُوْنَ
بِالْغَيْبِ وَيُقِيْمُوْنَ الصَّلٰوةَ وَمِمَّا
رَزَقْنٰهُمْ يُنْفِقُوْنَ ٣ وَالَّذِيْنَ
يُؤْمِنُوْنَ بِمَآ اُنْزِلَ اِلَيْكَ وَمَآ اُنْزِلَ
مِنْ قَبْلِكَ وَبِالْاٰخِرَةِ هُمْ يُوْقِنُوْنَ ٤

منزل ١

معانقة ١ (١)
عند المتأخرين ١٢

Ikhfa إخفا | Ikhfa Meem Saakin إخفاميم ساكن | Qalqala قلقله | Qalb قلب | Idghaam إدغام | Idghaam Meem Saakin إدغام ميم ساكن | Ghunna غُنّه

اُولٰٓئِكَ عَلٰى هُدًى مِّنْ رَّبِّهِمْ ۗ وَاُولٰٓئِكَ هُمُ الْمُفْلِحُوْنَ ۝٥
اِنَّ الَّذِيْنَ كَفَرُوْا سَوَآءٌ عَلَيْهِمْ ءَاَنْذَرْتَهُمْ اَمْ لَمْ
تُنْذِرْهُمْ لَا يُؤْمِنُوْنَ ۝٦ خَتَمَ اللّٰهُ عَلٰى قُلُوْبِهِمْ وَعَلٰى
سَمْعِهِمْ ؕ وَعَلٰٓى اَبْصَارِهِمْ غِشَاوَةٌ ز وَّلَهُمْ عَذَابٌ
عَظِيْمٌ ۝٧ ع وَمِنَ النَّاسِ مَنْ يَّقُوْلُ اٰمَنَّا بِاللّٰهِ وَ
بِالْيَوْمِ الْاٰخِرِ وَمَا هُمْ بِمُؤْمِنِيْنَ ۝٨ يُخٰدِعُوْنَ اللّٰهَ وَ
الَّذِيْنَ اٰمَنُوْا ج وَمَا يَخْدَعُوْنَ اِلَّآ اَنْفُسَهُمْ وَمَا يَشْعُرُوْنَ ۝٩ ط
فِيْ قُلُوْبِهِمْ مَّرَضٌ ۙ فَزَادَهُمُ اللّٰهُ مَرَضًا ج وَلَهُمْ عَذَابٌ
اَلِيْمٌ ۙ بِمَا كَانُوْا يَكْذِبُوْنَ ۝١٠ وَاِذَا قِيْلَ لَهُمْ لَا
تُفْسِدُوْا فِى الْاَرْضِ ۙ قَالُوْٓا اِنَّمَا نَحْنُ مُصْلِحُوْنَ ۝١١
اَلَآ اِنَّهُمْ هُمُ الْمُفْسِدُوْنَ وَلٰكِنْ لَّا يَشْعُرُوْنَ ۝١٢ وَاِذَا
قِيْلَ لَهُمْ اٰمِنُوْا كَمَآ اٰمَنَ النَّاسُ قَالُوْٓا اَنُؤْمِنُ
كَمَآ اٰمَنَ السُّفَهَآءُ ؕ اَلَآ اِنَّهُمْ هُمُ السُّفَهَآءُ وَلٰكِنْ

ع ۷ وقف لازم

منزل ۱

لَا يَعْلَمُوْنَ ﴿١٣﴾ وَاِذَا لَقُوا الَّذِيْنَ اٰمَنُوْا قَالُوْٓا اٰمَنَّا ۚۖ وَ
اِذَا خَلَوْا اِلٰى شَيٰطِيْنِهِمْ ۙ قَالُوْٓا اِنَّا مَعَكُمْ ۙ اِنَّمَا نَحْنُ
مُسْتَهْزِءُوْنَ ﴿١٤﴾ اَللّٰهُ يَسْتَهْزِئُ بِهِمْ وَيَمُدُّهُمْ فِيْ طُغْيَانِهِمْ
يَعْمَهُوْنَ ﴿١٥﴾ اُولٰٓئِكَ الَّذِيْنَ اشْتَرَوُا الضَّلٰلَةَ بِالْهُدٰى ۠
فَمَا رَبِحَتْ تِّجَارَتُهُمْ وَمَا كَانُوْا مُهْتَدِيْنَ ﴿١٦﴾
مَثَلُهُمْ كَمَثَلِ الَّذِى اسْتَوْقَدَ نَارًا ۚ فَلَمَّآ اَضَآءَتْ
مَا حَوْلَهٗ ذَهَبَ اللّٰهُ بِنُوْرِهِمْ وَتَرَكَهُمْ فِيْ ظُلُمٰتٍ ۠
لَّا يُبْصِرُوْنَ ﴿١٧﴾ صُمٌّ ۢ بُكْمٌ عُمْىٌ فَهُمْ لَا يَرْجِعُوْنَ ﴿١٨﴾ ۙ
اَوْ كَصَيِّبٍ مِّنَ السَّمَآءِ فِيْهِ ظُلُمٰتٌ وَّرَعْدٌ وَّبَرْقٌ ۚ
يَجْعَلُوْنَ اَصَابِعَهُمْ فِيْٓ اٰذَانِهِمْ مِّنَ الصَّوَاعِقِ حَذَرَ
الْمَوْتِ ۭ وَاللّٰهُ مُحِيْطٌ ۢ بِالْكٰفِرِيْنَ ﴿١٩﴾ يَكَادُ الْبَرْقُ
يَخْطَفُ اَبْصَارَهُمْ ۭ كُلَّمَآ اَضَاۗءَ لَهُمْ مَّشَوْا فِيْهِ ۙ وَاِذَآ
اَظْلَمَ عَلَيْهِمْ قَامُوْا ۭ وَلَوْ شَاۗءَ اللّٰهُ لَذَهَبَ بِسَمْعِهِمْ

منزل ١

وَ اَبۡصَارِهِمۡ ؕ اِنَّ اللّٰهَ عَلٰی كُلِّ شَیۡءٍ قَدِیۡرٌ ﴿۲۰﴾ یٰۤاَیُّهَا ع ٢ ١٣ ٢
النَّاسُ اعۡبُدُوۡا رَبَّكُمُ الَّذِیۡ خَلَقَكُمۡ وَ الَّذِیۡنَ مِنۡ
قَبۡلِكُمۡ لَعَلَّكُمۡ تَتَّقُوۡنَ ۙ﴿۲۱﴾ الَّذِیۡ جَعَلَ لَكُمُ الۡاَرۡضَ
فِرَاشًا وَّ السَّمَآءَ بِنَآءً ۪ وَّ اَنۡزَلَ مِنَ السَّمَآءِ مَآءً فَاَخۡرَجَ
بِهٖ مِنَ الثَّمَرٰتِ رِزۡقًا لَّكُمۡ ۚ فَلَا تَجۡعَلُوۡا لِلّٰهِ اَنۡدَادًا وَّ
اَنۡتُمۡ تَعۡلَمُوۡنَ ﴿۲۲﴾ وَ اِنۡ كُنۡتُمۡ فِیۡ رَیۡبٍ مِّمَّا نَزَّلۡنَا عَلٰی
عَبۡدِنَا فَاۡتُوۡا بِسُوۡرَةٍ مِّنۡ مِّثۡلِهٖ ۪ وَ ادۡعُوۡا شُهَدَآءَكُمۡ منزل ١
مِّنۡ دُوۡنِ اللّٰهِ اِنۡ كُنۡتُمۡ صٰدِقِیۡنَ ﴿۲۳﴾ فَاِنۡ لَّمۡ تَفۡعَلُوۡا
وَ لَنۡ تَفۡعَلُوۡا فَاتَّقُوا النَّارَ الَّتِیۡ وَقُوۡدُهَا النَّاسُ وَ
الۡحِجَارَةُ ۚۖ اُعِدَّتۡ لِلۡكٰفِرِیۡنَ ﴿۲۴﴾ وَ بَشِّرِ الَّذِیۡنَ اٰمَنُوۡا وَ
عَمِلُوا الصّٰلِحٰتِ اَنَّ لَهُمۡ جَنّٰتٍ تَجۡرِیۡ مِنۡ تَحۡتِهَا
الۡاَنۡهٰرُ ؕ كُلَّمَا رُزِقُوۡا مِنۡهَا مِنۡ ثَمَرَةٍ رِّزۡقًا ۙ قَالُوۡا
هٰذَا الَّذِیۡ رُزِقۡنَا مِنۡ قَبۡلُ ۙ وَ اُتُوۡا بِهٖ مُتَشَابِهًا ؕ وَ لَهُمۡ

Ghunna غُنّہ | Idghaam Meem Saakin إدغام میم ساکن | Idghaam إدغام | Qalb قلب | Qalqala قلقلہ | Ikhfa Meem Saakin إخفا میم ساکن | Ikhfa إخفا

فِيْهَآ اَزْوَاجٌ مُّطَهَّرَةٌ ۙ وَّهُمْ فِيْهَا خٰلِدُوْنَ ﴿٢٥﴾ اِنَّ اللّٰهَ
لَا يَسْتَحْيٖٓ اَنْ يَّضْرِبَ مَثَلًا مَّا بَعُوْضَةً فَمَا فَوْقَهَا ؕ
فَاَمَّا الَّذِيْنَ اٰمَنُوْا فَيَعْلَمُوْنَ اَنَّهُ الْحَقُّ مِنْ رَّبِّهِمْ ۚ وَاَمَّا
الَّذِيْنَ كَفَرُوْا فَيَقُوْلُوْنَ مَاذَآ اَرَادَ اللّٰهُ بِهٰذَا مَثَلًا ۘ وقف لازم
يُضِلُّ بِهٖ كَثِيْرًا ۙ وَّيَهْدِيْ بِهٖ كَثِيْرًا ؕ وَمَا يُضِلُّ بِهٖٓ اِلَّا
الْفٰسِقِيْنَ ۙ ﴿٢٦﴾ الَّذِيْنَ يَنْقُضُوْنَ عَهْدَ اللّٰهِ مِنْ بَعْدِ
منزل ١ مِيْثَاقِهٖ ۪ وَيَقْطَعُوْنَ مَآ اَمَرَ اللّٰهُ بِهٖٓ اَنْ يُّوْصَلَ وَ
يُفْسِدُوْنَ فِى الْاَرْضِ ؕ اُولٰٓئِكَ هُمُ الْخٰسِرُوْنَ ﴿٢٧﴾ كَيْفَ
تَكْفُرُوْنَ بِاللّٰهِ وَكُنْتُمْ اَمْوَاتًا فَاَحْيَاكُمْ ۚ ثُمَّ يُمِيْتُكُمْ ثُمَّ
يُحْيِيْكُمْ ثُمَّ اِلَيْهِ تُرْجَعُوْنَ ﴿٢٨﴾ هُوَ الَّذِيْ خَلَقَ لَكُمْ مَّا
فِى الْاَرْضِ جَمِيْعًا ۗ ثُمَّ اسْتَوٰٓى اِلَى السَّمَآءِ فَسَوّٰىهُنَّ
سَبْعَ سَمٰوٰتٍ ؕ وَهُوَ بِكُلِّ شَيْءٍ عَلِيْمٌ ﴿٢٩﴾ ع وَاِذْ قَالَ رَبُّكَ
لِلْمَلٰٓئِكَةِ اِنِّيْ جَاعِلٌ فِى الْاَرْضِ خَلِيْفَةً ؕ قَالُوْٓا اَتَجْعَلُ

فِيْهَا مَنْ يُّفْسِدُ فِيْهَا وَيَسْفِكُ الدِّمَآءَ ۚ وَنَحْنُ نُسَبِّحُ
بِحَمْدِكَ وَنُقَدِّسُ لَكَ ؕ قَالَ اِنِّىْۤ اَعْلَمُ مَا لَا تَعْلَمُوْنَ ﴿٣٠﴾
وَعَلَّمَ اٰدَمَ الْاَسْمَآءَ كُلَّهَا ثُمَّ عَرَضَهُمْ عَلَى الْمَلٰٓئِكَةِ ۙ
فَقَالَ اَنْۢبِـُٔوْنِىْ بِاَسْمَآءِ هٰۤؤُلَآءِ اِنْ كُنْتُمْ صٰدِقِيْنَ ﴿٣١﴾
قَالُوْا سُبْحٰنَكَ لَا عِلْمَ لَنَآ اِلَّا مَا عَلَّمْتَنَا ؕ اِنَّكَ اَنْتَ الْعَلِيْمُ
الْحَكِيْمُ ﴿٣٢﴾ قَالَ يٰۤاٰدَمُ اَنْۢبِئْهُمْ بِاَسْمَآئِهِمْ ۚ فَلَمَّآ اَنْۢبَاَهُمْ
بِاَسْمَآئِهِمْ ۙ قَالَ اَلَمْ اَقُلْ لَّكُمْ اِنِّىْۤ اَعْلَمُ غَيْبَ السَّمٰوٰتِ
وَالْاَرْضِ ۙ وَاَعْلَمُ مَا تُبْدُوْنَ وَمَا كُنْتُمْ تَكْتُمُوْنَ ﴿٣٣﴾ وَاِذْ
قُلْنَا لِلْمَلٰٓئِكَةِ اسْجُدُوْا لِاٰدَمَ فَسَجَدُوْۤا اِلَّاۤ اِبْلِيْسَ ؕ اَبٰى
وَاسْتَكْبَرَ ۫ وَكَانَ مِنَ الْكٰفِرِيْنَ ﴿٣٤﴾ وَقُلْنَا يٰۤاٰدَمُ اسْكُنْ
اَنْتَ وَزَوْجُكَ الْجَنَّةَ وَكُلَا مِنْهَا رَغَدًا حَيْثُ شِئْتُمَا ۪ وَلَا
تَقْرَبَا هٰذِهِ الشَّجَرَةَ فَتَكُوْنَا مِنَ الظّٰلِمِيْنَ ﴿٣٥﴾ فَاَزَلَّهُمَا
الشَّيْطٰنُ عَنْهَا فَاَخْرَجَهُمَا مِمَّا كَانَا فِيْهِ ۪ وَقُلْنَا اهْبِطُوْا

منزل ١

بَعۡضُكُمۡ لِبَعۡضٍ عَدُوٌّ ۚ وَلَكُمۡ فِى الۡاَرۡضِ مُسۡتَقَرٌّ وَّمَتَاعٌ
اِلٰى حِيۡنٍ ﴿۳۶﴾ فَتَلَقّٰٓى اٰدَمُ مِنۡ رَّبِّهٖ كَلِمٰتٍ فَتَابَ عَلَيۡهِ ؕ
اِنَّهٗ هُوَ التَّوَّابُ الرَّحِيۡمُ ﴿۳۷﴾ قُلۡنَا اهۡبِطُوۡا مِنۡهَا جَمِيۡعًا ۚ
فَاِمَّا يَاۡتِيَنَّكُمۡ مِّنِّىۡ هُدًى فَمَنۡ تَبِعَ هُدَاىَ فَلَا خَوۡفٌ
عَلَيۡهِمۡ وَلَا هُمۡ يَحۡزَنُوۡنَ ﴿۳۸﴾ وَالَّذِيۡنَ كَفَرُوۡا وَكَذَّبُوۡا
بِاٰيٰتِنَآ اُولٰٓـئِكَ اَصۡحٰبُ النَّارِ ۚ هُمۡ فِيۡهَا خٰلِدُوۡنَ ﴿۳۹﴾ ع ۴ ۱۰
يٰبَنِىۡٓ اِسۡرَآءِيۡلَ اذۡكُرُوۡا نِعۡمَتِىَ الَّتِىۡٓ اَنۡعَمۡتُ عَلَيۡكُمۡ منزل ۱
وَاَوۡفُوۡا بِعَهۡدِىۡٓ اُوۡفِ بِعَهۡدِكُمۡ ۚ وَاِيَّاىَ فَارۡهَبُوۡنِ ﴿۴۰﴾ وَ
اٰمِنُوۡا بِمَآ اَنۡزَلۡتُ مُصَدِّقًا لِّمَا مَعَكُمۡ وَلَا تَكُوۡنُوۡٓا اَوَّلَ
كَافِرٍۢ بِهٖ ۖ وَلَا تَشۡتَرُوۡا بِاٰيٰتِىۡ ثَمَنًا قَلِيۡلًا ز وَّاِيَّاىَ
فَاتَّقُوۡنِ ﴿۴۱﴾ وَلَا تَلۡبِسُوا الۡحَقَّ بِالۡبَاطِلِ وَتَكۡتُمُوا
الۡحَقَّ وَاَنۡتُمۡ تَعۡلَمُوۡنَ ﴿۴۲﴾ وَاَقِيۡمُوا الصَّلٰوةَ وَاٰتُوا
الزَّكٰوةَ وَارۡكَعُوۡا مَعَ الرّٰكِعِيۡنَ ﴿۴۳﴾ اَتَاۡمُرُوۡنَ النَّاسَ

بِالْبِرِّ وَتَنْسَوْنَ اَنْفُسَكُمْ وَاَنْتُمْ تَتْلُوْنَ الْكِتٰبَ ؕ اَفَلَا

تَعْقِلُوْنَ ﴿۴۴﴾ وَاسْتَعِيْنُوْا بِالصَّبْرِ وَالصَّلٰوةِ ؕ وَاِنَّهَا

لَكَبِيْرَةٌ اِلَّا عَلَى الْخٰشِعِيْنَ ﴿۴۵﴾ الَّذِيْنَ يَظُنُّوْنَ

اَنَّهُمْ مُّلٰقُوْا رَبِّهِمْ وَاَنَّهُمْ اِلَيْهِ رٰجِعُوْنَ ﴿۴۶﴾ ع يٰبَنِيْٓ الربع ع ٥ ٧ ٥

اِسْرَآءِيْلَ اذْكُرُوْا نِعْمَتِيَ الَّتِيْٓ اَنْعَمْتُ عَلَيْكُمْ وَاَنِّيْ

فَضَّلْتُكُمْ عَلَى الْعٰلَمِيْنَ ﴿۴۷﴾ وَاتَّقُوْا يَوْمًا لَّا تَجْزِيْ نَفْسٌ

منزل ١ عَنْ نَّفْسٍ شَيْـًٔا وَّلَا يُقْبَلُ مِنْهَا شَفَاعَةٌ وَّلَا يُؤْخَذُ

مِنْهَا عَدْلٌ وَّلَا هُمْ يُنْصَرُوْنَ ﴿۴۸﴾ وَاِذْ نَجَّيْنٰكُمْ مِّنْ

اٰلِ فِرْعَوْنَ يَسُوْمُوْنَكُمْ سُوْٓءَ الْعَذَابِ يُذَبِّحُوْنَ

اَبْنَآءَكُمْ وَيَسْتَحْيُوْنَ نِسَآءَكُمْ ؕ وَفِيْ ذٰلِكُمْ بَلَآءٌ مِّنْ

رَّبِّكُمْ عَظِيْمٌ ﴿۴۹﴾ وَاِذْ فَرَقْنَا بِكُمُ الْبَحْرَ فَاَنْجَيْنٰكُمْ

وَاَغْرَقْنَآ اٰلَ فِرْعَوْنَ وَاَنْتُمْ تَنْظُرُوْنَ ﴿۵۰﴾ وَاِذْ وٰعَدْنَا

مُوْسٰٓى اَرْبَعِيْنَ لَيْلَةً ثُمَّ اتَّخَذْتُمُ الْعِجْلَ مِنْ بَعْدِهٖ

وَاَنْتُمْ ظٰلِمُوْنَ ﴿٥١﴾ ثُمَّ عَفَوْنَا عَنْكُمْ مِّنْۢ بَعْدِ ذٰلِكَ
لَعَلَّكُمْ تَشْكُرُوْنَ ﴿٥٢﴾ وَاِذْ اٰتَيْنَا مُوْسَى الْكِتٰبَ وَ
الْفُرْقَانَ لَعَلَّكُمْ تَهْتَدُوْنَ ﴿٥٣﴾ وَاِذْ قَالَ مُوْسٰى
لِقَوْمِهٖ يٰقَوْمِ اِنَّكُمْ ظَلَمْتُمْ اَنْفُسَكُمْ بِاتِّخَاذِكُمُ الْعِجْلَ
فَتُوْبُوْٓا اِلٰى بَارِئِكُمْ فَاقْتُلُوْٓا اَنْفُسَكُمْ ؕ ذٰلِكُمْ خَيْرٌ
لَّكُمْ عِنْدَ بَارِئِكُمْ ؕ فَتَابَ عَلَيْكُمْ ؕ اِنَّهٗ هُوَ التَّوَّابُ
الرَّحِيْمُ ﴿٥٤﴾ وَاِذْ قُلْتُمْ يٰمُوْسٰى لَنْ نُّؤْمِنَ لَكَ حَتّٰى نَرَى
اللّٰهَ جَهْرَةً فَاَخَذَتْكُمُ الصّٰعِقَةُ وَاَنْتُمْ تَنْظُرُوْنَ ﴿٥٥﴾
ثُمَّ بَعَثْنٰكُمْ مِّنْۢ بَعْدِ مَوْتِكُمْ لَعَلَّكُمْ تَشْكُرُوْنَ ﴿٥٦﴾ وَ
ظَلَّلْنَا عَلَيْكُمُ الْغَمَامَ وَاَنْزَلْنَا عَلَيْكُمُ الْمَنَّ وَالسَّلْوٰى ؕ
كُلُوْا مِنْ طَيِّبٰتِ مَا رَزَقْنٰكُمْ ؕ وَمَا ظَلَمُوْنَا وَلٰكِنْ كَانُوْٓا
اَنْفُسَهُمْ يَظْلِمُوْنَ ﴿٥٧﴾ وَاِذْ قُلْنَا ادْخُلُوْا هٰذِهِ الْقَرْيَةَ
فَكُلُوْا مِنْهَا حَيْثُ شِئْتُمْ رَغَدًا وَّادْخُلُوا الْبَابَ سُجَّدًا

منزل ١

وَّقُوۡلُوۡا حِطَّةٌ نَّغۡفِرۡ لَـكُمۡ خَطٰيٰكُمۡ‌ؕ وَسَنَزِيۡدُ الۡمُحۡسِنِيۡنَ ﴿۵۸﴾
فَبَدَّلَ الَّذِيۡنَ ظَلَمُوۡا قَوۡلًا غَيۡرَ الَّذِىۡ قِيۡلَ لَهُمۡ فَاَنۡزَلۡنَا
عَلَى الَّذِيۡنَ ظَلَمُوۡا رِجۡزًا مِّنَ السَّمَآءِ بِمَا كَانُوۡا
يَفۡسُقُوۡنَ ﴿۵۹﴾ ع وَاِذِ اسۡتَسۡقٰى مُوۡسٰى لِقَوۡمِهٖ فَقُلۡنَا ع ٦
اضۡرِبْ بِّعَصَاكَ الۡحَجَرَ‌ؕ فَانۡفَجَرَتۡ مِنۡهُ اثۡنَتَا عَشۡرَةَ
عَيۡنًا ‌ؕ قَدۡ عَلِمَ كُلُّ اُنَاسٍ مَّشۡرَبَهُمۡ‌ؕ كُلُوۡا وَاشۡرَبُوۡا مِنۡ
منزل ١ رِّزۡقِ اللّٰهِ وَلَا تَعۡثَوۡا فِى الۡاَرۡضِ مُفۡسِدِيۡنَ ﴿۶۰﴾ وَاِذۡ
قُلۡتُمۡ يٰمُوۡسٰى لَنۡ نَّصۡبِرَ عَلٰى طَعَامٍ وَّاحِدٍ فَادۡعُ لَنَا
رَبَّكَ يُخۡرِجۡ لَنَا مِمَّا تُنۡۢبِتُ الۡاَرۡضُ مِنۡۢ بَقۡلِهَا وَ
قِثَّـآئِهَا وَفُوۡمِهَا وَعَدَسِهَا وَبَصَلِهَا‌ؕ قَالَ اَتَسۡتَبۡدِلُوۡنَ
الَّذِىۡ هُوَ اَدۡنٰى بِالَّذِىۡ هُوَ خَيۡرٌ‌ؕ اِهۡبِطُوۡا مِصۡرًا فَاِنَّ
لَـكُمۡ مَّا سَاَلۡتُمۡ‌ؕ وَضُرِبَتۡ عَلَيۡهِمُ الذِّلَّةُ وَالۡمَسۡكَنَةُ ۚ
وَبَآءُوۡ بِغَضَبٍ مِّنَ اللّٰهِ‌ؕ ذٰلِكَ بِاَنَّهُمۡ كَانُوۡا يَكۡفُرُوۡنَ

بِاٰيٰتِ اللّٰهِ وَيَقْتُلُوْنَ النَّبِيّٖنَ بِغَيْرِ الْحَقِّ ؕ ذٰلِكَ بِمَا
عَصَوْا وَّكَانُوْا يَعْتَدُوْنَ ﴿٦١﴾ اِنَّ الَّذِيْنَ اٰمَنُوْا وَ ع ٢ ٧
الَّذِيْنَ هَادُوْا وَالنَّصٰرٰى وَالصّٰبِـِٕيْنَ مَنْ اٰمَنَ بِاللّٰهِ
وَالْيَوْمِ الْاٰخِرِ وَعَمِلَ صَالِحًا فَلَهُمْ اَجْرُهُمْ عِنْدَ
رَبِّهِمْ ۚ وَلَا خَوْفٌ عَلَيْهِمْ وَلَا هُمْ يَحْزَنُوْنَ ﴿٦٢﴾ وَاِذْ
اَخَذْنَا مِيْثَاقَكُمْ وَرَفَعْنَا فَوْقَكُمُ الطُّوْرَ ؕ خُذُوْا مَآ
منزل ١ اٰتَيْنٰكُمْ بِقُوَّةٍ وَّاذْكُرُوْا مَا فِيْهِ لَعَلَّكُمْ تَتَّقُوْنَ ﴿٦٣﴾
ثُمَّ تَوَلَّيْتُمْ مِّنْۢ بَعْدِ ذٰلِكَ ۚ فَلَوْلَا فَضْلُ اللّٰهِ عَلَيْكُمْ
وَرَحْمَتُهٗ لَكُنْتُمْ مِّنَ الْخٰسِرِيْنَ ﴿٦٤﴾ وَلَقَدْ عَلِمْتُمُ
الَّذِيْنَ اعْتَدَوْا مِنْكُمْ فِى السَّبْتِ فَقُلْنَا لَهُمْ كُوْنُوْا
قِرَدَةً خٰسِـِٕيْنَ ﴿٦٥﴾ فَجَعَلْنٰهَا نَكَالًا لِّمَا بَيْنَ يَدَيْهَا
وَمَا خَلْفَهَا وَمَوْعِظَةً لِّلْمُتَّقِيْنَ ﴿٦٦﴾ وَاِذْ قَالَ مُوْسٰى
لِقَوْمِهٖۤ اِنَّ اللّٰهَ يَاْمُرُكُمْ اَنْ تَذْبَحُوْا بَقَرَةً ؕ قَالُوْۤا

اَتَتَّخِذُنَا هُزُوًا ؕ قَالَ اَعُوْذُ بِاللّٰهِ اَنْ اَكُوْنَ مِنَ
الْجٰهِلِيْنَ ﴿٦٧﴾ قَالُوا ادْعُ لَنَا رَبَّكَ يُبَيِّنْ لَّنَا مَا هِيَ ؕ قَالَ
اِنَّهٗ يَقُوْلُ اِنَّهَا بَقَرَةٌ لَّا فَارِضٌ وَّلَا بِكْرٌ ؕ عَوَانٌۢ
بَيْنَ ذٰلِكَ ؕ فَافْعَلُوْا مَا تُؤْمَرُوْنَ ﴿٦٨﴾ قَالُوا ادْعُ لَنَا
رَبَّكَ يُبَيِّنْ لَّنَا مَا لَوْنُهَا ؕ قَالَ اِنَّهٗ يَقُوْلُ اِنَّهَا
بَقَرَةٌ صَفْرَآءُ ۙ فَاقِعٌ لَّوْنُهَا تَسُرُّ النّٰظِرِيْنَ ﴿٦٩﴾ قَالُوا
ادْعُ لَنَا رَبَّكَ يُبَيِّنْ لَّنَا مَا هِيَ ۙ اِنَّ الْبَقَرَ تَشٰبَهَ عَلَيْنَا ؕ
منزل ١
وَاِنَّآ اِنْ شَآءَ اللّٰهُ لَمُهْتَدُوْنَ ﴿٧٠﴾ قَالَ اِنَّهٗ يَقُوْلُ اِنَّهَا
بَقَرَةٌ لَّا ذَلُوْلٌ تُثِيْرُ الْاَرْضَ وَلَا تَسْقِى الْحَرْثَ ۚ
مُسَلَّمَةٌ لَّا شِيَةَ فِيْهَا ؕ قَالُوا الْـٰٔنَ جِئْتَ بِالْحَقِّ ؕ
فَذَبَحُوْهَا وَمَا كَادُوْا يَفْعَلُوْنَ ﴿٧١﴾ ع وَاِذْ قَتَلْتُمْ نَفْسًا ع ٨ ١٠ ٨
فَادّٰرَءْتُمْ فِيْهَا ؕ وَاللّٰهُ مُخْرِجٌ مَّا كُنْتُمْ تَكْتُمُوْنَ ﴿٧٢﴾ ج
فَقُلْنَا اضْرِبُوْهُ بِبَعْضِهَا ؕ كَذٰلِكَ يُحْىِ اللّٰهُ الْمَوْتٰى ۙ

وَيُرِيْكُمْ اٰيٰتِهٖ لَعَلَّكُمْ تَعْقِلُوْنَ ﴿٧٣﴾ ثُمَّ قَسَتْ
قُلُوْبُكُمْ مِّنْۢ بَعْدِ ذٰلِكَ فَهِيَ كَالْحِجَارَةِ اَوْ اَشَدُّ
قَسْوَةً ؕ وَاِنَّ مِنَ الْحِجَارَةِ لَمَا يَتَفَجَّرُ مِنْهُ الْاَنْهٰرُ ؕ
وَاِنَّ مِنْهَا لَمَا يَشَّقَّقُ فَيَخْرُجُ مِنْهُ الْمَآءُ ؕ وَاِنَّ مِنْهَا
لَمَا يَهْبِطُ مِنْ خَشْيَةِ اللّٰهِ ؕ وَمَا اللّٰهُ بِغَافِلٍ عَمَّا
تَعْمَلُوْنَ ﴿٧٤﴾ اَفَتَطْمَعُوْنَ اَنْ يُّؤْمِنُوْا لَكُمْ وَقَدْ
كَانَ فَرِيْقٌ مِّنْهُمْ يَسْمَعُوْنَ كَلٰمَ اللّٰهِ ثُمَّ يُحَرِّفُوْنَهٗ
مِنْۢ بَعْدِ مَا عَقَلُوْهُ وَهُمْ يَعْلَمُوْنَ ﴿٧٥﴾ وَاِذَا لَقُوا
الَّذِيْنَ اٰمَنُوْا قَالُوْٓا اٰمَنَّا ۖۚ وَاِذَا خَلَا بَعْضُهُمْ اِلٰى بَعْضٍ
قَالُوْٓا اَتُحَدِّثُوْنَهُمْ بِمَا فَتَحَ اللّٰهُ عَلَيْكُمْ لِيُحَآجُّوْكُمْ
بِهٖ عِنْدَ رَبِّكُمْ ؕ اَفَلَا تَعْقِلُوْنَ ﴿٧٦﴾ اَوَلَا يَعْلَمُوْنَ
اَنَّ اللّٰهَ يَعْلَمُ مَا يُسِرُّوْنَ وَمَا يُعْلِنُوْنَ ﴿٧٧﴾ وَمِنْهُمْ
اُمِّيُّوْنَ لَا يَعْلَمُوْنَ الْكِتٰبَ اِلَّآ اَمَانِيَّ وَاِنْ هُمْ اِلَّا

منزل ١

النصف

يَظُنُّوْنَ ﴿٧٨﴾ فَوَيْلٌ لِّلَّذِيْنَ يَكْتُبُوْنَ الْكِتٰبَ بِاَيْدِيْهِمْ ۗ
ثُمَّ يَقُوْلُوْنَ هٰذَا مِنْ عِنْدِ اللّٰهِ لِيَشْتَرُوْا بِهٖ ثَمَنًا قَلِيْلًا ؕ
فَوَيْلٌ لَّهُمْ مِّمَّا كَتَبَتْ اَيْدِيْهِمْ وَوَيْلٌ لَّهُمْ مِّمَّا
يَكْسِبُوْنَ ﴿٧٩﴾ وَقَالُوْا لَنْ تَمَسَّنَا النَّارُ اِلَّاۤ اَيَّامًا مَّعْدُوْدَةً ؕ
قُلْ اَتَّخَذْتُمْ عِنْدَ اللّٰهِ عَهْدًا فَلَنْ يُّخْلِفَ اللّٰهُ عَهْدَهٗۤ
اَمْ تَقُوْلُوْنَ عَلَى اللّٰهِ مَا لَا تَعْلَمُوْنَ ﴿٨٠﴾ بَلٰى مَنْ كَسَبَ
سَيِّئَةً وَّاَحَاطَتْ بِهٖ خَطِيْٓـــَٔتُهٗ فَاُولٰٓئِكَ اَصْحٰبُ النَّارِ ۚ
هُمْ فِيْهَا خٰلِدُوْنَ ﴿٨١﴾ وَالَّذِيْنَ اٰمَنُوْا وَعَمِلُوا الصّٰلِحٰتِ
اُولٰٓئِكَ اَصْحٰبُ الْجَنَّةِ ۚ هُمْ فِيْهَا خٰلِدُوْنَ ﴿٨٢﴾ ع وَاِذْ
اَخَذْنَا مِيْثَاقَ بَنِيْٓ اِسْرَآءِيْلَ لَا تَعْبُدُوْنَ اِلَّا اللّٰهَ قف وَ
بِالْوَالِدَيْنِ اِحْسَانًا وَّذِي الْقُرْبٰى وَالْيَتٰمٰى وَالْمَسٰكِيْنِ
وَقُوْلُوْا لِلنَّاسِ حُسْنًا وَّاَقِيْمُوا الصَّلٰوةَ وَاٰتُوا الزَّكٰوةَ ؕ
ثُمَّ تَوَلَّيْتُمْ اِلَّا قَلِيْلًا مِّنْكُمْ وَاَنْتُمْ مُّعْرِضُوْنَ ﴿٨٣﴾

منزل ١

ع ١١ ٩

Ikhfa إخفا | Ikhfa Meem Saakin إخفاميم ساكن | Qalqala قلقله | Qalb قلب | Idghaam إدغام | Idghaam Meem Saakin إدغام ميم ساكن | Ghunna غُنّه

وَاِذْ اَخَذْنَا مِيْثَاقَكُمْ لَا تَسْفِكُوْنَ دِمَآءَكُمْ وَلَا تُخْرِجُوْنَ
اَنْفُسَكُمْ مِّنْ دِيَارِكُمْ ثُمَّ اَقْرَرْتُمْ وَاَنْتُمْ تَشْهَدُوْنَ ﴿٨٤﴾
ثُمَّ اَنْتُمْ هٰٓؤُلَآءِ تَقْتُلُوْنَ اَنْفُسَكُمْ وَتُخْرِجُوْنَ فَرِيْقًا
مِّنْكُمْ مِّنْ دِيَارِهِمْ ز تَظٰهَرُوْنَ عَلَيْهِمْ بِالْاِثْمِ
وَالْعُدْوَانِ ط وَاِنْ يَّاْتُوْكُمْ اُسٰرٰى تُفٰدُوْهُمْ وَهُوَ
مُحَرَّمٌ عَلَيْكُمْ اِخْرَاجُهُمْ ط اَفَتُؤْمِنُوْنَ بِبَعْضِ الْكِتٰبِ
منزل ١ وَتَكْفُرُوْنَ بِبَعْضٍ ج فَمَا جَزَآءُ مَنْ يَّفْعَلُ ذٰلِكَ
مِنْكُمْ اِلَّا خِزْيٌ فِى الْحَيٰوةِ الدُّنْيَا ج وَيَوْمَ الْقِيٰمَةِ
يُرَدُّوْنَ اِلٰٓى اَشَدِّ الْعَذَابِ ط وَمَا اللّٰهُ بِغَافِلٍ
عَمَّا تَعْمَلُوْنَ ﴿٨٥﴾ اُولٰٓئِكَ الَّذِيْنَ اشْتَرَوُا الْحَيٰوةَ
الدُّنْيَا بِالْاٰخِرَةِ ز فَلَا يُخَفَّفُ عَنْهُمُ الْعَذَابُ
وَلَا هُمْ يُنْصَرُوْنَ ﴿٨٦﴾ ع وَلَقَدْ اٰتَيْنَا مُوْسَى الْكِتٰبَ ع ١٠
وَقَفَّيْنَا مِنْۢ بَعْدِهٖ بِالرُّسُلِ ز وَاٰتَيْنَا عِيْسَى ابْنَ

مَرْيَمَ الْبَيِّنٰتِ وَاَيَّدْنٰهُ بِرُوْحِ الْقُدُسِؕ اَفَكُلَّمَا
جَآءَكُمْ رَسُوْلٌۢ بِمَا لَا تَهْوٰۤى اَنْفُسُكُمُ اسْتَكْبَرْتُمْۚ
فَفَرِيْقًا كَذَّبْتُمْ٘ وَفَرِيْقًا تَقْتُلُوْنَ ﴿۸۷﴾ وَقَالُوْا
قُلُوْبُنَا غُلْفٌؕ بَلْ لَّعَنَهُمُ اللّٰهُ بِكُفْرِهِمْ فَقَلِيْلًا
مَّا يُؤْمِنُوْنَ ﴿۸۸﴾ وَلَمَّا جَآءَهُمْ كِتٰبٌ مِّنْ عِنْدِ اللّٰهِ
مُصَدِّقٌ لِّمَا مَعَهُمْۙ وَكَانُوْا مِنْ قَبْلُ يَسْتَفْتِحُوْنَ عَلَى
الَّذِيْنَ كَفَرُوْاۚۖ فَلَمَّا جَآءَهُمْ مَّا عَرَفُوْا كَفَرُوْا بِهٖ٘
فَلَعْنَةُ اللّٰهِ عَلَى الْكٰفِرِيْنَ ﴿۸۹﴾ بِئْسَمَا اشْتَرَوْا بِهٖۤ
اَنْفُسَهُمْ اَنْ يَّكْفُرُوْا بِمَاۤ اَنْزَلَ اللّٰهُ بَغْيًا اَنْ يُّنَزِّلَ
اللّٰهُ مِنْ فَضْلِهٖ عَلٰى مَنْ يَّشَآءُ مِنْ عِبَادِهٖۚ فَبَآءُوْ
بِغَضَبٍ عَلٰى غَضَبٍؕ وَلِلْكٰفِرِيْنَ عَذَابٌ مُّهِيْنٌ ﴿۹۰﴾ وَ
اِذَا قِيْلَ لَهُمْ اٰمِنُوْا بِمَاۤ اَنْزَلَ اللّٰهُ قَالُوْا نُؤْمِنُ بِمَاۤ
اُنْزِلَ عَلَيْنَا وَيَكْفُرُوْنَ بِمَا وَرَآءَهٗۗ وَهُوَ الْحَقُّ

Ikhfa إخفا | Ikhfa Meem Saakin إخفاميم ساكن | Qalqala قلقله | Qalb قلب | Idghaam إدغام | Idghaam Meem Saakin إدغام ميم ساكن | Ghunna غُنّہ

مُصَدِّقًا لِّمَا مَعَهُمْ ۗ قُلْ فَلِمَ تَقْتُلُوْنَ اَنْۢبِيَآءَ اللّٰهِ

مِنْ قَبْلُ اِنْ كُنْتُمْ مُّؤْمِنِيْنَ ﴿٩١﴾ وَلَقَدْ جَآءَكُمْ مُّوْسٰى

بِالْبَيِّنٰتِ ثُمَّ اتَّخَذْتُمُ الْعِجْلَ مِنْۢ بَعْدِهٖ وَاَنْتُمْ

ظٰلِمُوْنَ ﴿٩٢﴾ وَاِذْ اَخَذْنَا مِيْثَاقَكُمْ وَرَفَعْنَا فَوْقَكُمُ

الطُّوْرَ ۗ خُذُوْا مَآ اٰتَيْنٰكُمْ بِقُوَّةٍ وَّاسْمَعُوْا ۗ قَالُوْا

سَمِعْنَا وَعَصَيْنَا ق وَاُشْرِبُوْا فِيْ قُلُوْبِهِمُ الْعِجْلَ بِكُفْرِهِمْ ۗ

قُلْ بِئْسَمَا يَاْمُرُكُمْ بِهٖۤ اِيْمَانُكُمْ اِنْ كُنْتُمْ مُّؤْمِنِيْنَ ﴿٩٣﴾

قُلْ اِنْ كَانَتْ لَكُمُ الدَّارُ الْاٰخِرَةُ عِنْدَ اللّٰهِ خَالِصَةً

مِّنْ دُوْنِ النَّاسِ فَتَمَنَّوُا الْمَوْتَ اِنْ كُنْتُمْ صٰدِقِيْنَ ﴿٩٤﴾

وَلَنْ يَّتَمَنَّوْهُ اَبَدًاۢ بِمَا قَدَّمَتْ اَيْدِيْهِمْ ۗ وَاللّٰهُ عَلِيْمٌۢ

بِالظّٰلِمِيْنَ ﴿٩٥﴾ وَلَتَجِدَنَّهُمْ اَحْرَصَ النَّاسِ عَلٰى

حَيٰوةٍ ۚ وَمِنَ الَّذِيْنَ اَشْرَكُوْا ۚ يَوَدُّ اَحَدُهُمْ لَوْ يُعَمَّرُ

اَلْفَ سَنَةٍ ۚ وَمَا هُوَ بِمُزَحْزِحِهٖ مِنَ الْعَذَابِ اَنْ

منزل ١

معانقة ٢ عند المتاخرين ١٢

يُعَمَّرَ ۗ وَاللّٰهُ بَصِيْرٌۢ بِمَا يَعْمَلُوْنَ ﴿٩٦﴾ قُلْ مَنْ كَانَ ع ١٠
عَدُوًّا لِّجِبْرِيْلَ فَاِنَّهٗ نَزَّلَهٗ عَلٰى قَلْبِكَ بِاِذْنِ اللّٰهِ
مُصَدِّقًا لِّمَا بَيْنَ يَدَيْهِ وَهُدًى وَّبُشْرٰى لِلْمُؤْمِنِيْنَ ﴿٩٧﴾
مَنْ كَانَ عَدُوًّا لِّلّٰهِ وَمَلٰٓئِكَتِهٖ وَرُسُلِهٖ وَجِبْرِيْلَ
وَمِيْكٰلَ فَاِنَّ اللّٰهَ عَدُوٌّ لِّلْكٰفِرِيْنَ ﴿٩٨﴾ وَلَقَدْ
اَنْزَلْنَآ اِلَيْكَ اٰيٰتٍۢ بَيِّنٰتٍ ۚ وَمَا يَكْفُرُ بِهَآ اِلَّا
الْفٰسِقُوْنَ ﴿٩٩﴾ اَوَكُلَّمَا عٰهَدُوْا عَهْدًا نَّبَذَهٗ فَرِيْقٌ
مِّنْهُمْ ۗ بَلْ اَكْثَرُهُمْ لَا يُؤْمِنُوْنَ ﴿١٠٠﴾ وَلَمَّا جَآءَهُمْ
رَسُوْلٌ مِّنْ عِنْدِ اللّٰهِ مُصَدِّقٌ لِّمَا مَعَهُمْ نَبَذَ
فَرِيْقٌ مِّنَ الَّذِيْنَ اُوْتُوا الْكِتٰبَ ۙ كِتٰبَ اللّٰهِ وَرَآءَ
ظُهُوْرِهِمْ كَاَنَّهُمْ لَا يَعْلَمُوْنَ ﴿١٠١﴾ ز وَاتَّبَعُوْا مَا تَتْلُوا
الشَّيٰطِيْنُ عَلٰى مُلْكِ سُلَيْمٰنَ ۚ وَمَا كَفَرَ سُلَيْمٰنُ
وَلٰكِنَّ الشَّيٰطِيْنَ كَفَرُوْا يُعَلِّمُوْنَ النَّاسَ السِّحْرَ ۗ وَمَآ

منزل ١

أُنْزِلَ عَلَى الْمَلَكَيْنِ بِبَابِلَ هَارُوْتَ وَمَارُوْتَ ؕ
وَمَا يُعَلِّمٰنِ مِنْ اَحَدٍ حَتّٰى يَقُوْلَآ اِنَّمَا نَحْنُ فِتْنَةٌ
فَلَا تَكْفُرْ ؕ فَيَتَعَلَّمُوْنَ مِنْهُمَا مَا يُفَرِّقُوْنَ بِهٖ بَيْنَ
الْمَرْءِ وَزَوْجِهٖ ؕ وَمَا هُمْ بِضَآرِّيْنَ بِهٖ مِنْ اَحَدٍ اِلَّا
بِاِذْنِ اللّٰهِ ؕ وَيَتَعَلَّمُوْنَ مَا يَضُرُّهُمْ وَلَا يَنْفَعُهُمْ ؕ
وَلَقَدْ عَلِمُوْا لَمَنِ اشْتَرٰىهُ مَا لَهٗ فِى الْاٰخِرَةِ مِنْ
خَلَاقٍ ۛ قف وَلَبِئْسَ مَا شَرَوْا بِهٖۤ اَنْفُسَهُمْ ؕ لَوْ كَانُوْا منزل ١
يَعْلَمُوْنَ ﴿١٠٢﴾ وَلَوْ اَنَّهُمْ اٰمَنُوْا وَاتَّقَوْا لَمَثُوْبَةٌ مِّنْ
ع ١٢ ٧ ١٢ عِنْدِ اللّٰهِ خَيْرٌ ؕ لَوْ كَانُوْا يَعْلَمُوْنَ ﴿١٠٣﴾ ع يٰۤاَيُّهَا الَّذِيْنَ
اٰمَنُوْا لَا تَقُوْلُوْا رَاعِنَا وَقُوْلُوا انْظُرْنَا وَاسْمَعُوْا ؕ
وَلِلْكٰفِرِيْنَ عَذَابٌ اَلِيْمٌ ﴿١٠٤﴾ مَا يَوَدُّ الَّذِيْنَ
كَفَرُوْا مِنْ اَهْلِ الْكِتٰبِ وَلَا الْمُشْرِكِيْنَ اَنْ يُّنَزَّلَ
عَلَيْكُمْ مِّنْ خَيْرٍ مِّنْ رَّبِّكُمْ ؕ وَاللّٰهُ يَخْتَصُّ بِرَحْمَتِهٖ

Ghunna غُنّه | Idghaam Meem Saakin ادغام میم ساکن | Idghaam ادغام | Qalb قلب | Qalqala قلقلہ | Ikhfa Meem Saakin اخفامیم ساکن | Ikhfa اِخفا

مَنْ يَّشَآءُ ؕ وَاللّٰهُ ذُو الْفَضْلِ الْعَظِيْمِ ﴿١٠٥﴾ مَا نَنْسَخْ مِنْ
اٰيَةٍ اَوْ نُنْسِهَا نَاْتِ بِخَيْرٍ مِّنْهَآ اَوْ مِثْلِهَا ؕ اَلَمْ تَعْلَمْ
اَنَّ اللّٰهَ عَلٰى كُلِّ شَىْءٍ قَدِيْرٌ ﴿١٠٦﴾ اَلَمْ تَعْلَمْ اَنَّ
اللّٰهَ لَهٗ مُلْكُ السَّمٰوٰتِ وَالْاَرْضِ ؕ وَمَا لَكُمْ مِّنْ
دُوْنِ اللّٰهِ مِنْ وَّلِىٍّ وَّلَا نَصِيْرٍ ﴿١٠٧﴾ اَمْ تُرِيْدُوْنَ اَنْ
تَسْـَٔلُوْا رَسُوْلَكُمْ كَمَا سُئِلَ مُوْسٰى مِنْ قَبْلُ ؕ وَمَنْ
يَّتَبَدَّلِ الْكُفْرَ بِالْاِيْمَانِ فَقَدْ ضَلَّ سَوَآءَ السَّبِيْلِ ﴿١٠٨﴾
وَدَّ كَثِيْرٌ مِّنْ اَهْلِ الْكِتٰبِ لَوْ يَرُدُّوْنَكُمْ مِّنْۢ بَعْدِ اِيْمَانِكُمْ
كُفَّارًا ۚۖ حَسَدًا مِّنْ عِنْدِ اَنْفُسِهِمْ مِّنْۢ بَعْدِ مَا
تَبَيَّنَ لَهُمُ الْحَقُّ ۚ فَاعْفُوْا وَاصْفَحُوْا حَتّٰى يَاْتِىَ اللّٰهُ
بِاَمْرِهٖ ؕ اِنَّ اللّٰهَ عَلٰى كُلِّ شَىْءٍ قَدِيْرٌ ﴿١٠٩﴾ وَاَقِيْمُوا الصَّلٰوةَ
وَاٰتُوا الزَّكٰوةَ ؕ وَمَا تُقَدِّمُوْا لِاَنْفُسِكُمْ مِّنْ خَيْرٍ تَجِدُوْهُ
عِنْدَ اللّٰهِ ؕ اِنَّ اللّٰهَ بِمَا تَعْمَلُوْنَ بَصِيْرٌ ﴿١١٠﴾ وَقَالُوْا

منزل ١

الثلثة

لَنْ يَّدْخُلَ الْجَنَّةَ اِلَّا مَنْ كَانَ هُوْدًا اَوْ نَصٰرٰى ؕ
تِلْكَ اَمَانِيُّهُمْ ؕ قُلْ هَاتُوْا بُرْهَانَكُمْ اِنْ كُنْتُمْ
صٰدِقِيْنَ ﴿١١١﴾ بَلٰى ۚ مَنْ اَسْلَمَ وَجْهَهٗ لِلّٰهِ وَهُوَ
مُحْسِنٌ فَلَهٗۤ اَجْرُهٗ عِنْدَ رَبِّهٖ ۖ وَلَا خَوْفٌ عَلَيْهِمْ وَلَا
ع ١٣ ٩ ١٢ هُمْ يَحْزَنُوْنَ ﴿١١٢﴾ ع وَقَالَتِ الْيَهُوْدُ لَيْسَتِ النَّصٰرٰى عَلٰى
شَیْءٍ ۖ وَّقَالَتِ النَّصٰرٰى لَيْسَتِ الْيَهُوْدُ عَلٰى شَیْءٍ ۙ
وَّهُمْ يَتْلُوْنَ الْكِتٰبَ ؕ كَذٰلِكَ قَالَ الَّذِيْنَ لَا يَعْلَمُوْنَ منزل ١
مِثْلَ قَوْلِهِمْ ۚ فَاللّٰهُ يَحْكُمُ بَيْنَهُمْ يَوْمَ الْقِيٰمَةِ فِيْمَا
كَانُوْا فِيْهِ يَخْتَلِفُوْنَ ﴿١١٣﴾ وَمَنْ اَظْلَمُ مِمَّنْ مَّنَعَ مَسٰجِدَ
اللّٰهِ اَنْ يُّذْكَرَ فِيْهَا اسْمُهٗ وَسَعٰى فِيْ خَرَابِهَا ؕ اُولٰٓئِكَ
مَا كَانَ لَهُمْ اَنْ يَّدْخُلُوْهَاۤ اِلَّا خَآئِفِيْنَ ؕ۬ لَهُمْ فِى
الدُّنْيَا خِزْیٌ وَّلَهُمْ فِى الْاٰخِرَةِ عَذَابٌ عَظِيْمٌ ﴿١١٤﴾
وَلِلّٰهِ الْمَشْرِقُ وَالْمَغْرِبُ ۚ فَاَيْنَمَا تُوَلُّوْا فَثَمَّ وَجْهُ

Ikhfa إخفا | Ikhfa Meem Saakin إخفاميم ساكن | Qalqala قلقله | Qalb قلب | Idghaam إدغام | Idghaam Meem Saakin إدغام ميم ساكن | Ghunna غنّہ

اللّٰهِ ط اِنَّ اللّٰهَ وَاسِعٌ عَلِيْمٌ ﴿١١٥﴾ وَقَالُوا اتَّخَذَ
اللّٰهُ وَلَدًا لا سُبْحٰنَهٗ ط بَلْ لَّهٗ مَا فِي السَّمٰوٰتِ وَ
الْاَرْضِ ط كُلٌّ لَّهٗ قٰنِتُوْنَ ﴿١١٦﴾ بَدِيْعُ السَّمٰوٰتِ وَ
الْاَرْضِ ط وَاِذَا قَضٰٓى اَمْرًا فَاِنَّمَا يَقُوْلُ لَهٗ كُنْ
فَيَكُوْنُ ﴿١١٧﴾ وَقَالَ الَّذِيْنَ لَا يَعْلَمُوْنَ لَوْلَا يُكَلِّمُنَا
اللّٰهُ اَوْ تَاْتِيْنَآ اٰيَةٌ ط كَذٰلِكَ قَالَ الَّذِيْنَ مِنْ قَبْلِهِمْ
مِّثْلَ قَوْلِهِمْ ط تَشَابَهَتْ قُلُوْبُهُمْ ط قَدْ بَيَّنَّا الْاٰيٰتِ
لِقَوْمٍ يُّوْقِنُوْنَ ﴿١١٨﴾ اِنَّآ اَرْسَلْنٰكَ بِالْحَقِّ بَشِيْرًا
وَّنَذِيْرًا لا وَّلَا تُسْئَلُ عَنْ اَصْحٰبِ الْجَحِيْمِ ﴿١١٩﴾ وَلَنْ
تَرْضٰى عَنْكَ الْيَهُوْدُ وَلَا النَّصٰرٰى حَتّٰى تَتَّبِعَ
مِلَّتَهُمْ ط قُلْ اِنَّ هُدَى اللّٰهِ هُوَ الْهُدٰى ط وَلَئِنِ
اتَّبَعْتَ اَهْوَآءَهُمْ بَعْدَ الَّذِيْ جَآءَكَ مِنَ الْعِلْمِ لا
مَا لَكَ مِنَ اللّٰهِ مِنْ وَّلِيٍّ وَّلَا نَصِيْرٍ ﴿١٢٠﴾ اَلَّذِيْنَ

منزل ١

وقف منزل

اٰتَيْنٰهُمُ الْكِتٰبَ يَتْلُوْنَهٗ حَقَّ تِلَاوَتِهٖ ؕ اُولٰٓئِكَ
يُؤْمِنُوْنَ بِهٖ ؕ وَمَنْ يَّكْفُرْ بِهٖ فَاُولٰٓئِكَ هُمُ
الْخٰسِرُوْنَ ﴿۱۲۱﴾ يٰبَنِيْٓ اِسْرَآءِيْلَ اذْكُرُوْا نِعْمَتِيَ ع ١٤ ٩ ١٤
الَّتِيْٓ اَنْعَمْتُ عَلَيْكُمْ وَاَنِّيْ فَضَّلْتُكُمْ عَلَى الْعٰلَمِيْنَ ﴿۱۲۲﴾
وَاتَّقُوْا يَوْمًا لَّا تَجْزِيْ نَفْسٌ عَنْ نَّفْسٍ شَيْـًٔا وَّلَا
يُقْبَلُ مِنْهَا عَدْلٌ وَّلَا تَنْفَعُهَا شَفَاعَةٌ وَّلَا هُمْ
يُنْصَرُوْنَ ﴿۱۲۳﴾ وَاِذِ ابْتَلٰٓى اِبْرٰهٖمَ رَبُّهٗ بِكَلِمٰتٍ فَاَتَمَّهُنَّ ؕ منزل ١
قَالَ اِنِّيْ جَاعِلُكَ لِلنَّاسِ اِمَامًا ؕ قَالَ وَمِنْ ذُرِّيَّتِيْ ؕ
قَالَ لَا يَنَالُ عَهْدِي الظّٰلِمِيْنَ ﴿۱۲۴﴾ وَاِذْ جَعَلْنَا
الْبَيْتَ مَثَابَةً لِّلنَّاسِ وَاَمْنًا ؕ وَاتَّخِذُوْا مِنْ
مَّقَامِ اِبْرٰهٖمَ مُصَلًّى ؕ وَعَهِدْنَآ اِلٰٓى اِبْرٰهٖمَ وَ
اِسْمٰعِيْلَ اَنْ طَهِّرَا بَيْتِيَ لِلطَّآئِفِيْنَ وَالْعٰكِفِيْنَ
وَالرُّكَّعِ السُّجُوْدِ ﴿۱۲۵﴾ وَاِذْ قَالَ اِبْرٰهٖمُ رَبِّ اجْعَلْ

Ikhfa اِخفا | Ikhfa Meem Saakin اِخفامیم ساکن | Qalqala قلقلہ | Qalb قلب | Idghaam اِدغام | Idghaam Meem Saakin اِدغام میم ساکن | Ghunna غُنّہ

هٰذَا بَلَدًا اٰمِنًا وَّارْزُقْ اَهْلَهٗ مِنَ الثَّمَرٰتِ مَنْ
اٰمَنَ مِنْهُمْ بِاللّٰهِ وَالْيَوْمِ الْاٰخِرِؕ قَالَ وَمَنْ كَفَرَ
فَاُمَتِّعُهٗ قَلِيْلًا ثُمَّ اَضْطَرُّهٗۤ اِلٰى عَذَابِ النَّارِؕ وَ
بِئْسَ الْمَصِيْرُ ﴿١٢٦﴾ وَاِذْ يَرْفَعُ اِبْرٰهٖمُ الْقَوَاعِدَ
مِنَ الْبَيْتِ وَاِسْمٰعِيْلُؕ رَبَّنَا تَقَبَّلْ مِنَّاؕ اِنَّكَ
اَنْتَ السَّمِيْعُ الْعَلِيْمُ ﴿١٢٧﴾ رَبَّنَا وَاجْعَلْنَا مُسْلِمَيْنِ
لَكَ وَمِنْ ذُرِّيَّتِنَآ اُمَّةً مُّسْلِمَةً لَّكَ۪ وَاَرِنَا
مَنَاسِكَنَا وَتُبْ عَلَيْنَاۚ اِنَّكَ اَنْتَ التَّوَّابُ الرَّحِيْمُ ﴿١٢٨﴾
رَبَّنَا وَابْعَثْ فِيْهِمْ رَسُوْلًا مِّنْهُمْ يَتْلُوْا عَلَيْهِمْ اٰيٰتِكَ
وَيُعَلِّمُهُمُ الْكِتٰبَ وَالْحِكْمَةَ وَيُزَكِّيْهِمْؕ اِنَّكَ اَنْتَ
الْعَزِيْزُ الْحَكِيْمُ ﴿١٢٩﴾ ع وَمَنْ يَّرْغَبُ عَنْ مِّلَّةِ اِبْرٰهٖمَ ع ١٥ ٨ ١٥
اِلَّا مَنْ سَفِهَ نَفْسَهٗؕ وَلَقَدِ اصْطَفَيْنٰهُ فِى الدُّنْيَاۚ
وَاِنَّهٗ فِى الْاٰخِرَةِ لَمِنَ الصّٰلِحِيْنَ ﴿١٣٠﴾ اِذْ قَالَ لَهٗ

منزل ١

رَبُّهٗٓ اَسْلِمْ ۙ قَالَ اَسْلَمْتُ لِرَبِّ الْعٰلَمِیْنَ ﴿١٣١﴾ وَوَصّٰی
بِهَآ اِبْرٰهٖمُ بَنِیْهِ وَیَعْقُوْبُ ؕ یٰبَنِیَّ اِنَّ اللّٰهَ اصْطَفٰی
لَكُمُ الدِّیْنَ فَلَا تَمُوْتُنَّ اِلَّا وَ اَنْتُمْ مُّسْلِمُوْنَ ﴿١٣٢﴾ ؕ اَمْ
كُنْتُمْ شُهَدَآءَ اِذْ حَضَرَ یَعْقُوْبَ الْمَوْتُ ۙ اِذْ قَالَ
لِبَنِیْهِ مَا تَعْبُدُوْنَ مِنْۢ بَعْدِیْ ؕ قَالُوْا نَعْبُدُ اِلٰهَكَ
وَاِلٰهَ اٰبَآئِكَ اِبْرٰهٖمَ وَاِسْمٰعِیْلَ وَاِسْحٰقَ اِلٰهًا وَّاحِدًا ۚۖ
وَّنَحْنُ لَهٗ مُسْلِمُوْنَ ﴿١٣٣﴾ تِلْكَ اُمَّةٌ قَدْ خَلَتْ ۚ لَهَا مَا
كَسَبَتْ وَلَكُمْ مَّا كَسَبْتُمْ ۚ وَلَا تُسْئَلُوْنَ عَمَّا كَانُوْا
یَعْمَلُوْنَ ﴿١٣٤﴾ وَقَالُوْا كُوْنُوْا هُوْدًا اَوْ نَصٰرٰی تَهْتَدُوْا ؕ
قُلْ بَلْ مِلَّةَ اِبْرٰهٖمَ حَنِیْفًا ؕ وَمَا كَانَ مِنَ
الْمُشْرِكِیْنَ ﴿١٣٥﴾ قُوْلُوْٓا اٰمَنَّا بِاللّٰهِ وَمَآ اُنْزِلَ اِلَیْنَا وَمَآ
اُنْزِلَ اِلٰٓی اِبْرٰهٖمَ وَاِسْمٰعِیْلَ وَاِسْحٰقَ وَیَعْقُوْبَ
وَ الْاَسْبَاطِ وَمَآ اُوْتِیَ مُوْسٰی وَعِیْسٰی وَمَآ اُوْتِیَ

منزل ١

Ikhfa إخفا | Ikhfa Meem Saakin إخفاميم ساكن | Qalqala قلقله | Qalb قلب | Idghaam إدغام | Idghaam Meem Saakin إدغام ميم ساكن | Ghunna غُنّه

النَّبِيُّوْنَ مِنْ رَّبِّهِمْ ۚ لَا نُفَرِّقُ بَيْنَ اَحَدٍ مِّنْهُمْ ۖ
وَنَحْنُ لَهٗ مُسْلِمُوْنَ ﴿١٣٦﴾ فَاِنْ اٰمَنُوْا بِمِثْلِ مَآ اٰمَنْتُمْ بِهٖ
فَقَدِ اهْتَدَوْا ۚ وَاِنْ تَوَلَّوْا فَاِنَّمَا هُمْ فِيْ شِقَاقٍ ۚ
فَسَيَكْفِيْكَهُمُ اللّٰهُ ۚ وَهُوَ السَّمِيْعُ الْعَلِيْمُ ۗ ﴿١٣٧﴾ صِبْغَةَ
اللّٰهِ ۚ وَمَنْ اَحْسَنُ مِنَ اللّٰهِ صِبْغَةً ۫ وَّنَحْنُ لَهٗ
عٰبِدُوْنَ ﴿١٣٨﴾ قُلْ اَتُحَآجُّوْنَنَا فِي اللّٰهِ وَهُوَ رَبُّنَا وَ
رَبُّكُمْ ۚ وَلَنَآ اَعْمَالُنَا وَلَكُمْ اَعْمَالُكُمْ ۚ وَنَحْنُ لَهٗ منزل ١
مُخْلِصُوْنَ ﴿١٣٩﴾ لا اَمْ تَقُوْلُوْنَ اِنَّ اِبْرٰهٖمَ وَاِسْمٰعِيْلَ
وَاِسْحٰقَ وَيَعْقُوْبَ وَالْاَسْبَاطَ كَانُوْا هُوْدًا اَوْ
نَصٰرٰى ۗ قُلْ ءَاَنْتُمْ اَعْلَمُ اَمِ اللّٰهُ ۗ وَمَنْ اَظْلَمُ مِمَّنْ
كَتَمَ شَهَادَةً عِنْدَهٗ مِنَ اللّٰهِ ۗ وَمَا اللّٰهُ بِغَافِلٍ عَمَّا
تَعْمَلُوْنَ ﴿١٤٠﴾ تِلْكَ اُمَّةٌ قَدْ خَلَتْ ۚ لَهَا مَا كَسَبَتْ
وَلَكُمْ مَّا كَسَبْتُمْ ۚ وَلَا تُسْئَلُوْنَ عَمَّا كَانُوْا يَعْمَلُوْنَ ﴿١٤١﴾ ع ١٦ ١٤ ١٦

Ikhfa إخفا | Ikhfa Meem Saakin إخفاميم ساكن | Qalqala قلقله | Qalb قلب | Idghaam إدغام | Idghaam Meem Saakin إدغام ميم ساكن | Ghunna غُنّه

سَیَقُوْلُ السُّفَهَآءُ مِنَ النَّاسِ مَا وَلّٰىهُمْ عَنْ
قِبْلَتِهِمُ الَّتِیْ كَانُوْا عَلَیْهَا ؕ قُلْ لِّلّٰهِ الْمَشْرِقُ وَ
الْمَغْرِبُ ؕ یَهْدِیْ مَنْ یَّشَآءُ اِلٰی صِرَاطٍ مُّسْتَقِیْمٍ ﴿۱۴۲﴾
وَكَذٰلِكَ جَعَلْنٰكُمْ اُمَّةً وَّسَطًا لِّتَكُوْنُوْا شُهَدَآءَ
عَلَی النَّاسِ وَیَكُوْنَ الرَّسُوْلُ عَلَیْكُمْ شَهِیْدًا ؕ وَمَا
جَعَلْنَا الْقِبْلَةَ الَّتِیْ كُنْتَ عَلَیْهَاۤ اِلَّا لِنَعْلَمَ مَنْ
یَّتَّبِعُ الرَّسُوْلَ مِمَّنْ یَّنْقَلِبُ عَلٰی عَقِبَیْهِ ؕ وَاِنْ
كَانَتْ لَكَبِیْرَةً اِلَّا عَلَی الَّذِیْنَ هَدَی اللّٰهُ ؕ وَمَا كَانَ
اللّٰهُ لِیُضِیْعَ اِیْمَانَكُمْ ؕ اِنَّ اللّٰهَ بِالنَّاسِ لَرَءُوْفٌ رَّحِیْمٌ ﴿۱۴۳﴾
قَدْ نَرٰی تَقَلُّبَ وَجْهِكَ فِی السَّمَآءِ ۚ فَلَنُوَلِّیَنَّكَ
قِبْلَةً تَرْضٰىهَا ۪ فَوَلِّ وَجْهَكَ شَطْرَ الْمَسْجِدِ الْحَرَامِ ؕ
وَحَیْثُ مَا كُنْتُمْ فَوَلُّوْا وُجُوْهَكُمْ شَطْرَهٗ ؕ وَاِنَّ
الَّذِیْنَ اُوْتُوا الْكِتٰبَ لَیَعْلَمُوْنَ اَنَّهُ الْحَقُّ مِنْ

رَّبِّهِمْ ۗ وَمَا اللّٰهُ بِغَافِلٍ عَمَّا يَعْمَلُوْنَ ﴿١٤٤﴾ وَلَئِنْ
اَتَيْتَ الَّذِيْنَ اُوْتُوا الْكِتٰبَ بِكُلِّ اٰيَةٍ مَّا تَبِعُوْا
قِبْلَتَكَ ۚ وَمَآ اَنْتَ بِتَابِعٍ قِبْلَتَهُمْ ۚ وَمَا بَعْضُهُمْ
بِتَابِعٍ قِبْلَةَ بَعْضٍ ۗ وَلَئِنِ اتَّبَعْتَ اَهْوَآءَهُمْ مِّنْ
بَعْدِ مَا جَآءَكَ مِنَ الْعِلْمِ ۙ اِنَّكَ اِذًا لَّمِنَ الظّٰلِمِيْنَ ﴿١٤٥﴾ وقف لازم
اَلَّذِيْنَ اٰتَيْنٰهُمُ الْكِتٰبَ يَعْرِفُوْنَهٗ كَمَا يَعْرِفُوْنَ اَبْنَآءَهُمْ ۗ
وَاِنَّ فَرِيْقًا مِّنْهُمْ لَيَكْتُمُوْنَ الْحَقَّ وَهُمْ يَعْلَمُوْنَ ﴿١٤٦﴾ وقف منزل ١٢
اَلْحَقُّ مِنْ رَّبِّكَ فَلَا تَكُوْنَنَّ مِنَ الْمُمْتَرِيْنَ ﴿١٤٧﴾ ع
وَلِكُلٍّ وِّجْهَةٌ هُوَ مُوَلِّيْهَا فَاسْتَبِقُوا الْخَيْرٰتِ ۗ
اَيْنَ مَا تَكُوْنُوْا يَاْتِ بِكُمُ اللّٰهُ جَمِيْعًا ۗ اِنَّ اللّٰهَ عَلٰى كُلِّ
شَيْءٍ قَدِيْرٌ ﴿١٤٨﴾ وَمِنْ حَيْثُ خَرَجْتَ فَوَلِّ وَجْهَكَ
شَطْرَ الْمَسْجِدِ الْحَرَامِ ۗ وَاِنَّهٗ لَلْحَقُّ مِنْ رَّبِّكَ ۗ وَمَا
اللّٰهُ بِغَافِلٍ عَمَّا تَعْمَلُوْنَ ﴿١٤٩﴾ وَمِنْ حَيْثُ خَرَجْتَ

وقف النبي صلى الله عليه وآله وسلم ١٢

منزل ١

Ikhfa إخفا | Ikhfa Meem Saakin إخفاميم ساكن | Qalqala قلقلہ | Qalb قلب | Idghaam إدغام | Idghaam Meem Saakin إدغام ميم ساكن | Ghunna غُنّہ

فَوَلِّ وَجْهَكَ شَطْرَ الْمَسْجِدِ الْحَرَامِ ؕ وَحَيْثُ مَا
كُنْتُمْ فَوَلُّوْا وُجُوْهَكُمْ شَطْرَهٗ ؕ لِئَلَّا يَكُوْنَ لِلنَّاسِ
عَلَيْكُمْ حُجَّةٌ ۗ ۙ اِلَّا الَّذِيْنَ ظَلَمُوْا مِنْهُمْ ۗ فَلَا
تَخْشَوْهُمْ وَاخْشَوْنِيْ ۗ وَلِاُتِمَّ نِعْمَتِيْ عَلَيْكُمْ وَلَعَلَّكُمْ
تَهْتَدُوْنَ ﴿١٥٠﴾ كَمَآ اَرْسَلْنَا فِيْكُمْ رَسُوْلًا مِّنْكُمْ يَتْلُوْا
عَلَيْكُمْ اٰيٰتِنَا وَيُزَكِّيْكُمْ وَيُعَلِّمُكُمُ الْكِتٰبَ وَ
الْحِكْمَةَ وَيُعَلِّمُكُمْ مَّا لَمْ تَكُوْنُوْا تَعْلَمُوْنَ ﴿١٥١﴾
فَاذْكُرُوْنِيْٓ اَذْكُرْكُمْ وَاشْكُرُوْا لِيْ وَلَا تَكْفُرُوْنِ ﴿١٥٢﴾ ع
يٰٓاَيُّهَا الَّذِيْنَ اٰمَنُوا اسْتَعِيْنُوْا بِالصَّبْرِ وَالصَّلٰوةِ ؕ اِنَّ
اللّٰهَ مَعَ الصّٰبِرِيْنَ ﴿١٥٣﴾ وَلَا تَقُوْلُوْا لِمَنْ يُّقْتَلُ فِيْ سَبِيْلِ
اللّٰهِ اَمْوَاتٌ ؕ بَلْ اَحْيَآءٌ وَّلٰكِنْ لَّا تَشْعُرُوْنَ ﴿١٥٤﴾ وَلَنَبْلُوَنَّكُمْ
بِشَيْءٍ مِّنَ الْخَوْفِ وَالْجُوْعِ وَنَقْصٍ مِّنَ الْاَمْوَالِ وَ
الْاَنْفُسِ وَالثَّمَرٰتِ ؕ وَبَشِّرِ الصّٰبِرِيْنَ ﴿١٥٥﴾ ۙ الَّذِيْنَ اِذَآ

منزل ١

معانقة ٢ عند المتاخرين ١٢ ٢/٨٥

اَصَابَتْهُمْ مُّصِيْبَةٌ ۙ قَالُوْٓا اِنَّا لِلّٰهِ وَاِنَّآ اِلَيْهِ
رٰجِعُوْنَ ﴿١٥٦﴾ اُولٰٓئِكَ عَلَيْهِمْ صَلَوٰتٌ مِّنْ رَّبِّهِمْ وَ
رَحْمَةٌ قف وَاُولٰٓئِكَ هُمُ الْمُهْتَدُوْنَ ﴿١٥٧﴾ اِنَّ الصَّفَا وَ
الْمَرْوَةَ مِنْ شَعَآئِرِ اللّٰهِ ۚ فَمَنْ حَجَّ الْبَيْتَ اَوِ اعْتَمَرَ
فَلَا جُنَاحَ عَلَيْهِ اَنْ يَّطَّوَّفَ بِهِمَا ۗ وَمَنْ تَطَوَّعَ خَيْرًا ۙ
فَاِنَّ اللّٰهَ شَاكِرٌ عَلِيْمٌ ﴿١٥٨﴾ اِنَّ الَّذِيْنَ يَكْتُمُوْنَ مَآ
اَنْزَلْنَا مِنَ الْبَيِّنٰتِ وَالْهُدٰى مِنْۢ بَعْدِ مَا بَيَّنّٰهُ
لِلنَّاسِ فِى الْكِتٰبِ ۙ اُولٰٓئِكَ يَلْعَنُهُمُ اللّٰهُ وَيَلْعَنُهُمُ
اللّٰعِنُوْنَ ﴿١٥٩﴾ ۙ اِلَّا الَّذِيْنَ تَابُوْا وَاَصْلَحُوْا وَبَيَّنُوْا
فَاُولٰٓئِكَ اَتُوْبُ عَلَيْهِمْ ۚ وَاَنَا التَّوَّابُ الرَّحِيْمُ ﴿١٦٠﴾
اِنَّ الَّذِيْنَ كَفَرُوْا وَمَاتُوْا وَهُمْ كُفَّارٌ اُولٰٓئِكَ عَلَيْهِمْ
لَعْنَةُ اللّٰهِ وَالْمَلٰٓئِكَةِ وَالنَّاسِ اَجْمَعِيْنَ ﴿١٦١﴾ ۙ خٰلِدِيْنَ
فِيْهَا ۚ لَا يُخَفَّفُ عَنْهُمُ الْعَذَابُ وَلَا هُمْ يُنْظَرُوْنَ ﴿١٦٢﴾

منزل ۱

وَ اِلٰـهُكُمۡ اِلٰهٌ وَّاحِدٌ ۚ لَاۤ اِلٰهَ اِلَّا هُوَ الرَّحۡمٰنُ
الرَّحِيۡمُ ﴿١٦٣﴾ اِنَّ فِىۡ خَلۡقِ السَّمٰوٰتِ وَ الۡاَرۡضِ وَ ع ١٩ ١١ ٣
اخۡتِلَافِ الَّيۡلِ وَالنَّهَارِ وَالۡفُلۡكِ الَّتِىۡ تَجۡرِىۡ
فِى الۡبَحۡرِ بِمَا يَنۡفَعُ النَّاسَ وَمَاۤ اَنۡزَلَ اللّٰهُ مِنَ
السَّمَآءِ مِنۡ مَّآءٍ فَاَحۡيَا بِهِ الۡاَرۡضَ بَعۡدَ مَوۡتِهَا
وَبَثَّ فِيۡهَا مِنۡ كُلِّ دَآبَّةٍ ۖ وَّتَصۡرِيۡفِ الرِّيٰحِ وَ
السَّحَابِ الۡمُسَخَّرِ بَيۡنَ السَّمَآءِ وَ الۡاَرۡضِ لَاٰيٰتٍ منزل ١
لِّقَوۡمٍ يَّعۡقِلُوۡنَ ﴿١٦٤﴾ وَمِنَ النَّاسِ مَنۡ يَّتَّخِذُ مِنۡ
دُوۡنِ اللّٰهِ اَنۡدَادًا يُّحِبُّوۡنَهُمۡ كَحُبِّ اللّٰهِ ؕ وَالَّذِيۡنَ
اٰمَنُوۡۤا اَشَدُّ حُبًّا لِّلّٰهِ ؕ وَلَوۡ يَرَى الَّذِيۡنَ ظَلَمُوۡۤا اِذۡ يَرَوۡنَ
الۡعَذَابَ ۙ اَنَّ الۡقُوَّةَ لِلّٰهِ جَمِيۡعًا ۙ وَّاَنَّ اللّٰهَ شَدِيۡدُ
الۡعَذَابِ ﴿١٦٥﴾ اِذۡ تَبَرَّاَ الَّذِيۡنَ اتُّبِعُوۡا مِنَ الَّذِيۡنَ اتَّبَعُوۡا
وَرَاَوُا الۡعَذَابَ وَتَقَطَّعَتۡ بِهِمُ الۡاَسۡبَابُ ﴿١٦٦﴾ وَ قَالَ

Ghunna غُنّہ | Idghaam Meem Saakin اِدغام میم ساکن | Idghaam اِدغام | Qalb قلب | Qalqala قلقلہ | Ikhfa Meem Saakin اِخفامیم ساکن | Ikhfa اِخفا

الَّذِيْنَ اتَّبَعُوْا لَوْ اَنَّ لَنَا كَرَّةً فَنَتَبَرَّاَ مِنْهُمْ كَمَا
تَبَرَّءُوْا مِنَّا ؕ كَذٰلِكَ يُرِيْهِمُ اللّٰهُ اَعْمَالَهُمْ حَسَرٰتٍ
عَلَيْهِمْ ؕ وَمَا هُمْ بِخٰرِجِيْنَ مِنَ النَّارِ ﴿١٦٧﴾ يٰۤاَيُّهَا النَّاسُ ع ٢٠ ٤ ٤
كُلُوْا مِمَّا فِي الْاَرْضِ حَلٰلًا طَيِّبًا ۖ٘ وَّلَا تَتَّبِعُوْا
خُطُوٰتِ الشَّيْطٰنِ ؕ اِنَّهٗ لَكُمْ عَدُوٌّ مُّبِيْنٌ ﴿١٦٨﴾ اِنَّمَا
يَاْمُرُكُمْ بِالسُّوْٓءِ وَالْفَحْشَآءِ وَاَنْ تَقُوْلُوْا عَلَى
منزل ١ اللّٰهِ مَا لَا تَعْلَمُوْنَ ﴿١٦٩﴾ وَاِذَا قِيْلَ لَهُمُ اتَّبِعُوْا
مَآ اَنْزَلَ اللّٰهُ قَالُوْا بَلْ نَتَّبِعُ مَآ اَلْفَيْنَا عَلَيْهِ
اٰبَآءَنَا ؕ اَوَلَوْ كَانَ اٰبَآؤُهُمْ لَا يَعْقِلُوْنَ شَيْــًٔا وَّلَا
يَهْتَدُوْنَ ﴿١٧٠﴾ وَمَثَلُ الَّذِيْنَ كَفَرُوْا كَمَثَلِ
الَّذِيْ يَنْعِقُ بِمَا لَا يَسْمَعُ اِلَّا دُعَآءً وَّنِدَآءً ؕ صُمٌّۢ
بُكْمٌ عُمْيٌ فَهُمْ لَا يَعْقِلُوْنَ ﴿١٧١﴾ يٰۤاَيُّهَا الَّذِيْنَ
اٰمَنُوْا كُلُوْا مِنْ طَيِّبٰتِ مَا رَزَقْنٰكُمْ وَاشْكُرُوْا

Ikhfa إخفا | Ikhfa Meem Saakin إخفاميم ساكن | Qalqala قلقله | Qalb قلب | Idghaam إدغام | Idghaam Meem Saakin إدغام ميم ساكن | Ghunna غنّہ

لِلّٰهِ اِنۡ كُنۡتُمۡ اِيَّاهُ تَعۡبُدُوۡنَ ﴿۱۷۲﴾ اِنَّمَا حَرَّمَ عَلَيۡكُمُ
الۡمَيۡتَةَ وَالدَّمَ وَلَحۡمَ الۡخِنۡزِيۡرِ وَمَاۤ اُهِلَّ بِهٖ لِغَيۡرِ
اللّٰهِ ۚ فَمَنِ اضۡطُرَّ غَيۡرَ بَاغٍ وَّلَا عَادٍ فَلَاۤ اِثۡمَ
عَلَيۡهِ ؕ اِنَّ اللّٰهَ غَفُوۡرٌ رَّحِيۡمٌ ﴿۱۷۳﴾ اِنَّ الَّذِيۡنَ
يَكۡتُمُوۡنَ مَاۤ اَنۡزَلَ اللّٰهُ مِنَ الۡكِتٰبِ وَيَشۡتَرُوۡنَ بِهٖ
ثَمَنًا قَلِيۡلًا ۙ اُولٰٓئِكَ مَا يَاۡكُلُوۡنَ فِىۡ بُطُوۡنِهِمۡ اِلَّا
منزل ۱ النَّارَ وَلَا يُكَلِّمُهُمُ اللّٰهُ يَوۡمَ الۡقِيٰمَةِ وَلَا يُزَكِّيۡهِمۡ ۖۚ
وَلَهُمۡ عَذَابٌ اَلِيۡمٌ ﴿۱۷۴﴾ اُولٰٓئِكَ الَّذِيۡنَ اشۡتَرَوُا الضَّلٰلَةَ
بِالۡهُدٰى وَالۡعَذَابَ بِالۡمَغۡفِرَةِ ۚ فَمَاۤ اَصۡبَرَهُمۡ عَلَى
النَّارِ ﴿۱۷۵﴾ ذٰلِكَ بِاَنَّ اللّٰهَ نَزَّلَ الۡكِتٰبَ بِالۡحَقِّ ؕ وَاِنَّ
الَّذِيۡنَ اخۡتَلَفُوۡا فِى الۡكِتٰبِ لَفِىۡ شِقَاقٍۢ بَعِيۡدٍ ﴿۱۷۶﴾ ع ۲۱ ۹ ۵
لَيۡسَ الۡبِرَّ اَنۡ تُوَلُّوۡا وُجُوۡهَكُمۡ قِبَلَ الۡمَشۡرِقِ وَ
الۡمَغۡرِبِ وَلٰكِنَّ الۡبِرَّ مَنۡ اٰمَنَ بِاللّٰهِ وَالۡيَوۡمِ الۡاٰخِرِ وَ

الۡمَلٰٓئِكَةِ وَالۡكِتٰبِ وَالنَّبِيّٖنَۚ وَاٰتَى الۡمَالَ عَلٰى
حُبِّهٖ ذَوِى الۡقُرۡبٰى وَالۡيَتٰمٰى وَالۡمَسٰكِيۡنَ وَابۡنَ
السَّبِيۡلِۙ وَالسَّآئِلِيۡنَ وَفِى الرِّقَابِۚ وَاَقَامَ الصَّلٰوةَ
وَاٰتَى الزَّكٰوةَۚ وَالۡمُوۡفُوۡنَ بِعَهۡدِهِمۡ اِذَا عٰهَدُوۡاۚ
وَالصّٰبِرِيۡنَ فِى الۡبَاۡسَآءِ وَالضَّرَّآءِ وَحِيۡنَ الۡبَاۡسِؕ
اُولٰٓئِكَ الَّذِيۡنَ صَدَقُوۡاؕ وَاُولٰٓئِكَ هُمُ الۡمُتَّقُوۡنَ ۝۱۷۷
يٰۤاَيُّهَا الَّذِيۡنَ اٰمَنُوۡا كُتِبَ عَلَيۡكُمُ الۡقِصَاصُ فِى
الۡقَتۡلٰىؕ اَلۡحُرُّ بِالۡحُرِّ وَالۡعَبۡدُ بِالۡعَبۡدِ وَالۡاُنۡثٰى
بِالۡاُنۡثٰىؕ فَمَنۡ عُفِىَ لَهٗ مِنۡ اَخِيۡهِ شَىۡءٌ فَاتِّبَاعٌۢ
بِالۡمَعۡرُوۡفِ وَاَدَآءٌ اِلَيۡهِ بِاِحۡسَانٍؕ ذٰلِكَ تَخۡفِيۡفٌ
مِّنۡ رَّبِّكُمۡ وَرَحۡمَةٌؕ فَمَنِ اعۡتَدٰى بَعۡدَ ذٰلِكَ
فَلَهٗ عَذَابٌ اَلِيۡمٌ ۝۱۷۸ وَلَكُمۡ فِى الۡقِصَاصِ حَيٰوةٌ
يّٰۤاُولِى الۡاَلۡبَابِ لَعَلَّكُمۡ تَتَّقُوۡنَ ۝۱۷۹ كُتِبَ عَلَيۡكُمۡ اِذَا

منزل ۱

حَضَرَ اَحَدَكُمُ الْمَوْتُ اِنْ تَرَكَ خَيْرًا ۖۚ الْوَصِيَّةُ

لِلْوَالِدَيْنِ وَالْاَقْرَبِيْنَ بِالْمَعْرُوْفِ ۚ حَقًّا عَلَى

الْمُتَّقِيْنَ ﴿١٨٠﴾ؕ فَمَنْۢ بَدَّلَهٗ بَعْدَ مَا سَمِعَهٗ فَاِنَّمَا

اِثْمُهٗ عَلَى الَّذِيْنَ يُبَدِّلُوْنَهٗ ؕ اِنَّ اللّٰهَ سَمِيْعٌ عَلِيْمٌ ﴿١٨١﴾ؕ

فَمَنْ خَافَ مِنْ مُّوْصٍ جَنَفًا اَوْ اِثْمًا فَاَصْلَحَ

بَيْنَهُمْ فَلَاۤ اِثْمَ عَلَيْهِ ؕ اِنَّ اللّٰهَ غَفُوْرٌ رَّحِيْمٌ ﴿١٨٢﴾ ع

يٰۤاَيُّهَا الَّذِيْنَ اٰمَنُوْا كُتِبَ عَلَيْكُمُ الصِّيَامُ كَمَا

كُتِبَ عَلَى الَّذِيْنَ مِنْ قَبْلِكُمْ لَعَلَّكُمْ تَتَّقُوْنَ ﴿١٨٣﴾ۙ

اَيَّامًا مَّعْدُوْدٰتٍ ؕ فَمَنْ كَانَ مِنْكُمْ مَّرِيْضًا اَوْ

عَلٰى سَفَرٍ فَعِدَّةٌ مِّنْ اَيَّامٍ اُخَرَ ؕ وَعَلَى الَّذِيْنَ

يُطِيْقُوْنَهٗ فِدْيَةٌ طَعَامُ مِسْكِيْنٍ ؕ فَمَنْ تَطَوَّعَ خَيْرًا

فَهُوَ خَيْرٌ لَّهٗ ؕ وَاَنْ تَصُوْمُوْا خَيْرٌ لَّكُمْ اِنْ كُنْتُمْ

تَعْلَمُوْنَ ﴿١٨٤﴾ شَهْرُ رَمَضَانَ الَّذِيْۤ اُنْزِلَ فِيْهِ

ع ٢٢ ٦ ٢

منزل ١

Ikhfa إخفا | Ikhfa Meem Saakin إخفاميم ساكن | Qalqala قلقله | Qalb قلب | Idghaam إدغام | Idghaam Meem Saakin إدغام ميم ساكن | Ghunna غُنّه

الْقُرْاٰنُ هُدًى لِّلنَّاسِ وَبَيِّنٰتٍ مِّنَ الْهُدٰى وَ
الْفُرْقَانِ ۚ فَمَنْ شَهِدَ مِنْكُمُ الشَّهْرَ فَلْيَصُمْهُ ۗ وَمَنْ
كَانَ مَرِيْضًا اَوْ عَلٰى سَفَرٍ فَعِدَّةٌ مِّنْ اَيَّامٍ اُخَرَ ۗ
يُرِيْدُ اللّٰهُ بِكُمُ الْيُسْرَ وَلَا يُرِيْدُ بِكُمُ الْعُسْرَ ۫ وَلِتُكْمِلُوا
الْعِدَّةَ وَلِتُكَبِّرُوا اللّٰهَ عَلٰى مَا هَدٰىكُمْ وَلَعَلَّكُمْ
تَشْكُرُوْنَ ﴿١٨٥﴾ وَاِذَا سَاَلَكَ عِبَادِيْ عَنِّيْ فَاِنِّيْ
قَرِيْبٌ ۗ اُجِيْبُ دَعْوَةَ الدَّاعِ اِذَا دَعَانِ ۙ فَلْيَسْتَجِيْبُوْا
لِيْ وَلْيُؤْمِنُوْا بِيْ لَعَلَّهُمْ يَرْشُدُوْنَ ﴿١٨٦﴾ اُحِلَّ لَكُمْ
لَيْلَةَ الصِّيَامِ الرَّفَثُ اِلٰى نِسَآئِكُمْ ۗ هُنَّ لِبَاسٌ
لَّكُمْ وَاَنْتُمْ لِبَاسٌ لَّهُنَّ ۗ عَلِمَ اللّٰهُ اَنَّكُمْ
كُنْتُمْ تَخْتَانُوْنَ اَنْفُسَكُمْ فَتَابَ عَلَيْكُمْ وَعَفَا عَنْكُمْ ۚ
فَالْـٰٔنَ بَاشِرُوْهُنَّ وَابْتَغُوْا مَا كَتَبَ اللّٰهُ لَكُمْ ۖ وَكُلُوْا
وَاشْرَبُوْا حَتّٰى يَتَبَيَّنَ لَكُمُ الْخَيْطُ الْاَبْيَضُ مِنَ

منزل١

الْخَيْطِ الْاَسْوَدِ مِنَ الْفَجْرِ ۪ ثُمَّ اَتِمُّوا الصِّيَامَ اِلَى
الَّيْلِ ۚ وَلَا تُبَاشِرُوْهُنَّ وَاَنْتُمْ عٰكِفُوْنَ ۙ فِي
الْمَسٰجِدِ ؕ تِلْكَ حُدُوْدُ اللّٰهِ فَلَا تَقْرَبُوْهَا ؕ كَذٰلِكَ
يُبَيِّنُ اللّٰهُ اٰيٰتِهٖ لِلنَّاسِ لَعَلَّهُمْ يَتَّقُوْنَ ﴿١٨٧﴾ وَلَا
تَاْكُلُوْٓا اَمْوَالَكُمْ بَيْنَكُمْ بِالْبَاطِلِ وَتُدْلُوْا بِهَآ اِلَى
الْحُكَّامِ لِتَاْكُلُوْا فَرِيْقًا مِّنْ اَمْوَالِ النَّاسِ بِالْاِثْمِ
منزل ١ وَاَنْتُمْ تَعْلَمُوْنَ ﴿١٨٨﴾ ع يَسْـَٔلُوْنَكَ عَنِ الْاَهِلَّةِ ؕ قُلْ هِيَ ع ٢٣/٦/٧
مَوَاقِيْتُ لِلنَّاسِ وَالْحَجِّ ؕ وَلَيْسَ الْبِرُّ بِاَنْ تَاْتُوا
الْبُيُوْتَ مِنْ ظُهُوْرِهَا وَلٰكِنَّ الْبِرَّ مَنِ اتَّقٰى ۚ وَاْتُوا
الْبُيُوْتَ مِنْ اَبْوَابِهَا ۪ وَاتَّقُوا اللّٰهَ لَعَلَّكُمْ تُفْلِحُوْنَ ﴿١٨٩﴾
وَقَاتِلُوْا فِيْ سَبِيْلِ اللّٰهِ الَّذِيْنَ يُقَاتِلُوْنَكُمْ وَلَا
تَعْتَدُوْا ؕ اِنَّ اللّٰهَ لَا يُحِبُّ الْمُعْتَدِيْنَ ﴿١٩٠﴾ وَاقْتُلُوْهُمْ
حَيْثُ ثَقِفْتُمُوْهُمْ وَاَخْرِجُوْهُمْ مِّنْ حَيْثُ اَخْرَجُوْكُمْ

وَالْفِتْنَةُ اَشَدُّ مِنَ الْقَتْلِ ۚ وَلَا تُقٰتِلُوْهُمْ عِنْدَ
الْمَسْجِدِ الْحَرَامِ حَتّٰى يُقٰتِلُوْكُمْ فِيْهِ ۚ فَاِنْ قٰتَلُوْكُمْ
فَاقْتُلُوْهُمْ ؕ كَذٰلِكَ جَزَآءُ الْكٰفِرِيْنَ ﴿١٩١﴾ فَاِنِ انْتَهَوْا
فَاِنَّ اللّٰهَ غَفُوْرٌ رَّحِيْمٌ ﴿١٩٢﴾ وَقٰتِلُوْهُمْ حَتّٰى لَا تَكُوْنَ
فِتْنَةٌ وَّيَكُوْنَ الدِّيْنُ لِلّٰهِ ؕ فَاِنِ انْتَهَوْا فَلَا
عُدْوَانَ اِلَّا عَلَى الظّٰلِمِيْنَ ﴿١٩٣﴾ اَلشَّهْرُ الْحَرَامُ بِالشَّهْرِ
الْحَرَامِ وَالْحُرُمٰتُ قِصَاصٌ ؕ فَمَنِ اعْتَدٰى عَلَيْكُمْ
فَاعْتَدُوْا عَلَيْهِ بِمِثْلِ مَا اعْتَدٰى عَلَيْكُمْ ۪
وَاتَّقُوا اللّٰهَ وَاعْلَمُوْٓا اَنَّ اللّٰهَ مَعَ الْمُتَّقِيْنَ ﴿١٩٤﴾
وَاَنْفِقُوْا فِيْ سَبِيْلِ اللّٰهِ وَلَا تُلْقُوْا بِاَيْدِيْكُمْ اِلَى
التَّهْلُكَةِ ۛۚ وَاَحْسِنُوْا ۛۚ اِنَّ اللّٰهَ يُحِبُّ الْمُحْسِنِيْنَ ﴿١٩٥﴾
وَاَتِمُّوا الْحَجَّ وَالْعُمْرَةَ لِلّٰهِ ؕ فَاِنْ اُحْصِرْتُمْ فَمَا
اسْتَيْسَرَ مِنَ الْهَدْيِ ۚ وَلَا تَحْلِقُوْا رُءُوْسَكُمْ حَتّٰى

منزل ١

مع عند المتقدمين ١٢

يَبْلُغَ الْهَدْيُ مَحِلَّهٗ ۭ فَمَنْ كَانَ مِنْكُمْ مَّرِيْضًا
اَوْ بِهٖٓ اَذًى مِّنْ رَّاْسِهٖ فَفِدْيَةٌ مِّنْ صِيَامٍ اَوْ
صَدَقَةٍ اَوْ نُسُكٍ ۚ فَاِذَآ اَمِنْتُمْ ۣ فَمَنْ تَمَتَّعَ بِالْعُمْرَةِ
اِلَى الْحَجِّ فَمَا اسْتَيْسَرَ مِنَ الْهَدْيِ ۚ فَمَنْ لَّمْ
يَجِدْ فَصِيَامُ ثَلٰثَةِ اَيَّامٍ فِي الْحَجِّ وَسَبْعَةٍ اِذَا
رَجَعْتُمْ ۭ تِلْكَ عَشَرَةٌ كَامِلَةٌ ۭ ذٰلِكَ لِمَنْ لَّمْ يَكُنْ
اَهْلُهٗ حَاضِرِي الْمَسْجِدِ الْحَرَامِ ۭ وَاتَّقُوا اللّٰهَ
وَاعْلَمُوْٓا اَنَّ اللّٰهَ شَدِيْدُ الْعِقَابِ ١٩٦ اَلْحَجُّ اَشْهُرٌ
مَّعْلُوْمٰتٌ ۚ فَمَنْ فَرَضَ فِيْهِنَّ الْحَجَّ فَلَا رَفَثَ
وَلَا فُسُوْقَ ۙ وَلَا جِدَالَ فِي الْحَجِّ ۭ وَمَا تَفْعَلُوْا مِنْ
خَيْرٍ يَّعْلَمْهُ اللّٰهُ ۭ وَتَزَوَّدُوْا فَاِنَّ خَيْرَ الزَّادِ
التَّقْوٰى ۡ وَاتَّقُوْنِ يٰٓاُولِي الْاَلْبَابِ ١٩٧ لَيْسَ عَلَيْكُمْ
جُنَاحٌ اَنْ تَبْتَغُوْا فَضْلًا مِّنْ رَّبِّكُمْ ۭ فَاِذَآ اَفَضْتُمْ

منزل ١

ع ٢٤ ٨

وقف النبي صلى الله عليه وآله وسلم ١٢

Ghunna غُنّہ | Idghaam Meem Saakin اِدغام میم ساکن | Idghaam اِدغام | Qalb قلب | Qalqala قلقلہ | Ikhfa Meem Saakin اِخفا میم ساکن | Ikhfa اِخفا

مِّنْ عَرَفٰتٍ فَاذْكُرُوا اللّٰهَ عِنْدَ الْمَشْعَرِ الْحَرَامِ ص

وَاذْكُرُوْهُ كَمَا هَدٰىكُمْ ج وَاِنْ كُنْتُمْ مِّنْ قَبْلِهٖ لَمِنَ

الضَّآلِّيْنَ ۝١٩٨ ثُمَّ اَفِيْضُوْا مِنْ حَيْثُ اَفَاضَ

النَّاسُ وَاسْتَغْفِرُوا اللّٰهَ ط اِنَّ اللّٰهَ غَفُوْرٌ رَّحِيْمٌ ۝١٩٩

فَاِذَا قَضَيْتُمْ مَّنَاسِكَكُمْ فَاذْكُرُوا اللّٰهَ كَذِكْرِكُمْ

اٰبَآءَكُمْ اَوْ اَشَدَّ ذِكْرًا ط فَمِنَ النَّاسِ مَنْ يَّقُوْلُ

رَبَّنَآ اٰتِنَا فِي الدُّنْيَا وَمَا لَهٗ فِي الْاٰخِرَةِ مِنْ

خَلَاقٍ ۝٢٠٠ وَمِنْهُمْ مَّنْ يَّقُوْلُ رَبَّنَآ اٰتِنَا فِي

الدُّنْيَا حَسَنَةً وَّفِي الْاٰخِرَةِ حَسَنَةً وَّقِنَا عَذَابَ

النَّارِ ۝٢٠١ اُولٰٓئِكَ لَهُمْ نَصِيْبٌ مِّمَّا كَسَبُوْا ط

وَاللّٰهُ سَرِيْعُ الْحِسَابِ ۝٢٠٢ وَاذْكُرُوا اللّٰهَ فِيْٓ اَيَّامٍ

مَّعْدُوْدٰتٍ ط فَمَنْ تَعَجَّلَ فِيْ يَوْمَيْنِ فَلَآ اِثْمَ

عَلَيْهِ ج وَمَنْ تَاَخَّرَ فَلَآ اِثْمَ عَلَيْهِ لا لِمَنِ اتَّقٰى ط

منزل ۱

النصف

وَاتَّقُوا اللّٰهَ وَاعْلَمُوْٓا اَنَّكُمْ اِلَيْهِ تُحْشَرُوْنَ ٢٠٣
وَمِنَ النَّاسِ مَنْ يُّعْجِبُكَ قَوْلُهٗ فِي الْحَيٰوةِ
الدُّنْيَا وَيُشْهِدُ اللّٰهَ عَلٰى مَا فِيْ قَلْبِهٖ ۙ وَهُوَ اَلَدُّ
الْخِصَامِ ٢٠٤ وَاِذَا تَوَلّٰى سَعٰى فِي الْاَرْضِ لِيُفْسِدَ
فِيْهَا وَيُهْلِكَ الْحَرْثَ وَالنَّسْلَ ؕ وَاللّٰهُ لَا يُحِبُّ
الْفَسَادَ ٢٠٥ وَاِذَا قِيْلَ لَهُ اتَّقِ اللّٰهَ اَخَذَتْهُ الْعِزَّةُ
بِالْاِثْمِ فَحَسْبُهٗ جَهَنَّمُ ؕ وَلَبِئْسَ الْمِهَادُ ٢٠٦ وَمِنَ
النَّاسِ مَنْ يَّشْرِيْ نَفْسَهُ ابْتِغَآءَ مَرْضَاتِ اللّٰهِ ؕ
وَاللّٰهُ رَءُوْفٌۢ بِالْعِبَادِ ٢٠٧ يٰٓاَيُّهَا الَّذِيْنَ اٰمَنُوا ادْخُلُوْا
فِي السِّلْمِ كَآفَّةً ۠ وَّلَا تَتَّبِعُوْا خُطُوٰتِ الشَّيْطٰنِ ؕ
اِنَّهٗ لَكُمْ عَدُوٌّ مُّبِيْنٌ ٢٠٨ فَاِنْ زَلَلْتُمْ مِّنْۢ بَعْدِ مَا
جَآءَتْكُمُ الْبَيِّنٰتُ فَاعْلَمُوْٓا اَنَّ اللّٰهَ عَزِيْزٌ حَكِيْمٌ ٢٠٩
هَلْ يَنْظُرُوْنَ اِلَّآ اَنْ يَّاْتِيَهُمُ اللّٰهُ فِيْ ظُلَلٍ مِّنَ

منزل ١

الْغَمَامِ وَالْمَلٰٓئِكَةُ وَقُضِيَ الْاَمْرُ ۭ وَاِلَى اللّٰهِ
تُرْجَعُ الْاُمُوْرُ ع ٢١٠ سَلْ بَنِيْٓ اِسْرَآءِيْلَ كَمْ اٰتَيْنٰهُمْ ع ٢٥ ١٤ ٩
مِّنْ اٰيَةٍۢ بَيِّنَةٍ ۭ وَمَنْ يُّبَدِّلْ نِعْمَةَ اللّٰهِ مِنْۢ
بَعْدِ مَا جَاۗءَتْهُ فَاِنَّ اللّٰهَ شَدِيْدُ الْعِقَابِ ٢١١
زُيِّنَ لِلَّذِيْنَ كَفَرُوا الْحَيٰوةُ الدُّنْيَا وَيَسْخَرُوْنَ
مِنَ الَّذِيْنَ اٰمَنُوْا ۘ وَالَّذِيْنَ اتَّقَوْا فَوْقَهُمْ يَوْمَ وقف لازم
الْقِيٰمَةِ ۭ وَاللّٰهُ يَرْزُقُ مَنْ يَّشَاۗءُ بِغَيْرِ حِسَابٍ ٢١٢
كَانَ النَّاسُ اُمَّةً وَّاحِدَةً تف فَبَعَثَ اللّٰهُ النَّبِيّٖنَ
مُبَشِّرِيْنَ وَمُنْذِرِيْنَ ص وَاَنْزَلَ مَعَهُمُ الْكِتٰبَ
بِالْحَقِّ لِيَحْكُمَ بَيْنَ النَّاسِ فِيْمَا اخْتَلَفُوْا فِيْهِ ۭ
وَمَا اخْتَلَفَ فِيْهِ اِلَّا الَّذِيْنَ اُوْتُوْهُ مِنْۢ بَعْدِ
مَا جَاۗءَتْهُمُ الْبَيِّنٰتُ بَغْيًۢا بَيْنَهُمْ ۚ فَهَدَى اللّٰهُ
الَّذِيْنَ اٰمَنُوْا لِمَا اخْتَلَفُوْا فِيْهِ مِنَ الْحَقِّ بِاِذْنِهٖ ۭ

منزل ١

وَ اللّٰهُ يَهْدِيْ مَنْ يَّشَآءُ اِلٰى صِرَاطٍ مُّسْتَقِيْمٍ ﴿٢١٣﴾
اَمْ حَسِبْتُمْ اَنْ تَدْخُلُوا الْجَنَّةَ وَلَمَّا يَاْتِكُمْ مَّثَلُ
الَّذِيْنَ خَلَوْا مِنْ قَبْلِكُمْ ؕ مَسَّتْهُمُ الْبَاْسَآءُ وَ
الضَّرَّآءُ وَ زُلْزِلُوْا حَتّٰى يَقُوْلَ الرَّسُوْلُ وَ الَّذِيْنَ
اٰمَنُوْا مَعَهٗ مَتٰى نَصْرُ اللّٰهِ ؕ اَلَآ اِنَّ نَصْرَ اللّٰهِ
قَرِيْبٌ ﴿٢١٤﴾ يَسْـَٔلُوْنَكَ مَاذَا يُنْفِقُوْنَ ؕ۬ قُلْ مَآ اَنْفَقْتُمْ
مِّنْ خَيْرٍ فَلِلْوَالِدَيْنِ وَالْاَقْرَبِيْنَ وَالْيَتٰمٰى وَالْمَسٰكِيْنِ
وَابْنِ السَّبِيْلِ ؕ وَمَا تَفْعَلُوْا مِنْ خَيْرٍ فَاِنَّ اللّٰهَ
بِهٖ عَلِيْمٌ ﴿٢١٥﴾ كُتِبَ عَلَيْكُمُ الْقِتَالُ وَهُوَ كُرْهٌ لَّكُمْ ۚ
وَعَسٰٓى اَنْ تَكْرَهُوْا شَيْـًٔا وَّهُوَ خَيْرٌ لَّكُمْ ۚ وَ
عَسٰٓى اَنْ تُحِبُّوْا شَيْـًٔا وَّهُوَ شَرٌّ لَّكُمْ ؕ وَ اللّٰهُ
يَعْلَمُ وَ اَنْتُمْ لَا تَعْلَمُوْنَ ﴿٢١٦﴾ع يَسْـَٔلُوْنَكَ عَنِ الشَّهْرِ
الْحَرَامِ قِتَالٍ فِيْهِ ؕ قُلْ قِتَالٌ فِيْهِ كَبِيْرٌ ؕ وَ صَدٌّ

منزل ١

ع ٢٦ ١٠

Ikhfa إخفا | Ikhfa Meem Saakin إخفاميم ساكن | Qalqala قلقله | Qalb قلب | Idghaam إدغام | Idghaam Meem Saakin إدغام ميم ساكن | Ghunna غُنّه

عَنْ سَبِيْلِ اللّٰهِ وَكُفْرٌۢ بِهٖ وَالْمَسْجِدِ الْحَرَامِ ۗ
وَاِخْرَاجُ اَهْلِهٖ مِنْهُ اَكْبَرُ عِنْدَ اللّٰهِ ۚ وَالْفِتْنَةُ
اَكْبَرُ مِنَ الْقَتْلِ ؕ وَلَا يَزَالُوْنَ يُقَاتِلُوْنَكُمْ حَتّٰى
يَرُدُّوْكُمْ عَنْ دِيْنِكُمْ اِنِ اسْتَطَاعُوْا ؕ وَمَنْ
يَّرْتَدِدْ مِنْكُمْ عَنْ دِيْنِهٖ فَيَمُتْ وَهُوَ كَافِرٌ
فَاُولٰٓئِكَ حَبِطَتْ اَعْمَالُهُمْ فِى الدُّنْيَا وَالْاٰخِرَةِ ۚ
وَاُولٰٓئِكَ اَصْحٰبُ النَّارِ ۚ هُمْ فِيْهَا خٰلِدُوْنَ ﴿٢١٧﴾
اِنَّ الَّذِيْنَ اٰمَنُوْا وَالَّذِيْنَ هَاجَرُوْا وَجٰهَدُوْا
فِىْ سَبِيْلِ اللّٰهِ ۙ اُولٰٓئِكَ يَرْجُوْنَ رَحْمَتَ اللّٰهِ ؕ وَاللّٰهُ
غَفُوْرٌ رَّحِيْمٌ ﴿٢١٨﴾ يَسْئَلُوْنَكَ عَنِ الْخَمْرِ وَالْمَيْسِرِ ؕ قُلْ
فِيْهِمَآ اِثْمٌ كَبِيْرٌ وَّمَنَافِعُ لِلنَّاسِ ز وَاِثْمُهُمَآ اَكْبَرُ
مِنْ نَّفْعِهِمَا ؕ وَيَسْئَلُوْنَكَ مَاذَا يُنْفِقُوْنَ ۖ قُلِ
الْعَفْوَ ؕ كَذٰلِكَ يُبَيِّنُ اللّٰهُ لَكُمُ الْاٰيٰتِ لَعَلَّكُمْ

منزل ١

تَتَفَكَّرُوْنَ ﴿۲۱۹﴾ فِى الدُّنْيَا وَالْاٰخِرَةِ ؕ وَيَسْـَٔلُوْنَكَ
عَنِ الْيَتٰمٰى ؕ قُلْ اِصْلَاحٌ لَّهُمْ خَيْرٌ ؕ وَاِنْ
تُخَالِطُوْهُمْ فَاِخْوَانُكُمْ ؕ وَاللّٰهُ يَعْلَمُ الْمُفْسِدَ مِنَ
الْمُصْلِحِ ؕ وَلَوْ شَآءَ اللّٰهُ لَاَعْنَتَكُمْ ؕ اِنَّ اللّٰهَ عَزِيْزٌ حَكِيْمٌ ﴿۲۲۰﴾
وَلَا تَنْكِحُوا الْمُشْرِكٰتِ حَتّٰى يُؤْمِنَّ ؕ وَلَاَمَةٌ مُّؤْمِنَةٌ
خَيْرٌ مِّنْ مُّشْرِكَةٍ وَّلَوْ اَعْجَبَتْكُمْ ۚ وَلَا تُنْكِحُوا
الْمُشْرِكِيْنَ حَتّٰى يُؤْمِنُوْا ؕ وَلَعَبْدٌ مُّؤْمِنٌ خَيْرٌ مِّنْ منزل ١
مُّشْرِكٍ وَّلَوْ اَعْجَبَكُمْ ؕ اُولٰٓئِكَ يَدْعُوْنَ اِلَى النَّارِ ۖۚ
وَاللّٰهُ يَدْعُوْٓا اِلَى الْجَنَّةِ وَالْمَغْفِرَةِ بِاِذْنِهٖ ۚ
ع ٥/٢٧ وَيُبَيِّنُ اٰيٰتِهٖ لِلنَّاسِ لَعَلَّهُمْ يَتَذَكَّرُوْنَ ﴿۲۲۱﴾ ع
وَيَسْـَٔلُوْنَكَ عَنِ الْمَحِيْضِ ؕ قُلْ هُوَ اَذًى ۙ فَاعْتَزِلُوا
النِّسَآءَ فِى الْمَحِيْضِ ۙ وَلَا تَقْرَبُوْهُنَّ حَتّٰى
يَطْهُرْنَ ۚ فَاِذَا تَطَهَّرْنَ فَاْتُوْهُنَّ مِنْ حَيْثُ اَمَرَكُمُ

Ikhfa إخفا | Ikhfa Meem Saakin إخفامیم ساکن | Qalqala قلقلہ | Qalb قلب | Idghaam إدغام | Idghaam Meem Saakin إدغام میم ساکن | Ghunna غُنّہ

اللّٰهُ ۭ اِنَّ اللّٰهَ يُحِبُّ التَّوَّابِيْنَ وَيُحِبُّ الْمُتَطَهِّرِيْنَ ﴿٢٢٢﴾
نِسَآؤُكُمْ حَرْثٌ لَّكُمْ ۠ فَاْتُوْا حَرْثَكُمْ اَنّٰى شِئْتُمْ ۡ
وَقَدِّمُوْا لِاَنْفُسِكُمْ ۭ وَاتَّقُوا اللّٰهَ وَاعْلَمُوْٓا اَنَّكُمْ
مُّلٰقُوْهُ ۭ وَبَشِّرِ الْمُؤْمِنِيْنَ ﴿٢٢٣﴾ وَلَا تَجْعَلُوا اللّٰهَ عُرْضَةً
لِّاَيْمَانِكُمْ اَنْ تَبَرُّوْا وَتَتَّقُوْا وَتُصْلِحُوْا بَيْنَ
النَّاسِ ۭ وَاللّٰهُ سَمِيْعٌ عَلِيْمٌ ﴿٢٢٤﴾ لَا يُؤَاخِذُكُمُ اللّٰهُ
بِاللَّغْوِ فِيْٓ اَيْمَانِكُمْ وَلٰكِنْ يُّؤَاخِذُكُمْ بِمَا كَسَبَتْ
قُلُوْبُكُمْ ۭ وَاللّٰهُ غَفُوْرٌ حَلِيْمٌ ﴿٢٢٥﴾ لِلَّذِيْنَ يُؤْلُوْنَ
مِنْ نِّسَاۗىِٕهِمْ تَرَبُّصُ اَرْبَعَةِ اَشْهُرٍ ۚ فَاِنْ فَاۗءُوْ
فَاِنَّ اللّٰهَ غَفُوْرٌ رَّحِيْمٌ ﴿٢٢٦﴾ وَاِنْ عَزَمُوا الطَّلَاقَ
فَاِنَّ اللّٰهَ سَمِيْعٌ عَلِيْمٌ ﴿٢٢٧﴾ وَالْمُطَلَّقٰتُ يَتَرَبَّصْنَ
بِاَنْفُسِهِنَّ ثَلٰثَةَ قُرُوْۗءٍ ۭ وَلَا يَحِلُّ لَهُنَّ اَنْ
يَّكْتُمْنَ مَا خَلَقَ اللّٰهُ فِيْٓ اَرْحَامِهِنَّ اِنْ كُنَّ

منزل ١

یُؤْمِنَّ بِاللّٰهِ وَالْیَوْمِ الْاٰخِرِ ؕ وَبُعُوْلَتُهُنَّ اَحَقُّ
بِرَدِّهِنَّ فِیْ ذٰلِكَ اِنْ اَرَادُوْۤا اِصْلَاحًا ؕ وَلَهُنَّ
مِثْلُ الَّذِیْ عَلَیْهِنَّ بِالْمَعْرُوْفِ ۪ وَلِلرِّجَالِ عَلَیْهِنَّ
دَرَجَةٌ ؕ وَاللّٰهُ عَزِیْزٌ حَكِیْمٌ ۠ ٢٢٨ اَلطَّلَاقُ مَرَّتٰنِ ۪ ع ٢٨ ٧ ١٢
فَاِمْسَاكٌۢ بِمَعْرُوْفٍ اَوْ تَسْرِیْحٌۢ بِاِحْسَانٍ ؕ وَلَا یَحِلُّ
لَكُمْ اَنْ تَاْخُذُوْا مِمَّاۤ اٰتَیْتُمُوْهُنَّ شَیْـًٔا اِلَّاۤ اَنْ
یَّخَافَاۤ اَلَّا یُقِیْمَا حُدُوْدَ اللّٰهِ ؕ فَاِنْ خِفْتُمْ اَلَّا
یُقِیْمَا حُدُوْدَ اللّٰهِ ۙ فَلَا جُنَاحَ عَلَیْهِمَا فِیْمَا
افْتَدَتْ بِهٖ ؕ تِلْكَ حُدُوْدُ اللّٰهِ فَلَا تَعْتَدُوْهَا ۚ
وَمَنْ یَّتَعَدَّ حُدُوْدَ اللّٰهِ فَاُولٰٓئِكَ هُمُ الظّٰلِمُوْنَ ٢٢٩
فَاِنْ طَلَّقَهَا فَلَا تَحِلُّ لَهٗ مِنْۢ بَعْدُ حَتّٰى تَنْكِحَ
زَوْجًا غَیْرَهٗ ؕ فَاِنْ طَلَّقَهَا فَلَا جُنَاحَ عَلَیْهِمَاۤ
اَنْ یَّتَرَاجَعَاۤ اِنْ ظَنَّاۤ اَنْ یُّقِیْمَا حُدُوْدَ اللّٰهِ ؕ وَتِلْكَ

منزل ١

حُدُوْدُ اللّٰهِ يُبَيِّنُهَا لِقَوْمٍ يَّعْلَمُوْنَ ﴿٢٣٠﴾ وَاِذَا طَلَّقْتُمُ
النِّسَآءَ فَبَلَغْنَ اَجَلَهُنَّ فَاَمْسِكُوْهُنَّ بِمَعْرُوْفٍ
اَوْ سَرِّحُوْهُنَّ بِمَعْرُوْفٍ ۪ وَّلَا تُمْسِكُوْهُنَّ ضِرَارًا
لِّتَعْتَدُوْا ۚ وَمَنْ يَّفْعَلْ ذٰلِكَ فَقَدْ ظَلَمَ نَفْسَهٗ ؕ
وَلَا تَتَّخِذُوْٓا اٰيٰتِ اللّٰهِ هُزُوًا ۫ وَّاذْكُرُوْا نِعْمَتَ
اللّٰهِ عَلَيْكُمْ وَمَآ اَنْزَلَ عَلَيْكُمْ مِّنَ الْكِتٰبِ
وَالْحِكْمَةِ يَعِظُكُمْ بِهٖ ؕ وَاتَّقُوا اللّٰهَ وَاعْلَمُوْٓا اَنَّ
اللّٰهَ بِكُلِّ شَيْءٍ عَلِيْمٌ ﴿٢٣١﴾ وَاِذَا طَلَّقْتُمُ النِّسَآءَ ع ٢٩ / ٣ / ١٣ الثلثة
فَبَلَغْنَ اَجَلَهُنَّ فَلَا تَعْضُلُوْهُنَّ اَنْ يَّنْكِحْنَ
اَزْوَاجَهُنَّ اِذَا تَرَاضَوْا بَيْنَهُمْ بِالْمَعْرُوْفِ ؕ ذٰلِكَ
يُوْعَظُ بِهٖ مَنْ كَانَ مِنْكُمْ يُؤْمِنُ بِاللّٰهِ وَالْيَوْمِ
الْاٰخِرِ ؕ ذٰلِكُمْ اَزْكٰى لَكُمْ وَاَطْهَرُ ؕ وَاللّٰهُ يَعْلَمُ وَاَنْتُمْ
لَا تَعْلَمُوْنَ ﴿٢٣٢﴾ وَالْوَالِدٰتُ يُرْضِعْنَ اَوْلَادَهُنَّ

منزل ١

Ikhfa إخفا | Ikhfa Meem Saakin إخفاميم ساكن | Qalqala قلقله | Qalb قلب | Idghaam إدغام | Idghaam Meem Saakin إدغام ميم ساكن | Ghunna غنّه

حَوْلَيْنِ كَامِلَيْنِ لِمَنْ اَرَادَ اَنْ يُّتِمَّ الرَّضَاعَةَ ؕ
وَعَلَى الْمَوْلُوْدِ لَهٗ رِزْقُهُنَّ وَكِسْوَتُهُنَّ بِالْمَعْرُوْفِ ؕ
لَا تُكَلَّفُ نَفْسٌ اِلَّا وُسْعَهَا ۚ لَا تُضَآرَّ وَالِدَةٌۢ
بِوَلَدِهَا وَلَا مَوْلُوْدٌ لَّهٗ بِوَلَدِهٖ ۗ وَعَلَى الْوَارِثِ
مِثْلُ ذٰلِكَ ۚ فَاِنْ اَرَادَا فِصَالًا عَنْ تَرَاضٍ مِّنْهُمَا
وَتَشَاوُرٍ فَلَا جُنَاحَ عَلَيْهِمَا ؕ وَاِنْ اَرَدْتُّمْ اَنْ
تَسْتَرْضِعُوْۤا اَوْلَادَكُمْ فَلَا جُنَاحَ عَلَيْكُمْ اِذَا سَلَّمْتُمْ
مَّاۤ اٰتَيْتُمْ بِالْمَعْرُوْفِ ؕ وَاتَّقُوا اللّٰهَ وَاعْلَمُوْۤا اَنَّ
اللّٰهَ بِمَا تَعْمَلُوْنَ بَصِيْرٌ ﴿٢٣٣﴾ وَالَّذِيْنَ يُتَوَفَّوْنَ
مِنْكُمْ وَيَذَرُوْنَ اَزْوَاجًا يَّتَرَبَّصْنَ بِاَنْفُسِهِنَّ
اَرْبَعَةَ اَشْهُرٍ وَّعَشْرًا ۚ فَاِذَا بَلَغْنَ اَجَلَهُنَّ
فَلَا جُنَاحَ عَلَيْكُمْ فِيْمَا فَعَلْنَ فِيْۤ اَنْفُسِهِنَّ
بِالْمَعْرُوْفِ ؕ وَاللّٰهُ بِمَا تَعْمَلُوْنَ خَبِيْرٌ ﴿٢٣٤﴾ وَلَا

منزل ١

Ghunna غُنّہ | Idghaam Meem Saakin اِدغام میم ساکن | Idghaam اِدغام | Qalb قلب | Qalqala قلقلہ | Ikhfa Meem Saakin اِخفامیم ساکن | Ikhfa اِخفا

جُنَاحَ عَلَيْكُمْ فِيْمَا عَرَّضْتُمْ بِهٖ مِنْ خِطْبَةِ النِّسَآءِ

اَوْ اَكْنَنْتُمْ فِيْٓ اَنْفُسِكُمْ ۭ عَلِمَ اللّٰهُ اَنَّكُمْ سَتَذْكُرُوْنَهُنَّ

وَلٰكِنْ لَّا تُوَاعِدُوْهُنَّ سِرًّا اِلَّآ اَنْ تَقُوْلُوْا قَوْلًا

مَّعْرُوْفًا ڛ وَلَا تَعْزِمُوْا عُقْدَةَ النِّكَاحِ حَتّٰى

يَبْلُغَ الْكِتٰبُ اَجَلَهٗ ۭ وَاعْلَمُوْٓا اَنَّ اللّٰهَ يَعْلَمُ مَا فِيْٓ

اَنْفُسِكُمْ فَاحْذَرُوْهُ ۚ وَاعْلَمُوْٓا اَنَّ اللّٰهَ غَفُوْرٌ حَلِيْمٌ ﴿٢٣٥﴾ ع ٣١ ١٤

منزل ١

لَا جُنَاحَ عَلَيْكُمْ اِنْ طَلَّقْتُمُ النِّسَآءَ مَا لَمْ تَمَسُّوْهُنَّ

اَوْ تَفْرِضُوْا لَهُنَّ فَرِيْضَةً ښ وَّمَتِّعُوْهُنَّ ۚ عَلَى

الْمُوْسِعِ قَدَرُهٗ وَعَلَى الْمُقْتِرِ قَدَرُهٗ ۚ مَتَاعًۢا بِالْمَعْرُوْفِ ۚ

حَقًّا عَلَى الْمُحْسِنِيْنَ ﴿٢٣٦﴾ وَاِنْ طَلَّقْتُمُوْهُنَّ مِنْ

قَبْلِ اَنْ تَمَسُّوْهُنَّ وَقَدْ فَرَضْتُمْ لَهُنَّ فَرِيْضَةً

فَنِصْفُ مَا فَرَضْتُمْ اِلَّآ اَنْ يَّعْفُوْنَ اَوْ يَعْفُوَا

الَّذِيْ بِيَدِهٖ عُقْدَةُ النِّكَاحِ ۭ وَاَنْ تَعْفُوْٓا

اَقْرَبُ لِلتَّقْوٰى ؕ وَلَا تَنْسَوُا الْفَضْلَ بَيْنَكُمْ ؕ

اِنَّ اللّٰهَ بِمَا تَعْمَلُوْنَ بَصِيْرٌ ﴿٢٣٧﴾ حٰفِظُوْا عَلَى

الصَّلَوٰتِ وَالصَّلٰوةِ الْوُسْطٰى ۗ وَقُوْمُوْا لِلّٰهِ قٰنِتِيْنَ ﴿٢٣٨﴾

فَاِنْ خِفْتُمْ فَرِجَالًا اَوْ رُكْبَانًا ۚ فَاِذَآ اَمِنْتُمْ

فَاذْكُرُوا اللّٰهَ كَمَا عَلَّمَكُمْ مَّا لَمْ تَكُوْنُوْا تَعْلَمُوْنَ ﴿٢٣٩﴾

وَالَّذِيْنَ يُتَوَفَّوْنَ مِنْكُمْ وَيَذَرُوْنَ اَزْوَاجًا ۚۖ

وَّصِيَّةً لِّاَزْوَاجِهِمْ مَّتَاعًا اِلَى الْحَوْلِ غَيْرَ منزل ١

اِخْرَاجٍ ۚ فَاِنْ خَرَجْنَ فَلَا جُنَاحَ عَلَيْكُمْ فِيْ مَا

فَعَلْنَ فِيْٓ اَنْفُسِهِنَّ مِنْ مَّعْرُوْفٍ ؕ وَاللّٰهُ عَزِيْزٌ

حَكِيْمٌ ﴿٢٤٠﴾ وَلِلْمُطَلَّقٰتِ مَتَاعٌۢ بِالْمَعْرُوْفِ ؕ حَقًّا

عَلَى الْمُتَّقِيْنَ ﴿٢٤١﴾ كَذٰلِكَ يُبَيِّنُ اللّٰهُ لَكُمْ اٰيٰتِهٖ

ع ٣١ ٧ ١٥ لَعَلَّكُمْ تَعْقِلُوْنَ ﴿٢٤٢﴾ ع اَلَمْ تَرَ اِلَى الَّذِيْنَ خَرَجُوْا

مِنْ دِيَارِهِمْ وَهُمْ اُلُوْفٌ حَذَرَ الْمَوْتِ ۪

Ikhfa اِخفا | Ikhfa Meem Saakin اِخفامیم ساکن | Qalqala قلقله | Qalb قلب | Idghaam اِدغام | Idghaam Meem Saakin اِدغام میم ساکن | Ghunna غُنّہ

فَقَالَ لَهُمُ اللّٰهُ مُوْتُوْا قف ثُمَّ اَحْيَاهُمْ ط اِنَّ اللّٰهَ

لَذُوْ فَضْلٍ عَلَى النَّاسِ وَلٰكِنَّ اَكْثَرَ النَّاسِ

لَا يَشْكُرُوْنَ ﴿٢٤٣﴾ وَقَاتِلُوْا فِيْ سَبِيْلِ اللّٰهِ وَاعْلَمُوْٓا

اَنَّ اللّٰهَ سَمِيْعٌ عَلِيْمٌ ﴿٢٤٤﴾ مَنْ ذَا الَّذِيْ يُقْرِضُ

اللّٰهَ قَرْضًا حَسَنًا فَيُضٰعِفَهٗ لَهٗٓ اَضْعَافًا كَثِيْرَةً ط

وَاللّٰهُ يَقْبِضُ وَيَبْصُۜطُ ص وَاِلَيْهِ تُرْجَعُوْنَ ﴿٢٤٥﴾ اَلَمْ

تَرَ اِلَى الْمَلَاِ مِنْۢ بَنِيْٓ اِسْرَآءِيْلَ مِنْۢ بَعْدِ مُوْسٰى م

اِذْ قَالُوْا لِنَبِيٍّ لَّهُمُ ابْعَثْ لَنَا مَلِكًا نُّقَاتِلْ

فِيْ سَبِيْلِ اللّٰهِ ط قَالَ هَلْ عَسَيْتُمْ اِنْ كُتِبَ

عَلَيْكُمُ الْقِتَالُ اَلَّا تُقَاتِلُوْا ط قَالُوْا وَمَا لَنَآ اَلَّا

نُقَاتِلَ فِيْ سَبِيْلِ اللّٰهِ وَقَدْ اُخْرِجْنَا مِنْ دِيَارِنَا

وَاَبْنَآئِنَا ط فَلَمَّا كُتِبَ عَلَيْهِمُ الْقِتَالُ تَوَلَّوْا

اِلَّا قَلِيْلًا مِّنْهُمْ ط وَاللّٰهُ عَلِيْمٌۢ بِالظّٰلِمِيْنَ ﴿٢٤٦﴾

منزل ١   وقف لازم

وَقَالَ لَهُمْ نَبِيُّهُمْ اِنَّ اللّٰهَ قَدْ بَعَثَ لَكُمْ طَالُوْتَ

مَلِكًا ؕ قَالُوْۤا اَنّٰى يَكُوْنُ لَهُ الْمُلْكُ عَلَيْنَا وَنَحْنُ

اَحَقُّ بِالْمُلْكِ مِنْهُ وَلَمْ يُؤْتَ سَعَةً مِّنَ الْمَالِ ؕ

قَالَ اِنَّ اللّٰهَ اصْطَفٰىهُ عَلَيْكُمْ وَزَادَهٗ بَسْطَةً

فِى الْعِلْمِ وَالْجِسْمِ ؕ وَاللّٰهُ يُؤْتِىْ مُلْكَهٗ مَنْ

يَّشَآءُ ؕ وَاللّٰهُ وَاسِعٌ عَلِيْمٌ ﴿٢٤٧﴾ وَقَالَ لَهُمْ نَبِيُّهُمْ

منزل ١ اِنَّ اٰيَةَ مُلْكِهٖۤ اَنْ يَّاْتِيَكُمُ التَّابُوْتُ فِيْهِ

سَكِيْنَةٌ مِّنْ رَّبِّكُمْ وَبَقِيَّةٌ مِّمَّا تَرَكَ اٰلُ مُوْسٰى

وَاٰلُ هٰرُوْنَ تَحْمِلُهُ الْمَلٰٓئِكَةُ ؕ اِنَّ فِىْ ذٰلِكَ لَاٰيَةً

لَّكُمْ اِنْ كُنْتُمْ مُّؤْمِنِيْنَ ﴿٢٤٨﴾ ع فَلَمَّا فَصَلَ ع ٣٢ ٦ ١٢

طَالُوْتُ بِالْجُنُوْدِ ۙ قَالَ اِنَّ اللّٰهَ مُبْتَلِيْكُمْ

بِنَهَرٍ ۚ فَمَنْ شَرِبَ مِنْهُ فَلَيْسَ مِنِّىْ ۚ وَمَنْ

لَّمْ يَطْعَمْهُ فَاِنَّهٗ مِنِّىْۤ اِلَّا مَنِ اغْتَرَفَ غُرْفَةً ۢ

بِيَدِهٖ ۚ فَشَرِبُوْا مِنْهُ اِلَّا قَلِيْلًا مِّنْهُمْ ؕ فَلَمَّا جَاوَزَهٗ
هُوَ وَالَّذِيْنَ اٰمَنُوْا مَعَهٗ ۙ قَالُوْا لَا طَاقَةَ لَنَا الْيَوْمَ
بِجَالُوْتَ وَجُنُوْدِهٖ ؕ قَالَ الَّذِيْنَ يَظُنُّوْنَ اَنَّهُمْ
مُّلٰقُوا اللّٰهِ ۙ كَمْ مِّنْ فِئَةٍ قَلِيْلَةٍ غَلَبَتْ فِئَةً
كَثِيْرَةًۢ بِاِذْنِ اللّٰهِ ؕ وَاللّٰهُ مَعَ الصّٰبِرِيْنَ ﴿۲۴۹﴾
وَلَمَّا بَرَزُوْا لِجَالُوْتَ وَجُنُوْدِهٖ قَالُوْا رَبَّنَاۤ اَفْرِغْ
عَلَيْنَا صَبْرًا وَّثَبِّتْ اَقْدَامَنَا وَانْصُرْنَا عَلَى
الْقَوْمِ الْكٰفِرِيْنَ ﴿۲۵۰﴾ فَهَزَمُوْهُمْ بِاِذْنِ اللّٰهِ ۙ قف
وَقَتَلَ دَاوٗدُ جَالُوْتَ وَاٰتٰىهُ اللّٰهُ الْمُلْكَ وَ
الْحِكْمَةَ وَعَلَّمَهٗ مِمَّا يَشَآءُ ؕ وَلَوْلَا دَفْعُ اللّٰهِ
النَّاسَ بَعْضَهُمْ بِبَعْضٍ ۙ لَّفَسَدَتِ الْاَرْضُ وَ
لٰكِنَّ اللّٰهَ ذُوْ فَضْلٍ عَلَى الْعٰلَمِيْنَ ﴿۲۵۱﴾ تِلْكَ اٰيٰتُ
اللّٰهِ نَتْلُوْهَا عَلَيْكَ بِالْحَقِّ ؕ وَاِنَّكَ لَمِنَ الْمُرْسَلِيْنَ ﴿۲۵۲﴾

منزل ۱

Ghunna غنّہ | Idghaam Meem Saakin ادغام میم ساکن | Idghaam ادغام | Qalb قلب | Qalqala قلقلہ | Ikhfa Meem Saakin إخفامیم ساکن | Ikhfa إخفا

تِلْكَ الرُّسُلُ فَضَّلْنَا بَعْضَهُمْ عَلٰى بَعْضٍ م
مِنْهُمْ مَّنْ كَلَّمَ اللّٰهُ وَرَفَعَ بَعْضَهُمْ دَرَجٰتٍ ط
وَاٰتَيْنَا عِيْسَى ابْنَ مَرْيَمَ الْبَيِّنٰتِ وَاَيَّدْنٰهُ بِرُوْحِ
الْقُدُسِ ط وَلَوْ شَآءَ اللّٰهُ مَا اقْتَتَلَ الَّذِيْنَ مِنْ
بَعْدِهِمْ مِّنْ بَعْدِ مَا جَآءَتْهُمُ الْبَيِّنٰتُ وَلٰكِنِ
اخْتَلَفُوْا فَمِنْهُمْ مَّنْ اٰمَنَ وَمِنْهُمْ مَّنْ كَفَرَ ط وَلَوْ
شَآءَ اللّٰهُ مَا اقْتَتَلُوْا قف وَلٰكِنَّ اللّٰهَ يَفْعَلُ مَا يُرِيْدُ ﴿٢٥٣﴾ ع
يٰۤاَيُّهَا الَّذِيْنَ اٰمَنُوْۤا اَنْفِقُوْا مِمَّا رَزَقْنٰكُمْ مِّنْ
قَبْلِ اَنْ يَّاْتِيَ يَوْمٌ لَّا بَيْعٌ فِيْهِ وَلَا خُلَّةٌ وَّلَا شَفَاعَةٌ ط
وَالْكٰفِرُوْنَ هُمُ الظّٰلِمُوْنَ ﴿٢٥٤﴾ اَللّٰهُ لَآ اِلٰهَ اِلَّا
هُوَ ج اَلْحَيُّ الْقَيُّوْمُ ۵ لَا تَاْخُذُهٗ سِنَةٌ وَّلَا نَوْمٌ ط
لَهٗ مَا فِي السَّمٰوٰتِ وَمَا فِي الْاَرْضِ ط مَنْ ذَا
الَّذِيْ يَشْفَعُ عِنْدَهٗۤ اِلَّا بِاِذْنِهٖ ط يَعْلَمُ مَا بَيْنَ

الجزء الثالث (٣) وقف لازم

ع ٣٤ ٥

منزل ١

اَيۡدِيۡهِمۡ وَمَا خَلۡفَهُمۡ ۚ وَلَا يُحِيۡطُوۡنَ بِشَىۡءٍ مِّنۡ
عِلۡمِهٖۤ اِلَّا بِمَا شَآءَ ۚ وَسِعَ كُرۡسِيُّهُ السَّمٰوٰتِ وَ
الۡاَرۡضَ ۚ وَلَا يَـُٔوۡدُهٗ حِفۡظُهُمَا ۚ وَهُوَ الۡعَلِىُّ
الۡعَظِيۡمُ ﴿۲۵۵﴾ لَاۤ اِكۡرَاهَ فِى الدِّيۡنِ ۙ قَدْ تَّبَيَّنَ الرُّشۡدُ
مِنَ الۡغَىِّ ۚ فَمَنۡ يَّكۡفُرۡ بِالطَّاغُوۡتِ وَيُؤۡمِنۡۢ بِاللّٰهِ
فَقَدِ اسۡتَمۡسَكَ بِالۡعُرۡوَةِ الۡوُثۡقٰى ۚ لَا انْفِصَامَ لَهَا ؕ
وَاللّٰهُ سَمِيۡعٌ عَلِيۡمٌ ﴿۲۵۶﴾ اَللّٰهُ وَلِىُّ الَّذِيۡنَ اٰمَنُوۡا ۙ منزل ١
يُخۡرِجُهُمۡ مِّنَ الظُّلُمٰتِ اِلَى النُّوۡرِ ؕ وَالَّذِيۡنَ كَفَرُوۡۤا
اَوۡلِيٰٓـُٔهُمُ الطَّاغُوۡتُ ۙ يُخۡرِجُوۡنَهُمۡ مِّنَ النُّوۡرِ
اِلَى الظُّلُمٰتِ ؕ اُولٰٓـئِكَ اَصۡحٰبُ النَّارِ ۚ هُمۡ فِيۡهَا
ع ٣٤ خٰلِدُوۡنَ ﴿۲۵۷﴾ اَلَمۡ تَرَ اِلَى الَّذِىۡ حَآجَّ اِبۡرٰهٖمَ فِىۡ
وقف لازم رَبِّهٖۤ اَنۡ اٰتٰٮهُ اللّٰهُ الۡمُلۡكَ ۘ اِذۡ قَالَ اِبۡرٰهٖمُ رَبِّىَ
الَّذِىۡ يُحۡىٖ وَيُمِيۡتُ ۙ قَالَ اَنَا اُحۡىٖ وَاُمِيۡتُ ؕ

قَالَ اِبْرٰهٖمُ فَاِنَّ اللّٰهَ يَاْتِيْ بِالشَّمْسِ مِنَ الْمَشْرِقِ
فَاْتِ بِهَا مِنَ الْمَغْرِبِ فَبُهِتَ الَّذِيْ كَفَرَ ؕ وَ
اللّٰهُ لَا يَهْدِي الْقَوْمَ الظّٰلِمِيْنَ ۚ﴿٢٥٨﴾ اَوْ كَالَّذِيْ مَرَّ
عَلٰى قَرْيَةٍ وَّهِيَ خَاوِيَةٌ عَلٰى عُرُوْشِهَا ۚ قَالَ اَنّٰى
يُحْيٖ هٰذِهِ اللّٰهُ بَعْدَ مَوْتِهَا ۚ فَاَمَاتَهُ اللّٰهُ مِائَةَ
عَامٍ ثُمَّ بَعَثَهٗ ؕ قَالَ كَمْ لَبِثْتَ ؕ قَالَ لَبِثْتُ يَوْمًا
اَوْ بَعْضَ يَوْمٍ ؕ قَالَ بَلْ لَّبِثْتَ مِائَةَ عَامٍ
فَانْظُرْ اِلٰى طَعَامِكَ وَشَرَابِكَ لَمْ يَتَسَنَّهْ ۚ وَانْظُرْ
اِلٰى حِمَارِكَ وَلِنَجْعَلَكَ اٰيَةً لِّلنَّاسِ وَانْظُرْ اِلَى
الْعِظَامِ كَيْفَ نُنْشِزُهَا ثُمَّ نَكْسُوْهَا لَحْمًا ؕ
فَلَمَّا تَبَيَّنَ لَهٗ ۙ قَالَ اَعْلَمُ اَنَّ اللّٰهَ عَلٰى كُلِّ شَيْءٍ
قَدِيْرٌ ﴿٢٥٩﴾ وَاِذْ قَالَ اِبْرٰهٖمُ رَبِّ اَرِنِيْ كَيْفَ تُحْيِ
الْمَوْتٰى ؕ قَالَ اَوَلَمْ تُؤْمِنْ ؕ قَالَ بَلٰى وَلٰكِنْ

منزل ١

Ikhfa إخفا | Ikhfa Meem Saakin إخفاميم ساكن | Qalqala قلقله | Qalb قلب | Idghaam إدغام | Idghaam Meem Saakin إدغام ميم ساكن | Ghunna غُنّه

لِّيَطْمَئِنَّ قَلْبِیْ ؕ قَالَ فَخُذْ اَرْبَعَةً مِّنَ الطَّیْرِ
فَصُرْهُنَّ اِلَیْكَ ثُمَّ اجْعَلْ عَلٰی كُلِّ جَبَلٍ
مِّنْهُنَّ جُزْءًا ثُمَّ ادْعُهُنَّ یَاْتِیْنَكَ سَعْیًا ؕ وَاعْلَمْ
اَنَّ اللّٰهَ عَزِیْزٌ حَكِیْمٌ ﴿٢٦٠﴾ مَثَلُ الَّذِیْنَ یُنْفِقُوْنَ ع ٣٥ ٣ ٣
اَمْوَالَهُمْ فِیْ سَبِیْلِ اللّٰهِ كَمَثَلِ حَبَّةٍ اَنْۢبَتَتْ سَبْعَ
سَنَابِلَ فِیْ كُلِّ سُنْۢبُلَةٍ مِّائَةُ حَبَّةٍ ؕ وَاللّٰهُ یُضٰعِفُ
منزل ١ لِمَنْ یَّشَآءُ ؕ وَاللّٰهُ وَاسِعٌ عَلِیْمٌ ﴿٢٦١﴾ اَلَّذِیْنَ یُنْفِقُوْنَ
اَمْوَالَهُمْ فِیْ سَبِیْلِ اللّٰهِ ثُمَّ لَا یُتْبِعُوْنَ مَاۤ اَنْفَقُوْا
مَنًّا وَّلَاۤ اَذًى ۙ لَّهُمْ اَجْرُهُمْ عِنْدَ رَبِّهِمْ ۚ وَلَا
خَوْفٌ عَلَیْهِمْ وَلَا هُمْ یَحْزَنُوْنَ ﴿٢٦٢﴾ قَوْلٌ مَّعْرُوْفٌ
وَّمَغْفِرَةٌ خَیْرٌ مِّنْ صَدَقَةٍ یَّتْبَعُهَاۤ اَذًى ؕ وَاللّٰهُ
غَنِیٌّ حَلِیْمٌ ﴿٢٦٣﴾ یٰۤاَیُّهَا الَّذِیْنَ اٰمَنُوْا لَا تُبْطِلُوْا
صَدَقٰتِكُمْ بِالْمَنِّ وَالْاَذٰى ۙ كَالَّذِیْ یُنْفِقُ

مَالَهٗ رِئَآءَ النَّاسِ وَلَا يُؤْمِنُ بِاللّٰهِ وَالْيَوْمِ الْاٰخِرِ ط
فَمَثَلُهٗ كَمَثَلِ صَفْوَانٍ عَلَيْهِ تُرَابٌ فَاَصَابَهٗ
وَابِلٌ فَتَرَكَهٗ صَلْدًا ط لَا يَقْدِرُوْنَ عَلٰى شَيْءٍ
مِّمَّا كَسَبُوْا ط وَاللّٰهُ لَا يَهْدِي الْقَوْمَ الْكٰفِرِيْنَ ﴿٢٦٤﴾
وَمَثَلُ الَّذِيْنَ يُنْفِقُوْنَ اَمْوَالَهُمُ ابْتِغَآءَ مَرْضَاتِ
اللّٰهِ وَتَثْبِيْتًا مِّنْ اَنْفُسِهِمْ كَمَثَلِ جَنَّةٍ بِرَبْوَةٍ
اَصَابَهَا وَابِلٌ فَاٰتَتْ اُكُلَهَا ضِعْفَيْنِ ج فَاِنْ لَّمْ
يُصِبْهَا وَابِلٌ فَطَلٌّ ط وَاللّٰهُ بِمَا تَعْمَلُوْنَ بَصِيْرٌ ﴿٢٦٥﴾
اَيَوَدُّ اَحَدُكُمْ اَنْ تَكُوْنَ لَهٗ جَنَّةٌ مِّنْ نَّخِيْلٍ وَّ
اَعْنَابٍ تَجْرِيْ مِنْ تَحْتِهَا الْاَنْهٰرُ لا لَهٗ فِيْهَا
مِنْ كُلِّ الثَّمَرٰتِ لا وَاَصَابَهُ الْكِبَرُ وَلَهٗ ذُرِّيَّةٌ
ضُعَفَآءُ صلے فَاَصَابَهَآ اِعْصَارٌ فِيْهِ نَارٌ فَاحْتَرَقَتْ ط
كَذٰلِكَ يُبَيِّنُ اللّٰهُ لَكُمُ الْاٰيٰتِ لَعَلَّكُمْ تَتَفَكَّرُوْنَ ﴿٢٦٦﴾ ع

منزل ۱

٣٦ ع ٤

Ikhfa إخفا | Ikhfa Meem Saakin إخفا میم ساکن | Qalqala قلقله | Qalb قلب | Idghaam ادغام | Idghaam Meem Saakin ادغام میم ساکن | Ghunna غنّہ

يٰۤاَيُّهَا الَّذِيْنَ اٰمَنُوْۤا اَنْفِقُوْا مِنْ طَيِّبٰتِ مَا كَسَبْتُمْ
وَمِمَّاۤ اَخْرَجْنَا لَكُمْ مِّنَ الْاَرْضِ ۪ وَلَا تَيَمَّمُوا
الْخَبِيْثَ مِنْهُ تُنْفِقُوْنَ وَلَسْتُمْ بِاٰخِذِيْهِ اِلَّاۤ اَنْ
تُغْمِضُوْا فِيْهِ ؕ وَاعْلَمُوْۤا اَنَّ اللّٰهَ غَنِيٌّ حَمِيْدٌ ﴿٢٦٧﴾
اَلشَّيْطٰنُ يَعِدُكُمُ الْفَقْرَ وَيَاْمُرُكُمْ بِالْفَحْشَآءِ ۚ
وَاللّٰهُ يَعِدُكُمْ مَّغْفِرَةً مِّنْهُ وَفَضْلًا ؕ وَاللّٰهُ
وَاسِعٌ عَلِيْمٌ ﴿٢٦٨﴾ ۖۙ يُّؤْتِي الْحِكْمَةَ مَنْ يَّشَآءُ ۚ وَمَنْ
يُّؤْتَ الْحِكْمَةَ فَقَدْ اُوْتِيَ خَيْرًا كَثِيْرًا ؕ وَمَا
يَذَّكَّرُ اِلَّاۤ اُولُوا الْاَلْبَابِ ﴿٢٦٩﴾ وَمَاۤ اَنْفَقْتُمْ
مِّنْ نَّفَقَةٍ اَوْ نَذَرْتُمْ مِّنْ نَّذْرٍ فَاِنَّ اللّٰهَ
يَعْلَمُهٗ ؕ وَمَا لِلظّٰلِمِيْنَ مِنْ اَنْصَارٍ ﴿٢٧٠﴾ اِنْ تُبْدُوا
الصَّدَقٰتِ فَنِعِمَّا هِيَ ۚ وَاِنْ تُخْفُوْهَا وَتُؤْتُوْهَا
الْفُقَرَآءَ فَهُوَ خَيْرٌ لَّكُمْ ؕ وَيُكَفِّرُ عَنْكُمْ مِّنْ

سَيِّاٰتِكُمْ ؕ وَاللّٰهُ بِمَا تَعْمَلُوْنَ خَبِيْرٌ ﴿۲۷۱﴾ لَيْسَ
عَلَيْكَ هُدٰىهُمْ وَلٰكِنَّ اللّٰهَ يَهْدِىْ مَنْ يَّشَآءُ ؕ
وَمَا تُنْفِقُوْا مِنْ خَيْرٍ فَلِاَنْفُسِكُمْ ؕ وَمَا تُنْفِقُوْنَ
اِلَّا ابْتِغَآءَ وَجْهِ اللّٰهِ ؕ وَمَا تُنْفِقُوْا مِنْ خَيْرٍ
يُّوَفَّ اِلَيْكُمْ وَاَنْتُمْ لَا تُظْلَمُوْنَ ﴿۲۷۲﴾ لِلْفُقَرَآءِ
الَّذِيْنَ اُحْصِرُوْا فِىْ سَبِيْلِ اللّٰهِ لَا يَسْتَطِيْعُوْنَ
ضَرْبًا فِى الْاَرْضِ ۫ يَحْسَبُهُمُ الْجَاهِلُ اَغْنِيَآءَ مِنَ منزل ۱
التَّعَفُّفِ ۚ تَعْرِفُهُمْ بِسِيْمٰهُمْ ۚ لَا يَسْـَٔلُوْنَ النَّاسَ اِلْحَافًا ؕ
الربع وَمَا تُنْفِقُوْا مِنْ خَيْرٍ فَاِنَّ اللّٰهَ بِهٖ عَلِيْمٌ ﴿۲۷۳﴾ ع
اَلَّذِيْنَ يُنْفِقُوْنَ اَمْوَالَهُمْ بِالَّيْلِ وَالنَّهَارِ سِرًّا وَّ
عَلَانِيَةً فَلَهُمْ اَجْرُهُمْ عِنْدَ رَبِّهِمْ ۚ وَلَا خَوْفٌ
وقف منزل عَلَيْهِمْ وَلَا هُمْ يَحْزَنُوْنَ ﴿۲۷۴﴾ اَلَّذِيْنَ يَاْكُلُوْنَ
الرِّبٰوا لَا يَقُوْمُوْنَ اِلَّا كَمَا يَقُوْمُ الَّذِىْ يَتَخَبَّطُهُ

الشَّيْطٰنُ مِنَ الْمَسِّ ؕ ذٰلِكَ بِاَنَّهُمْ قَالُوْٓا اِنَّمَا
الْبَيْعُ مِثْلُ الرِّبٰوا ۘ وَاَحَلَّ اللّٰهُ الْبَيْعَ وَحَرَّمَ الرِّبٰوا ؕ وقف لازم
فَمَنْ جَآءَهٗ مَوْعِظَةٌ مِّنْ رَّبِّهٖ فَانْتَهٰى فَلَهٗ مَا
سَلَفَ ؕ وَاَمْرُهٗٓ اِلَى اللّٰهِ ؕ وَمَنْ عَادَ فَاُولٰٓئِكَ
اَصْحٰبُ النَّارِ ۚ هُمْ فِيْهَا خٰلِدُوْنَ ﴿٢٧٥﴾ يَمْحَقُ اللّٰهُ الرِّبٰوا
وَيُرْبِى الصَّدَقٰتِ ؕ وَاللّٰهُ لَا يُحِبُّ كُلَّ كَفَّارٍ اَثِيْمٍ ﴿٢٧٦﴾
منزل ١ اِنَّ الَّذِيْنَ اٰمَنُوْا وَعَمِلُوا الصّٰلِحٰتِ وَاَقَامُوا الصَّلٰوةَ
وَاٰتَوُا الزَّكٰوةَ لَهُمْ اَجْرُهُمْ عِنْدَ رَبِّهِمْ ۚ وَلَا خَوْفٌ
عَلَيْهِمْ وَلَا هُمْ يَحْزَنُوْنَ ﴿٢٧٧﴾ يٰٓاَيُّهَا الَّذِيْنَ اٰمَنُوا
اتَّقُوا اللّٰهَ وَذَرُوْا مَا بَقِيَ مِنَ الرِّبٰوٓا اِنْ كُنْتُمْ
مُّؤْمِنِيْنَ ﴿٢٧٨﴾ فَاِنْ لَّمْ تَفْعَلُوْا فَاْذَنُوْا بِحَرْبٍ مِّنَ
اللّٰهِ وَرَسُوْلِهٖ ۚ وَاِنْ تُبْتُمْ فَلَكُمْ رُءُوْسُ اَمْوَالِكُمْ ۚ
لَا تَظْلِمُوْنَ وَلَا تُظْلَمُوْنَ ﴿٢٧٩﴾ وَاِنْ كَانَ ذُوْ

عُسْرَةٍ فَنَظِرَةٌ اِلٰى مَيْسَرَةٍ ؕ وَ اَنْ تَصَدَّقُوْا خَيْرٌ
لَّكُمْ اِنْ كُنْتُمْ تَعْلَمُوْنَ ﴿۲۸۰﴾ وَ اتَّقُوْا يَوْمًا تُرْجَعُوْنَ
فِيْهِ اِلَى اللّٰهِ ۗ ثُمَّ تُوَفّٰى كُلُّ نَفْسٍ مَّا كَسَبَتْ
٣٨٢ وَهُمْ لَا يُظْلَمُوْنَ ﴿۲۸۱﴾ ع يٰۤاَيُّهَا الَّذِيْنَ اٰمَنُوْۤا اِذَا
تَدَايَنْتُمْ بِدَيْنٍ اِلٰۤى اَجَلٍ مُّسَمًّى فَاكْتُبُوْهُ ؕ
وَلْيَكْتُبْ بَّيْنَكُمْ كَاتِبٌۢ بِالْعَدْلِ ص وَلَا يَاْبَ
كَاتِبٌ اَنْ يَّكْتُبَ كَمَا عَلَّمَهُ اللّٰهُ فَلْيَكْتُبْ ۚ وَلْيُمْلِلِ منزل ١
الَّذِىْ عَلَيْهِ الْحَقُّ وَلْيَتَّقِ اللّٰهَ رَبَّهٗ وَلَا يَبْخَسْ
مِنْهُ شَيْـًٔا ؕ فَاِنْ كَانَ الَّذِىْ عَلَيْهِ الْحَقُّ سَفِيْهًا
اَوْ ضَعِيْفًا اَوْ لَا يَسْتَطِيْعُ اَنْ يُّمِلَّ هُوَ فَلْيُمْلِلْ
وَلِيُّهٗ بِالْعَدْلِ ؕ وَ اسْتَشْهِدُوْا شَهِيْدَيْنِ مِنْ
رِّجَالِكُمْ ۚ فَاِنْ لَّمْ يَكُوْنَا رَجُلَيْنِ فَرَجُلٌ وَّامْرَاَتٰنِ
مِمَّنْ تَرْضَوْنَ مِنَ الشُّهَدَآءِ اَنْ تَضِلَّ اِحْدٰىهُمَا

فَتُذَكِّرَ اِحْدٰىهُمَا الْاُخْرٰى ؕ وَلَا يَاْبَ الشُّهَدَآءُ

اِذَا مَا دُعُوْا ؕ وَلَا تَسْـَٔمُوْٓا اَنْ تَكْتُبُوْهُ صَغِيْرًا اَوْ كَبِيْرًا

اِلٰٓى اَجَلِهٖ ؕ ذٰلِكُمْ اَقْسَطُ عِنْدَ اللّٰهِ وَ اَقْوَمُ

لِلشَّهَادَةِ وَ اَدْنٰٓى اَلَّا تَرْتَابُوْٓا اِلَّآ اَنْ تَكُوْنَ

تِجَارَةً حَاضِرَةً تُدِيْرُوْنَهَا بَيْنَكُمْ فَلَيْسَ

عَلَيْكُمْ جُنَاحٌ اَلَّا تَكْتُبُوْهَا ؕ وَاَشْهِدُوْٓا اِذَا تَبَايَعْتُمْ ۪

وَلَا يُضَآرَّ كَاتِبٌ وَّلَا شَهِيْدٌ ؕ۬ وَاِنْ تَفْعَلُوْا

فَاِنَّهٗ فُسُوْقٌۢ بِكُمْ ؕ وَاتَّقُوا اللّٰهَ ؕ وَيُعَلِّمُكُمُ اللّٰهُ ؕ

وَاللّٰهُ بِكُلِّ شَيْءٍ عَلِيْمٌ ﴿٢٨٢﴾ وَاِنْ كُنْتُمْ عَلٰى سَفَرٍ

وَّلَمْ تَجِدُوْا كَاتِبًا فَرِهٰنٌ مَّقْبُوْضَةٌ ؕ فَاِنْ اَمِنَ

بَعْضُكُمْ بَعْضًا فَلْيُؤَدِّ الَّذِى اؤْتُمِنَ اَمَانَتَهٗ

وَلْيَتَّقِ اللّٰهَ رَبَّهٗ ؕ وَلَا تَكْتُمُوا الشَّهَادَةَ ؕ وَمَنْ

يَّكْتُمْهَا فَاِنَّهٗٓ اٰثِمٌ قَلْبُهٗ ؕ وَاللّٰهُ بِمَا تَعْمَلُوْنَ عَلِيْمٌ ﴿٢٨٣﴾ ع ٣٩ ٢ ٧

منزل ١

لِلّٰهِ مَا فِي السَّمٰوٰتِ وَمَا فِي الْاَرْضِ ؕ وَاِنْ تُبْدُوْا
مَا فِيْٓ اَنْفُسِكُمْ اَوْ تُخْفُوْهُ يُحَاسِبْكُمْ بِهِ اللّٰهُ ؕ
فَيَغْفِرُ لِمَنْ يَّشَآءُ وَيُعَذِّبُ مَنْ يَّشَآءُ ؕ وَاللّٰهُ عَلٰى
كُلِّ شَيْءٍ قَدِيْرٌ ﴿٢٨٤﴾ اٰمَنَ الرَّسُوْلُ بِمَآ اُنْزِلَ
اِلَيْهِ مِنْ رَّبِّهٖ وَالْمُؤْمِنُوْنَ ؕ كُلٌّ اٰمَنَ بِاللّٰهِ
وَمَلٰٓئِكَتِهٖ وَكُتُبِهٖ وَرُسُلِهٖ تف لَا نُفَرِّقُ بَيْنَ اَحَدٍ
مِّنْ رُّسُلِهٖ تف وَقَالُوْا سَمِعْنَا وَاَطَعْنَا قف غُفْرَانَكَ
رَبَّنَا وَاِلَيْكَ الْمَصِيْرُ ﴿٢٨٥﴾ لَا يُكَلِّفُ اللّٰهُ نَفْسًا اِلَّا
وُسْعَهَا ؕ لَهَا مَا كَسَبَتْ وَعَلَيْهَا مَا اكْتَسَبَتْ ؕ
رَبَّنَا لَا تُؤَاخِذْنَآ اِنْ نَّسِيْنَآ اَوْ اَخْطَاْنَا ۚ رَبَّنَا
وَلَا تَحْمِلْ عَلَيْنَآ اِصْرًا كَمَا حَمَلْتَهٗ عَلَى الَّذِيْنَ
مِنْ قَبْلِنَا ۚ رَبَّنَا وَلَا تُحَمِّلْنَا مَا لَا طَاقَةَ لَنَا بِهٖ ۚ
وَاعْفُ عَنَّا وقفة وَاغْفِرْ لَنَا وقفة وَارْحَمْنَا وقفة اَنْتَ مَوْلٰىنَا

منزل ١

فَانْصُرْنَا عَلَى الْقَوْمِ الْكٰفِرِيْنَ ﴿٢٨٦﴾ ع ٤٠ ٨

اٰيَاتُهَا ٢٠٠ (٣) سُوْرَةُ اٰلِ عِمْرٰنَ مَدَنِيَّةٌ (٨٩) رُكُوْعَاتُهَا ٢٠

بِسْمِ اللّٰهِ الرَّحْمٰنِ الرَّحِيْمِ ۝

الٓمّٓ ﴿١﴾ اللّٰهُ لَآ اِلٰهَ اِلَّا هُوَ الْحَيُّ الْقَيُّوْمُ ﴿٢﴾ نَزَّلَ
عَلَيْكَ الْكِتٰبَ بِالْحَقِّ مُصَدِّقًا لِّمَا بَيْنَ يَدَيْهِ
وَاَنْزَلَ التَّوْرٰىةَ وَالْاِنْجِيْلَ ﴿٣﴾ مِنْ قَبْلُ هُدًى
لِّلنَّاسِ وَاَنْزَلَ الْفُرْقَانَ ؕ اِنَّ الَّذِيْنَ كَفَرُوْا بِاٰيٰتِ
اللّٰهِ لَهُمْ عَذَابٌ شَدِيْدٌ ؕ وَاللّٰهُ عَزِيْزٌ ذُو انْتِقَامٍ ﴿٤﴾
اِنَّ اللّٰهَ لَا يَخْفٰى عَلَيْهِ شَيْءٌ فِى الْاَرْضِ وَلَا فِى
السَّمَآءِ ﴿٥﴾ هُوَ الَّذِىْ يُصَوِّرُكُمْ فِى الْاَرْحَامِ كَيْفَ
يَشَآءُ ؕ لَآ اِلٰهَ اِلَّا هُوَ الْعَزِيْزُ الْحَكِيْمُ ﴿٦﴾ هُوَ
الَّذِىْٓ اَنْزَلَ عَلَيْكَ الْكِتٰبَ مِنْهُ اٰيٰتٌ مُّحْكَمٰتٌ
هُنَّ اُمُّ الْكِتٰبِ وَاُخَرُ مُتَشٰبِهٰتٌ ؕ فَاَمَّا الَّذِيْنَ

منزل ١

فِيْ قُلُوْبِهِمْ زَيْغٌ فَيَتَّبِعُوْنَ مَا تَشَابَهَ مِنْهُ ابْتِغَآءَ
الْفِتْنَةِ وَابْتِغَآءَ تَاْوِيْلِهٖ ۚ وَمَا يَعْلَمُ تَاْوِيْلَهٗۤ اِلَّا
اللّٰهُ ؔۘ وَالرّٰسِخُوْنَ فِي الْعِلْمِ يَقُوْلُوْنَ اٰمَنَّا بِهٖ ۙ
كُلٌّ مِّنْ عِنْدِ رَبِّنَا ۚ وَمَا يَذَّكَّرُ اِلَّاۤ اُولُوا الْاَلْبَابِ ﴿۷﴾
رَبَّنَا لَا تُزِغْ قُلُوْبَنَا بَعْدَ اِذْ هَدَيْتَنَا وَهَبْ
لَنَا مِنْ لَّدُنْكَ رَحْمَةً ۚ اِنَّكَ اَنْتَ الْوَهَّابُ ﴿۸﴾
رَبَّنَاۤ اِنَّكَ جَامِعُ النَّاسِ لِيَوْمٍ لَّا رَيْبَ فِيْهِ ؕ
اِنَّ اللّٰهَ لَا يُخْلِفُ الْمِيْعَادَ ﴿۹﴾ ع اِنَّ الَّذِيْنَ كَفَرُوْا
لَنْ تُغْنِيَ عَنْهُمْ اَمْوَالُهُمْ وَلَاۤ اَوْلَادُهُمْ مِّنَ
اللّٰهِ شَيْـًٔا ؕ وَاُولٰٓئِكَ هُمْ وَقُوْدُ النَّارِ ﴿۱۰﴾ ۙ كَدَاْبِ اٰلِ
فِرْعَوْنَ ۙ وَالَّذِيْنَ مِنْ قَبْلِهِمْ ؕ كَذَّبُوْا بِاٰيٰتِنَا ۚ
فَاَخَذَهُمُ اللّٰهُ بِذُنُوْبِهِمْ ؕ وَاللّٰهُ شَدِيْدُ الْعِقَابِ ﴿۱۱﴾
قُلْ لِّلَّذِيْنَ كَفَرُوْا سَتُغْلَبُوْنَ وَتُحْشَرُوْنَ اِلٰى

وقف لازم وقف منزل وقف النبي صلى الله عليه وآله وسلم

منزل ۱

ع ۵

جَهَنَّمُ ؕ وَبِئْسَ الْمِهَادُ ﴿۱۲﴾ قَدْ كَانَ لَكُمْ اٰيَةٌ
فِیْ فِئَتَیْنِ الْتَقَتَا ؕ فِئَةٌ تُقَاتِلُ فِیْ سَبِیْلِ اللّٰهِ
وَاُخْرٰی كَافِرَةٌ یَّرَوْنَهُمْ مِّثْلَیْهِمْ رَاْیَ الْعَیْنِ ؕ
وَاللّٰهُ یُؤَیِّدُ بِنَصْرِهٖ مَنْ یَّشَآءُ ؕ اِنَّ فِیْ ذٰلِكَ
لَعِبْرَةً لِّاُولِی الْاَبْصَارِ ﴿۱۳﴾ زُیِّنَ لِلنَّاسِ حُبُّ
الشَّهَوٰتِ مِنَ النِّسَآءِ وَالْبَنِیْنَ وَالْقَنَاطِیْرِ الْمُقَنْطَرَةِ
مِنَ الذَّهَبِ وَالْفِضَّةِ وَالْخَیْلِ الْمُسَوَّمَةِ وَ
الْاَنْعَامِ وَالْحَرْثِ ؕ ذٰلِكَ مَتَاعُ الْحَیٰوةِ الدُّنْیَا ۚ
وَاللّٰهُ عِنْدَهٗ حُسْنُ الْمَاٰبِ ﴿۱۴﴾ قُلْ اَؤُنَبِّئُكُمْ
بِخَیْرٍ مِّنْ ذٰلِكُمْ ؕ لِلَّذِیْنَ اتَّقَوْا عِنْدَ رَبِّهِمْ
جَنّٰتٌ تَجْرِیْ مِنْ تَحْتِهَا الْاَنْهٰرُ خٰلِدِیْنَ فِیْهَا
وَاَزْوَاجٌ مُّطَهَّرَةٌ وَّرِضْوَانٌ مِّنَ اللّٰهِ ؕ وَاللّٰهُ
بَصِیْرٌۢ بِالْعِبَادِ ﴿۱۵﴾ ۚ اَلَّذِیْنَ یَقُوْلُوْنَ رَبَّنَآ اِنَّنَآ اٰمَنَّا

منزل ۱

فَاغْفِرْ لَنَا ذُنُوْبَنَا وَقِنَا عَذَابَ النَّارِ ۚ﴿۱۶﴾ اَلصّٰبِرِيْنَ وَ
الصّٰدِقِيْنَ وَالْقٰنِتِيْنَ وَالْمُنْفِقِيْنَ وَ الْمُسْتَغْفِرِيْنَ
بِالْاَسْحَارِ ﴿۱۷﴾ شَهِدَ اللّٰهُ اَنَّهٗ لَآ اِلٰهَ اِلَّا هُوَ ۙ وَ
الْمَلٰٓئِكَةُ وَ اُولُوا الْعِلْمِ قَآئِمًا بِالْقِسْطِ ؕ لَآ اِلٰهَ اِلَّا
النصف هُوَ الْعَزِيْزُ الْحَكِيْمُ ؕ﴿۱۸﴾ اِنَّ الدِّيْنَ عِنْدَ اللّٰهِ الْاِسْلَامُ ۡ قف
وَمَا اخْتَلَفَ الَّذِيْنَ اُوْتُوا الْكِتٰبَ اِلَّا مِنْۢ بَعْدِ
مَا جَآءَهُمُ الْعِلْمُ بَغْيًاۢ بَيْنَهُمْ ؕ وَمَنْ يَّكْفُرْ منزل ۱
بِاٰيٰتِ اللّٰهِ فَاِنَّ اللّٰهَ سَرِيْعُ الْحِسَابِ ﴿۱۹﴾ فَاِنْ
حَآجُّوْكَ فَقُلْ اَسْلَمْتُ وَجْهِيَ لِلّٰهِ وَمَنِ اتَّبَعَنِ ؕ
وَقُلْ لِّلَّذِيْنَ اُوْتُوا الْكِتٰبَ وَالْاُمِّيّٖنَ ءَاَسْلَمْتُمْ ؕ
فَاِنْ اَسْلَمُوْا فَقَدِ اهْتَدَوْا ۚ وَاِنْ تَوَلَّوْا فَاِنَّمَا
ع ۲ ۱۱ عَلَيْكَ الْبَلٰغُ ؕ وَاللّٰهُ بَصِيْرٌۢ بِالْعِبَادِ ﴿۲۰﴾ ع اِنَّ
الَّذِيْنَ يَكْفُرُوْنَ بِاٰيٰتِ اللّٰهِ وَيَقْتُلُوْنَ النَّبِيّٖنَ

بِغَيْرِ حَقٍّ ۙ وَّيَقْتُلُوْنَ الَّذِيْنَ يَاْمُرُوْنَ بِالْقِسْطِ
مِنَ النَّاسِ ۙ فَبَشِّرْهُمْ بِعَذَابٍ اَلِيْمٍ ﴿٢١﴾ اُولٰٓئِكَ
الَّذِيْنَ حَبِطَتْ اَعْمَالُهُمْ فِى الدُّنْيَا وَالْاٰخِرَةِ ز وَمَا لَهُمْ
مِّنْ نّٰصِرِيْنَ ﴿٢٢﴾ اَلَمْ تَرَ اِلَى الَّذِيْنَ اُوْتُوْا نَصِيْبًا
مِّنَ الْكِتٰبِ يُدْعَوْنَ اِلٰى كِتٰبِ اللّٰهِ لِيَحْكُمَ بَيْنَهُمْ
ثُمَّ يَتَوَلّٰى فَرِيْقٌ مِّنْهُمْ وَهُمْ مُّعْرِضُوْنَ ﴿٢٣﴾
ذٰلِكَ بِاَنَّهُمْ قَالُوْا لَنْ تَمَسَّنَا النَّارُ اِلَّآ اَيَّامًا
مَّعْدُوْدٰتٍ ص وَّغَرَّهُمْ فِىْ دِيْنِهِمْ مَّا كَانُوْا
يَفْتَرُوْنَ ﴿٢٤﴾ فَكَيْفَ اِذَا جَمَعْنٰهُمْ لِيَوْمٍ لَّا رَيْبَ
فِيْهِ تف وَوُفِّيَتْ كُلُّ نَفْسٍ مَّا كَسَبَتْ وَهُمْ لَا
يُظْلَمُوْنَ ﴿٢٥﴾ قُلِ اللّٰهُمَّ مٰلِكَ الْمُلْكِ تُؤْتِى الْمُلْكَ
مَنْ تَشَآءُ وَتَنْزِعُ الْمُلْكَ مِمَّنْ تَشَآءُ ز وَتُعِزُّ
مَنْ تَشَآءُ وَتُذِلُّ مَنْ تَشَآءُ ط بِيَدِكَ الْخَيْرُ ط اِنَّكَ

منزل ١

عَلٰى كُلِّ شَیْءٍ قَدِیْرٌ ﴿٢٦﴾ تُوْلِجُ الَّیْلَ فِی النَّهَارِ وَ
تُوْلِجُ النَّهَارَ فِی الَّیْلِ ز وَتُخْرِجُ الْحَیَّ مِنَ الْمَیِّتِ
وَتُخْرِجُ الْمَیِّتَ مِنَ الْحَیِّ ز وَتَرْزُقُ مَنْ تَشَآءُ
بِغَیْرِ حِسَابٍ ﴿٢٧﴾ لَا یَتَّخِذِ الْمُؤْمِنُوْنَ الْكٰفِرِیْنَ
اَوْلِیَآءَ مِنْ دُوْنِ الْمُؤْمِنِیْنَ ج وَمَنْ یَّفْعَلْ ذٰلِكَ
فَلَیْسَ مِنَ اللّٰهِ فِیْ شَیْءٍ اِلَّآ اَنْ تَتَّقُوْا مِنْهُمْ
تُقٰىةً ط وَیُحَذِّرُكُمُ اللّٰهُ نَفْسَهٗ ط وَاِلَى اللّٰهِ الْمَصِیْرُ ﴿٢٨﴾ منزل ١
قُلْ اِنْ تُخْفُوْا مَا فِیْ صُدُوْرِكُمْ اَوْ تُبْدُوْهُ یَعْلَمْهُ
اللّٰهُ ط وَیَعْلَمُ مَا فِی السَّمٰوٰتِ وَمَا فِی الْاَرْضِ ط
وَاللّٰهُ عَلٰى كُلِّ شَیْءٍ قَدِیْرٌ ﴿٢٩﴾ یَوْمَ تَجِدُ كُلُّ
معانقة عند المتاخرين ١٢ نَفْسٍ مَّا عَمِلَتْ مِنْ خَیْرٍ مُّحْضَرًا ج صلے وَّمَا عَمِلَتْ
مِنْ سُوْٓءٍ ج تَوَدُّ لَوْ اَنَّ بَیْنَهَا وَبَیْنَهٗٓ اَمَدًا ۢ بَعِیْدًا ط
ع ٣ ١٠ وَیُحَذِّرُكُمُ اللّٰهُ نَفْسَهٗ ط وَاللّٰهُ رَءُوْفٌ ۢ بِالْعِبَادِ ﴿٣٠﴾ ع

Ikhfa اِخفا | Ikhfa Meem Saakin اِخفامیم ساکن | Qalqala قلقلہ | Qalb قلب | Idghaam اِدغام | Idghaam Meem Saakin اِدغام میم ساکن | Ghunna غُنّہ

قُلْ اِنْ كُنْتُمْ تُحِبُّوْنَ اللّٰهَ فَاتَّبِعُوْنِيْ يُحْبِبْكُمُ اللّٰهُ
وَيَغْفِرْ لَكُمْ ذُنُوْبَكُمْ ؕ وَاللّٰهُ غَفُوْرٌ رَّحِيْمٌ ﴿۳۱﴾
قُلْ اَطِيْعُوا اللّٰهَ وَالرَّسُوْلَ ۚ فَاِنْ تَوَلَّوْا فَاِنَّ اللّٰهَ
لَا يُحِبُّ الْكٰفِرِيْنَ ﴿۳۲﴾ اِنَّ اللّٰهَ اصْطَفٰۤى اٰدَمَ وَ
نُوْحًا وَّاٰلَ اِبْرٰهِيْمَ وَاٰلَ عِمْرٰنَ عَلَى الْعٰلَمِيْنَ ﴿۳۳﴾ لا
ذُرِّيَّةًۢ بَعْضُهَا مِنْۢ بَعْضٍ ؕ وَاللّٰهُ سَمِيْعٌ عَلِيْمٌ ﴿۳۴﴾ ۚ
اِذْ قَالَتِ امْرَاَتُ عِمْرٰنَ رَبِّ اِنِّيْ نَذَرْتُ لَكَ
مَا فِيْ بَطْنِيْ مُحَرَّرًا فَتَقَبَّلْ مِنِّيْ ۚ اِنَّكَ اَنْتَ
السَّمِيْعُ الْعَلِيْمُ ﴿۳۵﴾ فَلَمَّا وَضَعَتْهَا قَالَتْ رَبِّ
اِنِّيْ وَضَعْتُهَاۤ اُنْثٰى ؕ وَاللّٰهُ اَعْلَمُ بِمَا وَضَعَتْ ؕ وَ
لَيْسَ الذَّكَرُ كَالْاُنْثٰى ۚ وَاِنِّيْ سَمَّيْتُهَا مَرْيَمَ وَاِنِّيْۤ
اُعِيْذُهَا بِكَ وَذُرِّيَّتَهَا مِنَ الشَّيْطٰنِ الرَّجِيْمِ ﴿۳۶﴾
فَتَقَبَّلَهَا رَبُّهَا بِقَبُوْلٍ حَسَنٍ وَّاَنْۢبَتَهَا نَبَاتًا

منزل ١

حَسَنًا وَّ كَفَّلَهَا زَكَرِيَّا ۚ كُلَّمَا دَخَلَ عَلَيْهَا زَكَرِيَّا
الْمِحْرَابَ ۙ وَجَدَ عِنْدَهَا رِزْقًا ۚ قَالَ يٰمَرْيَمُ اَنّٰى
لَكِ هٰذَا ؕ قَالَتْ هُوَ مِنْ عِنْدِ اللّٰهِ ؕ اِنَّ اللّٰهَ يَرْزُقُ
مَنْ يَّشَآءُ بِغَيْرِ حِسَابٍ ﴿٣٧﴾ هُنَالِكَ دَعَا زَكَرِيَّا
رَبَّهٗ ۚ قَالَ رَبِّ هَبْ لِيْ مِنْ لَّدُنْكَ ذُرِّيَّةً
طَيِّبَةً ۚ اِنَّكَ سَمِيْعُ الدُّعَآءِ ﴿٣٨﴾ فَنَادَتْهُ الْمَلٰٓئِكَةُ
وَهُوَ قَآئِمٌ يُّصَلِّيْ فِي الْمِحْرَابِ ۙ اَنَّ اللّٰهَ يُبَشِّرُكَ منزل ١
بِيَحْيٰى مُصَدِّقًا بِكَلِمَةٍ مِّنَ اللّٰهِ وَ سَيِّدًا وَّ
حَصُوْرًا وَّ نَبِيًّا مِّنَ الصّٰلِحِيْنَ ﴿٣٩﴾ قَالَ رَبِّ اَنّٰى
يَكُوْنُ لِيْ غُلٰمٌ وَّ قَدْ بَلَغَنِيَ الْكِبَرُ وَامْرَاَتِيْ عَاقِرٌ ؕ
قَالَ كَذٰلِكَ اللّٰهُ يَفْعَلُ مَا يَشَآءُ ﴿٤٠﴾ قَالَ رَبِّ
اجْعَلْ لِّيْٓ اٰيَةً ؕ قَالَ اٰيَتُكَ اَلَّا تُكَلِّمَ النَّاسَ
ثَلٰثَةَ اَيَّامٍ اِلَّا رَمْزًا ؕ وَاذْكُرْ رَّبَّكَ كَثِيْرًا وَّ

Ghunna غنّہ | Idghaam Meem Saakin ادغام میم ساکن | Idghaam ادغام | Qalb قلب | Qalqala قلقلہ | Ikhfa Meem Saakin اخفا میم ساکن | Ikhfa اخفا

ع ١١ ١٢ سَبِّحْ بِالْعَشِيِّ وَ الْاِبْكَارِ ﴿۴۱﴾ وَ اِذْ قَالَتِ الْمَلٰٓئِكَةُ

يٰمَرْيَمُ اِنَّ اللّٰهَ اصْطَفٰىكِ وَطَهَّرَكِ وَاصْطَفٰىكِ

عَلٰى نِسَآءِ الْعٰلَمِيْنَ ﴿۴۲﴾ يٰمَرْيَمُ اقْنُتِىْ لِرَبِّكِ

وَاسْجُدِىْ وَارْكَعِىْ مَعَ الرّٰكِعِيْنَ ﴿۴۳﴾ ذٰلِكَ

مِنْ اَنْۢبَآءِ الْغَيْبِ نُوْحِيْهِ اِلَيْكَ ؕ وَمَا كُنْتَ

لَدَيْهِمْ اِذْ يُلْقُوْنَ اَقْلَامَهُمْ اَيُّهُمْ يَكْفُلُ مَرْيَمَ ص

وَمَا كُنْتَ لَدَيْهِمْ اِذْ يَخْتَصِمُوْنَ ﴿۴۴﴾ اِذْ قَالَتِ منزل١

الْمَلٰٓئِكَةُ يٰمَرْيَمُ اِنَّ اللّٰهَ يُبَشِّرُكِ بِكَلِمَةٍ مِّنْهُ ۖۗ

اسْمُهُ الْمَسِيْحُ عِيْسَى ابْنُ مَرْيَمَ وَجِيْهًا فِى

الدُّنْيَا وَالْاٰخِرَةِ وَمِنَ الْمُقَرَّبِيْنَ ﴿۴۵﴾ ۙ وَيُكَلِّمُ

النَّاسَ فِى الْمَهْدِ وَكَهْلًا وَّمِنَ الصّٰلِحِيْنَ ﴿۴۶﴾

قَالَتْ رَبِّ اَنّٰى يَكُوْنُ لِىْ وَلَدٌ وَّلَمْ يَمْسَسْنِىْ

بَشَرٌ ؕ قَالَ كَذٰلِكِ اللّٰهُ يَخْلُقُ مَا يَشَآءُ ؕ اِذَا قَضٰٓى

اَمْرًا فَاِنَّمَا يَقُوْلُ لَهٗ كُنْ فَيَكُوْنُ ﴿٤٧﴾ وَيُعَلِّمُهُ

الْكِتٰبَ وَالْحِكْمَةَ وَالتَّوْرٰىةَ وَالْاِنْجِيْلَ ﴿٤٨﴾ وَرَسُوْلًا

اِلٰى بَنِيْٓ اِسْرَآءِيْلَ ۙ۬ اَنِّيْ قَدْ جِئْتُكُمْ بِاٰيَةٍ

مِّنْ رَّبِّكُمْ ۙ اَنِّيْٓ اَخْلُقُ لَكُمْ مِّنَ الطِّيْنِ كَهَيْـَٔةِ

الطَّيْرِ فَاَنْفُخُ فِيْهِ فَيَكُوْنُ طَيْرًاۢ بِاِذْنِ اللّٰهِ ۚ وَ

اُبْرِئُ الْاَكْمَهَ وَالْاَبْرَصَ وَاُحْيِ الْمَوْتٰى بِاِذْنِ اللّٰهِ ۚ

وَاُنَبِّئُكُمْ بِمَا تَاْكُلُوْنَ وَمَا تَدَّخِرُوْنَ ۙ فِيْ

بُيُوْتِكُمْ ۭ اِنَّ فِيْ ذٰلِكَ لَاٰيَةً لَّكُمْ اِنْ كُنْتُمْ

مُّؤْمِنِيْنَ ﴿٤٩﴾ وَمُصَدِّقًا لِّمَا بَيْنَ يَدَيَّ مِنَ

التَّوْرٰىةِ وَلِاُحِلَّ لَكُمْ بَعْضَ الَّذِيْ حُرِّمَ عَلَيْكُمْ

وَجِئْتُكُمْ بِاٰيَةٍ مِّنْ رَّبِّكُمْ ۣ فَاتَّقُوا اللّٰهَ وَ

اَطِيْعُوْنِ ﴿٥٠﴾ اِنَّ اللّٰهَ رَبِّيْ وَرَبُّكُمْ فَاعْبُدُوْهُ ۭ

هٰذَا صِرَاطٌ مُّسْتَقِيْمٌ ﴿٥١﴾ فَلَمَّآ اَحَسَّ عِيْسٰى مِنْهُمُ

منزل ۱

الْكُفْرَ قَالَ مَنْ اَنْصَارِیْٓ اِلَى اللّٰهِ ؕ قَالَ الْحَوَارِیُّوْنَ
نَحْنُ اَنْصَارُ اللّٰهِ ۚ اٰمَنَّا بِاللّٰهِ ۚ وَاشْهَدْ بِاَنَّا مُسْلِمُوْنَ ﴿٥٢﴾
رَبَّنَآ اٰمَنَّا بِمَآ اَنْزَلْتَ وَاتَّبَعْنَا الرَّسُوْلَ فَاكْتُبْنَا
مَعَ الشّٰهِدِیْنَ ﴿٥٣﴾ وَمَكَرُوْا وَمَكَرَ اللّٰهُ ؕ وَاللّٰهُ خَیْرُ
الْمٰكِرِیْنَ ﴿٥٤﴾ ع اِذْ قَالَ اللّٰهُ یٰعِیْسٰۤى اِنِّیْ مُتَوَفِّیْكَ
وَرَافِعُكَ اِلَیَّ وَمُطَهِّرُكَ مِنَ الَّذِیْنَ كَفَرُوْا
وَجَاعِلُ الَّذِیْنَ اتَّبَعُوْكَ فَوْقَ الَّذِیْنَ كَفَرُوْٓا
اِلٰى یَوْمِ الْقِیٰمَةِ ۚ ثُمَّ اِلَیَّ مَرْجِعُكُمْ فَاَحْكُمُ
بَیْنَكُمْ فِیْمَا كُنْتُمْ فِیْهِ تَخْتَلِفُوْنَ ﴿٥٥﴾ فَاَمَّا
الَّذِیْنَ كَفَرُوْا فَاُعَذِّبُهُمْ عَذَابًا شَدِیْدًا فِی
الدُّنْیَا وَالْاٰخِرَةِ ۫ وَمَا لَهُمْ مِّنْ نّٰصِرِیْنَ ﴿٥٦﴾ وَاَمَّا
الَّذِیْنَ اٰمَنُوْا وَعَمِلُوا الصّٰلِحٰتِ فَیُوَفِّیْهِمْ اُجُوْرَهُمْ ؕ
وَاللّٰهُ لَا یُحِبُّ الظّٰلِمِیْنَ ﴿٥٧﴾ ذٰلِكَ نَتْلُوْهُ عَلَیْكَ

منزل ١

Ikhfa اِخفا | Ikhfa Meem Saakin اِخفامیم ساکن | Qalqala قلقلہ | Qalb قلب | Idghaam اِدغام | Idghaam Meem Saakin اِدغام میم ساکن | Ghunna غنّہ

مِنَ الْاٰيٰتِ وَالذِّكْرِ الْحَكِيْمِ ﴿٥٨﴾ اِنَّ مَثَلَ عِيْسٰى

عِنْدَ اللّٰهِ كَمَثَلِ اٰدَمَ ؕ خَلَقَهٗ مِنْ تُرَابٍ ثُمَّ قَالَ

لَهٗ كُنْ فَيَكُوْنُ ﴿٥٩﴾ اَلْحَقُّ مِنْ رَّبِّكَ فَلَا تَكُنْ مِّنَ

الْمُمْتَرِيْنَ ﴿٦٠﴾ فَمَنْ حَآجَّكَ فِيْهِ مِنْۢ بَعْدِ مَا

جَآءَكَ مِنَ الْعِلْمِ فَقُلْ تَعَالَوْا نَدْعُ اَبْنَآءَنَا وَ

اَبْنَآءَكُمْ وَنِسَآءَنَا وَنِسَآءَكُمْ وَاَنْفُسَنَا وَاَنْفُسَكُمْ قف

منزل ١ ثُمَّ نَبْتَهِلْ فَنَجْعَلْ لَّعْنَتَ اللّٰهِ عَلَى الْكٰذِبِيْنَ ﴿٦١﴾

اِنَّ هٰذَا لَهُوَ الْقَصَصُ الْحَقُّ ۚ وَمَا مِنْ اِلٰهٍ اِلَّا

اللّٰهُ ؕ وَاِنَّ اللّٰهَ لَهُوَ الْعَزِيْزُ الْحَكِيْمُ ﴿٦٢﴾ فَاِنْ

تَوَلَّوْا فَاِنَّ اللّٰهَ عَلِيْمٌۢ بِالْمُفْسِدِيْنَ ﴿٦٣﴾ ع قُلْ يٰۤاَهْلَ ع ٦ ٩ ١٤

الْكِتٰبِ تَعَالَوْا اِلٰى كَلِمَةٍ سَوَآءٍۢ بَيْنَنَا وَبَيْنَكُمْ

اَلَّا نَعْبُدَ اِلَّا اللّٰهَ وَلَا نُشْرِكَ بِهٖ شَيْـًٔا وَّلَا يَتَّخِذَ

بَعْضُنَا بَعْضًا اَرْبَابًا مِّنْ دُوْنِ اللّٰهِ ؕ فَاِنْ تَوَلَّوْا

Ikhfa إخفا | Ikhfa Meem Saakin إخفاميم ساكن | Qalqala قلقله | Qalb قلب | Idghaam إدغام | Idghaam Meem Saakin إدغام ميم ساكن | Ghunna غُنّہ

فَقُوْلُوا اشْهَدُوْا بِاَنَّا مُسْلِمُوْنَ ﴿٦٤﴾ يٰۤاَهْلَ الْكِتٰبِ
لِمَ تُحَآجُّوْنَ فِیْۤ اِبْرٰهِیْمَ وَمَاۤ اُنْزِلَتِ التَّوْرٰىةُ
وَالْاِنْجِیْلُ اِلَّا مِنْۢ بَعْدِهٖؕ اَفَلَا تَعْقِلُوْنَ ﴿٦٥﴾
هٰۤاَنْتُمْ هٰۤؤُلَآءِ حَاجَجْتُمْ فِیْمَا لَكُمْ بِهٖ عِلْمٌ فَلِمَ
تُحَآجُّوْنَ فِیْمَا لَیْسَ لَكُمْ بِهٖ عِلْمٌؕ وَاللّٰهُ یَعْلَمُ وَ
اَنْتُمْ لَا تَعْلَمُوْنَ ﴿٦٦﴾ مَا كَانَ اِبْرٰهِیْمُ یَهُوْدِیًّا
وَّلَا نَصْرَانِیًّا وَّلٰكِنْ كَانَ حَنِیْفًا مُّسْلِمًاؕ وَمَا
كَانَ مِنَ الْمُشْرِكِیْنَ ﴿٦٧﴾ اِنَّ اَوْلَى النَّاسِ بِاِبْرٰهِیْمَ
لَلَّذِیْنَ اتَّبَعُوْهُ وَهٰذَا النَّبِیُّ وَالَّذِیْنَ اٰمَنُوْاؕ
وَاللّٰهُ وَلِیُّ الْمُؤْمِنِیْنَ ﴿٦٨﴾ وَدَّتْ طَّآىِٕفَةٌ مِّنْ
اَهْلِ الْكِتٰبِ لَوْ یُضِلُّوْنَكُمْؕ وَمَا یُضِلُّوْنَ اِلَّاۤ
اَنْفُسَهُمْ وَمَا یَشْعُرُوْنَ ﴿٦٩﴾ یٰۤاَهْلَ الْكِتٰبِ لِمَ
تَكْفُرُوْنَ بِاٰیٰتِ اللّٰهِ وَاَنْتُمْ تَشْهَدُوْنَ ﴿٧٠﴾ یٰۤاَهْلَ

منزل ١

الْكِتٰبِ لِمَ تَلْبِسُوْنَ الْحَقَّ بِالْبَاطِلِ وَتَكْتُمُوْنَ الْحَقَّ

وَاَنْتُمْ تَعْلَمُوْنَ ۟۷۱ وَقَالَتْ طَّآئِفَةٌ مِّنْ اَهْلِ ع ۸ ۷ 15

الْكِتٰبِ اٰمِنُوْا بِالَّذِيْٓ اُنْزِلَ عَلَى الَّذِيْنَ اٰمَنُوْا وَجْهَ

النَّهَارِ وَاكْفُرُوْٓا اٰخِرَهٗ لَعَلَّهُمْ يَرْجِعُوْنَ ۟ۚۖ۷۲ وَلَا تُؤْمِنُوْٓا

اِلَّا لِمَنْ تَبِعَ دِيْنَكُمْ ؕ قُلْ اِنَّ الْهُدٰى هُدَى اللّٰهِ ۙ

اَنْ يُّؤْتٰٓى اَحَدٌ مِّثْلَ مَآ اُوْتِيْتُمْ اَوْ يُحَآجُّوْكُمْ

عِنْدَ رَبِّكُمْ ؕ قُلْ اِنَّ الْفَضْلَ بِيَدِ اللّٰهِ ۚ يُؤْتِيْهِ مَنْ منزل ۱

يَّشَآءُ ؕ وَاللّٰهُ وَاسِعٌ عَلِيْمٌ ۟ۙۚ۷۳ يَّخْتَصُّ بِرَحْمَتِهٖ مَنْ

يَّشَآءُ ؕ وَاللّٰهُ ذُو الْفَضْلِ الْعَظِيْمِ ۟۷۴ وَمِنْ اَهْلِ الْكِتٰبِ

مَنْ اِنْ تَاْمَنْهُ بِقِنْطَارٍ يُّؤَدِّهٖٓ اِلَيْكَ ۚ وَمِنْهُمْ مَّنْ

اِنْ تَاْمَنْهُ بِدِيْنَارٍ لَّا يُؤَدِّهٖٓ اِلَيْكَ اِلَّا مَا دُمْتَ

عَلَيْهِ قَآئِمًا ؕ ذٰلِكَ بِاَنَّهُمْ قَالُوْا لَيْسَ عَلَيْنَا فِي

الْاُمِّيّٖنَ سَبِيْلٌ ۚ وَيَقُوْلُوْنَ عَلَى اللّٰهِ الْكَذِبَ وَهُمْ

Ikhfa إخفا | Ikhfa Meem Saakin إخفامیم ساکن | Qalqala قلقلہ | Qalb قلب | Idghaam إدغام | Idghaam Meem Saakin إدغام میم ساکن | Ghunna غُنّہ

يَعْلَمُوْنَ ﴿٧٥﴾ بَلٰى مَنْ اَوْفٰى بِعَهْدِهٖ وَاتَّقٰى فَاِنَّ اللّٰهَ
يُحِبُّ الْمُتَّقِيْنَ ﴿٧٦﴾ اِنَّ الَّذِيْنَ يَشْتَرُوْنَ بِعَهْدِ اللّٰهِ
وَاَيْمَانِهِمْ ثَمَنًا قَلِيْلًا اُولٰٓئِكَ لَا خَلَاقَ لَهُمْ فِى
الْاٰخِرَةِ وَلَا يُكَلِّمُهُمُ اللّٰهُ وَلَا يَنْظُرُ اِلَيْهِمْ يَوْمَ
الْقِيٰمَةِ وَلَا يُزَكِّيْهِمْ ۠ وَلَهُمْ عَذَابٌ اَلِيْمٌ ﴿٧٧﴾ وَاِنَّ
مِنْهُمْ لَفَرِيْقًا يَّلْوٗنَ اَلْسِنَتَهُمْ بِالْكِتٰبِ لِتَحْسَبُوْهُ
مِنَ الْكِتٰبِ وَمَا هُوَ مِنَ الْكِتٰبِ ۚ وَيَقُوْلُوْنَ هُوَ مِنْ
عِنْدِ اللّٰهِ وَمَا هُوَ مِنْ عِنْدِ اللّٰهِ ۚ وَيَقُوْلُوْنَ عَلَى اللّٰهِ
الْكَذِبَ وَهُمْ يَعْلَمُوْنَ ﴿٧٨﴾ مَا كَانَ لِبَشَرٍ اَنْ يُّؤْتِيَهُ
اللّٰهُ الْكِتٰبَ وَالْحُكْمَ وَالنُّبُوَّةَ ثُمَّ يَقُوْلَ لِلنَّاسِ
كُوْنُوْا عِبَادًا لِّيْ مِنْ دُوْنِ اللّٰهِ وَلٰكِنْ كُوْنُوْا رَبّٰنِيّٖنَ
بِمَا كُنْتُمْ تُعَلِّمُوْنَ الْكِتٰبَ وَبِمَا كُنْتُمْ تَدْرُسُوْنَ ﴿٧٩﴾ ۙ
وَلَا يَاْمُرَكُمْ اَنْ تَتَّخِذُوا الْمَلٰٓئِكَةَ وَالنَّبِيّٖنَ اَرْبَابًا ؕ

منزل ١

ع ٨ ٩ ١٦

اَيَاْمُرُكُمْ بِالْكُفْرِ بَعْدَ اِذْ اَنْتُمْ مُّسْلِمُوْنَ ﴿٨٠﴾ ع وَاِذْ
اَخَذَ اللّٰهُ مِيْثَاقَ النَّبِيّٖنَ لَمَآ اٰتَيْتُكُمْ مِّنْ كِتٰبٍ
وَّحِكْمَةٍ ثُمَّ جَآءَكُمْ رَسُوْلٌ مُّصَدِّقٌ لِّمَا مَعَكُمْ
لَتُؤْمِنُنَّ بِهٖ وَلَتَنْصُرُنَّهٗ ؕ قَالَ ءَاَقْرَرْتُمْ وَاَخَذْتُمْ
عَلٰى ذٰلِكُمْ اِصْرِيْ ؕ قَالُوْٓا اَقْرَرْنَا ؕ قَالَ فَاشْهَدُوْا
وَاَنَا مَعَكُمْ مِّنَ الشّٰهِدِيْنَ ﴿٨١﴾ فَمَنْ تَوَلّٰى بَعْدَ
ذٰلِكَ فَاُولٰٓئِكَ هُمُ الْفٰسِقُوْنَ ﴿٨٢﴾ اَفَغَيْرَ دِيْنِ اللّٰهِ
يَبْغُوْنَ وَلَهٗٓ اَسْلَمَ مَنْ فِي السَّمٰوٰتِ وَالْاَرْضِ
طَوْعًا وَّكَرْهًا وَّاِلَيْهِ يُرْجَعُوْنَ ﴿٨٣﴾ قُلْ اٰمَنَّا بِاللّٰهِ
وَمَآ اُنْزِلَ عَلَيْنَا وَمَآ اُنْزِلَ عَلٰٓى اِبْرٰهِيْمَ وَاِسْمٰعِيْلَ
وَاِسْحٰقَ وَيَعْقُوْبَ وَالْاَسْبَاطِ وَمَآ اُوْتِيَ مُوْسٰى
وَعِيْسٰى وَالنَّبِيُّوْنَ مِنْ رَّبِّهِمْ ۪ لَا نُفَرِّقُ بَيْنَ
اَحَدٍ مِّنْهُمْ ۫ وَنَحْنُ لَهٗ مُسْلِمُوْنَ ﴿٨٤﴾ وَمَنْ يَّبْتَغِ

منزل ١

غَيْرَ الْاِسْلَامِ دِيْنًا فَلَنْ يُّقْبَلَ مِنْهُ ۚ وَهُوَ فِي
الْاٰخِرَةِ مِنَ الْخٰسِرِيْنَ ﴿٨٥﴾ كَيْفَ يَهْدِي اللّٰهُ قَوْمًا
كَفَرُوْا بَعْدَ اِيْمَانِهِمْ وَشَهِدُوْٓا اَنَّ الرَّسُوْلَ حَقٌّ وَّ
جَآءَهُمُ الْبَيِّنٰتُ ؕ وَاللّٰهُ لَا يَهْدِي الْقَوْمَ الظّٰلِمِيْنَ ﴿٨٦﴾
اُولٰٓئِكَ جَزَآؤُهُمْ اَنَّ عَلَيْهِمْ لَعْنَةَ اللّٰهِ وَالْمَلٰٓئِكَةِ
وَالنَّاسِ اَجْمَعِيْنَ ﴿٨٧﴾ لا خٰلِدِيْنَ فِيْهَا ۚ لَا يُخَفَّفُ عَنْهُمُ
الْعَذَابُ وَلَا هُمْ يُنْظَرُوْنَ ﴿٨٨﴾ لا اِلَّا الَّذِيْنَ تَابُوْا مِنْ
بَعْدِ ذٰلِكَ وَاَصْلَحُوْا ۣ فَاِنَّ اللّٰهَ غَفُوْرٌ رَّحِيْمٌ ﴿٨٩﴾ اِنَّ
الَّذِيْنَ كَفَرُوْا بَعْدَ اِيْمَانِهِمْ ثُمَّ ازْدَادُوْا كُفْرًا لَّنْ
تُقْبَلَ تَوْبَتُهُمْ ۚ وَاُولٰٓئِكَ هُمُ الضَّآلُّوْنَ ﴿٩٠﴾ اِنَّ
الَّذِيْنَ كَفَرُوْا وَمَاتُوْا وَهُمْ كُفَّارٌ فَلَنْ يُّقْبَلَ مِنْ
اَحَدِهِمْ مِّلْءُ الْاَرْضِ ذَهَبًا وَّلَوِ افْتَدٰى بِهٖ ؕ
ع ٩ ١١ ١٧ اُولٰٓئِكَ لَهُمْ عَذَابٌ اَلِيْمٌ وَّمَا لَهُمْ مِّنْ نّٰصِرِيْنَ ﴿٩١﴾ ع

منزل ١

لَنْ تَنَالُوا الْبِرَّ حَتّٰى تُنْفِقُوْا مِمَّا تُحِبُّوْنَ ۬ؕ
وَمَا تُنْفِقُوْا مِنْ شَیْءٍ فَاِنَّ اللّٰهَ بِهٖ عَلِیْمٌ ﴿۹۲﴾ كُلُّ
الطَّعَامِ كَانَ حِلًّا لِّبَنِیْۤ اِسْرَآءِیْلَ اِلَّا مَا حَرَّمَ
اِسْرَآءِیْلُ عَلٰى نَفْسِهٖ مِنْ قَبْلِ اَنْ تُنَزَّلَ التَّوْرٰىةُ ؕ
قُلْ فَاْتُوْا بِالتَّوْرٰىةِ فَاتْلُوْهَاۤ اِنْ كُنْتُمْ صٰدِقِیْنَ ﴿۹۳﴾
فَمَنِ افْتَرٰى عَلَى اللّٰهِ الْكَذِبَ مِنْۢ بَعْدِ ذٰلِكَ
فَاُولٰٓىِٕكَ هُمُ الظّٰلِمُوْنَ ﴿۹۴﴾ قُلْ صَدَقَ اللّٰهُ قف
فَاتَّبِعُوْا مِلَّةَ اِبْرٰهِیْمَ حَنِیْفًا ؕ وَمَا كَانَ مِنَ
الْمُشْرِكِیْنَ ﴿۹۵﴾ اِنَّ اَوَّلَ بَیْتٍ وُّضِعَ لِلنَّاسِ لَلَّذِیْ
بِبَكَّةَ مُبٰرَكًا وَّهُدًى لِّلْعٰلَمِیْنَ ﴿۹۶﴾ ج فِیْهِ اٰیٰتٌۢ
بَیِّنٰتٌ مَّقَامُ اِبْرٰهِیْمَ ۚ۬ وَمَنْ دَخَلَهٗ كَانَ اٰمِنًا ؕ
وَلِلّٰهِ عَلَى النَّاسِ حِجُّ الْبَیْتِ مَنِ اسْتَطَاعَ اِلَیْهِ
سَبِیْلًا ؕ وَمَنْ كَفَرَ فَاِنَّ اللّٰهَ غَنِیٌّ عَنِ الْعٰلَمِیْنَ ﴿۹۷﴾

وقف جبریل علیہ السلام

منزل ۱

Ikhfa اِخفا | Ikhfa Meem Saakin اِخفامیم ساکن | Qalqala قلقلہ | Qalb قلب | Idghaam اِدغام | Idghaam Meem Saakin اِدغام میم ساکن | Ghunna غُنّہ

قُلْ يٰٓاَهْلَ الْكِتٰبِ لِمَ تَكْفُرُوْنَ بِاٰيٰتِ اللّٰهِ ۖ
وَ اللّٰهُ شَهِيْدٌ عَلٰى مَا تَعْمَلُوْنَ ﴿٩٨﴾ قُلْ يٰٓاَهْلَ
الْكِتٰبِ لِمَ تَصُدُّوْنَ عَنْ سَبِيْلِ اللّٰهِ مَنْ اٰمَنَ
تَبْغُوْنَهَا عِوَجًا وَّ اَنْتُمْ شُهَدَآءُ ؕ وَ مَا اللّٰهُ
بِغَافِلٍ عَمَّا تَعْمَلُوْنَ ﴿٩٩﴾ يٰٓاَيُّهَا الَّذِيْنَ اٰمَنُوْٓا
اِنْ تُطِيْعُوْا فَرِيْقًا مِّنَ الَّذِيْنَ اُوْتُوا الْكِتٰبَ يَرُدُّوْكُمْ
منزل ١ بَعْدَ اِيْمَانِكُمْ كٰفِرِيْنَ ﴿١٠٠﴾ وَ كَيْفَ تَكْفُرُوْنَ وَ
اَنْتُمْ تُتْلٰى عَلَيْكُمْ اٰيٰتُ اللّٰهِ وَ فِيْكُمْ رَسُوْلُهٗ ؕ
وَ مَنْ يَّعْتَصِمْ بِاللّٰهِ فَقَدْ هُدِيَ اِلٰى صِرَاطٍ
مُّسْتَقِيْمٍ ﴿١٠١﴾ يٰٓاَيُّهَا الَّذِيْنَ اٰمَنُوا اتَّقُوا اللّٰهَ حَقَّ ع
تُقٰتِهٖ وَ لَا تَمُوْتُنَّ اِلَّا وَ اَنْتُمْ مُّسْلِمُوْنَ ﴿١٠٢﴾ وَ اعْتَصِمُوْا
بِحَبْلِ اللّٰهِ جَمِيْعًا وَّ لَا تَفَرَّقُوْا ۪ وَ اذْكُرُوْا نِعْمَتَ
اللّٰهِ عَلَيْكُمْ اِذْ كُنْتُمْ اَعْدَآءً فَاَلَّفَ بَيْنَ قُلُوْبِكُمْ

Ikhfa إخفا | Ikhfa Meem Saakin إخفاميم ساكن | Qalqala قلقله | Qalb قلب | Idghaam إدغام | Idghaam Meem Saakin إدغام ميم ساكن | Ghunna غُنّہ

فَاَصْبَحْتُمْ بِنِعْمَتِهٖۤ اِخْوَانًا ۚ وَكُنْتُمْ عَلٰى شَفَا حُفْرَةٍ
مِّنَ النَّارِ فَاَنْقَذَكُمْ مِّنْهَا ؕ كَذٰلِكَ يُبَيِّنُ اللّٰهُ لَكُمْ
اٰيٰتِهٖ لَعَلَّكُمْ تَهْتَدُوْنَ ﴿١٠٣﴾ وَلْتَكُنْ مِّنْكُمْ اُمَّةٌ
يَّدْعُوْنَ اِلَى الْخَيْرِ وَيَاْمُرُوْنَ بِالْمَعْرُوْفِ وَيَنْهَوْنَ
عَنِ الْمُنْكَرِ ؕ وَاُولٰٓئِكَ هُمُ الْمُفْلِحُوْنَ ﴿١٠٤﴾ وَلَا تَكُوْنُوْا
كَالَّذِيْنَ تَفَرَّقُوْا وَاخْتَلَفُوْا مِنْۢ بَعْدِ مَا جَآءَهُمُ
الْبَيِّنٰتُ ؕ وَاُولٰٓئِكَ لَهُمْ عَذَابٌ عَظِيْمٌ ﴿١٠٥﴾ ۙ يَّوْمَ
تَبْيَضُّ وُجُوْهٌ وَّتَسْوَدُّ وُجُوْهٌ ۚ فَاَمَّا الَّذِيْنَ
اسْوَدَّتْ وُجُوْهُهُمْ ۣ اَكَفَرْتُمْ بَعْدَ اِيْمَانِكُمْ
فَذُوْقُوا الْعَذَابَ بِمَا كُنْتُمْ تَكْفُرُوْنَ ﴿١٠٦﴾ وَاَمَّا
الَّذِيْنَ ابْيَضَّتْ وُجُوْهُهُمْ فَفِيْ رَحْمَةِ اللّٰهِ ؕ
هُمْ فِيْهَا خٰلِدُوْنَ ﴿١٠٧﴾ تِلْكَ اٰيٰتُ اللّٰهِ نَتْلُوْهَا
عَلَيْكَ بِالْحَقِّ ؕ وَمَا اللّٰهُ يُرِيْدُ ظُلْمًا لِّلْعٰلَمِيْنَ ﴿١٠٨﴾

منزل ١

وَلِلّٰهِ مَا فِي السَّمٰوٰتِ وَمَا فِي الْاَرْضِ ؕ وَاِلَى اللّٰهِ

ع ١١ ٨ تُرْجَعُ الْاُمُوْرُ ع ﴿۱۰۹﴾ كُنْتُمْ خَيْرَ اُمَّةٍ اُخْرِجَتْ

لِلنَّاسِ تَاْمُرُوْنَ بِالْمَعْرُوْفِ وَتَنْهَوْنَ عَنِ الْمُنْكَرِ

وَتُؤْمِنُوْنَ بِاللّٰهِ ؕ وَلَوْ اٰمَنَ اَهْلُ الْكِتٰبِ لَكَانَ

خَيْرًا لَّهُمْ ؕ مِنْهُمُ الْمُؤْمِنُوْنَ وَاَكْثَرُهُمُ الْفٰسِقُوْنَ ﴿۱۱۰﴾

لَنْ يَّضُرُّوْكُمْ اِلَّآ اَذًى ؕ وَاِنْ يُّقَاتِلُوْكُمْ يُوَلُّوْكُمُ

منزل١ الْاَدْبَارَ قف ثُمَّ لَا يُنْصَرُوْنَ ﴿۱۱۱﴾ ضُرِبَتْ عَلَيْهِمُ

الذِّلَّةُ اَيْنَ مَا ثُقِفُوْٓا اِلَّا بِحَبْلٍ مِّنَ اللّٰهِ وَحَبْلٍ

مِّنَ النَّاسِ وَبَآءُوْ بِغَضَبٍ مِّنَ اللّٰهِ وَضُرِبَتْ

عَلَيْهِمُ الْمَسْكَنَةُ ؕ ذٰلِكَ بِاَنَّهُمْ كَانُوْا يَكْفُرُوْنَ

بِاٰيٰتِ اللّٰهِ وَيَقْتُلُوْنَ الْاَنْۢبِيَآءَ بِغَيْرِ حَقٍّ ؕ ذٰلِكَ

بِمَا عَصَوْا وَّكَانُوْا يَعْتَدُوْنَ ﴿۱۱۲﴾ ق لَيْسُوْا سَوَآءً ؕ مِنْ

اَهْلِ الْكِتٰبِ اُمَّةٌ قَآئِمَةٌ يَّتْلُوْنَ اٰيٰتِ اللّٰهِ اٰنَآءَ

Ikhfa إخفا | Ikhfa Meem Saakin إخفاميم ساكن | Qalqala قلقله | Qalb قلب | Idghaam ادغام | Idghaam Meem Saakin ادغام ميم ساكن | Ghunna غُنّه

الَّيۡلِ وَهُمۡ يَسۡجُدُوۡنَ ﴿۱۱۳﴾ يُؤۡمِنُوۡنَ بِاللّٰهِ وَالۡيَوۡمِ
الۡاٰخِرِ وَيَاۡمُرُوۡنَ بِالۡمَعۡرُوۡفِ وَيَنۡهَوۡنَ عَنِ
الۡمُنۡكَرِ وَيُسَارِعُوۡنَ فِى الۡخَيۡرٰتِ ؕ وَاُولٰٓـئِكَ مِنَ
الصّٰلِحِيۡنَ ﴿۱۱۴﴾ وَمَا يَفۡعَلُوۡا مِنۡ خَيۡرٍ فَلَنۡ يُّكۡفَرُوۡهُ ؕ
وَاللّٰهُ عَلِيۡمٌۢ بِالۡمُتَّقِيۡنَ ﴿۱۱۵﴾ اِنَّ الَّذِيۡنَ كَفَرُوۡا لَنۡ
تُغۡنِىَ عَنۡهُمۡ اَمۡوَالُهُمۡ وَلَاۤ اَوۡلَادُهُمۡ مِّنَ اللّٰهِ
شَيۡـئًا ؕ وَاُولٰٓـئِكَ اَصۡحٰبُ النَّارِ ۚ هُمۡ فِيۡهَا خٰلِدُوۡنَ ﴿۱۱۶﴾
مَثَلُ مَا يُنۡفِقُوۡنَ فِىۡ هٰذِهِ الۡحَيٰوةِ الدُّنۡيَا كَمَثَلِ
رِيۡحٍ فِيۡهَا صِرٌّ اَصَابَتۡ حَرۡثَ قَوۡمٍ ظَلَمُوۡۤا
اَنۡفُسَهُمۡ فَاَهۡلَكَتۡهُ ؕ وَمَا ظَلَمَهُمُ اللّٰهُ وَلٰـكِنۡ
اَنۡفُسَهُمۡ يَظۡلِمُوۡنَ ﴿۱۱۷﴾ يٰۤاَيُّهَا الَّذِيۡنَ اٰمَنُوۡا لَا تَتَّخِذُوۡا
بِطَانَةً مِّنۡ دُوۡنِكُمۡ لَا يَاۡلُوۡنَكُمۡ خَبَالًا ؕ وَدُّوۡا
مَا عَنِتُّمۡ ۚ قَدۡ بَدَتِ الۡبَغۡضَآءُ مِنۡ اَفۡوَاهِهِمۡ ۖۚ

منزل ١

وَمَا تُخْفِيْ صُدُوْرُهُمْ اَكْبَرُ ط قَدْ بَيَّنَّا لَكُمُ
الْاٰيٰتِ اِنْ كُنْتُمْ تَعْقِلُوْنَ ﴿١١٨﴾ هٰٓاَنْتُمْ اُولَآءِ
تُحِبُّوْنَهُمْ وَلَا يُحِبُّوْنَكُمْ وَتُؤْمِنُوْنَ بِالْكِتٰبِ
كُلِّهٖ ج وَاِذَا لَقُوْكُمْ قَالُوْٓا اٰمَنَّا صلے وَاِذَا خَلَوْا عَضُّوْا
عَلَيْكُمُ الْاَنَامِلَ مِنَ الْغَيْظِ ط قُلْ مُوْتُوْا بِغَيْظِكُمْ ط
اِنَّ اللّٰهَ عَلِيْمٌۢ بِذَاتِ الصُّدُوْرِ ﴿١١٩﴾ اِنْ تَمْسَسْكُمْ
منزل۱ حَسَنَةٌ تَسُؤْهُمْ ز وَاِنْ تُصِبْكُمْ سَيِّئَةٌ يَّفْرَحُوْا
بِهَا ط وَاِنْ تَصْبِرُوْا وَتَتَّقُوْا لَا يَضُرُّكُمْ كَيْدُهُمْ
شَيْـًٔا ط اِنَّ اللّٰهَ بِمَا يَعْمَلُوْنَ مُحِيْطٌ ﴿١٢٠﴾ ع وَاِذْ غَدَوْتَ ع ١٢ ١١
مِنْ اَهْلِكَ تُبَوِّئُ الْمُؤْمِنِيْنَ مَقَاعِدَ لِلْقِتَالِ ط
وَاللّٰهُ سَمِيْعٌ عَلِيْمٌ ﴿١٢١﴾ لا اِذْ هَمَّتْ طَّآئِفَتٰنِ مِنْكُمْ
اَنْ تَفْشَلَا لا وَاللّٰهُ وَلِيُّهُمَا ط وَعَلَى اللّٰهِ فَلْيَتَوَكَّلِ
الْمُؤْمِنُوْنَ ﴿١٢٢﴾ وَلَقَدْ نَصَرَكُمُ اللّٰهُ بِبَدْرٍ وَّ

Ikhfa اِخفا | Ikhfa Meem Saakin اِخفامیم ساکن | Qalqala قلقله | Qalb قلب | Idghaam اِدغام | Idghaam Meem Saakin اِدغام میم ساکن | Ghunna غُنّہ

اَنۡتُمۡ اَذِلَّةٌ ۚ فَاتَّقُوا اللّٰهَ لَعَلَّكُمۡ تَشۡكُرُوۡنَ ﴿١٢٣﴾

اِذۡ تَقُوۡلُ لِلۡمُؤۡمِنِيۡنَ اَلَنۡ يَّكۡفِيَكُمۡ اَنۡ يُّمِدَّكُمۡ

رَبُّكُمۡ بِثَلٰثَةِ اٰلٰفٍ مِّنَ الۡمَلٰٓئِكَةِ مُنۡزَلِيۡنَ ﴿١٢٤﴾ ؕ

بَلٰٓى ۙ اِنۡ تَصۡبِرُوۡا وَتَتَّقُوۡا وَيَاۡتُوۡكُمۡ مِّنۡ فَوۡرِهِمۡ

هٰذَا يُمۡدِدۡكُمۡ رَبُّكُمۡ بِخَمۡسَةِ اٰلٰفٍ مِّنَ الۡمَلٰٓئِكَةِ

الربع مُسَوِّمِيۡنَ ﴿١٢٥﴾ وَمَا جَعَلَهُ اللّٰهُ اِلَّا بُشۡرٰى لَـكُمۡ

وَلِتَطۡمَئِنَّ قُلُوۡبُكُمۡ بِهٖ ؕ وَمَا النَّصۡرُ اِلَّا مِنۡ منزل ١

عِنۡدِ اللّٰهِ الۡعَزِيۡزِ الۡحَكِيۡمِ ﴿١٢٦﴾ ۙ لِيَقۡطَعَ طَرَفًا مِّنَ

الَّذِيۡنَ كَفَرُوۡۤا اَوۡ يَكۡبِتَهُمۡ فَيَنۡقَلِبُوۡا خَآئِبِيۡنَ ﴿١٢٧﴾

لَيۡسَ لَكَ مِنَ الۡاَمۡرِ شَىۡءٌ اَوۡ يَتُوۡبَ عَلَيۡهِمۡ اَوۡ

يُعَذِّبَهُمۡ فَاِنَّهُمۡ ظٰلِمُوۡنَ ﴿١٢٨﴾ وَلِلّٰهِ مَا فِى السَّمٰوٰتِ

وَمَا فِى الۡاَرۡضِ ؕ يَغۡفِرُ لِمَنۡ يَّشَآءُ وَيُعَذِّبُ

ع ١٣ ٩ مَنۡ يَّشَآءُ ؕ وَاللّٰهُ غَفُوۡرٌ رَّحِيۡمٌ ﴿١٢٩﴾ يٰۤاَيُّهَا الَّذِيۡنَ

اٰمَنُوْا لَا تَاْكُلُوا الرِّبٰوٓا اَضْعَافًا مُّضٰعَفَةً ۠ وَّاتَّقُوا

اللّٰهَ لَعَلَّكُمْ تُفْلِحُوْنَ ۚ ﴿۱۳۰﴾ وَاتَّقُوا النَّارَ الَّتِيْٓ اُعِدَّتْ

لِلْكٰفِرِيْنَ ۚ ﴿۱۳۱﴾ وَاَطِيْعُوا اللّٰهَ وَالرَّسُوْلَ لَعَلَّكُمْ

تُرْحَمُوْنَ ۚ ﴿۱۳۲﴾ وَسَارِعُوْٓا اِلٰى مَغْفِرَةٍ مِّنْ رَّبِّكُمْ

وَجَنَّةٍ عَرْضُهَا السَّمٰوٰتُ وَالْاَرْضُ ۙ اُعِدَّتْ

لِلْمُتَّقِيْنَ ۙ ﴿۱۳۳﴾ الَّذِيْنَ يُنْفِقُوْنَ فِي السَّرَّآءِ وَ

الضَّرَّآءِ وَالْكٰظِمِيْنَ الْغَيْظَ وَالْعَافِيْنَ

عَنِ النَّاسِ ۭ وَاللّٰهُ يُحِبُّ الْمُحْسِنِيْنَ ۚ ﴿۱۳۴﴾ وَالَّذِيْنَ

اِذَا فَعَلُوْا فَاحِشَةً اَوْ ظَلَمُوْٓا اَنْفُسَهُمْ ذَكَرُوا

اللّٰهَ فَاسْتَغْفَرُوْا لِذُنُوْبِهِمْ ۠ وَمَنْ يَّغْفِرُ

الذُّنُوْبَ اِلَّا اللّٰهُ ۠ قف وَلَمْ يُصِرُّوْا عَلٰى مَا فَعَلُوْا

وَهُمْ يَعْلَمُوْنَ ﴿۱۳۵﴾ اُولٰٓئِكَ جَزَآؤُهُمْ مَّغْفِرَةٌ

مِّنْ رَّبِّهِمْ وَجَنّٰتٌ تَجْرِيْ مِنْ تَحْتِهَا الْاَنْهٰرُ

منزل ١

Ghunna غنّہ | Idghaam Meem Saakin ادغام میم ساکن | Idghaam ادغام | Qalb قلب | Qalqala قلقلہ | Ikhfa Meem Saakin اخفامیم ساکن | Ikhfa اخفا

خٰلِدِيْنَ فِيْهَا ؕ وَنِعْمَ اَجْرُ الْعٰمِلِيْنَ ﴿۱۳۶﴾ قَدْ
خَلَتْ مِنْ قَبْلِكُمْ سُنَنٌ ۙ فَسِيْرُوْا فِى الْاَرْضِ
فَانْظُرُوْا كَيْفَ كَانَ عَاقِبَةُ الْمُكَذِّبِيْنَ ﴿۱۳۷﴾ هٰذَا
بَيَانٌ لِّلنَّاسِ وَهُدًى وَّمَوْعِظَةٌ لِّلْمُتَّقِيْنَ ﴿۱۳۸﴾
وَلَا تَهِنُوْا وَلَا تَحْزَنُوْا وَاَنْتُمُ الْاَعْلَوْنَ اِنْ كُنْتُمْ
مُّؤْمِنِيْنَ ﴿۱۳۹﴾ اِنْ يَّمْسَسْكُمْ قَرْحٌ فَقَدْ مَسَّ الْقَوْمَ
قَرْحٌ مِّثْلُهٗ ؕ وَتِلْكَ الْاَيَّامُ نُدَاوِلُهَا بَيْنَ النَّاسِ ۚ
وَلِيَعْلَمَ اللّٰهُ الَّذِيْنَ اٰمَنُوْا وَيَتَّخِذَ مِنْكُمْ شُهَدَآءَ ؕ
وَاللّٰهُ لَا يُحِبُّ الظّٰلِمِيْنَ ﴿۱۴۰﴾ ۙ وَلِيُمَحِّصَ اللّٰهُ الَّذِيْنَ
اٰمَنُوْا وَيَمْحَقَ الْكٰفِرِيْنَ ﴿۱۴۱﴾ اَمْ حَسِبْتُمْ اَنْ تَدْخُلُوا
الْجَنَّةَ وَلَمَّا يَعْلَمِ اللّٰهُ الَّذِيْنَ جٰهَدُوْا مِنْكُمْ
وَيَعْلَمَ الصّٰبِرِيْنَ ﴿۱۴۲﴾ وَلَقَدْ كُنْتُمْ تَمَنَّوْنَ الْمَوْتَ
مِنْ قَبْلِ اَنْ تَلْقَوْهُ ۪ فَقَدْ رَاَيْتُمُوْهُ وَاَنْتُمْ

منزل ١

ع ١٤ ٥

تَنْظُرُوْنَ ۝١٤٣ ع وَمَا مُحَمَّدٌ اِلَّا رَسُوْلٌ ۚ قَدْ خَلَتْ
مِنْ قَبْلِهِ الرُّسُلُ ؕ اَفَا۠ئِنْ مَّاتَ اَوْ قُتِلَ انْقَلَبْتُمْ
عَلٰٓى اَعْقَابِكُمْ ؕ وَمَنْ يَّنْقَلِبْ عَلٰى عَقِبَيْهِ فَلَنْ
يَّضُرَّ اللّٰهَ شَيْـًٔا ؕ وَسَيَجْزِى اللّٰهُ الشّٰكِرِيْنَ ۝١٤٤
وَمَا كَانَ لِنَفْسٍ اَنْ تَمُوْتَ اِلَّا بِاِذْنِ اللّٰهِ كِتٰبًا
مُّؤَجَّلًا ؕ وَمَنْ يُّرِدْ ثَوَابَ الدُّنْيَا نُؤْتِهٖ مِنْهَا ۚ
وَمَنْ يُّرِدْ ثَوَابَ الْاٰخِرَةِ نُؤْتِهٖ مِنْهَا ؕ وَسَنَجْزِى
الشّٰكِرِيْنَ ۝١٤٥ وَكَاَيِّنْ مِّنْ نَّبِىٍّ قٰتَلَ ۙ مَعَهٗ
رِبِّيُّوْنَ كَثِيْرٌ ۚ فَمَا وَهَنُوْا لِمَآ اَصَابَهُمْ فِىْ
سَبِيْلِ اللّٰهِ وَمَا ضَعُفُوْا وَمَا اسْتَكَانُوْا ؕ وَاللّٰهُ
يُحِبُّ الصّٰبِرِيْنَ ۝١٤٦ وَمَا كَانَ قَوْلَهُمْ اِلَّآ اَنْ
قَالُوْا رَبَّنَا اغْفِرْ لَنَا ذُنُوْبَنَا وَاِسْرَافَنَا فِىْٓ
اَمْرِنَا وَثَبِّتْ اَقْدَامَنَا وَانْصُرْنَا عَلَى الْقَوْمِ

Ikhfa إخفا | Ikhfa Meem Saakin إخفاميم ساكن | Qalqala قلقله | Qalb قلب | Idghaam ادغام | Idghaam Meem Saakin ادغام ميم ساكن | Ghunna غنّہ

الْكٰفِرِيْنَ ﴿١٤٧﴾ فَاٰتٰىهُمُ اللّٰهُ ثَوَابَ الدُّنْيَا وَ

حُسْنَ ثَوَابِ الْاٰخِرَةِ ؕ وَ اللّٰهُ يُحِبُّ الْمُحْسِنِيْنَ ﴿١٤٨﴾ ع ١٥ ٥ ٢

يٰۤاَيُّهَا الَّذِيْنَ اٰمَنُوْۤا اِنْ تُطِيْعُوا الَّذِيْنَ كَفَرُوْا

يَرُدُّوْكُمْ عَلٰۤى اَعْقَابِكُمْ فَتَنْقَلِبُوْا خٰسِرِيْنَ ﴿١٤٩﴾ بَلِ

اللّٰهُ مَوْلٰىكُمْ ۚ وَهُوَ خَيْرُ النّٰصِرِيْنَ ﴿١٥٠﴾ سَنُلْقِيْ فِيْ

قُلُوْبِ الَّذِيْنَ كَفَرُوا الرُّعْبَ بِمَاۤ اَشْرَكُوْا بِاللّٰهِ

مَا لَمْ يُنَزِّلْ بِهٖ سُلْطٰنًا ۚ وَمَاْوٰىهُمُ النَّارُ ؕ وَ منزل ١

بِئْسَ مَثْوَى الظّٰلِمِيْنَ ﴿١٥١﴾ وَلَقَدْ صَدَقَكُمُ اللّٰهُ

وَعْدَهٗۤ اِذْ تَحُسُّوْنَهُمْ بِاِذْنِهٖ ۚ حَتّٰۤى اِذَا فَشِلْتُمْ وَ

تَنَازَعْتُمْ فِي الْاَمْرِ وَ عَصَيْتُمْ مِّنْۢ بَعْدِ مَاۤ

اَرٰىكُمْ مَّا تُحِبُّوْنَ ؕ مِنْكُمْ مَّنْ يُّرِيْدُ الدُّنْيَا وَ

مِنْكُمْ مَّنْ يُّرِيْدُ الْاٰخِرَةَ ۚ ثُمَّ صَرَفَكُمْ عَنْهُمْ

لِيَبْتَلِيَكُمْ ۚ وَلَقَدْ عَفَا عَنْكُمْ ؕ وَ اللّٰهُ ذُوْ فَضْلٍ

عَلَى الْمُؤْمِنِيْنَ ﴿١٥٢﴾ اِذْ تُصْعِدُوْنَ وَلَا تَلْوٗنَ
عَلٰٓى اَحَدٍ وَّ الرَّسُوْلُ يَدْعُوْكُمْ فِيْٓ اُخْرٰىكُمْ
فَاَثَابَكُمْ غَمًّا بِغَمٍّ لِّكَيْلَا تَحْزَنُوْا عَلٰى مَا فَاتَكُمْ
وَلَا مَآ اَصَابَكُمْ ؕ وَاللّٰهُ خَبِيْرٌۢ بِمَا تَعْمَلُوْنَ ﴿١٥٣﴾ ثُمَّ
اَنْزَلَ عَلَيْكُمْ مِّنْۢ بَعْدِ الْغَمِّ اَمَنَةً نُّعَاسًا
يَّغْشٰى طَآئِفَةً مِّنْكُمْ ۙ وَطَآئِفَةٌ قَدْ اَهَمَّتْهُمْ
اَنْفُسُهُمْ يَظُنُّوْنَ بِاللّٰهِ غَيْرَ الْحَقِّ ظَنَّ الْجَاهِلِيَّةِ ؕ
يَقُوْلُوْنَ هَلْ لَّنَا مِنَ الْاَمْرِ مِنْ شَيْءٍ ؕ قُلْ اِنَّ
الْاَمْرَ كُلَّهٗ لِلّٰهِ ؕ يُخْفُوْنَ فِيْٓ اَنْفُسِهِمْ مَّا لَا
يُبْدُوْنَ لَكَ ؕ يَقُوْلُوْنَ لَوْ كَانَ لَنَا مِنَ الْاَمْرِ
شَيْءٌ مَّا قُتِلْنَا هٰهُنَا ؕ قُلْ لَّوْ كُنْتُمْ فِيْ بُيُوْتِكُمْ
لَبَرَزَ الَّذِيْنَ كُتِبَ عَلَيْهِمُ الْقَتْلُ اِلٰى مَضَاجِعِهِمْ ۚ
وَلِيَبْتَلِيَ اللّٰهُ مَا فِيْ صُدُوْرِكُمْ وَلِيُمَحِّصَ مَا

منزل ١

Ikhfa إخفا | Ikhfa Meem Saakin إخفاميم ساكن | Qalqala قلقله | Qalb قلب | Idghaam اِدغام | Idghaam Meem Saakin اِدغام ميم ساكن | Ghunna غُنّه

فِیْ قُلُوْبِكُمْ ؕ وَ اللّٰهُ عَلِیْمٌۢ بِذَاتِ الصُّدُوْرِ ۝١٥٤
اِنَّ الَّذِیْنَ تَوَلَّوْا مِنْكُمْ یَوْمَ الْتَقَى الْجَمْعٰنِ ۙ
اِنَّمَا اسْتَزَلَّهُمُ الشَّیْطٰنُ بِبَعْضِ مَا كَسَبُوْا ۚ
وَلَقَدْ عَفَا اللّٰهُ عَنْهُمْ ؕ اِنَّ اللّٰهَ غَفُوْرٌ حَلِیْمٌ ۝١٥٥ ع
یٰۤاَیُّهَا الَّذِیْنَ اٰمَنُوْا لَا تَكُوْنُوْا كَالَّذِیْنَ كَفَرُوْا
وَقَالُوْا لِاِخْوَانِهِمْ اِذَا ضَرَبُوْا فِی الْاَرْضِ اَوْ
كَانُوْا غُزًّى لَّوْ كَانُوْا عِنْدَنَا مَا مَاتُوْا وَ مَا
قُتِلُوْا ۚ لِیَجْعَلَ اللّٰهُ ذٰلِكَ حَسْرَةً فِیْ قُلُوْبِهِمْ ؕ وَ
اللّٰهُ یُحْیٖ وَ یُمِیْتُ ؕ وَ اللّٰهُ بِمَا تَعْمَلُوْنَ بَصِیْرٌ ۝١٥٦
وَلَئِنْ قُتِلْتُمْ فِیْ سَبِیْلِ اللّٰهِ اَوْ مُتُّمْ لَمَغْفِرَةٌ
مِّنَ اللّٰهِ وَرَحْمَةٌ خَیْرٌ مِّمَّا یَجْمَعُوْنَ ۝١٥٧ وَلَئِنْ مُّتُّمْ
اَوْ قُتِلْتُمْ لَاِالَى اللّٰهِ تُحْشَرُوْنَ ۝١٥٨ فَبِمَا رَحْمَةٍ مِّنَ
اللّٰهِ لِنْتَ لَهُمْ ۚ وَلَوْ كُنْتَ فَظًّا غَلِیْظَ الْقَلْبِ

ع ٦/٧ — منزل ١

لَانْفَضُّوْا مِنْ حَوْلِكَ ص فَاعْفُ عَنْهُمْ وَاسْتَغْفِرْ
لَهُمْ وَشَاوِرْهُمْ فِي الْاَمْرِ ج فَاِذَا عَزَمْتَ فَتَوَكَّلْ
عَلَى اللّٰهِ ط اِنَّ اللّٰهَ يُحِبُّ الْمُتَوَكِّلِيْنَ ﴿١٥٩﴾ اِنْ
يَّنْصُرْكُمُ اللّٰهُ فَلَا غَالِبَ لَكُمْ ج وَاِنْ يَّخْذُلْكُمْ فَمَنْ
ذَا الَّذِيْ يَنْصُرُكُمْ مِّنْ بَعْدِهٖ ط وَعَلَى اللّٰهِ فَلْيَتَوَكَّلِ
الْمُؤْمِنُوْنَ ﴿١٦٠﴾ وَمَا كَانَ لِنَبِيٍّ اَنْ يَّغُلَّ ط وَمَنْ
يَّغْلُلْ يَاْتِ بِمَا غَلَّ يَوْمَ الْقِيٰمَةِ ج ثُمَّ تُوَفّٰى كُلُّ
نَفْسٍ مَّا كَسَبَتْ وَهُمْ لَا يُظْلَمُوْنَ ﴿١٦١﴾ اَفَمَنِ
اتَّبَعَ رِضْوَانَ اللّٰهِ كَمَنْ بَآءَ بِسَخَطٍ مِّنَ اللّٰهِ
وَمَاْوٰىهُ جَهَنَّمُ ط وَبِئْسَ الْمَصِيْرُ ﴿١٦٢﴾ هُمْ دَرَجٰتٌ عِنْدَ
اللّٰهِ ط وَاللّٰهُ بَصِيْرٌ بِمَا يَعْمَلُوْنَ ﴿١٦٣﴾ لَقَدْ مَنَّ اللّٰهُ
عَلَى الْمُؤْمِنِيْنَ اِذْ بَعَثَ فِيْهِمْ رَسُوْلًا مِّنْ اَنْفُسِهِمْ
يَتْلُوْا عَلَيْهِمْ اٰيٰتِهٖ وَيُزَكِّيْهِمْ وَيُعَلِّمُهُمُ الْكِتٰبَ

منزل ١

النصف

وَالْحِكْمَةَ ج وَإِنْ كَانُوا مِنْ قَبْلُ لَفِي ضَلَالٍ مُّبِينٍ ﴿١٦٤﴾
أَوَلَمَّا أَصَابَتْكُمْ مُّصِيبَةٌ قَدْ أَصَبْتُمْ مِّثْلَيْهَا لا
قُلْتُمْ أَنَّىٰ هَٰذَا ط قُلْ هُوَ مِنْ عِنْدِ أَنْفُسِكُمْ ط إِنَّ
اللَّهَ عَلَىٰ كُلِّ شَيْءٍ قَدِيرٌ ﴿١٦٥﴾ وَمَا أَصَابَكُمْ يَوْمَ
الْتَقَى الْجَمْعَانِ فَبِإِذْنِ اللَّهِ وَلِيَعْلَمَ الْمُؤْمِنِينَ ﴿١٦٦﴾ لا
وَلِيَعْلَمَ الَّذِينَ نَافَقُوا صلے ج وَقِيلَ لَهُمْ تَعَالَوْا
قَاتِلُوا فِي سَبِيلِ اللَّهِ أَوِ ادْفَعُوا ط قَالُوا لَوْ نَعْلَمُ
قِتَالًا لَّاتَّبَعْنَاكُمْ ط هُمْ لِلْكُفْرِ يَوْمَئِذٍ أَقْرَبُ
مِنْهُمْ لِلْإِيمَانِ ج يَقُولُونَ بِأَفْوَاهِهِمْ مَّا لَيْسَ
فِي قُلُوبِهِمْ ط وَاللَّهُ أَعْلَمُ بِمَا يَكْتُمُونَ ﴿١٦٧﴾ ج الَّذِينَ
قَالُوا لِإِخْوَانِهِمْ وَقَعَدُوا لَوْ أَطَاعُونَا مَا قُتِلُوا ط
قُلْ فَادْرَءُوا عَنْ أَنْفُسِكُمُ الْمَوْتَ إِنْ كُنْتُمْ
صَادِقِينَ ﴿١٦٨﴾ وَلَا تَحْسَبَنَّ الَّذِينَ قُتِلُوا فِي سَبِيلِ

منزل ١

اللّٰهِ اَمْوَاتًا ؕ بَلْ اَحْيَآءٌ عِنْدَ رَبِّهِمْ يُرْزَقُوْنَ ﴿١٦٩﴾ ۙ
فَرِحِيْنَ بِمَآ اٰتٰىهُمُ اللّٰهُ مِنْ فَضْلِهٖ ۙ وَيَسْتَبْشِرُوْنَ
بِالَّذِيْنَ لَمْ يَلْحَقُوْا بِهِمْ مِّنْ خَلْفِهِمْ ۙ اَلَّا خَوْفٌ
عَلَيْهِمْ وَلَا هُمْ يَحْزَنُوْنَ ﴿١٧٠﴾ ۘ يَسْتَبْشِرُوْنَ بِنِعْمَةٍ وقف لازم
مِّنَ اللّٰهِ وَفَضْلٍ ۙ وَّاَنَّ اللّٰهَ لَا يُضِيْعُ اَجْرَ
الْمُؤْمِنِيْنَ ﴿١٧١﴾ ۚۛ اَلَّذِيْنَ اسْتَجَابُوْا لِلّٰهِ وَالرَّسُوْلِ ع ١٧ / ٦
منزل ١ مِنْۢ بَعْدِ مَآ اَصَابَهُمُ الْقَرْحُ ۛؕ لِلَّذِيْنَ اَحْسَنُوْا
مِنْهُمْ وَاتَّقَوْا اَجْرٌ عَظِيْمٌ ﴿١٧٢﴾ ۚ اَلَّذِيْنَ قَالَ لَهُمُ مع عند المتقدمين ١٢
النَّاسُ اِنَّ النَّاسَ قَدْ جَمَعُوْا لَكُمْ فَاخْشَوْهُمْ
فَزَادَهُمْ اِيْمَانًا ۖۗ وَّقَالُوْا حَسْبُنَا اللّٰهُ وَنِعْمَ الْوَكِيْلُ ﴿١٧٣﴾
فَانْقَلَبُوْا بِنِعْمَةٍ مِّنَ اللّٰهِ وَفَضْلٍ لَّمْ يَمْسَسْهُمْ
سُوْٓءٌ ۙ وَّاتَّبَعُوْا رِضْوَانَ اللّٰهِ ؕ وَاللّٰهُ ذُوْ فَضْلٍ عَظِيْمٍ ﴿١٧٤﴾
اِنَّمَا ذٰلِكُمُ الشَّيْطٰنُ يُخَوِّفُ اَوْلِيَآءَهٗ ۠ فَلَا تَخَافُوْهُمْ

Ikhfa إخفا | Ikhfa Meem Saakin إخفا میم ساکن | Qalqala قلقلہ | Qalb قلب | Idghaam إدغام | Idghaam Meem Saakin إدغام میم ساکن | Ghunna غنّہ

وَخَافُوْنِ اِنْ كُنْتُمْ مُّؤْمِنِيْنَ ﴿١٧٥﴾ وَلَا يَحْزُنْكَ
الَّذِيْنَ يُسَارِعُوْنَ فِي الْكُفْرِ ۚ اِنَّهُمْ لَنْ يَّضُرُّوا
اللّٰهَ شَيْـًٔا ؕ يُرِيْدُ اللّٰهُ اَلَّا يَجْعَلَ لَهُمْ حَظًّا فِي
الْاٰخِرَةِ ۚ وَلَهُمْ عَذَابٌ عَظِيْمٌ ﴿١٧٦﴾ اِنَّ الَّذِيْنَ اشْتَرَوُا
الْكُفْرَ بِالْاِيْمَانِ لَنْ يَّضُرُّوا اللّٰهَ شَيْـًٔا ۚ وَلَهُمْ
عَذَابٌ اَلِيْمٌ ﴿١٧٧﴾ وَلَا يَحْسَبَنَّ الَّذِيْنَ كَفَرُوْٓا اَنَّمَا
نُمْلِيْ لَهُمْ خَيْرٌ لِّاَنْفُسِهِمْ ؕ اِنَّمَا نُمْلِيْ لَهُمْ
لِيَزْدَادُوْٓا اِثْمًا ۚ وَلَهُمْ عَذَابٌ مُّهِيْنٌ ﴿١٧٨﴾ مَا كَانَ
اللّٰهُ لِيَذَرَ الْمُؤْمِنِيْنَ عَلٰى مَآ اَنْتُمْ عَلَيْهِ حَتّٰى
يَمِيْزَ الْخَبِيْثَ مِنَ الطَّيِّبِ ؕ وَمَا كَانَ اللّٰهُ لِيُطْلِعَكُمْ
عَلَى الْغَيْبِ وَلٰكِنَّ اللّٰهَ يَجْتَبِيْ مِنْ رُّسُلِهٖ مَنْ
يَّشَآءُ ۖ فَاٰمِنُوْا بِاللّٰهِ وَرُسُلِهٖ ۚ وَاِنْ تُؤْمِنُوْا وَ
تَتَّقُوْا فَلَكُمْ اَجْرٌ عَظِيْمٌ ﴿١٧٩﴾ وَلَا يَحْسَبَنَّ الَّذِيْنَ

منزل ١

يَبْخَلُوْنَ بِمَآ اٰتٰىهُمُ اللّٰهُ مِنْ فَضْلِهٖ هُوَ خَيْرًا لَّهُمْ ؕ
بَلْ هُوَ شَرٌّ لَّهُمْ ؕ سَيُطَوَّقُوْنَ مَا بَخِلُوْا بِهٖ يَوْمَ
الْقِيٰمَةِ ؕ وَلِلّٰهِ مِيْرَاثُ السَّمٰوٰتِ وَالْاَرْضِ ؕ وَ
اللّٰهُ بِمَا تَعْمَلُوْنَ خَبِيْرٌ ؑ ﴿١٨٠﴾ لَقَدْ سَمِعَ اللّٰهُ ع ١٨ ٩
قَوْلَ الَّذِيْنَ قَالُوْٓا اِنَّ اللّٰهَ فَقِيْرٌ وَّ نَحْنُ اَغْنِيَآءُ ۘ وقف لازم
سَنَكْتُبُ مَا قَالُوْا وَقَتْلَهُمُ الْاَنْۢبِيَآءَ بِغَيْرِ حَقٍّ ۙ
وَّ نَقُوْلُ ذُوْقُوْا عَذَابَ الْحَرِيْقِ ﴿١٨١﴾ ذٰلِكَ بِمَا قَدَّمَتْ
اَيْدِيْكُمْ وَاَنَّ اللّٰهَ لَيْسَ بِظَلَّامٍ لِّلْعَبِيْدِ ﴿١٨٢﴾ ۚ
اَلَّذِيْنَ قَالُوْٓا اِنَّ اللّٰهَ عَهِدَ اِلَيْنَآ اَلَّا نُؤْمِنَ
لِرَسُوْلٍ حَتّٰى يَاْتِيَنَا بِقُرْبَانٍ تَاْكُلُهُ النَّارُ ؕ قُلْ
قَدْ جَآءَكُمْ رُسُلٌ مِّنْ قَبْلِىْ بِالْبَيِّنٰتِ وَبِالَّذِىْ
قُلْتُمْ فَلِمَ قَتَلْتُمُوْهُمْ اِنْ كُنْتُمْ صٰدِقِيْنَ ﴿١٨٣﴾
فَاِنْ كَذَّبُوْكَ فَقَدْ كُذِّبَ رُسُلٌ مِّنْ قَبْلِكَ جَآءُوْ

منزل ١

بِالْبَيِّنٰتِ وَالزُّبُرِ وَالْكِتٰبِ الْمُنِيْرِ ﴿١٨٤﴾ كُلُّ نَفْسٍ
ذَآئِقَةُ الْمَوْتِ ؕ وَاِنَّمَا تُوَفَّوْنَ اُجُوْرَكُمْ يَوْمَ الْقِيٰمَةِ ؕ
فَمَنْ زُحْزِحَ عَنِ النَّارِ وَاُدْخِلَ الْجَنَّةَ فَقَدْ فَازَ ؕ
وَمَا الْحَيٰوةُ الدُّنْيَآ اِلَّا مَتَاعُ الْغُرُوْرِ ﴿١٨٥﴾ لَتُبْلَوُنَّ
فِيْٓ اَمْوَالِكُمْ وَاَنْفُسِكُمْ قف وَلَتَسْمَعُنَّ مِنَ الَّذِيْنَ
اُوْتُوا الْكِتٰبَ مِنْ قَبْلِكُمْ وَمِنَ الَّذِيْنَ اَشْرَكُوْٓا
اَذًى كَثِيْرًا ؕ وَاِنْ تَصْبِرُوْا وَتَتَّقُوْا فَاِنَّ ذٰلِكَ
مِنْ عَزْمِ الْاُمُوْرِ ﴿١٨٦﴾ وَاِذْ اَخَذَ اللّٰهُ مِيْثَاقَ
الَّذِيْنَ اُوْتُوا الْكِتٰبَ لَتُبَيِّنُنَّهٗ لِلنَّاسِ وَلَا
تَكْتُمُوْنَهٗ ز فَنَبَذُوْهُ وَرَآءَ ظُهُوْرِهِمْ وَاشْتَرَوْا بِهٖ
ثَمَنًا قَلِيْلًا ؕ فَبِئْسَ مَا يَشْتَرُوْنَ ﴿١٨٧﴾ لَا تَحْسَبَنَّ
الَّذِيْنَ يَفْرَحُوْنَ بِمَآ اَتَوْا وَّيُحِبُّوْنَ اَنْ يُّحْمَدُوْا
بِمَا لَمْ يَفْعَلُوْا فَلَا تَحْسَبَنَّهُمْ بِمَفَازَةٍ مِّنَ الْعَذَابِ ج

منزل ١

وَلَهُمۡ عَذَابٌ اَلِيۡمٌ ﴿۱۸۸﴾ وَلِلّٰهِ مُلۡكُ السَّمٰوٰتِ وَ
الۡاَرۡضِ ؕ وَاللّٰهُ عَلٰى كُلِّ شَىۡءٍ قَدِيۡرٌ ﴿۱۸۹﴾ ع اِنَّ فِىۡ ع ١٩ ٩ ١٠
خَلۡقِ السَّمٰوٰتِ وَالۡاَرۡضِ وَاخۡتِلَافِ الَّيۡلِ وَالنَّهَارِ
لَاٰيٰتٍ لِّاُولِى الۡاَلۡبَابِ ﴿۱۹۰﴾ لا الَّذِيۡنَ يَذۡكُرُوۡنَ
اللّٰهَ قِيٰمًا وَّقُعُوۡدًا وَّعَلٰى جُنُوۡبِهِمۡ وَيَتَفَكَّرُوۡنَ
فِىۡ خَلۡقِ السَّمٰوٰتِ وَالۡاَرۡضِ ج رَبَّنَا مَا خَلَقۡتَ
هٰذَا بَاطِلًا ج سُبۡحٰنَكَ فَقِنَا عَذَابَ النَّارِ ﴿۱۹۱﴾
رَبَّنَاۤ اِنَّكَ مَنۡ تُدۡخِلِ النَّارَ فَقَدۡ اَخۡزَيۡتَهٗ ؕ وَمَا
لِلظّٰلِمِيۡنَ مِنۡ اَنۡصَارٍ ﴿۱۹۲﴾ رَبَّنَاۤ اِنَّنَا سَمِعۡنَا مُنَادِيًا
يُّنَادِىۡ لِلۡاِيۡمَانِ اَنۡ اٰمِنُوۡا بِرَبِّكُمۡ فَاٰمَنَّا ۖق رَبَّنَا
فَاغۡفِرۡ لَنَا ذُنُوۡبَنَا وَكَفِّرۡ عَنَّا سَيِّاٰتِنَا وَتَوَفَّنَا
مَعَ الۡاَبۡرَارِ ج ﴿۱۹۳﴾ رَبَّنَا وَاٰتِنَا مَا وَعَدۡتَّنَا عَلٰى رُسُلِكَ
وَلَا تُخۡزِنَا يَوۡمَ الۡقِيٰمَةِ ؕ اِنَّكَ لَا تُخۡلِفُ الۡمِيۡعَادَ ﴿۱۹۴﴾

منزل ١

Ikhfa إخفا · Ikhfa Meem Saakin إخفاميم ساكن · Qalqala قلقلہ · Qalb قلب · Idghaam إدغام · Idghaam Meem Saakin إدغام ميم ساكن · Ghunna غُنّہ

فَاسْتَجَابَ لَهُمْ رَبُّهُمْ اَنِّىْ لَاۤ اُضِيْعُ عَمَلَ
عَامِلٍ مِّنْكُمْ مِّنْ ذَكَرٍ اَوْ اُنْثٰى ۚ بَعْضُكُمْ مِّنْۢ
بَعْضٍ ۚ فَالَّذِيْنَ هَاجَرُوْا وَاُخْرِجُوْا مِنْ دِيَارِهِمْ
وَاُوْذُوْا فِىْ سَبِيْلِىْ وَقٰتَلُوْا وَقُتِلُوْا لَاُكَفِّرَنَّ
عَنْهُمْ سَيِّاٰتِهِمْ وَلَاُدْخِلَنَّهُمْ جَنّٰتٍ تَجْرِىْ مِنْ
تَحْتِهَا الْاَنْهٰرُ ۚ ثَوَابًا مِّنْ عِنْدِ اللّٰهِ ؕ وَاللّٰهُ عِنْدَهٗ
حُسْنُ الثَّوَابِ ١٩٥ لَا يَغُرَّنَّكَ تَقَلُّبُ الَّذِيْنَ
كَفَرُوْا فِى الْبِلَادِ ؕ ١٩٦ مَتَاعٌ قَلِيْلٌ قف ثُمَّ مَاْوٰىهُمْ
جَهَنَّمُ ؕ وَبِئْسَ الْمِهَادُ ١٩٧ لٰكِنِ الَّذِيْنَ اتَّقَوْا رَبَّهُمْ
لَهُمْ جَنّٰتٌ تَجْرِىْ مِنْ تَحْتِهَا الْاَنْهٰرُ خٰلِدِيْنَ
فِيْهَا نُزُلًا مِّنْ عِنْدِ اللّٰهِ ؕ وَمَا عِنْدَ اللّٰهِ خَيْرٌ
لِّلْاَبْرَارِ ١٩٨ وَاِنَّ مِنْ اَهْلِ الْكِتٰبِ لَمَنْ يُّؤْمِنُ بِاللّٰهِ
وَمَاۤ اُنْزِلَ اِلَيْكُمْ وَمَاۤ اُنْزِلَ اِلَيْهِمْ خٰشِعِيْنَ لِلّٰهِ ۙ

منزل ١

الثلٰثة

Ikhfa إخفا | Ikhfa Meem Saakin إخفاميم ساكن | Qalqala قلقله | Qalb قلب | Idghaam ادغام | Idghaam Meem Saakin ادغام ميم ساكن | Ghunna غُنّہ

لَا يَشْتَرُوْنَ بِاٰيٰتِ اللّٰهِ ثَمَنًا قَلِيْلًا ؕ اُولٰٓئِكَ لَهُمْ
اَجْرُهُمْ عِنْدَ رَبِّهِمْ ؕ اِنَّ اللّٰهَ سَرِيْعُ الْحِسَابِ ﴿١٩٩﴾
يٰاَيُّهَا الَّذِيْنَ اٰمَنُوا اصْبِرُوْا وَصَابِرُوْا وَرَابِطُوْا ۠ قف
وَاتَّقُوا اللّٰهَ لَعَلَّكُمْ تُفْلِحُوْنَ ﴿٢٠٠﴾ ع

اٰيَاتُهَا ١٧٦ (٤) سُوْرَةُ النِّسَآءِ مَدَنِيَّةٌ (٩٢) رُكُوْعَاتُهَا ٢٤

بِسْمِ اللّٰهِ الرَّحْمٰنِ الرَّحِيْمِ

يٰاَيُّهَا النَّاسُ اتَّقُوْا رَبَّكُمُ الَّذِيْ خَلَقَكُمْ مِّنْ
نَّفْسٍ وَّاحِدَةٍ وَّخَلَقَ مِنْهَا زَوْجَهَا وَبَثَّ مِنْهُمَا
رِجَالًا كَثِيْرًا وَّنِسَآءً ۚ وَاتَّقُوا اللّٰهَ الَّذِيْ تَسَآءَلُوْنَ
بِهٖ وَالْاَرْحَامَ ؕ اِنَّ اللّٰهَ كَانَ عَلَيْكُمْ رَقِيْبًا ﴿١﴾
وَاٰتُوا الْيَتٰمٰٓى اَمْوَالَهُمْ وَلَا تَتَبَدَّلُوا الْخَبِيْثَ
بِالطَّيِّبِ ۠ وَلَا تَاْكُلُوْٓا اَمْوَالَهُمْ اِلٰٓى اَمْوَالِكُمْ ؕ
اِنَّهٗ كَانَ حُوْبًا كَبِيْرًا ﴿٢﴾ وَاِنْ خِفْتُمْ اَلَّا تُقْسِطُوْا

ع ١١ منزل ١

فِي الْيَتٰمٰى فَانْكِحُوْا مَا طَابَ لَكُمْ مِّنَ النِّسَآءِ مَثْنٰى
وَثُلٰثَ وَرُبٰعَ ۚ فَاِنْ خِفْتُمْ اَلَّا تَعْدِلُوْا فَوَاحِدَةً
اَوْ مَا مَلَكَتْ اَيْمَانُكُمْ ؕ ذٰلِكَ اَدْنٰٓى اَلَّا تَعُوْلُوْا ؕ ٣
وَاٰتُوا النِّسَآءَ صَدُقٰتِهِنَّ نِحْلَةً ؕ فَاِنْ طِبْنَ لَكُمْ عَنْ
شَيْءٍ مِّنْهُ نَفْسًا فَكُلُوْهُ هَنِيْٓـًٔا مَّرِيْٓـًٔا ٤ وَلَا تُؤْتُوا
السُّفَهَآءَ اَمْوَالَكُمُ الَّتِيْ جَعَلَ اللّٰهُ لَكُمْ قِيٰمًا
وَّارْزُقُوْهُمْ فِيْهَا وَاكْسُوْهُمْ وَقُوْلُوْا لَهُمْ قَوْلًا
مَّعْرُوْفًا ٥ وَابْتَلُوا الْيَتٰمٰى حَتّٰٓى اِذَا بَلَغُوا النِّكَاحَ ۚ فَاِنْ
اٰنَسْتُمْ مِّنْهُمْ رُشْدًا فَادْفَعُوْٓا اِلَيْهِمْ اَمْوَالَهُمْ ۚ وَلَا
تَاْكُلُوْهَآ اِسْرَافًا وَّبِدَارًا اَنْ يَّكْبَرُوْا ؕ وَمَنْ كَانَ
غَنِيًّا فَلْيَسْتَعْفِفْ ۚ وَمَنْ كَانَ فَقِيْرًا فَلْيَاْكُلْ
بِالْمَعْرُوْفِ ؕ فَاِذَا دَفَعْتُمْ اِلَيْهِمْ اَمْوَالَهُمْ
فَاَشْهِدُوْا عَلَيْهِمْ ؕ وَكَفٰى بِاللّٰهِ حَسِيْبًا ٦ لِلرِّجَالِ

منزل ١

نَصِيْبٌ مِّمَّا تَرَكَ الْوَالِدٰنِ وَالْاَقْرَبُوْنَ ص وَ

لِلنِّسَآءِ نَصِيْبٌ مِّمَّا تَرَكَ الْوَالِدٰنِ وَ الْاَقْرَبُوْنَ

مِمَّا قَلَّ مِنْهُ اَوْ كَثُرَ ط نَصِيْبًا مَّفْرُوْضًا ﴿٧﴾ وَ اِذَا

حَضَرَ الْقِسْمَةَ اُولُوا الْقُرْبٰى وَ الْيَتٰمٰى وَالْمَسٰكِيْنُ

فَارْزُقُوْهُمْ مِّنْهُ وَ قُوْلُوْا لَهُمْ قَوْلًا مَّعْرُوْفًا ﴿٨﴾

وَلْيَخْشَ الَّذِيْنَ لَوْ تَرَكُوْا مِنْ خَلْفِهِمْ ذُرِّيَّةً ضِعٰفًا

خَافُوْا عَلَيْهِمْ ص فَلْيَتَّقُوا اللّٰهَ وَلْيَقُوْلُوْا قَوْلًا سَدِيْدًا ﴿٩﴾ منزل ١

اِنَّ الَّذِيْنَ يَاْكُلُوْنَ اَمْوَالَ الْيَتٰمٰى ظُلْمًا اِنَّمَا

يَاْكُلُوْنَ فِيْ بُطُوْنِهِمْ نَارًا ط وَسَيَصْلَوْنَ سَعِيْرًا ﴿١٠﴾ ع ع ١٠/١٢

يُوْصِيْكُمُ اللّٰهُ فِيْٓ اَوْلَادِكُمْ ق لِلذَّكَرِ مِثْلُ حَظِّ

الْاُنْثَيَيْنِ ج فَاِنْ كُنَّ نِسَآءً فَوْقَ اثْنَتَيْنِ فَلَهُنَّ

ثُلُثَا مَا تَرَكَ ج وَاِنْ كَانَتْ وَاحِدَةً فَلَهَا النِّصْفُ ط

وَلِاَبَوَيْهِ لِكُلِّ وَاحِدٍ مِّنْهُمَا السُّدُسُ مِمَّا تَرَكَ

اِنْ كَانَ لَهٗ وَلَدٌ ۚ فَاِنْ لَّمْ يَكُنْ لَّهٗ وَلَدٌ وَّ وَرِثَهٗٓ
اَبَوٰهُ فَلِاُمِّهِ الثُّلُثُ ۚ فَاِنْ كَانَ لَهٗٓ اِخْوَةٌ فَلِاُمِّهِ
السُّدُسُ مِنْۢ بَعْدِ وَصِيَّةٍ يُّوْصِيْ بِهَآ اَوْ دَيْنٍ ؕ
اٰبَآؤُكُمْ وَاَبْنَآؤُكُمْ لَا تَدْرُوْنَ اَيُّهُمْ اَقْرَبُ لَكُمْ
نَفْعًا ؕ فَرِيْضَةً مِّنَ اللّٰهِ ؕ اِنَّ اللّٰهَ كَانَ عَلِيْمًا
حَكِيْمًا ﴿١١﴾ وَلَكُمْ نِصْفُ مَا تَرَكَ اَزْوَاجُكُمْ اِنْ لَّمْ
يَكُنْ لَّهُنَّ وَلَدٌ ۚ فَاِنْ كَانَ لَهُنَّ وَلَدٌ فَلَكُمُ
الرُّبُعُ مِمَّا تَرَكْنَ مِنْۢ بَعْدِ وَصِيَّةٍ يُّوْصِيْنَ بِهَآ
اَوْ دَيْنٍ ؕ وَلَهُنَّ الرُّبُعُ مِمَّا تَرَكْتُمْ اِنْ لَّمْ يَكُنْ لَّكُمْ
وَلَدٌ ۚ فَاِنْ كَانَ لَكُمْ وَلَدٌ فَلَهُنَّ الثُّمُنُ مِمَّا
تَرَكْتُمْ مِّنْۢ بَعْدِ وَصِيَّةٍ تُوْصُوْنَ بِهَآ اَوْ دَيْنٍ ؕ وَ
اِنْ كَانَ رَجُلٌ يُّوْرَثُ كَلٰلَةً اَوِ امْرَاَةٌ وَّلَهٗٓ اَخٌ
اَوْ اُخْتٌ فَلِكُلِّ وَاحِدٍ مِّنْهُمَا السُّدُسُ ۚ فَاِنْ كَانُوْٓا

منزل ١

Ikhfa اِخفا | Ikhfa Meem Saakin اِخفامیم ساکن | Qalqala قلقلہ | Qalb قلب | Idghaam اِدغام | Idghaam Meem Saakin اِدغام میم ساکن | Ghunna غُنّہ

اَكْثَرَ مِنْ ذٰلِكَ فَهُمْ شُرَكَآءُ فِي الثُّلُثِ مِنْۢ بَعْدِ
وَصِيَّةٍ يُّوْصٰى بِهَآ اَوْ دَيْنٍ ۙ غَيْرَ مُضَآرٍّ ۚ وَصِيَّةً
مِّنَ اللّٰهِ ؕ وَاللّٰهُ عَلِيْمٌ حَلِيْمٌ ؕ ﴿۱۲﴾ تِلْكَ حُدُوْدُ اللّٰهِ ؕ
وَمَنْ يُّطِعِ اللّٰهَ وَرَسُوْلَهٗ يُدْخِلْهُ جَنّٰتٍ تَجْرِيْ مِنْ
تَحْتِهَا الْاَنْهٰرُ خٰلِدِيْنَ فِيْهَا ؕ وَذٰلِكَ الْفَوْزُ الْعَظِيْمُ ﴿۱۳﴾
وَمَنْ يَّعْصِ اللّٰهَ وَرَسُوْلَهٗ وَيَتَعَدَّ حُدُوْدَهٗ
منزل ۱ يُدْخِلْهُ نَارًا خَالِدًا فِيْهَا ۪ وَلَهٗ عَذَابٌ مُّهِيْنٌ ﴿۱۴﴾ ع ۲
وَالّٰتِيْ يَاْتِيْنَ الْفَاحِشَةَ مِنْ نِّسَآئِكُمْ فَاسْتَشْهِدُوْا
عَلَيْهِنَّ اَرْبَعَةً مِّنْكُمْ ۚ فَاِنْ شَهِدُوْا فَاَمْسِكُوْهُنَّ
فِي الْبُيُوْتِ حَتّٰى يَتَوَفّٰهُنَّ الْمَوْتُ اَوْ يَجْعَلَ اللّٰهُ
لَهُنَّ سَبِيْلًا ﴿۱۵﴾ وَالَّذٰنِ يَاْتِيٰنِهَا مِنْكُمْ فَاٰذُوْهُمَا ۚ
فَاِنْ تَابَا وَاَصْلَحَا فَاَعْرِضُوْا عَنْهُمَا ؕ اِنَّ اللّٰهَ
كَانَ تَوَّابًا رَّحِيْمًا ﴿۱۶﴾ اِنَّمَا التَّوْبَةُ عَلَى اللّٰهِ لِلَّذِيْنَ

يَعْمَلُوْنَ السُّوْٓءَ بِجَهَالَةٍ ثُمَّ يَتُوْبُوْنَ مِنْ قَرِيْبٍ
فَاُولٰٓئِكَ يَتُوْبُ اللّٰهُ عَلَيْهِمْ ؕ وَكَانَ اللّٰهُ
عَلِيْمًا حَكِيْمًا ﴿١٧﴾ وَلَيْسَتِ التَّوْبَةُ لِلَّذِيْنَ يَعْمَلُوْنَ
السَّيِّاٰتِ ۚ حَتّٰٓى اِذَا حَضَرَ اَحَدَهُمُ الْمَوْتُ قَالَ
اِنِّىْ تُبْتُ الْـٰٔنَ وَلَا الَّذِيْنَ يَمُوْتُوْنَ وَهُمْ كُفَّارٌ ؕ
اُولٰٓئِكَ اَعْتَدْنَا لَهُمْ عَذَابًا اَلِيْمًا ﴿١٨﴾ يٰٓاَيُّهَا
الَّذِيْنَ اٰمَنُوْا لَا يَحِلُّ لَكُمْ اَنْ تَرِثُوا النِّسَآءَ
كَرْهًا ؕ وَلَا تَعْضُلُوْهُنَّ لِتَذْهَبُوْا بِبَعْضِ مَآ
اٰتَيْتُمُوْهُنَّ اِلَّآ اَنْ يَّاْتِيْنَ بِفَاحِشَةٍ مُّبَيِّنَةٍ ۚ
وَعَاشِرُوْهُنَّ بِالْمَعْرُوْفِ ۚ فَاِنْ كَرِهْتُمُوْهُنَّ
فَعَسٰٓى اَنْ تَكْرَهُوْا شَيْئًا وَّيَجْعَلَ اللّٰهُ فِيْهِ خَيْرًا
كَثِيْرًا ﴿١٩﴾ وَاِنْ اَرَدْتُّمُ اسْتِبْدَالَ زَوْجٍ مَّكَانَ
زَوْجٍ ۙ وَّاٰتَيْتُمْ اِحْدٰىهُنَّ قِنْطَارًا فَلَا تَاْخُذُوْا مِنْهُ

منزل ١

شَيْـًٔا ؕ اَتَاْخُذُوْنَهٗ بُهْتَانًا وَّاِثْمًا مُّبِيْنًا ۝٢٠ وَكَيْفَ
تَاْخُذُوْنَهٗ وَقَدْ اَفْضٰى بَعْضُكُمْ اِلٰى بَعْضٍ وَّ
اَخَذْنَ مِنْكُمْ مِّيْثَاقًا غَلِيْظًا ۝٢١ وَلَا تَنْكِحُوْا
مَا نَكَحَ اٰبَآؤُكُمْ مِّنَ النِّسَآءِ اِلَّا مَا قَدْ سَلَفَ ؕ
اِنَّهٗ كَانَ فَاحِشَةً وَّمَقْتًا ؕ وَسَآءَ سَبِيْلًا ۝٢٢ ع
حُرِّمَتْ عَلَيْكُمْ اُمَّهٰتُكُمْ وَبَنٰتُكُمْ وَاَخَوٰتُكُمْ وَ
عَمّٰتُكُمْ وَخٰلٰتُكُمْ وَبَنٰتُ الْاَخِ وَبَنٰتُ الْاُخْتِ وَ
اُمَّهٰتُكُمُ الّٰتِیْۤ اَرْضَعْنَكُمْ وَاَخَوٰتُكُمْ مِّنَ الرَّضَاعَةِ
وَاُمَّهٰتُ نِسَآئِكُمْ وَرَبَآئِبُكُمُ الّٰتِیْ فِیْ حُجُوْرِكُمْ
مِّنْ نِّسَآئِكُمُ الّٰتِیْ دَخَلْتُمْ بِهِنَّ ز فَاِنْ لَّمْ تَكُوْنُوْا
دَخَلْتُمْ بِهِنَّ فَلَا جُنَاحَ عَلَيْكُمْ ز وَحَلَآئِلُ اَبْنَآئِكُمُ
الَّذِيْنَ مِنْ اَصْلَابِكُمْ ۙ وَاَنْ تَجْمَعُوْا بَيْنَ الْاُخْتَيْنِ
اِلَّا مَا قَدْ سَلَفَ ؕ اِنَّ اللّٰهَ كَانَ غَفُوْرًا رَّحِيْمًا ۝٢٣

منزل ١

وَّالْمُحْصَنٰتُ مِنَ النِّسَآءِ اِلَّا مَا مَلَكَتْ اَيْمَانُكُمْ ج
كِتٰبَ اللّٰهِ عَلَيْكُمْ ج وَاُحِلَّ لَكُمْ مَّا وَرَآءَ ذٰلِكُمْ
اَنْ تَبْتَغُوْا بِاَمْوَالِكُمْ مُّحْصِنِيْنَ غَيْرَ مُسٰفِحِيْنَ ط
فَمَا اسْتَمْتَعْتُمْ بِهٖ مِنْهُنَّ فَاٰتُوْهُنَّ اُجُوْرَهُنَّ
فَرِيْضَةً ط وَلَا جُنَاحَ عَلَيْكُمْ فِيْمَا تَرٰضَيْتُمْ بِهٖ
مِنْۢ بَعْدِ الْفَرِيْضَةِ ط اِنَّ اللّٰهَ كَانَ عَلِيْمًا حَكِيْمًا ﴿٢٤﴾
وَمَنْ لَّمْ يَسْتَطِعْ مِنْكُمْ طَوْلًا اَنْ يَّنْكِحَ الْمُحْصَنٰتِ
الْمُؤْمِنٰتِ فَمِنْ مَّا مَلَكَتْ اَيْمَانُكُمْ مِّنْ فَتَيٰتِكُمُ
الْمُؤْمِنٰتِ ط وَاللّٰهُ اَعْلَمُ بِاِيْمَانِكُمْ ط بَعْضُكُمْ مِّنْۢ
بَعْضٍ ج فَانْكِحُوْهُنَّ بِاِذْنِ اَهْلِهِنَّ وَاٰتُوْهُنَّ
اُجُوْرَهُنَّ بِالْمَعْرُوْفِ مُحْصَنٰتٍ غَيْرَ مُسٰفِحٰتٍ
وَّلَا مُتَّخِذٰتِ اَخْدَانٍ ج فَاِذَآ اُحْصِنَّ فَاِنْ اَتَيْنَ
بِفَاحِشَةٍ فَعَلَيْهِنَّ نِصْفُ مَا عَلَى الْمُحْصَنٰتِ مِنَ

Ikhfa اِخفا | Ikhfa Meem Saakin اِخفاميم ساكن | Qalqala قلقله | Qalb قلب | Idghaam اِدغام | Idghaam Meem Saakin اِدغام ميم ساكن | Ghunna غُنّہ

الْعَذَابِ ؕ ذٰلِكَ لِمَنْ خَشِيَ الْعَنَتَ مِنْكُمْ ؕ وَاَنْ
تَصْبِرُوْا خَيْرٌ لَّكُمْ ؕ وَاللّٰهُ غَفُوْرٌ رَّحِيْمٌ ﴿٢٥﴾ يُرِيْدُ ع ٤
اللّٰهُ لِيُبَيِّنَ لَكُمْ وَيَهْدِيَكُمْ سُنَنَ الَّذِيْنَ مِنْ
قَبْلِكُمْ وَيَتُوْبَ عَلَيْكُمْ ؕ وَاللّٰهُ عَلِيْمٌ حَكِيْمٌ ﴿٢٦﴾ وَاللّٰهُ
يُرِيْدُ اَنْ يَّتُوْبَ عَلَيْكُمْ ۟ وَيُرِيْدُ الَّذِيْنَ يَتَّبِعُوْنَ
الشَّهَوٰتِ اَنْ تَمِيْلُوْا مَيْلًا عَظِيْمًا ﴿٢٧﴾ يُرِيْدُ اللّٰهُ
اَنْ يُّخَفِّفَ عَنْكُمْ ۚ وَخُلِقَ الْاِنْسَانُ ضَعِيْفًا ﴿٢٨﴾
يٰۤاَيُّهَا الَّذِيْنَ اٰمَنُوْا لَا تَاْكُلُوْۤا اَمْوَالَكُمْ بَيْنَكُمْ
بِالْبَاطِلِ اِلَّاۤ اَنْ تَكُوْنَ تِجَارَةً عَنْ تَرَاضٍ مِّنْكُمْ ۟
وَلَا تَقْتُلُوْۤا اَنْفُسَكُمْ ؕ اِنَّ اللّٰهَ كَانَ بِكُمْ رَحِيْمًا ﴿٢٩﴾
وَمَنْ يَّفْعَلْ ذٰلِكَ عُدْوَانًا وَّظُلْمًا فَسَوْفَ نُصْلِيْهِ
نَارًا ؕ وَكَانَ ذٰلِكَ عَلَى اللّٰهِ يَسِيْرًا ﴿٣٠﴾ اِنْ تَجْتَنِبُوْا
كَبَآئِرَ مَا تُنْهَوْنَ عَنْهُ نُكَفِّرْ عَنْكُمْ سَيِّاٰتِكُمْ وَنُدْخِلْكُمْ

منزل ١

Ikhfa اِخفا | Ikhfa Meem Saakin اِخفامیم ساکن | Qalqala قلقلہ | Qalb قلب | Idghaam اِدغام | Idghaam Meem Saakin اِدغام میم ساکن | Ghunna غُنّہ

مُّدْخَلًا كَرِيْمًا ﴿٣١﴾ وَلَا تَتَمَنَّوْا مَا فَضَّلَ اللّٰهُ بِهٖ
بَعْضَكُمْ عَلٰى بَعْضٍ ؕ لِلرِّجَالِ نَصِيْبٌ مِّمَّا
اكْتَسَبُوْا ؕ وَلِلنِّسَآءِ نَصِيْبٌ مِّمَّا اكْتَسَبْنَ ؕ وَسْئَلُوا
اللّٰهَ مِنْ فَضْلِهٖ ؕ اِنَّ اللّٰهَ كَانَ بِكُلِّ شَيْءٍ عَلِيْمًا ﴿٣٢﴾
وَلِكُلٍّ جَعَلْنَا مَوَالِيَ مِمَّا تَرَكَ الْوَالِدٰنِ وَالْاَقْرَبُوْنَ ؕ
وَالَّذِيْنَ عَقَدَتْ اَيْمَانُكُمْ فَاٰتُوْهُمْ نَصِيْبَهُمْ ؕ
٥ ع ٨ اِنَّ اللّٰهَ كَانَ عَلٰى كُلِّ شَيْءٍ شَهِيْدًا ﴿٣٣﴾ ع اَلرِّجَالُ منزل ١
قَوّٰمُوْنَ عَلَى النِّسَآءِ بِمَا فَضَّلَ اللّٰهُ بَعْضَهُمْ عَلٰى
بَعْضٍ وَّبِمَآ اَنْفَقُوْا مِنْ اَمْوَالِهِمْ ؕ فَالصّٰلِحٰتُ
قٰنِتٰتٌ حٰفِظٰتٌ لِّلْغَيْبِ بِمَا حَفِظَ اللّٰهُ ؕ وَالّٰتِيْ
تَخَافُوْنَ نُشُوْزَهُنَّ فَعِظُوْهُنَّ وَاهْجُرُوْهُنَّ فِي
الْمَضَاجِعِ وَاضْرِبُوْهُنَّ ۚ فَاِنْ اَطَعْنَكُمْ فَلَا تَبْغُوْا
عَلَيْهِنَّ سَبِيْلًا ؕ اِنَّ اللّٰهَ كَانَ عَلِيًّا كَبِيْرًا ﴿٣٤﴾

وَاِنْ خِفْتُمْ شِقَاقَ بَيْنِهِمَا فَابْعَثُوْا حَكَمًا مِّنْ
اَهْلِهٖ وَحَكَمًا مِّنْ اَهْلِهَا ۚ اِنْ يُّرِيْدَآ اِصْلَاحًا
يُّوَفِّقِ اللّٰهُ بَيْنَهُمَا ؕ اِنَّ اللّٰهَ كَانَ عَلِيْمًا خَبِيْرًا ﴿٣٥﴾
وَاعْبُدُوا اللّٰهَ وَلَا تُشْرِكُوْا بِهٖ شَيْـًٔا وَّ بِالْوَالِدَيْنِ
اِحْسَانًا وَّبِذِى الْقُرْبٰى وَالْيَتٰمٰى وَالْمَسٰكِيْنِ
وَالْجَارِ ذِى الْقُرْبٰى وَالْجَارِ الْجُنُبِ وَالصَّاحِبِ
بِالْجَنْۢبِ وَابْنِ السَّبِيْلِ ۙ وَمَا مَلَكَتْ اَيْمَانُكُمْ ؕ
اِنَّ اللّٰهَ لَا يُحِبُّ مَنْ كَانَ مُخْتَالًا فَخُوْرَا ۨ ﴿٣٦﴾ ۙ
الَّذِيْنَ يَبْخَلُوْنَ وَيَاْمُرُوْنَ النَّاسَ بِالْبُخْلِ
وَيَكْتُمُوْنَ مَآ اٰتٰىهُمُ اللّٰهُ مِنْ فَضْلِهٖ ؕ وَاَعْتَدْنَا
لِلْكٰفِرِيْنَ عَذَابًا مُّهِيْنًا ﴿٣٧﴾ ۚ وَالَّذِيْنَ يُنْفِقُوْنَ
اَمْوَالَهُمْ رِئَآءَ النَّاسِ وَلَا يُؤْمِنُوْنَ بِاللّٰهِ وَلَا
بِالْيَوْمِ الْاٰخِرِ ؕ وَمَنْ يَّكُنِ الشَّيْطٰنُ لَهٗ قَرِيْنًا

منزل ١

فَسَآءَ قَرِيْنًا ﴿٣٨﴾ وَمَاذَا عَلَيْهِمْ لَوْ اٰمَنُوْا بِاللّٰهِ وَ
الْيَوْمِ الْاٰخِرِ وَ اَنْفَقُوْا مِمَّا رَزَقَهُمُ اللّٰهُ ؕ وَكَانَ
اللّٰهُ بِهِمْ عَلِيْمًا ﴿٣٩﴾ اِنَّ اللّٰهَ لَا يَظْلِمُ مِثْقَالَ ذَرَّةٍ ۚ
وَاِنْ تَكُ حَسَنَةً يُّضٰعِفْهَا وَيُؤْتِ مِنْ لَّدُنْهُ
اَجْرًا عَظِيْمًا ﴿٤٠﴾ فَكَيْفَ اِذَا جِئْنَا مِنْ كُلِّ اُمَّةٍۭ بِشَهِيْدٍ
وَّجِئْنَا بِكَ عَلٰى هٰۤؤُلَآءِ شَهِيْدًا ﴿٤١﴾ ؕ يَوْمَئِذٍ يَّوَدُّ
الَّذِيْنَ كَفَرُوْا وَعَصَوُا الرَّسُوْلَ لَوْ تُسَوّٰى بِهِمُ الْاَرْضُ ؕ
وَلَا يَكْتُمُوْنَ اللّٰهَ حَدِيْثًا ﴿٤٢﴾ ع يٰۤاَيُّهَا الَّذِيْنَ اٰمَنُوْا
لَا تَقْرَبُوا الصَّلٰوةَ وَاَنْتُمْ سُكٰرٰى حَتّٰى تَعْلَمُوْا
مَا تَقُوْلُوْنَ وَلَا جُنُبًا اِلَّا عَابِرِيْ سَبِيْلٍ حَتّٰى
تَغْتَسِلُوْا ؕ وَاِنْ كُنْتُمْ مَّرْضٰۤى اَوْ عَلٰى سَفَرٍ اَوْ جَآءَ
اَحَدٌ مِّنْكُمْ مِّنَ الْغَآئِطِ اَوْ لٰمَسْتُمُ النِّسَآءَ فَلَمْ
تَجِدُوْا مَآءً فَتَيَمَّمُوْا صَعِيْدًا طَيِّبًا فَامْسَحُوْا

وقف النبي صلى الله عليه وآله وسلم

ع ٦

منزل ١

Ikhfa إخفا | Ikhfa Meem Saakin إخفاميم ساکن | Qalqala قلقله | Qalb قلب | Idghaam إدغام | Idghaam Meem Saakin إدغام ميم ساکن | Ghunna غُنّه

بِوُجُوْهِكُمْ وَاَيْدِيْكُمْ ؕ اِنَّ اللّٰهَ كَانَ عَفُوًّا غَفُوْرًا ﴿٤٣﴾
اَلَمْ تَرَ اِلَى الَّذِيْنَ اُوْتُوْا نَصِيْبًا مِّنَ الْكِتٰبِ
يَشْتَرُوْنَ الضَّلٰلَةَ وَيُرِيْدُوْنَ اَنْ تَضِلُّوا السَّبِيْلَ ﴿٤٤﴾ ؕ
وَاللّٰهُ اَعْلَمُ بِاَعْدَآئِكُمْ ؕ وَكَفٰى بِاللّٰهِ وَلِيًّا ۙ وَّكَفٰى
بِاللّٰهِ نَصِيْرًا ﴿٤٥﴾ مِنَ الَّذِيْنَ هَادُوْا يُحَرِّفُوْنَ
الْكَلِمَ عَنْ مَّوَاضِعِهٖ وَيَقُوْلُوْنَ سَمِعْنَا وَعَصَيْنَا
وَاسْمَعْ غَيْرَ مُسْمَعٍ وَّرَاعِنَا لَيًّا بِاَلْسِنَتِهِمْ وَطَعْنًا
فِى الدِّيْنِ ؕ وَلَوْ اَنَّهُمْ قَالُوْا سَمِعْنَا وَاَطَعْنَا
وَاسْمَعْ وَانْظُرْنَا لَكَانَ خَيْرًا لَّهُمْ وَاَقْوَمَ ۙ وَ
لٰكِنْ لَّعَنَهُمُ اللّٰهُ بِكُفْرِهِمْ فَلَا يُؤْمِنُوْنَ اِلَّا قَلِيْلًا ﴿٤٦﴾
يٰۤاَيُّهَا الَّذِيْنَ اُوْتُوا الْكِتٰبَ اٰمِنُوْا بِمَا نَزَّلْنَا
مُصَدِّقًا لِّمَا مَعَكُمْ مِّنْ قَبْلِ اَنْ نَّطْمِسَ
وُجُوْهًا فَنَرُدَّهَا عَلٰۤى اَدْبَارِهَاۤ اَوْ نَلْعَنَهُمْ كَمَا

منزل١

Ikhfa إخفا | Ikhfa Meem Saakin إخفاميم ساكن | Qalqala قلقله | Qalb قلب | Idghaam ادغام | Idghaam Meem Saakin ادغام ميم ساكن | Ghunna غنّه

لَعَنَّآ اَصْحٰبَ السَّبْتِ ؕ وَكَانَ اَمْرُ اللّٰهِ مَفْعُوْلًا ﴿٤٧﴾
اِنَّ اللّٰهَ لَا يَغْفِرُ اَنْ يُّشْرَكَ بِهٖ وَ يَغْفِرُ مَا دُوْنَ
ذٰلِكَ لِمَنْ يَّشَآءُ ۚ وَمَنْ يُّشْرِكْ بِاللّٰهِ فَقَدِ افْتَرٰٓى
اِثْمًا عَظِيْمًا ﴿٤٨﴾ اَلَمْ تَرَ اِلَى الَّذِيْنَ يُزَكُّوْنَ اَنْفُسَهُمْ ؕ
بَلِ اللّٰهُ يُزَكِّيْ مَنْ يَّشَآءُ وَلَا يُظْلَمُوْنَ فَتِيْلًا ﴿٤٩﴾
اُنْظُرْ كَيْفَ يَفْتَرُوْنَ عَلَى اللّٰهِ الْكَذِبَ ؕ وَكَفٰى
منزل ١ بِهٖٓ اِثْمًا مُّبِيْنًا ﴿٥٠﴾ ع اَلَمْ تَرَ اِلَى الَّذِيْنَ اُوْتُوْا ع ٨
نَصِيْبًا مِّنَ الْكِتٰبِ يُؤْمِنُوْنَ بِالْجِبْتِ وَ الطَّاغُوْتِ
وَ يَقُوْلُوْنَ لِلَّذِيْنَ كَفَرُوْا هٰٓؤُلَآءِ اَهْدٰى مِنَ
الَّذِيْنَ اٰمَنُوْا سَبِيْلًا ﴿٥١﴾ اُولٰٓئِكَ الَّذِيْنَ لَعَنَهُمُ
اللّٰهُ ؕ وَمَنْ يَّلْعَنِ اللّٰهُ فَلَنْ تَجِدَ لَهٗ نَصِيْرًا ﴿٥٢﴾ ؕ
اَمْ لَهُمْ نَصِيْبٌ مِّنَ الْمُلْكِ فَاِذًا لَّا يُؤْتُوْنَ
النَّاسَ نَقِيْرًا ﴿٥٣﴾ ۙ اَمْ يَحْسُدُوْنَ النَّاسَ عَلٰى

مَآ اٰتٰهُمُ اللّٰهُ مِنْ فَضْلِهٖ ۚ فَقَدْ اٰتَيْنَآ اٰلَ
اِبْرٰهِيْمَ الْكِتٰبَ وَالْحِكْمَةَ وَاٰتَيْنٰهُمْ مُّلْكًا عَظِيْمًا ﴿٥٤﴾
فَمِنْهُمْ مَّنْ اٰمَنَ بِهٖ وَمِنْهُمْ مَّنْ صَدَّ عَنْهُ ۭ
وَكَفٰى بِجَهَنَّمَ سَعِيْرًا ﴿٥٥﴾ اِنَّ الَّذِيْنَ كَفَرُوْا بِاٰيٰتِنَا
سَوْفَ نُصْلِيْهِمْ نَارًا ۭ كُلَّمَا نَضِجَتْ جُلُوْدُهُمْ
بَدَّلْنٰهُمْ جُلُوْدًا غَيْرَهَا لِيَذُوْقُوا الْعَذَابَ ۭ اِنَّ
منزل ١ اللّٰهَ كَانَ عَزِيْزًا حَكِيْمًا ﴿٥٦﴾ وَالَّذِيْنَ اٰمَنُوْا وَعَمِلُوا الربع
الصّٰلِحٰتِ سَنُدْخِلُهُمْ جَنّٰتٍ تَجْرِيْ مِنْ تَحْتِهَا
الْاَنْهٰرُ خٰلِدِيْنَ فِيْهَآ اَبَدًا ۭ لَهُمْ فِيْهَآ اَزْوَاجٌ
مُّطَهَّرَةٌ ۡ وَّنُدْخِلُهُمْ ظِلًّا ظَلِيْلًا ﴿٥٧﴾ اِنَّ اللّٰهَ
يَاْمُرُكُمْ اَنْ تُؤَدُّوا الْاَمٰنٰتِ اِلٰٓى اَهْلِهَا ۙ وَاِذَا
حَكَمْتُمْ بَيْنَ النَّاسِ اَنْ تَحْكُمُوْا بِالْعَدْلِ ۭ اِنَّ
اللّٰهَ نِعِمَّا يَعِظُكُمْ بِهٖ ۭ اِنَّ اللّٰهَ كَانَ سَمِيْعًا

بَصِيْرًا ﴿٥٨﴾ يٰۤاَيُّهَا الَّذِيْنَ اٰمَنُوْۤا اَطِيْعُوا اللّٰهَ وَ
اَطِيْعُوا الرَّسُوْلَ وَ اُولِي الْاَمْرِ مِنْكُمْ ۚ فَاِنْ
تَنَازَعْتُمْ فِيْ شَيْءٍ فَرُدُّوْهُ اِلَى اللّٰهِ وَ الرَّسُوْلِ
اِنْ كُنْتُمْ تُؤْمِنُوْنَ بِاللّٰهِ وَ الْيَوْمِ الْاٰخِرِ ؕ ذٰلِكَ
خَيْرٌ وَّ اَحْسَنُ تَاْوِيْلًا ﴿٥٩﴾ ۧ اَلَمْ تَرَ اِلَى الَّذِيْنَ
يَزْعُمُوْنَ اَنَّهُمْ اٰمَنُوْا بِمَاۤ اُنْزِلَ اِلَيْكَ وَمَاۤ اُنْزِلَ
مِنْ قَبْلِكَ يُرِيْدُوْنَ اَنْ يَّتَحَاكَمُوْۤا اِلَى الطَّاغُوْتِ
وَقَدْ اُمِرُوْۤا اَنْ يَّكْفُرُوْا بِهٖ ؕ وَيُرِيْدُ الشَّيْطٰنُ
اَنْ يُّضِلَّهُمْ ضَلٰلًا بَعِيْدًا ﴿٦٠﴾ وَ اِذَا قِيْلَ لَهُمْ
تَعَالَوْا اِلٰى مَاۤ اَنْزَلَ اللّٰهُ وَاِلَى الرَّسُوْلِ رَاَيْتَ
الْمُنٰفِقِيْنَ يَصُدُّوْنَ عَنْكَ صُدُوْدًا ﴿٦١﴾ ۚ فَكَيْفَ اِذَاۤ
اَصَابَتْهُمْ مُّصِيْبَةٌ ۢ بِمَا قَدَّمَتْ اَيْدِيْهِمْ ثُمَّ
جَآءُوْكَ يَحْلِفُوْنَ ۖۗ بِاللّٰهِ اِنْ اَرَدْنَاۤ اِلَّاۤ اِحْسَانًا

ع ٨ ٩ ٥

منزل ١

وَّ تَوْفِيْقًا ﴿٦٢﴾ اُولٰٓئِكَ الَّذِيْنَ يَعْلَمُ اللّٰهُ مَا فِيْ قُلُوْبِهِمْ ۗ
فَاَعْرِضْ عَنْهُمْ وَعِظْهُمْ وَقُلْ لَّهُمْ فِيْٓ اَنْفُسِهِمْ قَوْلًاۢ
بَلِيْغًا ﴿٦٣﴾ وَمَآ اَرْسَلْنَا مِنْ رَّسُوْلٍ اِلَّا لِيُطَاعَ
بِاِذْنِ اللّٰهِ ؕ وَلَوْ اَنَّهُمْ اِذْ ظَّلَمُوْٓا اَنْفُسَهُمْ جَآءُوْكَ
فَاسْتَغْفَرُوا اللّٰهَ وَاسْتَغْفَرَ لَهُمُ الرَّسُوْلُ لَوَجَدُوا
اللّٰهَ تَوَّابًا رَّحِيْمًا ﴿٦٤﴾ فَلَا وَرَبِّكَ لَا يُؤْمِنُوْنَ
حَتّٰى يُحَكِّمُوْكَ فِيْمَا شَجَرَ بَيْنَهُمْ ثُمَّ لَا يَجِدُوْا فِيْٓ
اَنْفُسِهِمْ حَرَجًا مِّمَّا قَضَيْتَ وَيُسَلِّمُوْا تَسْلِيْمًا ﴿٦٥﴾ وَلَوْ
اَنَّا كَتَبْنَا عَلَيْهِمْ اَنِ اقْتُلُوْٓا اَنْفُسَكُمْ اَوِ اخْرُجُوْا
مِنْ دِيَارِكُمْ مَّا فَعَلُوْهُ اِلَّا قَلِيْلٌ مِّنْهُمْ ؕ وَلَوْ
اَنَّهُمْ فَعَلُوْا مَا يُوْعَظُوْنَ بِهٖ لَكَانَ خَيْرًا لَّهُمْ وَاَشَدَّ
تَثْبِيْتًا ﴿٦٦﴾ وَّاِذًا لَّاٰتَيْنٰهُمْ مِّنْ لَّدُنَّآ اَجْرًا عَظِيْمًا ﴿٦٧﴾ ۙ
وَّ لَهَدَيْنٰهُمْ صِرَاطًا مُّسْتَقِيْمًا ﴿٦٨﴾ وَمَنْ يُّطِعِ اللّٰهَ

منزل ١

Ikhfa إخفا | Ikhfa Meem Saakin إخفاميم ساكن | Qalqala قلقله | Qalb قلب | Idghaam اِدغام | Idghaam Meem Saakin اِدغام ميم ساكن | Ghunna غنّه

وَ الرَّسُوْلَ فَاُولٰٓئِكَ مَعَ الَّذِيْنَ اَنْعَمَ اللّٰهُ عَلَيْهِمْ
مِّنَ النَّبِيّٖنَ وَ الصِّدِّيْقِيْنَ وَالشُّهَدَآءِ وَالصّٰلِحِيْنَ ۚ
وَحَسُنَ اُولٰٓئِكَ رَفِيْقًا ﴿٦٩﴾ ذٰلِكَ الْفَضْلُ مِنَ اللّٰهِ ؕ
وَ كَفٰى بِاللّٰهِ عَلِيْمًا ﴿٧٠﴾ ع يٰٓاَيُّهَا الَّذِيْنَ اٰمَنُوْا خُذُوْا
حِذْرَكُمْ فَانْفِرُوْا ثُبَاتٍ اَوِانْفِرُوْا جَمِيْعًا ﴿٧١﴾ وَاِنَّ
مِنْكُمْ لَمَنْ لَّيُبَطِّئَنَّ ۚ فَاِنْ اَصَابَتْكُمْ مُّصِيْبَةٌ قَالَ
قَدْ اَنْعَمَ اللّٰهُ عَلَيَّ اِذْ لَمْ اَكُنْ مَّعَهُمْ شَهِيْدًا ﴿٧٢﴾
وَلَئِنْ اَصَابَكُمْ فَضْلٌ مِّنَ اللّٰهِ لَيَقُوْلَنَّ كَاَنْ لَّمْ
تَكُنْ بَيْنَكُمْ وَبَيْنَهٗ مَوَدَّةٌ يّٰلَيْتَنِيْ كُنْتُ مَعَهُمْ
فَاَفُوْزَ فَوْزًا عَظِيْمًا ﴿٧٣﴾ فَلْيُقَاتِلْ فِيْ سَبِيْلِ اللّٰهِ
الَّذِيْنَ يَشْرُوْنَ الْحَيٰوةَ الدُّنْيَا بِالْاٰخِرَةِ ؕ وَمَنْ
يُّقَاتِلْ فِيْ سَبِيْلِ اللّٰهِ فَيُقْتَلْ اَوْ يَغْلِبْ فَسَوْفَ
نُؤْتِيْهِ اَجْرًا عَظِيْمًا ﴿٧٤﴾ وَمَا لَكُمْ لَا تُقَاتِلُوْنَ فِيْ

ع ١١ / منزل ١

سَبِيْلِ اللّٰهِ وَالْمُسْتَضْعَفِيْنَ مِنَ الرِّجَالِ وَالنِّسَآءِ
وَالْوِلْدَانِ الَّذِيْنَ يَقُوْلُوْنَ رَبَّنَآ اَخْرِجْنَا مِنْ
هٰذِهِ الْقَرْيَةِ الظَّالِمِ اَهْلُهَا ۚ وَاجْعَلْ لَّنَا مِنْ
لَّدُنْكَ وَلِيًّا ۙ وَّاجْعَلْ لَّنَا مِنْ لَّدُنْكَ نَصِيْرًا ۭ ٧٥
اَلَّذِيْنَ اٰمَنُوْا يُقَاتِلُوْنَ فِيْ سَبِيْلِ اللّٰهِ ۚ وَالَّذِيْنَ كَفَرُوْا
يُقَاتِلُوْنَ فِيْ سَبِيْلِ الطَّاغُوْتِ فَقَاتِلُوْٓا اَوْلِيَآءَ
منزل ١ الشَّيْطٰنِ ۚ اِنَّ كَيْدَ الشَّيْطٰنِ كَانَ ضَعِيْفًا ٧٦ ع اَلَمْ تَرَ ع ٦ ٧
اِلَى الَّذِيْنَ قِيْلَ لَهُمْ كُفُّوْٓا اَيْدِيَكُمْ وَاَقِيْمُوا
الصَّلٰوةَ وَاٰتُوا الزَّكٰوةَ ۚ فَلَمَّا كُتِبَ عَلَيْهِمُ
الْقِتَالُ اِذَا فَرِيْقٌ مِّنْهُمْ يَخْشَوْنَ النَّاسَ كَخَشْيَةِ
اللّٰهِ اَوْ اَشَدَّ خَشْيَةً ۚ وَقَالُوْا رَبَّنَا لِمَ كَتَبْتَ
عَلَيْنَا الْقِتَالَ ۚ لَوْلَآ اَخَّرْتَنَآ اِلٰٓى اَجَلٍ قَرِيْبٍ ۭ قُلْ
مَتَاعُ الدُّنْيَا قَلِيْلٌ ۚ وَالْاٰخِرَةُ خَيْرٌ لِّمَنِ اتَّقٰى قف

وَلَا تُظْلَمُوْنَ فَتِيْلًا ﴿٧٧﴾ اَيْنَ مَا تَكُوْنُوْا يُدْرِكْكُّمُ
الْمَوْتُ وَلَوْ كُنْتُمْ فِيْ بُرُوْجٍ مُّشَيَّدَةٍ ۭ وَاِنْ تُصِبْهُمْ
حَسَنَةٌ يَّقُوْلُوْا هٰذِهٖ مِنْ عِنْدِ اللّٰهِ ۚ وَاِنْ تُصِبْهُمْ
سَيِّئَةٌ يَّقُوْلُوْا هٰذِهٖ مِنْ عِنْدِكَ ۭ قُلْ كُلٌّ مِّنْ عِنْدِ
اللّٰهِ ۭ فَمَالِ هٰٓؤُلَاۗءِ الْقَوْمِ لَا يَكَادُوْنَ يَفْقَهُوْنَ
حَدِيْثًا ﴿٧٨﴾ مَآ اَصَابَكَ مِنْ حَسَنَةٍ فَمِنَ اللّٰهِ ۡ وَمَآ
اَصَابَكَ مِنْ سَيِّئَةٍ فَمِنْ نَّفْسِكَ ۭ وَ اَرْسَلْنٰكَ
لِلنَّاسِ رَسُوْلًا ۭ وَكَفٰى بِاللّٰهِ شَهِيْدًا ﴿٧٩﴾ مَنْ يُّطِعِ
الرَّسُوْلَ فَقَدْ اَطَاعَ اللّٰهَ ۚ وَمَنْ تَوَلّٰى فَمَآ اَرْسَلْنٰكَ
عَلَيْهِمْ حَفِيْظًا ﴿٨٠﴾ وَيَقُوْلُوْنَ طَاعَةٌ ۡ فَاِذَا بَرَزُوْا مِنْ
عِنْدِكَ بَيَّتَ طَاۗىِٕفَةٌ مِّنْهُمْ غَيْرَ الَّذِيْ تَقُوْلُ ۭ
وَاللّٰهُ يَكْتُبُ مَا يُبَيِّتُوْنَ ۚ فَاَعْرِضْ عَنْهُمْ وَ تَوَكَّلْ
عَلَى اللّٰهِ ۭ وَكَفٰى بِاللّٰهِ وَكِيْلًا ﴿٨١﴾ اَفَلَا يَتَدَبَّرُوْنَ

منزل ١

الْقُرْاٰنَ ؕ وَلَوْ كَانَ مِنْ عِنْدِ غَيْرِ اللّٰهِ لَوَجَدُوْا فِيْهِ
اخْتِلَافًا كَثِيْرًا ﴿٨٢﴾ وَاِذَا جَآءَهُمْ اَمْرٌ مِّنَ الْاَمْنِ
اَوِ الْخَوْفِ اَذَاعُوْا بِهٖ ؕ وَلَوْ رَدُّوْهُ اِلَى الرَّسُوْلِ وَ
اِلٰٓى اُولِي الْاَمْرِ مِنْهُمْ لَعَلِمَهُ الَّذِيْنَ يَسْتَنْۢبِطُوْنَهٗ
مِنْهُمْ ؕ وَلَوْلَا فَضْلُ اللّٰهِ عَلَيْكُمْ وَرَحْمَتُهٗ لَاتَّبَعْتُمُ
الشَّيْطٰنَ اِلَّا قَلِيْلًا ﴿٨٣﴾ فَقَاتِلْ فِيْ سَبِيْلِ اللّٰهِ ۚ لَا
تُكَلَّفُ اِلَّا نَفْسَكَ وَحَرِّضِ الْمُؤْمِنِيْنَ ۚ عَسَى اللّٰهُ
اَنْ يَّكُفَّ بَاْسَ الَّذِيْنَ كَفَرُوْا ؕ وَاللّٰهُ اَشَدُّ بَاْسًا وَّ
اَشَدُّ تَنْكِيْلًا ﴿٨٤﴾ مَنْ يَّشْفَعْ شَفَاعَةً حَسَنَةً يَّكُنْ لَّهٗ
نَصِيْبٌ مِّنْهَا ۚ وَمَنْ يَّشْفَعْ شَفَاعَةً سَيِّئَةً يَّكُنْ
لَّهٗ كِفْلٌ مِّنْهَا ؕ وَكَانَ اللّٰهُ عَلٰى كُلِّ شَيْءٍ مُّقِيْتًا ﴿٨٥﴾
وَاِذَا حُيِّيْتُمْ بِتَحِيَّةٍ فَحَيُّوْا بِاَحْسَنَ مِنْهَآ اَوْ رُدُّوْهَا ؕ
اِنَّ اللّٰهَ كَانَ عَلٰى كُلِّ شَيْءٍ حَسِيْبًا ﴿٨٦﴾ اَللّٰهُ لَآ اِلٰهَ

منزل ١

النصف

اِلَّا هُوَ ؕ لَیَجۡمَعَنَّکُمۡ اِلٰی یَوۡمِ الۡقِیٰمَۃِ لَا رَیۡبَ فِیۡهِ ؕ
وَمَنۡ اَصۡدَقُ مِنَ اللّٰهِ حَدِیۡثًا ﴿۸۷﴾ ع فَمَا لَکُمۡ فِی ع ۱۱ ۸
الۡمُنٰفِقِیۡنَ فِئَتَیۡنِ وَاللّٰهُ اَرۡکَسَهُمۡ بِمَا کَسَبُوۡا ؕ
اَتُرِیۡدُوۡنَ اَنۡ تَهۡدُوۡا مَنۡ اَضَلَّ اللّٰهُ ؕ وَمَنۡ یُّضۡلِلِ
اللّٰهُ فَلَنۡ تَجِدَ لَهٗ سَبِیۡلًا ﴿۸۸﴾ وَدُّوۡا لَوۡ تَکۡفُرُوۡنَ
کَمَا کَفَرُوۡا فَتَکُوۡنُوۡنَ سَوَآءً فَلَا تَتَّخِذُوۡا مِنۡهُمۡ
منزل ۱ اَوۡلِیَآءَ حَتّٰی یُهَاجِرُوۡا فِیۡ سَبِیۡلِ اللّٰهِ ؕ فَاِنۡ تَوَلَّوۡا
فَخُذُوۡهُمۡ وَاقۡتُلُوۡهُمۡ حَیۡثُ وَجَدۡتُّمُوۡهُمۡ ۪ وَلَا
تَتَّخِذُوۡا مِنۡهُمۡ وَلِیًّا وَّلَا نَصِیۡرًا ﴿۸۹﴾ ۙ اِلَّا الَّذِیۡنَ
یَصِلُوۡنَ اِلٰی قَوۡمٍۭ بَیۡنَکُمۡ وَبَیۡنَهُمۡ مِّیۡثَاقٌ اَوۡ جَآءُوۡکُمۡ
حَصِرَتۡ صُدُوۡرُهُمۡ اَنۡ یُّقَاتِلُوۡکُمۡ اَوۡ یُقَاتِلُوۡا
قَوۡمَهُمۡ ؕ وَلَوۡ شَآءَ اللّٰهُ لَسَلَّطَهُمۡ عَلَیۡکُمۡ فَلَقٰتَلُوۡکُمۡ ۚ
فَاِنِ اعۡتَزَلُوۡکُمۡ فَلَمۡ یُقَاتِلُوۡکُمۡ وَاَلۡقَوۡا اِلَیۡکُمُ

السَّلَمَ ۙ فَمَا جَعَلَ اللّٰهُ لَكُمْ عَلَيْهِمْ سَبِيْلًا ﴿٩٠﴾
سَتَجِدُوْنَ اٰخَرِيْنَ يُرِيْدُوْنَ اَنْ يَّاْمَنُوْكُمْ وَ
يَاْمَنُوْا قَوْمَهُمْ ؕ كُلَّمَا رُدُّوْٓا اِلَى الْفِتْنَةِ اُرْكِسُوْا
فِيْهَا ۚ فَاِنْ لَّمْ يَعْتَزِلُوْكُمْ وَيُلْقُوْٓا اِلَيْكُمُ السَّلَمَ
وَيَكُفُّوْٓا اَيْدِيَهُمْ فَخُذُوْهُمْ وَاقْتُلُوْهُمْ حَيْثُ
ثَقِفْتُمُوْهُمْ ؕ وَاُولٰٓئِكُمْ جَعَلْنَا لَكُمْ عَلَيْهِمْ سُلْطٰنًا
مُّبِيْنًا ﴿٩١﴾ ع وَمَا كَانَ لِمُؤْمِنٍ اَنْ يَّقْتُلَ مُؤْمِنًا اِلَّا ١٢ع
خَطَـًٔا ۚ وَمَنْ قَتَلَ مُؤْمِنًا خَطَـًٔا فَتَحْرِيْرُ رَقَبَةٍ
مُّؤْمِنَةٍ وَّدِيَةٌ مُّسَلَّمَةٌ اِلٰٓى اَهْلِهٖٓ اِلَّآ اَنْ
يَّصَّدَّقُوْا ؕ فَاِنْ كَانَ مِنْ قَوْمٍ عَدُوٍّ لَّكُمْ وَهُوَ
مُؤْمِنٌ فَتَحْرِيْرُ رَقَبَةٍ مُّؤْمِنَةٍ ؕ وَاِنْ كَانَ
مِنْ قَوْمٍ بَيْنَكُمْ وَبَيْنَهُمْ مِّيْثَاقٌ فَدِيَةٌ
مُّسَلَّمَةٌ اِلٰٓى اَهْلِهٖ وَتَحْرِيْرُ رَقَبَةٍ مُّؤْمِنَةٍ ۚ

منزل ١

فَمَنْ لَّمْ يَجِدْ فَصِيَامُ شَهْرَيْنِ مُتَتَابِعَيْنِ ز تَوْبَةً
مِّنَ اللّٰهِ ط وَكَانَ اللّٰهُ عَلِيْمًا حَكِيْمًا ﴿٩٢﴾ وَمَنْ
يَّقْتُلْ مُؤْمِنًا مُّتَعَمِّدًا فَجَزَآؤُهٗ جَهَنَّمُ خٰلِدًا
فِيْهَا وَغَضِبَ اللّٰهُ عَلَيْهِ وَلَعَنَهٗ وَاَعَدَّ لَهٗ عَذَابًا
عَظِيْمًا ﴿٩٣﴾ يٰۤاَيُّهَا الَّذِيْنَ اٰمَنُوْۤا اِذَا ضَرَبْتُمْ
فِيْ سَبِيْلِ اللّٰهِ فَتَبَيَّنُوْا وَلَا تَقُوْلُوْا لِمَنْ اَلْقٰۤى
اِلَيْكُمُ السَّلٰمَ لَسْتَ مُؤْمِنًا ج تَبْتَغُوْنَ عَرَضَ
الْحَيٰوةِ الدُّنْيَا ز فَعِنْدَ اللّٰهِ مَغَانِمُ كَثِيْرَةٌ ط كَذٰلِكَ
كُنْتُمْ مِّنْ قَبْلُ فَمَنَّ اللّٰهُ عَلَيْكُمْ فَتَبَيَّنُوْا ط اِنَّ
اللّٰهَ كَانَ بِمَا تَعْمَلُوْنَ خَبِيْرًا ﴿٩٤﴾ لَا يَسْتَوِي
الْقٰعِدُوْنَ مِنَ الْمُؤْمِنِيْنَ غَيْرُ اُولِي الضَّرَرِ وَ
الْمُجٰهِدُوْنَ فِيْ سَبِيْلِ اللّٰهِ بِاَمْوَالِهِمْ وَاَنْفُسِهِمْ ط
فَضَّلَ اللّٰهُ الْمُجٰهِدِيْنَ بِاَمْوَالِهِمْ وَاَنْفُسِهِمْ

منزل ١

عَلَى الْقٰعِدِيْنَ دَرَجَةً ؕ وَكُلًّا وَّعَدَ اللّٰهُ
الْحُسْنٰى ؕ وَفَضَّلَ اللّٰهُ الْمُجٰهِدِيْنَ عَلَى الْقٰعِدِيْنَ
اَجْرًا عَظِيْمًا ۙ﴿٩٥﴾ دَرَجٰتٍ مِّنْهُ وَمَغْفِرَةً وَّرَحْمَةً ؕ
وَكَانَ اللّٰهُ غَفُوْرًا رَّحِيْمًا ﴿٩٦﴾ ع اِنَّ الَّذِيْنَ تَوَفّٰىهُمُ ١٣ع٥
الْمَلٰٓئِكَةُ ظَالِمِيْٓ اَنْفُسِهِمْ قَالُوْا فِيْمَ كُنْتُمْ ؕ
قَالُوْا كُنَّا مُسْتَضْعَفِيْنَ فِى الْاَرْضِ ؕ قَالُوْٓا اَلَمْ
تَكُنْ اَرْضُ اللّٰهِ وَاسِعَةً فَتُهَاجِرُوْا فِيْهَا ؕ
فَاُولٰٓئِكَ مَاْوٰىهُمْ جَهَنَّمُ ؕ وَسَآءَتْ مَصِيْرًا ۙ﴿٩٧﴾
اِلَّا الْمُسْتَضْعَفِيْنَ مِنَ الرِّجَالِ وَالنِّسَآءِ وَ
الْوِلْدَانِ لَا يَسْتَطِيْعُوْنَ حِيْلَةً وَّلَا يَهْتَدُوْنَ
سَبِيْلًا ۙ﴿٩٨﴾ فَاُولٰٓئِكَ عَسَى اللّٰهُ اَنْ يَّعْفُوَ عَنْهُمْ ؕ
وَكَانَ اللّٰهُ عَفُوًّا غَفُوْرًا ﴿٩٩﴾ وَمَنْ يُّهَاجِرْ فِيْ
سَبِيْلِ اللّٰهِ يَجِدْ فِى الْاَرْضِ مُرٰغَمًا كَثِيْرًا

منزل١

وَّسَعَةً ۭ وَمَنْ يَّخْرُجْ مِنْۢ بَيْتِهٖ مُهَاجِرًا اِلَى

اللّٰهِ وَرَسُوْلِهٖ ثُمَّ يُدْرِكْهُ الْمَوْتُ فَقَدْ وَقَعَ

ع اَجْرُهٗ عَلَى اللّٰهِ ۭ وَكَانَ اللّٰهُ غَفُوْرًا رَّحِيْمًا ۝١٠٠ ع

وَاِذَا ضَرَبْتُمْ فِي الْاَرْضِ فَلَيْسَ عَلَيْكُمْ جُنَاحٌ

اَنْ تَقْصُرُوْا مِنَ الصَّلٰوةِ ڰ اِنْ خِفْتُمْ اَنْ يَّفْتِنَكُمُ

الَّذِيْنَ كَفَرُوْا ۭ اِنَّ الْكٰفِرِيْنَ كَانُوْا لَكُمْ عَدُوًّا

مُّبِيْنًا ۝١٠١ وَاِذَا كُنْتَ فِيْهِمْ فَاَقَمْتَ لَهُمُ الصَّلٰوةَ منزل ۱

فَلْتَقُمْ طَاۗىِٕفَةٌ مِّنْهُمْ مَّعَكَ وَلْيَاْخُذُوْٓا اَسْلِحَتَهُمْ ۣ

فَاِذَا سَجَدُوْا فَلْيَكُوْنُوْا مِنْ وَّرَاۗىِٕكُمْ ۠ وَلْتَاْتِ

طَاۗىِٕفَةٌ اُخْرٰى لَمْ يُصَلُّوْا فَلْيُصَلُّوْا مَعَكَ

وَلْيَاْخُذُوْا حِذْرَهُمْ وَاَسْلِحَتَهُمْ ۚ وَدَّ الَّذِيْنَ

كَفَرُوْا لَوْ تَغْفُلُوْنَ عَنْ اَسْلِحَتِكُمْ وَاَمْتِعَتِكُمْ

فَيَمِيْلُوْنَ عَلَيْكُمْ مَّيْلَةً وَّاحِدَةً ۭ وَلَا جُنَاحَ

Ikhfa إخفا | Ikhfa Meem Saakin إخفا ميم ساكن | Qalqala قلقلہ | Qalb قلب | Idghaam إدغام | Idghaam Meem Saakin إدغام ميم ساكن | Ghunna غنّہ

عَلَيْكُمْ اِنْ كَانَ بِكُمْ اَذًى مِّنْ مَّطَرٍ اَوْ كُنْتُمْ
مَّرْضٰٓى اَنْ تَضَعُوْٓا اَسْلِحَتَكُمْ ۚ وَخُذُوْا حِذْرَكُمْ ؕ
اِنَّ اللّٰهَ اَعَدَّ لِلْكٰفِرِيْنَ عَذَابًا مُّهِيْنًا ﴿۱۰۲﴾ فَاِذَا
قَضَيْتُمُ الصَّلٰوةَ فَاذْكُرُوا اللّٰهَ قِيٰمًا وَّ قُعُوْدًا وَّ
عَلٰى جُنُوْبِكُمْ ۚ فَاِذَا اطْمَاْنَنْتُمْ فَاَقِيْمُوا الصَّلٰوةَ ۚ
اِنَّ الصَّلٰوةَ كَانَتْ عَلَى الْمُؤْمِنِيْنَ كِتٰبًا مَّوْقُوْتًا ﴿۱۰۳﴾
منزل ١ وَلَا تَهِنُوْا فِى ابْتِغَآءِ الْقَوْمِ ؕ اِنْ تَكُوْنُوْا تَاْلَمُوْنَ
فَاِنَّهُمْ يَاْلَمُوْنَ كَمَا تَاْلَمُوْنَ ۚ وَتَرْجُوْنَ مِنَ اللّٰهِ
مَا لَا يَرْجُوْنَ ؕ وَكَانَ اللّٰهُ عَلِيْمًا حَكِيْمًا ﴿۱۰۴﴾ ع اِنَّآ ع ١٥ ١٢
اَنْزَلْنَآ اِلَيْكَ الْكِتٰبَ بِالْحَقِّ لِتَحْكُمَ بَيْنَ النَّاسِ
بِمَآ اَرٰىكَ اللّٰهُ ؕ وَلَا تَكُنْ لِّلْخَآئِنِيْنَ خَصِيْمًا ﴿۱۰۵﴾ لا
وَّ اسْتَغْفِرِ اللّٰهَ ؕ اِنَّ اللّٰهَ كَانَ غَفُوْرًا رَّحِيْمًا ﴿۱۰۶﴾ ج
وَلَا تُجَادِلْ عَنِ الَّذِيْنَ يَخْتَانُوْنَ اَنْفُسَهُمْ ؕ اِنَّ

Ikhfa اِخفا | Ikhfa Meem Saakin اِخفا میم ساکن | Qalqala قلقلہ | Qalb قلب | Idghaam اِدغام | Idghaam Meem Saakin اِدغام میم ساکن | Ghunna غُنّہ

اللّٰهَ لَا يُحِبُّ مَنْ كَانَ خَوَّانًا اَثِيْمًا ۚۙ ﴿١٠٧﴾ يَّسْتَخْفُوْنَ

مِنَ النَّاسِ وَلَا يَسْتَخْفُوْنَ مِنَ اللّٰهِ وَهُوَ مَعَهُمْ

اِذْ يُبَيِّتُوْنَ مَا لَا يَرْضٰى مِنَ الْقَوْلِ ؕ وَكَانَ

اللّٰهُ بِمَا يَعْمَلُوْنَ مُحِيْطًا ﴿١٠٨﴾ هٰۤاَنْتُمْ هٰۤؤُلَاۤءِ جٰدَلْتُمْ

عَنْهُمْ فِى الْحَيٰوةِ الدُّنْيَا قف فَمَنْ يُّجَادِلُ اللّٰهَ

عَنْهُمْ يَوْمَ الْقِيٰمَةِ اَمْ مَّنْ يَّكُوْنُ عَلَيْهِمْ وَكِيْلًا ﴿١٠٩﴾

وَمَنْ يَّعْمَلْ سُوْٓءًا اَوْ يَظْلِمْ نَفْسَهٗ ثُمَّ يَسْتَغْفِرِ منزل ۱

اللّٰهَ يَجِدِ اللّٰهَ غَفُوْرًا رَّحِيْمًا ﴿١١٠﴾ وَمَنْ يَّكْسِبْ

اِثْمًا فَاِنَّمَا يَكْسِبُهٗ عَلٰى نَفْسِهٖ ؕ وَكَانَ اللّٰهُ

عَلِيْمًا حَكِيْمًا ﴿١١١﴾ وَمَنْ يَّكْسِبْ خَطِيْٓئَةً اَوْ اِثْمًا ثُمَّ

ع ١٦ ٨ ١٤ يَرْمِ بِهٖ بَرِيْٓــًٔا فَقَدِ احْتَمَلَ بُهْتَانًا وَّاِثْمًا مُّبِيْنًا ع ﴿١١٢﴾

وَلَوْلَا فَضْلُ اللّٰهِ عَلَيْكَ وَرَحْمَتُهٗ لَهَمَّتْ

طَّآئِفَةٌ مِّنْهُمْ اَنْ يُّضِلُّوْكَ ؕ وَمَا يُضِلُّوْنَ اِلَّآ

Ikhfa إخفا | Ikhfa Meem Saakin إخفاميم ساكن | Qalqala قلقله | Qalb قلب | Idghaam إدغام | Idghaam Meem Saakin إدغام ميم ساكن | Ghunna غُنّہ

اَنْفُسَهُمْ وَمَا يَضُرُّوْنَكَ مِنْ شَيْءٍ ط وَاَنْزَلَ اللّٰهُ
عَلَيْكَ الْكِتٰبَ وَالْحِكْمَةَ وَعَلَّمَكَ مَا لَمْ تَكُنْ
تَعْلَمُ ط وَكَانَ فَضْلُ اللّٰهِ عَلَيْكَ عَظِيْمًا ﴿١١٣﴾ لَا خَيْرَ
فِيْ كَثِيْرٍ مِّنْ نَّجْوٰىهُمْ اِلَّا مَنْ اَمَرَ بِصَدَقَةٍ اَوْ
مَعْرُوْفٍ اَوْ اِصْلَاحٍۢ بَيْنَ النَّاسِ ط وَمَنْ يَّفْعَلْ
ذٰلِكَ ابْتِغَآءَ مَرْضَاتِ اللّٰهِ فَسَوْفَ نُؤْتِيْهِ اَجْرًا
عَظِيْمًا ﴿١١٣﴾ وَمَنْ يُّشَاقِقِ الرَّسُوْلَ مِنْ بَعْدِ مَا
تَبَيَّنَ لَهُ الْهُدٰى وَيَتَّبِعْ غَيْرَ سَبِيْلِ الْمُؤْمِنِيْنَ
نُوَلِّهٖ مَا تَوَلّٰى وَنُصْلِهٖ جَهَنَّمَ ط وَسَآءَتْ مَصِيْرًا ﴿١١٥﴾ ع
اِنَّ اللّٰهَ لَا يَغْفِرُ اَنْ يُّشْرَكَ بِهٖ وَيَغْفِرُ مَا دُوْنَ
ذٰلِكَ لِمَنْ يَّشَآءُ ط وَمَنْ يُّشْرِكْ بِاللّٰهِ فَقَدْ ضَلَّ
ضَلٰلًا بَعِيْدًا ﴿١١٦﴾ اِنْ يَّدْعُوْنَ مِنْ دُوْنِهٖٓ اِلَّآ اِنٰثًا ج
وَاِنْ يَّدْعُوْنَ اِلَّا شَيْطٰنًا مَّرِيْدًا ﴿١١٧﴾ لا لَّعَنَهُ اللّٰهُ م

الثلثة

منزل ١

ع ١٧

وقف لازم

Ikhfa إخفا | Ikhfa Meem Saakin إخفاميم ساكن | Qalqala قلقله | Qalb قلب | Idghaam إدغام | Idghaam Meem Saakin إدغام ميم ساكن | Ghunna غُنّه

وَقَالَ لَاَتَّخِذَنَّ مِنْ عِبَادِكَ نَصِيْبًا مَّفْرُوْضًا ﴿١١٨﴾ ۙ
وَّلَاُضِلَّنَّهُمْ وَلَاُمَنِّيَنَّهُمْ وَلَاٰمُرَنَّهُمْ فَلَيُبَتِّكُنَّ
اٰذَانَ الْاَنْعَامِ وَلَاٰمُرَنَّهُمْ فَلَيُغَيِّرُنَّ خَلْقَ اللّٰهِ ؕ
وَمَنْ يَّتَّخِذِ الشَّيْطٰنَ وَلِيًّا مِّنْ دُوْنِ اللّٰهِ فَقَدْ
خَسِرَ خُسْرَانًا مُّبِيْنًا ﴿١١٩﴾ ؕ يَعِدُهُمْ وَيُمَنِّيْهِمْ ؕ وَمَا
يَعِدُهُمُ الشَّيْطٰنُ اِلَّا غُرُوْرًا ﴿١٢٠﴾ اُولٰٓئِكَ مَاْوٰىهُمْ
جَهَنَّمُ ۫ وَلَا يَجِدُوْنَ عَنْهَا مَحِيْصًا ﴿١٢١﴾ وَالَّذِيْنَ
اٰمَنُوْا وَعَمِلُوا الصّٰلِحٰتِ سَنُدْخِلُهُمْ جَنّٰتٍ تَجْرِيْ
مِنْ تَحْتِهَا الْاَنْهٰرُ خٰلِدِيْنَ فِيْهَآ اَبَدًا ؕ وَعْدَ اللّٰهِ
حَقًّا ؕ وَمَنْ اَصْدَقُ مِنَ اللّٰهِ قِيْلًا ﴿١٢٢﴾ لَيْسَ
بِاَمَانِيِّكُمْ وَلَآ اَمَانِيِّ اَهْلِ الْكِتٰبِ ؕ مَنْ يَّعْمَلْ
سُوْٓءًا يُّجْزَ بِهٖ ۙ وَلَا يَجِدْ لَهٗ مِنْ دُوْنِ اللّٰهِ وَلِيًّا
وَّلَا نَصِيْرًا ﴿١٢٣﴾ وَمَنْ يَّعْمَلْ مِنَ الصّٰلِحٰتِ مِنْ ذَكَرٍ

منزل ١

Ikhfa اِخفا | Ikhfa Meem Saakin اِخفامیم ساکن | Qalqala قلقلہ | Qalb قلب | Idghaam اِدغام | Idghaam Meem Saakin اِدغام میم ساکن | Ghunna غُنّہ

اَوْ اُنْثٰى وَهُوَ مُؤْمِنٌ فَاُولٰٓئِكَ يَدْخُلُوْنَ الْجَنَّةَ
وَلَا يُظْلَمُوْنَ نَقِيْرًا ﴿١٢٤﴾ وَمَنْ اَحْسَنُ دِيْنًا مِّمَّنْ
اَسْلَمَ وَجْهَهٗ لِلّٰهِ وَهُوَ مُحْسِنٌ وَّاتَّبَعَ مِلَّةَ
اِبْرٰهِيْمَ حَنِيْفًا ؕ وَاتَّخَذَ اللّٰهُ اِبْرٰهِيْمَ خَلِيْلًا ﴿١٢٥﴾
وَلِلّٰهِ مَا فِي السَّمٰوٰتِ وَمَا فِي الْاَرْضِ ؕ وَكَانَ
اللّٰهُ بِكُلِّ شَيْءٍ مُّحِيْطًا ﴿١٢٦﴾ ع وَيَسْتَفْتُوْنَكَ فِي ع ١٨ ١١ ١٥
منزل ١ النِّسَآءِ ؕ قُلِ اللّٰهُ يُفْتِيْكُمْ فِيْهِنَّ ۙ وَمَا يُتْلٰى عَلَيْكُمْ
فِي الْكِتٰبِ فِيْ يَتٰمَى النِّسَآءِ الّٰتِيْ لَا تُؤْتُوْنَهُنَّ
مَا كُتِبَ لَهُنَّ وَتَرْغَبُوْنَ اَنْ تَنْكِحُوْهُنَّ وَ
الْمُسْتَضْعَفِيْنَ مِنَ الْوِلْدَانِ ۙ وَاَنْ تَقُوْمُوْا لِلْيَتٰمٰى
بِالْقِسْطِ ؕ وَمَا تَفْعَلُوْا مِنْ خَيْرٍ فَاِنَّ اللّٰهَ كَانَ
بِهٖ عَلِيْمًا ﴿١٢٧﴾ وَاِنِ امْرَاَةٌ خَافَتْ مِنْ بَعْلِهَا
نُشُوْزًا اَوْ اِعْرَاضًا فَلَا جُنَاحَ عَلَيْهِمَآ اَنْ يُّصْلِحَا

بَيْنَهُمَا صُلْحًا ؕ وَالصُّلْحُ خَيْرٌ ؕ وَاُحْضِرَتِ الْاَنْفُسُ
الشُّحَّ ؕ وَاِنْ تُحْسِنُوْا وَتَتَّقُوْا فَاِنَّ اللّٰهَ كَانَ بِمَا
تَعْمَلُوْنَ خَبِيْرًا ﴿١٢٨﴾ وَلَنْ تَسْتَطِيْعُوْۤا اَنْ تَعْدِلُوْا بَيْنَ
النِّسَآءِ وَلَوْ حَرَصْتُمْ فَلَا تَمِيْلُوْا كُلَّ الْمَيْلِ فَتَذَرُوْهَا
كَالْمُعَلَّقَةِ ؕ وَاِنْ تُصْلِحُوْا وَتَتَّقُوْا فَاِنَّ اللّٰهَ
كَانَ غَفُوْرًا رَّحِيْمًا ﴿١٢٩﴾ وَاِنْ يَّتَفَرَّقَا يُغْنِ اللّٰهُ كُلًّا
مِّنْ سَعَتِهٖ ؕ وَكَانَ اللّٰهُ وَاسِعًا حَكِيْمًا ﴿١٣٠﴾ وَلِلّٰهِ مَا
فِى السَّمٰوٰتِ وَمَا فِى الْاَرْضِ ؕ وَلَقَدْ وَصَّيْنَا الَّذِيْنَ
اُوْتُوا الْكِتٰبَ مِنْ قَبْلِكُمْ وَاِيَّاكُمْ اَنِ اتَّقُوا اللّٰهَ ؕ
وَاِنْ تَكْفُرُوْا فَاِنَّ لِلّٰهِ مَا فِى السَّمٰوٰتِ وَمَا فِى الْاَرْضِ ؕ
وَكَانَ اللّٰهُ غَنِيًّا حَمِيْدًا ﴿١٣١﴾ وَلِلّٰهِ مَا فِى السَّمٰوٰتِ
وَمَا فِى الْاَرْضِ ؕ وَكَفٰى بِاللّٰهِ وَكِيْلًا ﴿١٣٢﴾ اِنْ يَّشَاْ
يُذْهِبْكُمْ اَيُّهَا النَّاسُ وَيَاْتِ بِاٰخَرِيْنَ ؕ وَكَانَ

منزل ١

اللّٰهُ عَلٰى ذٰلِكَ قَدِيْرًا ﴿١٣٣﴾ مَنْ كَانَ يُرِيْدُ ثَوَابَ
الدُّنْيَا فَعِنْدَ اللّٰهِ ثَوَابُ الدُّنْيَا وَ الْاٰخِرَةِ ط وَ كَانَ
اللّٰهُ سَمِيْعًا بَصِيْرًا ﴿١٣٤﴾ ع يٰۤاَيُّهَا الَّذِيْنَ اٰمَنُوْا كُوْنُوْا ع ١٩ ٨ ١٦
قَوّٰمِيْنَ بِالْقِسْطِ شُهَدَآءَ لِلّٰهِ وَلَوْ عَلٰۤى اَنْفُسِكُمْ
اَوِ الْوَالِدَيْنِ وَ الْاَقْرَبِيْنَ ج اِنْ يَّكُنْ غَنِيًّا اَوْ فَقِيْرًا
فَاللّٰهُ اَوْلٰى بِهِمَا قف فَلَا تَتَّبِعُوا الْهَوٰۤى اَنْ تَعْدِلُوْا ج
وَ اِنْ تَلْوٗۤا اَوْ تُعْرِضُوْا فَاِنَّ اللّٰهَ كَانَ بِمَا تَعْمَلُوْنَ
خَبِيْرًا ﴿١٣٥﴾ يٰۤاَيُّهَا الَّذِيْنَ اٰمَنُوْۤا اٰمِنُوْا بِاللّٰهِ وَ
رَسُوْلِهٖ وَالْكِتٰبِ الَّذِيْ نَزَّلَ عَلٰى رَسُوْلِهٖ وَالْكِتٰبِ
الَّذِيْۤ اَنْزَلَ مِنْ قَبْلُ ط وَمَنْ يَّكْفُرْ بِاللّٰهِ وَمَلٰٓئِكَتِهٖ
وَكُتُبِهٖ وَرُسُلِهٖ وَالْيَوْمِ الْاٰخِرِ فَقَدْ ضَلَّ ضَلٰلًاۢ
بَعِيْدًا ﴿١٣٦﴾ اِنَّ الَّذِيْنَ اٰمَنُوْا ثُمَّ كَفَرُوْا ثُمَّ اٰمَنُوْا ثُمَّ
كَفَرُوْا ثُمَّ ازْدَادُوْا كُفْرًا لَّمْ يَكُنِ اللّٰهُ لِيَغْفِرَ لَهُمْ

منزل ١

Ikhfa إخفا | Ikhfa Meem Saakin إخفاميم ساکن | Qalqala قلقلہ | Qalb قلب | Idghaam إدغام | Idghaam Meem Saakin إدغام میم ساکن | Ghunna غُنّہ

وَلَا لِيَهْدِيَهُمْ سَبِيْلًا ﴿١٣٧﴾ ط بَشِّرِ الْمُنٰفِقِيْنَ بِاَنَّ لَهُمْ

عَذَابًا اَلِيْمَا ﴿١٣٨﴾ لا الَّذِيْنَ يَتَّخِذُوْنَ الْكٰفِرِيْنَ اَوْلِيَآءَ

مِنْ دُوْنِ الْمُؤْمِنِيْنَ ط اَيَبْتَغُوْنَ عِنْدَهُمُ الْعِزَّةَ

فَاِنَّ الْعِزَّةَ لِلّٰهِ جَمِيْعًا ﴿١٣٩﴾ ط وَقَدْ نَزَّلَ عَلَيْكُمْ فِي

الْكِتٰبِ اَنْ اِذَا سَمِعْتُمْ اٰيٰتِ اللّٰهِ يُكْفَرُ بِهَا وَ

يُسْتَهْزَاُ بِهَا فَلَا تَقْعُدُوْا مَعَهُمْ حَتّٰى يَخُوْضُوْا فِيْ

حَدِيْثٍ غَيْرِهٖٓ صلے اِنَّكُمْ اِذًا مِّثْلُهُمْ ط اِنَّ اللّٰهَ جَامِعُ منزل ١

الْمُنٰفِقِيْنَ وَالْكٰفِرِيْنَ فِيْ جَهَنَّمَ جَمِيْعَا ﴿١٤٠﴾ لا الَّذِيْنَ

يَتَرَبَّصُوْنَ بِكُمْ ج فَاِنْ كَانَ لَكُمْ فَتْحٌ مِّنَ اللّٰهِ قَالُوْٓا

اَلَمْ نَكُنْ مَّعَكُمْ صلے وَاِنْ كَانَ لِلْكٰفِرِيْنَ نَصِيْبٌ لا قَالُوْٓا

اَلَمْ نَسْتَحْوِذْ عَلَيْكُمْ وَنَمْنَعْكُمْ مِّنَ الْمُؤْمِنِيْنَ ط فَاللّٰهُ

يَحْكُمُ بَيْنَكُمْ يَوْمَ الْقِيٰمَةِ ط وَلَنْ يَّجْعَلَ اللّٰهُ لِلْكٰفِرِيْنَ

ع ٢٠ ١٧ عَلَى الْمُؤْمِنِيْنَ سَبِيْلًا ﴿١٤١﴾ ع اِنَّ الْمُنٰفِقِيْنَ يُخٰدِعُوْنَ

اللّٰهَ وَهُوَ خَادِعُهُمْ ۚ وَاِذَا قَامُوْٓا اِلَى الصَّلٰوةِ قَامُوْا
كُسَالٰى ۙ يُرَآءُوْنَ النَّاسَ وَلَا يَذْكُرُوْنَ اللّٰهَ اِلَّا
قَلِيْلًا ﴿١٤٢﴾ ۙ مُّذَبْذَبِيْنَ بَيْنَ ذٰلِكَ ۖ لَآ اِلٰى هٰٓؤُلَآءِ
وَلَآ اِلٰى هٰٓؤُلَآءِ ۗ وَمَنْ يُّضْلِلِ اللّٰهُ فَلَنْ تَجِدَ لَهٗ
سَبِيْلًا ﴿١٤٣﴾ يٰٓاَيُّهَا الَّذِيْنَ اٰمَنُوْا لَا تَتَّخِذُوا
الْكٰفِرِيْنَ اَوْلِيَآءَ مِنْ دُوْنِ الْمُؤْمِنِيْنَ ۗ اَتُرِيْدُوْنَ
اَنْ تَجْعَلُوْا لِلّٰهِ عَلَيْكُمْ سُلْطٰنًا مُّبِيْنًا ﴿١٤٤﴾ اِنَّ
الْمُنٰفِقِيْنَ فِى الدَّرْكِ الْاَسْفَلِ مِنَ النَّارِ ۚ وَلَنْ
تَجِدَ لَهُمْ نَصِيْرًا ﴿١٤٥﴾ ۙ اِلَّا الَّذِيْنَ تَابُوْا وَاَصْلَحُوْا
وَاعْتَصَمُوْا بِاللّٰهِ وَاَخْلَصُوْا دِيْنَهُمْ لِلّٰهِ فَاُولٰٓئِكَ
مَعَ الْمُؤْمِنِيْنَ ۗ وَسَوْفَ يُؤْتِ اللّٰهُ الْمُؤْمِنِيْنَ
اَجْرًا عَظِيْمًا ﴿١٤٦﴾ مَا يَفْعَلُ اللّٰهُ بِعَذَابِكُمْ اِنْ
شَكَرْتُمْ وَاٰمَنْتُمْ ۗ وَكَانَ اللّٰهُ شَاكِرًا عَلِيْمًا ﴿١٤٧﴾

منزل ١

لَا يُحِبُّ اللّٰهُ الْجَهْرَ بِالسُّوْٓءِ مِنَ الْقَوْلِ اِلَّا مَنْ
ظُلِمَ ؕ وَ كَانَ اللّٰهُ سَمِيْعًا عَلِيْمًا ﴿۱۴۸﴾ اِنْ تُبْدُوْا خَيْرًا
اَوْ تُخْفُوْهُ اَوْ تَعْفُوْا عَنْ سُوْٓءٍ فَاِنَّ اللّٰهَ كَانَ عَفُوًّا
قَدِيْرًا ﴿۱۴۹﴾ اِنَّ الَّذِيْنَ يَكْفُرُوْنَ بِاللّٰهِ وَ رُسُلِهٖ وَ
يُرِيْدُوْنَ اَنْ يُّفَرِّقُوْا بَيْنَ اللّٰهِ وَ رُسُلِهٖ وَ يَقُوْلُوْنَ
نُؤْمِنُ بِبَعْضٍ وَّ نَكْفُرُ بِبَعْضٍ ۙ وَّ يُرِيْدُوْنَ اَنْ
يَّتَّخِذُوْا بَيْنَ ذٰلِكَ سَبِيْلًا ۙ﴿۱۵۰﴾ اُولٰٓئِكَ هُمُ الْكٰفِرُوْنَ
حَقًّا ۚ وَ اَعْتَدْنَا لِلْكٰفِرِيْنَ عَذَابًا مُّهِيْنًا ﴿۱۵۱﴾ وَ الَّذِيْنَ
اٰمَنُوْا بِاللّٰهِ وَ رُسُلِهٖ وَ لَمْ يُفَرِّقُوْا بَيْنَ اَحَدٍ مِّنْهُمْ
اُولٰٓئِكَ سَوْفَ يُؤْتِيْهِمْ اُجُوْرَهُمْ ؕ وَ كَانَ اللّٰهُ
غَفُوْرًا رَّحِيْمًا ﴿۱۵۲﴾ ع يَسْـَٔلُكَ اَهْلُ الْكِتٰبِ اَنْ تُنَزِّلَ -ع ٢١
عَلَيْهِمْ كِتٰبًا مِّنَ السَّمَآءِ فَقَدْ سَاَلُوْا مُوْسٰٓى اَكْبَرَ
مِنْ ذٰلِكَ فَقَالُوْٓا اَرِنَا اللّٰهَ جَهْرَةً فَاَخَذَتْهُمُ

Ikhfa إخفا | Ikhfa Meem Saakin إخفا ميم ساكن | Qalqala قلقله | Qalb قلب | Idghaam ادغام | Idghaam Meem Saakin ادغام ميم ساكن | Ghunna غنّہ

الصّٰعِقَةُ بِظُلۡمِهِمۡ ۚ ثُمَّ اتَّخَذُوا الۡعِجۡلَ مِنۡۢ بَعۡدِ
مَا جَآءَتۡهُمُ الۡبَيِّنٰتُ فَعَفَوۡنَا عَنۡ ذٰلِكَ ۚ وَاٰتَيۡنَا
مُوۡسٰى سُلۡطٰنًا مُّبِيۡنًا ﴿١٥٣﴾ وَرَفَعۡنَا فَوۡقَهُمُ الطُّوۡرَ
بِمِيۡثَاقِهِمۡ وَقُلۡنَا لَهُمُ ادۡخُلُوا الۡبَابَ سُجَّدًا وَّقُلۡنَا
لَهُمۡ لَا تَعۡدُوۡا فِى السَّبۡتِ وَاَخَذۡنَا مِنۡهُمۡ مِّيۡثَاقًا
غَلِيۡظًا ﴿١٥٤﴾ فَبِمَا نَقۡضِهِمۡ مِّيۡثَاقَهُمۡ وَكُفۡرِهِمۡ بِاٰيٰتِ
اللّٰهِ وَقَتۡلِهِمُ الۡاَنۡۢبِيَآءَ بِغَيۡرِ حَقٍّ وَّقَوۡلِهِمۡ قُلُوۡبُنَا
غُلۡفٌ ؕ بَلۡ طَبَعَ اللّٰهُ عَلَيۡهَا بِكُفۡرِهِمۡ فَلَا يُؤۡمِنُوۡنَ
اِلَّا قَلِيۡلًا ﴿١٥٥﴾ ص وَّبِكُفۡرِهِمۡ وَقَوۡلِهِمۡ عَلٰى مَرۡيَمَ
بُهۡتَانًا عَظِيۡمًا ﴿١٥٦﴾ لا وَّقَوۡلِهِمۡ اِنَّا قَتَلۡنَا الۡمَسِيۡحَ
عِيۡسَى ابۡنَ مَرۡيَمَ رَسُوۡلَ اللّٰهِ ۚ وَمَا قَتَلُوۡهُ وَمَا
صَلَبُوۡهُ وَلٰكِنۡ شُبِّهَ لَهُمۡ ؕ وَاِنَّ الَّذِيۡنَ اخۡتَلَفُوۡا
فِيۡهِ لَفِىۡ شَكٍّ مِّنۡهُ ؕ مَا لَهُمۡ بِهٖ مِنۡ عِلۡمٍ اِلَّا

منزل ١

اتِّبَاعَ الظَّنِّ ۚ وَمَا قَتَلُوْهُ يَقِيْنًا ۙ ﴿١٥٧﴾ بَلْ رَّفَعَهُ اللّٰهُ
اِلَيْهِ ؕ وَكَانَ اللّٰهُ عَزِيْزًا حَكِيْمًا ﴿١٥٨﴾ وَاِنْ مِّنْ اَهْلِ
الْكِتٰبِ اِلَّا لَيُؤْمِنَنَّ بِهٖ قَبْلَ مَوْتِهٖ ۚ وَيَوْمَ الْقِيٰمَةِ
يَكُوْنُ عَلَيْهِمْ شَهِيْدًا ﴿١٥٩﴾ فَبِظُلْمٍ مِّنَ الَّذِيْنَ هَادُوْا
حَرَّمْنَا عَلَيْهِمْ طَيِّبٰتٍ اُحِلَّتْ لَهُمْ وَبِصَدِّهِمْ عَنْ
سَبِيْلِ اللّٰهِ كَثِيْرًا ﴿١٦٠﴾ وَّاَخْذِهِمُ الرِّبٰوا وَقَدْ نُهُوْا
عَنْهُ وَاَكْلِهِمْ اَمْوَالَ النَّاسِ بِالْبَاطِلِ ؕ وَاَعْتَدْنَا
لِلْكٰفِرِيْنَ مِنْهُمْ عَذَابًا اَلِيْمًا ﴿١٦١﴾ لٰكِنِ الرّٰسِخُوْنَ
فِي الْعِلْمِ مِنْهُمْ وَالْمُؤْمِنُوْنَ يُؤْمِنُوْنَ بِمَاۤ اُنْزِلَ
اِلَيْكَ وَمَاۤ اُنْزِلَ مِنْ قَبْلِكَ وَالْمُقِيْمِيْنَ الصَّلٰوةَ
وَالْمُؤْتُوْنَ الزَّكٰوةَ وَالْمُؤْمِنُوْنَ بِاللّٰهِ وَالْيَوْمِ
الْاٰخِرِ ؕ اُولٰٓئِكَ سَنُؤْتِيْهِمْ اَجْرًا عَظِيْمًا ﴿١٦٢﴾ ع اِنَّاۤ اَوْحَيْنَاۤ
اِلَيْكَ كَمَاۤ اَوْحَيْنَاۤ اِلٰى نُوْحٍ وَّالنَّبِيّٖنَ مِنْۢ بَعْدِهٖ ۚ

منزل ١

ع ٢٢ ٢

وَ اَوْحَيْنَآ اِلٰٓى اِبْرٰهِيْمَ وَاِسْمٰعِيْلَ وَاِسْحٰقَ وَيَعْقُوْبَ
وَ الْاَسْبَاطِ وَعِيْسٰى وَ اَيُّوْبَ وَ يُوْنُسَ وَ هٰرُوْنَ
وَسُلَيْمٰنَ ۚ وَاٰتَيْنَا دَاوٗدَ زَبُوْرًا ۚ ﴿١٦٣﴾ وَ رُسُلًا قَدْ
قَصَصْنٰهُمْ عَلَيْكَ مِنْ قَبْلُ وَ رُسُلًا لَّمْ نَقْصُصْهُمْ
عَلَيْكَ ؕ وَكَلَّمَ اللّٰهُ مُوْسٰى تَكْلِيْمًا ۚ ﴿١٦٤﴾ رُسُلًا
مُّبَشِّرِيْنَ وَمُنْذِرِيْنَ لِئَلَّا يَكُوْنَ لِلنَّاسِ عَلَى اللّٰهِ
حُجَّةٌۢ بَعْدَ الرُّسُلِ ؕ وَكَانَ اللّٰهُ عَزِيْزًا حَكِيْمًا ﴿١٦٥﴾
لٰكِنِ اللّٰهُ يَشْهَدُ بِمَآ اَنْزَلَ اِلَيْكَ اَنْزَلَهٗ بِعِلْمِهٖ ۚ
وَالْمَلٰٓئِكَةُ يَشْهَدُوْنَ ؕ وَكَفٰى بِاللّٰهِ شَهِيْدًا ؕ ﴿١٦٦﴾
اِنَّ الَّذِيْنَ كَفَرُوْا وَ صَدُّوْا عَنْ سَبِيْلِ اللّٰهِ قَدْ
ضَلُّوْا ضَلٰلًاۢ بَعِيْدًا ﴿١٦٧﴾ اِنَّ الَّذِيْنَ كَفَرُوْا وَظَلَمُوْا
لَمْ يَكُنِ اللّٰهُ لِيَغْفِرَ لَهُمْ وَلَا لِيَهْدِيَهُمْ طَرِيْقًا ۙ ﴿١٦٨﴾
اِلَّا طَرِيْقَ جَهَنَّمَ خٰلِدِيْنَ فِيْهَآ اَبَدًا ؕ وَكَانَ

منزل ١

ذٰلِكَ عَلَى اللّٰهِ يَسِيْرًا ﴿١٦٩﴾ يٰۤاَيُّهَا النَّاسُ قَدْ
جَآءَكُمُ الرَّسُوْلُ بِالْحَقِّ مِنْ رَّبِّكُمْ فَاٰمِنُوْا خَيْرًا
لَّكُمْ ؕ وَاِنْ تَكْفُرُوْا فَاِنَّ لِلّٰهِ مَا فِي السَّمٰوٰتِ وَ
الْاَرْضِ ؕ وَكَانَ اللّٰهُ عَلِيْمًا حَكِيْمًا ﴿١٧٠﴾ يٰۤاَهْلَ
الْكِتٰبِ لَا تَغْلُوْا فِيْ دِيْنِكُمْ وَلَا تَقُوْلُوْا عَلَى اللّٰهِ
اِلَّا الْحَقَّ ؕ اِنَّمَا الْمَسِيْحُ عِيْسَى ابْنُ مَرْيَمَ رَسُوْلُ اللّٰهِ
وَكَلِمَتُهٗ ۚ اَلْقٰهَاۤ اِلٰى مَرْيَمَ وَرُوْحٌ مِّنْهُ ز فَاٰمِنُوْا بِاللّٰهِ
وَرُسُلِهٖ ۚ وَلَا تَقُوْلُوْا ثَلٰثَةٌ ؕ اِنْتَهُوْا خَيْرًا لَّكُمْ ؕ اِنَّمَا
اللّٰهُ اِلٰهٌ وَّاحِدٌ ؕ سُبْحٰنَهٗۤ اَنْ يَّكُوْنَ لَهٗ وَلَدٌ ۘ لَهٗ مَا
فِي السَّمٰوٰتِ وَمَا فِي الْاَرْضِ ؕ وَكَفٰى بِاللّٰهِ وَكِيْلًا ﴿١٧١﴾ ع
لَنْ يَّسْتَنْكِفَ الْمَسِيْحُ اَنْ يَّكُوْنَ عَبْدًا لِّلّٰهِ وَلَا
الْمَلٰٓئِكَةُ الْمُقَرَّبُوْنَ ؕ وَمَنْ يَّسْتَنْكِفْ عَنْ
عِبَادَتِهٖ وَيَسْتَكْبِرْ فَسَيَحْشُرُهُمْ اِلَيْهِ جَمِيْعًا ﴿١٧٢﴾

منزل ١

ع ٢٤ وقف لازم

فَاَمَّا الَّذِيْنَ اٰمَنُوْا وَعَمِلُوا الصّٰلِحٰتِ فَيُوَفِّيْهِمْ
اُجُوْرَهُمْ وَيَزِيْدُهُمْ مِّنْ فَضْلِهٖ ۚ وَاَمَّا الَّذِيْنَ اسْتَنْكَفُوْا
وَاسْتَكْبَرُوْا فَيُعَذِّبُهُمْ عَذَابًا اَلِيْمًا ۙ۬ وَّلَا يَجِدُوْنَ
لَهُمْ مِّنْ دُوْنِ اللّٰهِ وَلِيًّا وَّلَا نَصِيْرًا ﴿١٧٣﴾ يٰٓاَيُّهَا
النَّاسُ قَدْ جَآءَكُمْ بُرْهَانٌ مِّنْ رَّبِّكُمْ وَ اَنْزَلْنَآ
اِلَيْكُمْ نُوْرًا مُّبِيْنًا ﴿١٧٤﴾ فَاَمَّا الَّذِيْنَ اٰمَنُوْا بِاللّٰهِ وَاعْتَصَمُوْا
بِهٖ فَسَيُدْخِلُهُمْ فِيْ رَحْمَةٍ مِّنْهُ وَفَضْلٍ ۙ وَّيَهْدِيْهِمْ
اِلَيْهِ صِرَاطًا مُّسْتَقِيْمًا ﴿١٧٥﴾ يَسْتَفْتُوْنَكَ ؕ قُلِ اللّٰهُ
يُفْتِيْكُمْ فِي الْكَلٰلَةِ ؕ اِنِ امْرُؤٌا هَلَكَ لَيْسَ لَهٗ
وَلَدٌ وَّلَهٗٓ اُخْتٌ فَلَهَا نِصْفُ مَا تَرَكَ ۚ وَهُوَ يَرِثُهَآ
اِنْ لَّمْ يَكُنْ لَّهَا وَلَدٌ ؕ فَاِنْ كَانَتَا اثْنَتَيْنِ فَلَهُمَا
الثُّلُثٰنِ مِمَّا تَرَكَ ؕ وَاِنْ كَانُوْٓا اِخْوَةً رِّجَالًا وَّنِسَآءً
فَلِلذَّكَرِ مِثْلُ حَظِّ الْاُنْثَيَيْنِ ؕ يُبَيِّنُ اللّٰهُ لَكُمْ

منزل ١

اَنْ تَضِلُّوْا ؕ وَ اللّٰهُ بِكُلِّ شَیْءٍ عَلِیْمٌ ﴿۱۷۶﴾ ع

ع ٢٤ ٤

اٰیَاتُهَا ۱۲۰ (۵) سُوْرَةُ الْمَآئِدَةِ مَدَنِیَّةٌ (۱۱۲) رُكُوْعَاتُهَا ۱۶

المنزل الثاني (٢)

بِسْمِ اللّٰهِ الرَّحْمٰنِ الرَّحِیْمِ

یٰۤاَیُّهَا الَّذِیْنَ اٰمَنُوْۤا اَوْفُوْا بِالْعُقُوْدِ ؕ۬ اُحِلَّتْ لَكُمْ
بَهِیْمَةُ الْاَنْعَامِ اِلَّا مَا یُتْلٰی عَلَیْكُمْ غَیْرَ مُحِلِّی
الصَّیْدِ وَ اَنْتُمْ حُرُمٌ ؕ اِنَّ اللّٰهَ یَحْكُمُ مَا یُرِیْدُ ﴿۱﴾
یٰۤاَیُّهَا الَّذِیْنَ اٰمَنُوْا لَا تُحِلُّوْا شَعَآئِرَ اللّٰهِ وَ لَا منزل ٢
الشَّهْرَ الْحَرَامَ وَ لَا الْهَدْیَ وَ لَا الْقَلَآئِدَ وَ لَاۤ
آٰمِّیْنَ الْبَیْتَ الْحَرَامَ یَبْتَغُوْنَ فَضْلًا مِّنْ رَّبِّهِمْ
وَ رِضْوَانًا ؕ وَ اِذَا حَلَلْتُمْ فَاصْطَادُوْا ؕ وَ لَا یَجْرِمَنَّكُمْ
شَنَاٰنُ قَوْمٍ اَنْ صَدُّوْكُمْ عَنِ الْمَسْجِدِ الْحَرَامِ اَنْ
وقف لازم تَعْتَدُوْا ۘ وَ تَعَاوَنُوْا عَلَی الْبِرِّ وَ التَّقْوٰی ۪ وَ لَا تَعَاوَنُوْا
عَلَی الْاِثْمِ وَ الْعُدْوَانِ ۪ وَ اتَّقُوا اللّٰهَ ؕ اِنَّ اللّٰهَ شَدِیْدُ

Ikhfa إخفا | Ikhfa Meem Saakin إخفاميم ساكن | Qalqala قلقله | Qalb قلب | Idghaam إدغام | Idghaam Meem Saakin إدغام ميم ساكن | Ghunna غُنّه

الرّبع

الْعِقَابِ ﴿٢﴾ حُرِّمَتْ عَلَيْكُمُ الْمَيْتَةُ وَ الدَّمُ وَلَحْمُ
الْخِنْزِيْرِ وَمَآ اُهِلَّ لِغَيْرِ اللّٰهِ بِهٖ وَ الْمُنْخَنِقَةُ
وَ الْمَوْقُوْذَةُ وَ الْمُتَرَدِّيَةُ وَ النَّطِيْحَةُ وَمَآ اَكَلَ
السَّبُعُ اِلَّا مَا ذَكَّيْتُمْ قف وَمَا ذُبِحَ عَلَى النُّصُبِ وَ
اَنْ تَسْتَقْسِمُوْا بِالْاَزْلَامِ ط ذٰلِكُمْ فِسْقٌ ط اَلْيَوْمَ يَئِسَ
الَّذِيْنَ كَفَرُوْا مِنْ دِيْنِكُمْ فَلَا تَخْشَوْهُمْ وَ اخْشَوْنِ ط
اَلْيَوْمَ اَكْمَلْتُ لَكُمْ دِيْنَكُمْ وَ اَتْمَمْتُ عَلَيْكُمْ
نِعْمَتِيْ وَ رَضِيْتُ لَكُمُ الْاِسْلَامَ دِيْنًا ط فَمَنِ اضْطُرَّ
فِيْ مَخْمَصَةٍ غَيْرَ مُتَجَانِفٍ لِّاِثْمٍ لا فَاِنَّ اللّٰهَ غَفُوْرٌ
رَّحِيْمٌ ﴿٣﴾ يَسْـَٔلُوْنَكَ مَاذَآ اُحِلَّ لَهُمْ ط قُلْ اُحِلَّ لَكُمُ
الطَّيِّبٰتُ لا وَمَا عَلَّمْتُمْ مِّنَ الْجَوَارِحِ مُكَلِّبِيْنَ تُعَلِّمُوْنَهُنَّ
مِمَّا عَلَّمَكُمُ اللّٰهُ ز فَكُلُوْا مِمَّآ اَمْسَكْنَ عَلَيْكُمْ وَاذْكُرُوا
اسْمَ اللّٰهِ عَلَيْهِ ص وَاتَّقُوا اللّٰهَ ط اِنَّ اللّٰهَ سَرِيْعُ الْحِسَابِ ﴿٤﴾

منزل ٢

Ikhfa إخفا | Ikhfa Meem Saakin إخفاميم ساكن | Qalqala قلقله | Qalb قلب | Idghaam إدغام | Idghaam Meem Saakin إدغام ميم ساكن | Ghunna غنّه

اَلْيَوْمَ اُحِلَّ لَكُمُ الطَّيِّبٰتُ ؕ وَطَعَامُ الَّذِيْنَ اُوْتُوا
الْكِتٰبَ حِلٌّ لَّكُمْ ۪ وَطَعَامُكُمْ حِلٌّ لَّهُمْ ۫ وَالْمُحْصَنٰتُ
مِنَ الْمُؤْمِنٰتِ وَالْمُحْصَنٰتُ مِنَ الَّذِيْنَ اُوْتُوا
الْكِتٰبَ مِنْ قَبْلِكُمْ اِذَاۤ اٰتَيْتُمُوْهُنَّ اُجُوْرَهُنَّ مُحْصِنِيْنَ
غَيْرَ مُسٰفِحِيْنَ وَلَا مُتَّخِذِيْۤ اَخْدَانٍ ؕ وَمَنْ يَّكْفُرْ
بِالْاِيْمَانِ فَقَدْ حَبِطَ عَمَلُهٗ ۫ وَهُوَ فِي الْاٰخِرَةِ مِنَ
منزل ۲ الْخٰسِرِيْنَ ۵ ۧ يٰۤاَيُّهَا الَّذِيْنَ اٰمَنُوْۤا اِذَا قُمْتُمْ اِلَى ع ۵ ۵
الصَّلٰوةِ فَاغْسِلُوْا وُجُوْهَكُمْ وَاَيْدِيَكُمْ اِلَى الْمَرَافِقِ
وَامْسَحُوْا بِرُءُوْسِكُمْ وَاَرْجُلَكُمْ اِلَى الْكَعْبَيْنِ ؕ وَاِنْ
كُنْتُمْ جُنُبًا فَاطَّهَّرُوْا ؕ وَاِنْ كُنْتُمْ مَّرْضٰۤى اَوْ عَلٰى
سَفَرٍ اَوْ جَآءَ اَحَدٌ مِّنْكُمْ مِّنَ الْغَآئِطِ اَوْ لٰمَسْتُمُ
النِّسَآءَ فَلَمْ تَجِدُوْا مَآءً فَتَيَمَّمُوْا صَعِيْدًا طَيِّبًا
فَامْسَحُوْا بِوُجُوْهِكُمْ وَاَيْدِيْكُمْ مِّنْهُ ؕ مَا يُرِيْدُ اللّٰهُ

لِيَجْعَلَ عَلَيْكُمْ مِّنْ حَرَجٍ وَّلٰكِنْ يُّرِيْدُ لِيُطَهِّرَكُمْ
وَلِيُتِمَّ نِعْمَتَهٗ عَلَيْكُمْ لَعَلَّكُمْ تَشْكُرُوْنَ ﴿٦﴾ وَاذْكُرُوْا
نِعْمَةَ اللّٰهِ عَلَيْكُمْ وَمِيْثَاقَهُ الَّذِيْ وَاثَقَكُمْ بِهٖٓ ۙ
اِذْ قُلْتُمْ سَمِعْنَا وَاَطَعْنَا ۫ وَاتَّقُوا اللّٰهَ ؕ اِنَّ اللّٰهَ
عَلِيْمٌۢ بِذَاتِ الصُّدُوْرِ ﴿٧﴾ يٰٓاَيُّهَا الَّذِيْنَ اٰمَنُوْا
كُوْنُوْا قَوّٰمِيْنَ لِلّٰهِ شُهَدَآءَ بِالْقِسْطِ ۫ وَلَا يَجْرِمَنَّكُمْ
شَنَاٰنُ قَوْمٍ عَلٰٓى اَلَّا تَعْدِلُوْا ؕ اِعْدِلُوْا ۟ هُوَ اَقْرَبُ
لِلتَّقْوٰى ۫ وَاتَّقُوا اللّٰهَ ؕ اِنَّ اللّٰهَ خَبِيْرٌۢ بِمَا تَعْمَلُوْنَ ﴿٨﴾
وَعَدَ اللّٰهُ الَّذِيْنَ اٰمَنُوْا وَعَمِلُوا الصّٰلِحٰتِ ۙ لَهُمْ
مَّغْفِرَةٌ وَّاَجْرٌ عَظِيْمٌ ﴿٩﴾ وَالَّذِيْنَ كَفَرُوْا وَكَذَّبُوْا
بِاٰيٰتِنَآ اُولٰٓئِكَ اَصْحٰبُ الْجَحِيْمِ ﴿١٠﴾ يٰٓاَيُّهَا الَّذِيْنَ
اٰمَنُوا اذْكُرُوْا نِعْمَتَ اللّٰهِ عَلَيْكُمْ اِذْ هَمَّ قَوْمٌ
اَنْ يَّبْسُطُوْٓا اِلَيْكُمْ اَيْدِيَهُمْ فَكَفَّ اَيْدِيَهُمْ عَنْكُمْ ۚ

منزل ٢

وَ اتَّقُوا اللّٰهَ ؕ وَ عَلَى اللّٰهِ فَلْيَتَوَكَّلِ الْمُؤْمِنُوْنَ ﴿۱۱﴾ ع
وَ لَقَدْ اَخَذَ اللّٰهُ مِيْثَاقَ بَنِيْۤ اِسْرَآءِيْلَ ۚ وَ بَعَثْنَا
مِنْهُمُ اثْنَيْ عَشَرَ نَقِيْبًا ؕ وَ قَالَ اللّٰهُ اِنِّيْ مَعَكُمْ ؕ
لَئِنْ اَقَمْتُمُ الصَّلٰوةَ وَ اٰتَيْتُمُ الزَّكٰوةَ وَ اٰمَنْتُمْ
بِرُسُلِيْ وَ عَزَّرْتُمُوْهُمْ وَ اَقْرَضْتُمُ اللّٰهَ قَرْضًا حَسَنًا
لَّاُكَفِّرَنَّ عَنْكُمْ سَيِّاٰتِكُمْ وَ لَاُدْخِلَنَّكُمْ جَنّٰتٍ
تَجْرِيْ مِنْ تَحْتِهَا الْاَنْهٰرُ ۚ فَمَنْ كَفَرَ بَعْدَ ذٰلِكَ
مِنْكُمْ فَقَدْ ضَلَّ سَوَآءَ السَّبِيْلِ ﴿۱۲﴾ فَبِمَا نَقْضِهِمْ
مِّيْثَاقَهُمْ لَعَنّٰهُمْ وَ جَعَلْنَا قُلُوْبَهُمْ قٰسِيَةً ۚ
يُحَرِّفُوْنَ الْكَلِمَ عَنْ مَّوَاضِعِهٖ ۙ وَ نَسُوْا حَظًّا مِّمَّا
ذُكِّرُوْا بِهٖ ۚ وَ لَا تَزَالُ تَطَّلِعُ عَلٰى خَآئِنَةٍ مِّنْهُمْ
اِلَّا قَلِيْلًا مِّنْهُمْ فَاعْفُ عَنْهُمْ وَ اصْفَحْ ؕ اِنَّ اللّٰهَ
يُحِبُّ الْمُحْسِنِيْنَ ﴿۱۳﴾ وَ مِنَ الَّذِيْنَ قَالُوْۤا اِنَّا نَصٰرٰۤى

ع ٢ ٦

منزل ٢

Ikhfa اخفا | Ikhfa Meem Saakin اخفا میم ساکن | Qalqala قلقله | Qalb قلب | Idghaam ادغام | Idghaam Meem Saakin ادغام میم ساکن | Ghunna غنّہ

اَخَذْنَا مِيْثَاقَهُمْ فَنَسُوْا حَظًّا مِّمَّا ذُكِّرُوْا بِهٖ ۚ فَاَغْرَيْنَا
بَيْنَهُمُ الْعَدَاوَةَ وَالْبَغْضَآءَ اِلٰى يَوْمِ الْقِيٰمَةِ ؕ وَسَوْفَ
يُنَبِّئُهُمُ اللّٰهُ بِمَا كَانُوْا يَصْنَعُوْنَ ۝١٤ يٰۤاَهْلَ الْكِتٰبِ
قَدْ جَآءَكُمْ رَسُوْلُنَا يُبَيِّنُ لَكُمْ كَثِيْرًا مِّمَّا كُنْتُمْ
تُخْفُوْنَ مِنَ الْكِتٰبِ وَيَعْفُوْا عَنْ كَثِيْرٍ ۬ؕ قَدْ جَآءَكُمْ
مِّنَ اللّٰهِ نُوْرٌ وَّكِتٰبٌ مُّبِيْنٌ ۝١٥ لا يَّهْدِيْ بِهِ اللّٰهُ
مَنِ اتَّبَعَ رِضْوَانَهٗ سُبُلَ السَّلٰمِ وَيُخْرِجُهُمْ
مِّنَ الظُّلُمٰتِ اِلَى النُّوْرِ بِاِذْنِهٖ وَيَهْدِيْهِمْ اِلٰى
صِرَاطٍ مُّسْتَقِيْمٍ ۝١٦ لَقَدْ كَفَرَ الَّذِيْنَ قَالُوْۤا اِنَّ
اللّٰهَ هُوَ الْمَسِيْحُ ابْنُ مَرْيَمَ ؕ قُلْ فَمَنْ يَّمْلِكُ
مِنَ اللّٰهِ شَيْـًٔا اِنْ اَرَادَ اَنْ يُّهْلِكَ الْمَسِيْحَ ابْنَ
مَرْيَمَ وَاُمَّهٗ وَمَنْ فِي الْاَرْضِ جَمِيْعًا ؕ وَلِلّٰهِ
مُلْكُ السَّمٰوٰتِ وَالْاَرْضِ وَمَا بَيْنَهُمَا ؕ يَخْلُقُ

منزل ٢

Ikhfa إخفا | Ikhfa Meem Saakin إخفاميم ساكن | Qalqala قلقله | Qalb قلب | Idghaam إدغام | Idghaam Meem Saakin إدغام ميم ساكن | Ghunna غُنّه

مَا يَشَآءُ ؕ وَ اللّٰهُ عَلٰى كُلِّ شَيْءٍ قَدِيْرٌ ﴿۱۷﴾ وَ قَالَتِ
الْيَهُوْدُ وَ النَّصٰرٰى نَحْنُ اَبْنٰٓؤُا اللّٰهِ وَ اَحِبَّآؤُهٗ ؕ قُلْ
فَلِمَ يُعَذِّبُكُمْ بِذُنُوْبِكُمْ ؕ بَلْ اَنْتُمْ بَشَرٌ مِّمَّنْ
خَلَقَ ؕ يَغْفِرُ لِمَنْ يَّشَآءُ وَ يُعَذِّبُ مَنْ يَّشَآءُ ؕ وَ
لِلّٰهِ مُلْكُ السَّمٰوٰتِ وَ الْاَرْضِ وَ مَا بَيْنَهُمَا ۫ وَ اِلَيْهِ
الْمَصِيْرُ ﴿۱۸﴾ يٰٓاَهْلَ الْكِتٰبِ قَدْ جَآءَكُمْ رَسُوْلُنَا
منزل ۲ يُبَيِّنُ لَكُمْ عَلٰى فَتْرَةٍ مِّنَ الرُّسُلِ اَنْ تَقُوْلُوْا مَا
جَآءَنَا مِنْۢ بَشِيْرٍ وَّ لَا نَذِيْرٍ ۫ فَقَدْ جَآءَكُمْ بَشِيْرٌ
وَّ نَذِيْرٌ ؕ وَ اللّٰهُ عَلٰى كُلِّ شَيْءٍ قَدِيْرٌ ﴿۱۹﴾ ع وَ اِذْ قَالَ ع ٣ ٨
مُوْسٰى لِقَوْمِهٖ يٰقَوْمِ اذْكُرُوْا نِعْمَةَ اللّٰهِ عَلَيْكُمْ
اِذْ جَعَلَ فِيْكُمْ اَنْۢبِيَآءَ وَ جَعَلَكُمْ مُّلُوْكًا ۖ ق وَّ اٰتٰىكُمْ
مَّا لَمْ يُؤْتِ اَحَدًا مِّنَ الْعٰلَمِيْنَ ﴿۲۰﴾ يٰقَوْمِ ادْخُلُوا
الْاَرْضَ الْمُقَدَّسَةَ الَّتِيْ كَتَبَ اللّٰهُ لَكُمْ وَ لَا

تَرْتَدُّوْا عَلٰٓى اَدْبَارِكُمْ فَتَنْقَلِبُوْا خٰسِرِيْنَ ﴿٢١﴾ قَالُوْا
يٰمُوْسٰٓى اِنَّ فِيْهَا قَوْمًا جَبَّارِيْنَ ۖ وَاِنَّا لَنْ نَّدْخُلَهَا
حَتّٰى يَخْرُجُوْا مِنْهَا ۚ فَاِنْ يَّخْرُجُوْا مِنْهَا فَاِنَّا
دٰخِلُوْنَ ﴿٢٢﴾ قَالَ رَجُلٰنِ مِنَ الَّذِيْنَ يَخَافُوْنَ اَنْعَمَ
اللّٰهُ عَلَيْهِمَا ادْخُلُوْا عَلَيْهِمُ الْبَابَ ۚ فَاِذَا دَخَلْتُمُوْهُ
فَاِنَّكُمْ غٰلِبُوْنَ ۚ۬ وَعَلَى اللّٰهِ فَتَوَكَّلُوْٓا اِنْ كُنْتُمْ
مُّؤْمِنِيْنَ ﴿٢٣﴾ قَالُوْا يٰمُوْسٰٓى اِنَّا لَنْ نَّدْخُلَهَآ اَبَدًا
مَّا دَامُوْا فِيْهَا فَاذْهَبْ اَنْتَ وَرَبُّكَ فَقَاتِلَآ اِنَّا
هٰهُنَا قٰعِدُوْنَ ﴿٢٤﴾ قَالَ رَبِّ اِنِّىْ لَآ اَمْلِكُ اِلَّا
نَفْسِىْ وَاَخِىْ فَافْرُقْ بَيْنَنَا وَبَيْنَ الْقَوْمِ الْفٰسِقِيْنَ ﴿٢٥﴾
قَالَ فَاِنَّهَا مُحَرَّمَةٌ عَلَيْهِمْ اَرْبَعِيْنَ سَنَةً ۚ
يَتِيْهُوْنَ فِى الْاَرْضِ ۭ فَلَا تَاْسَ عَلَى الْقَوْمِ
الْفٰسِقِيْنَ ﴿٢٦﴾ ع وَاتْلُ عَلَيْهِمْ نَبَاَ ابْنَىْ اٰدَمَ بِالْحَقِّ ۘ

منزل ٢

وقف لازم ع ٨

اِذْ قَرَّبَا قُرْبَانًا فَتُقُبِّلَ مِنْ اَحَدِهِمَا وَلَمْ يُتَقَبَّلْ

مِنَ الْاٰخَرِ ؕ قَالَ لَاَقْتُلَنَّكَ ؕ قَالَ اِنَّمَا يَتَقَبَّلُ

اللّٰهُ مِنَ الْمُتَّقِيْنَ ﴿٢٧﴾ لَئِنْۢ بَسَطْتَّ اِلَيَّ يَدَكَ

لِتَقْتُلَنِيْ مَاۤ اَنَا بِبَاسِطٍ يَّدِيَ اِلَيْكَ لِاَقْتُلَكَ ۚ

اِنِّيْۤ اَخَافُ اللّٰهَ رَبَّ الْعٰلَمِيْنَ ﴿٢٨﴾ اِنِّيْۤ اُرِيْدُ

اَنْ تَبُوْٓاَ بِاِثْمِيْ وَاِثْمِكَ فَتَكُوْنَ مِنْ اَصْحٰبِ

النَّارِ ۚ وَذٰلِكَ جَزٰٓؤُا الظّٰلِمِيْنَ ﴿٢٩﴾ ۚ فَطَوَّعَتْ لَهٗ

نَفْسُهٗ قَتْلَ اَخِيْهِ فَقَتَلَهٗ فَاَصْبَحَ مِنَ الْخٰسِرِيْنَ ﴿٣٠﴾

فَبَعَثَ اللّٰهُ غُرَابًا يَّبْحَثُ فِي الْاَرْضِ لِيُرِيَهٗ

كَيْفَ يُوَارِيْ سَوْءَةَ اَخِيْهِ ؕ قَالَ يٰوَيْلَتٰۤى اَعَجَزْتُ

اَنْ اَكُوْنَ مِثْلَ هٰذَا الْغُرَابِ فَاُوَارِيَ سَوْءَةَ

اَخِيْ ۚ فَاَصْبَحَ مِنَ النّٰدِمِيْنَ ﴿٣١﴾ ۛ ۚ مِنْ اَجْلِ ذٰلِكَ ۛ ۚ

كَتَبْنَا عَلٰى بَنِيْۤ اِسْرَآءِيْلَ اَنَّهٗ مَنْ قَتَلَ نَفْسًا

النصف

منزل ٢

معانقة وقف النبي صلى الله عليه وآله وسلم ١٢ عند المتأخرين ١٢

بِغَيْرِ نَفْسٍ اَوْ فَسَادٍ فِى الْاَرْضِ فَكَاَنَّمَا قَتَلَ
النَّاسَ جَمِيْعًا ؕ وَمَنْ اَحْيَاهَا فَكَاَنَّمَاۤ اَحْيَا
النَّاسَ جَمِيْعًا ؕ وَلَقَدْ جَآءَتْهُمْ رُسُلُنَا بِالْبَيِّنٰتِ ز
ثُمَّ اِنَّ كَثِيْرًا مِّنْهُمْ بَعْدَ ذٰلِكَ فِى الْاَرْضِ
لَمُسْرِفُوْنَ ﴿٣٢﴾ اِنَّمَا جَزٰٓؤُا الَّذِيْنَ يُحَارِبُوْنَ اللّٰهَ
وَرَسُوْلَهٗ وَيَسْعَوْنَ فِى الْاَرْضِ فَسَادًا اَنْ يُّقَتَّلُوْۤا
اَوْ يُصَلَّبُوْۤا اَوْ تُقَطَّعَ اَيْدِيْهِمْ وَاَرْجُلُهُمْ مِّنْ منزل ٢
خِلَافٍ اَوْ يُنْفَوْا مِنَ الْاَرْضِ ؕ ذٰلِكَ لَهُمْ
خِزْىٌ فِى الدُّنْيَا وَلَهُمْ فِى الْاٰخِرَةِ عَذَابٌ
عَظِيْمٌ ﴿٣٣﴾ اِلَّا الَّذِيْنَ تَابُوْا مِنْ قَبْلِ اَنْ تَقْدِرُوْا
ع ٥ ٨ ٩ عَلَيْهِمْ ۚ فَاعْلَمُوْۤا اَنَّ اللّٰهَ غَفُوْرٌ رَّحِيْمٌ ﴿٣٤﴾ ع يٰۤاَيُّهَا
الَّذِيْنَ اٰمَنُوا اتَّقُوا اللّٰهَ وَابْتَغُوْۤا اِلَيْهِ الْوَسِيْلَةَ
وَجَاهِدُوْا فِىْ سَبِيْلِهٖ لَعَلَّكُمْ تُفْلِحُوْنَ ﴿٣٥﴾ اِنَّ

الَّذِيْنَ كَفَرُوْا لَوْ اَنَّ لَهُمْ مَّا فِي الْاَرْضِ جَمِيْعًا
وَّمِثْلَهٗ مَعَهٗ لِيَفْتَدُوْا بِهٖ مِنْ عَذَابِ يَوْمِ الْقِيٰمَةِ
مَا تُقُبِّلَ مِنْهُمْ ۚ وَلَهُمْ عَذَابٌ اَلِيْمٌ ﴿٣٦﴾ يُرِيْدُوْنَ
اَنْ يَّخْرُجُوْا مِنَ النَّارِ وَمَا هُمْ بِخٰرِجِيْنَ مِنْهَا ۫
وَلَهُمْ عَذَابٌ مُّقِيْمٌ ﴿٣٧﴾ وَالسَّارِقُ وَالسَّارِقَةُ
فَاقْطَعُوْٓا اَيْدِيَهُمَا جَزَآءًۢ بِمَا كَسَبَا نَكَالًا مِّنَ
اللّٰهِ ؕ وَاللّٰهُ عَزِيْزٌ حَكِيْمٌ ﴿٣٨﴾ فَمَنْ تَابَ مِنْۢ بَعْدِ
ظُلْمِهٖ وَاَصْلَحَ فَاِنَّ اللّٰهَ يَتُوْبُ عَلَيْهِ ؕ اِنَّ اللّٰهَ
غَفُوْرٌ رَّحِيْمٌ ﴿٣٩﴾ اَلَمْ تَعْلَمْ اَنَّ اللّٰهَ لَهٗ مُلْكُ
السَّمٰوٰتِ وَالْاَرْضِ ؕ يُعَذِّبُ مَنْ يَّشَآءُ وَيَغْفِرُ
لِمَنْ يَّشَآءُ ؕ وَاللّٰهُ عَلٰى كُلِّ شَيْءٍ قَدِيْرٌ ﴿٤٠﴾ يٰٓاَيُّهَا
الرَّسُوْلُ لَا يَحْزُنْكَ الَّذِيْنَ يُسَارِعُوْنَ فِي الْكُفْرِ
مِنَ الَّذِيْنَ قَالُوْٓا اٰمَنَّا بِاَفْوَاهِهِمْ وَلَمْ تُؤْمِنْ

منزل ٢

Ikhfa إخفا | Ikhfa Meem Saakin إخفاميم ساكن | Qalqala قلقله | Qalb قلب | Idghaam إدغام | Idghaam Meem Saakin إدغام ميم ساكن | Ghunna غنّه

قُلُوْبُهُمْ ۛ وَمِنَ الَّذِيْنَ هَادُوْا ۛ سَمّٰعُوْنَ

لِلْكَذِبِ سَمّٰعُوْنَ لِقَوْمٍ اٰخَرِيْنَ ۙ لَمْ يَاْتُوْكَ ؕ

يُحَرِّفُوْنَ الْكَلِمَ مِنْۢ بَعْدِ مَوَاضِعِهٖ ۚ يَقُوْلُوْنَ

اِنْ اُوْتِيْتُمْ هٰذَا فَخُذُوْهُ وَاِنْ لَّمْ تُؤْتَوْهُ

فَاحْذَرُوْا ؕ وَمَنْ يُّرِدِ اللّٰهُ فِتْنَتَهٗ فَلَنْ تَمْلِكَ

لَهٗ مِنَ اللّٰهِ شَيْـًٔا ؕ اُولٰٓئِكَ الَّذِيْنَ لَمْ يُرِدِ

اللّٰهُ اَنْ يُّطَهِّرَ قُلُوْبَهُمْ ؕ لَهُمْ فِي الدُّنْيَا خِزْيٌ ۚۖ

وَّلَهُمْ فِي الْاٰخِرَةِ عَذَابٌ عَظِيْمٌ ﴿٤١﴾ سَمّٰعُوْنَ

لِلْكَذِبِ اَكّٰلُوْنَ لِلسُّحْتِ ؕ فَاِنْ جَآءُوْكَ فَاحْكُمْ

بَيْنَهُمْ اَوْ اَعْرِضْ عَنْهُمْ ۚ وَاِنْ تُعْرِضْ عَنْهُمْ

فَلَنْ يَّضُرُّوْكَ شَيْـًٔا ؕ وَاِنْ حَكَمْتَ فَاحْكُمْ بَيْنَهُمْ

بِالْقِسْطِ ؕ اِنَّ اللّٰهَ يُحِبُّ الْمُقْسِطِيْنَ ﴿٤٢﴾ وَكَيْفَ

يُحَكِّمُوْنَكَ وَعِنْدَهُمُ التَّوْرٰىةُ فِيْهَا حُكْمُ اللّٰهِ

مع ٣ عند المتقدمين الوقف على الاول اجزء ١٣

منزل ٢

Ikhfa إخفا | Ikhfa Meem Saakin إخفاميم ساكن | Qalqala قلقله | Qalb قلب | Idghaam إدغام | Idghaam Meem Saakin إدغام ميم ساكن | Ghunna غنّه

ع ٦ ٩ ١٠ ثُمَّ يَتَوَلَّوْنَ مِنْ بَعْدِ ذٰلِكَ ؕ وَمَآ اُولٰٓئِكَ بِالْمُؤْمِنِيْنَ ﴿٤٣﴾ ع

اِنَّآ اَنْزَلْنَا التَّوْرٰىةَ فِيْهَا هُدًى وَّنُوْرٌ ۚ يَحْكُمُ

بِهَا النَّبِيُّوْنَ الَّذِيْنَ اَسْلَمُوْا لِلَّذِيْنَ هَادُوْا

وَالرَّبّٰنِيُّوْنَ وَالْاَحْبَارُ بِمَا اسْتُحْفِظُوْا مِنْ كِتٰبِ

اللّٰهِ وَكَانُوْا عَلَيْهِ شُهَدَآءَ ۚ فَلَا تَخْشَوُا النَّاسَ

وَاخْشَوْنِ وَلَا تَشْتَرُوْا بِاٰيٰتِىْ ثَمَنًا قَلِيْلًا ؕ

وَمَنْ لَّمْ يَحْكُمْ بِمَآ اَنْزَلَ اللّٰهُ فَاُولٰٓئِكَ هُمُ منزل ٢

الْكٰفِرُوْنَ ﴿٤٤﴾ وَكَتَبْنَا عَلَيْهِمْ فِيْهَآ اَنَّ النَّفْسَ

بِالنَّفْسِ ۙ وَالْعَيْنَ بِالْعَيْنِ وَالْاَنْفَ بِالْاَنْفِ

وَالْاُذُنَ بِالْاُذُنِ وَالسِّنَّ بِالسِّنِّ ۙ وَالْجُرُوْحَ

قِصَاصٌ ؕ فَمَنْ تَصَدَّقَ بِهٖ فَهُوَ كَفَّارَةٌ لَّهٗ ؕ

وَمَنْ لَّمْ يَحْكُمْ بِمَآ اَنْزَلَ اللّٰهُ فَاُولٰٓئِكَ هُمُ

الظّٰلِمُوْنَ ﴿٤٥﴾ وَقَفَّيْنَا عَلٰٓى اٰثَارِهِمْ بِعِيْسَى ابْنِ

مَرْيَمَ مُصَدِّقًا لِّمَا بَيْنَ يَدَيْهِ مِنَ التَّوْرٰىةِ ص
وَ اٰتَيْنٰهُ الْاِنْجِيْلَ فِيْهِ هُدًى وَّ نُوْرٌ لا وَّ مُصَدِّقًا
لِّمَا بَيْنَ يَدَيْهِ مِنَ التَّوْرٰىةِ وَهُدًى وَّ مَوْعِظَةً
لِّلْمُتَّقِيْنَ ﴿٤٦﴾ وَلْيَحْكُمْ اَهْلُ الْاِنْجِيْلِ بِمَآ اَنْزَلَ
اللّٰهُ فِيْهِ ط وَمَنْ لَّمْ يَحْكُمْ بِمَآ اَنْزَلَ اللّٰهُ فَاُولٰٓئِكَ
هُمُ الْفٰسِقُوْنَ ﴿٤٧﴾ وَ اَنْزَلْنَآ اِلَيْكَ الْكِتٰبَ بِالْحَقِّ
مُصَدِّقًا لِّمَا بَيْنَ يَدَيْهِ مِنَ الْكِتٰبِ وَ
مُهَيْمِنًا عَلَيْهِ فَاحْكُمْ بَيْنَهُمْ بِمَآ اَنْزَلَ اللّٰهُ
وَلَا تَتَّبِعْ اَهْوَآءَهُمْ عَمَّا جَآءَكَ مِنَ الْحَقِّ ط لِكُلٍّ
جَعَلْنَا مِنْكُمْ شِرْعَةً وَّمِنْهَاجًا ط وَلَوْ شَآءَ اللّٰهُ
لَجَعَلَكُمْ اُمَّةً وَّاحِدَةً وَّلٰكِنْ لِّيَبْلُوَكُمْ فِيْ مَآ
اٰتٰىكُمْ فَاسْتَبِقُوا الْخَيْرٰتِ ط اِلَى اللّٰهِ مَرْجِعُكُمْ جَمِيْعًا
فَيُنَبِّئُكُمْ بِمَا كُنْتُمْ فِيْهِ تَخْتَلِفُوْنَ ﴿٤٨﴾ لا وَ اَنِ احْكُمْ

منزل ٢

بَيْنَهُمْ بِمَآ اَنْزَلَ اللّٰهُ وَلَا تَتَّبِعْ اَهْوَآءَهُمْ
وَاحْذَرْهُمْ اَنْ يَّفْتِنُوْكَ عَنْۢ بَعْضِ مَآ اَنْزَلَ اللّٰهُ
اِلَيْكَ ؕ فَاِنْ تَوَلَّوْا فَاعْلَمْ اَنَّمَا يُرِيْدُ اللّٰهُ
اَنْ يُّصِيْبَهُمْ بِبَعْضِ ذُنُوْبِهِمْ ؕ وَاِنَّ كَثِيْرًا مِّنَ
النَّاسِ لَفٰسِقُوْنَ ﴿٤٩﴾ اَفَحُكْمَ الْجَاهِلِيَّةِ يَبْغُوْنَ ؕ
وَمَنْ اَحْسَنُ مِنَ اللّٰهِ حُكْمًا لِّقَوْمٍ يُّوْقِنُوْنَ ﴿٥٠﴾ ع
يٰٓاَيُّهَا الَّذِيْنَ اٰمَنُوْا لَا تَتَّخِذُوا الْيَهُوْدَ وَالنَّصٰرٰٓى
اَوْلِيَآءَ ۘ بَعْضُهُمْ اَوْلِيَآءُ بَعْضٍ ؕ وَمَنْ يَّتَوَلَّهُمْ
مِّنْكُمْ فَاِنَّهٗ مِنْهُمْ ؕ اِنَّ اللّٰهَ لَا يَهْدِى الْقَوْمَ
الظّٰلِمِيْنَ ﴿٥١﴾ فَتَرَى الَّذِيْنَ فِىْ قُلُوْبِهِمْ مَّرَضٌ
يُّسَارِعُوْنَ فِيْهِمْ يَقُوْلُوْنَ نَخْشٰٓى اَنْ تُصِيْبَنَا
دَآئِرَةٌ ؕ فَعَسَى اللّٰهُ اَنْ يَّاْتِىَ بِالْفَتْحِ اَوْ اَمْرٍ
مِّنْ عِنْدِهٖ فَيُصْبِحُوْا عَلٰى مَآ اَسَرُّوْا فِىْٓ اَنْفُسِهِمْ

ع ٧/٤

(٢) الجهنية وقف بمنزل عند البعض ١٢

منزل ٢

Ikhfa اِخفا | Ikhfa Meem Saakin اِخفامیم ساکن | Qalqala قلقلہ | Qalb قلب | Idghaam اِدغام | Idghaam Meem Saakin اِدغام میم ساکن | Ghunna غُنّہ

نٰدِمِيْنَ ؕ ﴿۵۲﴾ وَيَقُوْلُ الَّذِيْنَ اٰمَنُوْٓا اَهٰٓؤُلَآءِ

الَّذِيْنَ اَقْسَمُوْا بِاللّٰهِ جَهْدَ اَيْمَانِهِمْ ۙ اِنَّهُمْ

لَمَعَكُمْ ؕ حَبِطَتْ اَعْمَالُهُمْ فَاَصْبَحُوْا خٰسِرِيْنَ ﴿۵۳﴾ الثلثة

يٰٓاَيُّهَا الَّذِيْنَ اٰمَنُوْا مَنْ يَّرْتَدَّ مِنْكُمْ عَنْ دِيْنِهٖ

فَسَوْفَ يَاْتِى اللّٰهُ بِقَوْمٍ يُّحِبُّهُمْ وَيُحِبُّوْنَهٗٓ ۙ

اَذِلَّةٍ عَلَى الْمُؤْمِنِيْنَ اَعِزَّةٍ عَلَى الْكٰفِرِيْنَ ز

يُجَاهِدُوْنَ فِىْ سَبِيْلِ اللّٰهِ وَلَا يَخَافُوْنَ منزل ٢

لَوْمَةَ لَآئِمٍ ؕ ذٰلِكَ فَضْلُ اللّٰهِ يُؤْتِيْهِ مَنْ

يَّشَآءُ ؕ وَاللّٰهُ وَاسِعٌ عَلِيْمٌ ﴿۵۴﴾ اِنَّمَا وَلِيُّكُمُ اللّٰهُ

وَرَسُوْلُهٗ وَالَّذِيْنَ اٰمَنُوا الَّذِيْنَ يُقِيْمُوْنَ الصَّلٰوةَ

وَيُؤْتُوْنَ الزَّكٰوةَ وَهُمْ رٰكِعُوْنَ ﴿۵۵﴾ وَمَنْ يَّتَوَلَّ

اللّٰهَ وَرَسُوْلَهٗ وَالَّذِيْنَ اٰمَنُوْا فَاِنَّ حِزْبَ

اللّٰهِ هُمُ الْغٰلِبُوْنَ ﴿۵۶﴾ ع يٰٓاَيُّهَا الَّذِيْنَ اٰمَنُوْا ع ٨ ٦ ١٢

Ikhfa اِخفا | Ikhfa Meem Saakin اِخفامیم ساکن | Qalqala قلقلہ | Qalb قلب | Idghaam اِدغام | Idghaam Meem Saakin اِدغام میم ساکن | Ghunna غُنّہ

لَا تَتَّخِذُوا الَّذِيْنَ اتَّخَذُوْا دِيْنَكُمْ هُزُوًا وَّ

لَعِبًا مِّنَ الَّذِيْنَ اُوْتُوا الْكِتٰبَ مِنْ قَبْلِكُمْ

وَ الْكُفَّارَ اَوْلِيَآءَ ۚ وَ اتَّقُوا اللّٰهَ اِنْ كُنْتُمْ

مُّؤْمِنِيْنَ ﴿٥٧﴾ وَاِذَا نَادَيْتُمْ اِلَى الصَّلٰوةِ اتَّخَذُوْهَا

هُزُوًا وَّ لَعِبًا ؕ ذٰلِكَ بِاَنَّهُمْ قَوْمٌ لَّا يَعْقِلُوْنَ ﴿٥٨﴾

قُلْ يٰاَهْلَ الْكِتٰبِ هَلْ تَنْقِمُوْنَ مِنَّآ اِلَّآ

اَنْ اٰمَنَّا بِاللّٰهِ وَمَآ اُنْزِلَ اِلَيْنَا وَمَآ اُنْزِلَ

مِنْ قَبْلُ ۙ وَاَنَّ اَكْثَرَكُمْ فٰسِقُوْنَ ﴿٥٩﴾ قُلْ هَلْ

اُنَبِّئُكُمْ بِشَرٍّ مِّنْ ذٰلِكَ مَثُوْبَةً عِنْدَ اللّٰهِ ؕ

مَنْ لَّعَنَهُ اللّٰهُ وَ غَضِبَ عَلَيْهِ وَ جَعَلَ مِنْهُمُ

الْقِرَدَةَ وَالْخَنَازِيْرَ وَعَبَدَ الطَّاغُوْتَ ؕ اُولٰٓئِكَ

شَرٌّ مَّكَانًا وَّ اَضَلُّ عَنْ سَوَآءِ السَّبِيْلِ ﴿٦٠﴾ وَ

اِذَا جَآءُوْكُمْ قَالُوْٓا اٰمَنَّا وَقَدْ دَّخَلُوْا بِالْكُفْرِ

منزل ٢

Ikhfa إخفا | Ikhfa Meem Saakin إخفامیم ساکن | Qalqala قلقلہ | Qalb قلب | Idghaam اِدغام | Idghaam Meem Saakin اِدغام میم ساکن | Ghunna غُنّہ

وَهُمْ قَدْ خَرَجُوْا بِهٖ ؕ وَاللّٰهُ اَعْلَمُ بِمَا كَانُوْا
يَكْتُمُوْنَ ﴿٦١﴾ وَتَرٰى كَثِيْرًا مِّنْهُمْ يُسَارِعُوْنَ فِى الْاِثْمِ
وَالْعُدْوَانِ وَاَكْلِهِمُ السُّحْتَ ؕ لَبِئْسَ مَا كَانُوْا
يَعْمَلُوْنَ ﴿٦٢﴾ لَوْلَا يَنْهٰىهُمُ الرَّبّٰنِيُّوْنَ وَالْاَحْبَارُ
عَنْ قَوْلِهِمُ الْاِثْمَ وَاَكْلِهِمُ السُّحْتَ ؕ لَبِئْسَ مَا
كَانُوْا يَصْنَعُوْنَ ﴿٦٣﴾ وَقَالَتِ الْيَهُوْدُ يَدُ اللّٰهِ مَغْلُوْلَةٌ ؕ
غُلَّتْ اَيْدِيْهِمْ وَلُعِنُوْا بِمَا قَالُوْا ۘ بَلْ يَدٰهُ مَبْسُوْطَتٰنِ ۙ
يُنْفِقُ كَيْفَ يَشَآءُ ؕ وَلَيَزِيْدَنَّ كَثِيْرًا مِّنْهُمْ مَّآ
اُنْزِلَ اِلَيْكَ مِنْ رَّبِّكَ طُغْيَانًا وَّكُفْرًا ؕ وَاَلْقَيْنَا
بَيْنَهُمُ الْعَدَاوَةَ وَالْبَغْضَآءَ اِلٰى يَوْمِ الْقِيٰمَةِ ؕ
كُلَّمَآ اَوْقَدُوْا نَارًا لِّلْحَرْبِ اَطْفَاَهَا اللّٰهُ ۙ وَيَسْعَوْنَ
فِى الْاَرْضِ فَسَادًا ؕ وَاللّٰهُ لَا يُحِبُّ الْمُفْسِدِيْنَ ﴿٦٤﴾
وَلَوْ اَنَّ اَهْلَ الْكِتٰبِ اٰمَنُوْا وَاتَّقَوْا لَكَفَّرْنَا عَنْهُمْ

منزل ٢

وقف لازم

سَيِّاٰتِهِمْ وَلَاَدْخَلْنٰهُمْ جَنّٰتِ النَّعِيْمِ ﴿٦٥﴾ وَلَوْ اَنَّهُمْ
اَقَامُوا التَّوْرٰىةَ وَالْاِنْجِيْلَ وَمَآ اُنْزِلَ اِلَيْهِمْ
مِّنْ رَّبِّهِمْ لَاَكَلُوْا مِنْ فَوْقِهِمْ وَمِنْ تَحْتِ اَرْجُلِهِمْ ؕ
مِنْهُمْ اُمَّةٌ مُّقْتَصِدَةٌ ؕ وَكَثِيْرٌ مِّنْهُمْ سَآءَ مَا
يَعْمَلُوْنَ ؑ ﴿٦٦﴾ يٰٓاَيُّهَا الرَّسُوْلُ بَلِّغْ مَآ اُنْزِلَ اِلَيْكَ ع ١٠
مِنْ رَّبِّكَ ؕ وَاِنْ لَّمْ تَفْعَلْ فَمَا بَلَّغْتَ رِسَالَتَهٗ ؕ
منزل ٢ وَاللّٰهُ يَعْصِمُكَ مِنَ النَّاسِ ؕ اِنَّ اللّٰهَ لَا يَهْدِی
الْقَوْمَ الْكٰفِرِيْنَ ﴿٦٧﴾ قُلْ يٰٓاَهْلَ الْكِتٰبِ لَسْتُمْ عَلٰى
شَیْءٍ حَتّٰى تُقِيْمُوا التَّوْرٰىةَ وَالْاِنْجِيْلَ وَمَآ اُنْزِلَ
اِلَيْكُمْ مِّنْ رَّبِّكُمْ ؕ وَلَيَزِيْدَنَّ كَثِيْرًا مِّنْهُمْ مَّآ اُنْزِلَ
اِلَيْكَ مِنْ رَّبِّكَ طُغْيَانًا وَّكُفْرًا ۚ فَلَا تَاْسَ
عَلَى الْقَوْمِ الْكٰفِرِيْنَ ﴿٦٨﴾ اِنَّ الَّذِيْنَ اٰمَنُوْا وَ
الَّذِيْنَ هَادُوْا وَالصّٰبِئُوْنَ وَالنَّصٰرٰى مَنْ اٰمَنَ

Ikhfa إخفا | Ikhfa Meem Saakin إخفاميم ساكن | Qalqala قلقله | Qalb قلب | Idghaam إدغام | Idghaam Meem Saakin إدغام ميم ساكن | Ghunna غنّه

بِاللّٰهِ وَالْيَوْمِ الْاٰخِرِ وَعَمِلَ صَالِحًا فَلَا خَوْفٌ
عَلَيْهِمْ وَلَا هُمْ يَحْزَنُوْنَ ﴿٦٩﴾ لَقَدْ اَخَذْنَا
مِيْثَاقَ بَنِيْٓ اِسْرَآءِيْلَ وَاَرْسَلْنَآ اِلَيْهِمْ رُسُلًا ط
كُلَّمَا جَآءَهُمْ رَسُوْلٌۢ بِمَا لَا تَهْوٰٓى اَنْفُسُهُمْ لا
فَرِيْقًا كَذَّبُوْا وَفَرِيْقًا يَّقْتُلُوْنَ ﴿٧٠﴾ ق وَحَسِبُوْٓا اَلَّا
تَكُوْنَ فِتْنَةٌ فَعَمُوْا وَصَمُّوْا ثُمَّ تَابَ اللّٰهُ
عَلَيْهِمْ ثُمَّ عَمُوْا وَصَمُّوْا كَثِيْرٌ مِّنْهُمْ ط وَاللّٰهُ
بَصِيْرٌۢ بِمَا يَعْمَلُوْنَ ﴿٧١﴾ لَقَدْ كَفَرَ الَّذِيْنَ قَالُوْٓا
اِنَّ اللّٰهَ هُوَ الْمَسِيْحُ ابْنُ مَرْيَمَ ط وَقَالَ الْمَسِيْحُ
يٰبَنِيْٓ اِسْرَآءِيْلَ اعْبُدُوا اللّٰهَ رَبِّيْ وَرَبَّكُمْ ط
اِنَّهٗ مَنْ يُّشْرِكْ بِاللّٰهِ فَقَدْ حَرَّمَ اللّٰهُ عَلَيْهِ
الْجَنَّةَ وَمَاْوٰىهُ النَّارُ ط وَمَا لِلظّٰلِمِيْنَ مِنْ اَنْصَارٍ ﴿٧٢﴾
لَقَدْ كَفَرَ الَّذِيْنَ قَالُوْٓا اِنَّ اللّٰهَ ثَالِثُ

منزل ٢

ثَلٰثَةٍ ۘ وَمَا مِنْ اِلٰهٍ اِلَّآ اِلٰهٌ وَّاحِدٌ ؕ وَ اِنْ
لَّمْ يَنْتَهُوْا عَمَّا يَقُوْلُوْنَ لَيَمَسَّنَّ الَّذِيْنَ كَفَرُوْا
مِنْهُمْ عَذَابٌ اَلِيْمٌ ﴿٧٣﴾ اَفَلَا يَتُوْبُوْنَ اِلَى
اللّٰهِ وَ يَسْتَغْفِرُوْنَهٗ ؕ وَاللّٰهُ غَفُوْرٌ رَّحِيْمٌ ﴿٧٤﴾
مَا الْمَسِيْحُ ابْنُ مَرْيَمَ اِلَّا رَسُوْلٌ ۚ قَدْ خَلَتْ
مِنْ قَبْلِهِ الرُّسُلُ ؕ وَاُمُّهٗ صِدِّيْقَةٌ ؕ كَانَا
يَاْكُلٰنِ الطَّعَامَ ؕ اُنْظُرْ كَيْفَ نُبَيِّنُ لَهُمُ الْاٰيٰتِ
ثُمَّ انْظُرْ اَنّٰى يُؤْفَكُوْنَ ﴿٧٥﴾ قُلْ اَتَعْبُدُوْنَ
مِنْ دُوْنِ اللّٰهِ مَا لَا يَمْلِكُ لَكُمْ ضَرًّا وَّلَا نَفْعًا ؕ
وَاللّٰهُ هُوَ السَّمِيْعُ الْعَلِيْمُ ﴿٧٦﴾ قُلْ يٰۤاَهْلَ
الْكِتٰبِ لَا تَغْلُوْا فِيْ دِيْنِكُمْ غَيْرَ الْحَقِّ وَلَا
تَتَّبِعُوْۤا اَهْوَآءَ قَوْمٍ قَدْ ضَلُّوْا مِنْ قَبْلُ وَ
اَضَلُّوْا كَثِيْرًا وَّضَلُّوْا عَنْ سَوَآءِ السَّبِيْلِ ﴿٧٧﴾ ع

وقف لازم

منزل ٢

ع ١٠

Ikhfa إخفا · Ikhfa Meem Saakin إخفاميم ساكن · Qalqala قلقله · Qalb قلب · Idghaam ادغام · Idghaam Meem Saakin ادغام ميم ساكن · Ghunna غنّه

لُعِنَ الَّذِيْنَ كَفَرُوْا مِنْۢ بَنِيْۤ اِسْرَآءِيْلَ عَلٰى لِسَانِ
دَاوٗدَ وَعِيْسَى ابْنِ مَرْيَمَ ؕ ذٰلِكَ بِمَا عَصَوْا وَّكَانُوْا
يَعْتَدُوْنَ ﴿۷۸﴾ كَانُوْا لَا يَتَنَاهَوْنَ عَنْ مُّنْكَرٍ
فَعَلُوْهُ ؕ لَبِئْسَ مَا كَانُوْا يَفْعَلُوْنَ ﴿۷۹﴾ تَرٰى كَثِيْرًا
مِّنْهُمْ يَتَوَلَّوْنَ الَّذِيْنَ كَفَرُوْا ؕ لَبِئْسَ مَا قَدَّمَتْ
لَهُمْ اَنْفُسُهُمْ اَنْ سَخِطَ اللّٰهُ عَلَيْهِمْ وَفِي الْعَذَابِ
هُمْ خٰلِدُوْنَ ﴿۸۰﴾ وَلَوْ كَانُوْا يُؤْمِنُوْنَ بِاللّٰهِ وَالنَّبِيِّ
وَمَاۤ اُنْزِلَ اِلَيْهِ مَا اتَّخَذُوْهُمْ اَوْلِيَآءَ وَلٰكِنَّ
كَثِيْرًا مِّنْهُمْ فٰسِقُوْنَ ﴿۸۱﴾ لَتَجِدَنَّ اَشَدَّ النَّاسِ
عَدَاوَةً لِّلَّذِيْنَ اٰمَنُوا الْيَهُوْدَ وَالَّذِيْنَ اَشْرَكُوْا ۚ
وَلَتَجِدَنَّ اَقْرَبَهُمْ مَّوَدَّةً لِّلَّذِيْنَ اٰمَنُوا
الَّذِيْنَ قَالُوْۤا اِنَّا نَصٰرٰى ؕ ذٰلِكَ بِاَنَّ مِنْهُمْ
قِسِّيْسِيْنَ وَرُهْبَانًا وَّاَنَّهُمْ لَا يَسْتَكْبِرُوْنَ ﴿۸۲﴾

منزل ٢

وَاِذَا سَمِعُوْا مَآ اُنْزِلَ اِلَى الرَّسُوْلِ تَرٰٓى اَعْيُنَهُمْ
تَفِيْضُ مِنَ الدَّمْعِ مِمَّا عَرَفُوْا مِنَ الْحَقِّ ۚ يَقُوْلُوْنَ
رَبَّنَآ اٰمَنَّا فَاكْتُبْنَا مَعَ الشّٰهِدِيْنَ ﴿٨٣﴾ وَمَا لَنَا
لَا نُؤْمِنُ بِاللّٰهِ وَمَا جَآءَنَا مِنَ الْحَقِّ ۙ وَنَطْمَعُ اَنْ
يُّدْخِلَنَا رَبُّنَا مَعَ الْقَوْمِ الصّٰلِحِيْنَ ﴿٨٤﴾ فَاَثَابَهُمُ
اللّٰهُ بِمَا قَالُوْا جَنّٰتٍ تَجْرِيْ مِنْ تَحْتِهَا الْاَنْهٰرُ
خٰلِدِيْنَ فِيْهَا ۭ وَذٰلِكَ جَزَآءُ الْمُحْسِنِيْنَ ﴿٨٥﴾ وَالَّذِيْنَ منزل ٢
كَفَرُوْا وَكَذَّبُوْا بِاٰيٰتِنَآ اُولٰٓئِكَ اَصْحٰبُ الْجَحِيْمِ ﴿٨٦﴾ ع ١١/٥
يٰٓاَيُّهَا الَّذِيْنَ اٰمَنُوْا لَا تُحَرِّمُوْا طَيِّبٰتِ مَآ
اَحَلَّ اللّٰهُ لَكُمْ وَلَا تَعْتَدُوْا ۭ اِنَّ اللّٰهَ لَا يُحِبُّ
الْمُعْتَدِيْنَ ﴿٨٧﴾ وَكُلُوْا مِمَّا رَزَقَكُمُ اللّٰهُ حَلٰلًا طَيِّبًا ص
وَّاتَّقُوا اللّٰهَ الَّذِيْٓ اَنْتُمْ بِهٖ مُؤْمِنُوْنَ ﴿٨٨﴾ لَا يُؤَاخِذُكُمُ
اللّٰهُ بِاللَّغْوِ فِيْٓ اَيْمَانِكُمْ وَلٰكِنْ يُّؤَاخِذُكُمْ بِمَا

Ikhfa إخفا | Ikhfa Meem Saakin إخفا ميم ساكن | Qalqala قلقله | Qalb قلب | Idghaam اِدغام | Idghaam Meem Saakin اِدغام ميم ساكن | Ghunna غُنّہ

عَقَّدْتُّمُ الْاَيْمَانَ ۚ فَكَفَّارَتُهٗۤ اِطْعَامُ عَشَرَةِ
مَسٰكِيْنَ مِنْ اَوْسَطِ مَا تُطْعِمُوْنَ اَهْلِيْكُمْ اَوْ كِسْوَتُهُمْ
اَوْ تَحْرِيْرُ رَقَبَةٍ ؕ فَمَنْ لَّمْ يَجِدْ فَصِيَامُ ثَلٰثَةِ اَيَّامٍ ؕ
ذٰلِكَ كَفَّارَةُ اَيْمَانِكُمْ اِذَا حَلَفْتُمْ ؕ وَاحْفَظُوْۤا
اَيْمَانَكُمْ ؕ كَذٰلِكَ يُبَيِّنُ اللّٰهُ لَكُمْ اٰيٰتِهٖ لَعَلَّكُمْ
تَشْكُرُوْنَ ﴿٨٩﴾ يٰۤاَيُّهَا الَّذِيْنَ اٰمَنُوْۤا اِنَّمَا الْخَمْرُ
وَالْمَيْسِرُ وَالْاَنْصَابُ وَالْاَزْلَامُ رِجْسٌ مِّنْ عَمَلِ
الشَّيْطٰنِ فَاجْتَنِبُوْهُ لَعَلَّكُمْ تُفْلِحُوْنَ ﴿٩٠﴾ اِنَّمَا يُرِيْدُ
الشَّيْطٰنُ اَنْ يُّوْقِعَ بَيْنَكُمُ الْعَدَاوَةَ وَالْبَغْضَآءَ فِي
الْخَمْرِ وَالْمَيْسِرِ وَيَصُدَّكُمْ عَنْ ذِكْرِ اللّٰهِ وَعَنِ
الصَّلٰوةِ ۚ فَهَلْ اَنْتُمْ مُّنْتَهُوْنَ ﴿٩١﴾ وَاَطِيْعُوا اللّٰهَ
وَاَطِيْعُوا الرَّسُوْلَ وَاحْذَرُوْا ۚ فَاِنْ تَوَلَّيْتُمْ
فَاعْلَمُوْۤا اَنَّمَا عَلٰى رَسُوْلِنَا الْبَلٰغُ الْمُبِيْنُ ﴿٩٢﴾ لَيْسَ

منزل ٢

عَلَى الَّذِينَ اٰمَنُوا وَعَمِلُوا الصّٰلِحٰتِ جُنَاحٌ فِيمَا
طَعِمُوٓا اِذَا مَا اتَّقَوا وَّ اٰمَنُوا وَعَمِلُوا الصّٰلِحٰتِ
ثُمَّ اتَّقَوا وَّ اٰمَنُوا ثُمَّ اتَّقَوا وَّ اَحْسَنُوا ؕ وَ اللّٰهُ
يُحِبُّ الْمُحْسِنِينَ ﴿٩٣﴾ يٰٓاَيُّهَا الَّذِينَ اٰمَنُوا لَيَبْلُوَنَّكُمُ ع ١٢/٧ ٢
اللّٰهُ بِشَيْءٍ مِّنَ الصَّيْدِ تَنَالُهٗٓ اَيْدِيكُمْ وَرِمَاحُكُمْ
لِيَعْلَمَ اللّٰهُ مَنْ يَّخَافُهٗ بِالْغَيْبِ ۚ فَمَنِ اعْتَدٰى بَعْدَ
منزل ٢ ذٰلِكَ فَلَهٗ عَذَابٌ اَلِيمٌ ﴿٩٤﴾ يٰٓاَيُّهَا الَّذِينَ اٰمَنُوا لَا تَقْتُلُوا
الصَّيْدَ وَ اَنْتُمْ حُرُمٌ ؕ وَمَنْ قَتَلَهٗ مِنْكُمْ مُّتَعَمِّدًا
فَجَزَآءٌ مِّثْلُ مَا قَتَلَ مِنَ النَّعَمِ يَحْكُمُ بِهٖ ذَوَا عَدْلٍ
مِّنْكُمْ هَدْيًا بٰلِغَ الْكَعْبَةِ اَوْ كَفَّارَةٌ طَعَامُ مَسٰكِينَ
اَوْ عَدْلُ ذٰلِكَ صِيَامًا لِّيَذُوقَ وَبَالَ اَمْرِهٖ ؕ عَفَا
اللّٰهُ عَمَّا سَلَفَ ؕ وَمَنْ عَادَ فَيَنْتَقِمُ اللّٰهُ مِنْهُ ؕ وَ
اللّٰهُ عَزِيزٌ ذُو انْتِقَامٍ ﴿٩٥﴾ اُحِلَّ لَكُمْ صَيْدُ الْبَحْرِ

Ikhfa إخفا | Ikhfa Meem Saakin إخفاميم ساكن | Qalqala قلقلہ | Qalb قلب | Idghaam إدغام | Idghaam Meem Saakin إدغام میم ساکن | Ghunna غُنّہ

وَطَعَامُهٗ مَتَاعًا لَّكُمْ وَلِلسَّيَّارَةِ ۚ وَحُرِّمَ عَلَيْكُمْ
صَيْدُ الْبَرِّ مَا دُمْتُمْ حُرُمًا ۗ وَاتَّقُوا اللّٰهَ الَّذِيْٓ
اِلَيْهِ تُحْشَرُوْنَ ﴿٩٦﴾ جَعَلَ اللّٰهُ الْكَعْبَةَ الْبَيْتَ
الْحَرَامَ قِيٰمًا لِّلنَّاسِ وَالشَّهْرَ الْحَرَامَ وَالْهَدْيَ
وَالْقَلَآئِدَ ۗ ذٰلِكَ لِتَعْلَمُوْٓا اَنَّ اللّٰهَ يَعْلَمُ مَا فِي
السَّمٰوٰتِ وَمَا فِي الْاَرْضِ وَاَنَّ اللّٰهَ بِكُلِّ شَيْءٍ
منزل٢ عَلِيْمٌ ﴿٩٧﴾ اِعْلَمُوْٓا اَنَّ اللّٰهَ شَدِيْدُ الْعِقَابِ وَاَنَّ
اللّٰهَ غَفُوْرٌ رَّحِيْمٌ ﴿٩٨﴾ مَا عَلَى الرَّسُوْلِ اِلَّا الْبَلٰغُ ۗ وَ
اللّٰهُ يَعْلَمُ مَا تُبْدُوْنَ وَمَا تَكْتُمُوْنَ ﴿٩٩﴾ قُلْ لَّا يَسْتَوِي
الْخَبِيْثُ وَالطَّيِّبُ وَلَوْ اَعْجَبَكَ كَثْرَةُ الْخَبِيْثِ ۚ فَاتَّقُوا
اللّٰهَ يٰٓاُولِي الْاَلْبَابِ لَعَلَّكُمْ تُفْلِحُوْنَ ﴿١٠٠﴾ ع يٰٓاَيُّهَا ع ١٣ ٤
الَّذِيْنَ اٰمَنُوْا لَا تَسْئَلُوْا عَنْ اَشْيَآءَ اِنْ تُبْدَ لَكُمْ
تَسُؤْكُمْ ۚ وَاِنْ تَسْئَلُوْا عَنْهَا حِيْنَ يُنَزَّلُ الْقُرْاٰنُ

تُبْدَ لَكُمْ ۭ عَفَا اللّٰهُ عَنْهَا ۭ وَاللّٰهُ غَفُوْرٌ حَلِيْمٌ ﴿١٠١﴾
قَدْ سَاَلَهَا قَوْمٌ مِّنْ قَبْلِكُمْ ثُمَّ اَصْبَحُوْا بِهَا
كٰفِرِيْنَ ﴿١٠٢﴾ مَا جَعَلَ اللّٰهُ مِنْۢ بَحِيْرَةٍ وَّلَا سَاۗىِٕبَةٍ
وَّلَا وَصِيْلَةٍ وَّلَا حَامٍ ۙ وَّلٰكِنَّ الَّذِيْنَ كَفَرُوْا
يَفْتَرُوْنَ عَلَى اللّٰهِ الْكَذِبَ ۭ وَاَكْثَرُهُمْ لَا يَعْقِلُوْنَ ﴿١٠٣﴾
وَاِذَا قِيْلَ لَهُمْ تَعَالَوْا اِلٰى مَآ اَنْزَلَ اللّٰهُ وَاِلَى
الرَّسُوْلِ قَالُوْا حَسْبُنَا مَا وَجَدْنَا عَلَيْهِ اٰبَاۗءَنَا ۭ
اَوَلَوْ كَانَ اٰبَاۗؤُهُمْ لَا يَعْلَمُوْنَ شَيْــًٔـا وَّلَا يَهْتَدُوْنَ ﴿١٠٤﴾
يٰٓاَيُّهَا الَّذِيْنَ اٰمَنُوْا عَلَيْكُمْ اَنْفُسَكُمْ ۚ لَا يَضُرُّكُمْ
مَّنْ ضَلَّ اِذَا اهْتَدَيْتُمْ ۭ اِلَى اللّٰهِ مَرْجِعُكُمْ جَمِيْعًا
فَيُنَبِّئُكُمْ بِمَا كُنْتُمْ تَعْمَلُوْنَ ﴿١٠٥﴾ يٰٓاَيُّهَا الَّذِيْنَ اٰمَنُوْا
شَهَادَةُ بَيْنِكُمْ اِذَا حَضَرَ اَحَدَكُمُ الْمَوْتُ حِيْنَ
الْوَصِيَّةِ اثْنٰنِ ذَوَا عَدْلٍ مِّنْكُمْ اَوْ اٰخَرٰنِ مِنْ غَيْرِكُمْ

منزل ٢

اِنْ اَنْتُمْ ضَرَبْتُمْ فِی الْاَرْضِ فَاَصَابَتْكُمْ مُّصِیْبَةُ
الْمَوْتِ ؕ تَحْبِسُوْنَهُمَا مِنْۢ بَعْدِ الصَّلٰوةِ فَیُقْسِمٰنِ بِاللّٰهِ
اِنِ ارْتَبْتُمْ لَا نَشْتَرِیْ بِهٖ ثَمَنًا وَّلَوْ كَانَ ذَا قُرْبٰی ۙ وَلَا
نَكْتُمُ شَهَادَةَ اللّٰهِ اِنَّاۤ اِذًا لَّمِنَ الْاٰثِمِیْنَ ﴿١٠٦﴾ فَاِنْ عُثِرَ
عَلٰۤی اَنَّهُمَا اسْتَحَقَّاۤ اِثْمًا فَاٰخَرٰنِ یَقُوْمٰنِ مَقَامَهُمَا
مِنَ الَّذِیْنَ اسْتَحَقَّ عَلَیْهِمُ الْاَوْلَیٰنِ فَیُقْسِمٰنِ بِاللّٰهِ
منزل ٢ لَشَهَادَتُنَاۤ اَحَقُّ مِنْ شَهَادَتِهِمَا وَمَا اعْتَدَیْنَاۤ ۖ اِنَّاۤ
اِذًا لَّمِنَ الظّٰلِمِیْنَ ﴿١٠٧﴾ ذٰلِكَ اَدْنٰۤی اَنْ یَّاْتُوْا بِالشَّهَادَةِ
عَلٰی وَجْهِهَاۤ اَوْ یَخَافُوْۤا اَنْ تُرَدَّ اَیْمَانٌۢ بَعْدَ اَیْمَانِهِمْ ؕ
وَاتَّقُوا اللّٰهَ وَاسْمَعُوْا ؕ وَاللّٰهُ لَا یَهْدِی الْقَوْمَ
الْفٰسِقِیْنَ ﴿١٠٨﴾ ع یَوْمَ یَجْمَعُ اللّٰهُ الرُّسُلَ فَیَقُوْلُ مَاذَاۤ ع ١٤ ٨
اُجِبْتُمْ ؕ قَالُوْا لَا عِلْمَ لَنَا ؕ اِنَّكَ اَنْتَ عَلَّامُ الْغُیُوْبِ ﴿١٠٩﴾
اِذْ قَالَ اللّٰهُ یٰعِیْسَی ابْنَ مَرْیَمَ اذْكُرْ نِعْمَتِیْ

Ikhfa اِخفا | Ikhfa Meem Saakin اِخفامیم ساکن | Qalqala قلقله | Qalb قلب | Idghaam اِدغام | Idghaam Meem Saakin اِدغام میم ساکن | Ghunna غُنّه

وقف لازم

عَلَيْكَ وَعَلٰى وَالِدَتِكَ م اِذْ اَيَّدْتُّكَ بِرُوْحِ

الْقُدُسِ تف تُكَلِّمُ النَّاسَ فِى الْمَهْدِ وَكَهْلًا ج وَاِذْ

عَلَّمْتُكَ الْكِتٰبَ وَالْحِكْمَةَ وَالتَّوْرٰىةَ وَالْاِنْجِيْلَ ج وَاِذْ

تَخْلُقُ مِنَ الطِّيْنِ كَهَيْـَٔةِ الطَّيْرِ بِاِذْنِىْ فَتَنْفُخُ فِيْهَا

فَتَكُوْنُ طَيْرًا بِاِذْنِىْ وَتُبْرِئُ الْاَكْمَهَ وَالْاَبْرَصَ

بِاِذْنِىْ ج وَاِذْ تُخْرِجُ الْمَوْتٰى بِاِذْنِىْ ج وَاِذْ كَفَفْتُ بَنِىْٓ

اِسْرَآءِيْلَ عَنْكَ اِذْ جِئْتَهُمْ بِالْبَيِّنٰتِ فَقَالَ الَّذِيْنَ منزل ٢

كَفَرُوْا مِنْهُمْ اِنْ هٰذَآ اِلَّا سِحْرٌ مُّبِيْنٌ ﴿١١٠﴾ وَاِذْ

اَوْحَيْتُ اِلَى الْحَوَارِيّٖنَ اَنْ اٰمِنُوْا بِىْ وَبِرَسُوْلِىْ ج قَالُوْٓا

اٰمَنَّا وَاشْهَدْ بِاَنَّنَا مُسْلِمُوْنَ ﴿١١١﴾ اِذْ قَالَ الْحَوَارِيُّوْنَ

يٰعِيْسَى ابْنَ مَرْيَمَ هَلْ يَسْتَطِيْعُ رَبُّكَ اَنْ يُّنَزِّلَ

عَلَيْنَا مَآئِدَةً مِّنَ السَّمَآءِ ط قَالَ اتَّقُوا اللّٰهَ اِنْ كُنْتُمْ

مُّؤْمِنِيْنَ ﴿١١٢﴾ قَالُوْا نُرِيْدُ اَنْ نَّاْكُلَ مِنْهَا وَتَطْمَئِنَّ

قُلُوْبُنَا وَ نَعْلَمَ اَنْ قَدْ صَدَقْتَنَا وَ نَكُوْنَ عَلَيْهَا
مِنَ الشّٰهِدِيْنَ ﴿۱۱۳﴾ قَالَ عِيْسَى ابْنُ مَرْيَمَ اللّٰهُمَّ الربع
رَبَّنَآ اَنْزِلْ عَلَيْنَا مَآئِدَةً مِّنَ السَّمَآءِ تَكُوْنُ لَنَا
عِيْدًا لِّاَوَّلِنَا وَ اٰخِرِنَا وَ اٰيَةً مِّنْكَ ج وَارْزُقْنَا وَ اَنْتَ
خَيْرُ الرّٰزِقِيْنَ ﴿۱۱۴﴾ قَالَ اللّٰهُ اِنِّيْ مُنَزِّلُهَا عَلَيْكُمْ ج
فَمَنْ يَّكْفُرْ بَعْدُ مِنْكُمْ فَاِنِّيْٓ اُعَذِّبُهٗ عَذَابًا لَّآ
منزل ۲ اُعَذِّبُهٗٓ اَحَدًا مِّنَ الْعٰلَمِيْنَ ﴿۱۱۵﴾ ع وَ اِذْ قَالَ اللّٰهُ ع ۵ ۷ ۵
يٰعِيْسَى ابْنَ مَرْيَمَ ءَاَنْتَ قُلْتَ لِلنَّاسِ اتَّخِذُوْنِيْ
وَ اُمِّيَ اِلٰهَيْنِ مِنْ دُوْنِ اللّٰهِ ط قَالَ سُبْحٰنَكَ مَا يَكُوْنُ
لِيْٓ اَنْ اَقُوْلَ مَا لَيْسَ لِيْ ق بِحَقٍّ ط اِنْ كُنْتُ قُلْتُهٗ فَقَدْ
عَلِمْتَهٗ ط تَعْلَمُ مَا فِيْ نَفْسِيْ وَلَآ اَعْلَمُ مَا فِيْ نَفْسِكَ ط
اِنَّكَ اَنْتَ عَلَّامُ الْغُيُوْبِ ﴿۱۱۶﴾ مَا قُلْتُ لَهُمْ اِلَّا مَا
اَمَرْتَنِيْ بِهٖٓ اَنِ اعْبُدُوا اللّٰهَ رَبِّيْ وَ رَبَّكُمْ ج وَ كُنْتُ

وقف النبی صلی اللہ علیہ وآلہ وسلم ۱۲

عَلَيْهِمْ شَهِيْدًا مَّا دُمْتُ فِيْهِمْ ۚ فَلَمَّا تَوَفَّيْتَنِيْ كُنْتَ
اَنْتَ الرَّقِيْبَ عَلَيْهِمْ ؕ وَاَنْتَ عَلٰى كُلِّ شَيْءٍ شَهِيْدٌ ﴿١١٧﴾
اِنْ تُعَذِّبْهُمْ فَاِنَّهُمْ عِبَادُكَ ۚ وَاِنْ تَغْفِرْ لَهُمْ فَاِنَّكَ
اَنْتَ الْعَزِيْزُ الْحَكِيْمُ ﴿١١٨﴾ قَالَ اللّٰهُ هٰذَا يَوْمُ يَنْفَعُ
الصّٰدِقِيْنَ صِدْقُهُمْ ؕ لَهُمْ جَنّٰتٌ تَجْرِيْ مِنْ تَحْتِهَا
الْاَنْهٰرُ خٰلِدِيْنَ فِيْهَآ اَبَدًا ؕ رَضِيَ اللّٰهُ عَنْهُمْ وَرَضُوْا
عَنْهُ ؕ ذٰلِكَ الْفَوْزُ الْعَظِيْمُ ﴿١١٩﴾ لِلّٰهِ مُلْكُ السَّمٰوٰتِ وَ منزل ٢
ع ٦ ٥٢ الْاَرْضِ وَمَا فِيْهِنَّ ؕ وَهُوَ عَلٰى كُلِّ شَيْءٍ قَدِيْرٌ ﴿١٢٠﴾ ع

اٰيَاتُهَا ١٦٥ (٦) سُوْرَةُ الْاَنْعَامِ مَكِّيَّةٌ (٥٥) رُكُوْعَاتُهَا ٢٠

بِسْمِ اللّٰهِ الرَّحْمٰنِ الرَّحِيْمِ

اَلْحَمْدُ لِلّٰهِ الَّذِيْ خَلَقَ السَّمٰوٰتِ وَالْاَرْضَ وَجَعَلَ
الظُّلُمٰتِ وَالنُّوْرَ ؕ ثُمَّ الَّذِيْنَ كَفَرُوْا بِرَبِّهِمْ يَعْدِلُوْنَ ﴿١﴾
هُوَ الَّذِيْ خَلَقَكُمْ مِّنْ طِيْنٍ ثُمَّ قَضٰٓى اَجَلًا ؕ وَ

Ikhfa اِخفا | Ikhfa Meem Saakin اِخفامیم ساکن | Qalqala قلقلہ | Qalb قلب | Idghaam اِدغام | Idghaam Meem Saakin اِدغام میم ساکن | Ghunna غُنّہ

أَجَلٌ مُّسَمًّى عِندَهُ ثُمَّ أَنتُمْ تَمْتَرُونَ ﴿٢﴾ وَهُوَ اللَّهُ
فِي السَّمَاوَاتِ وَفِي الْأَرْضِ ط يَعْلَمُ سِرَّكُمْ وَجَهْرَكُمْ
وَيَعْلَمُ مَا تَكْسِبُونَ ﴿٣﴾ وَمَا تَأْتِيهِم مِّنْ آيَةٍ مِّنْ
آيَاتِ رَبِّهِمْ إِلَّا كَانُوا عَنْهَا مُعْرِضِينَ ﴿٤﴾ فَقَدْ
كَذَّبُوا بِالْحَقِّ لَمَّا جَاءَهُمْ ط فَسَوْفَ يَأْتِيهِمْ
أَنبَاءُ مَا كَانُوا بِهِ يَسْتَهْزِئُونَ ﴿٥﴾ أَلَمْ يَرَوْا كَمْ
أَهْلَكْنَا مِن قَبْلِهِم مِّن قَرْنٍ مَّكَّنَّاهُمْ فِي الْأَرْضِ
مَا لَمْ نُمَكِّن لَّكُمْ وَأَرْسَلْنَا السَّمَاءَ عَلَيْهِم مِّدْرَارًا
وَجَعَلْنَا الْأَنْهَارَ تَجْرِي مِن تَحْتِهِمْ فَأَهْلَكْنَاهُم
بِذُنُوبِهِمْ وَأَنشَأْنَا مِن بَعْدِهِمْ قَرْنًا آخَرِينَ ﴿٦﴾
وَلَوْ نَزَّلْنَا عَلَيْكَ كِتَابًا فِي قِرْطَاسٍ فَلَمَسُوهُ
بِأَيْدِيهِمْ لَقَالَ الَّذِينَ كَفَرُوا إِنْ هَٰذَا إِلَّا سِحْرٌ
مُّبِينٌ ﴿٧﴾ وَقَالُوا لَوْلَا أُنزِلَ عَلَيْهِ مَلَكٌ ط وَلَوْ

منزل ٢

اَنْزَلْنَا مَلَكًا لَّقُضِيَ الْاَمْرُ ثُمَّ لَا يُنْظَرُوْنَ ﴿٨﴾ وَلَوْ جَعَلْنٰهُ
مَلَكًا لَّجَعَلْنٰهُ رَجُلًا وَّ لَلَبَسْنَا عَلَيْهِمْ مَّا يَلْبِسُوْنَ ﴿٩﴾
وَلَقَدِ اسْتُهْزِئَ بِرُسُلٍ مِّنْ قَبْلِكَ فَحَاقَ بِالَّذِيْنَ
سَخِرُوْا مِنْهُمْ مَّا كَانُوْا بِهٖ يَسْتَهْزِءُوْنَ ﴿١٠﴾ ع قُلْ ع ١٠
سِيْرُوْا فِي الْاَرْضِ ثُمَّ انْظُرُوْا كَيْفَ كَانَ عَاقِبَةُ
الْمُكَذِّبِيْنَ ﴿١١﴾ قُلْ لِّمَنْ مَّا فِي السَّمٰوٰتِ وَ الْاَرْضِ ؕ
منزل ٢ قُلْ لِّلّٰهِ ؕ كَتَبَ عَلٰى نَفْسِهِ الرَّحْمَةَ ؕ لَيَجْمَعَنَّكُمْ اِلٰى
يَوْمِ الْقِيٰمَةِ لَا رَيْبَ فِيْهِ ؕ اَلَّذِيْنَ خَسِرُوْۤا اَنْفُسَهُمْ
فَهُمْ لَا يُؤْمِنُوْنَ ﴿١٢﴾ وَلَهٗ مَا سَكَنَ فِي الَّيْلِ وَ النَّهَارِ ؕ
وَهُوَ السَّمِيْعُ الْعَلِيْمُ ﴿١٣﴾ قُلْ اَغَيْرَ اللّٰهِ اَتَّخِذُ وَلِيًّا
فَاطِرِ السَّمٰوٰتِ وَ الْاَرْضِ وَهُوَ يُطْعِمُ وَلَا يُطْعَمُ ؕ
قُلْ اِنِّيْۤ اُمِرْتُ اَنْ اَكُوْنَ اَوَّلَ مَنْ اَسْلَمَ وَلَا
تَكُوْنَنَّ مِنَ الْمُشْرِكِيْنَ ﴿١٤﴾ قُلْ اِنِّيْۤ اَخَافُ اِنْ

عَصَيْتُ رَبِّیْ عَذَابَ یَوْمٍ عَظِیْمٍ ﴿۱۵﴾ مَنْ یُّصْرَفْ
عَنْهُ یَوْمَئِذٍ فَقَدْ رَحِمَهٗ ؕ وَذٰلِكَ الْفَوْزُ الْمُبِیْنُ ﴿۱۶﴾
وَاِنْ یَّمْسَسْكَ اللّٰهُ بِضُرٍّ فَلَا كَاشِفَ لَهٗۤ اِلَّا هُوَ ؕ
وَاِنْ یَّمْسَسْكَ بِخَیْرٍ فَهُوَ عَلٰی كُلِّ شَیْءٍ قَدِیْرٌ ﴿۱۷﴾
وَهُوَ الْقَاهِرُ فَوْقَ عِبَادِهٖ ؕ وَهُوَ الْحَكِیْمُ الْخَبِیْرُ ﴿۱۸﴾
قُلْ اَیُّ شَیْءٍ اَكْبَرُ شَهَادَةً ؕ قُلِ اللّٰهُ ۙ قف شَهِیْدٌۢ
بَیْنِیْ وَبَیْنَكُمْ قف وَاُوْحِیَ اِلَیَّ هٰذَا الْقُرْاٰنُ لِاُنْذِرَكُمْ
بِهٖ وَمَنْۢ بَلَغَ ؕ اَئِنَّكُمْ لَتَشْهَدُوْنَ اَنَّ مَعَ اللّٰهِ
اٰلِهَةً اُخْرٰی ؕ قُلْ لَّاۤ اَشْهَدُ ۚ قُلْ اِنَّمَا هُوَ اِلٰهٌ
وَّاحِدٌ وَّاِنَّنِیْ بَرِیْٓءٌ مِّمَّا تُشْرِكُوْنَ ﴿۱۹﴾ اَلَّذِیْنَ اٰتَیْنٰهُمُ
الْكِتٰبَ یَعْرِفُوْنَهٗ كَمَا یَعْرِفُوْنَ اَبْنَآءَهُمْ ۘ اَلَّذِیْنَ
خَسِرُوْۤا اَنْفُسَهُمْ فَهُمْ لَا یُؤْمِنُوْنَ ﴿۲۰﴾ ع وَمَنْ اَظْلَمُ
مِمَّنِ افْتَرٰی عَلَی اللّٰهِ كَذِبًا اَوْ كَذَّبَ بِاٰیٰتِهٖ ؕ اِنَّهٗ

Ikhfa إخفا | Ikhfa Meem Saakin إخفاميم ساكن | Qalqala قلقله | Qalb قلب | Idghaam إدغام | Idghaam Meem Saakin إدغام ميم ساكن | Ghunna غُنّہ

لَا يُفْلِحُ الظّٰلِمُوْنَ ﴿٢١﴾ وَيَوْمَ نَحْشُرُهُمْ جَمِيْعًا ثُمَّ نَقُوْلُ
لِلَّذِيْنَ اَشْرَكُوْٓا اَيْنَ شُرَكَآؤُكُمُ الَّذِيْنَ كُنْتُمْ
تَزْعُمُوْنَ ﴿٢٢﴾ ثُمَّ لَمْ تَكُنْ فِتْنَتُهُمْ اِلَّآ اَنْ قَالُوْا وَاللّٰهِ
رَبِّنَا مَا كُنَّا مُشْرِكِيْنَ ﴿٢٣﴾ اُنْظُرْ كَيْفَ كَذَبُوْا عَلٰٓى
اَنْفُسِهِمْ وَضَلَّ عَنْهُمْ مَّا كَانُوْا يَفْتَرُوْنَ ﴿٢٤﴾ وَمِنْهُمْ
مَّنْ يَّسْتَمِعُ اِلَيْكَ ۚ وَجَعَلْنَا عَلٰى قُلُوْبِهِمْ اَكِنَّةً اَنْ
يَّفْقَهُوْهُ وَفِيْٓ اٰذَانِهِمْ وَقْرًا ۭ وَاِنْ يَّرَوْا كُلَّ اٰيَةٍ لَّا
يُؤْمِنُوْا بِهَا ۭ حَتّٰٓى اِذَا جَآءُوْكَ يُجَادِلُوْنَكَ يَقُوْلُ
الَّذِيْنَ كَفَرُوْٓا اِنْ هٰذَآ اِلَّآ اَسَاطِيْرُ الْاَوَّلِيْنَ ﴿٢٥﴾ وَهُمْ
يَنْهَوْنَ عَنْهُ وَيَنْــَٔــوْنَ عَنْهُ ۚ وَاِنْ يُّهْلِكُوْنَ اِلَّآ
اَنْفُسَهُمْ وَمَا يَشْعُرُوْنَ ﴿٢٦﴾ وَلَوْ تَرٰٓى اِذْ وُقِفُوْا عَلَى
النَّارِ فَقَالُوْا يٰلَيْتَنَا نُرَدُّ وَلَا نُكَذِّبَ بِاٰيٰتِ رَبِّنَا
وَنَكُوْنَ مِنَ الْمُؤْمِنِيْنَ ﴿٢٧﴾ بَلْ بَدَا لَهُمْ مَّا كَانُوْا

منزل ٢

Ikhfa اِخفا | Ikhfa Meem Saakin اِخفامیم ساکن | Qalqala قلقلہ | Qalb قلب | Idghaam اِدغام | Idghaam Meem Saakin اِدغام میم ساکن | Ghunna غُنّہ

یُخْفُوْنَ مِنْ قَبْلُ ؕ وَلَوْ رُدُّوْا لَعَادُوْا لِمَا نُهُوْا عَنْهُ وَ
اِنَّهُمْ لَكٰذِبُوْنَ ﴿۲۸﴾ وَقَالُوْٓا اِنْ هِیَ اِلَّا حَیَاتُنَا الدُّنْیَا وَمَا
نَحْنُ بِمَبْعُوْثِیْنَ ﴿۲۹﴾ وَلَوْ تَرٰٓی اِذْ وُقِفُوْا عَلٰی رَبِّهِمْ ؕ
قَالَ اَلَیْسَ هٰذَا بِالْحَقِّ ؕ قَالُوْا بَلٰی وَرَبِّنَا ؕ قَالَ فَذُوْقُوا
الْعَذَابَ بِمَا كُنْتُمْ تَكْفُرُوْنَ ﴿۳۰﴾ ع قَدْ خَسِرَ الَّذِیْنَ كَذَّبُوْا ع
بِلِقَآءِ اللّٰهِ ؕ حَتّٰٓی اِذَا جَآءَتْهُمُ السَّاعَةُ بَغْتَةً قَالُوْا
یٰحَسْرَتَنَا عَلٰی مَا فَرَّطْنَا فِیْهَا ۙ وَهُمْ یَحْمِلُوْنَ اَوْزَارَهُمْ
عَلٰی ظُهُوْرِهِمْ ؕ اَلَا سَآءَ مَا یَزِرُوْنَ ﴿۳۱﴾ وَمَا الْحَیٰوةُ
الدُّنْیَآ اِلَّا لَعِبٌ وَّلَهْوٌ ؕ وَلَلدَّارُ الْاٰخِرَةُ خَیْرٌ
لِّلَّذِیْنَ یَتَّقُوْنَ ؕ اَفَلَا تَعْقِلُوْنَ ﴿۳۲﴾ قَدْ نَعْلَمُ اِنَّهٗ
لَیَحْزُنُكَ الَّذِیْ یَقُوْلُوْنَ فَاِنَّهُمْ لَا یُكَذِّبُوْنَكَ وَلٰكِنَّ
الظّٰلِمِیْنَ بِاٰیٰتِ اللّٰهِ یَجْحَدُوْنَ ﴿۳۳﴾ وَلَقَدْ كُذِّبَتْ رُسُلٌ
مِّنْ قَبْلِكَ فَصَبَرُوْا عَلٰی مَا كُذِّبُوْا وَاُوْذُوْا حَتّٰٓی

Ikhfa إخفا | Ikhfa Meem Saakin إخفاميم ساكن | Qalqala قلقله | Qalb قلب | Idghaam إدغام | Idghaam Meem Saakin إدغام ميم ساكن | Ghunna غنّه

اَتٰهُمْ نَصْرُنَا ج وَلَا مُبَدِّلَ لِكَلِمٰتِ اللّٰهِ ج وَلَقَدْ جَآءَكَ
مِنْ نَّبَاِی الْمُرْسَلِيْنَ ﴿٣٤﴾ وَاِنْ كَانَ كَبُرَ عَلَيْكَ
اِعْرَاضُهُمْ فَاِنِ اسْتَطَعْتَ اَنْ تَبْتَغِیَ نَفَقًا فِی الْاَرْضِ
اَوْ سُلَّمًا فِی السَّمَآءِ فَتَاْتِيَهُمْ بِاٰيَةٍ ط وَلَوْ شَآءَ اللّٰهُ
لَجَمَعَهُمْ عَلَى الْهُدٰى فَلَا تَكُوْنَنَّ مِنَ الْجٰهِلِيْنَ ﴿٣٥﴾
اِنَّمَا يَسْتَجِيْبُ الَّذِيْنَ يَسْمَعُوْنَ ط وَالْمَوْتٰى يَبْعَثُهُمُ
اللّٰهُ ثُمَّ اِلَيْهِ يُرْجَعُوْنَ ﴿٣٦﴾ وَقَالُوْا لَوْلَا نُزِّلَ عَلَيْهِ اٰيَةٌ
مِّنْ رَّبِّهٖ ط قُلْ اِنَّ اللّٰهَ قَادِرٌ عَلٰٓى اَنْ يُّنَزِّلَ اٰيَةً
وَّلٰكِنَّ اَكْثَرَهُمْ لَا يَعْلَمُوْنَ ﴿٣٧﴾ وَمَا مِنْ دَآبَّةٍ فِی الْاَرْضِ
وَلَا طٰٓئِرٍ يَّطِيْرُ بِجَنَاحَيْهِ اِلَّآ اُمَمٌ اَمْثَالُكُمْ ط مَا فَرَّطْنَا
فِی الْكِتٰبِ مِنْ شَیْءٍ ثُمَّ اِلٰى رَبِّهِمْ يُحْشَرُوْنَ ﴿٣٨﴾ وَالَّذِيْنَ
كَذَّبُوْا بِاٰيٰتِنَا صُمٌّ وَّبُكْمٌ فِی الظُّلُمٰتِ ط مَنْ يَّشَاِ اللّٰهُ
يُضْلِلْهُ ط وَمَنْ يَّشَاْ يَجْعَلْهُ عَلٰى صِرَاطٍ مُّسْتَقِيْمٍ ﴿٣٩﴾

وقف منزل وقف غفران ١٢ النصف
عند البعض على يسمعون ١٢

منزل ٢

Ikhfa إخفا | Ikhfa Meem Saakin إخفاميم ساكن | Qalqala قلقله | Qalb قلب | Idghaam إدغام | Idghaam Meem Saakin إدغام ميم ساكن | Ghunna غُنّه

قُلْ اَرَءَيْتَكُمْ اِنْ اَتٰىكُمْ عَذَابُ اللّٰهِ اَوْ اَتَتْكُمُ السَّاعَةُ
اَغَيْرَ اللّٰهِ تَدْعُوْنَ ۚ اِنْ كُنْتُمْ صٰدِقِيْنَ ﴿٤٠﴾ بَلْ اِيَّاهُ
تَدْعُوْنَ فَيَكْشِفُ مَا تَدْعُوْنَ اِلَيْهِ اِنْ شَآءَ وَ
تَنْسَوْنَ مَا تُشْرِكُوْنَ ﴿٤١﴾ وَلَقَدْ اَرْسَلْنَآ اِلٰٓى اُمَمٍ ع ١١
مِّنْ قَبْلِكَ فَاَخَذْنٰهُمْ بِالْبَاْسَآءِ وَالضَّرَّآءِ لَعَلَّهُمْ
يَتَضَرَّعُوْنَ ﴿٤٢﴾ فَلَوْلَآ اِذْ جَآءَهُمْ بَاْسُنَا تَضَرَّعُوْا
وَلٰكِنْ قَسَتْ قُلُوْبُهُمْ وَزَيَّنَ لَهُمُ الشَّيْطٰنُ مَا كَانُوْا
يَعْمَلُوْنَ ﴿٤٣﴾ فَلَمَّا نَسُوْا مَا ذُكِّرُوْا بِهٖ فَتَحْنَا عَلَيْهِمْ
اَبْوَابَ كُلِّ شَيْءٍ ۭ حَتّٰٓى اِذَا فَرِحُوْا بِمَآ اُوْتُوْٓا اَخَذْنٰهُمْ
بَغْتَةً فَاِذَا هُمْ مُّبْلِسُوْنَ ﴿٤٤﴾ فَقُطِعَ دَابِرُ الْقَوْمِ
الَّذِيْنَ ظَلَمُوْا ۭ وَالْحَمْدُ لِلّٰهِ رَبِّ الْعٰلَمِيْنَ ﴿٤٥﴾ قُلْ
اَرَءَيْتُمْ اِنْ اَخَذَ اللّٰهُ سَمْعَكُمْ وَاَبْصَارَكُمْ وَخَتَمَ
عَلٰى قُلُوْبِكُمْ مَّنْ اِلٰهٌ غَيْرُ اللّٰهِ يَاْتِيْكُمْ بِهٖ ۭ اُنْظُرْ

منزل ٢

كَيْفَ نُصَرِّفُ الْاٰيٰتِ ثُمَّ هُمْ يَصْدِفُوْنَ ﴿٤٦﴾ قُلْ
اَرَءَيْتَكُمْ اِنْ اَتٰىكُمْ عَذَابُ اللّٰهِ بَغْتَةً اَوْ جَهْرَةً
هَلْ يُهْلَكُ اِلَّا الْقَوْمُ الظّٰلِمُوْنَ ﴿٤٧﴾ وَمَا نُرْسِلُ
الْمُرْسَلِيْنَ اِلَّا مُبَشِّرِيْنَ وَمُنْذِرِيْنَ ۚ فَمَنْ اٰمَنَ
وَاَصْلَحَ فَلَا خَوْفٌ عَلَيْهِمْ وَلَا هُمْ يَحْزَنُوْنَ ﴿٤٨﴾
وَالَّذِيْنَ كَذَّبُوْا بِاٰيٰتِنَا يَمَسُّهُمُ الْعَذَابُ بِمَا كَانُوْا
يَفْسُقُوْنَ ﴿٤٩﴾ قُلْ لَّاۤ اَقُوْلُ لَكُمْ عِنْدِيْ خَزَآئِنُ اللّٰهِ منزل ٢
وَلَاۤ اَعْلَمُ الْغَيْبَ وَلَاۤ اَقُوْلُ لَكُمْ اِنِّيْ مَلَكٌ ۚ اِنْ
اَتَّبِعُ اِلَّا مَا يُوْحٰۤى اِلَيَّ ؕ قُلْ هَلْ يَسْتَوِي الْاَعْمٰى
ع ٥ ٩ وَالْبَصِيْرُ ؕ اَفَلَا تَتَفَكَّرُوْنَ ﴿٥٠﴾ وَاَنْذِرْ بِهِ الَّذِيْنَ
يَخَافُوْنَ اَنْ يُّحْشَرُوْۤا اِلٰى رَبِّهِمْ لَيْسَ لَهُمْ مِّنْ
دُوْنِهٖ وَلِيٌّ وَّلَا شَفِيْعٌ لَّعَلَّهُمْ يَتَّقُوْنَ ﴿٥١﴾ وَلَا
تَطْرُدِ الَّذِيْنَ يَدْعُوْنَ رَبَّهُمْ بِالْغَدٰوةِ وَالْعَشِيِّ

Ikhfa إخفا | Ikhfa Meem Saakin إخفاميم ساكن | Qalqala قلقله | Qalb قلب | Idghaam إدغام | Idghaam Meem Saakin إدغام ميم ساكن | Ghunna غُنّه

يُرِيْدُوْنَ وَجْهَهٗ ؕ مَا عَلَيْكَ مِنْ حِسَابِهِمْ مِّنْ
شَيْءٍ وَّمَا مِنْ حِسَابِكَ عَلَيْهِمْ مِّنْ شَيْءٍ فَتَطْرُدَهُمْ
فَتَكُوْنَ مِنَ الظّٰلِمِيْنَ ﴿۵۲﴾ وَكَذٰلِكَ فَتَنَّا بَعْضَهُمْ
بِبَعْضٍ لِّيَقُوْلُوْٓا اَهٰٓؤُلَآءِ مَنَّ اللّٰهُ عَلَيْهِمْ مِّنْۢ
بَيْنِنَا ؕ اَلَيْسَ اللّٰهُ بِاَعْلَمَ بِالشّٰكِرِيْنَ ﴿۵۳﴾ وَاِذَا جَآءَكَ
الَّذِيْنَ يُؤْمِنُوْنَ بِاٰيٰتِنَا فَقُلْ سَلٰمٌ عَلَيْكُمْ كَتَبَ
رَبُّكُمْ عَلٰى نَفْسِهِ الرَّحْمَةَ ۙ اَنَّهٗ مَنْ عَمِلَ مِنْكُمْ
سُوْٓءًۢا بِجَهَالَةٍ ثُمَّ تَابَ مِنْۢ بَعْدِهٖ وَاَصْلَحَ فَاَنَّهٗ
غَفُوْرٌ رَّحِيْمٌ ﴿۵۴﴾ وَكَذٰلِكَ نُفَصِّلُ الْاٰيٰتِ وَلِتَسْتَبِيْنَ
سَبِيْلُ الْمُجْرِمِيْنَ ﴿۵۵﴾ ع قُلْ اِنِّيْ نُهِيْتُ اَنْ اَعْبُدَ الَّذِيْنَ ع ٦ ٥ ١٢
تَدْعُوْنَ مِنْ دُوْنِ اللّٰهِ ؕ قُلْ لَّآ اَتَّبِعُ اَهْوَآءَكُمْ ۙ
قَدْ ضَلَلْتُ اِذًا وَّمَآ اَنَا مِنَ الْمُهْتَدِيْنَ ﴿۵۶﴾ قُلْ
اِنِّيْ عَلٰى بَيِّنَةٍ مِّنْ رَّبِّيْ وَكَذَّبْتُمْ بِهٖ ؕ مَا عِنْدِيْ

منزل ٢

Ikhfa إخفا | Ikhfa Meem Saakin إخفاميم ساكن | Qalqala قلقله | Qalb قلب | Idghaam إدغام | Idghaam Meem Saakin إدغام ميم ساكن | Ghunna غُنّه

مَا تَسْتَعْجِلُوْنَ بِهٖ ؕ اِنِ الْحُكْمُ اِلَّا لِلّٰهِ ؕ يَقُصُّ الْحَقَّ
وَهُوَ خَيْرُ الْفٰصِلِيْنَ ﴿٥٧﴾ قُلْ لَّوْ اَنَّ عِنْدِيْ مَا
تَسْتَعْجِلُوْنَ بِهٖ لَقُضِيَ الْاَمْرُ بَيْنِيْ وَبَيْنَكُمْ ؕ
وَاللّٰهُ اَعْلَمُ بِالظّٰلِمِيْنَ ﴿٥٨﴾ وَعِنْدَهٗ مَفَاتِحُ الْغَيْبِ لَا
يَعْلَمُهَاۤ اِلَّا هُوَ ؕ وَيَعْلَمُ مَا فِي الْبَرِّ وَالْبَحْرِ ؕ
وَمَا تَسْقُطُ مِنْ وَّرَقَةٍ اِلَّا يَعْلَمُهَا وَلَا حَبَّةٍ فِيْ
ظُلُمٰتِ الْاَرْضِ وَلَا رَطْبٍ وَّلَا يَابِسٍ اِلَّا فِيْ منزل ٢
كِتٰبٍ مُّبِيْنٍ ﴿٥٩﴾ وَهُوَ الَّذِيْ يَتَوَفّٰىكُمْ بِالَّيْلِ وَ
يَعْلَمُ مَا جَرَحْتُمْ بِالنَّهَارِ ثُمَّ يَبْعَثُكُمْ فِيْهِ
لِيُقْضٰۤى اَجَلٌ مُّسَمًّى ۚ ثُمَّ اِلَيْهِ مَرْجِعُكُمْ ثُمَّ
ع ٥ ١٣ يُنَبِّئُكُمْ بِمَا كُنْتُمْ تَعْمَلُوْنَ ﴿٦٠﴾ ع وَهُوَ الْقَاهِرُ فَوْقَ
عِبَادِهٖ وَيُرْسِلُ عَلَيْكُمْ حَفَظَةً ؕ حَتّٰۤى اِذَا جَآءَ
اَحَدَكُمُ الْمَوْتُ تَوَفَّتْهُ رُسُلُنَا وَهُمْ لَا يُفَرِّطُوْنَ ﴿٦١﴾

ثُمَّ رُدُّوْٓا اِلَى اللّٰهِ مَوْلٰىهُمُ الْحَقِّ ؕ اَلَا لَهُ الْحُكْمُ قف

وَهُوَ اَسْرَعُ الْحٰسِبِيْنَ ﴿٦٢﴾ قُلْ مَنْ يُّنَجِّيْكُمْ مِّنْ

ظُلُمٰتِ الْبَرِّ وَالْبَحْرِ تَدْعُوْنَهٗ تَضَرُّعًا وَّخُفْيَةً ۚ

لَئِنْ اَنْجٰىنَا مِنْ هٰذِهٖ لَنَكُوْنَنَّ مِنَ الشّٰكِرِيْنَ ﴿٦٣﴾

قُلِ اللّٰهُ يُنَجِّيْكُمْ مِّنْهَا وَمِنْ كُلِّ كَرْبٍ ثُمَّ اَنْتُمْ

تُشْرِكُوْنَ ﴿٦٤﴾ قُلْ هُوَ الْقَادِرُ عَلٰٓى اَنْ يَّبْعَثَ عَلَيْكُمْ

عَذَابًا مِّنْ فَوْقِكُمْ اَوْ مِنْ تَحْتِ اَرْجُلِكُمْ اَوْ يَلْبِسَكُمْ

شِيَعًا وَّيُذِيْقَ بَعْضَكُمْ بَاْسَ بَعْضٍ ؕ اُنْظُرْ كَيْفَ

نُصَرِّفُ الْاٰيٰتِ لَعَلَّهُمْ يَفْقَهُوْنَ ﴿٦٥﴾ وَكَذَّبَ بِهٖ

قَوْمُكَ وَهُوَ الْحَقُّ ؕ قُلْ لَّسْتُ عَلَيْكُمْ بِوَكِيْلٍ ﴿٦٦﴾ ؕ

لِكُلِّ نَبَاٍ مُّسْتَقَرٌّ ز وَّسَوْفَ تَعْلَمُوْنَ ﴿٦٧﴾ وَاِذَا رَاَيْتَ

الَّذِيْنَ يَخُوْضُوْنَ فِيْٓ اٰيٰتِنَا فَاَعْرِضْ عَنْهُمْ حَتّٰى

يَخُوْضُوْا فِيْ حَدِيْثٍ غَيْرِهٖ ؕ وَاِمَّا يُنْسِيَنَّكَ

منزل ٢

الشَّيْطٰنُ فَلَا تَقْعُدْ بَعْدَ الذِّكْرٰى مَعَ الْقَوْمِ الظّٰلِمِيْنَ ﴿٦٨﴾
وَمَا عَلَى الَّذِيْنَ يَتَّقُوْنَ مِنْ حِسَابِهِمْ مِّنْ شَيْءٍ
وَّلٰكِنْ ذِكْرٰى لَعَلَّهُمْ يَتَّقُوْنَ ﴿٦٩﴾ وَذَرِ الَّذِيْنَ
اتَّخَذُوْا دِيْنَهُمْ لَعِبًا وَّلَهْوًا وَّغَرَّتْهُمُ الْحَيٰوةُ
الدُّنْيَا وَذَكِّرْ بِهٖٓ اَنْ تُبْسَلَ نَفْسٌۢ بِمَا كَسَبَتْ ۖ
لَيْسَ لَهَا مِنْ دُوْنِ اللّٰهِ وَلِيٌّ وَّلَا شَفِيْعٌ ۚ وَاِنْ
تَعْدِلْ كُلَّ عَدْلٍ لَّا يُؤْخَذْ مِنْهَا ؕ اُولٰٓئِكَ الَّذِيْنَ منزل ٢
اُبْسِلُوْا بِمَا كَسَبُوْا ۚ لَهُمْ شَرَابٌ مِّنْ حَمِيْمٍ وَّعَذَابٌ
ع ٨ ١٤ اَلِيْمٌۢ بِمَا كَانُوْا يَكْفُرُوْنَ ﴿٧٠﴾ قُلْ اَنَدْعُوْا مِنْ دُوْنِ
اللّٰهِ مَا لَا يَنْفَعُنَا وَلَا يَضُرُّنَا وَنُرَدُّ عَلٰٓى اَعْقَابِنَا
بَعْدَ اِذْ هَدٰىنَا اللّٰهُ كَالَّذِي اسْتَهْوَتْهُ الشَّيٰطِيْنُ
فِي الْاَرْضِ حَيْرَانَ ۖ لَهٗٓ اَصْحٰبٌ يَّدْعُوْنَهٗٓ اِلَى
الْهُدَى ائْتِنَا ؕ قُلْ اِنَّ هُدَى اللّٰهِ هُوَ الْهُدٰى ؕ

وَ اُمِرْنَا لِنُسْلِمَ لِرَبِّ الْعٰلَمِيْنَ ﴿٧١﴾ۙ وَ اَنْ اَقِيْمُوا
الصَّلٰوةَ وَاتَّقُوْهُ ؕ وَهُوَ الَّذِیْٓ اِلَيْهِ تُحْشَرُوْنَ ﴿٧٢﴾
وَهُوَ الَّذِیْ خَلَقَ السَّمٰوٰتِ وَالْاَرْضَ بِالْحَقِّ ؕ
وَيَوْمَ يَقُوْلُ كُنْ فَيَكُوْنُ ۬ؕ قَوْلُهُ الْحَقُّ ؕ وَلَهُ
الْمُلْكُ يَوْمَ يُنْفَخُ فِی الصُّوْرِ ؕ عٰلِمُ الْغَيْبِ وَالشَّهَادَةِ ؕ
وَهُوَ الْحَكِيْمُ الْخَبِيْرُ ﴿٧٣﴾ وَ اِذْ قَالَ اِبْرٰهِيْمُ لِاَبِيْهِ
اٰزَرَ اَتَتَّخِذُ اَصْنَامًا اٰلِهَةً ۚ اِنِّیْٓ اَرٰىكَ وَ قَوْمَكَ
فِیْ ضَلٰلٍ مُّبِيْنٍ ﴿٧٤﴾ وَكَذٰلِكَ نُرِیْٓ اِبْرٰهِيْمَ
مَلَكُوْتَ السَّمٰوٰتِ وَ الْاَرْضِ وَ لِيَكُوْنَ مِنَ
الْمُوْقِنِيْنَ ﴿٧٥﴾ فَلَمَّا جَنَّ عَلَيْهِ الَّيْلُ رَاٰ كَوْكَبًا ۚ
قَالَ هٰذَا رَبِّیْ ۚ فَلَمَّآ اَفَلَ قَالَ لَآ اُحِبُّ
الْاٰفِلِيْنَ ﴿٧٦﴾ فَلَمَّا رَاَ الْقَمَرَ بَازِغًا قَالَ هٰذَا رَبِّیْ ۚ
فَلَمَّآ اَفَلَ قَالَ لَئِنْ لَّمْ يَهْدِنِیْ رَبِّیْ لَاَكُوْنَنَّ

الثلثة

منزل ٢

مِنَ الْقَوْمِ الضَّآلِّيْنَ ﴿٧٧﴾ فَلَمَّا رَاَ الشَّمْسَ بَازِغَةً

قَالَ هٰذَا رَبِّیْ هٰذَآ اَكْبَرُ ۚ فَلَمَّآ اَفَلَتْ قَالَ

يٰقَوْمِ اِنِّیْ بَرِیْٓءٌ مِّمَّا تُشْرِكُوْنَ ﴿٧٨﴾ اِنِّیْ وَجَّهْتُ

وَجْهِیَ لِلَّذِیْ فَطَرَ السَّمٰوٰتِ وَ الْاَرْضَ حَنِيْفًا

وَّمَآ اَنَا مِنَ الْمُشْرِكِيْنَ ﴿٧٩﴾ ۚ وَحَآجَّهٗ قَوْمُهٗ ؕ قَالَ

اَتُحَآجُّوْٓنِّیْ فِی اللّٰهِ وَقَدْ هَدٰىنِ ؕ وَلَآ اَخَافُ مَا

تُشْرِكُوْنَ بِهٖٓ اِلَّآ اَنْ يَّشَآءَ رَبِّیْ شَيْـًٔا ؕ وَسِعَ رَبِّیْ   منزل٢

كُلَّ شَیْءٍ عِلْمًا ؕ اَفَلَا تَتَذَكَّرُوْنَ ﴿٨٠﴾ وَكَيْفَ

اَخَافُ مَآ اَشْرَكْتُمْ وَلَا تَخَافُوْنَ اَنَّكُمْ اَشْرَكْتُمْ

بِاللّٰهِ مَا لَمْ يُنَزِّلْ بِهٖ عَلَيْكُمْ سُلْطٰنًا ؕ فَاَیُّ

وقف لازم   الْفَرِيْقَيْنِ اَحَقُّ بِالْاَمْنِ ۚ اِنْ كُنْتُمْ تَعْلَمُوْنَ ﴿٨١﴾ م

اَلَّذِيْنَ اٰمَنُوْا وَلَمْ يَلْبِسُوْٓا اِيْمَانَهُمْ بِظُلْمٍ اُولٰٓئِكَ

ع ١٢/٩/١٥   لَهُمُ الْاَمْنُ وَهُمْ مُّهْتَدُوْنَ ﴿٨٢﴾ ع وَتِلْكَ حُجَّتُنَآ

اٰتَيْنٰهَآ اِبْرٰهِيْمَ عَلٰى قَوْمِهٖ ؕ نَرْفَعُ دَرَجٰتٍ مَّنْ نَّشَآءُ ؕ
اِنَّ رَبَّكَ حَكِيْمٌ عَلِيْمٌ ﴿٨٣﴾ وَوَهَبْنَا لَهٗۤ اِسْحٰقَ وَيَعْقُوْبَ ؕ
كُلًّا هَدَيْنَا ۚ وَنُوْحًا هَدَيْنَا مِنْ قَبْلُ وَمِنْ ذُرِّيَّتِهٖ دَاوٗدَ
وَسُلَيْمٰنَ وَاَيُّوْبَ وَيُوْسُفَ وَمُوْسٰى وَهٰرُوْنَ ؕ وَكَذٰلِكَ
نَجْزِى الْمُحْسِنِيْنَ ﴿٨٤﴾ وَزَكَرِيَّا وَيَحْيٰى وَعِيْسٰى وَاِلْيَاسَ ؕ
كُلٌّ مِّنَ الصّٰلِحِيْنَ ﴿٨٥﴾ وَاِسْمٰعِيْلَ وَالْيَسَعَ وَيُوْنُسَ وَ
لُوْطًا ؕ وَكُلًّا فَضَّلْنَا عَلَى الْعٰلَمِيْنَ ﴿٨٦﴾ وَمِنْ اٰبَآئِهِمْ وَ
ذُرِّيّٰتِهِمْ وَاِخْوَانِهِمْ ۚ وَاجْتَبَيْنٰهُمْ وَهَدَيْنٰهُمْ اِلٰى
صِرَاطٍ مُّسْتَقِيْمٍ ﴿٨٧﴾ ذٰلِكَ هُدَى اللّٰهِ يَهْدِىْ بِهٖ مَنْ
يَّشَآءُ مِنْ عِبَادِهٖ ؕ وَلَوْ اَشْرَكُوْا لَحَبِطَ عَنْهُمْ مَّا كَانُوْا
يَعْمَلُوْنَ ﴿٨٨﴾ اُولٰٓئِكَ الَّذِيْنَ اٰتَيْنٰهُمُ الْكِتٰبَ وَالْحُكْمَ وَ
النُّبُوَّةَ ۚ فَاِنْ يَّكْفُرْ بِهَا هٰٓؤُلَآءِ فَقَدْ وَكَّلْنَا بِهَا قَوْمًا
لَّيْسُوْا بِهَا بِكٰفِرِيْنَ ﴿٨٩﴾ اُولٰٓئِكَ الَّذِيْنَ هَدَى اللّٰهُ فَبِهُدٰىهُمُ

منزل ٢

اقْتَدِهْ ؕ قُلْ لَّاۤ اَسْـَٔلُكُمْ عَلَيْهِ اَجْرًا ؕ اِنْ هُوَ اِلَّا ذِكْرٰى
لِلْعٰلَمِيْنَ ۹۰ؑ وَمَا قَدَرُوا اللّٰهَ حَقَّ قَدْرِهٖۤ اِذْ قَالُوْا مَاۤ ع ۸ ۱۲
اَنْزَلَ اللّٰهُ عَلٰى بَشَرٍ مِّنْ شَيْءٍ ؕ قُلْ مَنْ اَنْزَلَ الْكِتٰبَ
الَّذِيْ جَآءَ بِهٖ مُوْسٰى نُوْرًا وَّهُدًى لِّلنَّاسِ تَجْعَلُوْنَهٗ
قَرَاطِيْسَ تُبْدُوْنَهَا وَتُخْفُوْنَ كَثِيْرًا ۚ وَعُلِّمْتُمْ مَّا لَمْ
تَعْلَمُوْۤا اَنْتُمْ وَلَاۤ اٰبَآؤُكُمْ ؕ قُلِ اللّٰهُ ۙ ثُمَّ ذَرْهُمْ فِيْ خَوْضِهِمْ
يَلْعَبُوْنَ ۹۱ وَهٰذَا كِتٰبٌ اَنْزَلْنٰهُ مُبٰرَكٌ مُّصَدِّقُ الَّذِيْ منزل ۲
بَيْنَ يَدَيْهِ وَلِتُنْذِرَ اُمَّ الْقُرٰى وَمَنْ حَوْلَهَا ؕ وَالَّذِيْنَ
يُؤْمِنُوْنَ بِالْاٰخِرَةِ يُؤْمِنُوْنَ بِهٖ وَهُمْ عَلٰى صَلَاتِهِمْ
يُحَافِظُوْنَ ۹۲ وَمَنْ اَظْلَمُ مِمَّنِ افْتَرٰى عَلَى اللّٰهِ كَذِبًا
اَوْ قَالَ اُوْحِيَ اِلَيَّ وَلَمْ يُوْحَ اِلَيْهِ شَيْءٌ وَّمَنْ قَالَ سَاُنْزِلُ
مِثْلَ مَاۤ اَنْزَلَ اللّٰهُ ؕ وَلَوْ تَرٰۤى اِذِ الظّٰلِمُوْنَ فِيْ غَمَرٰتِ
الْمَوْتِ وَالْمَلٰٓئِكَةُ بَاسِطُوْۤا اَيْدِيْهِمْ ۚ اَخْرِجُوْۤا اَنْفُسَكُمْ ؕ

Ikhfa اِخفا | Ikhfa Meem Saakin اِخفامیم ساکن | Qalqala قلقلہ | Qalb قلب | Idghaam اِدغام | Idghaam Meem Saakin اِدغام میم ساکن | Ghunna غُنّہ

اَلۡيَوۡمَ تُجۡزَوۡنَ عَذَابَ الۡهُوۡنِ بِمَا كُنۡتُمۡ تَقُوۡلُوۡنَ عَلَى
اللّٰهِ غَيۡرَ الۡحَقِّ وَكُنۡتُمۡ عَنۡ اٰيٰتِهٖ تَسۡتَكۡبِرُوۡنَ ﴿٩٣﴾ وَلَقَدۡ
جِئۡتُمُوۡنَا فُرَادٰى كَمَا خَلَقۡنٰكُمۡ اَوَّلَ مَرَّةٍ وَّتَرَكۡتُمۡ
مَّا خَوَّلۡنٰكُمۡ وَرَآءَ ظُهُوۡرِكُمۡ‌ۚ وَمَا نَرٰى مَعَكُمۡ شُفَعَآءَكُمُ
الَّذِيۡنَ زَعَمۡتُمۡ اَنَّهُمۡ فِيۡكُمۡ شُرَكٰٓؤُا‌ ؕ لَقَدْ تَّقَطَّعَ بَيۡنَكُمۡ
وَضَلَّ عَنۡكُمۡ مَّا كُنۡتُمۡ تَزۡعُمُوۡنَ ﴿٩٤﴾ اِنَّ اللّٰهَ فَالِقُ الۡحَبِّ ع ١١ ١٧
وَالنَّوٰى‌ ؕ يُخۡرِجُ الۡحَىَّ مِنَ الۡمَيِّتِ وَمُخۡرِجُ الۡمَيِّتِ مِنَ
الۡحَىِّ‌ ؕ ذٰ لِكُمُ اللّٰهُ فَاَنّٰى تُؤۡفَكُوۡنَ ﴿٩٥﴾ فَالِقُ الۡاِصۡبَاحِ‌ۚ وَ
جَعَلَ الَّيۡلَ سَكَنًا وَّالشَّمۡسَ وَالۡقَمَرَ حُسۡبَانًا‌ ؕ ذٰ لِكَ
تَقۡدِيۡرُ الۡعَزِيۡزِ الۡعَلِيۡمِ ﴿٩٦﴾ وَهُوَ الَّذِىۡ جَعَلَ لَـكُمُ النُّجُوۡمَ
لِتَهۡتَدُوۡا بِهَا فِىۡ ظُلُمٰتِ الۡبَرِّ وَالۡبَحۡرِ‌ ؕ قَدۡ فَصَّلۡنَا الۡاٰيٰتِ
لِقَوۡمٍ يَّعۡلَمُوۡنَ ﴿٩٧﴾ وَهُوَ الَّذِىۡۤ اَنۡشَاَكُمۡ مِّنۡ نَّفۡسٍ
وَّاحِدَةٍ فَمُسۡتَقَرٌّ وَّمُسۡتَوۡدَعٌ‌ ؕ قَدۡ فَصَّلۡنَا الۡاٰيٰتِ لِقَوۡمٍ

يَّفْقَهُوْنَ ﴿۹۸﴾ وَهُوَ الَّذِیْٓ اَنْزَلَ مِنَ السَّمَآءِ مَآءً ۚ فَاَخْرَجْنَا
بِهٖ نَبَاتَ كُلِّ شَیْءٍ فَاَخْرَجْنَا مِنْهُ خَضِرًا نُّخْرِجُ مِنْهُ
حَبًّا مُّتَرَاكِبًا ۚ وَمِنَ النَّخْلِ مِنْ طَلْعِهَا قِنْوَانٌ دَانِیَةٌ
وَّجَنّٰتٍ مِّنْ اَعْنَابٍ وَّالزَّیْتُوْنَ وَالرُّمَّانَ مُشْتَبِهًا
وَّغَیْرَ مُتَشَابِهٍ ؕ اُنْظُرُوْٓا اِلٰی ثَمَرِهٖٓ اِذَآ اَثْمَرَ وَیَنْعِهٖ ؕ
اِنَّ فِیْ ذٰلِكُمْ لَاٰیٰتٍ لِّقَوْمٍ یُّؤْمِنُوْنَ ﴿۹۹﴾ وَجَعَلُوْا لِلّٰهِ
منزل ۲ شُرَكَآءَ الْجِنَّ وَخَلَقَهُمْ وَخَرَقُوْا لَهٗ بَنِیْنَ وَ بَنٰتٍۢ
بِغَیْرِ عِلْمٍ ؕ سُبْحٰنَهٗ وَتَعٰلٰی عَمَّا یَصِفُوْنَ ﴿۱۰۰﴾ بَدِیْعُ السَّمٰوٰتِ ع ۱۲ ۲ ۱۸
وَالْاَرْضِ ؕ اَنّٰی یَكُوْنُ لَهٗ وَلَدٌ وَّلَمْ تَكُنْ لَّهٗ صَاحِبَةٌ ؕ
وَخَلَقَ كُلَّ شَیْءٍ ۚ وَهُوَ بِكُلِّ شَیْءٍ عَلِیْمٌ ﴿۱۰۱﴾ ذٰلِكُمُ اللّٰهُ
رَبُّكُمْ ۚ لَآ اِلٰهَ اِلَّا هُوَ ۚ خَالِقُ كُلِّ شَیْءٍ فَاعْبُدُوْهُ ۚ وَهُوَ
عَلٰی كُلِّ شَیْءٍ وَّكِیْلٌ ﴿۱۰۲﴾ لَا تُدْرِكُهُ الْاَبْصَارُ ز وَهُوَ یُدْرِكُ
الْاَبْصَارَ ۚ وَهُوَ اللَّطِیْفُ الْخَبِیْرُ ﴿۱۰۳﴾ قَدْ جَآءَكُمْ بَصَآئِرُ مِنْ

رَّبِّكُمْ ۚ فَمَنْ اَبْصَرَ فَلِنَفْسِهٖ ۚ وَمَنْ عَمِیَ فَعَلَیْهَا ؕ
وَمَاۤ اَنَا عَلَیْكُمْ بِحَفِیْظٍ ﴿۱۰۴﴾ وَكَذٰلِكَ نُصَرِّفُ الْاٰیٰتِ وَ
لِیَقُوْلُوْا دَرَسْتَ وَلِنُبَیِّنَهٗ لِقَوْمٍ یَّعْلَمُوْنَ ﴿۱۰۵﴾ اِتَّبِعْ مَاۤ
اُوْحِیَ اِلَیْكَ مِنْ رَّبِّكَ ۚ لَاۤ اِلٰهَ اِلَّا هُوَ ۚ وَاَعْرِضْ عَنِ
الْمُشْرِكِیْنَ ﴿۱۰۶﴾ وَلَوْ شَآءَ اللّٰهُ مَاۤ اَشْرَكُوْا ؕ وَمَا جَعَلْنٰكَ
عَلَیْهِمْ حَفِیْظًا ۚ وَمَاۤ اَنْتَ عَلَیْهِمْ بِوَكِیْلٍ ﴿۱۰۷﴾ وَلَا تَسُبُّوا
الَّذِیْنَ یَدْعُوْنَ مِنْ دُوْنِ اللّٰهِ فَیَسُبُّوا اللّٰهَ عَدْوًۢا بِغَیْرِ
عِلْمٍ ؕ كَذٰلِكَ زَیَّنَّا لِكُلِّ اُمَّةٍ عَمَلَهُمْ ۪ ثُمَّ اِلٰی رَبِّهِمْ
مَّرْجِعُهُمْ فَیُنَبِّئُهُمْ بِمَا كَانُوْا یَعْمَلُوْنَ ﴿۱۰۸﴾ وَاَقْسَمُوْا بِاللّٰهِ
جَهْدَ اَیْمَانِهِمْ لَىِٕنْ جَآءَتْهُمْ اٰیَةٌ لَّیُؤْمِنُنَّ بِهَا ؕ قُلْ
اِنَّمَا الْاٰیٰتُ عِنْدَ اللّٰهِ وَمَا یُشْعِرُكُمْ ۙ اَنَّهَاۤ اِذَا جَآءَتْ
لَا یُؤْمِنُوْنَ ﴿۱۰۹﴾ وَنُقَلِّبُ اَفْـِٕدَتَهُمْ وَاَبْصَارَهُمْ كَمَا لَمْ
یُؤْمِنُوْا بِهٖۤ اَوَّلَ مَرَّةٍ وَّنَذَرُهُمْ فِیْ طُغْیَانِهِمْ یَعْمَهُوْنَ ﴿۱۱۰﴾ ع ۱۳ ۱۰ ۱۹

منزل ۲

وَلَوْ اَنَّنَا نَزَّلْنَآ اِلَيْهِمُ الْمَلٰٓئِكَةَ وَكَلَّمَهُمُ الْمَوْتٰى

وَحَشَرْنَا عَلَيْهِمْ كُلَّ شَيْءٍ قُبُلًا مَّا كَانُوْا لِيُؤْمِنُوْٓا

اِلَّآ اَنْ يَّشَآءَ اللّٰهُ وَلٰكِنَّ اَكْثَرَهُمْ يَجْهَلُوْنَ ﴿١١١﴾

وَكَذٰلِكَ جَعَلْنَا لِكُلِّ نَبِيٍّ عَدُوًّا شَيٰطِيْنَ الْاِنْسِ

وَالْجِنِّ يُوْحِيْ بَعْضُهُمْ اِلٰى بَعْضٍ زُخْرُفَ الْقَوْلِ

غُرُوْرًا ؕ وَلَوْ شَآءَ رَبُّكَ مَا فَعَلُوْهُ فَذَرْهُمْ وَمَا يَفْتَرُوْنَ ﴿١١٢﴾

وَلِتَصْغٰٓى اِلَيْهِ اَفْئِدَةُ الَّذِيْنَ لَا يُؤْمِنُوْنَ بِالْاٰخِرَةِ

وَلِيَرْضَوْهُ وَلِيَقْتَرِفُوْا مَا هُمْ مُّقْتَرِفُوْنَ ﴿١١٣﴾ اَفَغَيْرَ

اللّٰهِ اَبْتَغِيْ حَكَمًا وَّهُوَ الَّذِيْٓ اَنْزَلَ اِلَيْكُمُ

الْكِتٰبَ مُفَصَّلًا ؕ وَالَّذِيْنَ اٰتَيْنٰهُمُ الْكِتٰبَ

يَعْلَمُوْنَ اَنَّهٗ مُنَزَّلٌ مِّنْ رَّبِّكَ بِالْحَقِّ فَلَا تَكُوْنَنَّ

مِنَ الْمُمْتَرِيْنَ ﴿١١٤﴾ وَتَمَّتْ كَلِمَتُ رَبِّكَ صِدْقًا وَّ

عَدْلًا ؕ لَا مُبَدِّلَ لِكَلِمٰتِهٖ ج وَهُوَ السَّمِيْعُ

منزل ٢

الجزء ٨ (٨)

Ikhfa اِخفا Ikhfa Meem Saakin اِخفامیم ساکن Qalqala قلقلہ Qalb قلب Idghaam اِدغام Idghaam Meem Saakin اِدغام میم ساکن Ghunna غُنّہ

وَاِنْ تُطِعْ اَكْثَرَ مَنْ فِى الْاَرْضِ
يُضِلُّوْكَ عَنْ سَبِيْلِ اللّٰهِ ؕ اِنْ يَّتَّبِعُوْنَ اِلَّا الظَّنَّ
وَاِنْ هُمْ اِلَّا يَخْرُصُوْنَ ۝١١٦ اِنَّ رَبَّكَ هُوَ اَعْلَمُ
مَنْ يَّضِلُّ عَنْ سَبِيْلِهٖ ۚ وَهُوَ اَعْلَمُ بِالْمُهْتَدِيْنَ ۝١١٧
فَكُلُوْا مِمَّا ذُكِرَ اسْمُ اللّٰهِ عَلَيْهِ اِنْ كُنْتُمْ بِاٰيٰتِهٖ
مُؤْمِنِيْنَ ۝١١٨ وَمَا لَكُمْ اَلَّا تَاْكُلُوْا مِمَّا ذُكِرَ اسْمُ
اللّٰهِ عَلَيْهِ وَقَدْ فَصَّلَ لَكُمْ مَّا حَرَّمَ عَلَيْكُمْ اِلَّا
مَا اضْطُرِرْتُمْ اِلَيْهِ ؕ وَاِنَّ كَثِيْرًا لَّيُضِلُّوْنَ بِاَهْوَآئِهِمْ
بِغَيْرِ عِلْمٍ ؕ اِنَّ رَبَّكَ هُوَ اَعْلَمُ بِالْمُعْتَدِيْنَ ۝١١٩
وَذَرُوْا ظَاهِرَ الْاِثْمِ وَبَاطِنَهٗ ؕ اِنَّ الَّذِيْنَ يَكْسِبُوْنَ
الْاِثْمَ سَيُجْزَوْنَ بِمَا كَانُوْا يَقْتَرِفُوْنَ ۝١٢٠ وَلَا تَاْكُلُوْا
مِمَّا لَمْ يُذْكَرِ اسْمُ اللّٰهِ عَلَيْهِ وَاِنَّهٗ لَفِسْقٌ ؕ وَاِنَّ
الشَّيٰطِيْنَ لَيُوْحُوْنَ اِلٰٓى اَوْلِيٰٓئِهِمْ لِيُجَادِلُوْكُمْ ۚ وَاِنْ

منزل٢

Ikhfa اِخفا | Ikhfa Meem Saakin اِخفامیم ساکن | Qalqala قلقلہ | Qalb قلب | Idghaam اِدغام | Idghaam Meem Saakin اِدغام میم ساکن | Ghunna غُنّہ

اَطَعْتُمُوْهُمْ اِنَّكُمْ لَمُشْرِكُوْنَ ﴿١٢١﴾ اَوَمَنْ كَانَ مَيْتًا ع
فَاَحْيَيْنٰهُ وَجَعَلْنَا لَهٗ نُوْرًا يَّمْشِيْ بِهٖ فِي النَّاسِ
كَمَنْ مَّثَلُهٗ فِي الظُّلُمٰتِ لَيْسَ بِخَارِجٍ مِّنْهَا ؕ
كَذٰلِكَ زُيِّنَ لِلْكٰفِرِيْنَ مَا كَانُوْا يَعْمَلُوْنَ ﴿١٢٢﴾ وَكَذٰلِكَ
جَعَلْنَا فِيْ كُلِّ قَرْيَةٍ اَكٰبِرَ مُجْرِمِيْهَا لِيَمْكُرُوْا فِيْهَا ؕ
وَمَا يَمْكُرُوْنَ اِلَّا بِاَنْفُسِهِمْ وَمَا يَشْعُرُوْنَ ﴿١٢٣﴾ وَاِذَا
جَآءَتْهُمْ اٰيَةٌ قَالُوْا لَنْ نُّؤْمِنَ حَتّٰى نُؤْتٰى مِثْلَ مَاۤ
اُوْتِيَ رُسُلُ اللّٰهِ ؔؕ اَللّٰهُ اَعْلَمُ حَيْثُ يَجْعَلُ رِسَالَتَهٗ ؕ
سَيُصِيْبُ الَّذِيْنَ اَجْرَمُوْا صَغَارٌ عِنْدَ اللّٰهِ وَعَذَابٌ
شَدِيْدٌۢ بِمَا كَانُوْا يَمْكُرُوْنَ ﴿١٢٤﴾ فَمَنْ يُّرِدِ اللّٰهُ اَنْ
يَّهْدِيَهٗ يَشْرَحْ صَدْرَهٗ لِلْاِسْلَامِ ۚ وَمَنْ يُّرِدْ اَنْ
يُّضِلَّهٗ يَجْعَلْ صَدْرَهٗ ضَيِّقًا حَرَجًا كَاَنَّمَا يَصَّعَّدُ
فِي السَّمَآءِ ؕ كَذٰلِكَ يَجْعَلُ اللّٰهُ الرِّجْسَ عَلَى الَّذِيْنَ

منزل ٢

وقف لازم

لَا يُؤْمِنُوْنَ ﴿١٢٥﴾ وَهٰذَا صِرَاطُ رَبِّكَ مُسْتَقِيْمًا ط
قَدْ فَصَّلْنَا الْاٰيٰتِ لِقَوْمٍ يَّذَّكَّرُوْنَ ﴿١٢٦﴾ لَهُمْ دَارُ
السَّلٰمِ عِنْدَ رَبِّهِمْ وَهُوَ وَلِيُّهُمْ بِمَا كَانُوْا يَعْمَلُوْنَ ﴿١٢٧﴾
وَيَوْمَ يَحْشُرُهُمْ جَمِيْعًا ج يٰمَعْشَرَ الْجِنِّ قَدِ اسْتَكْثَرْتُمْ
مِّنَ الْاِنْسِ ج وَقَالَ اَوْلِيٰٓؤُهُمْ مِّنَ الْاِنْسِ رَبَّنَا
اسْتَمْتَعَ بَعْضُنَا بِبَعْضٍ وَّبَلَغْنَآ اَجَلَنَا الَّذِيْٓ
اَجَّلْتَ لَنَا ط قَالَ النَّارُ مَثْوٰىكُمْ خٰلِدِيْنَ فِيْهَآ اِلَّا
مَا شَآءَ اللّٰهُ ط اِنَّ رَبَّكَ حَكِيْمٌ عَلِيْمٌ ﴿١٢٨﴾ وَكَذٰلِكَ
نُوَلِّيْ بَعْضَ الظّٰلِمِيْنَ بَعْضًا بِمَا كَانُوْا يَكْسِبُوْنَ ﴿١٢٩﴾ ع ١٥ ٨ ٢
يٰمَعْشَرَ الْجِنِّ وَالْاِنْسِ اَلَمْ يَاْتِكُمْ رُسُلٌ مِّنْكُمْ
يَقُصُّوْنَ عَلَيْكُمْ اٰيٰتِيْ وَيُنْذِرُوْنَكُمْ لِقَآءَ يَوْمِكُمْ
هٰذَا ط قَالُوْا شَهِدْنَا عَلٰٓى اَنْفُسِنَا وَغَرَّتْهُمُ
الْحَيٰوةُ الدُّنْيَا وَشَهِدُوْا عَلٰٓى اَنْفُسِهِمْ اَنَّهُمْ كَانُوْا

منزل ٢

كٰفِرِيْنَ ﴿١٣٠﴾ ذٰلِكَ اَنْ لَّمْ يَكُنْ رَّبُّكَ مُهْلِكَ الْقُرٰى

بِظُلْمٍ وَّ اَهْلُهَا غٰفِلُوْنَ ﴿١٣١﴾ وَلِكُلٍّ دَرَجٰتٌ مِّمَّا

عَمِلُوْا ؕ وَمَا رَبُّكَ بِغَافِلٍ عَمَّا يَعْمَلُوْنَ ﴿١٣٢﴾ وَرَبُّكَ

الْغَنِيُّ ذُو الرَّحْمَةِ ؕ اِنْ يَّشَاْ يُذْهِبْكُمْ وَيَسْتَخْلِفْ

مِنْۢ بَعْدِكُمْ مَّا يَشَآءُ كَمَآ اَنْشَاَكُمْ مِّنْ ذُرِّيَّةِ

قَوْمٍ اٰخَرِيْنَ ؕ ﴿١٣٣﴾ اِنَّ مَا تُوْعَدُوْنَ لَاٰتٍ ۙ وَّمَآ اَنْتُمْ

بِمُعْجِزِيْنَ ﴿١٣٤﴾ قُلْ يٰقَوْمِ اعْمَلُوْا عَلٰى مَكَانَتِكُمْ اِنِّيْ

عَامِلٌ ۚ فَسَوْفَ تَعْلَمُوْنَ ۙ مَنْ تَكُوْنُ لَهٗ عَاقِبَةُ

الدَّارِ ؕ اِنَّهٗ لَا يُفْلِحُ الظّٰلِمُوْنَ ﴿١٣٥﴾ وَجَعَلُوْا لِلّٰهِ مِمَّا

ذَرَاَ مِنَ الْحَرْثِ وَالْاَنْعَامِ نَصِيْبًا فَقَالُوْا هٰذَا

لِلّٰهِ بِزَعْمِهِمْ وَهٰذَا لِشُرَكَآئِنَا ۚ فَمَا كَانَ لِشُرَكَآئِهِمْ

فَلَا يَصِلُ اِلَى اللّٰهِ ۚ وَمَا كَانَ لِلّٰهِ فَهُوَ يَصِلُ اِلٰى

شُرَكَآئِهِمْ ؕ سَآءَ مَا يَحْكُمُوْنَ ﴿١٣٦﴾ وَكَذٰلِكَ زَيَّنَ لِكَثِيْرٍ

منزل ٢

Ikhfa اِخفا | Ikhfa Meem Saakin اِخفامیم ساکن | Qalqala قلقلہ | Qalb قلب | Idghaam اِدغام | Idghaam Meem Saakin اِدغام میم ساکن | Ghunna غُنّہ

مِّنَ الْمُشْرِكِيْنَ قَتْلَ اَوْلَادِهِمْ شُرَكَآؤُهُمْ لِيُرْدُوْهُمْ
وَلِيَلْبِسُوْا عَلَيْهِمْ دِيْنَهُمْ ط وَلَوْ شَآءَ اللّٰهُ مَا فَعَلُوْهُ
فَذَرْهُمْ وَمَا يَفْتَرُوْنَ ﴿١٣٧﴾ وَقَالُوْا هٰذِهٖٓ اَنْعَامٌ
وَّحَرْثٌ حِجْرٌ ق صلے لَّا يَطْعَمُهَآ اِلَّا مَنْ نَّشَآءُ بِزَعْمِهِمْ
وَاَنْعَامٌ حُرِّمَتْ ظُهُوْرُهَا وَاَنْعَامٌ لَّا يَذْكُرُوْنَ
اسْمَ اللّٰهِ عَلَيْهَا افْتِرَآءً عَلَيْهِ ط سَيَجْزِيْهِمْ بِمَا
كَانُوْا يَفْتَرُوْنَ ﴿١٣٨﴾ وَقَالُوْا مَا فِيْ بُطُوْنِ هٰذِهِ
الْاَنْعَامِ خَالِصَةٌ لِّذُكُوْرِنَا وَمُحَرَّمٌ عَلٰٓى اَزْوَاجِنَا ج
وَاِنْ يَّكُنْ مَّيْتَةً فَهُمْ فِيْهِ شُرَكَآءُ ط سَيَجْزِيْهِمْ
وَصْفَهُمْ ط اِنَّهٗ حَكِيْمٌ عَلِيْمٌ ﴿١٣٩﴾ قَدْ خَسِرَ الَّذِيْنَ
قَتَلُوْٓا اَوْلَادَهُمْ سَفَهًا بِغَيْرِ عِلْمٍ وَّحَرَّمُوْا مَا
رَزَقَهُمُ اللّٰهُ افْتِرَآءً عَلَى اللّٰهِ ط قَدْ ضَلُّوْا وَمَا كَانُوْا
مُهْتَدِيْنَ ﴿١٤٠﴾ ع وَهُوَ الَّذِيْٓ اَنْشَاَ جَنّٰتٍ مَّعْرُوْشٰتٍ

منزل٢

Ikhfa إخفا | Ikhfa Meem Saakin إخفاميم ساكن | Qalqala قلقله | Qalb قلب | Idghaam إدغام | Idghaam Meem Saakin إدغام ميم ساكن | Ghunna غُنّه

وَّغَيْرَ مَعْرُوْشٰتٍ وَّالنَّخْلَ وَالزَّرْعَ مُخْتَلِفًا اُكُلُهٗ
وَالزَّيْتُوْنَ وَالرُّمَّانَ مُتَشَابِهًا وَّغَيْرَ مُتَشَابِهٍ ؕ
كُلُوْا مِنْ ثَمَرِهٖۤ اِذَاۤ اَثْمَرَ وَاٰتُوْا حَقَّهٗ يَوْمَ حَصَادِهٖ ۖ
وَلَا تُسْرِفُوْا ؕ اِنَّهٗ لَا يُحِبُّ الْمُسْرِفِيْنَ ﴿١٤١﴾ وَمِنَ
الْاَنْعَامِ حَمُوْلَةً وَّفَرْشًا ؕ كُلُوْا مِمَّا رَزَقَكُمُ اللّٰهُ
وَلَا تَتَّبِعُوْا خُطُوٰتِ الشَّيْطٰنِ ؕ اِنَّهٗ لَكُمْ عَدُوٌّ مُّبِيْنٌ ﴿١٤٢﴾
ثَمٰنِيَةَ اَزْوَاجٍ ۚ مِنَ الضَّاْنِ اثْنَيْنِ وَمِنَ الْمَعْزِ
اثْنَيْنِ ؕ قُلْ ءٰٓالذَّكَرَيْنِ حَرَّمَ اَمِ الْاُنْثَيَيْنِ اَمَّا
اشْتَمَلَتْ عَلَيْهِ اَرْحَامُ الْاُنْثَيَيْنِ ؕ نَبِّـُٔوْنِيْ بِعِلْمٍ
اِنْ كُنْتُمْ صٰدِقِيْنَ ﴿١٤٣﴾ وَمِنَ الْاِبِلِ اثْنَيْنِ وَمِنَ
الْبَقَرِ اثْنَيْنِ ؕ قُلْ ءٰٓالذَّكَرَيْنِ حَرَّمَ اَمِ الْاُنْثَيَيْنِ
اَمَّا اشْتَمَلَتْ عَلَيْهِ اَرْحَامُ الْاُنْثَيَيْنِ ؕ اَمْ كُنْتُمْ
شُهَدَآءَ اِذْ وَصّٰىكُمُ اللّٰهُ بِهٰذَا ۚ فَمَنْ اَظْلَمُ مِمَّنِ

منزل ٢

افْتَرٰى عَلَى اللّٰهِ كَذِبًا لِّيُضِلَّ النَّاسَ بِغَيْرِ عِلْمٍ ؕ اِنَّ

اللّٰهَ لَا يَهْدِى الْقَوْمَ الظّٰلِمِيْنَ ع ﴿١٤٤﴾ قُلْ لَّاۤ اَجِدُ فِىْ ع ١٧

مَاۤ اُوْحِىَ اِلَىَّ مُحَرَّمًا عَلٰى طَاعِمٍ يَّطْعَمُهٗۤ اِلَّاۤ اَنْ

يَّكُوْنَ مَيْتَةً اَوْ دَمًا مَّسْفُوْحًا اَوْ لَحْمَ خِنْزِيْرٍ فَاِنَّهٗ

رِجْسٌ اَوْ فِسْقًا اُهِلَّ لِغَيْرِ اللّٰهِ بِهٖ ۚ فَمَنِ اضْطُرَّ غَيْرَ

بَاغٍ وَّلَا عَادٍ فَاِنَّ رَبَّكَ غَفُوْرٌ رَّحِيْمٌ ﴿١٤٥﴾ وَعَلَى الَّذِيْنَ

هَادُوْا حَرَّمْنَا كُلَّ ذِىْ ظُفُرٍ ۚ وَمِنَ الْبَقَرِ وَالْغَنَمِ منزل ٢

حَرَّمْنَا عَلَيْهِمْ شُحُوْمَهُمَاۤ اِلَّا مَا حَمَلَتْ ظُهُوْرُهُمَاۤ

اَوِ الْحَوَايَاۤ اَوْ مَا اخْتَلَطَ بِعَظْمٍ ؕ ذٰلِكَ جَزَيْنٰهُمْ بِبَغْيِهِمْ ز صلے

وَاِنَّا لَصٰدِقُوْنَ ﴿١٤٦﴾ فَاِنْ كَذَّبُوْكَ فَقُلْ رَّبُّكُمْ ذُوْ

رَحْمَةٍ وَّاسِعَةٍ ۚ وَلَا يُرَدُّ بَاْسُهٗ عَنِ الْقَوْمِ

الْمُجْرِمِيْنَ ﴿١٤٧﴾ سَيَقُوْلُ الَّذِيْنَ اَشْرَكُوْا لَوْ شَآءَ

اللّٰهُ مَاۤ اَشْرَكْنَا وَلَاۤ اٰبَآؤُنَا وَلَا حَرَّمْنَا مِنْ شَىْءٍ ؕ

Ikhfa إخفا | Ikhfa Meem Saakin إخفاميم ساكن | Qalqala قلقله | Qalb قلب | Idghaam إدغام | Idghaam Meem Saakin إدغام ميم ساكن | Ghunna غنّه

كَذٰلِكَ كَذَّبَ الَّذِيْنَ مِنْ قَبْلِهِمْ حَتّٰى ذَاقُوْا
بَاْسَنَا ؕ قُلْ هَلْ عِنْدَكُمْ مِّنْ عِلْمٍ فَتُخْرِجُوْهُ لَنَا ؕ
اِنْ تَتَّبِعُوْنَ اِلَّا الظَّنَّ وَاِنْ اَنْتُمْ اِلَّا تَخْرُصُوْنَ ﴿١٤٨﴾
قُلْ فَلِلّٰهِ الْحُجَّةُ الْبَالِغَةُ ۚ فَلَوْ شَآءَ لَهَدٰىكُمْ
اَجْمَعِيْنَ ﴿١٤٩﴾ قُلْ هَلُمَّ شُهَدَآءَكُمُ الَّذِيْنَ يَشْهَدُوْنَ
اَنَّ اللّٰهَ حَرَّمَ هٰذَا ۚ فَاِنْ شَهِدُوْا فَلَا تَشْهَدْ مَعَهُمْ ۚ
وَلَا تَتَّبِعْ اَهْوَآءَ الَّذِيْنَ كَذَّبُوْا بِاٰيٰتِنَا وَالَّذِيْنَ لَا منزل ٢
ع ١٨ ٦ ٥ يُؤْمِنُوْنَ بِالْاٰخِرَةِ وَهُمْ بِرَبِّهِمْ يَعْدِلُوْنَ ﴿١٥٠﴾ ع قُلْ
تَعَالَوْا اَتْلُ مَا حَرَّمَ رَبُّكُمْ عَلَيْكُمْ اَلَّا تُشْرِكُوْا بِهٖ
شَيْئًا وَّبِالْوَالِدَيْنِ اِحْسَانًا ۚ وَلَا تَقْتُلُوْٓا اَوْلَادَكُمْ
مِّنْ اِمْلَاقٍ ؕ نَحْنُ نَرْزُقُكُمْ وَاِيَّاهُمْ ۚ وَلَا تَقْرَبُوا
الْفَوَاحِشَ مَا ظَهَرَ مِنْهَا وَمَا بَطَنَ ۚ وَلَا تَقْتُلُوا
النَّفْسَ الَّتِيْ حَرَّمَ اللّٰهُ اِلَّا بِالْحَقِّ ؕ ذٰلِكُمْ وَصّٰىكُمْ

بِهٖ لَعَلَّكُمْ تَعْقِلُوْنَ ﴿١٥١﴾ وَلَا تَقْرَبُوْا مَالَ الْيَتِيْمِ اِلَّا
بِالَّتِيْ هِيَ اَحْسَنُ حَتّٰى يَبْلُغَ اَشُدَّهٗ ج وَاَوْفُوا
الْكَيْلَ وَالْمِيْزَانَ بِالْقِسْطِ ج لَا نُكَلِّفُ نَفْسًا اِلَّا
وُسْعَهَا ج وَاِذَا قُلْتُمْ فَاعْدِلُوْا وَلَوْ كَانَ ذَا قُرْبٰى ج
وَبِعَهْدِ اللّٰهِ اَوْفُوْا ط ذٰلِكُمْ وَصّٰىكُمْ بِهٖ لَعَلَّكُمْ
تَذَكَّرُوْنَ ﴿١٥٢﴾ لا وَاَنَّ هٰذَا صِرَاطِيْ مُسْتَقِيْمًا
منزل ٢ فَاتَّبِعُوْهُ ج وَلَا تَتَّبِعُوا السُّبُلَ فَتَفَرَّقَ بِكُمْ عَنْ
سَبِيْلِهٖ ط ذٰلِكُمْ وَصّٰىكُمْ بِهٖ لَعَلَّكُمْ تَتَّقُوْنَ ﴿١٥٣﴾ ثُمَّ
اٰتَيْنَا مُوْسَى الْكِتٰبَ تَمَامًا عَلَى الَّذِيْٓ اَحْسَنَ وَ
تَفْصِيْلًا لِّكُلِّ شَيْءٍ وَّهُدًى وَّرَحْمَةً لَّعَلَّهُمْ بِلِقَآءِ
رَبِّهِمْ يُؤْمِنُوْنَ ﴿١٥٤﴾ ع وَهٰذَا كِتٰبٌ اَنْزَلْنٰهُ مُبٰرَكٌ ع ١٩ ٢
فَاتَّبِعُوْهُ وَاتَّقُوْا لَعَلَّكُمْ تُرْحَمُوْنَ ﴿١٥٥﴾ لا اَنْ تَقُوْلُوْٓا
اِنَّمَآ اُنْزِلَ الْكِتٰبُ عَلٰى طَآئِفَتَيْنِ مِنْ قَبْلِنَا ص

Ikhfa إخفا | Ikhfa Meem Saakin إخفاميم ساكن | Qalqala قلقله | Qalb قلب | Idghaam إدغام | Idghaam Meem Saakin إدغام ميم ساكن | Ghunna غُنّه

وَاِنْ كُنَّا عَنْ دِرَاسَتِهِمْ لَغٰفِلِيْنَ ﴿١٥٦﴾ اَوْ تَقُوْلُوْا لَوْ
اَنَّآ اُنْزِلَ عَلَيْنَا الْكِتٰبُ لَكُنَّآ اَهْدٰى مِنْهُمْ ۚ
فَقَدْ جَآءَكُمْ بَيِّنَةٌ مِّنْ رَّبِّكُمْ وَهُدًى وَّرَحْمَةٌ ۚ
فَمَنْ اَظْلَمُ مِمَّنْ كَذَّبَ بِاٰيٰتِ اللّٰهِ وَصَدَفَ
عَنْهَا ؕ سَنَجْزِى الَّذِيْنَ يَصْدِفُوْنَ عَنْ اٰيٰتِنَا
سُوْٓءَ الْعَذَابِ بِمَا كَانُوْا يَصْدِفُوْنَ ﴿١٥٧﴾ هَلْ يَنْظُرُوْنَ
اِلَّآ اَنْ تَاْتِيَهُمُ الْمَلٰٓئِكَةُ اَوْ يَاْتِىَ رَبُّكَ اَوْ يَاْتِىَ
بَعْضُ اٰيٰتِ رَبِّكَ ؕ يَوْمَ يَاْتِىْ بَعْضُ اٰيٰتِ رَبِّكَ
لَا يَنْفَعُ نَفْسًا اِيْمَانُهَا لَمْ تَكُنْ اٰمَنَتْ مِنْ قَبْلُ
اَوْ كَسَبَتْ فِىْٓ اِيْمَانِهَا خَيْرًا ؕ قُلِ انْتَظِرُوْٓا اِنَّا
مُنْتَظِرُوْنَ ﴿١٥٨﴾ اِنَّ الَّذِيْنَ فَرَّقُوْا دِيْنَهُمْ وَكَانُوْا
شِيَعًا لَّسْتَ مِنْهُمْ فِىْ شَىْءٍ ؕ اِنَّمَآ اَمْرُهُمْ اِلَى اللّٰهِ
ثُمَّ يُنَبِّئُهُمْ بِمَا كَانُوْا يَفْعَلُوْنَ ﴿١٥٩﴾ مَنْ جَآءَ بِالْحَسَنَةِ

منزل ٢

فَلَهٗ عَشْرُ اَمْثَالِهَا ۚ وَمَنْ جَآءَ بِالسَّيِّئَةِ فَلَا
يُجْزٰٓى اِلَّا مِثْلَهَا وَهُمْ لَا يُظْلَمُوْنَ ﴿١٦٠﴾ قُلْ اِنَّنِىْ
هَدٰىنِىْ رَبِّىْٓ اِلٰى صِرَاطٍ مُّسْتَقِيْمٍ ۚ دِيْنًا قِيَمًا
مِّلَّةَ اِبْرٰهِيْمَ حَنِيْفًا ۚ وَمَا كَانَ مِنَ الْمُشْرِكِيْنَ ﴿١٦١﴾
قُلْ اِنَّ صَلَاتِىْ وَنُسُكِىْ وَمَحْيَاىَ وَمَمَاتِىْ لِلّٰهِ
رَبِّ الْعٰلَمِيْنَ ﴿١٦٢﴾ لَا شَرِيْكَ لَهٗ ۚ وَبِذٰلِكَ اُمِرْتُ
وَاَنَا اَوَّلُ الْمُسْلِمِيْنَ ﴿١٦٣﴾ قُلْ اَغَيْرَ اللّٰهِ اَبْغِىْ رَبًّا
وَّهُوَ رَبُّ كُلِّ شَىْءٍ ؕ وَلَا تَكْسِبُ كُلُّ نَفْسٍ
اِلَّا عَلَيْهَا ۚ وَلَا تَزِرُ وَازِرَةٌ وِّزْرَ اُخْرٰى ۚ ثُمَّ اِلٰى
رَبِّكُمْ مَّرْجِعُكُمْ فَيُنَبِّئُكُمْ بِمَا كُنْتُمْ فِيْهِ تَخْتَلِفُوْنَ ﴿١٦٤﴾
وَهُوَ الَّذِىْ جَعَلَكُمْ خَلٰٓئِفَ الْاَرْضِ وَرَفَعَ بَعْضَكُمْ
فَوْقَ بَعْضٍ دَرَجٰتٍ لِّيَبْلُوَكُمْ فِىْ مَآ اٰتٰىكُمْ ؕ اِنَّ
رَبَّكَ سَرِيْعُ الْعِقَابِ ۖ وَاِنَّهٗ لَغَفُوْرٌ رَّحِيْمٌ ﴿١٦٥﴾ ع

منزل ٢

النصف ٢٠ ع ١١

آيَاتُهَا ٢٠٦ (٧) سُوْرَةُ الْاَعْرَافِ مَكِّيَّةٌ (٣٩) رُكُوْعَاتُهَا ٢٤

بِسْمِ اللّٰهِ الرَّحْمٰنِ الرَّحِيْمِ

الٓمّٓصٓ ۚ ① كِتٰبٌ اُنْزِلَ اِلَيْكَ فَلَا يَكُنْ فِيْ صَدْرِكَ
حَرَجٌ مِّنْهُ لِتُنْذِرَ بِهٖ وَذِكْرٰى لِلْمُؤْمِنِيْنَ ②
اِتَّبِعُوْا مَآ اُنْزِلَ اِلَيْكُمْ مِّنْ رَّبِّكُمْ وَلَا تَتَّبِعُوْا مِنْ
دُوْنِهٖٓ اَوْلِيَآءَ ؕ قَلِيْلًا مَّا تَذَكَّرُوْنَ ③ وَكَمْ مِّنْ
قَرْيَةٍ اَهْلَكْنٰهَا فَجَآءَهَا بَاْسُنَا بَيَاتًا اَوْ هُمْ قَآئِلُوْنَ ④
فَمَا كَانَ دَعْوٰىهُمْ اِذْ جَآءَهُمْ بَاْسُنَآ اِلَّآ اَنْ قَالُوْٓا
اِنَّا كُنَّا ظٰلِمِيْنَ ⑤ فَلَنَسْئَلَنَّ الَّذِيْنَ اُرْسِلَ اِلَيْهِمْ
وَلَنَسْئَلَنَّ الْمُرْسَلِيْنَ ⑥ۙ فَلَنَقُصَّنَّ عَلَيْهِمْ بِعِلْمٍ وَّمَا
كُنَّا غَآئِبِيْنَ ⑦ وَالْوَزْنُ يَوْمَئِذِ نِ الْحَقُّ ۚ فَمَنْ ثَقُلَتْ
مَوَازِيْنُهٗ فَاُولٰٓئِكَ هُمُ الْمُفْلِحُوْنَ ⑧ وَمَنْ خَفَّتْ
مَوَازِيْنُهٗ فَاُولٰٓئِكَ الَّذِيْنَ خَسِرُوْٓا اَنْفُسَهُمْ بِمَا كَانُوْا

منزل ٢

بِاٰيٰتِنَا يَظْلِمُوْنَ ۝٩ وَلَقَدْ مَكَّنّٰكُمْ فِي الْاَرْضِ وَ

جَعَلْنَا لَكُمْ فِيْهَا مَعَايِشَ ؕ قَلِيْلًا مَّا تَشْكُرُوْنَ ۝١٠ ع ع ١٠ / ٨

وَلَقَدْ خَلَقْنٰكُمْ ثُمَّ صَوَّرْنٰكُمْ ثُمَّ قُلْنَا لِلْمَلٰٓئِكَةِ

اسْجُدُوْا لِاٰدَمَ ۖۗ فَسَجَدُوْٓا اِلَّآ اِبْلِيْسَ ؕ لَمْ يَكُنْ مِّنَ

السّٰجِدِيْنَ ۝١١ قَالَ مَا مَنَعَكَ اَلَّا تَسْجُدَ اِذْ اَمَرْتُكَ ؕ

قَالَ اَنَا خَيْرٌ مِّنْهُ ۚ خَلَقْتَنِيْ مِنْ نَّارٍ وَّخَلَقْتَهٗ مِنْ

طِيْنٍ ۝١٢ قَالَ فَاهْبِطْ مِنْهَا فَمَا يَكُوْنُ لَكَ اَنْ

تَتَكَبَّرَ فِيْهَا فَاخْرُجْ اِنَّكَ مِنَ الصّٰغِرِيْنَ ۝١٣ قَالَ

اَنْظِرْنِيْٓ اِلٰى يَوْمِ يُبْعَثُوْنَ ۝١٤ قَالَ اِنَّكَ مِنَ

الْمُنْظَرِيْنَ ۝١٥ قَالَ فَبِمَآ اَغْوَيْتَنِيْ لَاَقْعُدَنَّ لَهُمْ

صِرَاطَكَ الْمُسْتَقِيْمَ ۝١٦ ثُمَّ لَاٰتِيَنَّهُمْ مِّنْ بَيْنِ

اَيْدِيْهِمْ وَمِنْ خَلْفِهِمْ وَعَنْ اَيْمَانِهِمْ وَ عَنْ

شَمَآئِلِهِمْ ؕ وَلَا تَجِدُ اَكْثَرَهُمْ شٰكِرِيْنَ ۝١٧ قَالَ

اخْرُجْ مِنْهَا مَذْءُوْمًا مَّدْحُوْرًا ؕ لَمَنْ تَبِعَكَ
مِنْهُمْ لَاَمْلَئَنَّ جَهَنَّمَ مِنْكُمْ اَجْمَعِيْنَ ﴿١٨﴾ وَ يٰۤاٰدَمُ
اسْكُنْ اَنْتَ وَزَوْجُكَ الْجَنَّةَ فَكُلَا مِنْ حَيْثُ شِئْتُمَا
وَلَا تَقْرَبَا هٰذِهِ الشَّجَرَةَ فَتَكُوْنَا مِنَ الظّٰلِمِيْنَ ﴿١٩﴾
فَوَسْوَسَ لَهُمَا الشَّيْطٰنُ لِيُبْدِيَ لَهُمَا مَا وٗرِيَ عَنْهُمَا
مِنْ سَوْاٰتِهِمَا وَ قَالَ مَا نَهٰكُمَا رَبُّكُمَا عَنْ
هٰذِهِ الشَّجَرَةِ اِلَّاۤ اَنْ تَكُوْنَا مَلَكَيْنِ اَوْ تَكُوْنَا
مِنَ الْخٰلِدِيْنَ ﴿٢٠﴾ وَ قَاسَمَهُمَاۤ اِنِّيْ لَكُمَا لَمِنَ
النّٰصِحِيْنَ ﴿٢١﴾ۙ فَدَلّٰىهُمَا بِغُرُوْرٍ ۚ فَلَمَّا ذَاقَا الشَّجَرَةَ
بَدَتْ لَهُمَا سَوْاٰتُهُمَا وَطَفِقَا يَخْصِفٰنِ عَلَيْهِمَا مِنْ
وَّرَقِ الْجَنَّةِ ؕ وَ نَادٰىهُمَا رَبُّهُمَاۤ اَلَمْ اَنْهَكُمَا عَنْ
تِلْكُمَا الشَّجَرَةِ وَاَقُلْ لَّكُمَاۤ اِنَّ الشَّيْطٰنَ لَكُمَا عَدُوٌّ
مُّبِيْنٌ ﴿٢٢﴾ قَالَا رَبَّنَا ظَلَمْنَاۤ اَنْفُسَنَا سكتة وَ اِنْ لَّمْ

منزل ٢

تَغْفِرْ لَنَا وَتَرْحَمْنَا لَنَكُوْنَنَّ مِنَ الْخٰسِرِيْنَ ﴿٢٣﴾ قَالَ
اهْبِطُوْا بَعْضُكُمْ لِبَعْضٍ عَدُوٌّ ۚ وَلَكُمْ فِي الْاَرْضِ
مُسْتَقَرٌّ وَّمَتَاعٌ اِلٰى حِيْنٍ ﴿٢٤﴾ قَالَ فِيْهَا تَحْيَوْنَ وَ
فِيْهَا تَمُوْتُوْنَ وَمِنْهَا تُخْرَجُوْنَ ﴿٢٥﴾ ع يٰبَنِيْٓ اٰدَمَ
قَدْ اَنْزَلْنَا عَلَيْكُمْ لِبَاسًا يُّوَارِيْ سَوْاٰتِكُمْ وَرِيْشًا ؕ
وَلِبَاسُ التَّقْوٰى ۙ ذٰلِكَ خَيْرٌ ؕ ذٰلِكَ مِنْ اٰيٰتِ اللّٰهِ
لَعَلَّهُمْ يَذَّكَّرُوْنَ ﴿٢٦﴾ يٰبَنِيْٓ اٰدَمَ لَا يَفْتِنَنَّكُمُ الشَّيْطٰنُ
كَمَآ اَخْرَجَ اَبَوَيْكُمْ مِّنَ الْجَنَّةِ يَنْزِعُ عَنْهُمَا لِبَاسَهُمَا
لِيُرِيَهُمَا سَوْاٰتِهِمَا ؕ اِنَّهٗ يَرٰىكُمْ هُوَ وَقَبِيْلُهٗ مِنْ
حَيْثُ لَا تَرَوْنَهُمْ ؕ اِنَّا جَعَلْنَا الشَّيٰطِيْنَ اَوْلِيَآءَ
لِلَّذِيْنَ لَا يُؤْمِنُوْنَ ﴿٢٧﴾ وَاِذَا فَعَلُوْا فَاحِشَةً قَالُوْا
وَجَدْنَا عَلَيْهَآ اٰبَآءَنَا وَاللّٰهُ اَمَرَنَا بِهَا ؕ قُلْ
اِنَّ اللّٰهَ لَا يَاْمُرُ بِالْفَحْشَآءِ ؕ اَتَقُوْلُوْنَ عَلَى اللّٰهِ

منزل ٢

مَا لَا تَعْلَمُوْنَ ﴿٢٨﴾ قُلْ اَمَرَ رَبِّيْ بِالْقِسْطِ تف وَ اَقِيْمُوْا
وُجُوْهَكُمْ عِنْدَ كُلِّ مَسْجِدٍ وَّ ادْعُوْهُ مُخْلِصِيْنَ
لَهُ الدِّيْنَ ۬ۚ كَمَا بَدَاَكُمْ تَعُوْدُوْنَ ﴿٢٩﴾ فَرِيْقًا هَدٰى
وَ فَرِيْقًا حَقَّ عَلَيْهِمُ الضَّلٰلَةُ ؕ اِنَّهُمُ اتَّخَذُوا
الشَّيٰطِيْنَ اَوْلِيَآءَ مِنْ دُوْنِ اللّٰهِ وَ يَحْسَبُوْنَ
اَنَّهُمْ مُّهْتَدُوْنَ ﴿٣٠﴾ يٰبَنِيْٓ اٰدَمَ خُذُوْا زِيْنَتَكُمْ عِنْدَ
كُلِّ مَسْجِدٍ وَّ كُلُوْا وَ اشْرَبُوْا وَلَا تُسْرِفُوْا ج اِنَّهٗ منزل٢
ع٢ لَا يُحِبُّ الْمُسْرِفِيْنَ ع ﴿٣١﴾ قُلْ مَنْ حَرَّمَ زِيْنَةَ اللّٰهِ الَّتِيْٓ
اَخْرَجَ لِعِبَادِهٖ وَ الطَّيِّبٰتِ مِنَ الرِّزْقِ ؕ قُلْ هِيَ
لِلَّذِيْنَ اٰمَنُوْا فِي الْحَيٰوةِ الدُّنْيَا خَالِصَةً يَّوْمَ
الْقِيٰمَةِ ؕ كَذٰلِكَ نُفَصِّلُ الْاٰيٰتِ لِقَوْمٍ يَّعْلَمُوْنَ ﴿٣٢﴾
قُلْ اِنَّمَا حَرَّمَ رَبِّيَ الْفَوَاحِشَ مَا ظَهَرَ مِنْهَا
وَمَا بَطَنَ وَ الْاِثْمَ وَ الْبَغْيَ بِغَيْرِ الْحَقِّ وَاَنْ تُشْرِكُوْا

بِاللّٰهِ مَا لَمْ يُنَزِّلْ بِهٖ سُلْطٰنًا وَّاَنْ تَقُوْلُوْا عَلَى
اللّٰهِ مَا لَا تَعْلَمُوْنَ ﴿٣٣﴾ وَلِكُلِّ اُمَّةٍ اَجَلٌ ۚ فَاِذَا جَآءَ
اَجَلُهُمْ لَا يَسْتَاْخِرُوْنَ سَاعَةً وَّلَا يَسْتَقْدِمُوْنَ ﴿٣٤﴾
يٰبَنِيْٓ اٰدَمَ اِمَّا يَاْتِيَنَّكُمْ رُسُلٌ مِّنْكُمْ يَقُصُّوْنَ
عَلَيْكُمْ اٰيٰتِيْ ۙ فَمَنِ اتَّقٰى وَاَصْلَحَ فَلَا خَوْفٌ عَلَيْهِمْ
وَلَا هُمْ يَحْزَنُوْنَ ﴿٣٥﴾ وَالَّذِيْنَ كَذَّبُوْا بِاٰيٰتِنَا
وَاسْتَكْبَرُوْا عَنْهَآ اُولٰٓئِكَ اَصْحٰبُ النَّارِ ۚ هُمْ فِيْهَا
خٰلِدُوْنَ ﴿٣٦﴾ فَمَنْ اَظْلَمُ مِمَّنِ افْتَرٰى عَلَى اللّٰهِ
كَذِبًا اَوْ كَذَّبَ بِاٰيٰتِهٖ ۭ اُولٰٓئِكَ يَنَالُهُمْ نَصِيْبُهُمْ
مِّنَ الْكِتٰبِ ۭ حَتّٰٓى اِذَا جَآءَتْهُمْ رُسُلُنَا يَتَوَفَّوْنَهُمْ ۙ
قَالُوْٓا اَيْنَ مَا كُنْتُمْ تَدْعُوْنَ مِنْ دُوْنِ اللّٰهِ ۭ قَالُوْا
ضَلُّوْا عَنَّا وَشَهِدُوْا عَلٰٓى اَنْفُسِهِمْ اَنَّهُمْ كَانُوْا
كٰفِرِيْنَ ﴿٣٧﴾ قَالَ ادْخُلُوْا فِيْٓ اُمَمٍ قَدْ خَلَتْ مِنْ

منزل ٢

قَبْلِكُمْ مِّنَ الْجِنِّ وَالْاِنْسِ فِی النَّارِؕ كُلَّمَا دَخَلَتْ
اُمَّةٌ لَّعَنَتْ اُخْتَهَاؕ حَتّٰۤی اِذَا ادَّارَكُوْا فِیْهَا جَمِیْعًاۙ
قَالَتْ اُخْرٰىهُمْ لِاُوْلٰىهُمْ رَبَّنَا هٰۤؤُلَآءِ اَضَلُّوْنَا
فَاٰتِهِمْ عَذَابًا ضِعْفًا مِّنَ النَّارِ۬ؕ قَالَ لِكُلٍّ
ضِعْفٌ وَّلٰكِنْ لَّا تَعْلَمُوْنَ ﴿٣٨﴾ وَقَالَتْ اُوْلٰىهُمْ
لِاُخْرٰىهُمْ فَمَا كَانَ لَكُمْ عَلَیْنَا مِنْ فَضْلٍ
ع ٨ فَذُوْقُوا الْعَذَابَ بِمَا كُنْتُمْ تَكْسِبُوْنَ ﴿٣٩﴾ع اِنَّ منزل ٢
الَّذِیْنَ كَذَّبُوْا بِاٰیٰتِنَا وَاسْتَكْبَرُوْا عَنْهَا لَا تُفَتَّحُ
لَهُمْ اَبْوَابُ السَّمَآءِ وَلَا یَدْخُلُوْنَ الْجَنَّةَ حَتّٰی
یَلِجَ الْجَمَلُ فِیْ سَمِّ الْخِیَاطِؕ وَكَذٰلِكَ نَجْزِی
الْمُجْرِمِیْنَ ﴿٤٠﴾ لَهُمْ مِّنْ جَهَنَّمَ مِهَادٌ وَّمِنْ فَوْقِهِمْ
غَوَاشٍؕ وَكَذٰلِكَ نَجْزِی الظّٰلِمِیْنَ ﴿٤١﴾ وَالَّذِیْنَ اٰمَنُوْا
وَعَمِلُوا الصّٰلِحٰتِ لَا نُكَلِّفُ نَفْسًا اِلَّا وُسْعَهَاۤ ز

اُولٰٓئِكَ اَصْحٰبُ الْجَنَّةِ ۚ هُمْ فِيْهَا خٰلِدُوْنَ ﴿٤٢﴾ وَ
نَزَعْنَا مَا فِيْ صُدُوْرِهِمْ مِّنْ غِلٍّ تَجْرِيْ مِنْ
تَحْتِهِمُ الْاَنْهٰرُ ۚ وَقَالُوا الْحَمْدُ لِلّٰهِ الَّذِيْ هَدٰىنَا
لِهٰذَا ۙ قف وَمَا كُنَّا لِنَهْتَدِيَ لَوْلَآ اَنْ هَدٰىنَا اللّٰهُ ۚ
لَقَدْ جَآءَتْ رُسُلُ رَبِّنَا بِالْحَقِّ ۭ وَنُوْدُوْٓا اَنْ
تِلْكُمُ الْجَنَّةُ اُوْرِثْتُمُوْهَا بِمَا كُنْتُمْ تَعْمَلُوْنَ ﴿٤٣﴾
وَنَادٰٓى اَصْحٰبُ الْجَنَّةِ اَصْحٰبَ النَّارِ اَنْ قَدْ
وَجَدْنَا مَا وَعَدَنَا رَبُّنَا حَقًّا فَهَلْ وَجَدْتُّمْ مَّا
وَعَدَ رَبُّكُمْ حَقًّا ۭ قَالُوْا نَعَمْ ۚ فَاَذَّنَ مُؤَذِّنٌۢ
بَيْنَهُمْ اَنْ لَّعْنَةُ اللّٰهِ عَلَى الظّٰلِمِيْنَ ﴿٤٤﴾ لا الَّذِيْنَ
يَصُدُّوْنَ عَنْ سَبِيْلِ اللّٰهِ وَ يَبْغُوْنَهَا عِوَجًا ۚ
وَهُمْ بِالْاٰخِرَةِ كٰفِرُوْنَ ﴿٤٥﴾ ۘ وَ بَيْنَهُمَا حِجَابٌ ۚ
وَعَلَى الْاَعْرَافِ رِجَالٌ يَّعْرِفُوْنَ كُلًّاۢ بِسِيْمٰىهُمْ ۚ

الثلثة

وقف لازم

منزل ٢

وَنَادَوْا اَصْحٰبَ الْجَنَّةِ اَنْ سَلٰمٌ عَلَيْكُمْ قف لَمْ
يَدْخُلُوْهَا وَهُمْ يَطْمَعُوْنَ ﴿٤٦﴾ وَاِذَا صُرِفَتْ اَبْصَارُهُمْ
تِلْقَآءَ اَصْحٰبِ النَّارِ ۙ قَالُوْا رَبَّنَا لَا تَجْعَلْنَا مَعَ
ع ٥ ٨ ١٢ الْقَوْمِ الظّٰلِمِيْنَ ﴿٤٧﴾ ع وَنَادٰٓى اَصْحٰبُ الْاَعْرَافِ
رِجَالًا يَّعْرِفُوْنَهُمْ بِسِيْمٰهُمْ قَالُوْا مَآ اَغْنٰى عَنْكُمْ
جَمْعُكُمْ وَمَا كُنْتُمْ تَسْتَكْبِرُوْنَ ﴿٤٨﴾ اَهٰٓؤُلَآءِ
الَّذِيْنَ اَقْسَمْتُمْ لَا يَنَالُهُمُ اللّٰهُ بِرَحْمَةٍ ؕ اُدْخُلُوا منزل ٢
الْجَنَّةَ لَا خَوْفٌ عَلَيْكُمْ وَلَآ اَنْتُمْ تَحْزَنُوْنَ ﴿٤٩﴾
وَنَادٰٓى اَصْحٰبُ النَّارِ اَصْحٰبَ الْجَنَّةِ اَنْ اَفِيْضُوْا
عَلَيْنَا مِنَ الْمَآءِ اَوْ مِمَّا رَزَقَكُمُ اللّٰهُ ؕ قَالُوْٓا اِنَّ
اللّٰهَ حَرَّمَهُمَا عَلَى الْكٰفِرِيْنَ ﴿٥٠﴾ ۙ الَّذِيْنَ اتَّخَذُوْا
دِيْنَهُمْ لَهْوًا وَّلَعِبًا وَّغَرَّتْهُمُ الْحَيٰوةُ الدُّنْيَا ج
فَالْيَوْمَ نَنْسٰهُمْ كَمَا نَسُوْا لِقَآءَ يَوْمِهِمْ هٰذَا ۙ وَمَا

كَانُوْا بِاٰيٰتِنَا يَجْحَدُوْنَ ﴿٥١﴾ وَلَقَدْ جِئْنٰهُمْ بِكِتٰبٍ
فَصَّلْنٰهُ عَلٰى عِلْمٍ هُدًى وَّرَحْمَةً لِّقَوْمٍ يُّؤْمِنُوْنَ ﴿٥٢﴾
هَلْ يَنْظُرُوْنَ اِلَّا تَاْوِيْلَهٗ ؕ يَوْمَ يَاْتِىْ تَاْوِيْلُهٗ
يَقُوْلُ الَّذِيْنَ نَسُوْهُ مِنْ قَبْلُ قَدْ جَآءَتْ رُسُلُ
رَبِّنَا بِالْحَقِّ ۚ فَهَلْ لَّنَا مِنْ شُفَعَآءَ فَيَشْفَعُوْا
لَنَآ اَوْ نُرَدُّ فَنَعْمَلَ غَيْرَ الَّذِىْ كُنَّا نَعْمَلُ ؕ قَدْ
خَسِرُوْٓا اَنْفُسَهُمْ وَضَلَّ عَنْهُمْ مَّا كَانُوْا يَفْتَرُوْنَ ﴿٥٣﴾ ع ٦ ١٣
اِنَّ رَبَّكُمُ اللّٰهُ الَّذِىْ خَلَقَ السَّمٰوٰتِ وَالْاَرْضَ
فِىْ سِتَّةِ اَيَّامٍ ثُمَّ اسْتَوٰى عَلَى الْعَرْشِ قف يُغْشِى
الَّيْلَ النَّهَارَ يَطْلُبُهٗ حَثِيْثًا ۙ وَّالشَّمْسَ وَالْقَمَرَ
وَالنُّجُوْمَ مُسَخَّرٰتٍ بِاَمْرِهٖ ؕ اَلَا لَهُ الْخَلْقُ وَالْاَمْرُ ؕ
تَبٰرَكَ اللّٰهُ رَبُّ الْعٰلَمِيْنَ ﴿٥٤﴾ اُدْعُوْا رَبَّكُمْ
تَضَرُّعًا وَّخُفْيَةً ؕ اِنَّهٗ لَا يُحِبُّ الْمُعْتَدِيْنَ ﴿٥٥﴾ ج

منزل ٢

وَلَا تُفْسِدُوْا فِی الْاَرْضِ بَعْدَ اِصْلَاحِهَا وَادْعُوْهُ خَوْفًا
وَّطَمَعًا ؕ اِنَّ رَحْمَتَ اللّٰهِ قَرِیْبٌ مِّنَ الْمُحْسِنِیْنَ ﴿۵۶﴾
وَهُوَ الَّذِیْ یُرْسِلُ الرِّیٰحَ بُشْرًاۢ بَیْنَ یَدَیْ
رَحْمَتِهٖ ؕ حَتّٰۤی اِذَاۤ اَقَلَّتْ سَحَابًا ثِقَالًا سُقْنٰهُ
لِبَلَدٍ مَّیِّتٍ فَاَنْزَلْنَا بِهِ الْمَآءَ فَاَخْرَجْنَا بِهٖ
مِنْ كُلِّ الثَّمَرٰتِ ؕ كَذٰلِكَ نُخْرِجُ الْمَوْتٰی لَعَلَّكُمْ
تَذَكَّرُوْنَ ﴿۵۷﴾ وَالْبَلَدُ الطَّیِّبُ یَخْرُجُ نَبَاتُهٗ
بِاِذْنِ رَبِّهٖ ۚ وَالَّذِیْ خَبُثَ لَا یَخْرُجُ اِلَّا نَكِدًا ؕ
كَذٰلِكَ نُصَرِّفُ الْاٰیٰتِ لِقَوْمٍ یَّشْكُرُوْنَ ﴿۵۸﴾ ع
لَقَدْ اَرْسَلْنَا نُوْحًا اِلٰی قَوْمِهٖ فَقَالَ یٰقَوْمِ
اعْبُدُوا اللّٰهَ مَا لَكُمْ مِّنْ اِلٰهٍ غَیْرُهٗ ؕ اِنِّیْۤ
اَخَافُ عَلَیْكُمْ عَذَابَ یَوْمٍ عَظِیْمٍ ﴿۵۹﴾ قَالَ
الْمَلَاُ مِنْ قَوْمِهٖۤ اِنَّا لَنَرٰىكَ فِیْ ضَلٰلٍ مُّبِیْنٍ ﴿۶۰﴾

منزل ٢ — ع ۵/۱۴ ۷

قَالَ يٰقَوْمِ لَيْسَ بِيْ ضَلٰلَةٌ وَّ لٰكِنِّيْ رَسُوْلٌ
مِّنْ رَّبِّ الْعٰلَمِيْنَ ﴿٦١﴾ اُبَلِّغُكُمْ رِسٰلٰتِ رَبِّيْ وَ
اَنْصَحُ لَكُمْ وَ اَعْلَمُ مِنَ اللّٰهِ مَا لَا تَعْلَمُوْنَ ﴿٦٢﴾
اَوَعَجِبْتُمْ اَنْ جَآءَكُمْ ذِكْرٌ مِّنْ رَّبِّكُمْ عَلٰى
رَجُلٍ مِّنْكُمْ لِيُنْذِرَكُمْ وَلِتَتَّقُوْا وَ لَعَلَّكُمْ
تُرْحَمُوْنَ ﴿٦٣﴾ فَكَذَّبُوْهُ فَاَنْجَيْنٰهُ وَ الَّذِيْنَ
منزل ٢ مَعَهٗ فِي الْفُلْكِ وَاَغْرَقْنَا الَّذِيْنَ كَذَّبُوْا
بِاٰيٰتِنَا ؕ اِنَّهُمْ كَانُوْا قَوْمًا عَمِيْنَ ﴿٦٤﴾ع وَ اِلٰى ع ٨ ٦ ١٥
عَادٍ اَخَاهُمْ هُوْدًا ؕ قَالَ يٰقَوْمِ اعْبُدُوا اللّٰهَ
مَا لَكُمْ مِّنْ اِلٰهٍ غَيْرُهٗ ؕ اَفَلَا تَتَّقُوْنَ ﴿٦٥﴾ قَالَ
الْمَلَاُ الَّذِيْنَ كَفَرُوْا مِنْ قَوْمِهٖۤ اِنَّا لَنَرٰىكَ فِيْ
سَفَاهَةٍ وَّاِنَّا لَنَظُنُّكَ مِنَ الْكٰذِبِيْنَ ﴿٦٦﴾ قَالَ
يٰقَوْمِ لَيْسَ بِيْ سَفَاهَةٌ وَّ لٰكِنِّيْ رَسُوْلٌ مِّنْ

Ikhfa إخفا | Ikhfa Meem Saakin إخفاميم ساكن | Qalqala قلقله | Qalb قلب | Idghaam إدغام | Idghaam Meem Saakin إدغام ميم ساكن | Ghunna غنّه

رَبِّ الْعٰلَمِيْنَ ﴿٦٧﴾ اُبَلِّغُكُمْ رِسٰلٰتِ رَبِّيْ وَ اَنَا
لَكُمْ نَاصِحٌ اَمِيْنٌ ﴿٦٨﴾ اَوَعَجِبْتُمْ اَنْ جَآءَكُمْ
ذِكْرٌ مِّنْ رَّبِّكُمْ عَلٰى رَجُلٍ مِّنْكُمْ لِيُنْذِرَكُمْ ط
وَاذْكُرُوْٓا اِذْ جَعَلَكُمْ خُلَفَآءَ مِنْ بَعْدِ قَوْمِ
نُوْحٍ وَّ زَادَكُمْ فِي الْخَلْقِ بَصْۜطَةً ج فَاذْكُرُوْٓا
اٰلَآءَ اللّٰهِ لَعَلَّكُمْ تُفْلِحُوْنَ ﴿٦٩﴾ قَالُوْٓا اَجِئْتَنَا
لِنَعْبُدَ اللّٰهَ وَحْدَهٗ وَ نَذَرَ مَا كَانَ يَعْبُدُ
اٰبَآؤُنَا ج فَاْتِنَا بِمَا تَعِدُنَآ اِنْ كُنْتَ مِنَ
الصّٰدِقِيْنَ ﴿٧٠﴾ قَالَ قَدْ وَقَعَ عَلَيْكُمْ مِّنْ رَّبِّكُمْ
رِجْسٌ وَّ غَضَبٌ ط اَتُجَادِلُوْنَنِيْ فِيْٓ اَسْمَآءٍ
سَمَّيْتُمُوْهَآ اَنْتُمْ وَ اٰبَآؤُكُمْ مَّا نَزَّلَ اللّٰهُ
بِهَا مِنْ سُلْطٰنٍ ط فَانْتَظِرُوْٓا اِنِّيْ مَعَكُمْ مِّنَ
الْمُنْتَظِرِيْنَ ﴿٧١﴾ فَاَنْجَيْنٰهُ وَالَّذِيْنَ مَعَهٗ بِرَحْمَةٍ

منزل ٢

مِّنَّا وَقَطَعْنَا دَابِرَ الَّذِيْنَ كَذَّبُوْا بِاٰيٰتِنَا

وَمَا كَانُوْا مُؤْمِنِيْنَ ﴿٧٢﴾ ع وَاِلٰى ثَمُوْدَ اَخَاهُمْ

ع ٨/٢٦ وقف لازم

صٰلِحًا ۘ قَالَ يٰقَوْمِ اعْبُدُوا اللّٰهَ مَا لَكُمْ مِّنْ

اِلٰهٍ غَيْرُهٗ ؕ قَدْ جَآءَتْكُمْ بَيِّنَةٌ مِّنْ رَّبِّكُمْ ؕ هٰذِهٖ

نَاقَةُ اللّٰهِ لَكُمْ اٰيَةً فَذَرُوْهَا تَاْكُلْ فِيْۤ اَرْضِ

اللّٰهِ وَلَا تَمَسُّوْهَا بِسُوْٓءٍ فَيَاْخُذَكُمْ عَذَابٌ اَلِيْمٌ ﴿٧٣﴾

وَاذْكُرُوْۤا اِذْ جَعَلَكُمْ خُلَفَآءَ مِنْۢ بَعْدِ عَادٍ وَّ

بَوَّاَكُمْ فِي الْاَرْضِ تَتَّخِذُوْنَ مِنْ سُهُوْلِهَا

قُصُوْرًا وَّتَنْحِتُوْنَ الْجِبَالَ بُيُوْتًا ۚ فَاذْكُرُوْۤا اٰلَآءَ

اللّٰهِ وَلَا تَعْثَوْا فِي الْاَرْضِ مُفْسِدِيْنَ ﴿٧٤﴾ قَالَ

الْمَلَاُ الَّذِيْنَ اسْتَكْبَرُوْا مِنْ قَوْمِهٖ لِلَّذِيْنَ

اسْتُضْعِفُوْا لِمَنْ اٰمَنَ مِنْهُمْ اَتَعْلَمُوْنَ اَنَّ

صٰلِحًا مُّرْسَلٌ مِّنْ رَّبِّهٖ ؕ قَالُوْۤا اِنَّا بِمَاۤ اُرْسِلَ

بِهٖ مُؤْمِنُوْنَ ﴿٧٥﴾ قَالَ الَّذِيْنَ اسْتَكْبَرُوْٓا اِنَّا بِالَّذِيْٓ
اٰمَنْتُمْ بِهٖ كٰفِرُوْنَ ﴿٧٦﴾ فَعَقَرُوا النَّاقَةَ وَ عَتَوْا
عَنْ اَمْرِ رَبِّهِمْ وَ قَالُوْا يٰصٰلِحُ ائْتِنَا بِمَا تَعِدُنَآ
اِنْ كُنْتَ مِنَ الْمُرْسَلِيْنَ ﴿٧٧﴾ فَاَخَذَتْهُمُ الرَّجْفَةُ
فَاَصْبَحُوْا فِيْ دَارِهِمْ جٰثِمِيْنَ ﴿٧٨﴾ فَتَوَلّٰى عَنْهُمْ وَ
قَالَ يٰقَوْمِ لَقَدْ اَبْلَغْتُكُمْ رِسَالَةَ رَبِّيْ وَ نَصَحْتُ
لَكُمْ وَلٰكِنْ لَّا تُحِبُّوْنَ النّٰصِحِيْنَ ﴿٧٩﴾ وَ لُوْطًا
اِذْ قَالَ لِقَوْمِهٖٓ اَتَاْتُوْنَ الْفَاحِشَةَ مَا سَبَقَكُمْ
بِهَا مِنْ اَحَدٍ مِّنَ الْعٰلَمِيْنَ ﴿٨٠﴾ اِنَّكُمْ لَتَاْتُوْنَ
الرِّجَالَ شَهْوَةً مِّنْ دُوْنِ النِّسَآءِ ؕ بَلْ اَنْتُمْ قَوْمٌ
مُّسْرِفُوْنَ ﴿٨١﴾ وَمَا كَانَ جَوَابَ قَوْمِهٖٓ اِلَّآ اَنْ قَالُوْٓا
اَخْرِجُوْهُمْ مِّنْ قَرْيَتِكُمْ ۚ اِنَّهُمْ اُنَاسٌ يَّتَطَهَّرُوْنَ ﴿٨٢﴾
فَاَنْجَيْنٰهُ وَاَهْلَهٗٓ اِلَّا امْرَاَتَهٗ ۖۗ كَانَتْ مِنَ الْغٰبِرِيْنَ ﴿٨٣﴾

منزل ٢

وَ اَمۡطَرۡنَا عَلَيۡهِمۡ مَّطَرًا ؕ فَانۡظُرۡ كَيۡفَ كَانَ عَاقِبَةُ
الۡمُجۡرِمِيۡنَ ﴿۸۴﴾ ع وَاِلٰى مَدۡيَنَ اَخَاهُمۡ شُعَيۡبًا ؕ قَالَ ع ۱۲ / ۱۷
يٰقَوۡمِ اعۡبُدُوا اللّٰهَ مَا لَـكُمۡ مِّنۡ اِلٰهٍ غَيۡرُهٗ ؕ قَدۡ
جَآءَتۡكُمۡ بَيِّنَةٌ مِّنۡ رَّبِّكُمۡ فَاَوۡفُوا الۡكَيۡلَ وَ
الۡمِيۡزَانَ وَلَا تَبۡخَسُوا النَّاسَ اَشۡيَآءَهُمۡ وَلَا تُفۡسِدُوۡا
فِى الۡاَرۡضِ بَعۡدَ اِصۡلَاحِهَا ؕ ذٰ لِكُمۡ خَيۡرٌ لَّـكُمۡ اِنۡ
كُنۡتُمۡ مُّؤۡمِنِيۡنَ ﴿۸۵﴾ ۚ وَلَا تَقۡعُدُوۡا بِكُلِّ صِرَاطٍ
تُوۡعِدُوۡنَ وَتَصُدُّوۡنَ عَنۡ سَبِيۡلِ اللّٰهِ مَنۡ اٰمَنَ
بِهٖ وَتَبۡغُوۡنَهَا عِوَجًا ۚ وَاذۡكُرُوۡۤا اِذۡ كُنۡتُمۡ
قَلِيۡلًا فَكَثَّرَكُمۡ ۖ وَانۡظُرُوۡا كَيۡفَ كَانَ عَاقِبَةُ
الۡمُفۡسِدِيۡنَ ﴿۸۶﴾ وَاِنۡ كَانَ طَآئِفَةٌ مِّنۡكُمۡ اٰمَنُوۡا بِالَّذِىۡۤ
اُرۡسِلۡتُ بِهٖ وَطَآئِفَةٌ لَّمۡ يُؤۡمِنُوۡا فَاصۡبِرُوۡا حَتّٰى
يَحۡكُمَ اللّٰهُ بَيۡنَنَا ۚ وَهُوَ خَيۡرُ الۡحٰكِمِيۡنَ ﴿۸۷﴾

منزل ٢

قَالَ الْمَلَاُ الَّذِيْنَ اسْتَكْبَرُوْا مِنْ قَوْمِهٖ لَنُخْرِجَنَّكَ
يٰشُعَيْبُ وَ الَّذِيْنَ اٰمَنُوْا مَعَكَ مِنْ قَرْيَتِنَآ اَوْ
لَتَعُوْدُنَّ فِيْ مِلَّتِنَا ؕ قَالَ اَوَلَوْ كُنَّا كٰرِهِيْنَ ﴿۸۸﴾ قف
قَدِ افْتَرَيْنَا عَلَى اللّٰهِ كَذِبًا اِنْ عُدْنَا فِيْ مِلَّتِكُمْ
بَعْدَ اِذْ نَجّٰىنَا اللّٰهُ مِنْهَا ؕ وَمَا يَكُوْنُ لَنَآ اَنْ نَّعُوْدَ
فِيْهَآ اِلَّآ اَنْ يَّشَآءَ اللّٰهُ رَبُّنَا ؕ وَسِعَ رَبُّنَا كُلَّ
شَيْءٍ عِلْمًا ؕ عَلَى اللّٰهِ تَوَكَّلْنَا ؕ رَبَّنَا افْتَحْ بَيْنَنَا وَ
بَيْنَ قَوْمِنَا بِالْحَقِّ وَاَنْتَ خَيْرُ الْفٰتِحِيْنَ ﴿۸۹﴾ وَقَالَ
الْمَلَاُ الَّذِيْنَ كَفَرُوْا مِنْ قَوْمِهٖ لَئِنِ اتَّبَعْتُمْ شُعَيْبًا اِنَّكُمْ
اِذًا لَّخٰسِرُوْنَ ﴿۹۰﴾ فَاَخَذَتْهُمُ الرَّجْفَةُ فَاَصْبَحُوْا
فِيْ دَارِهِمْ جٰثِمِيْنَ ﴿۹۱﴾ ۚۛ الَّذِيْنَ كَذَّبُوْا شُعَيْبًا
كَاَنْ لَّمْ يَغْنَوْا فِيْهَا ۚۛ اَلَّذِيْنَ كَذَّبُوْا شُعَيْبًا كَانُوْا
هُمُ الْخٰسِرِيْنَ ﴿۹۲﴾ فَتَوَلّٰى عَنْهُمْ وَقَالَ يٰقَوْمِ لَقَدْ

منزل ۲

عندالمتقدمين ۱۲

مع ٤

Ikhfa إخفا | Ikhfa Meem Saakin إخفاميم ساكن | Qalqala قلقله | Qalb قلب | Idghaam ادغام | Idghaam Meem Saakin ادغام ميم ساكن | Ghunna غنّه

اَبْلَغْتُكُمْ رِسٰلٰتِ رَبِّيْ وَ نَصَحْتُ لَكُمْ ۚ فَكَيْفَ اٰسٰى

عَلٰى قَوْمٍ كٰفِرِيْنَ ﴿٩٣﴾ ع وَمَآ اَرْسَلْنَا فِيْ قَرْيَةٍ مِّنْ ع ١١ ٩

نَّبِيٍّ اِلَّآ اَخَذْنَآ اَهْلَهَا بِالْبَاْسَآءِ وَ الضَّرَّآءِ لَعَلَّهُمْ

يَضَّرَّعُوْنَ ﴿٩٤﴾ ثُمَّ بَدَّلْنَا مَكَانَ السَّيِّئَةِ الْحَسَنَةَ حَتّٰى

عَفَوْا وَّ قَالُوْا قَدْ مَسَّ اٰبَآءَنَا الضَّرَّآءُ وَ السَّرَّآءُ

فَاَخَذْنٰهُمْ بَغْتَةً وَّهُمْ لَا يَشْعُرُوْنَ ﴿٩٥﴾ وَلَوْ اَنَّ

اَهْلَ الْقُرٰۤى اٰمَنُوْا وَاتَّقَوْا لَفَتَحْنَا عَلَيْهِمْ بَرَكٰتٍ

مِّنَ السَّمَآءِ وَالْاَرْضِ وَلٰكِنْ كَذَّبُوْا فَاَخَذْنٰهُمْ بِمَا

كَانُوْا يَكْسِبُوْنَ ﴿٩٦﴾ اَفَاَمِنَ اَهْلُ الْقُرٰۤى اَنْ يَّاْتِيَهُمْ

بَاْسُنَا بَيَاتًا وَّهُمْ نَآئِمُوْنَ ﴿٩٧﴾ ؕ اَوَاَمِنَ اَهْلُ الْقُرٰۤى

اَنْ يَّاْتِيَهُمْ بَاْسُنَا ضُحًى وَّهُمْ يَلْعَبُوْنَ ﴿٩٨﴾ اَفَاَمِنُوْا

مَكْرَ اللّٰهِ ۚ فَلَا يَاْمَنُ مَكْرَ اللّٰهِ اِلَّا الْقَوْمُ الْخٰسِرُوْنَ ﴿٩٩﴾ ع ع ١٢ ٢

اَوَلَمْ يَهْدِ لِلَّذِيْنَ يَرِثُوْنَ الْاَرْضَ مِنْۢ بَعْدِ

منزل ٢

Ikhfa إخفا | Ikhfa Meem Saakin إخفاميم ساكن | Qalqala قلقلہ | Qalb قلب | Idghaam ادغام | Idghaam Meem Saakin ادغام میم ساكن | Ghunna غُنّہ

اَهْلِهَآ اَنْ لَّوْ نَشَآءُ اَصَبْنٰهُمْ بِذُنُوْبِهِمْ ۚ وَ نَطْبَعُ
عَلٰى قُلُوْبِهِمْ فَهُمْ لَا يَسْمَعُوْنَ ﴿١٠٠﴾ تِلْكَ الْقُرٰى
نَقُصُّ عَلَيْكَ مِنْ اَنْۢبَآئِهَا ۚ وَلَقَدْ جَآءَتْهُمْ
رُسُلُهُمْ بِالْبَيِّنٰتِ ۚ فَمَا كَانُوْا لِيُؤْمِنُوْا بِمَا كَذَّبُوْا مِنْ
قَبْلُ ؕ كَذٰلِكَ يَطْبَعُ اللّٰهُ عَلٰى قُلُوْبِ الْكٰفِرِيْنَ ﴿١٠١﴾ وَمَا
وَجَدْنَا لِاَكْثَرِهِمْ مِّنْ عَهْدٍ ۚ وَاِنْ وَّجَدْنَآ اَكْثَرَهُمْ
لَفٰسِقِيْنَ ﴿١٠٢﴾ ثُمَّ بَعَثْنَا مِنْۢ بَعْدِهِمْ مُّوْسٰى بِاٰيٰتِنَآ اِلٰى
فِرْعَوْنَ وَمَلَا۟ئِهٖ فَظَلَمُوْا بِهَا ۚ فَانْظُرْ كَيْفَ كَانَ
عَاقِبَةُ الْمُفْسِدِيْنَ ﴿١٠٣﴾ وَقَالَ مُوْسٰى يٰفِرْعَوْنُ اِنِّىْ
رَسُوْلٌ مِّنْ رَّبِّ الْعٰلَمِيْنَ ﴿١٠٤﴾ لا حَقِيْقٌ عَلٰٓى اَنْ لَّآ اَقُوْلَ
عَلَى اللّٰهِ اِلَّا الْحَقَّ ؕ قَدْ جِئْتُكُمْ بِبَيِّنَةٍ مِّنْ رَّبِّكُمْ
فَاَرْسِلْ مَعِىَ بَنِىْٓ اِسْرَآءِيْلَ ﴿١٠٥﴾ ؕ قَالَ اِنْ كُنْتَ جِئْتَ
بِاٰيَةٍ فَاْتِ بِهَآ اِنْ كُنْتَ مِنَ الصّٰدِقِيْنَ ﴿١٠٦﴾ فَاَلْقٰى

منزل ٢

عَصَاهُ فَاِذَا هِیَ ثُعْبَانٌ مُّبِیْنٌ ﴿١٠٧﴾ وَّ نَزَعَ یَدَهٗ فَاِذَا

هِیَ بَیْضَآءُ لِلنّٰظِرِیْنَ ﴿١٠٨﴾ قَالَ الْمَلَاُ مِنْ قَوْمِ

فِرْعَوْنَ اِنَّ هٰذَا لَسٰحِرٌ عَلِیْمٌ ﴿١٠٩﴾ یُّرِیْدُ اَنْ یُّخْرِجَكُمْ مِّنْ

اَرْضِكُمْ فَمَاذَا تَاْمُرُوْنَ ﴿١١٠﴾ قَالُوْۤا اَرْجِهْ وَ اَخَاهُ وَ

اَرْسِلْ فِی الْمَدَآىٕنِ حٰشِرِیْنَ ﴿١١١﴾ یَاْتُوْكَ بِكُلِّ سٰحِرٍ

عَلِیْمٍ ﴿١١٢﴾ وَ جَآءَ السَّحَرَةُ فِرْعَوْنَ قَالُوْۤا اِنَّ لَنَا

لَاَجْرًا اِنْ كُنَّا نَحْنُ الْغٰلِبِیْنَ ﴿١١٣﴾ قَالَ نَعَمْ وَ اِنَّكُمْ لَمِنَ

الْمُقَرَّبِیْنَ ﴿١١٤﴾ قَالُوْا یٰمُوْسٰۤى اِمَّاۤ اَنْ تُلْقِیَ وَ اِمَّاۤ اَنْ

نَّكُوْنَ نَحْنُ الْمُلْقِیْنَ ﴿١١٥﴾ قَالَ اَلْقُوْا فَلَمَّاۤ اَلْقَوْا

سَحَرُوْۤا اَعْیُنَ النَّاسِ وَ اسْتَرْهَبُوْهُمْ وَ جَآءُوْ بِسِحْرٍ

عَظِیْمٍ ﴿١١٦﴾ وَ اَوْحَیْنَاۤ اِلٰى مُوْسٰۤى اَنْ اَلْقِ عَصَاكَ فَاِذَا

هِیَ تَلْقَفُ مَا یَاْفِكُوْنَ ﴿١١٧﴾ فَوَقَعَ الْحَقُّ وَ بَطَلَ مَا

كَانُوْا یَعْمَلُوْنَ ﴿١١٨﴾ فَغُلِبُوْا هُنَالِكَ وَ انْقَلَبُوْا

ع ١٣

منزل ٢

صٰغِرِيْنَ ﴿١١٩﴾ وَاُلْقِيَ السَّحَرَةُ سٰجِدِيْنَ ﴿١٢٠﴾ ۚ قَالُوْٓا
اٰمَنَّا بِرَبِّ الْعٰلَمِيْنَ ﴿١٢١﴾ رَبِّ مُوْسٰى وَهٰرُوْنَ ﴿١٢٢﴾
قَالَ فِرْعَوْنُ اٰمَنْتُمْ بِهٖ قَبْلَ اَنْ اٰذَنَ لَكُمْ ۚ اِنَّ
هٰذَا لَمَكْرٌ مَّكَرْتُمُوْهُ فِي الْمَدِيْنَةِ لِتُخْرِجُوْا
مِنْهَآ اَهْلَهَا ۚ فَسَوْفَ تَعْلَمُوْنَ ﴿١٢٣﴾ لَاُقَطِّعَنَّ اَيْدِيَكُمْ
وَاَرْجُلَكُمْ مِّنْ خِلَافٍ ثُمَّ لَاُصَلِّبَنَّكُمْ اَجْمَعِيْنَ ﴿١٢٤﴾
قَالُوْٓا اِنَّآ اِلٰى رَبِّنَا مُنْقَلِبُوْنَ ﴿١٢٥﴾ ۚ وَمَا تَنْقِمُ مِنَّآ منزل ٢
اِلَّآ اَنْ اٰمَنَّا بِاٰيٰتِ رَبِّنَا لَمَّا جَآءَتْنَا ؕ رَبَّنَآ اَفْرِغْ
ع ١٨ عَلَيْنَا صَبْرًا وَّتَوَفَّنَا مُسْلِمِيْنَ ﴿١٢٦﴾ ع وَقَالَ الْمَلَاُ مِنْ
قَوْمِ فِرْعَوْنَ اَتَذَرُ مُوْسٰى وَقَوْمَهٗ لِيُفْسِدُوْا فِي
الْاَرْضِ وَيَذَرَكَ وَاٰلِهَتَكَ ؕ قَالَ سَنُقَتِّلُ اَبْنَآءَهُمْ
وَنَسْتَحْيٖ نِسَآءَهُمْ ۚ وَاِنَّا فَوْقَهُمْ قٰهِرُوْنَ ﴿١٢٧﴾ قَالَ
مُوْسٰى لِقَوْمِهِ اسْتَعِيْنُوْا بِاللّٰهِ وَاصْبِرُوْا ۚ اِنَّ

Ikhfa إخفا | Ikhfa Meem Saakin إخفا ميم ساكن | Qalqala قلقله | Qalb قلب | Idghaam ادغام | Idghaam Meem Saakin ادغام ميم ساكن | Ghunna غُنّه

الْاَرْضَ لِلّٰهِ ۙ يُوْرِثُهَا مَنْ يَّشَآءُ مِنْ عِبَادِهٖ ؕ وَ
الْعَاقِبَةُ لِلْمُتَّقِيْنَ ﴿۱۲۸﴾ قَالُوْۤا اُوْذِيْنَا مِنْ قَبْلِ
اَنْ تَاْتِيَنَا وَمِنْۢ بَعْدِ مَا جِئْتَنَا ؕ قَالَ عَسٰى رَبُّكُمْ
اَنْ يُّهْلِكَ عَدُوَّكُمْ وَيَسْتَخْلِفَكُمْ فِى الْاَرْضِ فَيَنْظُرَ
كَيْفَ تَعْمَلُوْنَ ﴿۱۲۹﴾ ع وَلَقَدْ اَخَذْنَاۤ اٰلَ فِرْعَوْنَ ع ۱۵ ۳ ۵
بِالسِّنِيْنَ وَنَقْصٍ مِّنَ الثَّمَرٰتِ لَعَلَّهُمْ يَذَّكَّرُوْنَ ﴿۱۳۰﴾
فَاِذَا جَآءَتْهُمُ الْحَسَنَةُ قَالُوْا لَنَا هٰذِهٖ ۚ وَاِنْ
تُصِبْهُمْ سَيِّئَةٌ يَّطَّيَّرُوْا بِمُوْسٰى وَمَنْ مَّعَهٗ ؕ
اَلَاۤ اِنَّمَا طٰٓئِرُهُمْ عِنْدَ اللّٰهِ وَلٰكِنَّ اَكْثَرَهُمْ لَا
يَعْلَمُوْنَ ﴿۱۳۱﴾ وَقَالُوْا مَهْمَا تَاْتِنَا بِهٖ مِنْ اٰيَةٍ لِّتَسْحَرَنَا
بِهَا ۙ فَمَا نَحْنُ لَكَ بِمُؤْمِنِيْنَ ﴿۱۳۲﴾ فَاَرْسَلْنَا عَلَيْهِمُ
الطُّوْفَانَ وَالْجَرَادَ وَالْقُمَّلَ وَالضَّفَادِعَ وَ
الدَّمَ اٰيٰتٍ مُّفَصَّلٰتٍ ۫ فَاسْتَكْبَرُوْا وَكَانُوْا قَوْمًا

منزل ۲

مُّجْرِمِيْنَ ﴿۱۳۳﴾ وَلَمَّا وَقَعَ عَلَيْهِمُ الرِّجْزُ قَالُوْا يٰمُوْسَى
ادْعُ لَنَا رَبَّكَ بِمَا عَهِدَ عِنْدَكَ ۚ لَئِنْ كَشَفْتَ
عَنَّا الرِّجْزَ لَنُؤْمِنَنَّ لَكَ وَلَنُرْسِلَنَّ مَعَكَ بَنِيْٓ
اِسْرَآءِيْلَ ۚ ﴿۱۳۴﴾ فَلَمَّا كَشَفْنَا عَنْهُمُ الرِّجْزَ اِلٰٓى اَجَلٍ هُمْ
بٰلِغُوْهُ اِذَا هُمْ يَنْكُثُوْنَ ﴿۱۳۵﴾ فَانْتَقَمْنَا مِنْهُمْ فَاَغْرَقْنٰهُمْ
فِى الْيَمِّ بِاَنَّهُمْ كَذَّبُوْا بِاٰيٰتِنَا وَكَانُوْا عَنْهَا
غٰفِلِيْنَ ﴿۱۳۶﴾ وَاَوْرَثْنَا الْقَوْمَ الَّذِيْنَ كَانُوْا يُسْتَضْعَفُوْنَ منزل ۲
مَشَارِقَ الْاَرْضِ وَمَغَارِبَهَا الَّتِىْ بٰرَكْنَا فِيْهَا ؕ
وَتَمَّتْ كَلِمَتُ رَبِّكَ الْحُسْنٰى عَلٰى بَنِىْٓ اِسْرَآءِيْلَ ۙ۬ ۵
بِمَا صَبَرُوْا ؕ وَدَمَّرْنَا مَا كَانَ يَصْنَعُ فِرْعَوْنُ وَ
الربع قَوْمُهٗ وَمَا كَانُوْا يَعْرِشُوْنَ ﴿۱۳۷﴾ وَجٰوَزْنَا بِبَنِىْٓ
اِسْرَآءِيْلَ الْبَحْرَ فَاَتَوْا عَلٰى قَوْمٍ يَّعْكُفُوْنَ عَلٰٓى
اَصْنَامٍ لَّهُمْ ۚ قَالُوْا يٰمُوْسَى اجْعَلْ لَّنَآ اِلٰهًا كَمَا

لَهُمْ اٰلِهَةٌ ؕ قَالَ اِنَّكُمْ قَوْمٌ تَجْهَلُوْنَ ﴿۱۳۸﴾ اِنَّ هٰٓؤُلَآءِ

مُتَبَّرٌ مَّا هُمْ فِيْهِ وَ بٰطِلٌ مَّا كَانُوْا يَعْمَلُوْنَ ﴿۱۳۹﴾

قَالَ اَغَيْرَ اللّٰهِ اَبْغِيْكُمْ اِلٰهًا وَّ هُوَ فَضَّلَكُمْ

عَلَى الْعٰلَمِيْنَ ﴿۱۴۰﴾ وَاِذْ اَنْجَيْنٰكُمْ مِّنْ اٰلِ فِرْعَوْنَ

يَسُوْمُوْنَكُمْ سُوْٓءَ الْعَذَابِ ۚ يُقَتِّلُوْنَ اَبْنَآءَكُمْ

وَيَسْتَحْيُوْنَ نِسَآءَكُمْ ؕ وَفِيْ ذٰلِكُمْ بَلَآءٌ

مِّنْ رَّبِّكُمْ عَظِيْمٌ ﴿۱۴۱﴾ ع وَوٰعَدْنَا مُوْسٰى ثَلٰثِيْنَ ع ۱۶ ۱۲

لَيْلَةً وَّاَتْمَمْنٰهَا بِعَشْرٍ فَتَمَّ مِيْقَاتُ رَبِّهٖٓ اَرْبَعِيْنَ

لَيْلَةً ۚ وَقَالَ مُوْسٰى لِاَخِيْهِ هٰرُوْنَ اخْلُفْنِيْ فِيْ

قَوْمِيْ وَاَصْلِحْ وَلَا تَتَّبِعْ سَبِيْلَ الْمُفْسِدِيْنَ ﴿۱۴۲﴾

وَلَمَّا جَآءَ مُوْسٰى لِمِيْقَاتِنَا وَكَلَّمَهٗ رَبُّهٗ ۙ قَالَ

رَبِّ اَرِنِيْٓ اَنْظُرْ اِلَيْكَ ؕ قَالَ لَنْ تَرٰىنِيْ وَلٰكِنِ

انْظُرْ اِلَى الْجَبَلِ فَاِنِ اسْتَقَرَّ مَكَانَهٗ فَسَوْفَ

Ikhfa اِخفا | Ikhfa Meem Saakin اِخفامیم ساکن | Qalqala قلقلہ | Qalb قلب | Idghaam اِدغام | Idghaam Meem Saakin اِدغام میم ساکن | Ghunna غُنّہ

تَرٰىنِيْ ۚ فَلَمَّا تَجَلّٰى رَبُّهٗ لِلْجَبَلِ جَعَلَهٗ دَكًّا وَّخَرَّ
مُوْسٰى صَعِقًا ۚ فَلَمَّاۤ اَفَاقَ قَالَ سُبْحٰنَكَ تُبْتُ
اِلَيْكَ وَاَنَا اَوَّلُ الْمُؤْمِنِيْنَ ﴿۱۴۳﴾ قَالَ يٰمُوْسٰۤى اِنِّىْ
اصْطَفَيْتُكَ عَلَى النَّاسِ بِرِسٰلٰتِىْ وَبِكَلَامِىْ ۖ
فَخُذْ مَاۤ اٰتَيْتُكَ وَكُنْ مِّنَ الشّٰكِرِيْنَ ﴿۱۴۴﴾ وَكَتَبْنَا لَهٗ
فِى الْاَلْوَاحِ مِنْ كُلِّ شَیْءٍ مَّوْعِظَةً وَّتَفْصِيْلًا
لِّكُلِّ شَیْءٍ ۚ فَخُذْهَا بِقُوَّةٍ وَّاْمُرْ قَوْمَكَ يَاْخُذُوْا
بِاَحْسَنِهَا ؕ سَاُورِيْكُمْ دَارَ الْفٰسِقِيْنَ ﴿۱۴۵﴾ سَاَصْرِفُ
عَنْ اٰيٰتِىَ الَّذِيْنَ يَتَكَبَّرُوْنَ فِى الْاَرْضِ بِغَيْرِ الْحَقِّ ؕ
وَاِنْ يَّرَوْا كُلَّ اٰيَةٍ لَّا يُؤْمِنُوْا بِهَا ۚ وَاِنْ يَّرَوْا سَبِيْلَ
الرُّشْدِ لَا يَتَّخِذُوْهُ سَبِيْلًا ۚ وَاِنْ يَّرَوْا سَبِيْلَ الْغَيِّ
يَتَّخِذُوْهُ سَبِيْلًا ؕ ذٰلِكَ بِاَنَّهُمْ كَذَّبُوْا بِاٰيٰتِنَا وَكَانُوْا
عَنْهَا غٰفِلِيْنَ ﴿۱۴۶﴾ وَالَّذِيْنَ كَذَّبُوْا بِاٰيٰتِنَا وَلِقَآءِ

منزل ۲

الْاٰخِرَةِ حَبِطَتْ اَعْمَالُهُمْ ؕ هَلْ يُجْزَوْنَ اِلَّا مَا
كَانُوْا يَعْمَلُوْنَ ﴿١٤٧﴾ ع وَاتَّخَذَ قَوْمُ مُوْسٰى مِنْ بَعْدِهٖ
مِنْ حُلِيِّهِمْ عِجْلًا جَسَدًا لَّهٗ خُوَارٌ ؕ اَلَمْ يَرَوْا اَنَّهٗ
لَا يُكَلِّمُهُمْ وَلَا يَهْدِيْهِمْ سَبِيْلًا ۘ اِتَّخَذُوْهُ وَكَانُوْا وقف لازم
ظٰلِمِيْنَ ﴿١٤٨﴾ وَلَمَّا سُقِطَ فِيْٓ اَيْدِيْهِمْ وَرَاَوْا اَنَّهُمْ
قَدْ ضَلُّوْا ۙ قَالُوْا لَئِنْ لَّمْ يَرْحَمْنَا رَبُّنَا وَيَغْفِرْ لَنَا
لَنَكُوْنَنَّ مِنَ الْخٰسِرِيْنَ ﴿١٤٩﴾ وَلَمَّا رَجَعَ مُوْسٰٓى اِلٰى
قَوْمِهٖ غَضْبَانَ اَسِفًا ۙ قَالَ بِئْسَمَا خَلَفْتُمُوْنِيْ
مِنْ بَعْدِيْ ۚ اَعَجِلْتُمْ اَمْرَ رَبِّكُمْ ۚ وَاَلْقَى الْاَلْوَاحَ
وَاَخَذَ بِرَاْسِ اَخِيْهِ يَجُرُّهٗٓ اِلَيْهِ ؕ قَالَ ابْنَ اُمَّ اِنَّ
الْقَوْمَ اسْتَضْعَفُوْنِيْ وَكَادُوْا يَقْتُلُوْنَنِيْ ۖ فَلَا
تُشْمِتْ بِيَ الْاَعْدَآءَ وَلَا تَجْعَلْنِيْ مَعَ الْقَوْمِ
الظّٰلِمِيْنَ ﴿١٥٠﴾ قَالَ رَبِّ اغْفِرْ لِيْ وَلِاَخِيْ وَاَدْخِلْنَا

منزل ٢

فِيْ رَحْمَتِكَ ۖ وَاَنْتَ اَرْحَمُ الرّٰحِمِيْنَ ﴿١٥١﴾ اِنَّ الَّذِيْنَ

اتَّخَذُوا الْعِجْلَ سَيَنَالُهُمْ غَضَبٌ مِّنْ رَّبِّهِمْ وَذِلَّةٌ

فِي الْحَيٰوةِ الدُّنْيَا ؕ وَكَذٰلِكَ نَجْزِي الْمُفْتَرِيْنَ ﴿١٥٢﴾

وَالَّذِيْنَ عَمِلُوا السَّيِّاٰتِ ثُمَّ تَابُوْا مِنْۢ بَعْدِهَا وَاٰمَنُوْٓا ۫

اِنَّ رَبَّكَ مِنْۢ بَعْدِهَا لَغَفُوْرٌ رَّحِيْمٌ ﴿١٥٣﴾ وَلَمَّا سَكَتَ

عَنْ مُّوْسَى الْغَضَبُ اَخَذَ الْاَلْوَاحَ ۖۚ وَفِيْ نُسْخَتِهَا

هُدًى وَّرَحْمَةٌ لِّلَّذِيْنَ هُمْ لِرَبِّهِمْ يَرْهَبُوْنَ ﴿١٥٤﴾

وَاخْتَارَ مُوْسٰى قَوْمَهٗ سَبْعِيْنَ رَجُلًا لِّمِيْقَاتِنَا ۚ

فَلَمَّآ اَخَذَتْهُمُ الرَّجْفَةُ قَالَ رَبِّ لَوْ شِئْتَ

اَهْلَكْتَهُمْ مِّنْ قَبْلُ وَاِيَّايَ ؕ اَتُهْلِكُنَا بِمَا فَعَلَ

السُّفَهَآءُ مِنَّا ۚ اِنْ هِيَ اِلَّا فِتْنَتُكَ ؕ تُضِلُّ بِهَا

مَنْ تَشَآءُ وَتَهْدِيْ مَنْ تَشَآءُ ؕ اَنْتَ وَلِيُّنَا فَاغْفِرْ

لَنَا وَارْحَمْنَا وَاَنْتَ خَيْرُ الْغٰفِرِيْنَ ﴿١٥٥﴾ وَاكْتُبْ لَنَا

ع ١٨ ٤ ٨

منزل ٢

Ikhfa إخفا | Ikhfa Meem Saakin إخفاميم ساكن | Qalqala قلقله | Qalb قلب | Idghaam إدغام | Idghaam Meem Saakin إدغام ميم ساكن | Ghunna غُنّه

فِيْ هٰذِهِ الدُّنْيَا حَسَنَةً وَّفِي الْاٰخِرَةِ اِنَّا هُدْنَآ
اِلَيْكَ ؕ قَالَ عَذَابِيْٓ اُصِيْبُ بِهٖ مَنْ اَشَآءُ ۚ وَ
رَحْمَتِيْ وَسِعَتْ كُلَّ شَيْءٍ ؕ فَسَاَكْتُبُهَا لِلَّذِيْنَ
يَتَّقُوْنَ وَيُؤْتُوْنَ الزَّكٰوةَ وَالَّذِيْنَ هُمْ بِاٰيٰتِنَا
يُؤْمِنُوْنَ ۚ ﴿۱۵۶﴾ اَلَّذِيْنَ يَتَّبِعُوْنَ الرَّسُوْلَ النَّبِيَّ
الْاُمِّيَّ الَّذِيْ يَجِدُوْنَهٗ مَكْتُوْبًا عِنْدَهُمْ فِي
التَّوْرٰىةِ وَالْاِنْجِيْلِ ۫ يَاْمُرُهُمْ بِالْمَعْرُوْفِ وَيَنْهٰىهُمْ منزل ۲
عَنِ الْمُنْكَرِ وَيُحِلُّ لَهُمُ الطَّيِّبٰتِ وَيُحَرِّمُ عَلَيْهِمُ
الْخَبٰٓئِثَ وَيَضَعُ عَنْهُمْ اِصْرَهُمْ وَالْاَغْلٰلَ الَّتِيْ كَانَتْ
عَلَيْهِمْ ؕ فَالَّذِيْنَ اٰمَنُوْا بِهٖ وَعَزَّرُوْهُ وَنَصَرُوْهُ
وَاتَّبَعُوا النُّوْرَ الَّذِيْٓ اُنْزِلَ مَعَهٗٓ ۙ اُولٰٓئِكَ هُمُ
ع ۱۹ ۲ ۹ الْمُفْلِحُوْنَ ﴿۱۵۷﴾ ع قُلْ يٰٓاَيُّهَا النَّاسُ اِنِّيْ رَسُوْلُ اللّٰهِ
اِلَيْكُمْ جَمِيْعَا ِۨ الَّذِيْ لَهٗ مُلْكُ السَّمٰوٰتِ وَالْاَرْضِ ۚ

لَآ اِلٰهَ اِلَّا هُوَ يُحْيٖ وَ يُمِيْتُ ۠ فَاٰمِنُوْا بِاللّٰهِ وَ
رَسُوْلِهِ النَّبِيِّ الْاُمِّيِّ الَّذِيْ يُؤْمِنُ بِاللّٰهِ وَكَلِمٰتِهٖ
وَاتَّبِعُوْهُ لَعَلَّكُمْ تَهْتَدُوْنَ ﴿١٥٨﴾ وَمِنْ قَوْمِ مُوْسٰٓى
اُمَّةٌ يَّهْدُوْنَ بِالْحَقِّ وَبِهٖ يَعْدِلُوْنَ ﴿١٥٩﴾ وَ قَطَّعْنٰهُمُ
اثْنَتَيْ عَشْرَةَ اَسْبَاطًا اُمَمًا ؕ وَاَوْحَيْنَآ اِلٰى مُوْسٰٓى
اِذِ اسْتَسْقٰىهُ قَوْمُهٗٓ اَنِ اضْرِبْ بِّعَصَاكَ الْحَجَرَ ۚ
فَانْۢبَجَسَتْ مِنْهُ اثْنَتَا عَشْرَةَ عَيْنًا ؕ قَدْ عَلِمَ
كُلُّ اُنَاسٍ مَّشْرَبَهُمْ ؕ وَظَلَّلْنَا عَلَيْهِمُ الْغَمَامَ وَ
اَنْزَلْنَا عَلَيْهِمُ الْمَنَّ وَالسَّلْوٰى ؕ كُلُوْا مِنْ طَيِّبٰتِ
مَا رَزَقْنٰكُمْ ؕ وَمَا ظَلَمُوْنَا وَلٰكِنْ كَانُوْٓا اَنْفُسَهُمْ
يَظْلِمُوْنَ ﴿١٦٠﴾ وَاِذْ قِيْلَ لَهُمُ اسْكُنُوْا هٰذِهِ الْقَرْيَةَ
وَكُلُوْا مِنْهَا حَيْثُ شِئْتُمْ وَ قُوْلُوْا حِطَّةٌ وَّادْخُلُوا الْبَابَ
سُجَّدًا نَّغْفِرْ لَكُمْ خَطِيْٓـٰٔتِكُمْ ؕ سَنَزِيْدُ الْمُحْسِنِيْنَ ﴿١٦١﴾

منزل ٢

فَبَدَّلَ الَّذِيْنَ ظَلَمُوْا مِنْهُمْ قَوْلًا غَيْرَ الَّذِيْ قِيْلَ
لَهُمْ فَاَرْسَلْنَا عَلَيْهِمْ رِجْزًا مِّنَ السَّمَآءِ بِمَا كَانُوْا
يَظْلِمُوْنَ ﴿۱۶۲﴾ ع وَسْـَٔلْهُمْ عَنِ الْقَرْيَةِ الَّتِيْ كَانَتْ
حَاضِرَةَ الْبَحْرِ ۘ اِذْ يَعْدُوْنَ فِي السَّبْتِ اِذْ
تَاْتِيْهِمْ حِيْتَانُهُمْ يَوْمَ سَبْتِهِمْ شُرَّعًا وَّيَوْمَ لَا
يَسْبِتُوْنَ ۙ لَا تَاْتِيْهِمْ ۛ كَذٰلِكَ ۛ نَبْلُوْهُمْ بِمَا
كَانُوْا يَفْسُقُوْنَ ﴿۱۶۳﴾ وَاِذْ قَالَتْ اُمَّةٌ مِّنْهُمْ لِمَ
تَعِظُوْنَ قَوْمَا ۙ اللّٰهُ مُهْلِكُهُمْ اَوْ مُعَذِّبُهُمْ
عَذَابًا شَدِيْدًا ۭ قَالُوْا مَعْذِرَةً اِلٰى رَبِّكُمْ وَلَعَلَّهُمْ
يَتَّقُوْنَ ﴿۱۶۴﴾ فَلَمَّا نَسُوْا مَا ذُكِّرُوْا بِهٖۤ اَنْجَيْنَا الَّذِيْنَ
يَنْهَوْنَ عَنِ السُّوْٓءِ وَاَخَذْنَا الَّذِيْنَ ظَلَمُوْا
بِعَذَابٍۭ بَـِٔيْسٍۭ بِمَا كَانُوْا يَفْسُقُوْنَ ﴿۱۶۵﴾ فَلَمَّا
عَتَوْا عَنْ مَّا نُهُوْا عَنْهُ قُلْنَا لَهُمْ كُوْنُوْا قِرَدَةً

ع ۵/۲۰ وقف لازم

معانقة عند المتاخرين ۱۲ النصف

منزل ۲

خٰسِـِٕيْنَ ﴿۱۶۶﴾ وَ اِذْ تَاَذَّنَ رَبُّكَ لَيَبْعَثَنَّ عَلَيْهِمْ
اِلٰى يَوْمِ الْقِيٰمَةِ مَنْ يَّسُوْمُهُمْ سُوْٓءَ الْعَذَابِ ؕ
اِنَّ رَبَّكَ لَسَرِيْعُ الْعِقَابِ ۖۚ وَ اِنَّهٗ لَغَفُوْرٌ رَّحِيْمٌ ﴿۱۶۷﴾
وَ قَطَّعْنٰهُمْ فِی الْاَرْضِ اُمَمًا ۚ مِنْهُمُ الصّٰلِحُوْنَ وَ
مِنْهُمْ دُوْنَ ذٰلِكَ ؗ وَ بَلَوْنٰهُمْ بِالْحَسَنٰتِ وَ السَّيِّاٰتِ
لَعَلَّهُمْ يَرْجِعُوْنَ ﴿۱۶۸﴾ فَخَلَفَ مِنْۢ بَعْدِهِمْ خَلْفٌ
وَّرِثُوا الْكِتٰبَ يَاْخُذُوْنَ عَرَضَ هٰذَا الْاَدْنٰى وَ
يَقُوْلُوْنَ سَيُغْفَرُ لَنَا ۚ وَ اِنْ يَّاْتِهِمْ عَرَضٌ مِّثْلُهٗ
يَاْخُذُوْهُ ؕ اَلَمْ يُؤْخَذْ عَلَيْهِمْ مِّيْثَاقُ الْكِتٰبِ
اَنْ لَّا يَقُوْلُوْا عَلَى اللّٰهِ اِلَّا الْحَقَّ وَ دَرَسُوْا مَا فِيْهِ ؕ
وَ الدَّارُ الْاٰخِرَةُ خَيْرٌ لِّلَّذِيْنَ يَتَّقُوْنَ ؕ اَفَلَا
تَعْقِلُوْنَ ﴿۱۶۹﴾ وَ الَّذِيْنَ يُمَسِّكُوْنَ بِالْكِتٰبِ وَ اَقَامُوا
الصَّلٰوةَ ؕ اِنَّا لَا نُضِيْعُ اَجْرَ الْمُصْلِحِيْنَ ﴿۱۷۰﴾ وَ اِذْ

منزل ۲

Ikhfa إخفا | Ikhfa Meem Saakin إخفا ميم ساكن | Qalqala قلقله | Qalb قلب | Idghaam ادغام | Idghaam Meem Saakin ادغام ميم ساكن | Ghunna غنّه

نَتَقْنَا الْجَبَلَ فَوْقَهُمْ كَاَنَّهٗ ظُلَّةٌ وَّظَنُّوْٓا اَنَّهٗ
وَاقِعٌۢ بِهِمْ ج خُذُوْا مَآ اٰتَيْنٰكُمْ بِقُوَّةٍ وَّاذْكُرُوْا
مَا فِيْهِ لَعَلَّكُمْ تَتَّقُوْنَ ﴿١٧١﴾ ع وَاِذْ اَخَذَ رَبُّكَ مِنْۢ — ع ٢١ ٩ ١١
بَنِيْٓ اٰدَمَ مِنْ ظُهُوْرِهِمْ ذُرِّيَّتَهُمْ وَاَشْهَدَهُمْ عَلٰٓى
اَنْفُسِهِمْ ج اَلَسْتُ بِرَبِّكُمْ ط قَالُوْا بَلٰى ج شَهِدْنَا ج — معانقة عند المتاخرين ١٢
اَنْ تَقُوْلُوْا يَوْمَ الْقِيٰمَةِ اِنَّا كُنَّا عَنْ هٰذَا غٰفِلِيْنَ ﴿١٧٢﴾ لا
اَوْ تَقُوْلُوْٓا اِنَّمَآ اَشْرَكَ اٰبَآؤُنَا مِنْ قَبْلُ وَكُنَّا
ذُرِّيَّةً مِّنْۢ بَعْدِهِمْ ج اَفَتُهْلِكُنَا بِمَا فَعَلَ
الْمُبْطِلُوْنَ ﴿١٧٣﴾ وَكَذٰلِكَ نُفَصِّلُ الْاٰيٰتِ وَلَعَلَّهُمْ
يَرْجِعُوْنَ ﴿١٧٤﴾ وَاتْلُ عَلَيْهِمْ نَبَاَ الَّذِيْٓ اٰتَيْنٰهُ
اٰيٰتِنَا فَانْسَلَخَ مِنْهَا فَاَتْبَعَهُ الشَّيْطٰنُ فَكَانَ
مِنَ الْغٰوِيْنَ ﴿١٧٥﴾ وَلَوْ شِئْنَا لَرَفَعْنٰهُ بِهَا وَلٰكِنَّهٗٓ
اَخْلَدَ اِلَى الْاَرْضِ وَاتَّبَعَ هَوٰىهُ ج فَمَثَلُهٗ كَمَثَلِ

منزل ٢

الْكَلْبِ ۚ اِنْ تَحْمِلْ عَلَيْهِ يَلْهَثْ اَوْ تَتْرُكْهُ

يَلْهَثْ ؕ ذٰلِكَ مَثَلُ الْقَوْمِ الَّذِيْنَ كَذَّبُوْا بِاٰيٰتِنَا ۚ

فَاقْصُصِ الْقَصَصَ لَعَلَّهُمْ يَتَفَكَّرُوْنَ ﴿۱۷۶﴾ سَآءَ

مَثَلَا ِۨ الْقَوْمُ الَّذِيْنَ كَذَّبُوْا بِاٰيٰتِنَا وَ اَنْفُسَهُمْ

كَانُوْا يَظْلِمُوْنَ ﴿۱۷۷﴾ مَنْ يَّهْدِ اللّٰهُ فَهُوَ الْمُهْتَدِيْ ۚ

وَمَنْ يُّضْلِلْ فَاُولٰٓئِكَ هُمُ الْخٰسِرُوْنَ ﴿۱۷۸﴾ وَلَقَدْ

ذَرَاْنَا لِجَهَنَّمَ كَثِيْرًا مِّنَ الْجِنِّ وَ الْاِنْسِ ۖۚ

لَهُمْ قُلُوْبٌ لَّا يَفْقَهُوْنَ بِهَا ۫ وَلَهُمْ اَعْيُنٌ

لَّا يُبْصِرُوْنَ بِهَا ۫ وَلَهُمْ اٰذَانٌ لَّا يَسْمَعُوْنَ بِهَا ؕ

اُولٰٓئِكَ كَالْاَنْعَامِ بَلْ هُمْ اَضَلُّ ؕ اُولٰٓئِكَ هُمُ

الْغٰفِلُوْنَ ﴿۱۷۹﴾ وَلِلّٰهِ الْاَسْمَآءُ الْحُسْنٰى فَادْعُوْهُ

بِهَا ۪ وَذَرُوا الَّذِيْنَ يُلْحِدُوْنَ فِيْٓ اَسْمَآئِهٖ ؕ

سَيُجْزَوْنَ مَا كَانُوْا يَعْمَلُوْنَ ﴿۱۸۰﴾ وَمِمَّنْ خَلَقْنَآ

منزل ۲

ع ٢٢ / ١٢ اُمَّةٌ يَّهْدُوْنَ بِالْحَقِّ وَبِهٖ يَعْدِلُوْنَ ﴿١٨١﴾ وَ
الَّذِيْنَ كَذَّبُوْا بِاٰيٰتِنَا سَنَسْتَدْرِجُهُمْ مِّنْ
حَيْثُ لَا يَعْلَمُوْنَ ﴿١٨٢﴾ وَاُمْلِيْ لَهُمْ قف اِنَّ كَيْدِيْ
مَتِيْنٌ ﴿١٨٣﴾ اَوَلَمْ يَتَفَكَّرُوْا سكتة مَا بِصَاحِبِهِمْ مِّنْ
جِنَّةٍ ط اِنْ هُوَ اِلَّا نَذِيْرٌ مُّبِيْنٌ ﴿١٨٤﴾ اَوَلَمْ يَنْظُرُوْا فِيْ
مَلَكُوْتِ السَّمٰوٰتِ وَالْاَرْضِ وَمَا خَلَقَ اللّٰهُ مِنْ
شَيْءٍ لا وَّاَنْ عَسٰۤى اَنْ يَّكُوْنَ قَدِ اقْتَرَبَ اَجَلُهُمْ ج
فَبِاَيِّ حَدِيْثٍ بَعْدَهٗ يُؤْمِنُوْنَ ﴿١٨٥﴾ مَنْ يُّضْلِلِ
اللّٰهُ فَلَا هَادِيَ لَهٗ ط وَيَذَرُهُمْ فِيْ طُغْيَانِهِمْ
يَعْمَهُوْنَ ﴿١٨٦﴾ يَسْئَلُوْنَكَ عَنِ السَّاعَةِ اَيَّانَ
مُرْسٰىهَا ط قُلْ اِنَّمَا عِلْمُهَا عِنْدَ رَبِّيْ ج لَا يُجَلِّيْهَا
لِوَقْتِهَاۤ اِلَّا هُوَ ؔ ط ثَقُلَتْ فِي السَّمٰوٰتِ وَالْاَرْضِ ط لَا وقف لازم / وقف منزل
تَاْتِيْكُمْ اِلَّا بَغْتَةً ط يَسْئَلُوْنَكَ كَاَنَّكَ حَفِيٌّ عَنْهَا ط

منزل ٢

قُلْ اِنَّمَا عِلْمُهَا عِنْدَ اللّٰهِ وَلٰكِنَّ اَكْثَرَ النَّاسِ لَا
يَعْلَمُوْنَ ﴿١٨٧﴾ قُلْ لَّاۤ اَمْلِكُ لِنَفْسِىْ نَفْعًا وَّلَا ضَرًّا اِلَّا
مَا شَآءَ اللّٰهُ ؕ وَلَوْ كُنْتُ اَعْلَمُ الْغَيْبَ لَاسْتَكْثَرْتُ
مِنَ الْخَيْرِ ۛۚ وَمَا مَسَّنِىَ السُّوْٓءُ ۛۚ اِنْ اَنَا اِلَّا نَذِيْرٌ
وَّبَشِيْرٌ لِّقَوْمٍ يُّؤْمِنُوْنَ ﴿١٨٨﴾ ع هُوَ الَّذِىْ خَلَقَكُمْ مِّنْ
نَّفْسٍ وَّاحِدَةٍ وَّجَعَلَ مِنْهَا زَوْجَهَا لِيَسْكُنَ
اِلَيْهَا ۚ فَلَمَّا تَغَشّٰهَا حَمَلَتْ حَمْلًا خَفِيْفًا فَمَرَّتْ
بِهٖ ۚ فَلَمَّاۤ اَثْقَلَتْ دَّعَوَا اللّٰهَ رَبَّهُمَا لَئِنْ اٰتَيْتَنَا
صَالِحًا لَّنَكُوْنَنَّ مِنَ الشّٰكِرِيْنَ ﴿١٨٩﴾ فَلَمَّاۤ اٰتٰىهُمَا
صَالِحًا جَعَلَا لَهٗ شُرَكَآءَ فِيْمَاۤ اٰتٰىهُمَا ۚ فَتَعٰلَى
اللّٰهُ عَمَّا يُشْرِكُوْنَ ﴿١٩٠﴾ اَيُشْرِكُوْنَ مَا لَا يَخْلُقُ
شَيْـًٔا وَّهُمْ يُخْلَقُوْنَ ﴿١٩١﴾ ۖ وَلَا يَسْتَطِيْعُوْنَ لَهُمْ نَصْرًا
وَّلَاۤ اَنْفُسَهُمْ يَنْصُرُوْنَ ﴿١٩٢﴾ وَاِنْ تَدْعُوْهُمْ اِلَى

معانقة ٨ عند المتأخرين ١٢

ع ٢٤ ٧ ٢٤

منزل ٢

Ikhfa إخفا | Ikhfa Meem Saakin إخفاميم ساكن | Qalqala قلقله | Qalb قلب | Idghaam إدغام | Idghaam Meem Saakin إدغام ميم ساكن | Ghunna غنّہ

الْهُدٰى لَا يَتَّبِعُوْكُمْ ؕ سَوَآءٌ عَلَيْكُمْ اَدَعَوْتُمُوْهُمْ اَمْ
اَنْتُمْ صَامِتُوْنَ ﴿۱۹۳﴾ اِنَّ الَّذِيْنَ تَدْعُوْنَ مِنْ
دُوْنِ اللّٰهِ عِبَادٌ اَمْثَالُكُمْ فَادْعُوْهُمْ فَلْيَسْتَجِيْبُوْا
لَكُمْ اِنْ كُنْتُمْ صٰدِقِيْنَ ﴿۱۹۴﴾ اَلَهُمْ اَرْجُلٌ يَّمْشُوْنَ
بِهَآ ز اَمْ لَهُمْ اَيْدٍ يَّبْطِشُوْنَ بِهَآ ز اَمْ لَهُمْ اَعْيُنٌ
يُّبْصِرُوْنَ بِهَآ ز اَمْ لَهُمْ اٰذَانٌ يَّسْمَعُوْنَ بِهَا ؕ قُلِ
ادْعُوْا شُرَكَآءَكُمْ ثُمَّ كِيْدُوْنِ فَلَا تُنْظِرُوْنِ ﴿۱۹۵﴾
اِنَّ وَلِيِّۦَ اللّٰهُ الَّذِيْ نَزَّلَ الْكِتٰبَ ۖ ز وَهُوَ يَتَوَلَّى
الصّٰلِحِيْنَ ﴿۱۹۶﴾ وَالَّذِيْنَ تَدْعُوْنَ مِنْ دُوْنِهٖ لَا
يَسْتَطِيْعُوْنَ نَصْرَكُمْ وَلَآ اَنْفُسَهُمْ يَنْصُرُوْنَ ﴿۱۹۷﴾
وَاِنْ تَدْعُوْهُمْ اِلَى الْهُدٰى لَا يَسْمَعُوْا ؕ وَتَرٰىهُمْ
يَنْظُرُوْنَ اِلَيْكَ وَهُمْ لَا يُبْصِرُوْنَ ﴿۱۹۸﴾ خُذِ الْعَفْوَ
وَاْمُرْ بِالْعُرْفِ وَاَعْرِضْ عَنِ الْجٰهِلِيْنَ ﴿۱۹۹﴾ وَاِمَّا

منزل ٢

Ikhfa اِخفا | Ikhfa Meem Saakin اِخفامیم ساکن | Qalqala قلقلہ | Qalb قلب | Idghaam ادغام | Idghaam Meem Saakin ادغام میم ساکن | Ghunna غُنّہ

يَنْزَغَنَّكَ مِنَ الشَّيْطٰنِ نَزْغٌ فَاسْتَعِذْ بِاللّٰهِ ؕ اِنَّهٗ
سَمِيْعٌ عَلِيْمٌ ﴿۲۰۰﴾ اِنَّ الَّذِيْنَ اتَّقَوْا اِذَا مَسَّهُمْ
طٰٓئِفٌ مِّنَ الشَّيْطٰنِ تَذَكَّرُوْا فَاِذَا هُمْ مُّبْصِرُوْنَ ﴿۲۰۱﴾ ۚ
وَاِخْوَانُهُمْ يَمُدُّوْنَهُمْ فِي الْغَيِّ ثُمَّ لَا يُقْصِرُوْنَ ﴿۲۰۲﴾
وَاِذَا لَمْ تَاْتِهِمْ بِاٰيَةٍ قَالُوْا لَوْلَا اجْتَبَيْتَهَا ؕ
قُلْ اِنَّمَآ اَتَّبِعُ مَا يُوْحٰٓى اِلَيَّ مِنْ رَّبِّيْ ۚ هٰذَا
بَصَآئِرُ مِنْ رَّبِّكُمْ وَهُدًى وَّرَحْمَةٌ لِّقَوْمٍ
يُّؤْمِنُوْنَ ﴿۲۰۳﴾ وَاِذَا قُرِئَ الْقُرْاٰنُ فَاسْتَمِعُوْا لَهٗ وَ
اَنْصِتُوْا لَعَلَّكُمْ تُرْحَمُوْنَ ﴿۲۰۴﴾ وَاذْكُرْ رَّبَّكَ فِيْ
نَفْسِكَ تَضَرُّعًا وَّخِيْفَةً وَّدُوْنَ الْجَهْرِ مِنَ الْقَوْلِ
بِالْغُدُوِّ وَالْاٰصَالِ وَلَا تَكُنْ مِّنَ الْغٰفِلِيْنَ ﴿۲۰۵﴾
اِنَّ الَّذِيْنَ عِنْدَ رَبِّكَ لَا يَسْتَكْبِرُوْنَ عَنْ
عِبَادَتِهٖ وَيُسَبِّحُوْنَهٗ وَلَهٗ يَسْجُدُوْنَ ﴿۲۰۶﴾ السجدة ع

منزل ۲

اٰيَاتُهَا ٧٥ (٨) سُوْرَةُ الْاَنْفَالِ مَدَنِيَّةٌ (٨٨) رُكُوْعَاتُهَا ١٠

بِسْمِ اللّٰهِ الرَّحْمٰنِ الرَّحِيْمِ

يَسْـَٔلُوْنَكَ عَنِ الْاَنْفَالِ ؕ قُلِ الْاَنْفَالُ لِلّٰهِ وَالرَّسُوْلِ ۚ
فَاتَّقُوا اللّٰهَ وَاَصْلِحُوْا ذَاتَ بَيْنِكُمْ ۪ وَاَطِيْعُوا اللّٰهَ
وَرَسُوْلَهٗۤ اِنْ كُنْتُمْ مُّؤْمِنِيْنَ ﴿١﴾ اِنَّمَا الْمُؤْمِنُوْنَ
الَّذِيْنَ اِذَا ذُكِرَ اللّٰهُ وَجِلَتْ قُلُوْبُهُمْ وَاِذَا تُلِيَتْ
عَلَيْهِمْ اٰيٰتُهٗ زَادَتْهُمْ اِيْمَانًا وَّعَلٰى رَبِّهِمْ
يَتَوَكَّلُوْنَ ۚۖ ﴿٢﴾ الَّذِيْنَ يُقِيْمُوْنَ الصَّلٰوةَ وَمِمَّا رَزَقْنٰهُمْ
يُنْفِقُوْنَ ؕ ﴿٣﴾ اُولٰٓئِكَ هُمُ الْمُؤْمِنُوْنَ حَقًّا ؕ لَهُمْ
دَرَجٰتٌ عِنْدَ رَبِّهِمْ وَمَغْفِرَةٌ وَّرِزْقٌ كَرِيْمٌ ۚ ﴿٤﴾ كَمَاۤ
اَخْرَجَكَ رَبُّكَ مِنْ بَيْتِكَ بِالْحَقِّ ۪ وَاِنَّ فَرِيْقًا
مِّنَ الْمُؤْمِنِيْنَ لَكٰرِهُوْنَ ﴿٥﴾ ۙ يُجَادِلُوْنَكَ فِي
الْحَقِّ بَعْدَ مَا تَبَيَّنَ كَاَنَّمَا يُسَاقُوْنَ اِلَى الْمَوْتِ

منزل ٢

وَهُمْ يَنْظُرُوْنَ ﴿٦﴾ ؕ وَاِذْ يَعِدُكُمُ اللّٰهُ اِحْدَى

الطَّآىِٕفَتَيْنِ اَنَّهَا لَكُمْ وَتَوَدُّوْنَ اَنَّ غَيْرَ ذَاتِ

الشَّوْكَةِ تَكُوْنُ لَكُمْ وَيُرِيْدُ اللّٰهُ اَنْ

يُّحِقَّ الْحَقَّ بِكَلِمٰتِهٖ وَيَقْطَعَ دَابِرَ الْكٰفِرِيْنَ ﴿٧﴾ لا

لِيُحِقَّ الْحَقَّ وَيُبْطِلَ الْبَاطِلَ وَلَوْ كَرِهَ الْمُجْرِمُوْنَ ﴿٨﴾ ج

اِذْ تَسْتَغِيْثُوْنَ رَبَّكُمْ فَاسْتَجَابَ لَكُمْ اَنِّيْ

مُمِدُّكُمْ بِاَلْفٍ مِّنَ الْمَلٰٓىِٕكَةِ مُرْدِفِيْنَ ﴿٩﴾ وَمَا منزل ۲

جَعَلَهُ اللّٰهُ اِلَّا بُشْرٰى وَلِتَطْمَىِٕنَّ بِهٖ قُلُوْبُكُمْ ج

وَمَا النَّصْرُ اِلَّا مِنْ عِنْدِ اللّٰهِ ؕ اِنَّ اللّٰهَ عَزِيْزٌ

ع ۱۰ ۱۵ حَكِيْمٌ ﴿١٠﴾ ع اِذْ يُغَشِّيْكُمُ النُّعَاسَ اَمَنَةً مِّنْهُ وَ

يُنَزِّلُ عَلَيْكُمْ مِّنَ السَّمَآءِ مَآءً لِّيُطَهِّرَكُمْ بِهٖ

وَيُذْهِبَ عَنْكُمْ رِجْزَ الشَّيْطٰنِ وَلِيَرْبِطَ عَلٰى

قُلُوْبِكُمْ وَيُثَبِّتَ بِهِ الْاَقْدَامَ ﴿١١﴾ ؕ اِذْ يُوْحِيْ

رَبُّكَ اِلَى الْمَلٰٓئِكَةِ اَنِّیْ مَعَكُمْ فَثَبِّتُوا الَّذِیْنَ
اٰمَنُوْا ؕ سَاُلْقِیْ فِیْ قُلُوْبِ الَّذِیْنَ كَفَرُوا
الرُّعْبَ فَاضْرِبُوْا فَوْقَ الْاَعْنَاقِ وَ اضْرِبُوْا
مِنْهُمْ كُلَّ بَنَانٍ ؕ ﴿۱۲﴾ ذٰلِكَ بِاَنَّهُمْ شَآقُّوا اللّٰهَ
وَرَسُوْلَهٗ ۚ وَمَنْ یُّشَاقِقِ اللّٰهَ وَ رَسُوْلَهٗ فَاِنَّ
اللّٰهَ شَدِیْدُ الْعِقَابِ ﴿۱۳﴾ ذٰلِكُمْ فَذُوْقُوْهُ وَ اَنَّ
لِلْكٰفِرِیْنَ عَذَابَ النَّارِ ﴿۱۴﴾ یٰۤاَیُّهَا الَّذِیْنَ
اٰمَنُوْۤا اِذَا لَقِیْتُمُ الَّذِیْنَ كَفَرُوْا زَحْفًا فَلَا
تُوَلُّوْهُمُ الْاَدْبَارَ ﴿۱۵﴾ ۚ وَمَنْ یُّوَلِّهِمْ یَوْمَئِذٍ
دُبُرَهٗۤ اِلَّا مُتَحَرِّفًا لِّقِتَالٍ اَوْ مُتَحَیِّزًا اِلٰى فِئَةٍ
فَقَدْ بَآءَ بِغَضَبٍ مِّنَ اللّٰهِ وَمَاْوٰىهُ جَهَنَّمُ ؕ
وَبِئْسَ الْمَصِیْرُ ﴿۱۶﴾ فَلَمْ تَقْتُلُوْهُمْ وَ لٰكِنَّ
اللّٰهَ قَتَلَهُمْ ۪ وَمَا رَمَیْتَ اِذْ رَمَیْتَ وَلٰكِنَّ اللّٰهَ

منزل ۲

رَمٰى ۚ وَلِيُبْلِيَ الْمُؤْمِنِيْنَ مِنْهُ بَلَآءً حَسَنًا ۭ اِنَّ
اللّٰهَ سَمِيْعٌ عَلِيْمٌ ﴿١٧﴾ ذٰلِكُمْ وَاَنَّ اللّٰهَ مُوْهِنُ
كَيْدِ الْكٰفِرِيْنَ ﴿١٨﴾ اِنْ تَسْتَفْتِحُوْا فَقَدْ جَآءَكُمُ
الْفَتْحُ ۚ وَاِنْ تَنْتَهُوْا فَهُوَ خَيْرٌ لَّكُمْ ۚ وَاِنْ تَعُوْدُوْا
نَعُدْ ۚ وَلَنْ تُغْنِيَ عَنْكُمْ فِئَتُكُمْ شَيْـًٔا وَّ لَوْ
كَثُرَتْ ۙ وَاَنَّ اللّٰهَ مَعَ الْمُؤْمِنِيْنَ ﴿١٩﴾ يٰۤاَيُّهَا
الَّذِيْنَ اٰمَنُوْۤا اَطِيْعُوا اللّٰهَ وَرَسُوْلَهٗ وَلَا
تَوَلَّوْا عَنْهُ وَاَنْتُمْ تَسْمَعُوْنَ ﴿٢٠﴾ ۚۖ وَلَا تَكُوْنُوْا
كَالَّذِيْنَ قَالُوْا سَمِعْنَا وَهُمْ لَا يَسْمَعُوْنَ ﴿٢١﴾ اِنَّ
شَرَّ الدَّوَآبِّ عِنْدَ اللّٰهِ الصُّمُّ الْبُكْمُ الَّذِيْنَ لَا
يَعْقِلُوْنَ ﴿٢٢﴾ وَلَوْ عَلِمَ اللّٰهُ فِيْهِمْ خَيْرًا لَّاَسْمَعَهُمْ ۭ وَلَوْ
اَسْمَعَهُمْ لَتَوَلَّوْا وَّهُمْ مُّعْرِضُوْنَ ﴿٢٣﴾ يٰۤاَيُّهَا
الَّذِيْنَ اٰمَنُوا اسْتَجِيْبُوْا لِلّٰهِ وَلِلرَّسُوْلِ اِذَا دَعَاكُمْ

ع ٢ ٩ ١٦

منزل ٢

Ikhfa اِخفا | Ikhfa Meem Saakin اِخفامیم ساکن | Qalqala قلقلہ | Qalb قلب | Idghaam اِدغام | Idghaam Meem Saakin اِدغام میم ساکن | Ghunna غُنّہ

لِمَا يُحْيِيْكُمْ ۚ وَاعْلَمُوْٓا اَنَّ اللّٰهَ يَحُوْلُ بَيْنَ الْمَرْءِ
وَقَلْبِهٖ وَاَنَّهٗٓ اِلَيْهِ تُحْشَرُوْنَ ﴿٢٤﴾ وَاتَّقُوْا
فِتْنَةً لَّا تُصِيْبَنَّ الَّذِيْنَ ظَلَمُوْا مِنْكُمْ خَآصَّةً ۚ
وَاعْلَمُوْٓا اَنَّ اللّٰهَ شَدِيْدُ الْعِقَابِ ﴿٢٥﴾ وَاذْكُرُوْٓا
اِذْ اَنْتُمْ قَلِيْلٌ مُّسْتَضْعَفُوْنَ فِي الْاَرْضِ
تَخَافُوْنَ اَنْ يَّتَخَطَّفَكُمُ النَّاسُ فَاٰوٰىكُمْ وَاَيَّدَكُمْ
بِنَصْرِهٖ وَرَزَقَكُمْ مِّنَ الطَّيِّبٰتِ لَعَلَّكُمْ تَشْكُرُوْنَ ﴿٢٦﴾
يٰٓاَيُّهَا الَّذِيْنَ اٰمَنُوْا لَا تَخُوْنُوا اللّٰهَ وَالرَّسُوْلَ وَ
تَخُوْنُوْٓا اَمٰنٰتِكُمْ وَاَنْتُمْ تَعْلَمُوْنَ ﴿٢٧﴾ وَاعْلَمُوْٓا اَنَّمَآ
اَمْوَالُكُمْ وَاَوْلَادُكُمْ فِتْنَةٌ ۙ وَّاَنَّ اللّٰهَ عِنْدَهٗٓ
اَجْرٌ عَظِيْمٌ ﴿٢٨﴾ ع يٰٓاَيُّهَا الَّذِيْنَ اٰمَنُوْٓا اِنْ تَتَّقُوا ع ٣ ٩ ١٧
اللّٰهَ يَجْعَلْ لَّكُمْ فُرْقَانًا وَّيُكَفِّرْ عَنْكُمْ سَيِّاٰتِكُمْ
وَيَغْفِرْ لَكُمْ ۭ وَاللّٰهُ ذُو الْفَضْلِ الْعَظِيْمِ ﴿٢٩﴾ وَاِذْ

منزل ٢

Ikhfa إخفا | Ikhfa Meem Saakin إخفاميم ساكن | Qalqala قلقله | Qalb قلب | Idghaam إدغام | Idghaam Meem Saakin إدغام ميم ساكن | Ghunna غُنّه

يَمۡكُرُ بِكَ الَّذِيۡنَ كَفَرُوۡا لِيُثۡبِتُوۡكَ اَوۡ يَقۡتُلُوۡكَ اَوۡ
يُخۡرِجُوۡكَ ط وَيَمۡكُرُوۡنَ وَيَمۡكُرُ اللّٰهُ ط وَاللّٰهُ خَيۡرُ
الۡمٰكِرِيۡنَ ﴿٣٠﴾ وَاِذَا تُتۡلٰى عَلَيۡهِمۡ اٰيٰتُنَا قَالُوۡا قَدۡ
سَمِعۡنَا لَوۡ نَشَآءُ لَقُلۡنَا مِثۡلَ هٰذَآ ۙ اِنۡ هٰذَآ اِلَّاۤ
اَسَاطِيۡرُ الۡاَوَّلِيۡنَ ﴿٣١﴾ وَاِذۡ قَالُوا اللّٰهُمَّ اِنۡ
كَانَ هٰذَا هُوَ الۡحَقَّ مِنۡ عِنۡدِكَ فَاَمۡطِرۡ عَلَيۡنَا
حِجَارَةً مِّنَ السَّمَآءِ اَوِ ائۡتِنَا بِعَذَابٍ اَلِيۡمٍ ﴿٣٢﴾
وَمَا كَانَ اللّٰهُ لِيُعَذِّبَهُمۡ وَاَنۡتَ فِيۡهِمۡ ط وَمَا كَانَ
اللّٰهُ مُعَذِّبَهُمۡ وَهُمۡ يَسۡتَغۡفِرُوۡنَ ﴿٣٣﴾ وَمَا لَهُمۡ اَلَّا
يُعَذِّبَهُمُ اللّٰهُ وَهُمۡ يَصُدُّوۡنَ عَنِ الۡمَسۡجِدِ
الۡحَرَامِ وَمَا كَانُوۡۤا اَوۡلِيَآءَهٗ ط اِنۡ اَوۡلِيَآؤُهٗۤ اِلَّا
الۡمُتَّقُوۡنَ وَلٰكِنَّ اَكۡثَرَهُمۡ لَا يَعۡلَمُوۡنَ ﴿٣٤﴾ وَمَا كَانَ
صَلَاتُهُمۡ عِنۡدَ الۡبَيۡتِ اِلَّا مُكَآءً وَّتَصۡدِيَةً ط

منزل ٢

فَذُوْقُوا الْعَذَابَ بِمَا كُنْتُمْ تَكْفُرُوْنَ ﴿٣٥﴾ اِنَّ
الَّذِيْنَ كَفَرُوْا يُنْفِقُوْنَ اَمْوَالَهُمْ لِيَصُدُّوْا
عَنْ سَبِيْلِ اللّٰهِ ؕ فَسَيُنْفِقُوْنَهَا ثُمَّ تَكُوْنُ
عَلَيْهِمْ حَسْرَةً ثُمَّ يُغْلَبُوْنَ ۬ؕ وَالَّذِيْنَ كَفَرُوْٓا
اِلٰى جَهَنَّمَ يُحْشَرُوْنَ ﴿٣٦﴾ لِيَمِيْزَ اللّٰهُ الْخَبِيْثَ مِنَ
الطَّيِّبِ وَيَجْعَلَ الْخَبِيْثَ بَعْضَهٗ عَلٰى بَعْضٍ
فَيَرْكُمَهٗ جَمِيْعًا فَيَجْعَلَهٗ فِيْ جَهَنَّمَ ؕ اُولٰٓئِكَ هُمُ
الْخٰسِرُوْنَ ﴿٣٧﴾ ع قُلْ لِّلَّذِيْنَ كَفَرُوْٓا اِنْ يَّنْتَهُوْا يُغْفَرْ ع ٩ ١٨
لَهُمْ مَّا قَدْ سَلَفَ ۚ وَاِنْ يَّعُوْدُوْا فَقَدْ مَضَتْ
سُنَّتُ الْاَوَّلِيْنَ ﴿٣٨﴾ وَقَاتِلُوْهُمْ حَتّٰى لَا تَكُوْنَ فِتْنَةٌ
وَّيَكُوْنَ الدِّيْنُ كُلُّهٗ لِلّٰهِ ۚ فَاِنِ انْتَهَوْا فَاِنَّ اللّٰهَ
بِمَا يَعْمَلُوْنَ بَصِيْرٌ ﴿٣٩﴾ وَاِنْ تَوَلَّوْا فَاعْلَمُوْٓا
اَنَّ اللّٰهَ مَوْلٰىكُمْ ؕ نِعْمَ الْمَوْلٰى وَنِعْمَ النَّصِيْرُ ﴿٤٠﴾

منزل ٢

Ikhfa إخفا | Ikhfa Meem Saakin إخفاميم ساكن | Qalqala قلقله | Qalb قلب | Idghaam إدغام | Idghaam Meem Saakin إدغام ميم ساكن | Ghunna غُنّہ

وَاعۡلَمُوۡۤا اَنَّمَا غَنِمۡتُمۡ مِّنۡ شَىۡءٍ فَاَنَّ لِلّٰهِ خُمُسَهٗ
وَلِلرَّسُوۡلِ وَلِذِى الۡقُرۡبٰى وَالۡيَتٰمٰى وَالۡمَسٰكِيۡنِ وَ
ابۡنِ السَّبِيۡلِ ۙ اِنۡ كُنۡتُمۡ اٰمَنۡتُمۡ بِاللّٰهِ وَمَاۤ اَنۡزَلۡنَا
عَلٰى عَبۡدِنَا يَوۡمَ الۡفُرۡقَانِ يَوۡمَ الۡتَقَى الۡجَمۡعٰنِ ؕ
وَاللّٰهُ عَلٰى كُلِّ شَىۡءٍ قَدِيۡرٌ ﴿۴۱﴾ اِذۡ اَنۡتُمۡ بِالۡعُدۡوَةِ
الدُّنۡيَا وَهُمۡ بِالۡعُدۡوَةِ الۡقُصۡوٰى وَالرَّكۡبُ اَسۡفَلَ
مِنۡكُمۡ ؕ وَلَوۡ تَوَاعَدۡتُّمۡ لَاخۡتَلَفۡتُمۡ فِى الۡمِيۡعٰدِ ۙ
وَلٰـكِنۡ لِّيَقۡضِىَ اللّٰهُ اَمۡرًا كَانَ مَفۡعُوۡلًا ۙ ۬ لِّيَهۡلِكَ
مَنۡ هَلَكَ عَنۡۢ بَيِّنَةٍ وَّيَحۡيٰى مَنۡ حَىَّ عَنۡۢ
بَيِّنَةٍ ؕ وَاِنَّ اللّٰهَ لَسَمِيۡعٌ عَلِيۡمٌ ۙ ﴿۴۲﴾ اِذۡ يُرِيۡكَهُمُ اللّٰهُ
فِىۡ مَنَامِكَ قَلِيۡلًا ؕ وَلَوۡ اَرٰٮكَهُمۡ كَثِيۡرًا لَّـفَشِلۡتُمۡ
وَلَتَنَازَعۡتُمۡ فِى الۡاَمۡرِ وَلٰـكِنَّ اللّٰهَ سَلَّمَ ؕ اِنَّهٗ
عَلِيۡمٌۢ بِذَاتِ الصُّدُوۡرِ ﴿۴۳﴾ وَاِذۡ يُرِيۡكُمُوۡهُمۡ اِذِ

الجزء العاشر (١٠)

منزل ٢

الْتَقَيْتُمْ فِيْٓ اَعْيُنِكُمْ قَلِيْلًا وَّيُقَلِّلُكُمْ فِيْٓ اَعْيُنِهِمْ

لِيَقْضِيَ اللّٰهُ اَمْرًا كَانَ مَفْعُوْلًا ۭ وَاِلَى اللّٰهِ

تُرْجَعُ الْاُمُوْرُ ﴿٤٤﴾ ع يٰٓاَيُّهَا الَّذِيْنَ اٰمَنُوْٓا اِذَا لَقِيْتُمْ فِئَةً ع ٥ ٧ ١

فَاثْبُتُوْا وَاذْكُرُوا اللّٰهَ كَثِيْرًا لَّعَلَّكُمْ تُفْلِحُوْنَ ﴿٤٥﴾ ج

وَاَطِيْعُوا اللّٰهَ وَرَسُوْلَهٗ وَلَا تَنَازَعُوْا فَتَفْشَلُوْا وَ

تَذْهَبَ رِيْحُكُمْ وَاصْبِرُوْا ۭ اِنَّ اللّٰهَ مَعَ الصّٰبِرِيْنَ ﴿٤٦﴾ ج

وَلَا تَكُوْنُوْا كَالَّذِيْنَ خَرَجُوْا مِنْ دِيَارِهِمْ

بَطَرًا وَّرِئَاۗءَ النَّاسِ وَيَصُدُّوْنَ عَنْ سَبِيْلِ

اللّٰهِ ۭ وَاللّٰهُ بِمَا يَعْمَلُوْنَ مُحِيْطٌ ﴿٤٧﴾ وَاِذْ زَيَّنَ

لَهُمُ الشَّيْطٰنُ اَعْمَالَهُمْ وَقَالَ لَا غَالِبَ لَكُمُ

الْيَوْمَ مِنَ النَّاسِ وَاِنِّيْ جَارٌ لَّكُمْ ۚ فَلَمَّا تَرَاۗءَتِ

الْفِئَتٰنِ نَكَصَ عَلٰي عَقِبَيْهِ وَقَالَ اِنِّىْ بَرِيْۗءٌ

مِّنْكُمْ اِنِّىْٓ اَرٰى مَا لَا تَرَوْنَ اِنِّىْٓ اَخَافُ اللّٰهَ ۭ

منزل ٢

وَاللّٰهُ شَدِيْدُ الْعِقَابِ ﴿٤٨﴾ اِذْ يَقُوْلُ الْمُنٰفِقُوْنَ
وَالَّذِيْنَ فِيْ قُلُوْبِهِمْ مَّرَضٌ غَرَّ هٰٓؤُلَآءِ دِيْنُهُمْ ط
وَمَنْ يَّتَوَكَّلْ عَلَى اللّٰهِ فَاِنَّ اللّٰهَ عَزِيْزٌ حَكِيْمٌ ﴿٤٩﴾
وَلَوْ تَرٰٓى اِذْ يَتَوَفَّى الَّذِيْنَ كَفَرُوا لا الْمَلٰٓئِكَةُ
يَضْرِبُوْنَ وُجُوْهَهُمْ وَاَدْبَارَهُمْ ج وَذُوْقُوْا
عَذَابَ الْحَرِيْقِ ﴿٥٠﴾ ذٰلِكَ بِمَا قَدَّمَتْ اَيْدِيْكُمْ
وَاَنَّ اللّٰهَ لَيْسَ بِظَلَّامٍ لِّلْعَبِيْدِ ﴿٥١﴾ لا كَدَاْبِ اٰلِ
فِرْعَوْنَ لا وَالَّذِيْنَ مِنْ قَبْلِهِمْ ط كَفَرُوْا بِاٰيٰتِ اللّٰهِ
فَاَخَذَهُمُ اللّٰهُ بِذُنُوْبِهِمْ ط اِنَّ اللّٰهَ قَوِيٌّ شَدِيْدُ
الْعِقَابِ ﴿٥٢﴾ ذٰلِكَ بِاَنَّ اللّٰهَ لَمْ يَكُ مُغَيِّرًا نِّعْمَةً
اَنْعَمَهَا عَلٰى قَوْمٍ حَتّٰى يُغَيِّرُوْا مَا بِاَنْفُسِهِمْ لا وَ
اَنَّ اللّٰهَ سَمِيْعٌ عَلِيْمٌ ﴿٥٣﴾ لا كَدَاْبِ اٰلِ فِرْعَوْنَ لا
وَالَّذِيْنَ مِنْ قَبْلِهِمْ ط كَذَّبُوْا بِاٰيٰتِ رَبِّهِمْ

منزل ٢

فَاَهْلَكْنٰهُمْ بِذُنُوْبِهِمْ وَ اَغْرَقْنَآ اٰلَ فِرْعَوْنَ ۚ وَ
كُلٌّ كَانُوْا ظٰلِمِيْنَ ﴿٥٤﴾ اِنَّ شَرَّ الدَّوَآبِّ عِنْدَ
اللّٰهِ الَّذِيْنَ كَفَرُوْا فَهُمْ لَا يُؤْمِنُوْنَ ۖۚ ﴿٥٥﴾ اَلَّذِيْنَ
عٰهَدْتَّ مِنْهُمْ ثُمَّ يَنْقُضُوْنَ عَهْدَهُمْ فِيْ
كُلِّ مَرَّةٍ وَّ هُمْ لَا يَتَّقُوْنَ ﴿٥٦﴾ فَاِمَّا تَثْقَفَنَّهُمْ فِي
الْحَرْبِ فَشَرِّدْ بِهِمْ مَّنْ خَلْفَهُمْ لَعَلَّهُمْ يَذَّكَّرُوْنَ ﴿٥٧﴾
وَ اِمَّا تَخَافَنَّ مِنْ قَوْمٍ خِيَانَةً فَانْۢبِذْ اِلَيْهِمْ
عَلٰى سَوَآءٍ ؕ اِنَّ اللّٰهَ لَا يُحِبُّ الْخَآئِنِيْنَ ﴿٥٨﴾ وَلَا
يَحْسَبَنَّ الَّذِيْنَ كَفَرُوْا سَبَقُوْا ؕ اِنَّهُمْ لَا يُعْجِزُوْنَ ﴿٥٩﴾
وَ اَعِدُّوْا لَهُمْ مَّا اسْتَطَعْتُمْ مِّنْ قُوَّةٍ وَّ مِنْ رِّبَاطِ
الْخَيْلِ تُرْهِبُوْنَ بِهٖ عَدُوَّ اللّٰهِ وَ عَدُوَّكُمْ وَ
اٰخَرِيْنَ مِنْ دُوْنِهِمْ ۚ لَا تَعْلَمُوْنَهُمْ ۚ اَللّٰهُ
يَعْلَمُهُمْ ؕ وَ مَا تُنْفِقُوْا مِنْ شَيْءٍ فِيْ سَبِيْلِ اللّٰهِ

يُوَفَّ اِلَيْكُمْ وَاَنْتُمْ لَا تُظْلَمُوْنَ ﴿٦٠﴾ وَاِنْ جَنَحُوْا
لِلسَّلْمِ فَاجْنَحْ لَهَا وَتَوَكَّلْ عَلَى اللّٰهِ ؕ اِنَّهٗ هُوَ
السَّمِيْعُ الْعَلِيْمُ ﴿٦١﴾ وَاِنْ يُّرِيْدُوْٓا اَنْ يَّخْدَعُوْكَ
فَاِنَّ حَسْبَكَ اللّٰهُ ؕ هُوَ الَّذِيْٓ اَيَّدَكَ بِنَصْرِهٖ وَ
بِالْمُؤْمِنِيْنَ ﴿٦٢﴾ۙ وَاَلَّفَ بَيْنَ قُلُوْبِهِمْ ؕ لَوْ اَنْفَقْتَ مَا
فِي الْاَرْضِ جَمِيْعًا مَّآ اَلَّفْتَ بَيْنَ قُلُوْبِهِمْ
منزل ٢ وَلٰكِنَّ اللّٰهَ اَلَّفَ بَيْنَهُمْ ؕ اِنَّهٗ عَزِيْزٌ حَكِيْمٌ ﴿٦٣﴾
يٰٓاَيُّهَا النَّبِيُّ حَسْبُكَ اللّٰهُ وَمَنِ اتَّبَعَكَ مِنَ
الْمُؤْمِنِيْنَ ﴿٦٤﴾ؑ يٰٓاَيُّهَا النَّبِيُّ حَرِّضِ الْمُؤْمِنِيْنَ ع ٨
عَلَى الْقِتَالِ ؕ اِنْ يَّكُنْ مِّنْكُمْ عِشْرُوْنَ صٰبِرُوْنَ
يَغْلِبُوْا مِائَتَيْنِ ۚ وَاِنْ يَّكُنْ مِّنْكُمْ مِّائَةٌ
يَّغْلِبُوْٓا اَلْفًا مِّنَ الَّذِيْنَ كَفَرُوْا بِاَنَّهُمْ قَوْمٌ
لَّا يَفْقَهُوْنَ ﴿٦٥﴾ اَلْـٰٔنَ خَفَّفَ اللّٰهُ عَنْكُمْ وَعَلِمَ

Ikhfa إخفا | Ikhfa Meem Saakin إخفاميم ساكن | Qalqala قلقله | Qalb قلب | Idghaam إدغام | Idghaam Meem Saakin إدغام ميم ساكن | Ghunna غنّہ

اَنَّ فِیۡکُمۡ ضَعۡفًا ؕ فَاِنۡ یَّکُنۡ مِّنۡکُمۡ مِّائَۃٌ صَابِرَۃٌ
یَّغۡلِبُوۡا مِائَتَیۡنِ ۚ وَاِنۡ یَّکُنۡ مِّنۡکُمۡ اَلۡفٌ یَّغۡلِبُوۡۤا
اَلۡفَیۡنِ بِاِذۡنِ اللّٰہِ ؕ وَاللّٰہُ مَعَ الصّٰبِرِیۡنَ ﴿۶۶﴾ مَا کَانَ
لِنَبِیٍّ اَنۡ یَّکُوۡنَ لَہٗۤ اَسۡرٰی حَتّٰی یُثۡخِنَ فِی
الۡاَرۡضِ ؕ تُرِیۡدُوۡنَ عَرَضَ الدُّنۡیَا ٭ۖ وَاللّٰہُ یُرِیۡدُ
الۡاٰخِرَۃَ ؕ وَاللّٰہُ عَزِیۡزٌ حَکِیۡمٌ ﴿۶۷﴾ لَوۡلَا کِتٰبٌ مِّنَ اللّٰہِ
سَبَقَ لَمَسَّکُمۡ فِیۡمَاۤ اَخَذۡتُمۡ عَذَابٌ عَظِیۡمٌ ﴿۶۸﴾ فَکُلُوۡا
مِمَّا غَنِمۡتُمۡ حَلٰلًا طَیِّبًا ۫ۖ وَّاتَّقُوا اللّٰہَ ؕ اِنَّ اللّٰہَ
غَفُوۡرٌ رَّحِیۡمٌ ﴿۶۹﴾ ع یٰۤاَیُّہَا النَّبِیُّ قُلۡ لِّمَنۡ فِیۡۤ اَیۡدِیۡکُمۡ ع ۵
مِّنَ الۡاَسۡرٰۤی ۙ اِنۡ یَّعۡلَمِ اللّٰہُ فِیۡ قُلُوۡبِکُمۡ خَیۡرًا
یُّؤۡتِکُمۡ خَیۡرًا مِّمَّاۤ اُخِذَ مِنۡکُمۡ وَیَغۡفِرۡ لَکُمۡ ؕ وَ
اللّٰہُ غَفُوۡرٌ رَّحِیۡمٌ ﴿۷۰﴾ وَاِنۡ یُّرِیۡدُوۡا خِیَانَتَکَ
فَقَدۡ خَانُوا اللّٰہَ مِنۡ قَبۡلُ فَاَمۡکَنَ مِنۡہُمۡ ؕ

منزل ٢

وَ اللّٰهُ عَلِيْمٌ حَكِيْمٌ ﴿٧١﴾ اِنَّ الَّذِيْنَ اٰمَنُوْا وَ

هَاجَرُوْا وَ جٰهَدُوْا بِاَمْوَالِهِمْ وَ اَنْفُسِهِمْ

فِيْ سَبِيْلِ اللّٰهِ وَ الَّذِيْنَ اٰوَوْا وَّ نَصَرُوْٓا

اُولٰٓئِكَ بَعْضُهُمْ اَوْلِيَآءُ بَعْضٍ ؕ وَ الَّذِيْنَ

اٰمَنُوْا وَلَمْ يُهَاجِرُوْا مَا لَكُمْ مِّنْ وَّلَايَتِهِمْ

مِّنْ شَيْءٍ حَتّٰى يُهَاجِرُوْا ۚ وَاِنِ اسْتَنْصَرُوْكُمْ

فِي الدِّيْنِ فَعَلَيْكُمُ النَّصْرُ اِلَّا عَلٰى قَوْمٍ بَيْنَكُمْ

وَبَيْنَهُمْ مِّيْثَاقٌ ؕ وَ اللّٰهُ بِمَا تَعْمَلُوْنَ بَصِيْرٌ ﴿٧٢﴾

وَ الَّذِيْنَ كَفَرُوْا بَعْضُهُمْ اَوْلِيَآءُ بَعْضٍ ؕ اِلَّا

تَفْعَلُوْهُ تَكُنْ فِتْنَةٌ فِي الْاَرْضِ وَفَسَادٌ كَبِيْرٌ ﴿٧٣﴾ ؕ

وَ الَّذِيْنَ اٰمَنُوْا وَ هَاجَرُوْا وَ جٰهَدُوْا فِيْ

سَبِيْلِ اللّٰهِ وَ الَّذِيْنَ اٰوَوْا وَّ نَصَرُوْٓا اُولٰٓئِكَ

هُمُ الْمُؤْمِنُوْنَ حَقًّا ؕ لَهُمْ مَّغْفِرَةٌ وَّرِزْقٌ كَرِيْمٌ ﴿٧٤﴾

منزل ٢

وَ الَّذِيْنَ اٰمَنُوْا مِنْۢ بَعْدُ وَهَاجَرُوْا وَجٰهَدُوْا مَعَكُمْ
فَاُولٰٓئِكَ مِنْكُمْ ط وَ اُولُوا الْاَرْحَامِ بَعْضُهُمْ اَوْلٰى
بِبَعْضٍ فِيْ كِتٰبِ اللّٰهِ ط اِنَّ اللّٰهَ بِكُلِّ شَيْءٍ عَلِيْمٌ ﴿٧٥﴾ ع

اٰيَاتُهَا ١٢٩ (٩) سُوْرَةُ التَّوْبَةِ مَدَنِيَّةٌ (١١٣) رُكُوْعَاتُهَا ١٦

بَرَآءَةٌ مِّنَ اللّٰهِ وَرَسُوْلِهٖٓ اِلَى الَّذِيْنَ عٰهَدْتُّمْ
مِّنَ الْمُشْرِكِيْنَ ﴿١﴾ ط فَسِيْحُوْا فِي الْاَرْضِ اَرْبَعَةَ
اَشْهُرٍ وَّاعْلَمُوْٓا اَنَّكُمْ غَيْرُ مُعْجِزِي اللّٰهِ لا وَ اَنَّ
اللّٰهَ مُخْزِي الْكٰفِرِيْنَ ﴿٢﴾ وَ اَذَانٌ مِّنَ اللّٰهِ وَ
رَسُوْلِهٖٓ اِلَى النَّاسِ يَوْمَ الْحَجِّ الْاَكْبَرِ اَنَّ اللّٰهَ
بَرِيْٓءٌ مِّنَ الْمُشْرِكِيْنَ لا ۵ وَرَسُوْلُهٗ ط فَاِنْ تُبْتُمْ
فَهُوَ خَيْرٌ لَّكُمْ ج وَاِنْ تَوَلَّيْتُمْ فَاعْلَمُوْٓا اَنَّكُمْ غَيْرُ
مُعْجِزِي اللّٰهِ ط وَ بَشِّرِ الَّذِيْنَ كَفَرُوْا بِعَذَابٍ
اَلِيْمٍ ﴿٣﴾ لا اِلَّا الَّذِيْنَ عٰهَدْتُّمْ مِّنَ الْمُشْرِكِيْنَ

الربع ٦ ١٠

منزل ٢

Ikhfa اِخفا | Ikhfa Meem Saakin اِخفامیم ساکن | Qalqala قلقلہ | Qalb قلب | Idghaam اِدغام | Idghaam Meem Saakin اِدغام میم ساکن | Ghunna غُنّہ

ثُمَّ لَمْ يَنْقُصُوْكُمْ شَيْـًٔا وَّلَمْ يُظَاهِرُوْا عَلَيْكُمْ
اَحَدًا فَاَتِمُّوْٓا اِلَيْهِمْ عَهْدَهُمْ اِلٰى مُدَّتِهِمْ ؕ اِنَّ
اللّٰهَ يُحِبُّ الْمُتَّقِيْنَ ۝٤ فَاِذَا انْسَلَخَ الْاَشْهُرُ
الْحُرُمُ فَاقْتُلُوا الْمُشْرِكِيْنَ حَيْثُ وَجَدْتُّمُوْهُمْ
وَخُذُوْهُمْ وَاحْصُرُوْهُمْ وَاقْعُدُوْا لَهُمْ كُلَّ مَرْصَدٍ ۚ
فَاِنْ تَابُوْا وَاَقَامُوا الصَّلٰوةَ وَاٰتَوُا الزَّكٰوةَ
فَخَلُّوْا سَبِيْلَهُمْ ؕ اِنَّ اللّٰهَ غَفُوْرٌ رَّحِيْمٌ ۝٥ وَاِنْ
اَحَدٌ مِّنَ الْمُشْرِكِيْنَ اسْتَجَارَكَ فَاَجِرْهُ حَتّٰى
يَسْمَعَ كَلٰمَ اللّٰهِ ثُمَّ اَبْلِغْهُ مَاْمَنَهٗ ؕ ذٰلِكَ بِاَنَّهُمْ
قَوْمٌ لَّا يَعْلَمُوْنَ ۝٦ ع كَيْفَ يَكُوْنُ لِلْمُشْرِكِيْنَ
عَهْدٌ عِنْدَ اللّٰهِ وَعِنْدَ رَسُوْلِهٖٓ اِلَّا الَّذِيْنَ
عٰهَدْتُّمْ عِنْدَ الْمَسْجِدِ الْحَرَامِ ۚ فَمَا اسْتَقَامُوْا
لَكُمْ فَاسْتَقِيْمُوْا لَهُمْ ؕ اِنَّ اللّٰهَ يُحِبُّ الْمُتَّقِيْنَ ۝٧

منزل ٢ — ع ٦/٧

كَيۡفَ وَاِنۡ يَّظۡهَرُوۡا عَلَيۡكُمۡ لَا يَرۡقُبُوۡا فِيۡكُمۡ
اِلًّا وَّلَا ذِمَّةً ؕ يُرۡضُوۡنَكُمۡ بِاَفۡوَاهِهِمۡ وَ تَاۡبٰى
قُلُوۡبُهُمۡ ۚ وَاَكۡثَرُهُمۡ فٰسِقُوۡنَ ۚ ۝٨ اِشۡتَرَوۡا بِاٰيٰتِ
اللّٰهِ ثَمَنًا قَلِيۡلًا فَصَدُّوۡا عَنۡ سَبِيۡلِهٖ ؕ اِنَّهُمۡ
سَآءَ مَا كَانُوۡا يَعۡمَلُوۡنَ ۝٩ لَا يَرۡقُبُوۡنَ فِىۡ
مُؤۡمِنٍ اِلًّا وَّلَا ذِمَّةً ؕ وَاُولٰٓئِكَ هُمُ الۡمُعۡتَدُوۡنَ ۝١٠
فَاِنۡ تَابُوۡا وَاَقَامُوا الصَّلٰوةَ وَاٰتَوُا الزَّكٰوةَ
فَاِخۡوَانُكُمۡ فِى الدِّيۡنِ ؕ وَنُفَصِّلُ الۡاٰيٰتِ لِقَوۡمٍ
يَّعۡلَمُوۡنَ ۝١١ وَاِنۡ نَّكَثُوۡۤا اَيۡمَانَهُمۡ مِّنۡۢ بَعۡدِ
عَهۡدِهِمۡ وَطَعَنُوۡا فِىۡ دِيۡنِكُمۡ فَقَاتِلُوۡۤا اَئِمَّةَ
الۡكُفۡرِ ۙ اِنَّهُمۡ لَاۤ اَيۡمَانَ لَهُمۡ لَعَلَّهُمۡ يَنۡتَهُوۡنَ ۝١٢
اَلَا تُقَاتِلُوۡنَ قَوۡمًا نَّكَثُوۡۤا اَيۡمَانَهُمۡ وَهَمُّوۡا
بِاِخۡرَاجِ الرَّسُوۡلِ وَهُمۡ بَدَءُوۡكُمۡ اَوَّلَ مَرَّةٍ ؕ

منزل٢

اَتَخۡشَوۡنَهُمۡ ۚ فَاللّٰهُ اَحَقُّ اَنۡ تَخۡشَوۡهُ اِنۡ كُنۡتُمۡ
مُّؤۡمِنِيۡنَ ﴿۱۳﴾ قَاتِلُوۡهُمۡ يُعَذِّبۡهُمُ اللّٰهُ بِاَيۡدِيۡكُمۡ
وَيُخۡزِهِمۡ وَيَنۡصُرۡكُمۡ عَلَيۡهِمۡ وَيَشۡفِ صُدُوۡرَ
قَوۡمٍ مُّؤۡمِنِيۡنَ ۙ﴿۱۴﴾ وَيُذۡهِبۡ غَيۡظَ قُلُوۡبِهِمۡ ؕ
وَيَتُوۡبُ اللّٰهُ عَلٰى مَنۡ يَّشَآءُ ؕ وَاللّٰهُ عَلِيۡمٌ
حَكِيۡمٌ ﴿۱۵﴾ اَمۡ حَسِبۡتُمۡ اَنۡ تُتۡرَكُوۡا وَلَمَّا يَعۡلَمِ
اللّٰهُ الَّذِيۡنَ جٰهَدُوۡا مِنۡكُمۡ وَلَمۡ يَتَّخِذُوۡا مِنۡ منزل۲
دُوۡنِ اللّٰهِ وَلَا رَسُوۡلِهٖ وَلَا الۡمُؤۡمِنِيۡنَ وَلِيۡجَةً ؕ
وَاللّٰهُ خَبِيۡرٌۢ بِمَا تَعۡمَلُوۡنَ ﴿۱۶﴾ مَا كَانَ لِلۡمُشۡرِكِيۡنَ ع ۱۰/۲ ۸
اَنۡ يَّعۡمُرُوۡا مَسٰجِدَ اللّٰهِ شٰهِدِيۡنَ عَلٰٓى اَنۡفُسِهِمۡ
بِالۡكُفۡرِ ؕ اُولٰٓٮِٕكَ حَبِطَتۡ اَعۡمَالُهُمۡ ۖۚ وَفِى النَّارِ
هُمۡ خٰلِدُوۡنَ ﴿۱۷﴾ اِنَّمَا يَعۡمُرُ مَسٰجِدَ اللّٰهِ مَنۡ اٰمَنَ
بِاللّٰهِ وَالۡيَوۡمِ الۡاٰخِرِ وَاَقَامَ الصَّلٰوةَ وَاٰتَى الزَّكٰوةَ

وَلَمْ يَخْشَ اِلَّا اللّٰهَ قف فَعَسٰٓى اُولٰٓئِكَ اَنْ يَّكُوْنُوْا

مِنَ الْمُهْتَدِيْنَ ﴿١٨﴾ اَجَعَلْتُمْ سِقَايَةَ الْحَآجِّ

وَعِمَارَةَ الْمَسْجِدِ الْحَرَامِ كَمَنْ اٰمَنَ بِاللّٰهِ وَالْيَوْمِ

الْاٰخِرِ وَجٰهَدَ فِيْ سَبِيْلِ اللّٰهِ ط لَا يَسْتَوٗنَ عِنْدَ

اللّٰهِ ط وَاللّٰهُ لَا يَهْدِي الْقَوْمَ الظّٰلِمِيْنَ ﴿١٩﴾ اَلَّذِيْنَ وقف لازم

اٰمَنُوْا وَهَاجَرُوْا وَجٰهَدُوْا فِيْ سَبِيْلِ اللّٰهِ

منزل ٢ بِاَمْوَالِهِمْ وَاَنْفُسِهِمْ لا اَعْظَمُ دَرَجَةً عِنْدَ اللّٰهِ ط

وَاُولٰٓئِكَ هُمُ الْفَآئِزُوْنَ ﴿٢٠﴾ يُبَشِّرُهُمْ رَبُّهُمْ

بِرَحْمَةٍ مِّنْهُ وَرِضْوَانٍ وَّجَنّٰتٍ لَّهُمْ فِيْهَا نَعِيْمٌ

مُّقِيْمٌ ﴿٢١﴾ لا خٰلِدِيْنَ فِيْهَآ اَبَدًا ط اِنَّ اللّٰهَ عِنْدَهٗٓ

اَجْرٌ عَظِيْمٌ ﴿٢٢﴾ يٰٓاَيُّهَا الَّذِيْنَ اٰمَنُوْا لَا تَتَّخِذُوْٓا

اٰبَآءَكُمْ وَاِخْوَانَكُمْ اَوْلِيَآءَ اِنِ اسْتَحَبُّوا الْكُفْرَ

عَلَى الْاِيْمَانِ ط وَمَنْ يَّتَوَلَّهُمْ مِّنْكُمْ فَاُولٰٓئِكَ

هُمُ الظّٰلِمُوْنَ ﴿٢٣﴾ قُلْ اِنْ كَانَ اٰبَآؤُكُمْ وَ اَبْنَآؤُكُمْ
وَاِخْوَانُكُمْ وَاَزْوَاجُكُمْ وَعَشِيْرَتُكُمْ وَ اَمْوَالُ ِۨ
اقْتَرَفْتُمُوْهَا وَتِجَارَةٌ تَخْشَوْنَ كَسَادَهَا وَ
مَسٰكِنُ تَرْضَوْنَهَآ اَحَبَّ اِلَيْكُمْ مِّنَ اللّٰهِ وَ
رَسُوْلِهٖ وَجِهَادٍ فِيْ سَبِيْلِهٖ فَتَرَبَّصُوْا حَتّٰى يَاْتِيَ
اللّٰهُ بِاَمْرِهٖ ؕ وَاللّٰهُ لَا يَهْدِي الْقَوْمَ الْفٰسِقِيْنَ ﴿٢٤﴾ ع ٣ ٨
منزل ٢ لَقَدْ نَصَرَكُمُ اللّٰهُ فِيْ مَوَاطِنَ كَثِيْرَةٍ ۙ وَّيَوْمَ
حُنَيْنٍ ۙ اِذْ اَعْجَبَتْكُمْ كَثْرَتُكُمْ فَلَمْ تُغْنِ عَنْكُمْ
شَيْئًا وَّضَاقَتْ عَلَيْكُمُ الْاَرْضُ بِمَا رَحُبَتْ ثُمَّ
وَلَّيْتُمْ مُّدْبِرِيْنَ ﴿٢٥﴾ ج ثُمَّ اَنْزَلَ اللّٰهُ سَكِيْنَتَهٗ عَلٰى
رَسُوْلِهٖ وَعَلَى الْمُؤْمِنِيْنَ وَ اَنْزَلَ جُنُوْدًا لَّمْ
تَرَوْهَا وَعَذَّبَ الَّذِيْنَ كَفَرُوْا ؕ وَ ذٰلِكَ جَزَآءُ
الْكٰفِرِيْنَ ﴿٢٦﴾ ثُمَّ يَتُوْبُ اللّٰهُ مِنْ بَعْدِ ذٰلِكَ عَلٰى

Ikhfa إخفا | Ikhfa Meem Saakin إخفاميم ساكن | Qalqala قلقله | Qalb قلب | Idghaam إدغام | Idghaam Meem Saakin إدغام ميم ساكن | Ghunna غُنّه

مَنْ يَّشَآءُ ؕ وَاللّٰهُ غَفُوْرٌ رَّحِيْمٌ ﴿٢٧﴾ يٰۤاَيُّهَا الَّذِيْنَ
اٰمَنُوْۤا اِنَّمَا الْمُشْرِكُوْنَ نَجَسٌ فَلَا يَقْرَبُوا الْمَسْجِدَ
الْحَرَامَ بَعْدَ عَامِهِمْ هٰذَا ۚ وَاِنْ خِفْتُمْ عَيْلَةً
فَسَوْفَ يُغْنِيْكُمُ اللّٰهُ مِنْ فَضْلِهٖۤ اِنْ شَآءَ ؕ اِنَّ
اللّٰهَ عَلِيْمٌ حَكِيْمٌ ﴿٢٨﴾ قَاتِلُوا الَّذِيْنَ لَا يُؤْمِنُوْنَ
بِاللّٰهِ وَلَا بِالْيَوْمِ الْاٰخِرِ وَلَا يُحَرِّمُوْنَ مَا حَرَّمَ
منزل ٢ اللّٰهُ وَرَسُوْلُهٗ وَلَا يَدِيْنُوْنَ دِيْنَ الْحَقِّ مِنَ الَّذِيْنَ
اُوْتُوا الْكِتٰبَ حَتّٰى يُعْطُوا الْجِزْيَةَ عَنْ يَّدٍ وَّهُمْ
صٰغِرُوْنَ ﴿٢٩﴾ ع وَقَالَتِ الْيَهُوْدُ عُزَيْرُ ۨابْنُ اللّٰهِ ع ٥/١٠
وَقَالَتِ النَّصٰرَى الْمَسِيْحُ ابْنُ اللّٰهِ ؕ ذٰلِكَ قَوْلُهُمْ
بِاَفْوَاهِهِمْ ۚ يُضَاهِــُٔوْنَ قَوْلَ الَّذِيْنَ كَفَرُوْا مِنْ
قَبْلُ ؕ قٰتَلَهُمُ اللّٰهُ ۚ اَنّٰى يُؤْفَكُوْنَ ﴿٣٠﴾ اِتَّخَذُوْۤا
اَحْبَارَهُمْ وَرُهْبَانَهُمْ اَرْبَابًا مِّنْ دُوْنِ اللّٰهِ

Ikhfa اِخفا | Ikhfa Meem Saakin اِخفامیم ساکن | Qalqala قلقلہ | Qalb قلب | Idghaam اِدغام | Idghaam Meem Saakin اِدغام میم ساکن | Ghunna غُنّہ

وَالۡمَسِيۡحَ ابۡنَ مَرۡيَمَ ۚ وَمَاۤ اُمِرُوۡۤا اِلَّا لِيَعۡبُدُوۡۤا

اِلٰهًا وَّاحِدًا ۚ لَاۤ اِلٰهَ اِلَّا هُوَ ؕ سُبۡحٰنَهٗ عَمَّا يُشۡرِكُوۡنَ ﴿٣١﴾

يُرِيۡدُوۡنَ اَنۡ يُّطۡفِئُوۡا نُوۡرَ اللّٰهِ بِاَفۡوَاهِهِمۡ وَيَاۡبَى

اللّٰهُ اِلَّاۤ اَنۡ يُّتِمَّ نُوۡرَهٗ وَلَوۡ كَرِهَ الۡكٰفِرُوۡنَ ﴿٣٢﴾ هُوَ

الَّذِىۡۤ اَرۡسَلَ رَسُوۡلَهٗ بِالۡهُدٰى وَدِيۡنِ الۡحَقِّ

لِيُظۡهِرَهٗ عَلَى الدِّيۡنِ كُلِّهٖ ۙ وَلَوۡ كَرِهَ الۡمُشۡرِكُوۡنَ ﴿٣٣﴾ النصف

يٰۤاَيُّهَا الَّذِيۡنَ اٰمَنُوۡۤا اِنَّ كَثِيۡرًا مِّنَ الۡاَحۡبَارِ وَ منزل ٢

الرُّهۡبَانِ لَيَاۡكُلُوۡنَ اَمۡوَالَ النَّاسِ بِالۡبَاطِلِ وَ

يَصُدُّوۡنَ عَنۡ سَبِيۡلِ اللّٰهِ ؕ وَالَّذِيۡنَ يَكۡنِزُوۡنَ

الذَّهَبَ وَالۡفِضَّةَ وَلَا يُنۡفِقُوۡنَهَا فِىۡ سَبِيۡلِ اللّٰهِ ۙ

فَبَشِّرۡهُمۡ بِعَذَابٍ اَلِيۡمٍ ﴿٣٤﴾ ۙ يَّوۡمَ يُحۡمٰى عَلَيۡهَا

فِىۡ نَارِ جَهَنَّمَ فَتُكۡوٰى بِهَا جِبَاهُهُمۡ وَجُنُوۡبُهُمۡ

وَظُهُوۡرُهُمۡ ؕ هٰذَا مَا كَنَزۡتُمۡ لِاَنۡفُسِكُمۡ فَذُوۡقُوۡا

مَا كُنۡتُمۡ تَكۡنِزُوۡنَ ﴿٣٥﴾ اِنَّ عِدَّةَ الشُّهُوۡرِ عِنۡدَ
اللّٰهِ اثۡنَا عَشَرَ شَهۡرًا فِىۡ كِتٰبِ اللّٰهِ يَوۡمَ خَلَقَ
السَّمٰوٰتِ وَالۡاَرۡضَ مِنۡهَاۤ اَرۡبَعَةٌ حُرُمٌ ؕ ذٰلِكَ
الدِّيۡنُ الۡقَيِّمُ ۙ فَلَا تَظۡلِمُوۡا فِيۡهِنَّ اَنۡفُسَكُمۡ
وَقَاتِلُوا الۡمُشۡرِكِيۡنَ كَآفَّةً كَمَا يُقَاتِلُوۡنَكُمۡ
كَآفَّةً ؕ وَاعۡلَمُوۡۤا اَنَّ اللّٰهَ مَعَ الۡمُتَّقِيۡنَ ﴿٣٦﴾ اِنَّمَا
النَّسِىۡٓءُ زِيَادَةٌ فِى الۡكُفۡرِ يُضَلُّ بِهِ الَّذِيۡنَ كَفَرُوۡا
يُحِلُّوۡنَهٗ عَامًا وَّيُحَرِّمُوۡنَهٗ عَامًا لِّيُوَاطِـُٔوۡا عِدَّةَ مَا
حَرَّمَ اللّٰهُ فَيُحِلُّوۡا مَا حَرَّمَ اللّٰهُ ؕ زُيِّنَ لَهُمۡ سُوۡٓءُ
اَعۡمَالِهِمۡ ؕ وَاللّٰهُ لَا يَهۡدِى الۡقَوۡمَ الۡكٰفِرِيۡنَ ﴿٣٧﴾ ع ٥ ١١ ٨
يٰۤاَيُّهَا الَّذِيۡنَ اٰمَنُوۡا مَا لَـكُمۡ اِذَا قِيۡلَ لَـكُمُ
انۡفِرُوۡا فِىۡ سَبِيۡلِ اللّٰهِ اثَّاقَلۡتُمۡ اِلَى الۡاَرۡضِ ؕ
اَرَضِيۡتُمۡ بِالۡحَيٰوةِ الدُّنۡيَا مِنَ الۡاٰخِرَةِ ۚ فَمَا مَتَاعُ

منزل ٢

Ikhfa إخفا | Ikhfa Meem Saakin إخفاميم ساكن | Qalqala قلقله | Qalb قلب | Idghaam ادغام | Idghaam Meem Saakin ادغام ميم ساكن | Ghunna غُنّه

الْحَيٰوةِ الدُّنْيَا فِي الْاٰخِرَةِ اِلَّا قَلِيْلٌ ﴿٣٨﴾ اِلَّا تَنْفِرُوْا
يُعَذِّبْكُمْ عَذَابًا اَلِيْمًا ۙ وَّيَسْتَبْدِلْ قَوْمًا غَيْرَكُمْ
وَلَا تَضُرُّوْهُ شَيْـًٔا ؕ وَاللّٰهُ عَلٰى كُلِّ شَيْءٍ قَدِيْرٌ ﴿٣٩﴾
اِلَّا تَنْصُرُوْهُ فَقَدْ نَصَرَهُ اللّٰهُ اِذْ اَخْرَجَهُ الَّذِيْنَ
كَفَرُوْا ثَانِيَ اثْنَيْنِ اِذْ هُمَا فِي الْغَارِ اِذْ يَقُوْلُ
لِصَاحِبِهٖ لَا تَحْزَنْ اِنَّ اللّٰهَ مَعَنَا ۚ فَاَنْزَلَ اللّٰهُ
سَكِيْنَتَهٗ عَلَيْهِ وَاَيَّدَهٗ بِجُنُوْدٍ لَّمْ تَرَوْهَا وَ
جَعَلَ كَلِمَةَ الَّذِيْنَ كَفَرُوا السُّفْلٰى ؕ وَكَلِمَةُ
اللّٰهِ هِيَ الْعُلْيَا ؕ وَاللّٰهُ عَزِيْزٌ حَكِيْمٌ ﴿٤٠﴾ اِنْفِرُوْا
خِفَافًا وَّثِقَالًا وَّجَاهِدُوْا بِاَمْوَالِكُمْ وَاَنْفُسِكُمْ
فِيْ سَبِيْلِ اللّٰهِ ؕ ذٰلِكُمْ خَيْرٌ لَّكُمْ اِنْ كُنْتُمْ
تَعْلَمُوْنَ ﴿٤١﴾ لَوْ كَانَ عَرَضًا قَرِيْبًا وَّسَفَرًا قَاصِدًا
لَّاتَّبَعُوْكَ وَلٰكِنْۢ بَعُدَتْ عَلَيْهِمُ الشُّقَّةُ ؕ

منزل ٢

وَسَيَحۡلِفُوۡنَ بِاللّٰهِ لَوِ اسۡتَطَعۡنَا لَخَرَجۡنَا مَعَكُمۡ ۚ
يُهۡلِكُوۡنَ اَنۡفُسَهُمۡ ۚ وَاللّٰهُ يَعۡلَمُ اِنَّهُمۡ لَـكٰذِبُوۡنَ ﴿۴۲﴾ ع ٦ ٥ ١٢
عَفَا اللّٰهُ عَنۡكَ ۚ لِمَ اَذِنۡتَ لَهُمۡ حَتّٰى يَتَبَيَّنَ
لَكَ الَّذِيۡنَ صَدَقُوۡا وَتَعۡلَمَ الۡكٰذِبِيۡنَ ﴿۴۳﴾ لَا
يَسۡتَاۡذِنُكَ الَّذِيۡنَ يُؤۡمِنُوۡنَ بِاللّٰهِ وَالۡيَوۡمِ الۡاٰخِرِ
اَنۡ يُّجَاهِدُوۡا بِاَمۡوَالِهِمۡ وَاَنۡفُسِهِمۡ ؕ وَاللّٰهُ عَلِيۡمٌۢ
بِالۡمُتَّقِيۡنَ ﴿۴۴﴾ اِنَّمَا يَسۡتَاۡذِنُكَ الَّذِيۡنَ لَا يُؤۡمِنُوۡنَ
بِاللّٰهِ وَالۡيَوۡمِ الۡاٰخِرِ وَارۡتَابَتۡ قُلُوۡبُهُمۡ فَهُمۡ
فِىۡ رَيۡبِهِمۡ يَتَرَدَّدُوۡنَ ﴿۴۵﴾ وَلَوۡ اَرَادُوا الۡخُرُوۡجَ
لَاَعَدُّوۡا لَهٗ عُدَّةً وَّلٰـكِنۡ كَرِهَ اللّٰهُ انۡۢبِعَاثَهُمۡ
فَثَبَّطَهُمۡ وَقِيۡلَ اقۡعُدُوۡا مَعَ الۡقٰعِدِيۡنَ ﴿۴۶﴾ لَوۡ
خَرَجُوۡا فِيۡكُمۡ مَّا زَادُوۡكُمۡ اِلَّا خَبَالًا وَّلَا۟اَوۡضَعُوۡا
خِلٰلَـكُمۡ يَبۡغُوۡنَكُمُ الۡفِتۡنَةَ ۚ وَفِيۡكُمۡ سَمّٰعُوۡنَ

منزل ٢

لَهُمْ ؕ وَاللّٰهُ عَلِيْمٌۢ بِالظّٰلِمِيْنَ ﴿٤٧﴾ لَقَدِ ابْتَغَوُا
الْفِتْنَةَ مِنْ قَبْلُ وَقَلَّبُوْا لَكَ الْاُمُوْرَ حَتّٰى جَآءَ
الْحَقُّ وَظَهَرَ اَمْرُ اللّٰهِ وَهُمْ كٰرِهُوْنَ ﴿٤٨﴾ وَمِنْهُمْ
مَّنْ يَّقُوْلُ ائْذَنْ لِّيْ وَلَا تَفْتِنِّيْ ؕ اَلَا فِي الْفِتْنَةِ
سَقَطُوْا ؕ وَاِنَّ جَهَنَّمَ لَمُحِيْطَةٌۢ بِالْكٰفِرِيْنَ ﴿٤٩﴾ اِنْ
تُصِبْكَ حَسَنَةٌ تَسُؤْهُمْ ۚ وَاِنْ تُصِبْكَ مُصِيْبَةٌ
يَّقُوْلُوْا قَدْ اَخَذْنَآ اَمْرَنَا مِنْ قَبْلُ وَيَتَوَلَّوْا
وَّهُمْ فَرِحُوْنَ ﴿٥٠﴾ قُلْ لَّنْ يُّصِيْبَنَآ اِلَّا مَا كَتَبَ
اللّٰهُ لَنَا ۚ هُوَ مَوْلٰنَا ۚ وَعَلَى اللّٰهِ فَلْيَتَوَكَّلِ
الْمُؤْمِنُوْنَ ﴿٥١﴾ قُلْ هَلْ تَرَبَّصُوْنَ بِنَآ اِلَّآ اِحْدَى
الْحُسْنَيَيْنِ ؕ وَنَحْنُ نَتَرَبَّصُ بِكُمْ اَنْ يُّصِيْبَكُمُ اللّٰهُ
بِعَذَابٍ مِّنْ عِنْدِهٖٓ اَوْ بِاَيْدِيْنَا ۖ فَتَرَبَّصُوْٓا
اِنَّا مَعَكُمْ مُّتَرَبِّصُوْنَ ﴿٥٢﴾ قُلْ اَنْفِقُوْا طَوْعًا اَوْ

منزل ٢

كَرْهًا لَّنْ يُّتَقَبَّلَ مِنْكُمْ ؕ اِنَّكُمْ كُنْتُمْ قَوْمًا
فٰسِقِيْنَ ﴿٥٣﴾ وَمَا مَنَعَهُمْ اَنْ تُقْبَلَ مِنْهُمْ نَفَقٰتُهُمْ
اِلَّآ اَنَّهُمْ كَفَرُوْا بِاللّٰهِ وَبِرَسُوْلِهٖ وَلَا يَاْتُوْنَ
الصَّلٰوةَ اِلَّا وَهُمْ كُسَالٰى وَلَا يُنْفِقُوْنَ اِلَّا وَهُمْ
كٰرِهُوْنَ ﴿٥٤﴾ فَلَا تُعْجِبْكَ اَمْوَالُهُمْ وَلَآ اَوْلَادُهُمْ ؕ
اِنَّمَا يُرِيْدُ اللّٰهُ لِيُعَذِّبَهُمْ بِهَا فِى الْحَيٰوةِ الدُّنْيَا
وَتَزْهَقَ اَنْفُسُهُمْ وَهُمْ كٰفِرُوْنَ ﴿٥٥﴾ وَيَحْلِفُوْنَ
بِاللّٰهِ اِنَّهُمْ لَمِنْكُمْ ؕ وَمَا هُمْ مِّنْكُمْ وَلٰكِنَّهُمْ
قَوْمٌ يَّفْرَقُوْنَ ﴿٥٦﴾ لَوْ يَجِدُوْنَ مَلْجَاً اَوْ مَغٰرٰتٍ
اَوْ مُدَّخَلًا لَّوَلَّوْا اِلَيْهِ وَهُمْ يَجْمَحُوْنَ ﴿٥٧﴾ وَمِنْهُمْ
مَّنْ يَّلْمِزُكَ فِى الصَّدَقٰتِ ۚ فَاِنْ اُعْطُوْا مِنْهَا
رَضُوْا وَاِنْ لَّمْ يُعْطَوْا مِنْهَآ اِذَا هُمْ يَسْخَطُوْنَ ﴿٥٨﴾
وَلَوْ اَنَّهُمْ رَضُوْا مَآ اٰتٰىهُمُ اللّٰهُ وَرَسُوْلُهٗ ۙ

منزل ٢

وَقَالُوْا حَسْبُنَا اللّٰهُ سَيُؤْتِيْنَا اللّٰهُ مِنْ فَضْلِهٖ
ع ۱۴/۷ وَرَسُوْلُهٗۤ ۙ اِنَّاۤ اِلَى اللّٰهِ رٰغِبُوْنَ ﴿۵۹﴾ اِنَّمَا
الصَّدَقٰتُ لِلْفُقَرَآءِ وَالْمَسٰكِيْنِ وَالْعٰمِلِيْنَ عَلَيْهَا
وَالْمُؤَلَّفَةِ قُلُوْبُهُمْ وَفِي الرِّقَابِ وَالْغٰرِمِيْنَ وَ
فِيْ سَبِيْلِ اللّٰهِ وَابْنِ السَّبِيْلِ ؕ فَرِيْضَةً مِّنَ
اللّٰهِ ؕ وَاللّٰهُ عَلِيْمٌ حَكِيْمٌ ﴿۶۰﴾ وَمِنْهُمُ الَّذِيْنَ
يُؤْذُوْنَ النَّبِيَّ وَيَقُوْلُوْنَ هُوَ اُذُنٌ ؕ قُلْ اُذُنُ منزل ۲
خَيْرٍ لَّكُمْ يُؤْمِنُ بِاللّٰهِ وَيُؤْمِنُ لِلْمُؤْمِنِيْنَ
وَرَحْمَةٌ لِّلَّذِيْنَ اٰمَنُوْا مِنْكُمْ ؕ وَالَّذِيْنَ
يُؤْذُوْنَ رَسُوْلَ اللّٰهِ لَهُمْ عَذَابٌ اَلِيْمٌ ﴿۶۱﴾
يَحْلِفُوْنَ بِاللّٰهِ لَكُمْ لِيُرْضُوْكُمْ ۚ وَاللّٰهُ وَرَسُوْلُهٗۤ
الثلثة اَحَقُّ اَنْ يُّرْضُوْهُ اِنْ كَانُوْا مُؤْمِنِيْنَ ﴿۶۲﴾ اَلَمْ
يَعْلَمُوْۤا اَنَّهٗ مَنْ يُّحَادِدِ اللّٰهَ وَرَسُوْلَهٗ فَاَنَّ

لَهٗ نَارَ جَهَنَّمَ خَالِدًا فِيْهَا ؕ ذٰلِكَ الْخِزْيُ
الْعَظِيْمُ ﴿۶۳﴾ يَحْذَرُ الْمُنٰفِقُوْنَ اَنْ تُنَزَّلَ عَلَيْهِمْ
سُوْرَةٌ تُنَبِّئُهُمْ بِمَا فِيْ قُلُوْبِهِمْ ؕ قُلِ اسْتَهْزِءُوْا ۚ
اِنَّ اللّٰهَ مُخْرِجٌ مَّا تَحْذَرُوْنَ ﴿۶۴﴾ وَلَئِنْ سَاَلْتَهُمْ
لَيَقُوْلُنَّ اِنَّمَا كُنَّا نَخُوْضُ وَنَلْعَبُ ؕ قُلْ اَبِاللّٰهِ
وَاٰيٰتِهٖ وَرَسُوْلِهٖ كُنْتُمْ تَسْتَهْزِءُوْنَ ﴿۶۵﴾ لَا
تَعْتَذِرُوْا قَدْ كَفَرْتُمْ بَعْدَ اِيْمَانِكُمْ ؕ اِنْ نَّعْفُ
عَنْ طَآئِفَةٍ مِّنْكُمْ نُعَذِّبْ طَآئِفَةًۢ بِاَنَّهُمْ
كَانُوْا مُجْرِمِيْنَ ﴿۶۶﴾ اَلْمُنٰفِقُوْنَ وَالْمُنٰفِقٰتُ بَعْضُهُمْ ع ١٧
مِّنْۢ بَعْضٍ ۘ يَاْمُرُوْنَ بِالْمُنْكَرِ وَيَنْهَوْنَ وقف لازم
عَنِ الْمَعْرُوْفِ وَيَقْبِضُوْنَ اَيْدِيَهُمْ ؕ نَسُوا اللّٰهَ
فَنَسِيَهُمْ ؕ اِنَّ الْمُنٰفِقِيْنَ هُمُ الْفٰسِقُوْنَ ﴿۶۷﴾ وَعَدَ
اللّٰهُ الْمُنٰفِقِيْنَ وَالْمُنٰفِقٰتِ وَالْكُفَّارَ نَارَ

منزل ٢

جَهَنَّمَ خٰلِدِيْنَ فِيْهَا ؕ هِيَ حَسْبُهُمْ ۚ وَلَعَنَهُمُ
اللّٰهُ ۚ وَلَهُمْ عَذَابٌ مُّقِيْمٌ ۙ﴿۶۸﴾ كَالَّذِيْنَ مِنْ
قَبْلِكُمْ كَانُوْٓا اَشَدَّ مِنْكُمْ قُوَّةً وَّاَكْثَرَ اَمْوَالًا وَّ
اَوْلَادًا ؕ فَاسْتَمْتَعُوْا بِخَلَاقِهِمْ فَاسْتَمْتَعْتُمْ بِخَلَاقِكُمْ
كَمَا اسْتَمْتَعَ الَّذِيْنَ مِنْ قَبْلِكُمْ بِخَلَاقِهِمْ
وَخُضْتُمْ كَالَّذِيْ خَاضُوْا ؕ اُولٰٓئِكَ حَبِطَتْ
اَعْمَالُهُمْ فِي الدُّنْيَا وَالْاٰخِرَةِ ۚ وَاُولٰٓئِكَ هُمُ
الْخٰسِرُوْنَ ﴿۶۹﴾ اَلَمْ يَاْتِهِمْ نَبَاُ الَّذِيْنَ مِنْ قَبْلِهِمْ
قَوْمِ نُوْحٍ وَّعَادٍ وَّثَمُوْدَ ۙ۬ وَقَوْمِ اِبْرٰهِيْمَ
وَاَصْحٰبِ مَدْيَنَ وَالْمُؤْتَفِكٰتِ ؕ اَتَتْهُمْ رُسُلُهُمْ
بِالْبَيِّنٰتِ ۚ فَمَا كَانَ اللّٰهُ لِيَظْلِمَهُمْ وَلٰكِنْ كَانُوْٓا
اَنْفُسَهُمْ يَظْلِمُوْنَ ﴿۷۰﴾ وَالْمُؤْمِنُوْنَ وَالْمُؤْمِنٰتُ
بَعْضُهُمْ اَوْلِيَآءُ بَعْضٍ ۘ يَاْمُرُوْنَ بِالْمَعْرُوْفِ

منزل ۲

وقف لازم

وَيَنْهَوْنَ عَنِ الْمُنْكَرِ وَيُقِيْمُوْنَ الصَّلٰوةَ وَ
يُؤْتُوْنَ الزَّكٰوةَ وَيُطِيْعُوْنَ اللّٰهَ وَرَسُوْلَهٗ ط
اُولٰٓئِكَ سَيَرْحَمُهُمُ اللّٰهُ ط اِنَّ اللّٰهَ عَزِيْزٌ
حَكِيْمٌ ﴿٧١﴾ وَعَدَ اللّٰهُ الْمُؤْمِنِيْنَ وَالْمُؤْمِنٰتِ جَنّٰتٍ
تَجْرِيْ مِنْ تَحْتِهَا الْاَنْهٰرُ خٰلِدِيْنَ فِيْهَا
وَمَسٰكِنَ طَيِّبَةً فِيْ جَنّٰتِ عَدْنٍ ط وَرِضْوَانٌ
ع ٩ ٦ ١٥ مِّنَ اللّٰهِ اَكْبَرُ ط ذٰلِكَ هُوَ الْفَوْزُ الْعَظِيْمُ ﴿٧٢﴾ ع منزل ٢
يٰٓاَيُّهَا النَّبِيُّ جَاهِدِ الْكُفَّارَ وَالْمُنٰفِقِيْنَ
وَاغْلُظْ عَلَيْهِمْ ط وَمَاْوٰىهُمْ جَهَنَّمُ ط وَبِئْسَ
الْمَصِيْرُ ﴿٧٣﴾ يَحْلِفُوْنَ بِاللّٰهِ مَا قَالُوْا ط وَلَقَدْ
قَالُوْا كَلِمَةَ الْكُفْرِ وَكَفَرُوْا بَعْدَ اِسْلَامِهِمْ وَ
هَمُّوْا بِمَا لَمْ يَنَالُوْا ج وَمَا نَقَمُوْٓا اِلَّآ اَنْ اَغْنٰىهُمُ
اللّٰهُ وَرَسُوْلُهٗ مِنْ فَضْلِهٖ ج فَاِنْ يَّتُوْبُوْا يَكُ

خَيْرًا لَّهُمْ ۚ وَاِنْ يَّتَوَلَّوْا يُعَذِّبْهُمُ اللّٰهُ
عَذَابًا اَلِيْمًا ۙ فِی الدُّنْيَا وَالْاٰخِرَةِ ۚ وَمَا لَهُمْ
فِی الْاَرْضِ مِنْ وَّلِیٍّ وَّلَا نَصِيْرٍ ﴿٧٤﴾ وَمِنْهُمْ
مَّنْ عٰهَدَ اللّٰهَ لَئِنْ اٰتٰىنَا مِنْ فَضْلِهٖ
لَنَصَّدَّقَنَّ وَلَنَكُوْنَنَّ مِنَ الصّٰلِحِيْنَ ﴿٧٥﴾ فَلَمَّآ
اٰتٰىهُمْ مِّنْ فَضْلِهٖ بَخِلُوْا بِهٖ وَتَوَلَّوْا وَّهُمْ
مُّعْرِضُوْنَ ﴿٧٦﴾ فَاَعْقَبَهُمْ نِفَاقًا فِیْ قُلُوْبِهِمْ
اِلٰی يَوْمِ يَلْقَوْنَهٗ بِمَآ اَخْلَفُوا اللّٰهَ مَا
وَعَدُوْهُ وَبِمَا كَانُوْا يَكْذِبُوْنَ ﴿٧٧﴾ اَلَمْ يَعْلَمُوْٓا
اَنَّ اللّٰهَ يَعْلَمُ سِرَّهُمْ وَنَجْوٰىهُمْ وَاَنَّ اللّٰهَ
عَلَّامُ الْغُيُوْبِ ﴿٧٨﴾ ۚ اَلَّذِيْنَ يَلْمِزُوْنَ الْمُطَّوِّعِيْنَ
مِنَ الْمُؤْمِنِيْنَ فِی الصَّدَقٰتِ وَالَّذِيْنَ لَا يَجِدُوْنَ
اِلَّا جُهْدَهُمْ فَيَسْخَرُوْنَ مِنْهُمْ ؕ سَخِرَ اللّٰهُ

مِنۡهُمۡ ز وَلَهُمۡ عَذَابٌ اَلِيۡمٌ ﴿٧٩﴾ اِسۡتَغۡفِرۡ لَهُمۡ
اَوۡ لَا تَسۡتَغۡفِرۡ لَهُمۡ ط اِنۡ تَسۡتَغۡفِرۡ لَهُمۡ سَبۡعِيۡنَ
مَرَّةً فَلَنۡ يَّغۡفِرَ اللّٰهُ لَهُمۡ ط ذٰلِكَ بِاَنَّهُمۡ كَفَرُوۡا
بِاللّٰهِ وَرَسُوۡلِهٖ ط وَاللّٰهُ لَا يَهۡدِى الۡقَوۡمَ
الۡفٰسِقِيۡنَ ﴿٨٠﴾ ع فَرِحَ الۡمُخَلَّفُوۡنَ بِمَقۡعَدِهِمۡ خِلٰفَ ع ٨ ١٦
رَسُوۡلِ اللّٰهِ وَكَرِهُوۡۤا اَنۡ يُّجَاهِدُوۡا بِاَمۡوَالِهِمۡ
وَاَنۡفُسِهِمۡ فِىۡ سَبِيۡلِ اللّٰهِ وَقَالُوۡا لَا تَنۡفِرُوۡا فِى
الۡحَرِّ ط قُلۡ نَارُ جَهَنَّمَ اَشَدُّ حَرًّا ط لَوۡ كَانُوۡا يَفۡقَهُوۡنَ ﴿٨١﴾
فَلۡيَضۡحَكُوۡا قَلِيۡلًا وَّلۡيَبۡكُوۡا كَثِيۡرًا ج جَزَآءًۢ بِمَا
كَانُوۡا يَكۡسِبُوۡنَ ﴿٨٢﴾ فَاِنۡ رَّجَعَكَ اللّٰهُ اِلٰى طَآئِفَةٍ
مِّنۡهُمۡ فَاسۡتَاۡذَنُوۡكَ لِلۡخُرُوۡجِ فَقُلۡ لَّنۡ
تَخۡرُجُوۡا مَعِىَ اَبَدًا وَّلَنۡ تُقَاتِلُوۡا مَعِىَ عَدُوًّا ط
اِنَّكُمۡ رَضِيۡتُمۡ بِالۡقُعُوۡدِ اَوَّلَ مَرَّةٍ فَاقۡعُدُوۡا مَعَ

منزل ٢

الْخٰلِفِيْنَ ﴿٨٣﴾ وَلَا تُصَلِّ عَلٰٓى اَحَدٍ مِّنْهُمْ مَّاتَ

اَبَدًا وَّلَا تَقُمْ عَلٰى قَبْرِهٖ ؕ اِنَّهُمْ كَفَرُوْا بِاللّٰهِ وَ

رَسُوْلِهٖ وَمَاتُوْا وَهُمْ فٰسِقُوْنَ ﴿٨٤﴾ وَلَا تُعْجِبْكَ

اَمْوَالُهُمْ وَاَوْلَادُهُمْ ؕ اِنَّمَا يُرِيْدُ اللّٰهُ اَنْ يُّعَذِّبَهُمْ

بِهَا فِى الدُّنْيَا وَتَزْهَقَ اَنْفُسُهُمْ وَهُمْ كٰفِرُوْنَ ﴿٨٥﴾

وَاِذَآ اُنْزِلَتْ سُوْرَةٌ اَنْ اٰمِنُوْا بِاللّٰهِ وَجَاهِدُوْا مَعَ

رَسُوْلِهِ اسْتَاْذَنَكَ اُولُوا الطَّوْلِ مِنْهُمْ وَ قَالُوْا

ذَرْنَا نَكُنْ مَّعَ الْقٰعِدِيْنَ ﴿٨٦﴾ رَضُوْا بِاَنْ يَّكُوْنُوْا مَعَ

الْخَوَالِفِ وَطُبِعَ عَلٰى قُلُوْبِهِمْ فَهُمْ لَا يَفْقَهُوْنَ ﴿٨٧﴾

لٰكِنِ الرَّسُوْلُ وَالَّذِيْنَ اٰمَنُوْا مَعَهٗ جٰهَدُوْا

بِاَمْوَالِهِمْ وَاَنْفُسِهِمْ ؕ وَاُولٰٓئِكَ لَهُمُ الْخَيْرٰتُ ز وَ

اُولٰٓئِكَ هُمُ الْمُفْلِحُوْنَ ﴿٨٨﴾ اَعَدَّ اللّٰهُ لَهُمْ جَنّٰتٍ

تَجْرِىْ مِنْ تَحْتِهَا الْاَنْهٰرُ خٰلِدِيْنَ فِيْهَا ؕ

منزل ٢

ذٰلِكَ الْفَوْزُ الْعَظِيْمُ ﴿٨٩﴾ وَجَآءَ الْمُعَذِّرُوْنَ مِنَ
الْاَعْرَابِ لِيُؤْذَنَ لَهُمْ وَقَعَدَ الَّذِيْنَ كَذَبُوا
اللّٰهَ وَرَسُوْلَهٗ ؕ سَيُصِيْبُ الَّذِيْنَ كَفَرُوْا مِنْهُمْ
عَذَابٌ اَلِيْمٌ ﴿٩٠﴾ لَيْسَ عَلَى الضُّعَفَآءِ وَلَا عَلَى الْمَرْضٰى
وَلَا عَلَى الَّذِيْنَ لَا يَجِدُوْنَ مَا يُنْفِقُوْنَ حَرَجٌ اِذَا
نَصَحُوْا لِلّٰهِ وَرَسُوْلِهٖ ؕ مَا عَلَى الْمُحْسِنِيْنَ مِنْ
سَبِيْلٍ ؕ وَاللّٰهُ غَفُوْرٌ رَّحِيْمٌ ﴿٩١﴾ وَّلَا عَلَى الَّذِيْنَ
اِذَا مَآ اَتَوْكَ لِتَحْمِلَهُمْ قُلْتَ لَآ اَجِدُ مَآ
اَحْمِلُكُمْ عَلَيْهِ ۪ تَوَلَّوْا وَّاَعْيُنُهُمْ تَفِيْضُ مِنَ
الدَّمْعِ حَزَنًا اَلَّا يَجِدُوْا مَا يُنْفِقُوْنَ ﴿٩٢﴾ ؕ اِنَّمَا
السَّبِيْلُ عَلَى الَّذِيْنَ يَسْتَاْذِنُوْنَكَ وَهُمْ
اَغْنِيَآءُ ۚ رَضُوْا بِاَنْ يَّكُوْنُوْا مَعَ الْخَوَالِفِ ۙ
وَطَبَعَ اللّٰهُ عَلٰى قُلُوْبِهِمْ فَهُمْ لَا يَعْلَمُوْنَ ﴿٩٣﴾

ع ١١ ٩ ١٧

منزل ٢

Ikhfa إخفا | Ikhfa Meem Saakin إخفاميم ساكن | Qalqala قلقله | Qalb قلب | Idghaam إدغام | Idghaam Meem Saakin إدغام ميم ساكن | Ghunna غُنّه

يَعۡتَذِرُوۡنَ اِلَيۡكُمۡ اِذَا رَجَعۡتُمۡ اِلَيۡهِمۡ‌ؕ قُلْ لَّا
تَعۡتَذِرُوۡا لَنۡ نُّؤۡمِنَ لَـكُمۡ قَدۡ نَـبَّاَنَا اللّٰهُ مِنۡ اَخۡبَارِكُمۡ‌ؕ
وَسَيَرَى اللّٰهُ عَمَلَـكُمۡ وَرَسُوۡلُهٗ ثُمَّ تُرَدُّوۡنَ اِلٰى
عٰلِمِ الۡغَيۡبِ وَالشَّهَادَةِ فَيُنَبِّئُكُمۡ بِمَا كُنۡتُمۡ
تَعۡمَلُوۡنَ ‏﴿۹۴﴾‏ سَيَحۡلِفُوۡنَ بِاللّٰهِ لَـكُمۡ اِذَا انْقَلَبۡتُمۡ
اِلَيۡهِمۡ لِتُعۡرِضُوۡا عَنۡهُمۡ‌ؕ فَاَعۡرِضُوۡا عَنۡهُمۡ‌ؕ اِنَّهُمۡ
رِجۡسٌ‌ وَّمَاۡوٰٮهُمۡ جَهَـنَّمُ‌ۚ جَزَآءًۢ بِمَا كَانُوۡا يَكۡسِبُوۡنَ ‏﴿۹۵﴾‏
يَحۡلِفُوۡنَ لَـكُمۡ لِتَرۡضَوۡا عَنۡهُمۡ‌ۚ فَاِنۡ تَرۡضَوۡا عَنۡهُمۡ
فَاِنَّ اللّٰهَ لَا يَرۡضٰى عَنِ الۡقَوۡمِ الۡفٰسِقِيۡنَ ‏﴿۹۶﴾‏ اَلۡاَعۡرَابُ
اَشَدُّ كُفۡرًا وَّنِفَاقًا وَّاَجۡدَرُ اَلَّا يَعۡلَمُوۡا حُدُوۡدَ مَاۤ
اَنۡزَلَ اللّٰهُ عَلٰى رَسُوۡلِهٖ‌ؕ وَاللّٰهُ عَلِيۡمٌ حَكِيۡمٌ ‏﴿۹۷﴾‏ وَمِنَ
الۡاَعۡرَابِ مَنۡ يَّتَّخِذُ مَا يُنۡفِقُ مَغۡرَمًا وَّيَتَرَبَّصُ
بِكُمُ الدَّوَآٮِٕرَ‌ؕ عَلَيۡهِمۡ دَآٮِٕرَةُ السَّوۡءِ‌ؕ وَاللّٰهُ سَمِيۡعٌ

عَلِيْمٌ ﴿٩٨﴾ وَمِنَ الْاَعْرَابِ مَنْ يُّؤْمِنُ بِاللّٰهِ وَالْيَوْمِ
الْاٰخِرِ وَيَتَّخِذُ مَا يُنْفِقُ قُرُبٰتٍ عِنْدَ اللّٰهِ وَصَلَوٰتِ
الرَّسُوْلِ ؕ اَلَاۤ اِنَّهَا قُرْبَةٌ لَّهُمْ ؕ سَيُدْخِلُهُمُ اللّٰهُ
فِيْ رَحْمَتِهٖ ؕ اِنَّ اللّٰهَ غَفُوْرٌ رَّحِيْمٌ ﴿٩٩﴾ ع وَالسّٰبِقُوْنَ ١٢
الْاَوَّلُوْنَ مِنَ الْمُهٰجِرِيْنَ وَالْاَنْصَارِ وَالَّذِيْنَ
اتَّبَعُوْهُمْ بِاِحْسَانٍ ۙ رَّضِيَ اللّٰهُ عَنْهُمْ وَرَضُوْا
عَنْهُ وَاَعَدَّ لَهُمْ جَنّٰتٍ تَجْرِيْ تَحْتَهَا الْاَنْهٰرُ
خٰلِدِيْنَ فِيْهَاۤ اَبَدًا ؕ ذٰلِكَ الْفَوْزُ الْعَظِيْمُ ﴿١٠٠﴾ وَمِمَّنْ
حَوْلَكُمْ مِّنَ الْاَعْرَابِ مُنٰفِقُوْنَ ۛؕ وَمِنْ اَهْلِ الْمَدِيْنَةِ ۛؔ قف
مَرَدُوْا عَلَى النِّفَاقِ ۫ لَا تَعْلَمُهُمْ ؕ نَحْنُ نَعْلَمُهُمْ ؕ
سَنُعَذِّبُهُمْ مَّرَّتَيْنِ ثُمَّ يُرَدُّوْنَ اِلٰى عَذَابٍ عَظِيْمٍ ﴿١٠١﴾ ج
وَاٰخَرُوْنَ اعْتَرَفُوْا بِذُنُوْبِهِمْ خَلَطُوْا عَمَلًا صَالِحًا
وَّاٰخَرَ سَيِّئًا ؕ عَسَى اللّٰهُ اَنْ يَّتُوْبَ عَلَيْهِمْ ؕ اِنَّ اللّٰهَ

منزل ٢

مع ٥ وقف منزل ١٢ عند المتقدمين ١٢

غَفُوْرٌ رَّحِيْمٌ ﴿١٠٢﴾ خُذْ مِنْ اَمْوَالِهِمْ صَدَقَةً تُطَهِّرُهُمْ
وَتُزَكِّيْهِمْ بِهَا وَصَلِّ عَلَيْهِمْ ؕ اِنَّ صَلٰوتَكَ سَكَنٌ
لَّهُمْ ؕ وَاللّٰهُ سَمِيْعٌ عَلِيْمٌ ﴿١٠٣﴾ اَلَمْ يَعْلَمُوْٓا اَنَّ اللّٰهَ
هُوَ يَقْبَلُ التَّوْبَةَ عَنْ عِبَادِهٖ وَيَاْخُذُ الصَّدَقٰتِ
وَاَنَّ اللّٰهَ هُوَ التَّوَّابُ الرَّحِيْمُ ﴿١٠٤﴾ وَقُلِ اعْمَلُوْا فَسَيَرَى
اللّٰهُ عَمَلَكُمْ وَرَسُوْلُهٗ وَالْمُؤْمِنُوْنَ ؕ وَسَتُرَدُّوْنَ
اِلٰى عٰلِمِ الْغَيْبِ وَالشَّهَادَةِ فَيُنَبِّئُكُمْ بِمَا كُنْتُمْ منزل ۲
تَعْمَلُوْنَ ۚ ﴿١٠٥﴾ وَاٰخَرُوْنَ مُرْجَوْنَ لِاَمْرِ اللّٰهِ اِمَّا
يُعَذِّبُهُمْ وَاِمَّا يَتُوْبُ عَلَيْهِمْ ؕ وَاللّٰهُ عَلِيْمٌ
حَكِيْمٌ ﴿١٠٦﴾ وَالَّذِيْنَ اتَّخَذُوْا مَسْجِدًا ضِرَارًا وَّكُفْرًا
وَّتَفْرِيْقًا بَيْنَ الْمُؤْمِنِيْنَ وَاِرْصَادًا لِّمَنْ حَارَبَ
اللّٰهَ وَرَسُوْلَهٗ مِنْ قَبْلُ ؕ وَلَيَحْلِفُنَّ اِنْ اَرَدْنَآ
اِلَّا الْحُسْنٰى ؕ وَاللّٰهُ يَشْهَدُ اِنَّهُمْ لَكٰذِبُوْنَ ﴿١٠٧﴾ لَا تَقُمْ

فِيۡهِ اَبَدًا ؕ لَمَسۡجِدٌ اُسِّسَ عَلَى التَّقۡوٰى مِنۡ اَوَّلِ
يَوۡمٍ اَحَقُّ اَنۡ تَقُوۡمَ فِيۡهِ ؕ فِيۡهِ رِجَالٌ يُّحِبُّوۡنَ اَنۡ
يَّتَطَهَّرُوۡا ؕ وَاللّٰهُ يُحِبُّ الۡمُطَّهِّرِيۡنَ ﴿۱۰۸﴾ اَفَمَنۡ اَسَّسَ
بُنۡيَانَهٗ عَلٰى تَقۡوٰى مِنَ اللّٰهِ وَرِضۡوَانٍ خَيۡرٌ اَمۡ مَّنۡ
اَسَّسَ بُنۡيَانَهٗ عَلٰى شَفَا جُرُفٍ هَارٍ فَانۡهَارَ بِهٖ
فِىۡ نَارِ جَهَنَّمَ ؕ وَاللّٰهُ لَا يَهۡدِى الۡقَوۡمَ الظّٰلِمِيۡنَ ﴿۱۰۹﴾
لَا يَزَالُ بُنۡيَانُهُمُ الَّذِىۡ بَنَوۡا رِيۡبَةً فِىۡ قُلُوۡبِهِمۡ اِلَّاۤ
اَنۡ تَقَطَّعَ قُلُوۡبُهُمۡ ؕ وَاللّٰهُ عَلِيۡمٌ حَكِيۡمٌ ﴿۱۱۰﴾ ع اِنَّ اللّٰهَ ع ۱۳/۳
اشۡتَرٰى مِنَ الۡمُؤۡمِنِيۡنَ اَنۡفُسَهُمۡ وَاَمۡوَالَهُمۡ بِاَنَّ
لَهُمُ الۡجَنَّةَ ؕ يُقَاتِلُوۡنَ فِىۡ سَبِيۡلِ اللّٰهِ فَيَقۡتُلُوۡنَ وَ
يُقۡتَلُوۡنَ وَعۡدًا عَلَيۡهِ حَقًّا فِى التَّوۡرٰٮةِ وَالۡاِنۡجِيۡلِ
وَالۡقُرۡاٰنِ ؕ وَمَنۡ اَوۡفٰى بِعَهۡدِهٖ مِنَ اللّٰهِ فَاسۡتَبۡشِرُوۡا
بِبَيۡعِكُمُ الَّذِىۡ بَايَعۡتُمۡ بِهٖ ؕ وَذٰلِكَ هُوَ الۡفَوۡزُ

منزل ٢

الْعَظِيْمُ ﴿١١١﴾ اَلتَّآئِبُوْنَ الْعٰبِدُوْنَ الْحٰمِدُوْنَ
السَّآئِحُوْنَ الرّٰكِعُوْنَ السّٰجِدُوْنَ الْاٰمِرُوْنَ
بِالْمَعْرُوْفِ وَالنَّاهُوْنَ عَنِ الْمُنْكَرِ وَالْحٰفِظُوْنَ
لِحُدُوْدِ اللّٰهِ ؕ وَبَشِّرِ الْمُؤْمِنِيْنَ ﴿١١٢﴾ مَا كَانَ لِلنَّبِيِّ وَ
الَّذِيْنَ اٰمَنُوْٓا اَنْ يَّسْتَغْفِرُوْا لِلْمُشْرِكِيْنَ وَلَوْ كَانُوْٓا
اُولِيْ قُرْبٰى مِنْۢ بَعْدِ مَا تَبَيَّنَ لَهُمْ اَنَّهُمْ اَصْحٰبُ
الْجَحِيْمِ ﴿١١٣﴾ وَمَا كَانَ اسْتِغْفَارُ اِبْرٰهِيْمَ لِاَبِيْهِ اِلَّا
عَنْ مَّوْعِدَةٍ وَّعَدَهَآ اِيَّاهُ ۚ فَلَمَّا تَبَيَّنَ لَهٗٓ اَنَّهٗ
عَدُوٌّ لِّلّٰهِ تَبَرَّاَ مِنْهُ ؕ اِنَّ اِبْرٰهِيْمَ لَاَوَّاهٌ حَلِيْمٌ ﴿١١٤﴾
وَمَا كَانَ اللّٰهُ لِيُضِلَّ قَوْمًۢا بَعْدَ اِذْ هَدٰىهُمْ حَتّٰى
يُبَيِّنَ لَهُمْ مَّا يَتَّقُوْنَ ؕ اِنَّ اللّٰهَ بِكُلِّ شَيْءٍ عَلِيْمٌ ﴿١١٥﴾ اِنَّ
اللّٰهَ لَهٗ مُلْكُ السَّمٰوٰتِ وَالْاَرْضِ ؕ يُحْيٖ وَيُمِيْتُ ؕ وَمَا
لَكُمْ مِّنْ دُوْنِ اللّٰهِ مِنْ وَّلِيٍّ وَّلَا نَصِيْرٍ ﴿١١٦﴾ لَقَدْ

منزل٢

Ikhfa اِخفا | Ikhfa Meem Saakin اِخفامیم ساکن | Qalqala قلقلہ | Qalb قلب | Idghaam اِدغام | Idghaam Meem Saakin اِدغام میم ساکن | Ghunna غُنّہ

تَّابَ اللّٰهُ عَلَى النَّبِيِّ وَ الْمُهٰجِرِيْنَ وَ الْاَنْصَارِ الَّذِيْنَ
اتَّبَعُوْهُ فِيْ سَاعَةِ الْعُسْرَةِ مِنْۢ بَعْدِ مَا كَادَ يَزِيْغُ
قُلُوْبُ فَرِيْقٍ مِّنْهُمْ ثُمَّ تَابَ عَلَيْهِمْ ؕ اِنَّهٗ بِهِمْ رَءُوْفٌ
رَّحِيْمٌ ۙ﴿۱۱۷﴾ وَّ عَلَى الثَّلٰثَةِ الَّذِيْنَ خُلِّفُوْا ؕ حَتّٰۤى
اِذَا ضَاقَتْ عَلَيْهِمُ الْاَرْضُ بِمَا رَحُبَتْ وَ ضَاقَتْ
عَلَيْهِمْ اَنْفُسُهُمْ وَ ظَنُّوْۤا اَنْ لَّا مَلْجَاَ مِنَ اللّٰهِ اِلَّاۤ
اِلَيْهِ ؕ ثُمَّ تَابَ عَلَيْهِمْ لِيَتُوْبُوْا ؕ اِنَّ اللّٰهَ هُوَ التَّوَّابُ
الرَّحِيْمُ ﴿۱۱۸﴾ ع يٰۤاَيُّهَا الَّذِيْنَ اٰمَنُوا اتَّقُوا اللّٰهَ وَ كُوْنُوْا ع ۸ ٤
مَعَ الصّٰدِقِيْنَ ﴿۱۱۹﴾ مَا كَانَ لِاَهْلِ الْمَدِيْنَةِ وَ مَنْ
حَوْلَهُمْ مِّنَ الْاَعْرَابِ اَنْ يَّتَخَلَّفُوْا عَنْ رَّسُوْلِ اللّٰهِ
وَ لَا يَرْغَبُوْا بِاَنْفُسِهِمْ عَنْ نَّفْسِهٖ ؕ ذٰلِكَ بِاَنَّهُمْ لَا
يُصِيْبُهُمْ ظَمَاٌ وَّ لَا نَصَبٌ وَّ لَا مَخْمَصَةٌ فِيْ سَبِيْلِ
اللّٰهِ وَ لَا يَطَـُٔوْنَ مَوْطِئًا يَّغِيْظُ الْكُفَّارَ وَ لَا يَنَالُوْنَ

منزل ٢

Ikhfa إخفا | Ikhfa Meem Saakin إخفاميم ساكن | Qalqala قلقله | Qalb قلب | Idghaam إدغام | Idghaam Meem Saakin إدغام ميم ساكن | Ghunna غنّه

مِنْ عَدُوٍّ نَّيْلًا اِلَّا كُتِبَ لَهُمْ بِهٖ عَمَلٌ صَالِحٌ ؕ
اِنَّ اللّٰهَ لَا يُضِيْعُ اَجْرَ الْمُحْسِنِيْنَ ﴿۱۲۰﴾ وَلَا يُنْفِقُوْنَ
نَفَقَةً صَغِيْرَةً وَّلَا كَبِيْرَةً وَّلَا يَقْطَعُوْنَ وَادِيًا
اِلَّا كُتِبَ لَهُمْ لِيَجْزِيَهُمُ اللّٰهُ اَحْسَنَ مَا كَانُوْا يَعْمَلُوْنَ ﴿۱۲۱﴾
وَمَا كَانَ الْمُؤْمِنُوْنَ لِيَنْفِرُوْا كَآفَّةً ؕ فَلَوْلَا نَفَرَ مِنْ
كُلِّ فِرْقَةٍ مِّنْهُمْ طَآئِفَةٌ لِّيَتَفَقَّهُوْا فِي الدِّيْنِ
وَلِيُنْذِرُوْا قَوْمَهُمْ اِذَا رَجَعُوْٓا اِلَيْهِمْ لَعَلَّهُمْ منزل ۲
۵/۱۵ ع يَحْذَرُوْنَ ﴿۱۲۲﴾ يٰٓاَيُّهَا الَّذِيْنَ اٰمَنُوْا قَاتِلُوا الَّذِيْنَ
يَلُوْنَكُمْ مِّنَ الْكُفَّارِ وَلْيَجِدُوْا فِيْكُمْ غِلْظَةً ؕ وَاعْلَمُوْٓا
الربع اَنَّ اللّٰهَ مَعَ الْمُتَّقِيْنَ ﴿۱۲۳﴾ وَاِذَا مَآ اُنْزِلَتْ سُوْرَةٌ
فَمِنْهُمْ مَّنْ يَّقُوْلُ اَيُّكُمْ زَادَتْهُ هٰذِهٖٓ اِيْمَانًا ۚ فَاَمَّا
الَّذِيْنَ اٰمَنُوْا فَزَادَتْهُمْ اِيْمَانًا وَّهُمْ يَسْتَبْشِرُوْنَ ﴿۱۲۴﴾ وَ
اَمَّا الَّذِيْنَ فِيْ قُلُوْبِهِمْ مَّرَضٌ فَزَادَتْهُمْ رِجْسًا اِلٰى

رِجْسِهِمْ وَمَاتُوْا وَهُمْ كٰفِرُوْنَ ﴿١٢٥﴾ اَوَلَا يَرَوْنَ
اَنَّهُمْ يُفْتَنُوْنَ فِىْ كُلِّ عَامٍ مَّرَّةً اَوْ مَرَّتَيْنِ ثُمَّ لَا
يَتُوْبُوْنَ وَلَا هُمْ يَذَّكَّرُوْنَ ﴿١٢٦﴾ وَاِذَا مَاۤ اُنْزِلَتْ سُوْرَةٌ
نَّظَرَ بَعْضُهُمْ اِلٰى بَعْضٍ ؕ هَلْ يَرٰىكُمْ مِّنْ اَحَدٍ ثُمَّ
انْصَرَفُوْا ؕ صَرَفَ اللّٰهُ قُلُوْبَهُمْ بِاَنَّهُمْ قَوْمٌ لَّا
يَفْقَهُوْنَ ﴿١٢٧﴾ لَقَدْ جَآءَكُمْ رَسُوْلٌ مِّنْ اَنْفُسِكُمْ عَزِيْزٌ
عَلَيْهِ مَا عَنِتُّمْ حَرِيْصٌ عَلَيْكُمْ بِالْمُؤْمِنِيْنَ رَءُوْفٌ
رَّحِيْمٌ ﴿١٢٨﴾ فَاِنْ تَوَلَّوْا فَقُلْ حَسْبِىَ اللّٰهُ ۖ لَاۤ اِلٰهَ اِلَّا
هُوَ ؕ عَلَيْهِ تَوَكَّلْتُ وَهُوَ رَبُّ الْعَرْشِ الْعَظِيْمِ ﴿١٢٩﴾ ع

اٰيَاتُهَا ١٠٩ (١٠) سُوْرَةُ يُوْنُسَ مَكِّيَّةٌ (٥١) رُكُوْعَاتُهَا ١١

بِسْمِ اللّٰهِ الرَّحْمٰنِ الرَّحِيْمِ

الۤرٰ ۚ تِلْكَ اٰيٰتُ الْكِتٰبِ الْحَكِيْمِ ﴿١﴾ اَكَانَ لِلنَّاسِ
عَجَبًا اَنْ اَوْحَيْنَاۤ اِلٰى رَجُلٍ مِّنْهُمْ اَنْ اَنْذِرِ النَّاسَ

وَبَشِّرِ الَّذِيْنَ اٰمَنُوْٓا اَنَّ لَهُمْ قَدَمَ صِدْقٍ عِنْدَ
رَبِّهِمْ ؕ قَالَ الْكٰفِرُوْنَ اِنَّ هٰذَا لَسٰحِرٌ مُّبِيْنٌ ﴿۲﴾
اِنَّ رَبَّكُمُ اللّٰهُ الَّذِيْ خَلَقَ السَّمٰوٰتِ وَ الْاَرْضَ فِيْ
سِتَّةِ اَيَّامٍ ثُمَّ اسْتَوٰى عَلَى الْعَرْشِ يُدَبِّرُ الْاَمْرَ ؕ مَا
مِنْ شَفِيْعٍ اِلَّا مِنْۢ بَعْدِ اِذْنِهٖ ؕ ذٰلِكُمُ اللّٰهُ رَبُّكُمْ
فَاعْبُدُوْهُ ؕ اَفَلَا تَذَكَّرُوْنَ ﴿۳﴾ اِلَيْهِ مَرْجِعُكُمْ جَمِيْعًا ؕ
وَعْدَ اللّٰهِ حَقًّا ؕ اِنَّهٗ يَبْدَؤُا الْخَلْقَ ثُمَّ يُعِيْدُهٗ لِيَجْزِيَ
الَّذِيْنَ اٰمَنُوْا وَعَمِلُوا الصّٰلِحٰتِ بِالْقِسْطِ ؕ وَالَّذِيْنَ
كَفَرُوْا لَهُمْ شَرَابٌ مِّنْ حَمِيْمٍ وَّعَذَابٌ اَلِيْمٌۢ بِمَا كَانُوْا
يَكْفُرُوْنَ ﴿۴﴾ هُوَ الَّذِيْ جَعَلَ الشَّمْسَ ضِيَآءً وَّ الْقَمَرَ
نُوْرًا وَّ قَدَّرَهٗ مَنَازِلَ لِتَعْلَمُوْا عَدَدَ السِّنِيْنَ وَ
الْحِسَابَ ؕ مَا خَلَقَ اللّٰهُ ذٰلِكَ اِلَّا بِالْحَقِّ ۚ يُفَصِّلُ
الْاٰيٰتِ لِقَوْمٍ يَّعْلَمُوْنَ ﴿۵﴾ اِنَّ فِي اخْتِلَافِ الَّيْلِ

وقف النبي صلى الله عليه وآله وسلم ۱۲

منزل ۳

وَالنَّهَارِ وَمَا خَلَقَ اللّٰهُ فِي السَّمٰوٰتِ وَالْاَرْضِ لَاٰيٰتٍ
لِّقَوْمٍ يَّتَّقُوْنَ ﴿٦﴾ اِنَّ الَّذِيْنَ لَا يَرْجُوْنَ لِقَآءَنَا وَرَضُوْا
بِالْحَيٰوةِ الدُّنْيَا وَاطْمَاَنُّوْا بِهَا وَالَّذِيْنَ هُمْ عَنْ اٰيٰتِنَا
غٰفِلُوْنَ ﴿٧﴾ لا اُولٰٓئِكَ مَاْوٰىهُمُ النَّارُ بِمَا كَانُوْا يَكْسِبُوْنَ ﴿٨﴾
اِنَّ الَّذِيْنَ اٰمَنُوْا وَعَمِلُوا الصّٰلِحٰتِ يَهْدِيْهِمْ رَبُّهُمْ
بِاِيْمَانِهِمْ ۚ تَجْرِيْ مِنْ تَحْتِهِمُ الْاَنْهٰرُ فِيْ جَنّٰتِ
النَّعِيْمِ ﴿٩﴾ دَعْوٰىهُمْ فِيْهَا سُبْحٰنَكَ اللّٰهُمَّ وَتَحِيَّتُهُمْ
فِيْهَا سَلٰمٌ ۚ وَاٰخِرُ دَعْوٰىهُمْ اَنِ الْحَمْدُ لِلّٰهِ رَبِّ
الْعٰلَمِيْنَ ﴿١٠﴾ ع وَلَوْ يُعَجِّلُ اللّٰهُ لِلنَّاسِ الشَّرَّ اسْتِعْجَالَهُمْ ع ١
بِالْخَيْرِ لَقُضِيَ اِلَيْهِمْ اَجَلُهُمْ ؕ فَنَذَرُ الَّذِيْنَ لَا
يَرْجُوْنَ لِقَآءَنَا فِيْ طُغْيَانِهِمْ يَعْمَهُوْنَ ﴿١١﴾ وَاِذَا مَسَّ
الْاِنْسَانَ الضُّرُّ دَعَانَا لِجَنْۢبِهٖٓ اَوْ قَاعِدًا اَوْ قَآئِمًا ۚ
فَلَمَّا كَشَفْنَا عَنْهُ ضُرَّهٗ مَرَّ كَاَنْ لَّمْ يَدْعُنَآ اِلٰى

منزل ٣

ضُرٍّ مَّسَّهٗ ؕ كَذٰلِكَ زُيِّنَ لِلْمُسْرِفِيْنَ مَا كَانُوْا يَعْمَلُوْنَ ﴿١٢﴾
وَلَقَدْ اَهْلَكْنَا الْقُرُوْنَ مِنْ قَبْلِكُمْ لَمَّا ظَلَمُوْا ۙ وَ
جَآءَتْهُمْ رُسُلُهُمْ بِالْبَيِّنٰتِ وَمَا كَانُوْا لِيُؤْمِنُوْا ؕ
كَذٰلِكَ نَجْزِى الْقَوْمَ الْمُجْرِمِيْنَ ﴿١٣﴾ ثُمَّ جَعَلْنٰكُمْ
خَلٰٓئِفَ فِى الْاَرْضِ مِنْۢ بَعْدِهِمْ لِنَنْظُرَ كَيْفَ
تَعْمَلُوْنَ ﴿١٤﴾ وَاِذَا تُتْلٰى عَلَيْهِمْ اٰيَاتُنَا بَيِّنٰتٍ ۙ قَالَ
الَّذِيْنَ لَا يَرْجُوْنَ لِقَآءَنَا ائْتِ بِقُرْاٰنٍ غَيْرِ هٰذَآ
اَوْ بَدِّلْهُ ؕ قُلْ مَا يَكُوْنُ لِىْۤ اَنْ اُبَدِّلَهٗ مِنْ تِلْقَآئِ
نَفْسِىْ ۚ اِنْ اَتَّبِعُ اِلَّا مَا يُوْحٰۤى اِلَىَّ ۚ اِنِّىْۤ اَخَافُ اِنْ
عَصَيْتُ رَبِّىْ عَذَابَ يَوْمٍ عَظِيْمٍ ﴿١٥﴾ قُلْ لَّوْ شَآءَ
اللّٰهُ مَا تَلَوْتُهٗ عَلَيْكُمْ وَلَاۤ اَدْرٰىكُمْ بِهٖ ۫ۖ فَقَدْ
لَبِثْتُ فِيْكُمْ عُمُرًا مِّنْ قَبْلِهٖ ؕ اَفَلَا تَعْقِلُوْنَ ﴿١٦﴾ فَمَنْ
اَظْلَمُ مِمَّنِ افْتَرٰى عَلَى اللّٰهِ كَذِبًا اَوْ كَذَّبَ بِاٰيٰتِهٖ ؕ

منزل ٣

اِنَّهٗ لَا يُفۡلِحُ الۡمُجۡرِمُوۡنَ ﴿١٧﴾ وَ يَعۡبُدُوۡنَ مِنۡ
دُوۡنِ اللّٰهِ مَا لَا يَضُرُّهُمۡ وَلَا يَنۡفَعُهُمۡ وَيَقُوۡلُوۡنَ
هٰٓؤُلَآءِ شُفَعَآؤُنَا عِنۡدَ اللّٰهِ ؕ قُلۡ اَتُنَبِّـُٔوۡنَ اللّٰهَ بِمَا
لَا يَعۡلَمُ فِى السَّمٰوٰتِ وَلَا فِى الۡاَرۡضِ ؕ سُبۡحٰنَهٗ وَتَعٰلٰى
عَمَّا يُشۡرِكُوۡنَ ﴿١٨﴾ وَمَا كَانَ النَّاسُ اِلَّاۤ اُمَّةً وَّاحِدَةً
فَاخۡتَلَفُوۡا ؕ وَلَوۡلَا كَلِمَةٌ سَبَقَتۡ مِنۡ رَّبِّكَ لَقُضِىَ
بَيۡنَهُمۡ فِيۡمَا فِيۡهِ يَخۡتَلِفُوۡنَ ﴿١٩﴾ وَيَقُوۡلُوۡنَ لَوۡلَاۤ
اُنۡزِلَ عَلَيۡهِ اٰيَةٌ مِّنۡ رَّبِّهٖ ۚ فَقُلۡ اِنَّمَا الۡغَيۡبُ
لِلّٰهِ فَانۡتَظِرُوۡا ۚ اِنِّىۡ مَعَكُمۡ مِّنَ الۡمُنۡتَظِرِيۡنَ ﴿٢٠﴾ ع وَاِذَاۤ ٢ع ٧
اَذَقۡنَا النَّاسَ رَحۡمَةً مِّنۡۢ بَعۡدِ ضَرَّآءَ مَسَّتۡهُمۡ اِذَا
لَهُمۡ مَّكۡرٌ فِىۡۤ اٰيَاتِنَا ؕ قُلِ اللّٰهُ اَسۡرَعُ مَكۡرًا ؕ
اِنَّ رُسُلَنَا يَكۡتُبُوۡنَ مَا تَمۡكُرُوۡنَ ﴿٢١﴾ هُوَ الَّذِىۡ
يُسَيِّرُكُمۡ فِى الۡبَرِّ وَالۡبَحۡرِ ؕ حَتّٰۤى اِذَا كُنۡتُمۡ فِى

منزل ٣

الْفُلْكِ ۚ وَجَرَيْنَ بِهِمْ بِرِيْحٍ طَيِّبَةٍ وَّفَرِحُوْا بِهَا
جَآءَتْهَا رِيْحٌ عَاصِفٌ وَّجَآءَهُمُ الْمَوْجُ مِنْ كُلِّ
مَكَانٍ وَّظَنُّوْٓا اَنَّهُمْ اُحِيْطَ بِهِمْ ۙ دَعَوُا اللّٰهَ مُخْلِصِيْنَ
لَهُ الدِّيْنَ ۚ لَئِنْ اَنْجَيْتَنَا مِنْ هٰذِهٖ لَنَكُوْنَنَّ مِنَ
الشّٰكِرِيْنَ ﴿٢٢﴾ فَلَمَّآ اَنْجٰىهُمْ اِذَا هُمْ يَبْغُوْنَ فِي الْاَرْضِ
بِغَيْرِ الْحَقِّ ؕ يٰٓاَيُّهَا النَّاسُ اِنَّمَا بَغْيُكُمْ عَلٰٓى اَنْفُسِكُمْ ۙ
مَّتَاعَ الْحَيٰوةِ الدُّنْيَا ز ثُمَّ اِلَيْنَا مَرْجِعُكُمْ فَنُنَبِّئُكُمْ
بِمَا كُنْتُمْ تَعْمَلُوْنَ ﴿٢٣﴾ اِنَّمَا مَثَلُ الْحَيٰوةِ الدُّنْيَا
كَمَآءٍ اَنْزَلْنٰهُ مِنَ السَّمَآءِ فَاخْتَلَطَ بِهٖ نَبَاتُ
الْاَرْضِ مِمَّا يَاْكُلُ النَّاسُ وَالْاَنْعَامُ ؕ حَتّٰٓى اِذَآ
اَخَذَتِ الْاَرْضُ زُخْرُفَهَا وَازَّيَّنَتْ وَظَنَّ اَهْلُهَآ
اَنَّهُمْ قٰدِرُوْنَ عَلَيْهَآ ۙ اَتٰىهَآ اَمْرُنَا لَيْلًا اَوْ نَهَارًا
فَجَعَلْنٰهَا حَصِيْدًا كَاَنْ لَّمْ تَغْنَ بِالْاَمْسِ ؕ كَذٰلِكَ

منزل ٣

Ikhfa إخفا | Ikhfa Meem Saakin إخفاميم ساكن | Qalqala قلقله | Qalb قلب | Idghaam إدغام | Idghaam Meem Saakin إدغام ميم ساكن | Ghunna غُنّہ

نُفَصِّلُ الْاٰيٰتِ لِقَوْمٍ يَّتَفَكَّرُوْنَ ﴿٢٤﴾ وَاللّٰهُ يَدْعُوْٓا اِلٰى
دَارِ السَّلٰمِ ؕ وَيَهْدِيْ مَنْ يَّشَآءُ اِلٰى صِرَاطٍ مُّسْتَقِيْمٍ ﴿٢٥﴾
لِلَّذِيْنَ اَحْسَنُوا الْحُسْنٰى وَزِيَادَةٌ ؕ وَلَا يَرْهَقُ وُجُوْهَهُمْ
قَتَرٌ وَّلَا ذِلَّةٌ ؕ اُولٰٓئِكَ اَصْحٰبُ الْجَنَّةِ ۚ هُمْ فِيْهَا
خٰلِدُوْنَ ﴿٢٦﴾ وَالَّذِيْنَ كَسَبُوا السَّيِّاٰتِ جَزَآءُ سَيِّئَةٍۢ
بِمِثْلِهَا ۙ وَتَرْهَقُهُمْ ذِلَّةٌ ؕ مَا لَهُمْ مِّنَ اللّٰهِ مِنْ عَاصِمٍ ۚ
كَاَنَّمَآ اُغْشِيَتْ وُجُوْهُهُمْ قِطَعًا مِّنَ الَّيْلِ مُظْلِمًا ؕ
اُولٰٓئِكَ اَصْحٰبُ النَّارِ ۚ هُمْ فِيْهَا خٰلِدُوْنَ ﴿٢٧﴾ وَيَوْمَ
نَحْشُرُهُمْ جَمِيْعًا ثُمَّ نَقُوْلُ لِلَّذِيْنَ اَشْرَكُوْا
مَكَانَكُمْ اَنْتُمْ وَشُرَكَآؤُكُمْ ۚ فَزَيَّلْنَا بَيْنَهُمْ وَقَالَ
شُرَكَآؤُهُمْ مَّا كُنْتُمْ اِيَّانَا تَعْبُدُوْنَ ﴿٢٨﴾ فَكَفٰى بِاللّٰهِ
شَهِيْدًاۢ بَيْنَنَا وَبَيْنَكُمْ اِنْ كُنَّا عَنْ عِبَادَتِكُمْ
لَغٰفِلِيْنَ ﴿٢٩﴾ هُنَالِكَ تَبْلُوْا كُلُّ نَفْسٍ مَّآ اَسْلَفَتْ وَ

منزل ٣

رُدُّوْٓا اِلَى اللّٰهِ مَوْلٰىهُمُ الْحَقِّ وَضَلَّ عَنْهُمْ مَّا
كَانُوْا يَفْتَرُوْنَ ﴿٣٠﴾ قُلْ مَنْ يَّرْزُقُكُمْ مِّنَ السَّمَآءِ وَ
الْاَرْضِ اَمَّنْ يَّمْلِكُ السَّمْعَ وَالْاَبْصَارَ وَ مَنْ
يُّخْرِجُ الْحَيَّ مِنَ الْمَيِّتِ وَيُخْرِجُ الْمَيِّتَ مِنَ
الْحَيِّ وَمَنْ يُّدَبِّرُ الْاَمْرَ ط فَسَيَقُوْلُوْنَ اللّٰهُ ج فَقُلْ
اَفَلَا تَتَّقُوْنَ ﴿٣١﴾ فَذٰلِكُمُ اللّٰهُ رَبُّكُمُ الْحَقُّ ج فَمَاذَا بَعْدَ
الْحَقِّ اِلَّا الضَّلٰلُ صلے فَاَنّٰى تُصْرَفُوْنَ ﴿٣٢﴾ كَذٰلِكَ حَقَّتْ
كَلِمَتُ رَبِّكَ عَلَى الَّذِيْنَ فَسَقُوْٓا اَنَّهُمْ لَا يُؤْمِنُوْنَ ﴿٣٣﴾
قُلْ هَلْ مِنْ شُرَكَآئِكُمْ مَّنْ يَّبْدَؤُا الْخَلْقَ ثُمَّ
يُعِيْدُهٗ ط قُلِ اللّٰهُ يَبْدَؤُا الْخَلْقَ ثُمَّ يُعِيْدُهٗ فَاَنّٰى
تُؤْفَكُوْنَ ﴿٣٤﴾ قُلْ هَلْ مِنْ شُرَكَآئِكُمْ مَّنْ يَّهْدِيْٓ اِلَى
الْحَقِّ ط قُلِ اللّٰهُ يَهْدِيْ لِلْحَقِّ ط اَفَمَنْ يَّهْدِيْٓ اِلَى
الْحَقِّ اَحَقُّ اَنْ يُّتَّبَعَ اَمَّنْ لَّا يَهِدِّيْٓ اِلَّآ اَنْ يُّهْدٰى ج

ع ٨ النصف ٣

منزل ٣

فَمَا لَكُمْ قف كَيْفَ تَحْكُمُوْنَ ﴿٣٥﴾ وَمَا يَتَّبِعُ اَكْثَرُهُمْ اِلَّا
ظَنًّا ؕ اِنَّ الظَّنَّ لَا يُغْنِىْ مِنَ الْحَقِّ شَيْـًٔا ؕ اِنَّ اللّٰهَ
عَلِيْمٌۢ بِمَا يَفْعَلُوْنَ ﴿٣٦﴾ وَمَا كَانَ هٰذَا الْقُرْاٰنُ اَنْ
يُّفْتَرٰى مِنْ دُوْنِ اللّٰهِ وَلٰكِنْ تَصْدِيْقَ الَّذِىْ بَيْنَ
يَدَيْهِ وَتَفْصِيْلَ الْكِتٰبِ لَا رَيْبَ فِيْهِ مِنْ رَّبِّ
الْعٰلَمِيْنَ ﴿٣٧﴾ قف اَمْ يَقُوْلُوْنَ افْتَرٰىهُ ؕ قُلْ فَاْتُوْا بِسُوْرَةٍ
منزل ٣ مِّثْلِهٖ وَادْعُوْا مَنِ اسْتَطَعْتُمْ مِّنْ دُوْنِ اللّٰهِ اِنْ
كُنْتُمْ صٰدِقِيْنَ ﴿٣٨﴾ بَلْ كَذَّبُوْا بِمَا لَمْ يُحِيْطُوْا بِعِلْمِهٖ
وَلَمَّا يَاْتِهِمْ تَاْوِيْلُهٗ ؕ كَذٰلِكَ كَذَّبَ الَّذِيْنَ مِنْ
قَبْلِهِمْ فَانْظُرْ كَيْفَ كَانَ عَاقِبَةُ الظّٰلِمِيْنَ ﴿٣٩﴾ وَ
مِنْهُمْ مَّنْ يُّؤْمِنُ بِهٖ وَمِنْهُمْ مَّنْ لَّا يُؤْمِنُ بِهٖ ؕ وَ
ع ٤ رَبُّكَ اَعْلَمُ بِالْمُفْسِدِيْنَ ﴿٤٠﴾ ع وَاِنْ كَذَّبُوْكَ فَقُلْ لِّىْ
عَمَلِىْ وَلَكُمْ عَمَلُكُمْ ج اَنْتُمْ بَرِيْٓـُٔوْنَ مِمَّآ اَعْمَلُ

وَاَنَا بَرِیْٓءٌ مِّمَّا تَعْمَلُوْنَ ﴿٤١﴾ وَمِنْهُمْ مَّنْ يَّسْتَمِعُوْنَ
اِلَيْكَ ؕ اَفَاَنْتَ تُسْمِعُ الصُّمَّ وَلَوْ كَانُوْا لَا يَعْقِلُوْنَ ﴿٤٢﴾
وَمِنْهُمْ مَّنْ يَّنْظُرُ اِلَيْكَ ؕ اَفَاَنْتَ تَهْدِی الْعُمْیَ
وَلَوْ كَانُوْا لَا يُبْصِرُوْنَ ﴿٤٣﴾ اِنَّ اللّٰهَ لَا يَظْلِمُ النَّاسَ
شَيْـًٔا وَّلٰكِنَّ النَّاسَ اَنْفُسَهُمْ يَظْلِمُوْنَ ﴿٤٤﴾ وَيَوْمَ
يَحْشُرُهُمْ كَاَنْ لَّمْ يَلْبَثُوْٓا اِلَّا سَاعَةً مِّنَ النَّهَارِ
يَتَعَارَفُوْنَ بَيْنَهُمْ ؕ قَدْ خَسِرَ الَّذِيْنَ كَذَّبُوْا بِلِقَآءِ
اللّٰهِ وَمَا كَانُوْا مُهْتَدِيْنَ ﴿٤٥﴾ وَاِمَّا نُرِيَنَّكَ بَعْضَ
الَّذِیْ نَعِدُهُمْ اَوْ نَتَوَفَّيَنَّكَ فَاِلَيْنَا مَرْجِعُهُمْ ثُمَّ
اللّٰهُ شَهِيْدٌ عَلٰی مَا يَفْعَلُوْنَ ﴿٤٦﴾ وَلِكُلِّ اُمَّةٍ
رَّسُوْلٌ ۚ فَاِذَا جَآءَ رَسُوْلُهُمْ قُضِیَ بَيْنَهُمْ بِالْقِسْطِ
وَهُمْ لَا يُظْلَمُوْنَ ﴿٤٧﴾ وَيَقُوْلُوْنَ مَتٰی هٰذَا الْوَعْدُ
اِنْ كُنْتُمْ صٰدِقِيْنَ ﴿٤٨﴾ قُلْ لَّآ اَمْلِكُ لِنَفْسِیْ ضَرًّا

منزل ٣

وَلَا نَفْعًا اِلَّا مَا شَآءَ اللّٰهُ ؕ لِكُلِّ اُمَّةٍ اَجَلٌ ؕ اِذَا جَآءَ
اَجَلُهُمْ فَلَا يَسْتَاْخِرُوْنَ سَاعَةً وَّلَا يَسْتَقْدِمُوْنَ ﴿٤٩﴾
قُلْ اَرَءَيْتُمْ اِنْ اَتٰىكُمْ عَذَابُهٗ بَيَاتًا اَوْ نَهَارًا مَّاذَا
يَسْتَعْجِلُ مِنْهُ الْمُجْرِمُوْنَ ﴿٥٠﴾ اَثُمَّ اِذَا مَا وَقَعَ
اٰمَنْتُمْ بِهٖ ؕ آٰلْـٰٔنَ وَقَدْ كُنْتُمْ بِهٖ تَسْتَعْجِلُوْنَ ﴿٥١﴾
ثُمَّ قِيْلَ لِلَّذِيْنَ ظَلَمُوْا ذُوْقُوْا عَذَابَ الْخُلْدِ ۚ هَلْ
تُجْزَوْنَ اِلَّا بِمَا كُنْتُمْ تَكْسِبُوْنَ ﴿٥٢﴾ وَيَسْتَنْۢبِـُٔوْنَكَ
اَحَقٌّ هُوَ ؕ قُلْ اِىْ وَرَبِّىْٓ اِنَّهٗ لَحَقٌّ ۚؔ وَمَآ اَنْتُمْ
بِمُعْجِزِيْنَ ﴿٥٣﴾ وَلَوْ اَنَّ لِكُلِّ نَفْسٍ ظَلَمَتْ مَا فِى
الْاَرْضِ لَافْتَدَتْ بِهٖ ؕ وَاَسَرُّوا النَّدَامَةَ لَمَّا
رَاَوُا الْعَذَابَ ۚ وَقُضِىَ بَيْنَهُمْ بِالْقِسْطِ وَهُمْ لَا
يُظْلَمُوْنَ ﴿٥٤﴾ اَلَآ اِنَّ لِلّٰهِ مَا فِى السَّمٰوٰتِ وَالْاَرْضِ ؕ
اَلَآ اِنَّ وَعْدَ اللّٰهِ حَقٌّ وَّلٰكِنَّ اَكْثَرَهُمْ لَا

وقف النبی صلی اللہ علیہ وآلہ وسلم

منزل ٣

Ikhfa إخفا | Ikhfa Meem Saakin إخفاميم ساكن | Qalqala قلقلہ | Qalb قلب | Idghaam إدغام | Idghaam Meem Saakin إدغام ميم ساكن | Ghunna غنّہ

يَعْلَمُوْنَ ﴿٥٥﴾ هُوَ يُحْيٖ وَيُمِيْتُ وَاِلَيْهِ تُرْجَعُوْنَ ﴿٥٦﴾
يٰٓاَيُّهَا النَّاسُ قَدْ جَآءَتْكُمْ مَّوْعِظَةٌ مِّنْ رَّبِّكُمْ
وَشِفَآءٌ لِّمَا فِي الصُّدُوْرِ ۙ وَهُدًى وَّرَحْمَةٌ
لِّلْمُؤْمِنِيْنَ ﴿٥٧﴾ قُلْ بِفَضْلِ اللّٰهِ وَبِرَحْمَتِهٖ فَبِذٰلِكَ
فَلْيَفْرَحُوْا ؕ هُوَ خَيْرٌ مِّمَّا يَجْمَعُوْنَ ﴿٥٨﴾ قُلْ اَرَءَيْتُمْ
مَّآ اَنْزَلَ اللّٰهُ لَكُمْ مِّنْ رِّزْقٍ فَجَعَلْتُمْ مِّنْهُ
حَرَامًا وَّحَلٰلًا ؕ قُلْ آٰللّٰهُ اَذِنَ لَكُمْ اَمْ عَلَى
اللّٰهِ تَفْتَرُوْنَ ﴿٥٩﴾ وَمَا ظَنُّ الَّذِيْنَ يَفْتَرُوْنَ
عَلَى اللّٰهِ الْكَذِبَ يَوْمَ الْقِيٰمَةِ ؕ اِنَّ اللّٰهَ لَذُوْ
ع ٦ فَضْلٍ عَلَى النَّاسِ وَلٰكِنَّ اَكْثَرَهُمْ لَا يَشْكُرُوْنَ ﴿٦٠﴾ ع
وَمَا تَكُوْنُ فِيْ شَاْنٍ وَّمَا تَتْلُوْا مِنْهُ مِنْ
قُرْاٰنٍ وَّلَا تَعْمَلُوْنَ مِنْ عَمَلٍ اِلَّا كُنَّا عَلَيْكُمْ
شُهُوْدًا اِذْ تُفِيْضُوْنَ فِيْهِ ؕ وَمَا يَعْزُبُ عَنْ

منزل ٣

Ikhfa إخفا | Ikhfa Meem Saakin إخفاميم ساكن | Qalqala قلقله | Qalb قلب | Idghaam إدغام | Idghaam Meem Saakin إدغام ميم ساكن | Ghunna غنّه

رَّبِّكَ مِنْ مِّثْقَالِ ذَرَّةٍ فِي الْاَرْضِ وَلَا فِي
السَّمَآءِ وَلَآ اَصْغَرَ مِنْ ذٰلِكَ وَلَآ اَكْبَرَ اِلَّا
فِيْ كِتٰبٍ مُّبِيْنٍ ﴿٦١﴾ اَلَآ اِنَّ اَوْلِيَآءَ اللّٰهِ لَا
خَوْفٌ عَلَيْهِمْ وَلَا هُمْ يَحْزَنُوْنَ ﴿٦٢﴾ اَلَّذِيْنَ اٰمَنُوْا
وَكَانُوْا يَتَّقُوْنَ ﴿٦٣﴾ لَهُمُ الْبُشْرٰى فِي الْحَيٰوةِ الدُّنْيَا
وَفِي الْاٰخِرَةِ ؕ لَا تَبْدِيْلَ لِكَلِمٰتِ اللّٰهِ ؕ ذٰلِكَ
هُوَ الْفَوْزُ الْعَظِيْمُ ﴿٦٤﴾ وَلَا يَحْزُنْكَ قَوْلُهُمْ ۘ
اِنَّ الْعِزَّةَ لِلّٰهِ جَمِيْعًا ؕ هُوَ السَّمِيْعُ الْعَلِيْمُ ﴿٦٥﴾
اَلَآ اِنَّ لِلّٰهِ مَنْ فِي السَّمٰوٰتِ وَمَنْ فِي الْاَرْضِ ؕ
وَمَا يَتَّبِعُ الَّذِيْنَ يَدْعُوْنَ مِنْ دُوْنِ اللّٰهِ
شُرَكَآءَ ؕ اِنْ يَّتَّبِعُوْنَ اِلَّا الظَّنَّ وَاِنْ هُمْ اِلَّا
يَخْرُصُوْنَ ﴿٦٦﴾ هُوَ الَّذِيْ جَعَلَ لَكُمُ الَّيْلَ لِتَسْكُنُوْا
فِيْهِ وَالنَّهَارَ مُبْصِرًا ؕ اِنَّ فِيْ ذٰلِكَ لَاٰيٰتٍ

منزل ٣

وقف لازم

لِّقَوْمٍ يَّسْمَعُوْنَ ﴿٦٧﴾ قَالُوا اتَّخَذَ اللّٰهُ وَلَدًا سُبْحٰنَهٗ ؕ
هُوَ الْغَنِيُّ ؕ لَهٗ مَا فِي السَّمٰوٰتِ وَمَا فِي الْاَرْضِ ؕ
اِنْ عِنْدَكُمْ مِّنْ سُلْطٰنٍۭ بِهٰذَا ؕ اَتَقُوْلُوْنَ عَلَى
اللّٰهِ مَا لَا تَعْلَمُوْنَ ﴿٦٨﴾ قُلْ اِنَّ الَّذِيْنَ يَفْتَرُوْنَ
عَلَى اللّٰهِ الْكَذِبَ لَا يُفْلِحُوْنَ ﴿٦٩﴾ؕ مَتَاعٌ فِي الدُّنْيَا
ثُمَّ اِلَيْنَا مَرْجِعُهُمْ ثُمَّ نُذِيْقُهُمُ الْعَذَابَ الشَّدِيْدَ
بِمَا كَانُوْا يَكْفُرُوْنَ ﴿٧٠﴾ ع وَاتْلُ عَلَيْهِمْ نَبَاَ نُوْحٍ ۘ
اِذْ قَالَ لِقَوْمِهٖ يٰقَوْمِ اِنْ كَانَ كَبُرَ عَلَيْكُمْ مَّقَامِيْ
وَتَذْكِيْرِيْ بِاٰيٰتِ اللّٰهِ فَعَلَى اللّٰهِ تَوَكَّلْتُ فَاَجْمِعُوْٓا
اَمْرَكُمْ وَشُرَكَآءَكُمْ ثُمَّ لَا يَكُنْ اَمْرُكُمْ عَلَيْكُمْ
غُمَّةً ثُمَّ اقْضُوْٓا اِلَيَّ وَلَا تُنْظِرُوْنِ ﴿٧١﴾ فَاِنْ
تَوَلَّيْتُمْ فَمَا سَاَلْتُكُمْ مِّنْ اَجْرٍ ؕ اِنْ اَجْرِيَ اِلَّا عَلَى
اللّٰهِ ۙ وَاُمِرْتُ اَنْ اَكُوْنَ مِنَ الْمُسْلِمِيْنَ ﴿٧٢﴾ فَكَذَّبُوْهُ

الثلث ۘ وقف لازم
منزل ٣

فَنَجَّيْنٰهُ وَمَنْ مَّعَهٗ فِي الْفُلْكِ وَجَعَلْنٰهُمْ خَلٰٓئِفَ
وَاَغْرَقْنَا الَّذِيْنَ كَذَّبُوْا بِاٰيٰتِنَا ۚ فَانْظُرْ كَيْفَ كَانَ
عَاقِبَةُ الْمُنْذَرِيْنَ ﴿٧٣﴾ ثُمَّ بَعَثْنَا مِنْۢ بَعْدِهٖ رُسُلًا
اِلٰى قَوْمِهِمْ فَجَآءُوْهُمْ بِالْبَيِّنٰتِ فَمَا كَانُوْا لِيُؤْمِنُوْا بِمَا
كَذَّبُوْا بِهٖ مِنْ قَبْلُ ؕ كَذٰلِكَ نَطْبَعُ عَلٰى قُلُوْبِ
الْمُعْتَدِيْنَ ﴿٧٤﴾ ثُمَّ بَعَثْنَا مِنْۢ بَعْدِهِمْ مُّوْسٰى وَهٰرُوْنَ
اِلٰى فِرْعَوْنَ وَمَلَا۟ئِهٖ بِاٰيٰتِنَا فَاسْتَكْبَرُوْا وَكَانُوْا
قَوْمًا مُّجْرِمِيْنَ ﴿٧٥﴾ فَلَمَّا جَآءَهُمُ الْحَقُّ مِنْ عِنْدِنَا
قَالُوْٓا اِنَّ هٰذَا لَسِحْرٌ مُّبِيْنٌ ﴿٧٦﴾ قَالَ مُوْسٰٓى اَتَقُوْلُوْنَ
لِلْحَقِّ لَمَّا جَآءَكُمْ ؕ اَسِحْرٌ هٰذَا ؕ وَلَا يُفْلِحُ السّٰحِرُوْنَ ﴿٧٧﴾
قَالُوْٓا اَجِئْتَنَا لِتَلْفِتَنَا عَمَّا وَجَدْنَا عَلَيْهِ
اٰبَآءَنَا وَتَكُوْنَ لَكُمَا الْكِبْرِيَآءُ فِي الْاَرْضِ ؕ وَمَا
نَحْنُ لَكُمَا بِمُؤْمِنِيْنَ ﴿٧٨﴾ وَقَالَ فِرْعَوْنُ ائْتُوْنِيْ

منزل ٣

Ikhfa إخفا | Ikhfa Meem Saakin إخفاميم ساكن | Qalqala قلقله | Qalb قلب | Idghaam ادغام | Idghaam Meem Saakin ادغام ميم ساكن | Ghunna غُنّه

بِكُلِّ سٰحِرٍ عَلِيْمٍ ﴿٧٩﴾ فَلَمَّا جَآءَ السَّحَرَةُ قَالَ

لَهُمْ مُّوْسٰٓى اَلْقُوْا مَآ اَنْتُمْ مُّلْقُوْنَ ﴿٨٠﴾ فَلَمَّآ اَلْقَوْا

قَالَ مُوْسٰى مَا جِئْتُمْ بِهِ ۙ السِّحْرُ ؕ اِنَّ اللّٰهَ

سَيُبْطِلُهٗ ؕ اِنَّ اللّٰهَ لَا يُصْلِحُ عَمَلَ الْمُفْسِدِيْنَ ﴿٨١﴾

ع ٨ ١٢/١٣ وَيُحِقُّ اللّٰهُ الْحَقَّ بِكَلِمٰتِهٖ وَلَوْ كَرِهَ الْمُجْرِمُوْنَ ﴿٨٢﴾ ع

فَمَآ اٰمَنَ لِمُوْسٰٓى اِلَّا ذُرِّيَّةٌ مِّنْ قَوْمِهٖ عَلٰى خَوْفٍ

مِّنْ فِرْعَوْنَ وَمَلَا۟ئِهِمْ اَنْ يَّفْتِنَهُمْ ؕ وَاِنَّ فِرْعَوْنَ منزل ٣

لَعَالٍ فِى الْاَرْضِ ۚ وَاِنَّهٗ لَمِنَ الْمُسْرِفِيْنَ ﴿٨٣﴾ وَقَالَ

مُوْسٰى يٰقَوْمِ اِنْ كُنْتُمْ اٰمَنْتُمْ بِاللّٰهِ فَعَلَيْهِ تَوَكَّلُوْٓا

اِنْ كُنْتُمْ مُّسْلِمِيْنَ ﴿٨٤﴾ فَقَالُوْا عَلَى اللّٰهِ تَوَكَّلْنَا ۚ

رَبَّنَا لَا تَجْعَلْنَا فِتْنَةً لِّلْقَوْمِ الظّٰلِمِيْنَ ﴿٨٥﴾ ۙ وَنَجِّنَا

بِرَحْمَتِكَ مِنَ الْقَوْمِ الْكٰفِرِيْنَ ﴿٨٦﴾ وَاَوْحَيْنَآ

اِلٰى مُوْسٰى وَاَخِيْهِ اَنْ تَبَوَّاٰ لِقَوْمِكُمَا بِمِصْرَ

بُيُوْتًا وَّاجْعَلُوْا بُيُوْتَكُمْ قِبْلَةً وَّاَقِيْمُوا الصَّلٰوةَ ؕ
وَبَشِّرِ الْمُؤْمِنِيْنَ ﴿٨٧﴾ وَقَالَ مُوْسٰى رَبَّنَآ اِنَّكَ
اٰتَيْتَ فِرْعَوْنَ وَمَلَاَهٗ زِيْنَةً وَّاَمْوَالًا فِى
الْحَيٰوةِ الدُّنْيَا ۙ رَبَّنَا لِيُضِلُّوْا عَنْ سَبِيْلِكَ ۚ
رَبَّنَا اطْمِسْ عَلٰٓى اَمْوَالِهِمْ وَاشْدُدْ عَلٰى
قُلُوْبِهِمْ فَلَا يُؤْمِنُوْا حَتّٰى يَرَوُا الْعَذَابَ الْاَلِيْمَ ﴿٨٨﴾
قَالَ قَدْ اُجِيْبَتْ دَّعْوَتُكُمَا فَاسْتَقِيْمَا وَلَا
تَتَّبِعٰٓنِّ سَبِيْلَ الَّذِيْنَ لَا يَعْلَمُوْنَ ﴿٨٩﴾ وَجٰوَزْنَا
بِبَنِىْٓ اِسْرَآءِيْلَ الْبَحْرَ فَاَتْبَعَهُمْ فِرْعَوْنُ وَ
جُنُوْدُهٗ بَغْيًا وَّعَدْوًا ؕ حَتّٰٓى اِذَآ اَدْرَكَهُ الْغَرَقُ ۙ
قَالَ اٰمَنْتُ اَنَّهٗ لَآ اِلٰهَ اِلَّا الَّذِىْٓ اٰمَنَتْ بِهٖ
بَنُوْٓا اِسْرَآءِيْلَ وَاَنَا مِنَ الْمُسْلِمِيْنَ ﴿٩٠﴾ آٰلْئٰنَ
وَقَدْ عَصَيْتَ قَبْلُ وَكُنْتَ مِنَ الْمُفْسِدِيْنَ ﴿٩١﴾

منزل ٣

Ikhfa إِخفا | Ikhfa Meem Saakin اِخفامیم ساکن | Qalqala قلقلہ | Qalb قلب | Idghaam اِدغام | Idghaam Meem Saakin اِدغام میم ساکن | Ghunna غُنّہ

فَالْيَوْمَ نُنَجِّيْكَ بِبَدَنِكَ لِتَكُوْنَ لِمَنْ خَلْفَكَ

اٰيَةً ؕ وَاِنَّ كَثِيْرًا مِّنَ النَّاسِ عَنْ اٰيٰتِنَا

ع ١٠ ٩ ١٤ لَغٰفِلُوْنَ ﴿۹۲﴾ ع وَلَقَدْ بَوَّاْنَا بَنِيْٓ اِسْرَآءِيْلَ مُبَوَّاَ

صِدْقٍ وَّرَزَقْنٰهُمْ مِّنَ الطَّيِّبٰتِ ۚ فَمَا اخْتَلَفُوْا

حَتّٰى جَآءَهُمُ الْعِلْمُ ؕ اِنَّ رَبَّكَ يَقْضِيْ بَيْنَهُمْ

يَوْمَ الْقِيٰمَةِ فِيْمَا كَانُوْا فِيْهِ يَخْتَلِفُوْنَ ﴿۹۳﴾ فَاِنْ

كُنْتَ فِيْ شَكٍّ مِّمَّآ اَنْزَلْنَآ اِلَيْكَ فَسْــَٔلِ الَّذِيْنَ منزل ٣

يَقْرَءُوْنَ الْكِتٰبَ مِنْ قَبْلِكَ ۚ لَقَدْ جَآءَكَ

الْحَقُّ مِنْ رَّبِّكَ فَلَا تَكُوْنَنَّ مِنَ الْمُمْتَرِيْنَ ﴿۹۴﴾ لا

وَلَا تَكُوْنَنَّ مِنَ الَّذِيْنَ كَذَّبُوْا بِاٰيٰتِ اللّٰهِ

فَتَكُوْنَ مِنَ الْخٰسِرِيْنَ ﴿۹۵﴾ اِنَّ الَّذِيْنَ حَقَّتْ

عَلَيْهِمْ كَلِمَتُ رَبِّكَ لَا يُؤْمِنُوْنَ ﴿۹۶﴾ لا وَلَوْ جَآءَتْهُمْ

كُلُّ اٰيَةٍ حَتّٰى يَرَوُا الْعَذَابَ الْاَلِيْمَ ﴿۹۷﴾ فَلَوْلَا

كَانَتْ قَرْيَةٌ اٰمَنَتْ فَنَفَعَهَآ اِيْمَانُهَآ اِلَّا قَوْمَ
يُوْنُسَ ؕ لَمَّآ اٰمَنُوْا كَشَفْنَا عَنْهُمْ عَذَابَ الْخِزْيِ
فِي الْحَيٰوةِ الدُّنْيَا وَمَتَّعْنٰهُمْ اِلٰى حِيْنٍ ﴿۹۸﴾ وَلَوْ
شَآءَ رَبُّكَ لَاٰمَنَ مَنْ فِي الْاَرْضِ كُلُّهُمْ جَمِيْعًا ؕ
اَفَاَنْتَ تُكْرِهُ النَّاسَ حَتّٰى يَكُوْنُوْا مُؤْمِنِيْنَ ﴿۹۹﴾
وَمَا كَانَ لِنَفْسٍ اَنْ تُؤْمِنَ اِلَّا بِاِذْنِ اللّٰهِ ؕ وَ
يَجْعَلُ الرِّجْسَ عَلَى الَّذِيْنَ لَا يَعْقِلُوْنَ ﴿۱۰۰﴾
قُلِ انْظُرُوْا مَاذَا فِي السَّمٰوٰتِ وَالْاَرْضِ ؕ وَمَا
تُغْنِي الْاٰيٰتُ وَالنُّذُرُ عَنْ قَوْمٍ لَّا يُؤْمِنُوْنَ ﴿۱۰۱﴾
فَهَلْ يَنْتَظِرُوْنَ اِلَّا مِثْلَ اَيَّامِ الَّذِيْنَ خَلَوْا
مِنْ قَبْلِهِمْ ؕ قُلْ فَانْتَظِرُوْٓا اِنِّيْ مَعَكُمْ مِّنَ
الْمُنْتَظِرِيْنَ ﴿۱۰۲﴾ ثُمَّ نُنَجِّيْ رُسُلَنَا وَالَّذِيْنَ اٰمَنُوْا كَذٰلِكَ ۚ
حَقًّا عَلَيْنَا نُنْجِ الْمُؤْمِنِيْنَ ﴿۱۰۳﴾ ع قُلْ يٰٓاَيُّهَا النَّاسُ اِنْ ع ١٠ 11 ١٥

منزل ٣

كُنْتُمْ فِيْ شَكٍّ مِّنْ دِيْنِيْ فَلَآ اَعْبُدُ الَّذِيْنَ
تَعْبُدُوْنَ مِنْ دُوْنِ اللّٰهِ وَلٰكِنْ اَعْبُدُ اللّٰهَ الَّذِيْ
يَتَوَفّٰىكُمْ ۚۖ وَاُمِرْتُ اَنْ اَكُوْنَ مِنَ الْمُؤْمِنِيْنَ ﴿١٠٤﴾ ۙ
وَاَنْ اَقِمْ وَجْهَكَ لِلدِّيْنِ حَنِيْفًا ۚ وَلَا تَكُوْنَنَّ
مِنَ الْمُشْرِكِيْنَ ﴿١٠٥﴾ وَلَا تَدْعُ مِنْ دُوْنِ اللّٰهِ مَا
لَا يَنْفَعُكَ وَلَا يَضُرُّكَ ۚ فَاِنْ فَعَلْتَ فَاِنَّكَ اِذًا
مِّنَ الظّٰلِمِيْنَ ﴿١٠٦﴾ وَاِنْ يَّمْسَسْكَ اللّٰهُ بِضُرٍّ فَلَا
كَاشِفَ لَهٗٓ اِلَّا هُوَ ۚ وَاِنْ يُّرِدْكَ بِخَيْرٍ فَلَا رَآدَّ
لِفَضْلِهٖ ؕ يُصِيْبُ بِهٖ مَنْ يَّشَآءُ مِنْ عِبَادِهٖ ؕ وَهُوَ
الْغَفُوْرُ الرَّحِيْمُ ﴿١٠٧﴾ قُلْ يٰٓاَيُّهَا النَّاسُ قَدْ جَآءَكُمُ
الْحَقُّ مِنْ رَّبِّكُمْ ۚ فَمَنِ اهْتَدٰى فَاِنَّمَا يَهْتَدِيْ
لِنَفْسِهٖ ۚ وَمَنْ ضَلَّ فَاِنَّمَا يَضِلُّ عَلَيْهَا ۚ وَمَآ
اَنَا عَلَيْكُمْ بِوَكِيْلٍ ﴿١٠٨﴾ ؕ وَاتَّبِعْ مَا يُوْحٰٓى اِلَيْكَ

منزل ٣

وَاصْبِرْ حَتّٰى يَحْكُمَ اللّٰهُ ۚ وَهُوَ خَيْرُ الْحٰكِمِيْنَ ﴿١٠٩﴾ ع

اٰيَاتُهَا ١٢٣ (١١) سُوْرَةُ هُوْدٍ مَّكِّيَّةٌ (٥٢) رُكُوْعَاتُهَا ١٠

بِسْمِ اللّٰهِ الرَّحْمٰنِ الرَّحِيْمِ

الٓرٰ ۚ كِتٰبٌ اُحْكِمَتْ اٰيٰتُهٗ ثُمَّ فُصِّلَتْ مِنْ لَّدُنْ
حَكِيْمٍ خَبِيْرٍ ﴿١﴾ اَلَّا تَعْبُدُوْٓا اِلَّا اللّٰهَ ؕ اِنَّنِيْ لَكُمْ
مِّنْهُ نَذِيْرٌ وَّبَشِيْرٌ ﴿٢﴾ وَّاَنِ اسْتَغْفِرُوْا رَبَّكُمْ ثُمَّ
تُوْبُوْٓا اِلَيْهِ يُمَتِّعْكُمْ مَّتَاعًا حَسَنًا اِلٰٓى اَجَلٍ
مُّسَمًّى وَّيُؤْتِ كُلَّ ذِيْ فَضْلٍ فَضْلَهٗ ؕ وَاِنْ
تَوَلَّوْا فَاِنِّيْٓ اَخَافُ عَلَيْكُمْ عَذَابَ يَوْمٍ كَبِيْرٍ ﴿٣﴾
اِلَى اللّٰهِ مَرْجِعُكُمْ ۚ وَهُوَ عَلٰى كُلِّ شَيْءٍ قَدِيْرٌ ﴿٤﴾
اَلَآ اِنَّهُمْ يَثْنُوْنَ صُدُوْرَهُمْ لِيَسْتَخْفُوْا مِنْهُ ؕ اَلَا
حِيْنَ يَسْتَغْشُوْنَ ثِيَابَهُمْ ۙ يَعْلَمُ مَا يُسِرُّوْنَ
وَمَا يُعْلِنُوْنَ ۚ اِنَّهٗ عَلِيْمٌۢ بِذَاتِ الصُّدُوْرِ ﴿٥﴾

منزل ٣

وَمَا مِنْ دَآبَّةٍ فِى الْاَرْضِ اِلَّا عَلَى اللّٰهِ رِزْقُهَا وَيَعْلَمُ
مُسْتَقَرَّهَا وَمُسْتَوْدَعَهَا ؕ كُلٌّ فِىْ كِتٰبٍ مُّبِيْنٍ ﴿٦﴾
وَهُوَ الَّذِىْ خَلَقَ السَّمٰوٰتِ وَالْاَرْضَ فِىْ سِتَّةِ
اَيَّامٍ وَّكَانَ عَرْشُهٗ عَلَى الْمَآءِ لِيَبْلُوَكُمْ اَيُّكُمْ
اَحْسَنُ عَمَلًا ؕ وَلَئِنْ قُلْتَ اِنَّكُمْ مَّبْعُوْثُوْنَ مِنْۢ
بَعْدِ الْمَوْتِ لَيَقُوْلَنَّ الَّذِيْنَ كَفَرُوْۤا اِنْ هٰذَاۤ
اِلَّا سِحْرٌ مُّبِيْنٌ ﴿٧﴾ وَلَئِنْ اَخَّرْنَا عَنْهُمُ الْعَذَابَ اِلٰۤى
اُمَّةٍ مَّعْدُوْدَةٍ لَّيَقُوْلُنَّ مَا يَحْبِسُهٗ ؕ اَلَا يَوْمَ
يَاْتِيْهِمْ لَيْسَ مَصْرُوْفًا عَنْهُمْ وَحَاقَ بِهِمْ مَّا كَانُوْا
بِهٖ يَسْتَهْزِءُوْنَ ﴿٨﴾ ۧ وَلَئِنْ اَذَقْنَا الْاِنْسَانَ مِنَّا رَحْمَةً
ثُمَّ نَزَعْنٰهَا مِنْهُ ۚ اِنَّهٗ لَيَئُوْسٌ كَفُوْرٌ ﴿٩﴾ وَلَئِنْ
اَذَقْنٰهُ نَعْمَآءَ بَعْدَ ضَرَّآءَ مَسَّتْهُ لَيَقُوْلَنَّ ذَهَبَ
السَّيِّاٰتُ عَنِّىْ ؕ اِنَّهٗ لَفَرِحٌ فَخُوْرٌ ﴿١٠﴾ ۙ اِلَّا الَّذِيْنَ

منزل ٣

ع ٨

Ikhfa إخفا | Ikhfa Meem Saakin إخفاميم ساكن | Qalqala قلقلہ | Qalb قلب | Idghaam اِدغام | Idghaam Meem Saakin اِدغام میم ساکن | Ghunna غُنّہ

صَبَرُوْا وَعَمِلُوا الصّٰلِحٰتِ ؕ اُولٰٓئِكَ لَهُمْ مَّغْفِرَةٌ
وَّ اَجْرٌ كَبِيْرٌ ﴿۱۱﴾ فَلَعَلَّكَ تَارِكٌۢ بَعْضَ مَا يُوْحٰٓى
اِلَيْكَ وَضَآئِقٌۢ بِهٖ صَدْرُكَ اَنْ يَّقُوْلُوْا لَوْلَآ اُنْزِلَ
عَلَيْهِ كَنْزٌ اَوْ جَآءَ مَعَهٗ مَلَكٌ ؕ اِنَّمَآ اَنْتَ نَذِيْرٌ ؕ
وَاللّٰهُ عَلٰى كُلِّ شَيْءٍ وَّكِيْلٌ ﴿۱۲﴾ اَمْ يَقُوْلُوْنَ افْتَرٰىهُ ؕ
قُلْ فَاْتُوْا بِعَشْرِ سُوَرٍ مِّثْلِهٖ مُفْتَرَيٰتٍ وَّ ادْعُوْا
مَنِ اسْتَطَعْتُمْ مِّنْ دُوْنِ اللّٰهِ اِنْ كُنْتُمْ صٰدِقِيْنَ ﴿۱۳﴾
فَاِلَّمْ يَسْتَجِيْبُوْا لَكُمْ فَاعْلَمُوْٓا اَنَّمَآ اُنْزِلَ بِعِلْمِ
اللّٰهِ وَاَنْ لَّآ اِلٰهَ اِلَّا هُوَ ۚ فَهَلْ اَنْتُمْ مُّسْلِمُوْنَ ﴿۱۴﴾
مَنْ كَانَ يُرِيْدُ الْحَيٰوةَ الدُّنْيَا وَزِيْنَتَهَا نُوَفِّ
اِلَيْهِمْ اَعْمَالَهُمْ فِيْهَا وَهُمْ فِيْهَا لَا يُبْخَسُوْنَ ﴿۱۵﴾
اُولٰٓئِكَ الَّذِيْنَ لَيْسَ لَهُمْ فِي الْاٰخِرَةِ اِلَّا النَّارُ ۖ
وَحَبِطَ مَا صَنَعُوْا فِيْهَا وَبٰطِلٌ مَّا كَانُوْا

منزل ۳

يَعْمَلُوْنَ ﴿١٦﴾ اَفَمَنْ كَانَ عَلٰى بَيِّنَةٍ مِّنْ رَّبِّهٖ وَيَتْلُوْهُ
شَاهِدٌ مِّنْهُ وَمِنْ قَبْلِهٖ كِتٰبُ مُوْسٰٓى اِمَامًا وَّرَحْمَةً ط
اُولٰٓئِكَ يُؤْمِنُوْنَ بِهٖ ط وَمَنْ يَّكْفُرْ بِهٖ مِنَ الْاَحْزَابِ
فَالنَّارُ مَوْعِدُهٗ ج فَلَا تَكُ فِيْ مِرْيَةٍ مِّنْهُ ق اِنَّهُ الْحَقُّ
مِنْ رَّبِّكَ وَلٰكِنَّ اَكْثَرَ النَّاسِ لَا يُؤْمِنُوْنَ ﴿١٧﴾
وَمَنْ اَظْلَمُ مِمَّنِ افْتَرٰى عَلَى اللّٰهِ كَذِبًا ط اُولٰٓئِكَ
يُعْرَضُوْنَ عَلٰى رَبِّهِمْ وَيَقُوْلُ الْاَشْهَادُ هٰٓؤُلَآءِ
الَّذِيْنَ كَذَبُوْا عَلٰى رَبِّهِمْ ج اَلَا لَعْنَةُ اللّٰهِ عَلَى
الظّٰلِمِيْنَ ﴿١٨﴾ لا الَّذِيْنَ يَصُدُّوْنَ عَنْ سَبِيْلِ اللّٰهِ
وَيَبْغُوْنَهَا عِوَجًا ط وَهُمْ بِالْاٰخِرَةِ هُمْ كٰفِرُوْنَ ﴿١٩﴾
اُولٰٓئِكَ لَمْ يَكُوْنُوْا مُعْجِزِيْنَ فِي الْاَرْضِ وَمَا
كَانَ لَهُمْ مِّنْ دُوْنِ اللّٰهِ مِنْ اَوْلِيَآءَ م يُضٰعَفُ
لَهُمُ الْعَذَابُ ط مَا كَانُوْا يَسْتَطِيْعُوْنَ السَّمْعَ وَمَا

منزل ٣

وقف لازم

كَانُوْا يُبْصِرُوْنَ ﴿٢٠﴾ اُولٰٓئِكَ الَّذِيْنَ خَسِرُوْٓا اَنْفُسَهُمْ
وَضَلَّ عَنْهُمْ مَّا كَانُوْا يَفْتَرُوْنَ ﴿٢١﴾ لَا جَرَمَ اَنَّهُمْ
فِي الْاٰخِرَةِ هُمُ الْاَخْسَرُوْنَ ﴿٢٢﴾ اِنَّ الَّذِيْنَ اٰمَنُوْا وَ
عَمِلُوا الصّٰلِحٰتِ وَ اَخْبَتُوْٓا اِلٰى رَبِّهِمْ ۙ اُولٰٓئِكَ اَصْحٰبُ
الْجَنَّةِ ۚ هُمْ فِيْهَا خٰلِدُوْنَ ﴿٢٣﴾ مَثَلُ الْفَرِيْقَيْنِ
كَالْاَعْمٰى وَالْاَصَمِّ وَالْبَصِيْرِ وَالسَّمِيْعِ ؕ هَلْ يَسْتَوِيٰنِ
مَثَلًا ؕ اَفَلَا تَذَكَّرُوْنَ ﴿٢٤﴾ ع وَلَقَدْ اَرْسَلْنَا نُوْحًا اِلٰى
قَوْمِهٖٓ ۫ اِنِّيْ لَكُمْ نَذِيْرٌ مُّبِيْنٌ ﴿٢٥﴾ ۙ اَنْ لَّا تَعْبُدُوْٓا اِلَّا
اللّٰهَ ؕ اِنِّيْٓ اَخَافُ عَلَيْكُمْ عَذَابَ يَوْمٍ اَلِيْمٍ ﴿٢٦﴾ فَقَالَ
الْمَلَاُ الَّذِيْنَ كَفَرُوْا مِنْ قَوْمِهٖ مَا نَرٰىكَ اِلَّا
بَشَرًا مِّثْلَنَا وَمَا نَرٰىكَ اتَّبَعَكَ اِلَّا الَّذِيْنَ هُمْ
اَرَاذِلُنَا بَادِيَ الرَّاْيِ ۚ وَمَا نَرٰى لَكُمْ عَلَيْنَا مِنْ
فَضْلٍ بَلْ نَظُنُّكُمْ كٰذِبِيْنَ ﴿٢٧﴾ قَالَ يٰقَوْمِ اَرَءَيْتُمْ

ع ٢ ٢ — منزل ٣

اِنْ كُنْتُ عَلٰى بَيِّنَةٍ مِّنْ رَّبِّىْ وَاٰتٰىنِىْ رَحْمَةً
مِّنْ عِنْدِهٖ فَعُمِّيَتْ عَلَيْكُمْ ؕ اَنُلْزِمُكُمُوْهَا وَاَنْتُمْ
لَهَا كٰرِهُوْنَ ﴿۲۸﴾ وَيٰقَوْمِ لَاۤ اَسْئَلُكُمْ عَلَيْهِ مَالًا ؕ
اِنْ اَجْرِىَ اِلَّا عَلَى اللّٰهِ وَمَاۤ اَنَا بِطَارِدِ الَّذِيْنَ
اٰمَنُوْا ؕ اِنَّهُمْ مُّلٰقُوْا رَبِّهِمْ وَلٰكِنِّىْۤ اَرٰىكُمْ قَوْمًا
تَجْهَلُوْنَ ﴿۲۹﴾ وَيٰقَوْمِ مَنْ يَّنْصُرُنِىْ مِنَ اللّٰهِ اِنْ
طَرَدْتُّهُمْ ؕ اَفَلَا تَذَكَّرُوْنَ ﴿۳۰﴾ وَلَاۤ اَقُوْلُ لَكُمْ عِنْدِىْ
خَزَآئِنُ اللّٰهِ وَلَاۤ اَعْلَمُ الْغَيْبَ وَلَاۤ اَقُوْلُ اِنِّىْ
مَلَكٌ وَّلَاۤ اَقُوْلُ لِلَّذِيْنَ تَزْدَرِىْۤ اَعْيُنُكُمْ لَنْ
يُّؤْتِيَهُمُ اللّٰهُ خَيْرًا ؕ اَللّٰهُ اَعْلَمُ بِمَا فِىْۤ اَنْفُسِهِمْ ۚۖ
اِنِّىْۤ اِذًا لَّمِنَ الظّٰلِمِيْنَ ﴿۳۱﴾ قَالُوْا يٰنُوْحُ قَدْ جٰدَلْتَنَا
فَاَكْثَرْتَ جِدَالَنَا فَاْتِنَا بِمَا تَعِدُنَاۤ اِنْ كُنْتَ
مِنَ الصّٰدِقِيْنَ ﴿۳۲﴾ قَالَ اِنَّمَا يَاْتِيْكُمْ بِهِ اللّٰهُ اِنْ

منزل ۳

شَآءَ وَمَآ اَنْتُمْ بِمُعْجِزِيْنَ ﴿٣٣﴾ وَلَا يَنْفَعُكُمْ نُصْحِيْٓ
اِنْ اَرَدْتُّ اَنْ اَنْصَحَ لَكُمْ اِنْ كَانَ اللّٰهُ يُرِيْدُ
اَنْ يُّغْوِيَكُمْ ؕ هُوَ رَبُّكُمْ ۫ وَاِلَيْهِ تُرْجَعُوْنَ ﴿٣٤﴾ؕ اَمْ
يَقُوْلُوْنَ افْتَرٰىهُ ؕ قُلْ اِنِ افْتَرَيْتُهٗ فَعَلَيَّ اِجْرَامِيْ
وَاَنَا بَرِيْٓءٌ مِّمَّا تُجْرِمُوْنَ ﴿٣٥﴾ؑ وَاُوْحِيَ اِلٰى نُوْحٍ ع ١١/٣
اَنَّهٗ لَنْ يُّؤْمِنَ مِنْ قَوْمِكَ اِلَّا مَنْ قَدْ اٰمَنَ فَلَا
تَبْتَئِسْ بِمَا كَانُوْا يَفْعَلُوْنَ ﴿٣٦﴾ۚۖ وَاصْنَعِ الْفُلْكَ
بِاَعْيُنِنَا وَوَحْيِنَا وَلَا تُخَاطِبْنِيْ فِي الَّذِيْنَ
ظَلَمُوْا ۚ اِنَّهُمْ مُّغْرَقُوْنَ ﴿٣٧﴾ وَيَصْنَعُ الْفُلْكَ ۫ وَكُلَّمَا
مَرَّ عَلَيْهِ مَلَاٌ مِّنْ قَوْمِهٖ سَخِرُوْا مِنْهُ ؕ قَالَ
اِنْ تَسْخَرُوْا مِنَّا فَاِنَّا نَسْخَرُ مِنْكُمْ كَمَا
تَسْخَرُوْنَ ﴿٣٨﴾ؕ فَسَوْفَ تَعْلَمُوْنَ ۙ مَنْ يَّاْتِيْهِ عَذَابٌ
يُّخْزِيْهِ وَيَحِلُّ عَلَيْهِ عَذَابٌ مُّقِيْمٌ ﴿٣٩﴾ حَتّٰٓى اِذَا

منزل ٣

جَآءَ اَمْرُنَا وَفَارَ التَّنُّوْرُ ۙ قُلْنَا احْمِلْ فِيْهَا مِنْ
كُلٍّ زَوْجَيْنِ اثْنَيْنِ وَاَهْلَكَ اِلَّا مَنْ سَبَقَ عَلَيْهِ
الْقَوْلُ وَمَنْ اٰمَنَ ؕ وَمَآ اٰمَنَ مَعَهٗۤ اِلَّا قَلِيْلٌ ﴿٤٠﴾
وَقَالَ ارْكَبُوْا فِيْهَا بِسْمِ اللّٰهِ مَجْرٖىهَا وَمُرْسٰىهَا ؕ
اِنَّ رَبِّيْ لَغَفُوْرٌ رَّحِيْمٌ ﴿٤١﴾ وَهِيَ تَجْرِيْ بِهِمْ فِيْ مَوْجٍ
كَالْجِبَالِ ۟ وَنَادٰى نُوْحُ ۨ ابْنَهٗ وَكَانَ فِيْ مَعْزِلٍ
يّٰبُنَيَّ ارْكَبْ مَّعَنَا وَلَا تَكُنْ مَّعَ الْكٰفِرِيْنَ ﴿٤٢﴾
قَالَ سَاٰوِيْۤ اِلٰى جَبَلٍ يَّعْصِمُنِيْ مِنَ الْمَآءِ ؕ قَالَ
لَا عَاصِمَ الْيَوْمَ مِنْ اَمْرِ اللّٰهِ اِلَّا مَنْ رَّحِمَ ۚ وَحَالَ
بَيْنَهُمَا الْمَوْجُ فَكَانَ مِنَ الْمُغْرَقِيْنَ ﴿٤٣﴾ وَقِيْلَ يٰۤاَرْضُ
ابْلَعِيْ مَآءَكِ وَيٰسَمَآءُ اَقْلِعِيْ وَغِيْضَ الْمَآءُ وَقُضِيَ
الْاَمْرُ وَاسْتَوَتْ عَلَى الْجُوْدِيِّ وَقِيْلَ بُعْدًا لِّلْقَوْمِ
الظّٰلِمِيْنَ ﴿٤٤﴾ وَنَادٰى نُوْحٌ رَّبَّهٗ فَقَالَ رَبِّ اِنَّ ابْنِيْ

قرأ حفص بفتح السين وامالة الراء ١٢

منزل ٣

الربع

Ikhfa اِخفا | Ikhfa Meem Saakin اِخفا میم ساکن | Qalqala قلقلہ | Qalb قلب | Idghaam اِدغام | Idghaam Meem Saakin اِدغام میم ساکن | Ghunna غُنّہ

مِنْ اَهْلِيْ وَاِنَّ وَعْدَكَ الْحَقُّ وَاَنْتَ اَحْكَمُ
الْحٰكِمِيْنَ ﴿٤٥﴾ قَالَ يٰنُوْحُ اِنَّهٗ لَيْسَ مِنْ اَهْلِكَ ج اِنَّهٗ
عَمَلٌ غَيْرُ صَالِحٍ صلے زق فَلَا تَسْئَلْنِ مَا لَيْسَ لَكَ بِهٖ عِلْمٌ ط
اِنِّيْٓ اَعِظُكَ اَنْ تَكُوْنَ مِنَ الْجٰهِلِيْنَ ﴿٤٦﴾ قَالَ رَبِّ
اِنِّيْٓ اَعُوْذُ بِكَ اَنْ اَسْئَلَكَ مَا لَيْسَ لِيْ بِهٖ عِلْمٌ ط
وَاِلَّا تَغْفِرْ لِيْ وَتَرْحَمْنِيْٓ اَكُنْ مِّنَ الْخٰسِرِيْنَ ﴿٤٧﴾
قِيْلَ يٰنُوْحُ اهْبِطْ بِسَلٰمٍ مِّنَّا وَبَرَكٰتٍ عَلَيْكَ وَ
عَلٰٓى اُمَمٍ مِّمَّنْ مَّعَكَ ط وَاُمَمٌ سَنُمَتِّعُهُمْ ثُمَّ
يَمَسُّهُمْ مِّنَّا عَذَابٌ اَلِيْمٌ ﴿٤٨﴾ تِلْكَ مِنْ اَنْۢبَآءِ
الْغَيْبِ نُوْحِيْهَآ اِلَيْكَ ج مَا كُنْتَ تَعْلَمُهَآ اَنْتَ
وَلَا قَوْمُكَ مِنْ قَبْلِ هٰذَا ط فَاصْبِرْ ط اِنَّ الْعَاقِبَةَ
لِلْمُتَّقِيْنَ ﴿٤٩﴾ ع وَاِلٰى عَادٍ اَخَاهُمْ هُوْدًا ط قَالَ يٰقَوْمِ
اعْبُدُوا اللّٰهَ مَا لَكُمْ مِّنْ اِلٰهٍ غَيْرُهٗ ط اِنْ اَنْتُمْ اِلَّا

منزل ٣

معانقة عند المتاخرين
الوقف على فاصبر احسن والبتي ١٢

ع

مُفْتَرُوْنَ ﴿۵۰﴾ يٰقَوْمِ لَآ اَسْـَٔلُكُمْ عَلَيْهِ اَجْرًا ؕ اِنْ اَجْرِیَ
اِلَّا عَلَى الَّذِیْ فَطَرَنِیْ ؕ اَفَلَا تَعْقِلُوْنَ ﴿۵۱﴾ وَ يٰقَوْمِ
اسْتَغْفِرُوْا رَبَّكُمْ ثُمَّ تُوْبُوْۤا اِلَيْهِ يُرْسِلِ السَّمَآءَ عَلَيْكُمْ
مِّدْرَارًا وَّيَزِدْكُمْ قُوَّةً اِلٰى قُوَّتِكُمْ وَلَا تَتَوَلَّوْا
مُجْرِمِيْنَ ﴿۵۲﴾ قَالُوْا يٰهُوْدُ مَا جِئْتَنَا بِبَيِّنَةٍ وَّمَا نَحْنُ
بِتَارِكِیْۤ اٰلِهَتِنَا عَنْ قَوْلِكَ وَمَا نَحْنُ لَكَ بِمُؤْمِنِيْنَ ﴿۵۳﴾
اِنْ نَّقُوْلُ اِلَّا اعْتَرٰىكَ بَعْضُ اٰلِهَتِنَا بِسُوْٓءٍ ؕ
قَالَ اِنِّیْۤ اُشْهِدُ اللّٰهَ وَ اشْهَدُوْۤا اَنِّیْ بَرِیْٓءٌ مِّمَّا
تُشْرِكُوْنَ ۙ﴿۵۴﴾ مِنْ دُوْنِهٖ فَكِيْدُوْنِیْ جَمِيْعًا ثُمَّ لَا
تُنْظِرُوْنِ ﴿۵۵﴾ اِنِّیْ تَوَكَّلْتُ عَلَى اللّٰهِ رَبِّیْ وَ رَبِّكُمْ ؕ
مَا مِنْ دَآبَّةٍ اِلَّا هُوَ اٰخِذٌۢ بِنَاصِيَتِهَا ؕ اِنَّ رَبِّیْ
عَلٰى صِرَاطٍ مُّسْتَقِيْمٍ ﴿۵۶﴾ فَاِنْ تَوَلَّوْا فَقَدْ اَبْلَغْتُكُمْ
مَّاۤ اُرْسِلْتُ بِهٖۤ اِلَيْكُمْ ؕ وَيَسْتَخْلِفُ رَبِّیْ قَوْمًا غَيْرَكُمْ ۚ

منزل ٣

وَلَا تَضُرُّوْنَهٗ شَيْـًٔا ؕ اِنَّ رَبِّيْ عَلٰى كُلِّ شَيْءٍ حَفِيْظٌ ﴿۵۷﴾
وَلَمَّا جَآءَ اَمْرُنَا نَجَّيْنَا هُوْدًا وَّالَّذِيْنَ اٰمَنُوْا مَعَهٗ
بِرَحْمَةٍ مِّنَّا ۚ وَنَجَّيْنٰهُمْ مِّنْ عَذَابٍ غَلِيْظٍ ﴿۵۸﴾
وَتِلْكَ عَادٌ ۟ۙ جَحَدُوْا بِاٰيٰتِ رَبِّهِمْ وَعَصَوْا رُسُلَهٗ
وَاتَّبَعُوْٓا اَمْرَ كُلِّ جَبَّارٍ عَنِيْدٍ ﴿۵۹﴾ وَاُتْبِعُوْا فِيْ هٰذِهِ
الدُّنْيَا لَعْنَةً وَّيَوْمَ الْقِيٰمَةِ ؕ اَلَآ اِنَّ عَادًا كَفَرُوْا
رَبَّهُمْ ؕ اَلَا بُعْدًا لِّعَادٍ قَوْمِ هُوْدٍ ﴿۶۰﴾ ع وَاِلٰى ثَمُوْدَ
اَخَاهُمْ صٰلِحًا ۘ قَالَ يٰقَوْمِ اعْبُدُوا اللّٰهَ مَا لَكُمْ
مِّنْ اِلٰهٍ غَيْرُهٗ ؕ هُوَ اَنْشَاَكُمْ مِّنَ الْاَرْضِ وَ
اسْتَعْمَرَكُمْ فِيْهَا فَاسْتَغْفِرُوْهُ ثُمَّ تُوْبُوْٓا اِلَيْهِ ؕ
اِنَّ رَبِّيْ قَرِيْبٌ مُّجِيْبٌ ﴿۶۱﴾ قَالُوْا يٰصٰلِحُ قَدْ كُنْتَ
فِيْنَا مَرْجُوًّا قَبْلَ هٰذَآ اَتَنْهٰىنَآ اَنْ نَّعْبُدَ
مَا يَعْبُدُ اٰبَآؤُنَا وَاِنَّنَا لَفِيْ شَكٍّ مِّمَّا تَدْعُوْنَآ

منزل ٣

ع ۵ / ۱۵ وقف لازم

Ikhfa إخفا | Ikhfa Meem Saakin إخفا ميم ساكن | Qalqala قلقله | Qalb قلب | Idghaam إدغام | Idghaam Meem Saakin إدغام ميم ساكن | Ghunna غُنّہ

اِلَيْهِ مُرِيْبٍ ﴿۶۲﴾ قَالَ يٰقَوْمِ اَرَءَيْتُمْ اِنْ كُنْتُ
عَلٰى بَيِّنَةٍ مِّنْ رَّبِّيْ وَاٰتٰىنِيْ مِنْهُ رَحْمَةً فَمَنْ
يَّنْصُرُنِيْ مِنَ اللّٰهِ اِنْ عَصَيْتُهٗ قف فَمَا تَزِيْدُوْنَنِيْ
غَيْرَ تَخْسِيْرٍ ﴿۶۳﴾ وَيٰقَوْمِ هٰذِهٖ نَاقَةُ اللّٰهِ لَكُمْ
اٰيَةً فَذَرُوْهَا تَاْكُلْ فِيْۤ اَرْضِ اللّٰهِ وَلَا تَمَسُّوْهَا
بِسُوْٓءٍ فَيَاْخُذَكُمْ عَذَابٌ قَرِيْبٌ ﴿۶۴﴾ فَعَقَرُوْهَا
فَقَالَ تَمَتَّعُوْا فِيْ دَارِكُمْ ثَلٰثَةَ اَيَّامٍ ط ذٰلِكَ
وَعْدٌ غَيْرُ مَكْذُوْبٍ ﴿۶۵﴾ فَلَمَّا جَآءَ اَمْرُنَا نَجَّيْنَا
صٰلِحًا وَّالَّذِيْنَ اٰمَنُوْا مَعَهٗ بِرَحْمَةٍ مِّنَّا وَمِنْ
خِزْيِ يَوْمِىِٕذٍ ط اِنَّ رَبَّكَ هُوَ الْقَوِيُّ الْعَزِيْزُ ﴿۶۶﴾
وَاَخَذَ الَّذِيْنَ ظَلَمُوا الصَّيْحَةُ فَاَصْبَحُوْا فِيْ
دِيَارِهِمْ جٰثِمِيْنَ ﴿۶۷﴾ لا كَاَنْ لَّمْ يَغْنَوْا فِيْهَا ط اَلَآ اِنَّ
ثَمُوْدَاۡ كَفَرُوْا رَبَّهُمْ ط اَلَا بُعْدًا لِّثَمُوْدَ ﴿۶۸﴾ ع ۶ ۸

منزل ۳

Ikhfa اِخفا | Ikhfa Meem Saakin اِخفامیم ساکن | Qalqala قلقلہ | Qalb قلب | Idghaam اِدغام | Idghaam Meem Saakin اِدغام میم ساکن | Ghunna غُنّہ

وَلَقَدْ جَآءَتْ رُسُلُنَآ اِبْرٰهِيْمَ بِالْبُشْرٰى قَالُوْا
سَلٰمًا ؕ قَالَ سَلٰمٌ فَمَا لَبِثَ اَنْ جَآءَ بِعِجْلٍ حَنِيْذٍ ﴿٦٩﴾
فَلَمَّا رَاٰۤ اَيْدِيَهُمْ لَا تَصِلُ اِلَيْهِ نَكِرَهُمْ وَاَوْجَسَ
مِنْهُمْ خِيْفَةً ؕ قَالُوْا لَا تَخَفْ اِنَّاۤ اُرْسِلْنَاۤ اِلٰى
قَوْمِ لُوْطٍ ﴿٧٠﴾ وَامْرَاَتُهٗ قَآئِمَةٌ فَضَحِكَتْ فَبَشَّرْنٰهَا
بِاِسْحٰقَ ۙ وَمِنْ وَّرَآءِ اِسْحٰقَ يَعْقُوْبَ ﴿٧١﴾ قَالَتْ
يٰوَيْلَتٰۤى ءَاَلِدُ وَاَنَا عَجُوْزٌ وَّهٰذَا بَعْلِىْ شَيْخًا ؕ
اِنَّ هٰذَا لَشَىْءٌ عَجِيْبٌ ﴿٧٢﴾ قَالُوْۤا اَتَعْجَبِيْنَ مِنْ اَمْرِ
اللّٰهِ رَحْمَتُ اللّٰهِ وَبَرَكٰتُهٗ عَلَيْكُمْ اَهْلَ الْبَيْتِ ؕ
اِنَّهٗ حَمِيْدٌ مَّجِيْدٌ ﴿٧٣﴾ فَلَمَّا ذَهَبَ عَنْ اِبْرٰهِيْمَ
الرَّوْعُ وَجَآءَتْهُ الْبُشْرٰى يُجَادِلُنَا فِىْ قَوْمِ
لُوْطٍ ﴿٧٤﴾ اِنَّ اِبْرٰهِيْمَ لَحَلِيْمٌ اَوَّاهٌ مُّنِيْبٌ ﴿٧٥﴾
يٰۤاِبْرٰهِيْمُ اَعْرِضْ عَنْ هٰذَا ۚ اِنَّهٗ قَدْ جَآءَ اَمْرُ

Ikhfa اِخفا | Ikhfa Meem Saakin اِخفامیم ساکن | Qalqala قلقلہ | Qalb قلب | Idghaam اِدغام | Idghaam Meem Saakin اِدغام میم ساکن | Ghunna غُنّہ

رَبِّكَ ۚ وَاِنَّهُمْ اٰتِيْهِمْ عَذَابٌ غَيْرُ مَرْدُوْدٍ ﴿٧٦﴾

وَلَمَّا جَآءَتْ رُسُلُنَا لُوْطًا سِیْٓءَ بِهِمْ وَضَاقَ

بِهِمْ ذَرْعًا وَّقَالَ هٰذَا يَوْمٌ عَصِيْبٌ ﴿٧٧﴾ وَجَآءَهٗ

قَوْمُهٗ يُهْرَعُوْنَ اِلَيْهِ ؕ وَمِنْ قَبْلُ كَانُوْا يَعْمَلُوْنَ

السَّيِّاٰتِ ؕ قَالَ يٰقَوْمِ هٰٓؤُلَآءِ بَنَاتِیْ هُنَّ اَطْهَرُ

لَكُمْ فَاتَّقُوا اللّٰهَ وَلَا تُخْزُوْنِ فِیْ ضَيْفِیْ ؕ اَلَيْسَ

مِنْكُمْ رَجُلٌ رَّشِيْدٌ ﴿٧٨﴾ قَالُوْا لَقَدْ عَلِمْتَ مَا لَنَا

فِیْ بَنٰتِكَ مِنْ حَقٍّ ۚ وَاِنَّكَ لَتَعْلَمُ مَا نُرِيْدُ ﴿٧٩﴾

قَالَ لَوْ اَنَّ لِیْ بِكُمْ قُوَّةً اَوْ اٰوِیْٓ اِلٰی رُكْنٍ

شَدِيْدٍ ﴿٨٠﴾ قَالُوْا يٰلُوْطُ اِنَّا رُسُلُ رَبِّكَ لَنْ

يَّصِلُوْٓا اِلَيْكَ فَاَسْرِ بِاَهْلِكَ بِقِطْعٍ مِّنَ الَّيْلِ

وَلَا يَلْتَفِتْ مِنْكُمْ اَحَدٌ اِلَّا امْرَاَتَكَ ؕ اِنَّهٗ مُصِيْبُهَا

مَآ اَصَابَهُمْ ؕ اِنَّ مَوْعِدَهُمُ الصُّبْحُ ؕ اَلَيْسَ الصُّبْحُ

منزل ٣

بِقَرِيبٍ ﴿٨١﴾ فَلَمَّا جَآءَ اَمْرُنَا جَعَلْنَا عَالِيَهَا سَافِلَهَا
وَاَمْطَرْنَا عَلَيْهَا حِجَارَةً مِّنْ سِجِّيلٍ ۙ مَّنْضُودٍ ﴿٨٢﴾
مُّسَوَّمَةً عِنْدَ رَبِّكَ ؕ وَمَا هِيَ مِنَ الظّٰلِمِينَ
بِبَعِيدٍ ﴿٨٣﴾ وَاِلٰى مَدْيَنَ اَخَاهُمْ شُعَيْبًا ؕ قَالَ
يٰقَوْمِ اعْبُدُوا اللّٰهَ مَا لَكُمْ مِّنْ اِلٰهٍ غَيْرُهٗ ؕ وَلَا
تَنْقُصُوا الْمِكْيَالَ وَالْمِيزَانَ اِنِّيٓ اَرٰىكُمْ بِخَيْرٍ وَّاِنِّيٓ
اَخَافُ عَلَيْكُمْ عَذَابَ يَوْمٍ مُّحِيطٍ ﴿٨٤﴾ وَيٰقَوْمِ اَوْفُوا
الْمِكْيَالَ وَالْمِيزَانَ بِالْقِسْطِ وَلَا تَبْخَسُوا النَّاسَ
اَشْيَآءَهُمْ وَلَا تَعْثَوْا فِي الْاَرْضِ مُفْسِدِينَ ﴿٨٥﴾
بَقِيَّتُ اللّٰهِ خَيْرٌ لَّكُمْ اِنْ كُنْتُمْ مُّؤْمِنِينَ ۚ
وَمَآ اَنَا عَلَيْكُمْ بِحَفِيظٍ ﴿٨٦﴾ قَالُوا يٰشُعَيْبُ اَصَلٰوتُكَ
تَاْمُرُكَ اَنْ نَّتْرُكَ مَا يَعْبُدُ اٰبَآؤُنَآ اَوْ اَنْ نَّفْعَلَ
فِيٓ اَمْوَالِنَا مَا نَشٰٓؤُا ؕ اِنَّكَ لَاَنْتَ الْحَلِيمُ الرَّشِيدُ ﴿٨٧﴾

النصف ع ١٥
منزل ٣

Ikhfa اِخفا | Ikhfa Meem Saakin اِخفامیم ساکن | Qalqala قلقلہ | Qalb قلب | Idghaam اِدغام | Idghaam Meem Saakin اِدغام میم ساکن | Ghunna غُنّہ

قَالَ يٰقَوْمِ اَرَءَيْتُمْ اِنْ كُنْتُ عَلٰى بَيِّنَةٍ مِّنْ رَّبِّىْ
وَرَزَقَنِىْ مِنْهُ رِزْقًا حَسَنًا ؕ وَمَاۤ اُرِيْدُ اَنْ اُخَالِفَكُمْ
اِلٰى مَاۤ اَنْهٰىكُمْ عَنْهُ ؕ اِنْ اُرِيْدُ اِلَّا الْاِصْلَاحَ مَا
اسْتَطَعْتُ ؕ وَمَا تَوْفِيْقِىْۤ اِلَّا بِاللّٰهِ ؕ عَلَيْهِ تَوَكَّلْتُ
وَاِلَيْهِ اُنِيْبُ ﴿٨٨﴾ وَيٰقَوْمِ لَا يَجْرِمَنَّكُمْ شِقَاقِىْۤ اَنْ
يُّصِيْبَكُمْ مِّثْلُ مَاۤ اَصَابَ قَوْمَ نُوْحٍ اَوْ قَوْمَ هُوْدٍ اَوْ
قَوْمَ صٰلِحٍ ؕ وَمَا قَوْمُ لُوْطٍ مِّنْكُمْ بِبَعِيْدٍ ﴿٨٩﴾ وَاسْتَغْفِرُوْا
رَبَّكُمْ ثُمَّ تُوْبُوْۤا اِلَيْهِ ؕ اِنَّ رَبِّىْ رَحِيْمٌ وَّدُوْدٌ ﴿٩٠﴾ قَالُوْا
يٰشُعَيْبُ مَا نَفْقَهُ كَثِيْرًا مِّمَّا تَقُوْلُ وَاِنَّا لَنَرٰىكَ
فِيْنَا ضَعِيْفًا ۚ وَلَوْلَا رَهْطُكَ لَرَجَمْنٰكَ ز وَمَاۤ اَنْتَ
عَلَيْنَا بِعَزِيْزٍ ﴿٩١﴾ قَالَ يٰقَوْمِ اَرَهْطِىْۤ اَعَزُّ عَلَيْكُمْ مِّنَ
اللّٰهِ ؕ وَاتَّخَذْتُمُوْهُ وَرَآءَكُمْ ظِهْرِيًّا ؕ اِنَّ رَبِّىْ بِمَا
تَعْمَلُوْنَ مُحِيْطٌ ﴿٩٢﴾ وَيٰقَوْمِ اعْمَلُوْا عَلٰى مَكَانَتِكُمْ

منزل ٣

اِنِّیْ عَامِلٌ ؕ سَوْفَ تَعْلَمُوْنَ ۙ مَنْ یَّاْتِیْهِ عَذَابٌ
یُّخْزِیْهِ وَمَنْ هُوَ كَاذِبٌ ؕ وَارْتَقِبُوْۤا اِنِّیْ مَعَكُمْ
رَقِیْبٌ ﴿۹۳﴾ وَلَمَّا جَآءَ اَمْرُنَا نَجَّیْنَا شُعَیْبًا وَّ الَّذِیْنَ
اٰمَنُوْا مَعَهٗ بِرَحْمَةٍ مِّنَّا ۚ وَاَخَذَتِ الَّذِیْنَ ظَلَمُوا
الصَّیْحَةُ فَاَصْبَحُوْا فِیْ دِیَارِهِمْ جٰثِمِیْنَ ﴿۹۴﴾ ۙ كَاَنْ لَّمْ
یَغْنَوْا فِیْهَا ؕ اَلَا بُعْدًا لِّمَدْیَنَ كَمَا بَعِدَتْ ثَمُوْدُ ﴿۹۵﴾ ع ۸
وَلَقَدْ اَرْسَلْنَا مُوْسٰی بِاٰیٰتِنَا وَسُلْطٰنٍ مُّبِیْنٍ ﴿۹۶﴾ ۙ
اِلٰی فِرْعَوْنَ وَمَلَا۠ئِهٖ فَاتَّبَعُوْۤا اَمْرَ فِرْعَوْنَ ۚ وَمَاۤ
اَمْرُ فِرْعَوْنَ بِرَشِیْدٍ ﴿۹۷﴾ یَقْدُمُ قَوْمَهٗ یَوْمَ الْقِیٰمَةِ
فَاَوْرَدَهُمُ النَّارَ ؕ وَبِئْسَ الْوِرْدُ الْمَوْرُوْدُ ﴿۹۸﴾ وَاُتْبِعُوْا
فِیْ هٰذِهٖ لَعْنَةً وَّیَوْمَ الْقِیٰمَةِ ؕ بِئْسَ الرِّفْدُ
الْمَرْفُوْدُ ﴿۹۹﴾ ذٰلِكَ مِنْ اَنْۢبَآءِ الْقُرٰی نَقُصُّهٗ عَلَیْكَ
مِنْهَا قَآئِمٌ وَّحَصِیْدٌ ﴿۱۰۰﴾ وَمَا ظَلَمْنٰهُمْ وَلٰكِنْ

Ikhfa إخفا | Ikhfa Meem Saakin إخفاميم ساكن | Qalqala قلقله | Qalb قلب | Idghaam إدغام | Idghaam Meem Saakin إدغام ميم ساكن | Ghunna غُنّه

ظَلَمُوْٓا اَنْفُسَهُمْ فَمَآ اَغْنَتْ عَنْهُمْ اٰلِهَتُهُمُ الَّتِىْ
يَدْعُوْنَ مِنْ دُوْنِ اللّٰهِ مِنْ شَىْءٍ لَّمَّا جَآءَ اَمْرُ
رَبِّكَ ؕ وَمَا زَادُوْهُمْ غَيْرَ تَتْبِيْبٍ ﴿١٠١﴾ وَكَذٰلِكَ اَخْذُ
رَبِّكَ اِذَآ اَخَذَ الْقُرٰى وَهِىَ ظَالِمَةٌ ؕ اِنَّ اَخْذَهٗٓ
اَلِيْمٌ شَدِيْدٌ ﴿١٠٢﴾ اِنَّ فِىْ ذٰلِكَ لَاٰيَةً لِّمَنْ خَافَ
عَذَابَ الْاٰخِرَةِ ؕ ذٰلِكَ يَوْمٌ مَّجْمُوْعٌ ۙ لَّهُ النَّاسُ وَ
ذٰلِكَ يَوْمٌ مَّشْهُوْدٌ ﴿١٠٣﴾ وَمَا نُؤَخِّرُهٗٓ اِلَّا لِاَجَلٍ
مَّعْدُوْدٍ ﴿١٠٤﴾ ؕ يَوْمَ يَاْتِ لَا تَكَلَّمُ نَفْسٌ اِلَّا بِاِذْنِهٖ ۚ
فَمِنْهُمْ شَقِىٌّ وَّسَعِيْدٌ ﴿١٠٥﴾ فَاَمَّا الَّذِيْنَ شَقُوْا فَفِى
النَّارِ لَهُمْ فِيْهَا زَفِيْرٌ وَّشَهِيْقٌ ﴿١٠٦﴾ ۙ خٰلِدِيْنَ فِيْهَا مَا
دَامَتِ السَّمٰوٰتُ وَالْاَرْضُ اِلَّا مَا شَآءَ رَبُّكَ ؕ اِنَّ
رَبَّكَ فَعَّالٌ لِّمَا يُرِيْدُ ﴿١٠٧﴾ وَاَمَّا الَّذِيْنَ سُعِدُوْا
فَفِى الْجَنَّةِ خٰلِدِيْنَ فِيْهَا مَا دَامَتِ السَّمٰوٰتُ

منزل ٣

وَ الْاَرْضُ اِلَّا مَا شَآءَ رَبُّكَ ؕ عَطَآءً غَيْرَ مَجْذُوْذٍ ﴿١٠٨﴾

فَلَا تَكُ فِيْ مِرْيَةٍ مِّمَّا يَعْبُدُ هٰٓؤُلَآءِ ؕ مَا يَعْبُدُوْنَ

اِلَّا كَمَا يَعْبُدُ اٰبَآؤُهُمْ مِّنْ قَبْلُ ؕ وَ اِنَّا لَمُوَفُّوْهُمْ

نَصِيْبَهُمْ غَيْرَ مَنْقُوْصٍ ﴿١٠٩﴾ع وَ لَقَدْ اٰتَيْنَا مُوْسَى ع ٩ ١٤ ٩

الْكِتٰبَ فَاخْتُلِفَ فِيْهِ ؕ وَ لَوْلَا كَلِمَةٌ سَبَقَتْ

مِنْ رَّبِّكَ لَقُضِيَ بَيْنَهُمْ ؕ وَ اِنَّهُمْ لَفِيْ شَكٍّ

مِّنْهُ مُرِيْبٍ ﴿١١٠﴾ وَ اِنَّ كُلًّا لَّمَّا لَيُوَفِّيَنَّهُمْ رَبُّكَ

اَعْمَالَهُمْ ؕ اِنَّهٗ بِمَا يَعْمَلُوْنَ خَبِيْرٌ ﴿١١١﴾ فَاسْتَقِمْ

كَمَآ اُمِرْتَ وَ مَنْ تَابَ مَعَكَ وَ لَا تَطْغَوْا ؕ اِنَّهٗ

بِمَا تَعْمَلُوْنَ بَصِيْرٌ ﴿١١٢﴾ وَ لَا تَرْكَنُوْٓا اِلَى الَّذِيْنَ

ظَلَمُوْا فَتَمَسَّكُمُ النَّارُ ۙ وَ مَا لَكُمْ مِّنْ دُوْنِ اللّٰهِ

مِنْ اَوْلِيَآءَ ثُمَّ لَا تُنْصَرُوْنَ ﴿١١٣﴾ وَ اَقِمِ الصَّلٰوةَ طَرَفَيِ

النَّهَارِ وَ زُلَفًا مِّنَ الَّيْلِ ؕ اِنَّ الْحَسَنٰتِ يُذْهِبْنَ

منزل ٣

السَّيِّاٰتِ ۭ ذٰلِكَ ذِكْرٰى لِلذّٰكِرِيْنَ ﴿١١٤﴾ ۚ وَاصْبِرْ
فَاِنَّ اللّٰهَ لَا يُضِيْعُ اَجْرَ الْمُحْسِنِيْنَ ﴿١١٥﴾ فَلَوْلَا
كَانَ مِنَ الْقُرُوْنِ مِنْ قَبْلِكُمْ اُولُوْا بَقِيَّةٍ
يَّنْهَوْنَ عَنِ الْفَسَادِ فِي الْاَرْضِ اِلَّا قَلِيْلًا مِّمَّنْ
اَنْجَيْنَا مِنْهُمْ ۚ وَاتَّبَعَ الَّذِيْنَ ظَلَمُوْا مَآ اُتْرِفُوْا فِيْهِ
وَكَانُوْا مُجْرِمِيْنَ ﴿١١٦﴾ وَمَا كَانَ رَبُّكَ لِيُهْلِكَ
الْقُرٰى بِظُلْمٍ وَّاَهْلُهَا مُصْلِحُوْنَ ﴿١١٧﴾ وَلَوْ شَآءَ
رَبُّكَ لَجَعَلَ النَّاسَ اُمَّةً وَّاحِدَةً وَّلَا يَزَالُوْنَ
مُخْتَلِفِيْنَ ﴿١١٨﴾ ۙ اِلَّا مَنْ رَّحِمَ رَبُّكَ ۭ وَلِذٰلِكَ خَلَقَهُمْ ۭ
وَتَمَّتْ كَلِمَةُ رَبِّكَ لَاَمْلَئَنَّ جَهَنَّمَ مِنَ الْجِنَّةِ
وَالنَّاسِ اَجْمَعِيْنَ ﴿١١٩﴾ وَكُلًّا نَّقُصُّ عَلَيْكَ مِنْ
اَنْۢبَاۗءِ الرُّسُلِ مَا نُثَبِّتُ بِهٖ فُؤَادَكَ ۚ وَجَاۗءَكَ فِيْ
هٰذِهِ الْحَقُّ وَمَوْعِظَةٌ وَّذِكْرٰى لِلْمُؤْمِنِيْنَ ﴿١٢٠﴾ وَقُلْ

منزل ٣

لِلَّذِيْنَ لَا يُؤْمِنُوْنَ اعْمَلُوْا عَلٰى مَكَانَتِكُمْ ؕ اِنَّا
عٰمِلُوْنَ ۙ﴿۱۲۱﴾ وَانْتَظِرُوْا ۚ اِنَّا مُنْتَظِرُوْنَ ﴿۱۲۲﴾ وَلِلّٰهِ غَيْبُ
السَّمٰوٰتِ وَالْاَرْضِ وَاِلَيْهِ يُرْجَعُ الْاَمْرُ كُلُّهٗ فَاعْبُدْهُ
وَتَوَكَّلْ عَلَيْهِ ؕ وَمَا رَبُّكَ بِغَافِلٍ عَمَّا تَعْمَلُوْنَ ﴿۱۲۳﴾ ع

ايَاتُهَا ۱۱۱ (۱۲) سُوْرَةُ يُوْسُفَ مَكِّيَّةٌ (۵۳) رُكُوْعَاتُهَا ۱۲

بِسْمِ اللّٰهِ الرَّحْمٰنِ الرَّحِيْمِ

الٓرٰ ۫ تِلْكَ اٰيٰتُ الْكِتٰبِ الْمُبِيْنِ ۫﴿۱﴾ اِنَّآ اَنْزَلْنٰهُ
قُرْءٰنًا عَرَبِيًّا لَّعَلَّكُمْ تَعْقِلُوْنَ ﴿۲﴾ نَحْنُ نَقُصُّ
عَلَيْكَ اَحْسَنَ الْقَصَصِ بِمَآ اَوْحَيْنَآ اِلَيْكَ هٰذَا
الْقُرْاٰنَ ۖۗ وَاِنْ كُنْتَ مِنْ قَبْلِهٖ لَمِنَ الْغٰفِلِيْنَ ﴿۳﴾
اِذْ قَالَ يُوْسُفُ لِاَبِيْهِ يٰٓاَبَتِ اِنِّىْ رَاَيْتُ اَحَدَ عَشَرَ
كَوْكَبًا وَّالشَّمْسَ وَالْقَمَرَ رَاَيْتُهُمْ لِىْ سٰجِدِيْنَ ﴿۴﴾
قَالَ يٰبُنَىَّ لَا تَقْصُصْ رُءْيَاكَ عَلٰٓى اِخْوَتِكَ

منزل ٣

فَيَكِيدُوا لَكَ كَيْدًا ۭ اِنَّ الشَّيْطٰنَ لِلْاِنْسَانِ عَدُوٌّ
مُّبِيْنٌ ۝٥ وَكَذٰلِكَ يَجْتَبِيْكَ رَبُّكَ وَيُعَلِّمُكَ
مِنْ تَاْوِيْلِ الْاَحَادِيْثِ وَيُتِمُّ نِعْمَتَهٗ عَلَيْكَ
وَعَلٰٓى اٰلِ يَعْقُوْبَ كَمَآ اَتَمَّهَا عَلٰٓى اَبَوَيْكَ مِنْ
قَبْلُ اِبْرٰهِيْمَ وَاِسْحٰقَ ۭ اِنَّ رَبَّكَ عَلِيْمٌ حَكِيْمٌ ۝٦ ع
لَقَدْ كَانَ فِيْ يُوْسُفَ وَاِخْوَتِهٖٓ اٰيٰتٌ لِّلسَّآئِلِيْنَ ۝٧
اِذْ قَالُوْا لَيُوْسُفُ وَاَخُوْهُ اَحَبُّ اِلٰٓى اَبِيْنَا مِنَّا وَ منزل ٣
نَحْنُ عُصْبَةٌ ۭ اِنَّ اَبَانَا لَفِيْ ضَلٰلٍ مُّبِيْنِۨ ۝٨ ښ اقْتُلُوْا
يُوْسُفَ اَوِ اطْرَحُوْهُ اَرْضًا يَّخْلُ لَكُمْ وَجْهُ اَبِيْكُمْ
وَتَكُوْنُوْا مِنْۢ بَعْدِهٖ قَوْمًا صٰلِحِيْنَ ۝٩ قَالَ قَآئِلٌ
مِّنْهُمْ لَا تَقْتُلُوْا يُوْسُفَ وَاَلْقُوْهُ فِيْ غَيٰبَتِ الْجُبِّ
يَلْتَقِطْهُ بَعْضُ السَّيَّارَةِ اِنْ كُنْتُمْ فٰعِلِيْنَ ۝١٠
قَالُوْا يٰٓاَبَانَا مَا لَكَ لَا تَاْمَنَّا عَلٰى يُوْسُفَ وَاِنَّا

لَهٗ لَنٰصِحُوْنَ ﴿١١﴾ اَرْسِلْهُ مَعَنَا غَدًا يَّرْتَعْ وَيَلْعَبْ وَ
اِنَّا لَهٗ لَحٰفِظُوْنَ ﴿١٢﴾ قَالَ اِنِّىْ لَيَحْزُنُنِىْٓ اَنْ تَذْهَبُوْا
بِهٖ وَاَخَافُ اَنْ يَّاْكُلَهُ الذِّئْبُ وَاَنْتُمْ عَنْهُ
غٰفِلُوْنَ ﴿١٣﴾ قَالُوْا لَئِنْ اَكَلَهُ الذِّئْبُ وَنَحْنُ عُصْبَةٌ اِنَّآ
اِذًا لَّخٰسِرُوْنَ ﴿١٤﴾ فَلَمَّا ذَهَبُوْا بِهٖ وَاَجْمَعُوْٓا اَنْ يَّجْعَلُوْهُ
فِىْ غَيٰبَتِ الْجُبِّ ۚ وَاَوْحَيْنَآ اِلَيْهِ لَتُنَبِّئَنَّهُمْ بِاَمْرِهِمْ
هٰذَا وَهُمْ لَا يَشْعُرُوْنَ ﴿١٥﴾ وَجَآءُوْٓ اَبَاهُمْ عِشَآءً
يَّبْكُوْنَ ﴿١٦﴾ قَالُوْا يٰٓاَبَانَآ اِنَّا ذَهَبْنَا نَسْتَبِقُ وَتَرَكْنَا
يُوْسُفَ عِنْدَ مَتَاعِنَا فَاَكَلَهُ الذِّئْبُ ۚ وَمَآ اَنْتَ بِمُؤْمِنٍ
لَّنَا وَلَوْ كُنَّا صٰدِقِيْنَ ﴿١٧﴾ وَجَآءُوْ عَلٰى قَمِيْصِهٖ بِدَمٍ
كَذِبٍ ۭ قَالَ بَلْ سَوَّلَتْ لَكُمْ اَنْفُسُكُمْ اَمْرًا ۭ فَصَبْرٌ
جَمِيْلٌ ۭ وَاللّٰهُ الْمُسْتَعَانُ عَلٰى مَا تَصِفُوْنَ ﴿١٨﴾ وَجَآءَتْ
سَيَّارَةٌ فَاَرْسَلُوْا وَارِدَهُمْ فَاَدْلٰى دَلْوَهٗ ۭ قَالَ يٰبُشْرٰى

منزل ٣

الثلثة

هٰذَا غُلٰمٌ ؕ وَاَسَرُّوْهُ بِضَاعَةً ؕ وَاللّٰهُ عَلِيْمٌۢ بِمَا يَعْمَلُوْنَ ﴿١٩﴾
وَشَرَوْهُ بِثَمَنٍۢ بَخْسٍ دَرَاهِمَ مَعْدُوْدَةٍ ۚ وَكَانُوْا فِيْهِ
مِنَ الزّٰهِدِيْنَ ﴿٢٠﴾ وَقَالَ الَّذِى اشْتَرٰىهُ مِنْ مِّصْرَ ع ٢ ١٤ ١٢
لِامْرَاَتِهٖۤ اَكْرِمِىْ مَثْوٰىهُ عَسٰۤى اَنْ يَّنْفَعَنَاۤ اَوْ
نَتَّخِذَهٗ وَلَدًا ؕ وَكَذٰلِكَ مَكَّنَّا لِيُوْسُفَ فِى الْاَرْضِ ز
وَلِنُعَلِّمَهٗ مِنْ تَاْوِيْلِ الْاَحَادِيْثِ ؕ وَاللّٰهُ غَالِبٌ عَلٰۤى
اَمْرِهٖ وَلٰكِنَّ اَكْثَرَ النَّاسِ لَا يَعْلَمُوْنَ ﴿٢١﴾ وَلَمَّا بَلَغَ منزل ٣
اَشُدَّهٗۤ اٰتَيْنٰهُ حُكْمًا وَّعِلْمًا ؕ وَكَذٰلِكَ نَجْزِى الْمُحْسِنِيْنَ ﴿٢٢﴾
وَرَاوَدَتْهُ الَّتِىْ هُوَ فِىْ بَيْتِهَا عَنْ نَّفْسِهٖ وَغَلَّقَتِ
الْاَبْوَابَ وَقَالَتْ هَيْتَ لَكَ ؕ قَالَ مَعَاذَ اللّٰهِ اِنَّهٗ
رَبِّىْۤ اَحْسَنَ مَثْوَاىَ ؕ اِنَّهٗ لَا يُفْلِحُ الظّٰلِمُوْنَ ﴿٢٣﴾ وَلَقَدْ
هَمَّتْ بِهٖ ۚ وَهَمَّ بِهَا لَوْلَاۤ اَنْ رَّاٰ بُرْهَانَ رَبِّهٖ ؕ
كَذٰلِكَ لِنَصْرِفَ عَنْهُ السُّوْٓءَ وَالْفَحْشَآءَ ؕ اِنَّهٗ مِنْ

عِبَادِنَا الْمُخْلَصِيْنَ ﴿۲۴﴾ وَاسْتَبَقَا الْبَابَ وَقَدَّتْ قَمِيْصَهٗ
مِنْ دُبُرٍ وَّاَلْفَيَا سَيِّدَهَا لَدَا الْبَابِ ؕ قَالَتْ مَا جَزَآءُ
مَنْ اَرَادَ بِاَهْلِكَ سُوْٓءًا اِلَّآ اَنْ يُّسْجَنَ اَوْ عَذَابٌ
اَلِيْمٌ ﴿۲۵﴾ قَالَ هِيَ رَاوَدَتْنِيْ عَنْ نَّفْسِيْ وَشَهِدَ شَاهِدٌ
مِّنْ اَهْلِهَا ۚ اِنْ كَانَ قَمِيْصُهٗ قُدَّ مِنْ قُبُلٍ فَصَدَقَتْ
وَهُوَ مِنَ الْكٰذِبِيْنَ ﴿۲۶﴾ وَاِنْ كَانَ قَمِيْصُهٗ قُدَّ مِنْ
دُبُرٍ فَكَذَبَتْ وَهُوَ مِنَ الصّٰدِقِيْنَ ﴿۲۷﴾ فَلَمَّا رَاٰ قَمِيْصَهٗ
قُدَّ مِنْ دُبُرٍ قَالَ اِنَّهٗ مِنْ كَيْدِكُنَّ ؕ اِنَّ كَيْدَكُنَّ
عَظِيْمٌ ﴿۲۸﴾ يُوْسُفُ اَعْرِضْ عَنْ هٰذَا ۜ وَاسْتَغْفِرِيْ
لِذَنْبِكِ ۖ اِنَّكِ كُنْتِ مِنَ الْخٰطِـِٕيْنَ ﴿۲۹﴾ ع وَقَالَ نِسْوَةٌ
فِي الْمَدِيْنَةِ امْرَاَتُ الْعَزِيْزِ تُرَاوِدُ فَتٰىهَا عَنْ نَّفْسِهٖ ۚ
قَدْ شَغَفَهَا حُبًّا ؕ اِنَّا لَنَرٰىهَا فِيْ ضَلٰلٍ مُّبِيْنٍ ﴿۳۰﴾
فَلَمَّا سَمِعَتْ بِمَكْرِهِنَّ اَرْسَلَتْ اِلَيْهِنَّ وَاَعْتَدَتْ

منزل ۳

لَهُنَّ مُتَّكَاً وَّاٰتَتْ كُلَّ وَاحِدَةٍ مِّنْهُنَّ سِكِّيْنًا وَّ
قَالَتِ اخْرُجْ عَلَيْهِنَّ ۚ فَلَمَّا رَاَيْنَهٗۤ اَكْبَرْنَهٗ وَ قَطَّعْنَ
اَيْدِيَهُنَّ وَقُلْنَ حَاشَ لِلّٰهِ مَا هٰذَا بَشَرًا ؕ اِنْ هٰذَاۤ
اِلَّا مَلَكٌ كَرِيْمٌ ﴿٣١﴾ قَالَتْ فَذٰلِكُنَّ الَّذِیْ لُمْتُنَّنِیْ فِیْهِ ؕ
وَلَقَدْ رَاوَدْتُّهٗ عَنْ نَّفْسِهٖ فَاسْتَعْصَمَ ؕ وَلَئِنْ لَّمْ
يَفْعَلْ مَاۤ اٰمُرُهٗ لَيُسْجَنَنَّ وَلَيَكُوْنًا مِّنَ الصّٰغِرِيْنَ ﴿٣٢﴾
قَالَ رَبِّ السِّجْنُ اَحَبُّ اِلَیَّ مِمَّا يَدْعُوْنَنِیْۤ اِلَيْهِ ۚ
وَاِلَّا تَصْرِفْ عَنِّیْ كَيْدَهُنَّ اَصْبُ اِلَيْهِنَّ وَاَكُنْ مِّنَ
الْجٰهِلِيْنَ ﴿٣٣﴾ فَاسْتَجَابَ لَهٗ رَبُّهٗ فَصَرَفَ عَنْهُ كَيْدَهُنَّ ؕ
اِنَّهٗ هُوَ السَّمِيْعُ الْعَلِيْمُ ﴿٣٤﴾ ثُمَّ بَدَا لَهُمْ مِّنْۢ بَعْدِ مَا رَاَوُا
ع ٤ الْاٰيٰتِ لَيَسْجُنُنَّهٗ حَتّٰى حِيْنٍ ﴿٣٥﴾ وَدَخَلَ مَعَهُ السِّجْنَ
فَتَيٰنِ ؕ قَالَ اَحَدُهُمَاۤ اِنِّیْۤ اَرٰىنِیْۤ اَعْصِرُ خَمْرًا ۚ وَ
قَالَ الْاٰخَرُ اِنِّیْۤ اَرٰىنِیْۤ اَحْمِلُ فَوْقَ رَاْسِیْ خُبْزًا تَاْكُلُ

منزل ٣

Ikhfa إخفا | Ikhfa Meem Saakin إخفاميم ساكن | Qalqala قلقله | Qalb قلب | Idghaam إدغام | Idghaam Meem Saakin إدغام ميم ساكن | Ghunna غُنّه

الطَّيْرُ مِنْهُ ؕ نَبِّئْنَا بِتَاْوِيْلِهٖ ۚ اِنَّا نَرٰىكَ مِنَ الْمُحْسِنِيْنَ ﴿٣٦﴾
قَالَ لَا يَاْتِيْكُمَا طَعَامٌ تُرْزَقٰنِهٖۤ اِلَّا نَبَّاْتُكُمَا بِتَاْوِيْلِهٖ
قَبْلَ اَنْ يَّاْتِيَكُمَا ؕ ذٰلِكُمَا مِمَّا عَلَّمَنِيْ رَبِّيْ ؕ اِنِّيْ
تَرَكْتُ مِلَّةَ قَوْمٍ لَّا يُؤْمِنُوْنَ بِاللّٰهِ وَهُمْ بِالْاٰخِرَةِ هُمْ
كٰفِرُوْنَ ﴿٣٧﴾ وَاتَّبَعْتُ مِلَّةَ اٰبَآءِيْۤ اِبْرٰهِيْمَ وَاِسْحٰقَ
وَيَعْقُوْبَ ؕ مَا كَانَ لَنَاۤ اَنْ نُّشْرِكَ بِاللّٰهِ مِنْ شَيْءٍ ؕ
ذٰلِكَ مِنْ فَضْلِ اللّٰهِ عَلَيْنَا وَعَلَى النَّاسِ وَلٰكِنَّ اَكْثَرَ
النَّاسِ لَا يَشْكُرُوْنَ ﴿٣٨﴾ يٰصَاحِبَيِ السِّجْنِ ءَاَرْبَابٌ
مُّتَفَرِّقُوْنَ خَيْرٌ اَمِ اللّٰهُ الْوَاحِدُ الْقَهَّارُ ﴿٣٩﴾ ؕ مَا تَعْبُدُوْنَ
مِنْ دُوْنِهٖۤ اِلَّاۤ اَسْمَآءً سَمَّيْتُمُوْهَاۤ اَنْتُمْ وَاٰبَآؤُكُمْ
مَّاۤ اَنْزَلَ اللّٰهُ بِهَا مِنْ سُلْطٰنٍ ؕ اِنِ الْحُكْمُ اِلَّا لِلّٰهِ ؕ اَمَرَ اَلَّا
تَعْبُدُوْۤا اِلَّاۤ اِيَّاهُ ؕ ذٰلِكَ الدِّيْنُ الْقَيِّمُ وَلٰكِنَّ اَكْثَرَ
النَّاسِ لَا يَعْلَمُوْنَ ﴿٤٠﴾ يٰصَاحِبَيِ السِّجْنِ اَمَّاۤ اَحَدُكُمَا

منزل ٣

فَيَسْقِيْ رَبَّهٗ خَمْرًا ۚ وَاَمَّا الْاٰخَرُ فَيُصْلَبُ فَتَاْكُلُ
الطَّيْرُ مِنْ رَّاْسِهٖ ؕ قُضِيَ الْاَمْرُ الَّذِيْ فِيْهِ تَسْتَفْتِيٰنِ ﴿۴۱﴾ؕ
وَقَالَ لِلَّذِيْ ظَنَّ اَنَّهٗ نَاجٍ مِّنْهُمَا اذْكُرْنِيْ عِنْدَ رَبِّكَ ۫
فَاَنْسٰىهُ الشَّيْطٰنُ ذِكْرَ رَبِّهٖ فَلَبِثَ فِي السِّجْنِ بِضْعَ
ع ۵/۷ ۱۵ سِنِيْنَ ﴿۴۲﴾ؕع وَقَالَ الْمَلِكُ اِنِّيْٓ اَرٰى سَبْعَ بَقَرٰتٍ
سِمَانٍ يَّاْكُلُهُنَّ سَبْعٌ عِجَافٌ وَّسَبْعَ سُنْۢبُلٰتٍ خُضْرٍ
وَّاُخَرَ يٰبِسٰتٍ ؕ يٰٓاَيُّهَا الْمَلَاُ اَفْتُوْنِيْ فِيْ رُءْيَايَ اِنْ منزل ۳
كُنْتُمْ لِلرُّءْيَا تَعْبُرُوْنَ ﴿۴۳﴾ قَالُوْٓا اَضْغَاثُ اَحْلَامٍ ۚ وَمَا
نَحْنُ بِتَاْوِيْلِ الْاَحْلَامِ بِعٰلِمِيْنَ ﴿۴۴﴾ وَقَالَ الَّذِيْ نَجَا
مِنْهُمَا وَادَّكَرَ بَعْدَ اُمَّةٍ اَنَا اُنَبِّئُكُمْ بِتَاْوِيْلِهٖ
فَاَرْسِلُوْنِ ﴿۴۵﴾ يُوْسُفُ اَيُّهَا الصِّدِّيْقُ اَفْتِنَا فِيْ
سَبْعِ بَقَرٰتٍ سِمَانٍ يَّاْكُلُهُنَّ سَبْعٌ عِجَافٌ وَّسَبْعِ
سُنْۢبُلٰتٍ خُضْرٍ وَّاُخَرَ يٰبِسٰتٍ ۙ لَّعَلِّيْٓ اَرْجِعُ اِلَى النَّاسِ

لَعَلَّهُمْ يَعْلَمُوْنَ ﴿٤٦﴾ قَالَ تَزْرَعُوْنَ سَبْعَ سِنِيْنَ دَاَبًا ج
فَمَا حَصَدْتُّمْ فَذَرُوْهُ فِيْ سُنْۢبُلِهٖٓ اِلَّا قَلِيْلًا مِّمَّا
تَاْكُلُوْنَ ﴿٤٧﴾ ثُمَّ يَاْتِيْ مِنْۢ بَعْدِ ذٰلِكَ سَبْعٌ شِدَادٌ
يَّاْكُلْنَ مَا قَدَّمْتُمْ لَهُنَّ اِلَّا قَلِيْلًا مِّمَّا تُحْصِنُوْنَ ﴿٤٨﴾
ثُمَّ يَاْتِيْ مِنْۢ بَعْدِ ذٰلِكَ عَامٌ فِيْهِ يُغَاثُ النَّاسُ وَ
فِيْهِ يَعْصِرُوْنَ ﴿٤٩﴾ ع وَقَالَ الْمَلِكُ ائْتُوْنِيْ بِهٖ ج فَلَمَّا ع ٧ ١٦
جَآءَهُ الرَّسُوْلُ قَالَ ارْجِعْ اِلٰى رَبِّكَ فَسْـَٔلْهُ مَا بَالُ
النِّسْوَةِ الّٰتِيْ قَطَّعْنَ اَيْدِيَهُنَّ ط اِنَّ رَبِّيْ بِكَيْدِهِنَّ
عَلِيْمٌ ﴿٥٠﴾ قَالَ مَا خَطْبُكُنَّ اِذْ رَاوَدْتُّنَّ يُوْسُفَ عَنْ نَّفْسِهٖ ط
قُلْنَ حَاشَ لِلّٰهِ مَا عَلِمْنَا عَلَيْهِ مِنْ سُوْٓءٍ ط قَالَتِ امْرَاَتُ
الْعَزِيْزِ الْـٰٔنَ حَصْحَصَ الْحَقُّ ز اَنَا رَاوَدْتُّهٗ عَنْ نَّفْسِهٖ
وَاِنَّهٗ لَمِنَ الصّٰدِقِيْنَ ﴿٥١﴾ ذٰلِكَ لِيَعْلَمَ اَنِّيْ لَمْ اَخُنْهُ
بِالْغَيْبِ وَاَنَّ اللّٰهَ لَا يَهْدِيْ كَيْدَ الْخَآئِنِيْنَ ﴿٥٢﴾

منزل ٣

وَمَآ اُبَرِّئُ نَفْسِىْ ۚ اِنَّ النَّفْسَ لَاَمَّارَةٌۢ بِالسُّوْٓءِ

اِلَّا مَا رَحِمَ رَبِّىْ ؕ اِنَّ رَبِّىْ غَفُوْرٌ رَّحِيْمٌ ﴿٥٣﴾ وَقَالَ

الْمَلِكُ ائْتُوْنِىْ بِهٖۤ اَسْتَخْلِصْهُ لِنَفْسِىْ ۚ فَلَمَّا كَلَّمَهٗ

قَالَ اِنَّكَ الْيَوْمَ لَدَيْنَا مَكِيْنٌ اَمِيْنٌ ﴿٥٤﴾ قَالَ

اجْعَلْنِىْ عَلٰى خَزَآئِنِ الْاَرْضِ ۚ اِنِّىْ حَفِيْظٌ عَلِيْمٌ ﴿٥٥﴾

وَكَذٰلِكَ مَكَّنَّا لِيُوْسُفَ فِى الْاَرْضِ ۚ يَتَبَوَّاُ مِنْهَا

حَيْثُ يَشَآءُ ؕ نُصِيْبُ بِرَحْمَتِنَا مَنْ نَّشَآءُ وَلَا نُضِيْعُ

اَجْرَ الْمُحْسِنِيْنَ ﴿٥٦﴾ وَلَاَجْرُ الْاٰخِرَةِ خَيْرٌ لِّلَّذِيْنَ

اٰمَنُوْا وَكَانُوْا يَتَّقُوْنَ ﴿٥٧﴾ ع وَجَآءَ اِخْوَةُ يُوْسُفَ

فَدَخَلُوْا عَلَيْهِ فَعَرَفَهُمْ وَهُمْ لَهٗ مُنْكِرُوْنَ ﴿٥٨﴾ وَلَمَّا

جَهَّزَهُمْ بِجَهَازِهِمْ قَالَ ائْتُوْنِىْ بِاَخٍ لَّكُمْ مِّنْ

اَبِيْكُمْ ۚ اَلَا تَرَوْنَ اَنِّىْۤ اُوْفِى الْكَيْلَ وَاَنَا خَيْرُ

الْمُنْزِلِيْنَ ﴿٥٩﴾ فَاِنْ لَّمْ تَاْتُوْنِىْ بِهٖ فَلَا كَيْلَ لَكُمْ

ع ٧/٨

Ikhfa اِخفا | Ikhfa Meem Saakin اِخفاميم ساكن | Qalqala قلقله | Qalb قلب | Idghaam اِدغام | Idghaam Meem Saakin اِدغام ميم ساكن | Ghunna غُنّه

عِنْدِیْ وَلَا تَقْرَبُوْنِ ﴿٦٠﴾ قَالُوْا سَنُرَاوِدُ عَنْهُ
اَبَاهُ وَاِنَّا لَفٰعِلُوْنَ ﴿٦١﴾ وَقَالَ لِفِتْيٰنِهِ اجْعَلُوْا
بِضَاعَتَهُمْ فِیْ رِحَالِهِمْ لَعَلَّهُمْ يَعْرِفُوْنَهَآ اِذَا انْقَلَبُوْٓا
اِلٰٓى اَهْلِهِمْ لَعَلَّهُمْ يَرْجِعُوْنَ ﴿٦٢﴾ فَلَمَّا رَجَعُوْٓا
اِلٰٓى اَبِيْهِمْ قَالُوْا يٰٓاَبَانَا مُنِعَ مِنَّا الْكَيْلُ فَاَرْسِلْ
مَعَنَآ اَخَانَا نَكْتَلْ وَاِنَّا لَهٗ لَحٰفِظُوْنَ ﴿٦٣﴾ قَالَ هَلْ
اٰمَنُكُمْ عَلَيْهِ اِلَّا كَمَآ اَمِنْتُكُمْ عَلٰٓى اَخِيْهِ مِنْ قَبْلُ ؕ
فَاللّٰهُ خَيْرٌ حٰفِظًا ۪ وَّهُوَ اَرْحَمُ الرّٰحِمِيْنَ ﴿٦٤﴾ وَلَمَّا
فَتَحُوْا مَتَاعَهُمْ وَجَدُوْا بِضَاعَتَهُمْ رُدَّتْ اِلَيْهِمْ ؕ
قَالُوْا يٰٓاَبَانَا مَا نَبْغِیْ ؕ هٰذِهٖ بِضَاعَتُنَا رُدَّتْ اِلَيْنَا ۚ
وَنَمِيْرُ اَهْلَنَا وَنَحْفَظُ اَخَانَا وَنَزْدَادُ كَيْلَ بَعِيْرٍ ؕ
ذٰلِكَ كَيْلٌ يَّسِيْرٌ ﴿٦٥﴾ قَالَ لَنْ اُرْسِلَهٗ مَعَكُمْ حَتّٰى
تُؤْتُوْنِ مَوْثِقًا مِّنَ اللّٰهِ لَتَاْتُنَّنِیْ بِهٖٓ اِلَّآ اَنْ

منزل ٣

يُّحَاطَ بِكُمْ ۚ فَلَمَّآ اٰتَوْهُ مَوْثِقَهُمْ قَالَ اللّٰهُ عَلٰى
مَا نَقُوْلُ وَكِيْلٌ ﴿٦٦﴾ وَقَالَ يٰبَنِيَّ لَا تَدْخُلُوْا
مِنْۢ بَابٍ وَّاحِدٍ وَّادْخُلُوْا مِنْ اَبْوَابٍ مُّتَفَرِّقَةٍ ۭ
وَمَآ اُغْنِيْ عَنْكُمْ مِّنَ اللّٰهِ مِنْ شَيْءٍ ۭ اِنِ الْحُكْمُ اِلَّا
لِلّٰهِ ۭ عَلَيْهِ تَوَكَّلْتُ ۚ وَعَلَيْهِ فَلْيَتَوَكَّلِ الْمُتَوَكِّلُوْنَ ﴿٦٧﴾
وَلَمَّا دَخَلُوْا مِنْ حَيْثُ اَمَرَهُمْ اَبُوْهُمْ ۭ مَا كَانَ
يُغْنِيْ عَنْهُمْ مِّنَ اللّٰهِ مِنْ شَيْءٍ اِلَّا حَاجَةً فِيْ
نَفْسِ يَعْقُوْبَ قَضٰىهَا ۭ وَاِنَّهٗ لَذُوْ عِلْمٍ لِّمَا عَلَّمْنٰهُ
وَلٰكِنَّ اَكْثَرَ النَّاسِ لَا يَعْلَمُوْنَ ﴿٦٨﴾ ع وَلَمَّا دَخَلُوْا
عَلٰى يُوْسُفَ اٰوٰٓى اِلَيْهِ اَخَاهُ قَالَ اِنِّيْٓ اَنَا
اَخُوْكَ فَلَا تَبْتَىِٕسْ بِمَا كَانُوْا يَعْمَلُوْنَ ﴿٦٩﴾
فَلَمَّا جَهَّزَهُمْ بِجَهَازِهِمْ جَعَلَ السِّقَايَةَ فِيْ
رَحْلِ اَخِيْهِ ثُمَّ اَذَّنَ مُؤَذِّنٌ اَيَّتُهَا الْعِيْرُ اِنَّكُمْ

ع ٨ ١١ ٢

منزل ٣

Ikhfa اِخفا | Ikhfa Meem Saakin اِخفامیم ساکن | Qalqala قلقلہ | Qalb قلب | Idghaam اِدغام | Idghaam Meem Saakin اِدغام میم ساکن | Ghunna غُنّہ

لَسٰرِقُوْنَ ﴿٧٠﴾ قَالُوْا وَاَقْبَلُوْا عَلَيْهِمْ مَّاذَا تَفْقِدُوْنَ ﴿٧١﴾
قَالُوْا نَفْقِدُ صُوَاعَ الْمَلِكِ وَلِمَنْ جَآءَ بِهٖ حِمْلُ بَعِيْرٍ
وَّاَنَا بِهٖ زَعِيْمٌ ﴿٧٢﴾ قَالُوْا تَاللّٰهِ لَقَدْ عَلِمْتُمْ مَّا جِئْنَا
لِنُفْسِدَ فِي الْاَرْضِ وَمَا كُنَّا سٰرِقِيْنَ ﴿٧٣﴾ قَالُوْا
فَمَا جَزَآؤُهٗۤ اِنْ كُنْتُمْ كٰذِبِيْنَ ﴿٧٤﴾ قَالُوْا جَزَآؤُهٗ
مَنْ وُّجِدَ فِيْ رَحْلِهٖ فَهُوَ جَزَآؤُهٗ ؕ كَذٰلِكَ
نَجْزِي الظّٰلِمِيْنَ ﴿٧٥﴾ فَبَدَاَ بِاَوْعِيَتِهِمْ قَبْلَ وِعَآءِ
اَخِيْهِ ثُمَّ اسْتَخْرَجَهَا مِنْ وِّعَآءِ اَخِيْهِ ؕ كَذٰلِكَ
كِدْنَا لِيُوْسُفَ ؕ مَا كَانَ لِيَاْخُذَ اَخَاهُ فِيْ دِيْنِ
الْمَلِكِ اِلَّاۤ اَنْ يَّشَآءَ اللّٰهُ ؕ نَرْفَعُ دَرَجٰتٍ مَّنْ
نَّشَآءُ ؕ وَفَوْقَ كُلِّ ذِيْ عِلْمٍ عَلِيْمٌ ﴿٧٦﴾ قَالُوْۤا اِنْ يَّسْرِقْ
فَقَدْ سَرَقَ اَخٌ لَّهٗ مِنْ قَبْلُ ۚ فَاَسَرَّهَا يُوْسُفُ
فِيْ نَفْسِهٖ وَلَمْ يُبْدِهَا لَهُمْ ۚ قَالَ اَنْتُمْ شَرٌّ

منزل ٣

مَّكَانًا ۚ وَاللّٰهُ اَعْلَمُ بِمَا تَصِفُوْنَ ﴿٧٧﴾ قَالُوْا يٰۤاَيُّهَا

الْعَزِيْزُ اِنَّ لَهٗۤ اَبًا شَيْخًا كَبِيْرًا فَخُذْ اَحَدَنَا

مَكَانَهٗ ۚ اِنَّا نَرٰىكَ مِنَ الْمُحْسِنِيْنَ ﴿٧٨﴾ قَالَ مَعَاذَ

اللّٰهِ اَنْ نَّاْخُذَ اِلَّا مَنْ وَّجَدْنَا مَتَاعَنَا عِنْدَهٗۤ ۙ

اِنَّاۤ اِذًا لَّظٰلِمُوْنَ ﴿٧٩﴾ ع فَلَمَّا اسْتَيْـَٔسُوْا مِنْهُ خَلَصُوْا ع ١١/٣

نَجِيًّا ؕ قَالَ كَبِيْرُهُمْ اَلَمْ تَعْلَمُوْۤا اَنَّ اَبَاكُمْ

منزل ٣ قَدْ اَخَذَ عَلَيْكُمْ مَّوْثِقًا مِّنَ اللّٰهِ وَمِنْ قَبْلُ

مَا فَرَّطْتُّمْ فِيْ يُوْسُفَ ۚ فَلَنْ اَبْرَحَ الْاَرْضَ

حَتّٰى يَاْذَنَ لِيْۤ اَبِيْۤ اَوْ يَحْكُمَ اللّٰهُ لِيْ ۚ وَهُوَ خَيْرُ

الْحٰكِمِيْنَ ﴿٨٠﴾ اِرْجِعُوْۤا اِلٰۤى اَبِيْكُمْ فَقُوْلُوْا يٰۤاَبَانَاۤ

اِنَّ ابْنَكَ سَرَقَ ۚ وَمَا شَهِدْنَاۤ اِلَّا بِمَا عَلِمْنَا

وَمَا كُنَّا لِلْغَيْبِ حٰفِظِيْنَ ﴿٨١﴾ وَسْـَٔلِ الْقَرْيَةَ الَّتِيْ

كُنَّا فِيْهَا وَالْعِيْرَ الَّتِيْۤ اَقْبَلْنَا فِيْهَا ؕ وَاِنَّا

Ikhfa اِخفا | Ikhfa Meem Saakin اِخفامیم ساکن | Qalqala قلقلہ | Qalb قلب | Idghaam اِدغام | Idghaam Meem Saakin اِدغام میم ساکن | Ghunna غُنّہ

لَصٰدِقُوْنَ ﴿٨٢﴾ قَالَ بَلْ سَوَّلَتْ لَكُمْ اَنْفُسُكُمْ اَمْرًا ؕ
فَصَبْرٌ جَمِيْلٌ ؕ عَسَى اللّٰهُ اَنْ يَّاْتِيَنِيْ بِهِمْ جَمِيْعًا ؕ
اِنَّهٗ هُوَ الْعَلِيْمُ الْحَكِيْمُ ﴿٨٣﴾ وَتَوَلّٰى عَنْهُمْ وَقَالَ
يٰۤاَسَفٰى عَلٰى يُوْسُفَ وَابْيَضَّتْ عَيْنٰهُ مِنَ الْحُزْنِ
فَهُوَ كَظِيْمٌ ﴿٨٤﴾ قَالُوْا تَاللّٰهِ تَفْتَؤُا تَذْكُرُ يُوْسُفَ
حَتّٰى تَكُوْنَ حَرَضًا اَوْ تَكُوْنَ مِنَ الْهٰلِكِيْنَ ﴿٨٥﴾
قَالَ اِنَّمَاۤ اَشْكُوْا بَثِّيْ وَحُزْنِيْۤ اِلَى اللّٰهِ وَاَعْلَمُ مِنَ
اللّٰهِ مَا لَا تَعْلَمُوْنَ ﴿٨٦﴾ يٰبَنِيَّ اذْهَبُوْا فَتَحَسَّسُوْا مِنْ
يُّوْسُفَ وَاَخِيْهِ وَلَا تَايْـَٔسُوْا مِنْ رَّوْحِ اللّٰهِ ؕ اِنَّهٗ
لَا يَايْـَٔسُ مِنْ رَّوْحِ اللّٰهِ اِلَّا الْقَوْمُ الْكٰفِرُوْنَ ﴿٨٧﴾ فَلَمَّا
دَخَلُوْا عَلَيْهِ قَالُوْا يٰۤاَيُّهَا الْعَزِيْزُ مَسَّنَا وَاَهْلَنَا
الضُّرُّ وَجِئْنَا بِبِضَاعَةٍ مُّزْجٰىةٍ فَاَوْفِ لَنَا الْكَيْلَ وَ
تَصَدَّقْ عَلَيْنَا ؕ اِنَّ اللّٰهَ يَجْزِي الْمُتَصَدِّقِيْنَ ﴿٨٨﴾

منزل ٣

قَالَ هَلْ عَلِمْتُمْ مَّا فَعَلْتُمْ بِيُوْسُفَ وَاَخِيْهِ اِذْ اَنْتُمْ
جٰهِلُوْنَ ﴿٨٩﴾ قَالُوْٓا ءَاِنَّكَ لَاَنْتَ يُوْسُفُ ؕ قَالَ اَنَا
يُوْسُفُ وَهٰذَآ اَخِيْ ؗ قَدْ مَنَّ اللّٰهُ عَلَيْنَا ؕ اِنَّهٗ مَنْ
يَّتَّقِ وَيَصْبِرْ فَاِنَّ اللّٰهَ لَا يُضِيْعُ اَجْرَ الْمُحْسِنِيْنَ ﴿٩٠﴾
قَالُوْا تَاللّٰهِ لَقَدْ اٰثَرَكَ اللّٰهُ عَلَيْنَا وَاِنْ كُنَّا لَخٰطِئِيْنَ ﴿٩١﴾
قَالَ لَا تَثْرِيْبَ عَلَيْكُمُ الْيَوْمَ ؕ يَغْفِرُ اللّٰهُ لَكُمْ ؗ
وَهُوَ اَرْحَمُ الرّٰحِمِيْنَ ﴿٩٢﴾ اِذْهَبُوْا بِقَمِيْصِيْ هٰذَا
فَاَلْقُوْهُ عَلٰى وَجْهِ اَبِيْ يَاْتِ بَصِيْرًا ۚ وَاْتُوْنِيْ بِاَهْلِكُمْ
اَجْمَعِيْنَ ﴿٩٣﴾ وَلَمَّا فَصَلَتِ الْعِيْرُ قَالَ اَبُوْهُمْ
اِنِّيْ لَاَجِدُ رِيْحَ يُوْسُفَ لَوْلَآ اَنْ تُفَنِّدُوْنِ ﴿٩٤﴾
قَالُوْا تَاللّٰهِ اِنَّكَ لَفِيْ ضَلٰلِكَ الْقَدِيْمِ ﴿٩٥﴾ فَلَمَّآ اَنْ
جَآءَ الْبَشِيْرُ اَلْقٰىهُ عَلٰى وَجْهِهٖ فَارْتَدَّ بَصِيْرًا ۚ
قَالَ اَلَمْ اَقُلْ لَّكُمْ ۚۙ اِنِّيْٓ اَعْلَمُ مِنَ اللّٰهِ مَا لَا

تَعْلَمُوْنَ ﴿٩٦﴾ قَالُوْا يٰٓاَبَانَا اسْتَغْفِرْ لَنَا ذُنُوْبَنَآ اِنَّا كُنَّا

خٰطِئِيْنَ ﴿٩٧﴾ قَالَ سَوْفَ اَسْتَغْفِرُ لَكُمْ رَبِّيْ ؕ اِنَّهٗ هُوَ

الْغَفُوْرُ الرَّحِيْمُ ﴿٩٨﴾ فَلَمَّا دَخَلُوْا عَلٰى يُوْسُفَ اٰوٰٓى

اِلَيْهِ اَبَوَيْهِ وَقَالَ ادْخُلُوْا مِصْرَ اِنْ شَآءَ اللّٰهُ

اٰمِنِيْنَ ﴿٩٩﴾ؕ وَرَفَعَ اَبَوَيْهِ عَلَى الْعَرْشِ وَخَرُّوْا لَهٗ

سُجَّدًا ۚ وَقَالَ يٰٓاَبَتِ هٰذَا تَاْوِيْلُ رُءْيَايَ مِنْ

قَبْلُ ۫ قَدْ جَعَلَهَا رَبِّيْ حَقًّا ؕ وَقَدْ اَحْسَنَ بِيْٓ اِذْ

اَخْرَجَنِيْ مِنَ السِّجْنِ وَجَآءَ بِكُمْ مِّنَ الْبَدْوِ مِنْ

بَعْدِ اَنْ نَّزَغَ الشَّيْطٰنُ بَيْنِيْ وَبَيْنَ اِخْوَتِيْ ؕ اِنَّ

رَبِّيْ لَطِيْفٌ لِّمَا يَشَآءُ ؕ اِنَّهٗ هُوَ الْعَلِيْمُ الْحَكِيْمُ ﴿١٠٠﴾

رَبِّ قَدْ اٰتَيْتَنِيْ مِنَ الْمُلْكِ وَعَلَّمْتَنِيْ مِنْ

تَاْوِيْلِ الْاَحَادِيْثِ ۚ فَاطِرَ السَّمٰوٰتِ وَالْاَرْضِ ۟ قف

اَنْتَ وَلِيّٖ فِي الدُّنْيَا وَالْاٰخِرَةِ ۚ تَوَفَّنِيْ مُسْلِمًا

منزل ٣

وَاَلْحِقْنِيْ بِالصّٰلِحِيْنَ ﴿١٠١﴾ ذٰلِكَ مِنْ اَنْۢبَآءِ الْغَيْبِ
نُوْحِيْهِ اِلَيْكَ ۚ وَمَا كُنْتَ لَدَيْهِمْ اِذْ اَجْمَعُوْٓا اَمْرَهُمْ
وَهُمْ يَمْكُرُوْنَ ﴿١٠٢﴾ وَمَآ اَكْثَرُ النَّاسِ وَلَوْ حَرَصْتَ
بِمُؤْمِنِيْنَ ﴿١٠٣﴾ وَمَا تَسْـَٔلُهُمْ عَلَيْهِ مِنْ اَجْرٍ ؕ اِنْ
هُوَ اِلَّا ذِكْرٌ لِّلْعٰلَمِيْنَ ﴿١٠٤﴾ ع وَكَاَيِّنْ مِّنْ اٰيَةٍ فِى
السَّمٰوٰتِ وَالْاَرْضِ يَمُرُّوْنَ عَلَيْهَا وَهُمْ عَنْهَا
مُعْرِضُوْنَ ﴿١٠٥﴾ وَمَا يُؤْمِنُ اَكْثَرُهُمْ بِاللّٰهِ اِلَّا وَهُمْ
مُّشْرِكُوْنَ ﴿١٠٦﴾ اَفَاَمِنُوْٓا اَنْ تَاْتِيَهُمْ غَاشِيَةٌ مِّنْ
عَذَابِ اللّٰهِ اَوْ تَاْتِيَهُمُ السَّاعَةُ بَغْتَةً وَّهُمْ
لَا يَشْعُرُوْنَ ﴿١٠٧﴾ قُلْ هٰذِهٖ سَبِيْلِيْٓ اَدْعُوْٓا اِلَى اللّٰهِ ۣ قف
عَلٰى بَصِيْرَةٍ اَنَا وَمَنِ اتَّبَعَنِيْ ؕ وَسُبْحٰنَ اللّٰهِ وَمَآ
اَنَا مِنَ الْمُشْرِكِيْنَ ﴿١٠٨﴾ وَمَآ اَرْسَلْنَا مِنْ قَبْلِكَ اِلَّا
رِجَالًا نُّوْحِيْٓ اِلَيْهِمْ مِّنْ اَهْلِ الْقُرٰى ؕ اَفَلَمْ يَسِيْرُوْا

ع ١١ ٥

وَقْفُ النَّبِيِّ صَلَّى اللّٰهُ عَلَيْهِ وَاٰلِهٖ وَسَلَّمَ ١٢

منزل ٣

فِي الْاَرْضِ فَيَنْظُرُوْا كَيْفَ كَانَ عَاقِبَةُ الَّذِيْنَ
مِنْ قَبْلِهِمْ ط وَلَدَارُ الْاٰخِرَةِ خَيْرٌ لِّلَّذِيْنَ اتَّقَوْا ط
اَفَلَا تَعْقِلُوْنَ ﴿١٠٩﴾ حَتّٰٓى اِذَا اسْتَيْئَسَ الرُّسُلُ وَ
ظَنُّوْٓا اَنَّهُمْ قَدْ كُذِبُوْا جَآءَهُمْ نَصْرُنَا لا فَنُجِّيَ
مَنْ نَّشَآءُ ط وَلَا يُرَدُّ بَاْسُنَا عَنِ الْقَوْمِ الْمُجْرِمِيْنَ ﴿١١٠﴾
لَقَدْ كَانَ فِيْ قَصَصِهِمْ عِبْرَةٌ لِّاُولِي الْاَلْبَابِ ط
مَا كَانَ حَدِيْثًا يُّفْتَرٰى وَلٰكِنْ تَصْدِيْقَ الَّذِيْ
بَيْنَ يَدَيْهِ وَتَفْصِيْلَ كُلِّ شَيْءٍ وَّهُدًى وَّ
رَحْمَةً لِّقَوْمٍ يُّؤْمِنُوْنَ ﴿١١١﴾ ع ١٢/٧

اٰيَاتُهَا ٤٣ (١٣) سُوْرَةُ الرَّعْدِ مَكِّيَّةٌ (٩٦) رُكُوْعَاتُهَا ٦

بِسْمِ اللّٰهِ الرَّحْمٰنِ الرَّحِيْمِ

الٓمّٓرٰ تف تِلْكَ اٰيٰتُ الْكِتٰبِ ط وَالَّذِيْٓ اُنْزِلَ اِلَيْكَ
مِنْ رَّبِّكَ الْحَقُّ وَلٰكِنَّ اَكْثَرَ النَّاسِ لَا يُؤْمِنُوْنَ ﴿١﴾

منزل ٣

Ikhfa اِخفا | Ikhfa Meem Saakin اِخفامیم ساکن | Qalqala قلقلہ | Qalb قلب | Idghaam اِدغام | Idghaam Meem Saakin اِدغام میم ساکن | Ghunna غُنّہ

اَللّٰهُ الَّذِيْ رَفَعَ السَّمٰوٰتِ بِغَيْرِ عَمَدٍ تَرَوْنَهَا ثُمَّ
اسْتَوٰى عَلَى الْعَرْشِ وَسَخَّرَ الشَّمْسَ وَالْقَمَرَ ؕ
كُلٌّ يَّجْرِيْ لِاَجَلٍ مُّسَمًّى ؕ يُدَبِّرُ الْاَمْرَ يُفَصِّلُ
الْاٰيٰتِ لَعَلَّكُمْ بِلِقَآءِ رَبِّكُمْ تُوْقِنُوْنَ ۝٢ وَهُوَ الَّذِيْ
مَدَّ الْاَرْضَ وَجَعَلَ فِيْهَا رَوَاسِيَ وَاَنْهٰرًا ؕ وَمِنْ
كُلِّ الثَّمَرٰتِ جَعَلَ فِيْهَا زَوْجَيْنِ اثْنَيْنِ يُغْشِي
الَّيْلَ النَّهَارَ ؕ اِنَّ فِيْ ذٰلِكَ لَاٰيٰتٍ لِّقَوْمٍ يَّتَفَكَّرُوْنَ ۝٣
وَفِي الْاَرْضِ قِطَعٌ مُّتَجٰوِرٰتٌ وَّجَنّٰتٌ مِّنْ اَعْنَابٍ وَّ
زَرْعٌ وَّنَخِيْلٌ صِنْوَانٌ وَّغَيْرُ صِنْوَانٍ يُّسْقٰى بِمَآءٍ
وَّاحِدٍ قف وَنُفَضِّلُ بَعْضَهَا عَلٰى بَعْضٍ فِي الْاُكُلِ ؕ
اِنَّ فِيْ ذٰلِكَ لَاٰيٰتٍ لِّقَوْمٍ يَّعْقِلُوْنَ ۝٤ وَاِنْ تَعْجَبْ
فَعَجَبٌ قَوْلُهُمْ ءَاِذَا كُنَّا تُرٰبًا ءَاِنَّا لَفِيْ خَلْقٍ
جَدِيْدٍ ؕ۬ ۝٥ اُولٰٓئِكَ الَّذِيْنَ كَفَرُوْا بِرَبِّهِمْ ج وَاُولٰٓئِكَ

منزل ٣

Ikhfa إخفا | Ikhfa Meem Saakin إخفاميم ساكن | Qalqala قلقله | Qalb قلب | Idghaam إدغام | Idghaam Meem Saakin إدغام ميم ساكن | Ghunna غُنّه

الۡاَغۡلٰلُ فِیۡۤ اَعۡنَاقِهِمۡ ۚ وَاُولٰٓـئِكَ اَصۡحٰبُ النَّارِ ۚ
هُمۡ فِيۡهَا خٰلِدُوۡنَ ۝٥ وَيَسۡتَعۡجِلُوۡنَكَ بِالسَّيِّئَةِ
قَبۡلَ الۡحَسَنَةِ وَقَدۡ خَلَتۡ مِنۡ قَبۡلِهِمُ الۡمَثُلٰتُ ؕ
وَاِنَّ رَبَّكَ لَذُوۡ مَغۡفِرَةٍ لِّلنَّاسِ عَلٰى ظُلۡمِهِمۡ ۚ وَ
اِنَّ رَبَّكَ لَشَدِيۡدُ الۡعِقَابِ ۝٦ وَيَقُوۡلُ الَّذِيۡنَ
كَفَرُوۡا لَوۡلَاۤ اُنۡزِلَ عَلَيۡهِ اٰيَةٌ مِّنۡ رَّبِّهٖ ؕ اِنَّمَاۤ
اَنۡتَ مُنۡذِرٌ وَّلِكُلِّ قَوۡمٍ هَادٍ ۝٧ ع اَللّٰهُ يَعۡلَمُ مَا ع ٧
تَحۡمِلُ كُلُّ اُنۡثٰى وَمَا تَغِيۡضُ الۡاَرۡحَامُ وَمَا تَزۡدَادُ ؕ
وَكُلُّ شَىۡءٍ عِنۡدَهٗ بِمِقۡدَارٍ ۝٨ عٰلِمُ الۡغَيۡبِ وَ
الشَّهَادَةِ الۡكَبِيۡرُ الۡمُتَعَالِ ۝٩ سَوَآءٌ مِّنۡكُمۡ مَّنۡ اَسَرَّ
الۡقَوۡلَ وَمَنۡ جَهَرَ بِهٖ وَمَنۡ هُوَ مُسۡتَخۡفٍ بِالَّيۡلِ وَ
سَارِبٌ بِالنَّهَارِ ۝١٠ لَهٗ مُعَقِّبٰتٌ مِّنۡۢ بَيۡنِ يَدَيۡهِ وَ
مِنۡ خَلۡفِهٖ يَحۡفَظُوۡنَهٗ مِنۡ اَمۡرِ اللّٰهِ ؕ اِنَّ اللّٰهَ

منزل ٣

لَا يُغَيِّرُ مَا بِقَوْمٍ حَتّٰى يُغَيِّرُوْا مَا بِاَنْفُسِهِمْ ؕ وَاِذَآ
اَرَادَ اللّٰهُ بِقَوْمٍ سُوْٓءًا فَلَا مَرَدَّ لَهٗ ۚ وَمَا لَهُمْ
مِّنْ دُوْنِهٖ مِنْ وَّالٍ ﴿١١﴾ هُوَ الَّذِيْ يُرِيْكُمُ الْبَرْقَ خَوْفًا
وَّطَمَعًا وَّيُنْشِئُ السَّحَابَ الثِّقَالَ ﴿١٢﴾ وَيُسَبِّحُ الرَّعْدُ
بِحَمْدِهٖ وَالْمَلٰٓئِكَةُ مِنْ خِيْفَتِهٖ ۚ وَيُرْسِلُ
الصَّوَاعِقَ فَيُصِيْبُ بِهَا مَنْ يَّشَآءُ وَهُمْ يُجَادِلُوْنَ
فِي اللّٰهِ ۚ وَهُوَ شَدِيْدُ الْمِحَالِ ﴿١٣﴾ لَهٗ دَعْوَةُ الْحَقِّ ؕ
وَالَّذِيْنَ يَدْعُوْنَ مِنْ دُوْنِهٖ لَا يَسْتَجِيْبُوْنَ لَهُمْ
بِشَيْءٍ اِلَّا كَبَاسِطِ كَفَّيْهِ اِلَى الْمَآءِ لِيَبْلُغَ فَاهُ وَمَا
هُوَ بِبَالِغِهٖ ؕ وَمَا دُعَآءُ الْكٰفِرِيْنَ اِلَّا فِيْ ضَلٰلٍ ﴿١٤﴾
وَلِلّٰهِ يَسْجُدُ مَنْ فِي السَّمٰوٰتِ وَالْاَرْضِ طَوْعًا وَّ
كَرْهًا وَّظِلٰلُهُمْ بِالْغُدُوِّ وَالْاٰصَالِ ﴿١٥﴾ السَّجْدَة قُلْ مَنْ رَّبُّ
السَّمٰوٰتِ وَالْاَرْضِ ؕ قُلِ اللّٰهُ ؕ قُلْ اَفَاتَّخَذْتُمْ مِّنْ

منزل ٣

السَّجْدَة (٢)

Ikhfa اِخفا | Ikhfa Meem Saakin اِخفامیم ساکن | Qalqala قلقلہ | Qalb قلب | Idghaam اِدغام | Idghaam Meem Saakin اِدغام میم ساکن | Ghunna غُنّہ

دُوْنِهٖٓ اَوْلِيَآءَ لَا يَمْلِكُوْنَ لِاَنْفُسِهِمْ نَفْعًا وَّلَا ضَرًّا ؕ
قُلْ هَلْ يَسْتَوِى الْاَعْمٰى وَالْبَصِيْرُ ۙ اَمْ هَلْ تَسْتَوِى
الظُّلُمٰتُ وَالنُّوْرُ ۚ اَمْ جَعَلُوْا لِلّٰهِ شُرَكَآءَ خَلَقُوْا
كَخَلْقِهٖ فَتَشَابَهَ الْخَلْقُ عَلَيْهِمْ ؕ قُلِ اللّٰهُ خَالِقُ
كُلِّ شَىْءٍ وَّهُوَ الْوَاحِدُ الْقَهَّارُ ﴿١٦﴾ اَنْزَلَ مِنَ السَّمَآءِ
مَآءً فَسَالَتْ اَوْدِيَةٌ ۢ بِقَدَرِهَا فَاحْتَمَلَ السَّيْلُ
زَبَدًا رَّابِيًا ؕ وَمِمَّا يُوْقِدُوْنَ عَلَيْهِ فِى النَّارِ
ابْتِغَآءَ حِلْيَةٍ اَوْ مَتَاعٍ زَبَدٌ مِّثْلُهٗ ؕ كَذٰلِكَ يَضْرِبُ
اللّٰهُ الْحَقَّ وَالْبَاطِلَ ۬ فَاَمَّا الزَّبَدُ فَيَذْهَبُ جُفَآءً ۚ
وَاَمَّا مَا يَنْفَعُ النَّاسَ فَيَمْكُثُ فِى الْاَرْضِ ؕ كَذٰلِكَ
يَضْرِبُ اللّٰهُ الْاَمْثَالَ ﴿١٧﴾ لِلَّذِيْنَ اسْتَجَابُوْا لِرَبِّهِمُ
الْحُسْنٰى ؕ وَالَّذِيْنَ لَمْ يَسْتَجِيْبُوْا لَهٗ لَوْ اَنَّ لَهُمْ مَّا
فِى الْاَرْضِ جَمِيْعًا وَّمِثْلَهٗ مَعَهٗ لَافْتَدَوْا بِهٖ ؕ

منزل ٣

وقف النبی صلی اللہ علیہ وآلہ وسلم

اُولٰٓئِكَ لَهُمْ سُوْٓءُ الْحِسَابِ ۙ۵ وَمَاْوٰىهُمْ جَهَنَّمُ ؕ وَ
بِئْسَ الْمِهَادُ ۝١٨ اَفَمَنْ يَّعْلَمُ اَنَّمَآ اُنْزِلَ اِلَيْكَ
مِنْ رَّبِّكَ الْحَقُّ كَمَنْ هُوَ اَعْمٰى ؕ اِنَّمَا يَتَذَكَّرُ
اُولُوا الْاَلْبَابِ ۝١٩ الَّذِيْنَ يُوْفُوْنَ بِعَهْدِ اللّٰهِ وَلَا
يَنْقُضُوْنَ الْمِيْثَاقَ ۝٢٠ وَالَّذِيْنَ يَصِلُوْنَ مَآ اَمَرَ اللّٰهُ
بِهٖٓ اَنْ يُّوْصَلَ وَيَخْشَوْنَ رَبَّهُمْ وَيَخَافُوْنَ سُوْٓءَ
الْحِسَابِ ۝٢١ وَالَّذِيْنَ صَبَرُوا ابْتِغَآءَ وَجْهِ رَبِّهِمْ وَ
اَقَامُوا الصَّلٰوةَ وَاَنْفَقُوْا مِمَّا رَزَقْنٰهُمْ سِرًّا وَّعَلَانِيَةً
وَّيَدْرَءُوْنَ بِالْحَسَنَةِ السَّيِّئَةَ اُولٰٓئِكَ لَهُمْ عُقْبَى
الدَّارِ ۝٢٢ جَنّٰتُ عَدْنٍ يَّدْخُلُوْنَهَا وَمَنْ صَلَحَ مِنْ
اٰبَآئِهِمْ وَاَزْوَاجِهِمْ وَذُرِّيّٰتِهِمْ وَالْمَلٰٓئِكَةُ يَدْخُلُوْنَ
عَلَيْهِمْ مِّنْ كُلِّ بَابٍ ۝٢٣ سَلٰمٌ عَلَيْكُمْ بِمَا صَبَرْتُمْ فَنِعْمَ
عُقْبَى الدَّارِ ۝٢٤ وَالَّذِيْنَ يَنْقُضُوْنَ عَهْدَ اللّٰهِ مِنْ بَعْدِ

النصف ع ٨/١١

منزل ٣

Ikhfa اِخفا | Ikhfa Meem Saakin اِخفامیم ساکن | Qalqala قلقلہ | Qalb قلب | Idghaam اِدغام | Idghaam Meem Saakin اِدغام میم ساکن | Ghunna غُنّہ

مِيْثَاقِهٖ وَيَقْطَعُوْنَ مَآ اَمَرَ اللّٰهُ بِهٖۤ اَنْ يُّوْصَلَ وَ
يُفْسِدُوْنَ فِى الْاَرْضِ ۙ اُولٰٓئِكَ لَهُمُ اللَّعْنَةُ وَلَهُمْ
سُوْٓءُ الدَّارِ ﴿٢٥﴾ اَللّٰهُ يَبْسُطُ الرِّزْقَ لِمَنْ يَّشَآءُ وَ
يَقْدِرُ ؕ وَفَرِحُوْا بِالْحَيٰوةِ الدُّنْيَا ؕ وَمَا الْحَيٰوةُ الدُّنْيَا
فِى الْاٰخِرَةِ اِلَّا مَتَاعٌ ؑ ﴿٢٦﴾ وَيَقُوْلُ الَّذِيْنَ كَفَرُوْا لَوْلَآ ع ٤/٨
اُنْزِلَ عَلَيْهِ اٰيَةٌ مِّنْ رَّبِّهٖ ؕ قُلْ اِنَّ اللّٰهَ يُضِلُّ مَنْ
منزل ٣ يَّشَآءُ وَيَهْدِىْٓ اِلَيْهِ مَنْ اَنَابَ ﴿٢٧﴾ ۖ اَلَّذِيْنَ اٰمَنُوْا
وَتَطْمَئِنُّ قُلُوْبُهُمْ بِذِكْرِ اللّٰهِ ؕ اَلَا بِذِكْرِ اللّٰهِ
تَطْمَئِنُّ الْقُلُوْبُ ؕ ﴿٢٨﴾ اَلَّذِيْنَ اٰمَنُوْا وَعَمِلُوا الصّٰلِحٰتِ
طُوْبٰى لَهُمْ وَحُسْنُ مَاٰبٍ ﴿٢٩﴾ كَذٰلِكَ اَرْسَلْنٰكَ فِىْٓ
اُمَّةٍ قَدْ خَلَتْ مِنْ قَبْلِهَآ اُمَمٌ لِّتَتْلُوَا۠ عَلَيْهِمُ
الَّذِىْٓ اَوْحَيْنَآ اِلَيْكَ وَهُمْ يَكْفُرُوْنَ بِالرَّحْمٰنِ ؕ قُلْ
هُوَ رَبِّىْ لَآ اِلٰهَ اِلَّا هُوَ ۚ عَلَيْهِ تَوَكَّلْتُ وَاِلَيْهِ

مَتَابِ ﴿٣٠﴾ وَلَوْ اَنَّ قُرْاٰنًا سُيِّرَتْ بِهِ الْجِبَالُ اَوْ
قُطِّعَتْ بِهِ الْاَرْضُ اَوْ كُلِّمَ بِهِ الْمَوْتٰى ؕ بَلْ لِّلّٰهِ
الْاَمْرُ جَمِيْعًا ؕ اَفَلَمْ يَايْـَٔسِ الَّذِيْنَ اٰمَنُوْٓا اَنْ لَّوْ
يَشَآءُ اللّٰهُ لَهَدَى النَّاسَ جَمِيْعًا ؕ وَلَا يَزَالُ
الَّذِيْنَ كَفَرُوْا تُصِيْبُهُمْ بِمَا صَنَعُوْا قَارِعَةٌ اَوْ تَحُلُّ
قَرِيْبًا مِّنْ دَارِهِمْ حَتّٰى يَاْتِىَ وَعْدُ اللّٰهِ ؕ اِنَّ اللّٰهَ لَا
يُخْلِفُ الْمِيْعَادَ ﴿٣١﴾ ع وَلَقَدِ اسْتُهْزِئَ بِرُسُلٍ مِّنْ
قَبْلِكَ فَاَمْلَيْتُ لِلَّذِيْنَ كَفَرُوْا ثُمَّ اَخَذْتُهُمْ قف فَكَيْفَ
كَانَ عِقَابِ ﴿٣٢﴾ اَفَمَنْ هُوَ قَآئِمٌ عَلٰى كُلِّ نَفْسٍ بِمَا
كَسَبَتْ ج وَجَعَلُوْا لِلّٰهِ شُرَكَآءَ ؕ قُلْ سَمُّوْهُمْ ؕ اَمْ
تُنَبِّـُٔوْنَهٗ بِمَا لَا يَعْلَمُ فِى الْاَرْضِ اَمْ بِظَاهِرٍ مِّنَ
الْقَوْلِ ؕ بَلْ زُيِّنَ لِلَّذِيْنَ كَفَرُوْا مَكْرُهُمْ وَصُدُّوْا
عَنِ السَّبِيْلِ ؕ وَمَنْ يُّضْلِلِ اللّٰهُ فَمَا لَهٗ مِنْ هَادٍ ﴿٣٣﴾

ع ٥/١٠

منزل ٣

Ikhfa اِخفا | Ikhfa Meem Saakin اِخفامیم ساکن | Qalqala قلقلہ | Qalb قلب | Idghaam اِدغام | Idghaam Meem Saakin اِدغام میم ساکن | Ghunna غُنّہ

لَهُمْ عَذَابٌ فِي الْحَيٰوةِ الدُّنْيَا وَلَعَذَابُ الْاٰخِرَةِ اَشَقُّ ۚ

وَمَا لَهُمْ مِّنَ اللّٰهِ مِنْ وَّاقٍ ﴿٣٤﴾ مَثَلُ الْجَنَّةِ الَّتِيْ

وُعِدَ الْمُتَّقُوْنَ ؕ تَجْرِيْ مِنْ تَحْتِهَا الْاَنْهٰرُ ؕ اُكُلُهَا

دَآئِمٌ وَّظِلُّهَا ؕ تِلْكَ عُقْبَى الَّذِيْنَ اتَّقَوْا ۖ وَّعُقْبَى

الْكٰفِرِيْنَ النَّارُ ﴿٣٥﴾ وَالَّذِيْنَ اٰتَيْنٰهُمُ الْكِتٰبَ يَفْرَحُوْنَ

بِمَآ اُنْزِلَ اِلَيْكَ وَمِنَ الْاَحْزَابِ مَنْ يُّنْكِرُ بَعْضَهٗ ؕ

قُلْ اِنَّمَآ اُمِرْتُ اَنْ اَعْبُدَ اللّٰهَ وَلَآ اُشْرِكَ بِهٖ ؕ

اِلَيْهِ اَدْعُوْا وَاِلَيْهِ مَاٰبِ ﴿٣٦﴾ وَكَذٰلِكَ اَنْزَلْنٰهُ

حُكْمًا عَرَبِيًّا ؕ وَلَئِنِ اتَّبَعْتَ اَهْوَآءَهُمْ بَعْدَ مَا

جَآءَكَ مِنَ الْعِلْمِ ۙ مَا لَكَ مِنَ اللّٰهِ مِنْ وَّلِيٍّ وَّلَا

وَاقٍ ﴿٣٧﴾ ع وَلَقَدْ اَرْسَلْنَا رُسُلًا مِّنْ قَبْلِكَ وَجَعَلْنَا ع ٥/٦

لَهُمْ اَزْوَاجًا وَّذُرِّيَّةً ؕ وَمَا كَانَ لِرَسُوْلٍ اَنْ

يَّاْتِيَ بِاٰيَةٍ اِلَّا بِاِذْنِ اللّٰهِ ؕ لِكُلِّ اَجَلٍ كِتَابٌ ﴿٣٨﴾

منزل ٣

يَمْحُوا اللّٰهُ مَا يَشَآءُ وَيُثْبِتُ ۚۖ وَعِنْدَهٗۤ اُمُّ
الْكِتٰبِ ﴿٣٩﴾ وَاِنْ مَّا نُرِيَنَّكَ بَعْضَ الَّذِيْ نَعِدُهُمْ
اَوْ نَتَوَفَّيَنَّكَ فَاِنَّمَا عَلَيْكَ الْبَلٰغُ وَعَلَيْنَا
الْحِسَابُ ﴿٤٠﴾ اَوَلَمْ يَرَوْا اَنَّا نَاْتِي الْاَرْضَ نَنْقُصُهَا
مِنْ اَطْرَافِهَا ؕ وَاللّٰهُ يَحْكُمُ لَا مُعَقِّبَ لِحُكْمِهٖ ؕ
وَهُوَ سَرِيْعُ الْحِسَابِ ﴿٤١﴾ وَقَدْ مَكَرَ الَّذِيْنَ مِنْ
قَبْلِهِمْ فَلِلّٰهِ الْمَكْرُ جَمِيْعًا ؕ يَعْلَمُ مَا تَكْسِبُ كُلُّ
نَفْسٍ ؕ وَسَيَعْلَمُ الْكُفّٰرُ لِمَنْ عُقْبَى الدَّارِ ﴿٤٢﴾ وَيَقُوْلُ
الَّذِيْنَ كَفَرُوْا لَسْتَ مُرْسَلًا ؕ قُلْ كَفٰى بِاللّٰهِ شَهِيْدًاۢ
بَيْنِيْ وَبَيْنَكُمْ ۙ وَمَنْ عِنْدَهٗ عِلْمُ الْكِتٰبِ ﴿٤٣﴾ ع

منزل ٣

ع ٦/١٢

اٰيَاتُهَا ٥٢ (١٤) سُوْرَةُ اِبْرٰهِيْمَ مَكِّيَّةٌ (٧٢) رُكُوْعَاتُهَا ٧

بِسْمِ اللّٰهِ الرَّحْمٰنِ الرَّحِيْمِ ○

الٓرٰ ۚ كِتٰبٌ اَنْزَلْنٰهُ اِلَيْكَ لِتُخْرِجَ النَّاسَ مِنَ الظُّلُمٰتِ ١

اِلَى النُّوْرِ ۙ بِاِذْنِ رَبِّهِمْ اِلٰى صِرَاطِ الْعَزِيْزِ
الْحَمِيْدِ ۙ﴿۱﴾ اللّٰهِ الَّذِيْ لَهٗ مَا فِي السَّمٰوٰتِ وَمَا فِي
الْاَرْضِ ؕ وَوَيْلٌ لِّلْكٰفِرِيْنَ مِنْ عَذَابٍ شَدِيْدِۣ ۙ﴿۲﴾
الَّذِيْنَ يَسْتَحِبُّوْنَ الْحَيٰوةَ الدُّنْيَا عَلَى الْاٰخِرَةِ
وَيَصُدُّوْنَ عَنْ سَبِيْلِ اللّٰهِ وَيَبْغُوْنَهَا عِوَجًا ؕ اُولٰٓئِكَ
فِيْ ضَلٰلٍۭ بَعِيْدٍ ﴿۳﴾ وَمَآ اَرْسَلْنَا مِنْ رَّسُوْلٍ اِلَّا
بِلِسَانِ قَوْمِهٖ لِيُبَيِّنَ لَهُمْ ؕ فَيُضِلُّ اللّٰهُ مَنْ يَّشَآءُ
وَيَهْدِيْ مَنْ يَّشَآءُ ؕ وَهُوَ الْعَزِيْزُ الْحَكِيْمُ ﴿۴﴾ وَلَقَدْ
اَرْسَلْنَا مُوْسٰى بِاٰيٰتِنَآ اَنْ اَخْرِجْ قَوْمَكَ مِنَ الظُّلُمٰتِ
اِلَى النُّوْرِ ۙ وَذَكِّرْهُمْ بِاَيّٰىمِ اللّٰهِ ؕ اِنَّ فِيْ ذٰلِكَ
لَاٰيٰتٍ لِّكُلِّ صَبَّارٍ شَكُوْرٍ ﴿۵﴾ وَاِذْ قَالَ مُوْسٰى لِقَوْمِهِ
اذْكُرُوْا نِعْمَةَ اللّٰهِ عَلَيْكُمْ اِذْ اَنْجٰىكُمْ مِّنْ اٰلِ
فِرْعَوْنَ يَسُوْمُوْنَكُمْ سُوْٓءَ الْعَذَابِ وَيُذَبِّحُوْنَ

اَبۡنَآءَكُمۡ وَيَسۡتَحۡيُوۡنَ نِسَآءَكُمۡ ؕ وَفِىۡ ذٰلِكُمۡ بَلَآءٌ مِّنۡ
رَّبِّكُمۡ عَظِيۡمٌ ٦ ع وَاِذۡ تَاَذَّنَ رَبُّكُمۡ لَـئِنۡ شَكَرۡتُمۡ
لَاَزِيۡدَنَّـكُمۡ وَلَـئِنۡ كَفَرۡتُمۡ اِنَّ عَذَابِىۡ لَشَدِيۡدٌ ٧ وَ
قَالَ مُوۡسٰٓى اِنۡ تَكۡفُرُوۡۤا اَنۡتُمۡ وَمَنۡ فِى الۡاَرۡضِ
جَمِيۡعًا ۙ فَاِنَّ اللّٰهَ لَـغَنِىٌّ حَمِيۡدٌ ٨ اَلَمۡ يَاۡتِكُمۡ نَبَؤُا
الَّذِيۡنَ مِنۡ قَبۡلِكُمۡ قَوۡمِ نُوۡحٍ وَّعَادٍ وَّثَمُوۡدَ ۛؕ
وَالَّذِيۡنَ مِنۡۢ بَعۡدِهِمۡ ۛؕ لَا يَعۡلَمُهُمۡ اِلَّا اللّٰهُ ؕ
جَآءَتۡهُمۡ رُسُلُهُمۡ بِالۡبَيِّنٰتِ فَرَدُّوۡۤا اَيۡدِيَهُمۡ فِىۡۤ
اَفۡوَاهِهِمۡ وَقَالُوۡۤا اِنَّا كَفَرۡنَا بِمَاۤ اُرۡسِلۡتُمۡ بِهٖ وَاِنَّا
لَفِىۡ شَكٍّ مِّمَّا تَدۡعُوۡنَنَاۤ اِلَيۡهِ مُرِيۡبٍ ٩ قَالَتۡ
رُسُلُهُمۡ اَفِى اللّٰهِ شَكٌّ فَاطِرِ السَّمٰوٰتِ وَالۡاَرۡضِ ؕ
يَدۡعُوۡكُمۡ لِيَـغۡفِرَ لَـكُمۡ مِّنۡ ذُنُوۡبِكُمۡ وَيُؤَخِّرَكُمۡ اِلٰٓى
اَجَلٍ مُّسَمًّى ؕ قَالُوۡۤا اِنۡ اَنۡتُمۡ اِلَّا بَشَرٌ مِّثۡلُنَا ؕ

ع ٢ عندالمتقدمين ١٢

الثلثة

Ikhfa اِخفا | Ikhfa Meem Saakin اِخفامیم ساکن | Qalqala قلقلہ | Qalb قلب | Idghaam اِدغام | Idghaam Meem Saakin اِدغام میم ساکن | Ghunna غُنّہ

تُرِيْدُوْنَ اَنْ تَصُدُّوْنَا عَمَّا كَانَ يَعْبُدُ اٰبَآؤُنَا
فَاْتُوْنَا بِسُلْطٰنٍ مُّبِيْنٍ ﴿١٠﴾ قَالَتْ لَهُمْ رُسُلُهُمْ اِنْ
نَّحْنُ اِلَّا بَشَرٌ مِّثْلُكُمْ وَلٰكِنَّ اللّٰهَ يَمُنُّ عَلٰى مَنْ يَّشَآءُ
مِنْ عِبَادِهٖ ؕ وَمَا كَانَ لَنَآ اَنْ نَّاْتِيَكُمْ بِسُلْطٰنٍ اِلَّا
بِاِذْنِ اللّٰهِ ؕ وَعَلَى اللّٰهِ فَلْيَتَوَكَّلِ الْمُؤْمِنُوْنَ ﴿١١﴾
وَمَا لَنَآ اَلَّا نَتَوَكَّلَ عَلَى اللّٰهِ وَقَدْ هَدٰىنَا سُبُلَنَا ؕ
وَلَنَصْبِرَنَّ عَلٰى مَآ اٰذَيْتُمُوْنَا ؕ وَعَلَى اللّٰهِ فَلْيَتَوَكَّلِ
الْمُتَوَكِّلُوْنَ ﴿١٢﴾ ع وَقَالَ الَّذِيْنَ كَفَرُوْا لِرُسُلِهِمْ ع ٢/١٤
لَنُخْرِجَنَّكُمْ مِّنْ اَرْضِنَآ اَوْ لَتَعُوْدُنَّ فِيْ مِلَّتِنَا ؕ فَاَوْحٰۤى
اِلَيْهِمْ رَبُّهُمْ لَنُهْلِكَنَّ الظّٰلِمِيْنَ ﴿١٣﴾ وَلَنُسْكِنَنَّكُمُ
الْاَرْضَ مِنْۢ بَعْدِهِمْ ؕ ذٰلِكَ لِمَنْ خَافَ مَقَامِيْ وَ
خَافَ وَعِيْدِ ﴿١٤﴾ وَاسْتَفْتَحُوْا وَخَابَ كُلُّ جَبَّارٍ
عَنِيْدٍ ﴿١٥﴾ مِّنْ وَّرَآئِهٖ جَهَنَّمُ وَيُسْقٰى مِنْ مَّآءٍ

منزل ٣

Ikhfa اِخفا · Ikhfa Meem Saakin اِخفامیم ساکن · Qalqala قلقلہ · Qalb قلب · Idghaam اِدغام · Idghaam Meem Saakin اِدغام میم ساکن · Ghunna غُنّہ

صَدِيْدٍ ﴿١٦﴾ يَّتَجَرَّعُهٗ وَلَا يَكَادُ يُسِيْغُهٗ وَيَاْتِيْهِ

الْمَوْتُ مِنْ كُلِّ مَكَانٍ وَّمَا هُوَ بِمَيِّتٍ ؕ وَمِنْ

وَّرَآئِهٖ عَذَابٌ غَلِيْظٌ ﴿١٧﴾ مَثَلُ الَّذِيْنَ كَفَرُوْا

بِرَبِّهِمْ اَعْمَالُهُمْ كَرَمَادِ ۣاشْتَدَّتْ بِهِ الرِّيْحُ فِيْ

يَوْمٍ عَاصِفٍ ؕ لَا يَقْدِرُوْنَ مِمَّا كَسَبُوْا عَلٰى شَيْءٍ ؕ

ذٰلِكَ هُوَ الضَّلٰلُ الْبَعِيْدُ ﴿١٨﴾ اَلَمْ تَرَ اَنَّ اللّٰهَ خَلَقَ

السَّمٰوٰتِ وَالْاَرْضَ بِالْحَقِّ ؕ اِنْ يَّشَاْ يُذْهِبْكُمْ وَ

يَاْتِ بِخَلْقٍ جَدِيْدٍ ﴿١٩﴾ وَّمَا ذٰلِكَ عَلَى اللّٰهِ

بِعَزِيْزٍ ﴿٢٠﴾ وَبَرَزُوْا لِلّٰهِ جَمِيْعًا فَقَالَ الضُّعَفٰٓؤُا لِلَّذِيْنَ

اسْتَكْبَرُوْٓا اِنَّا كُنَّا لَكُمْ تَبَعًا فَهَلْ اَنْتُمْ مُّغْنُوْنَ

عَنَّا مِنْ عَذَابِ اللّٰهِ مِنْ شَيْءٍ ؕ قَالُوْا لَوْ هَدٰىنَا

اللّٰهُ لَهَدَيْنٰكُمْ ؕ سَوَآءٌ عَلَيْنَآ اَجَزِعْنَآ اَمْ صَبَرْنَا مَا

لَنَا مِنْ مَّحِيْصٍ ﴿٢١﴾ ع وَقَالَ الشَّيْطٰنُ لَمَّا قُضِيَ

منزل ٣

ع ٣ ٩ ١٥

Ikhfa اِخفا | Ikhfa Meem Saakin اِخفامیم ساکن | Qalqala قلقلہ | Qalb قلب | Idghaam اِدغام | Idghaam Meem Saakin اِدغام میم ساکن | Ghunna غُنّہ

الْاَمْرُ اِنَّ اللّٰهَ وَعَدَكُمْ وَعْدَ الْحَقِّ وَوَعَدْتُّكُمْ

فَاَخْلَفْتُكُمْ ؕ وَمَا كَانَ لِیَ عَلَیْكُمْ مِّنْ سُلْطٰنٍ اِلَّاۤ

اَنْ دَعَوْتُكُمْ فَاسْتَجَبْتُمْ لِیْ ۚ فَلَا تَلُوْمُوْنِیْ وَ لُوْمُوْۤا

اَنْفُسَكُمْ ؕ مَاۤ اَنَا بِمُصْرِخِكُمْ وَمَاۤ اَنْتُمْ بِمُصْرِخِیَّ ؕ اِنِّیْ

كَفَرْتُ بِمَاۤ اَشْرَكْتُمُوْنِ مِنْ قَبْلُ ؕ اِنَّ الظّٰلِمِیْنَ

لَهُمْ عَذَابٌ اَلِیْمٌ ﴿٢٢﴾ وَاُدْخِلَ الَّذِیْنَ اٰمَنُوْا وَعَمِلُوا

الصّٰلِحٰتِ جَنّٰتٍ تَجْرِیْ مِنْ تَحْتِهَا الْاَنْهٰرُ خٰلِدِیْنَ

فِیْهَا بِاِذْنِ رَبِّهِمْ ؕ تَحِیَّتُهُمْ فِیْهَا سَلٰمٌ ﴿٢٣﴾ اَلَمْ تَرَ

كَیْفَ ضَرَبَ اللّٰهُ مَثَلًا كَلِمَةً طَیِّبَةً كَشَجَرَةٍ

طَیِّبَةٍ اَصْلُهَا ثَابِتٌ وَّ فَرْعُهَا فِی السَّمَآءِ ۙ﴿٢٤﴾

تُؤْتِیْۤ اُكُلَهَا كُلَّ حِیْنٍۭ بِاِذْنِ رَبِّهَا ؕ وَیَضْرِبُ اللّٰهُ

الْاَمْثَالَ لِلنَّاسِ لَعَلَّهُمْ یَتَذَكَّرُوْنَ ﴿٢٥﴾ وَمَثَلُ

كَلِمَةٍ خَبِیْثَةٍ كَشَجَرَةٍ خَبِیْثَةِ ۨاجْتُثَّتْ مِنْ

منزل ٣

فَوْقِ الْاَرْضِ مَا لَهَا مِنْ قَرَارٍ ﴿٢٦﴾ يُثَبِّتُ اللّٰهُ
الَّذِيْنَ اٰمَنُوْا بِالْقَوْلِ الثَّابِتِ فِي الْحَيٰوةِ الدُّنْيَا وَفِي
الْاٰخِرَةِ ۚ وَيُضِلُّ اللّٰهُ الظّٰلِمِيْنَ ۙ وَيَفْعَلُ اللّٰهُ مَا
يَشَآءُ ﴿٢٧﴾ اَلَمْ تَرَ اِلَى الَّذِيْنَ بَدَّلُوْا نِعْمَتَ اللّٰهِ كُفْرًا
وَّاَحَلُّوْا قَوْمَهُمْ دَارَ الْبَوَارِ ﴿٢٨﴾ جَهَنَّمَ ۚ يَصْلَوْنَهَا ۖ
وَبِئْسَ الْقَرَارُ ﴿٢٩﴾ وَجَعَلُوْا لِلّٰهِ اَنْدَادًا لِّيُضِلُّوْا عَنْ
سَبِيْلِهٖ ۖ قُلْ تَمَتَّعُوْا فَاِنَّ مَصِيْرَكُمْ اِلَى النَّارِ ﴿٣٠﴾ قُلْ
لِّعِبَادِيَ الَّذِيْنَ اٰمَنُوْا يُقِيْمُوا الصَّلٰوةَ وَيُنْفِقُوْا
مِمَّا رَزَقْنٰهُمْ سِرًّا وَّعَلَانِيَةً مِّنْ قَبْلِ اَنْ يَّاْتِيَ
يَوْمٌ لَّا بَيْعٌ فِيْهِ وَلَا خِلٰلٌ ﴿٣١﴾ اَللّٰهُ الَّذِيْ خَلَقَ
السَّمٰوٰتِ وَالْاَرْضَ وَاَنْزَلَ مِنَ السَّمَآءِ مَآءً فَاَخْرَجَ
بِهٖ مِنَ الثَّمَرٰتِ رِزْقًا لَّكُمْ ۚ وَسَخَّرَ لَكُمُ الْفُلْكَ
لِتَجْرِيَ فِي الْبَحْرِ بِاَمْرِهٖ ۚ وَسَخَّرَ لَكُمُ الْاَنْهٰرَ ﴿٣٢﴾

ع ٤

منزل ٣

وَسَخَّرَ لَكُمُ الشَّمْسَ وَالْقَمَرَ دَآئِبَيْنِ ۚ وَسَخَّرَ لَكُمُ
الَّيْلَ وَالنَّهَارَ ۚ ﴿٣٣﴾ وَاٰتٰىكُمْ مِّنْ كُلِّ مَا سَاَلْتُمُوْهُ ؕ وَاِنْ
تَعُدُّوْا نِعْمَتَ اللّٰهِ لَا تُحْصُوْهَا ؕ اِنَّ الْاِنْسَانَ لَظَلُوْمٌ
كَفَّارٌ ﴿٣٤﴾ ع وَاِذْ قَالَ اِبْرٰهِيْمُ رَبِّ اجْعَلْ هٰذَا الْبَلَدَ ع ١٧ ٥
اٰمِنًا وَّاجْنُبْنِيْ وَبَنِيَّ اَنْ نَّعْبُدَ الْاَصْنَامَ ؕ ﴿٣٥﴾ رَبِّ
اِنَّهُنَّ اَضْلَلْنَ كَثِيْرًا مِّنَ النَّاسِ ۚ فَمَنْ تَبِعَنِيْ
فَاِنَّهٗ مِنِّيْ ۚ وَمَنْ عَصَانِيْ فَاِنَّكَ غَفُوْرٌ رَّحِيْمٌ ﴿٣٦﴾ منزل ٣
رَبَّنَآ اِنِّيْۤ اَسْكَنْتُ مِنْ ذُرِّيَّتِيْ بِوَادٍ غَيْرِ ذِيْ
زَرْعٍ عِنْدَ بَيْتِكَ الْمُحَرَّمِ ۙ رَبَّنَا لِيُقِيْمُوا الصَّلٰوةَ
فَاجْعَلْ اَفْئِدَةً مِّنَ النَّاسِ تَهْوِيْۤ اِلَيْهِمْ وَارْزُقْهُمْ
مِّنَ الثَّمَرٰتِ لَعَلَّهُمْ يَشْكُرُوْنَ ﴿٣٧﴾ رَبَّنَآ اِنَّكَ تَعْلَمُ مَا
نُخْفِيْ وَمَا نُعْلِنُ ؕ وَمَا يَخْفٰى عَلَى اللّٰهِ مِنْ شَيْءٍ
فِي الْاَرْضِ وَلَا فِي السَّمَآءِ ﴿٣٨﴾ اَلْحَمْدُ لِلّٰهِ الَّذِيْ

وَهَبَ لِیْ عَلَی الْکِبَرِ اِسْمٰعِیْلَ وَاِسْحٰقَ ؕ اِنَّ رَبِّیْ
لَسَمِیْعُ الدُّعَآءِ ﴿۳۹﴾ رَبِّ اجْعَلْنِیْ مُقِیْمَ الصَّلٰوۃِ وَمِنْ
ذُرِّیَّتِیْ ۖۗ رَبَّنَا وَتَقَبَّلْ دُعَآءِ ﴿۴۰﴾ رَبَّنَا اغْفِرْ لِیْ وَ
ع ٦ ٧ ١٨ لِوَالِدَیَّ وَلِلْمُؤْمِنِیْنَ یَوْمَ یَقُوْمُ الْحِسَابُ ﴿۴۱﴾ ع وَلَا
تَحْسَبَنَّ اللّٰهَ غَافِلًا عَمَّا یَعْمَلُ الظّٰلِمُوْنَ ۬ؕ اِنَّمَا
یُؤَخِّرُهُمْ لِیَوْمٍ تَشْخَصُ فِیْهِ الْاَبْصَارُ ﴿۴۲﴾ لا مُهْطِعِیْنَ
مُقْنِعِیْ رُءُوْسِهِمْ لَا یَرْتَدُّ اِلَیْهِمْ طَرْفُهُمْ ۚ وَ منزل ٣
اَفْـِٕدَتُهُمْ هَوَآءٌ ﴿۴۳﴾ ؕ وَاَنْذِرِ النَّاسَ یَوْمَ یَاْتِیْهِمُ
الْعَذَابُ فَیَقُوْلُ الَّذِیْنَ ظَلَمُوْا رَبَّنَآ اَخِّرْنَآ اِلٰۤی اَجَلٍ
قَرِیْبٍ ۙ نُّجِبْ دَعْوَتَکَ وَنَتَّبِعِ الرُّسُلَ ؕ اَوَلَمْ تَکُوْنُوْۤا
اَقْسَمْتُمْ مِّنْ قَبْلُ مَا لَکُمْ مِّنْ زَوَالٍ ﴿۴۴﴾ لا وَّسَکَنْتُمْ فِیْ
مَسٰکِنِ الَّذِیْنَ ظَلَمُوْۤا اَنْفُسَهُمْ وَتَبَیَّنَ لَکُمْ کَیْفَ
فَعَلْنَا بِهِمْ وَضَرَبْنَا لَکُمُ الْاَمْثَالَ ﴿۴۵﴾ وَقَدْ مَکَرُوْا

Ikhfa إخفا | Ikhfa Meem Saakin إخفاميم ساكن | Qalqala قلقله | Qalb قلب | Idghaam إدغام | Idghaam Meem Saakin إدغام ميم ساكن | Ghunna غنّہ

مَكْرَهُمْ وَعِنْدَ اللّٰهِ مَكْرُهُمْ ؕ وَاِنْ كَانَ مَكْرُهُمْ
لِتَزُوْلَ مِنْهُ الْجِبَالُ ﴿۴۶﴾ فَلَا تَحْسَبَنَّ اللّٰهَ مُخْلِفَ
وَعْدِهٖ رُسُلَهٗ ؕ اِنَّ اللّٰهَ عَزِيْزٌ ذُو انْتِقَامٍ ﴿۴۷﴾ؕ يَوْمَ
تُبَدَّلُ الْاَرْضُ غَيْرَ الْاَرْضِ وَالسَّمٰوٰتُ وَبَرَزُوْا
لِلّٰهِ الْوَاحِدِ الْقَهَّارِ ﴿۴۸﴾ وَتَرَى الْمُجْرِمِيْنَ يَوْمَئِذٍ
مُّقَرَّنِيْنَ فِي الْاَصْفَادِ ﴿۴۹﴾ۚ سَرَابِيْلُهُمْ مِّنْ قَطِرَانٍ
وَّتَغْشٰى وُجُوْهَهُمُ النَّارُ ﴿۵۰﴾ۙ لِيَجْزِيَ اللّٰهُ كُلَّ
نَفْسٍ مَّا كَسَبَتْ ؕ اِنَّ اللّٰهَ سَرِيْعُ الْحِسَابِ ﴿۵۱﴾
هٰذَا بَلٰغٌ لِّلنَّاسِ وَلِيُنْذَرُوْا بِهٖ وَلِيَعْلَمُوْۤا اَنَّمَا
هُوَ اِلٰهٌ وَّاحِدٌ وَّلِيَذَّكَّرَ اُولُوا الْاَلْبَابِ ﴿۵۲﴾ ع

اٰيَاتُهَا ٩٩ (١٥) سُوْرَةُ الْحِجْرِ مَكِّيَّةٌ (٥٤) رُكُوْعَاتُهَا ٦

بِسْمِ اللّٰهِ الرَّحْمٰنِ الرَّحِيْمِ

الٓرٰ قف تِلْكَ اٰيٰتُ الْكِتٰبِ وَقُرْاٰنٍ مُّبِيْنٍ ﴿۱﴾

منزل ٣

ع ١١ / ١٩

Ikhfa إخفا | Ikhfa Meem Saakin إخفاميم ساكن | Qalqala قلقله | Qalb قلب | Idghaam ادغام | Idghaam Meem Saakin ادغام میم ساکن | Ghunna غُنّہ

رُبَمَا يَوَدُّ الَّذِيۡنَ كَفَرُوۡا لَوۡ كَانُوۡا مُسۡلِمِيۡنَ ﴿۲﴾
ذَرۡهُمۡ يَاۡكُلُوۡا وَيَتَمَتَّعُوۡا وَيُلۡهِهِمُ الۡاَمَلُ فَسَوۡفَ
يَعۡلَمُوۡنَ ﴿۳﴾ وَمَاۤ اَهۡلَكۡنَا مِنۡ قَرۡيَةٍ اِلَّا وَلَهَا
كِتَابٌ مَّعۡلُوۡمٌ ﴿۴﴾ مَا تَسۡبِقُ مِنۡ اُمَّةٍ اَجَلَهَا وَمَا
يَسۡتَاۡخِرُوۡنَ ﴿۵﴾ وَقَالُوۡا يٰۤاَيُّهَا الَّذِىۡ نُزِّلَ عَلَيۡهِ
الذِّكۡرُ اِنَّكَ لَمَجۡنُوۡنٌ ﴿ؕ۶﴾ لَوۡ مَا تَاۡتِيۡنَا بِالۡمَلٰۤـئِكَةِ
اِنۡ كُنۡتَ مِنَ الصّٰدِقِيۡنَ ﴿۷﴾ مَا نُنَزِّلُ الۡمَلٰۤـئِكَةَ
اِلَّا بِالۡحَقِّ وَمَا كَانُوۡۤا اِذًا مُّنۡظَرِيۡنَ ﴿۸﴾ اِنَّا نَحۡنُ
نَزَّلۡنَا الذِّكۡرَ وَاِنَّا لَهٗ لَحٰـفِظُوۡنَ ﴿۹﴾ وَلَقَدۡ اَرۡسَلۡنَا
مِنۡ قَبۡلِكَ فِىۡ شِيَعِ الۡاَوَّلِيۡنَ ﴿۱۰﴾ وَمَا يَاۡتِيۡهِمۡ مِّنۡ
رَّسُوۡلٍ اِلَّا كَانُوۡا بِهٖ يَسۡتَهۡزِءُوۡنَ ﴿۱۱﴾ كَذٰلِكَ نَسۡلُكُهٗ
فِىۡ قُلُوۡبِ الۡمُجۡرِمِيۡنَ ﴿ۙ۱۲﴾ لَا يُؤۡمِنُوۡنَ بِهٖ وَقَدۡ خَلَتۡ
سُنَّةُ الۡاَوَّلِيۡنَ ﴿۱۳﴾ وَلَوۡ فَتَحۡنَا عَلَيۡهِمۡ بَابًا مِّنَ السَّمَآءِ

فَظَلُّوْا فِيْهِ يَعْرُجُوْنَ ﴿١٤﴾ لَقَالُوْٓا اِنَّمَا سُكِّرَتْ
اَبْصَارُنَا بَلْ نَحْنُ قَوْمٌ مَّسْحُوْرُوْنَ ﴿١٥﴾ ع وَلَقَدْ ع ١٥
جَعَلْنَا فِي السَّمَآءِ بُرُوْجًا وَّزَيَّنّٰهَا لِلنّٰظِرِيْنَ ﴿١٦﴾ وَ
حَفِظْنٰهَا مِنْ كُلِّ شَيْطٰنٍ رَّجِيْمٍ ﴿١٧﴾ اِلَّا مَنِ اسْتَرَقَ
السَّمْعَ فَاَتْبَعَهٗ شِهَابٌ مُّبِيْنٌ ﴿١٨﴾ وَالْاَرْضَ مَدَدْنٰهَا
وَاَلْقَيْنَا فِيْهَا رَوَاسِيَ وَاَنْۢبَتْنَا فِيْهَا مِنْ كُلِّ شَيْءٍ
منزل ٣ مَّوْزُوْنٍ ﴿١٩﴾ وَجَعَلْنَا لَكُمْ فِيْهَا مَعَايِشَ وَمَنْ
لَّسْتُمْ لَهٗ بِرٰزِقِيْنَ ﴿٢٠﴾ وَاِنْ مِّنْ شَيْءٍ اِلَّا عِنْدَنَا
خَزَآئِنُهٗ ز وَمَا نُنَزِّلُهٗٓ اِلَّا بِقَدَرٍ مَّعْلُوْمٍ ﴿٢١﴾ وَاَرْسَلْنَا
الرِّيٰحَ لَوَاقِحَ فَاَنْزَلْنَا مِنَ السَّمَآءِ مَآءً فَاَسْقَيْنٰكُمُوْهُ ج
وَمَآ اَنْتُمْ لَهٗ بِخٰزِنِيْنَ ﴿٢٢﴾ وَاِنَّا لَنَحْنُ نُحْيٖ وَ
نُمِيْتُ وَنَحْنُ الْوٰرِثُوْنَ ﴿٢٣﴾ وَلَقَدْ عَلِمْنَا
الْمُسْتَقْدِمِيْنَ مِنْكُمْ وَلَقَدْ عَلِمْنَا الْمُسْتَاْخِرِيْنَ ﴿٢٤﴾

Ikhfa إخفا | Ikhfa Meem Saakin إخفاميم ساكن | Qalqala قلقله | Qalb قلب | Idghaam إدغام | Idghaam Meem Saakin إدغام ميم ساكن | Ghunna غنّه

ع ١٠ ٢ ٢

وَاِنَّ رَبَّكَ هُوَ يَحْشُرُهُمْ ؕ اِنَّهٗ حَكِيْمٌ عَلِيْمٌ ﴿٢٥﴾ ع وَلَقَدْ
خَلَقْنَا الْاِنْسَانَ مِنْ صَلْصَالٍ مِّنْ حَمَاٍ مَّسْنُوْنٍ ﴿٢٦﴾ ج
وَالْجَآنَّ خَلَقْنٰهُ مِنْ قَبْلُ مِنْ نَّارِ السَّمُوْمِ ﴿٢٧﴾ وَاِذْ
قَالَ رَبُّكَ لِلْمَلٰٓئِكَةِ اِنِّيْ خَالِقٌۢ بَشَرًا مِّنْ
صَلْصَالٍ مِّنْ حَمَاٍ مَّسْنُوْنٍ ﴿٢٨﴾ فَاِذَا سَوَّيْتُهٗ وَنَفَخْتُ
فِيْهِ مِنْ رُّوْحِيْ فَقَعُوْا لَهٗ سٰجِدِيْنَ ﴿٢٩﴾ فَسَجَدَ الْمَلٰٓئِكَةُ
كُلُّهُمْ اَجْمَعُوْنَ ﴿٣٠﴾ لا اِلَّاۤ اِبْلِيْسَ ؕ اَبٰۤى اَنْ يَّكُوْنَ مَعَ
السّٰجِدِيْنَ ﴿٣١﴾ قَالَ يٰۤاِبْلِيْسُ مَا لَكَ اَلَّا تَكُوْنَ مَعَ
السّٰجِدِيْنَ ﴿٣٢﴾ قَالَ لَمْ اَكُنْ لِّاَسْجُدَ لِبَشَرٍ خَلَقْتَهٗ
مِنْ صَلْصَالٍ مِّنْ حَمَاٍ مَّسْنُوْنٍ ﴿٣٣﴾ قَالَ فَاخْرُجْ مِنْهَا
فَاِنَّكَ رَجِيْمٌ ﴿٣٤﴾ لا وَّاِنَّ عَلَيْكَ اللَّعْنَةَ اِلٰى يَوْمِ
الدِّيْنِ ﴿٣٥﴾ قَالَ رَبِّ فَاَنْظِرْنِيْۤ اِلٰى يَوْمِ يُبْعَثُوْنَ ﴿٣٦﴾
قَالَ فَاِنَّكَ مِنَ الْمُنْظَرِيْنَ ﴿٣٧﴾ لا اِلٰى يَوْمِ الْوَقْتِ

منزل ٣

الْمَعْلُوْمِ ﴿٣٨﴾ قَالَ رَبِّ بِمَاۤ اَغْوَيْتَنِیْ لَاُزَیِّنَنَّ لَهُمْ
فِی الْاَرْضِ وَ لَاُغْوِیَنَّهُمْ اَجْمَعِیْنَ ﴿٣٩﴾ لا اِلَّا عِبَادَكَ
مِنْهُمُ الْمُخْلَصِیْنَ ﴿٤٠﴾ قَالَ هٰذَا صِرَاطٌ عَلَیَّ مُسْتَقِیْمٌ ﴿٤١﴾
اِنَّ عِبَادِیْ لَیْسَ لَكَ عَلَیْهِمْ سُلْطٰنٌ اِلَّا مَنِ
اتَّبَعَكَ مِنَ الْغٰوِیْنَ ﴿٤٢﴾ وَ اِنَّ جَهَنَّمَ لَمَوْعِدُهُمْ
اَجْمَعِیْنَ ﴿٤٣﴾ قف لَهَا سَبْعَةُ اَبْوَابٍ ط لِكُلِّ بَابٍ مِّنْهُمْ
جُزْءٌ مَّقْسُوْمٌ ﴿٤٤﴾ ع اِنَّ الْمُتَّقِیْنَ فِیْ جَنّٰتٍ وَّ عُیُوْنٍ ﴿٤٥﴾ ط ع ١٩ ٣
اُدْخُلُوْهَا بِسَلٰمٍ اٰمِنِیْنَ ﴿٤٦﴾ وَ نَزَعْنَا مَا فِیْ صُدُوْرِهِمْ
مِّنْ غِلٍّ اِخْوَانًا عَلٰی سُرُرٍ مُّتَقٰبِلِیْنَ ﴿٤٧﴾ لَا یَمَسُّهُمْ
فِیْهَا نَصَبٌ وَّ مَا هُمْ مِّنْهَا بِمُخْرَجِیْنَ ﴿٤٨﴾ نَبِّئْ عِبَادِیْۤ
اَنِّیْۤ اَنَا الْغَفُوْرُ الرَّحِیْمُ ﴿٤٩﴾ لا وَ اَنَّ عَذَابِیْ هُوَ الْعَذَابُ
الْاَلِیْمُ ﴿٥٠﴾ وَ نَبِّئْهُمْ عَنْ ضَیْفِ اِبْرٰهِیْمَ ﴿٥١﴾ م اِذْ دَخَلُوْا وقف لازم
عَلَیْهِ فَقَالُوْا سَلٰمًا ط قَالَ اِنَّا مِنْكُمْ وَجِلُوْنَ ﴿٥٢﴾ قَالُوْا

منزل ٣

لَا تَوْجَلْ اِنَّا نُبَشِّرُكَ بِغُلٰمٍ عَلِيْمٍ ﴿٥٣﴾ قَالَ اَبَشَّرْتُمُوْنِيْ
عَلٰٓى اَنْ مَّسَّنِيَ الْكِبَرُ فَبِمَ تُبَشِّرُوْنَ ﴿٥٤﴾ قَالُوْا
بَشَّرْنٰكَ بِالْحَقِّ فَلَا تَكُنْ مِّنَ الْقٰنِطِيْنَ ﴿٥٥﴾ قَالَ وَمَنْ
يَّقْنَطُ مِنْ رَّحْمَةِ رَبِّهٖٓ اِلَّا الضَّآلُّوْنَ ﴿٥٦﴾ قَالَ فَمَا
خَطْبُكُمْ اَيُّهَا الْمُرْسَلُوْنَ ﴿٥٧﴾ قَالُوْٓا اِنَّآ اُرْسِلْنَآ
اِلٰى قَوْمٍ مُّجْرِمِيْنَ ﴿٥٨﴾ اِلَّآ اٰلَ لُوْطٍ ؕ اِنَّا لَمُنَجُّوْهُمْ
اَجْمَعِيْنَ ﴿٥٩﴾ اِلَّا امْرَاَتَهٗ قَدَّرْنَآ ۙ اِنَّهَا لَمِنَ الْغٰبِرِيْنَ ﴿٦٠﴾
فَلَمَّا جَآءَ اٰلَ لُوْطِ ِۨ الْمُرْسَلُوْنَ ﴿٦١﴾ قَالَ اِنَّكُمْ قَوْمٌ
مُّنْكَرُوْنَ ﴿٦٢﴾ قَالُوْا بَلْ جِئْنٰكَ بِمَا كَانُوْا فِيْهِ
يَمْتَرُوْنَ ﴿٦٣﴾ وَاَتَيْنٰكَ بِالْحَقِّ وَاِنَّا لَصٰدِقُوْنَ ﴿٦٤﴾
فَاَسْرِ بِاَهْلِكَ بِقِطْعٍ مِّنَ الَّيْلِ وَاتَّبِعْ اَدْبَارَهُمْ وَلَا
يَلْتَفِتْ مِنْكُمْ اَحَدٌ وَّامْضُوْا حَيْثُ تُؤْمَرُوْنَ ﴿٦٥﴾
وَقَضَيْنَآ اِلَيْهِ ذٰلِكَ الْاَمْرَ اَنَّ دَابِرَ هٰٓؤُلَآءِ

منزل ٣ ع ٢

Ikhfa اِخفا | Ikhfa Meem Saakin اِخفامیم ساکن | Qalqala قلقلہ | Qalb قلب | Idghaam اِدغام | Idghaam Meem Saakin اِدغام میم ساکن | Ghunna غُنّہ

مَقْطُوْعٌ مُّصْبِحِيْنَ ﴿٦٦﴾ وَجَآءَ اَهْلُ الْمَدِيْنَةِ
يَسْتَبْشِرُوْنَ ﴿٦٧﴾ قَالَ اِنَّ هٰٓؤُلَآءِ ضَيْفِيْ فَلَا تَفْضَحُوْنِ ﴿٦٨﴾ لا
وَاتَّقُوا اللّٰهَ وَلَا تُخْزُوْنِ ﴿٦٩﴾ قَالُوْٓا اَوَلَمْ نَنْهَكَ
عَنِ الْعٰلَمِيْنَ ﴿٧٠﴾ قَالَ هٰٓؤُلَآءِ بَنٰتِيْٓ اِنْ كُنْتُمْ
فٰعِلِيْنَ ﴿٧١﴾ ط لَعَمْرُكَ اِنَّهُمْ لَفِيْ سَكْرَتِهِمْ يَعْمَهُوْنَ ﴿٧٢﴾
فَاَخَذَتْهُمُ الصَّيْحَةُ مُشْرِقِيْنَ ﴿٧٣﴾ لا فَجَعَلْنَا عَالِيَهَا
سَافِلَهَا وَاَمْطَرْنَا عَلَيْهِمْ حِجَارَةً مِّنْ سِجِّيْلٍ ﴿٧٤﴾ ط
اِنَّ فِيْ ذٰلِكَ لَاٰيٰتٍ لِّلْمُتَوَسِّمِيْنَ ﴿٧٥﴾ وَاِنَّهَا
لَبِسَبِيْلٍ مُّقِيْمٍ ﴿٧٦﴾ اِنَّ فِيْ ذٰلِكَ لَاٰيَةً لِّلْمُؤْمِنِيْنَ ﴿٧٧﴾ ط
وَاِنْ كَانَ اَصْحٰبُ الْاَيْكَةِ لَظٰلِمِيْنَ ﴿٧٨﴾ لا فَانْتَقَمْنَا
مِنْهُمْ م وَاِنَّهُمَا لَبِاِمَامٍ مُّبِيْنٍ ﴿٧٩﴾ ط ع وَلَقَدْ كَذَّبَ
اَصْحٰبُ الْحِجْرِ الْمُرْسَلِيْنَ ﴿٨٠﴾ لا وَاٰتَيْنٰهُمْ اٰيٰتِنَا
فَكَانُوْا عَنْهَا مُعْرِضِيْنَ ﴿٨١﴾ وَكَانُوْا يَنْحِتُوْنَ

منزل ٣

وقف لازم ع ٥ ١٩ ٥

Ikhfa إخفا | Ikhfa Meem Saakin إخفاميم ساكن | Qalqala قلقله | Qalb قلب | Idghaam إدغام | Idghaam Meem Saakin إدغام ميم ساكن | Ghunna غُنّه

مِنَ الْجِبَالِ بُيُوْتًا اٰمِنِيْنَ ﴿٨٢﴾ فَاَخَذَتْهُمُ الصَّيْحَةُ

مُصْبِحِيْنَ ﴿٨٣﴾ لا فَمَآ اَغْنٰى عَنْهُمْ مَّا كَانُوْا يَكْسِبُوْنَ ﴿٨٤﴾ ط

وَمَا خَلَقْنَا السَّمٰوٰتِ وَالْاَرْضَ وَمَا بَيْنَهُمَآ اِلَّا

بِالْحَقِّ ط وَاِنَّ السَّاعَةَ لَاٰتِيَةٌ فَاصْفَحِ الصَّفْحَ

الْجَمِيْلَ ﴿٨٥﴾ اِنَّ رَبَّكَ هُوَ الْخَلّٰقُ الْعَلِيْمُ ﴿٨٦﴾ وَلَقَدْ

اٰتَيْنٰكَ سَبْعًا مِّنَ الْمَثَانِيْ وَالْقُرْاٰنَ الْعَظِيْمَ ﴿٨٧﴾

لَا تَمُدَّنَّ عَيْنَيْكَ اِلٰى مَا مَتَّعْنَا بِهٖٓ اَزْوَاجًا مِّنْهُمْ

وَلَا تَحْزَنْ عَلَيْهِمْ وَاخْفِضْ جَنَاحَكَ لِلْمُؤْمِنِيْنَ ﴿٨٨﴾

وَقُلْ اِنِّيْٓ اَنَا النَّذِيْرُ الْمُبِيْنُ ﴿٨٩﴾ ج كَمَآ اَنْزَلْنَا

عَلَى الْمُقْتَسِمِيْنَ ﴿٩٠﴾ لا الَّذِيْنَ جَعَلُوا الْقُرْاٰنَ عِضِيْنَ ﴿٩١﴾

فَوَرَبِّكَ لَنَسْـَٔلَنَّهُمْ اَجْمَعِيْنَ ﴿٩٢﴾ لا عَمَّا كَانُوْا

يَعْمَلُوْنَ ﴿٩٣﴾ فَاصْدَعْ بِمَا تُؤْمَرُ وَاَعْرِضْ عَنِ

الْمُشْرِكِيْنَ ﴿٩٤﴾ اِنَّا كَفَيْنٰكَ الْمُسْتَهْزِءِيْنَ ﴿٩٥﴾ لا

منزل ٣

الربع

Ikhfa إخفا | Ikhfa Meem Saakin إخفاميم ساكن | Qalqala قلقله | Qalb قلب | Idghaam إدغام | Idghaam Meem Saakin إدغام ميم ساكن | Ghunna غُنّہ

الَّذِيْنَ يَجْعَلُوْنَ مَعَ اللّٰهِ اِلٰهًا اٰخَرَ ۚ فَسَوْفَ يَعْلَمُوْنَ ﴿٩٦﴾
وَلَقَدْ نَعْلَمُ اَنَّكَ يَضِيْقُ صَدْرُكَ بِمَا يَقُوْلُوْنَ ﴿٩٧﴾ ۙ
فَسَبِّحْ بِحَمْدِ رَبِّكَ وَكُنْ مِّنَ السّٰجِدِيْنَ ﴿٩٨﴾ ۙ وَاعْبُدْ
رَبَّكَ حَتّٰى يَاْتِيَكَ الْيَقِيْنُ ﴿٩٩﴾ ع

رکوع ٦

اٰيَاتُهَا ١٢٨ (١٦) سُوْرَةُ النَّحْلِ مَكِّيَّةٌ (٧٠) رُكُوْعَاتُهَا ١٦

بِسْمِ اللّٰهِ الرَّحْمٰنِ الرَّحِيْمِ ○

اَتٰۤى اَمْرُ اللّٰهِ فَلَا تَسْتَعْجِلُوْهُ ؕ سُبْحٰنَهٗ وَتَعٰلٰى
عَمَّا يُشْرِكُوْنَ ﴿١﴾ يُنَزِّلُ الْمَلٰٓئِكَةَ بِالرُّوْحِ مِنْ
اَمْرِهٖ عَلٰى مَنْ يَّشَآءُ مِنْ عِبَادِهٖۤ اَنْ اَنْذِرُوْۤا
اَنَّهٗ لَاۤ اِلٰهَ اِلَّاۤ اَنَا فَاتَّقُوْنِ ﴿٢﴾ خَلَقَ السَّمٰوٰتِ
وَالْاَرْضَ بِالْحَقِّ ؕ تَعٰلٰى عَمَّا يُشْرِكُوْنَ ﴿٣﴾ خَلَقَ
الْاِنْسَانَ مِنْ نُّطْفَةٍ فَاِذَا هُوَ خَصِيْمٌ مُّبِيْنٌ ﴿٤﴾
وَالْاَنْعَامَ خَلَقَهَا ۚ لَكُمْ فِيْهَا دِفْءٌ وَّمَنَافِعُ

منزل ٣

Ikhfa إخفا | Ikhfa Meem Saakin إخفاميم ساكن | Qalqala قلقله | Qalb قلب | Idghaam إدغام | Idghaam Meem Saakin إدغام میم ساکن | Ghunna غُنّه

وَمِنْهَا تَاْكُلُوْنَ ﴿۵﴾ وَلَكُمْ فِيْهَا جَمَالٌ حِيْنَ تُرِيْحُوْنَ

وَحِيْنَ تَسْرَحُوْنَ ﴿۶﴾ وَتَحْمِلُ اَثْقَالَكُمْ اِلٰى بَلَدٍ

لَّمْ تَكُوْنُوْا بٰلِغِيْهِ اِلَّا بِشِقِّ الْاَنْفُسِ ؕ اِنَّ رَبَّكُمْ

لَرَءُوْفٌ رَّحِيْمٌ ﴿۷﴾ وَّالْخَيْلَ وَالْبِغَالَ وَالْحَمِيْرَ

لِتَرْكَبُوْهَا وَزِيْنَةً ؕ وَيَخْلُقُ مَا لَا تَعْلَمُوْنَ ﴿۸﴾ وَعَلَى

اللّٰهِ قَصْدُ السَّبِيْلِ وَمِنْهَا جَآئِرٌ ؕ وَلَوْ شَآءَ

لَهَدٰىكُمْ اَجْمَعِيْنَ ﴿۹﴾ هُوَ الَّذِيْٓ اَنْزَلَ مِنَ السَّمَآءِ ع ٩/٧ — منزل ٣

مَآءً لَّكُمْ مِّنْهُ شَرَابٌ وَّمِنْهُ شَجَرٌ فِيْهِ تُسِيْمُوْنَ ﴿۱۰﴾

يُنْۢبِتُ لَكُمْ بِهِ الزَّرْعَ وَالزَّيْتُوْنَ وَالنَّخِيْلَ وَ

الْاَعْنَابَ وَمِنْ كُلِّ الثَّمَرٰتِ ؕ اِنَّ فِيْ ذٰلِكَ لَاٰيَةً

لِّقَوْمٍ يَّتَفَكَّرُوْنَ ﴿۱۱﴾ وَسَخَّرَ لَكُمُ الَّيْلَ وَالنَّهَارَ ۙ وَ

الشَّمْسَ وَالْقَمَرَ ؕ وَالنُّجُوْمُ مُسَخَّرٰتٌۢ بِاَمْرِهٖ ؕ اِنَّ

فِيْ ذٰلِكَ لَاٰيٰتٍ لِّقَوْمٍ يَّعْقِلُوْنَ ﴿۱۲﴾ وَمَا ذَرَاَ لَكُمْ

فِي الْاَرْضِ مُخْتَلِفًا اَلْوَانُهٗ ؕ اِنَّ فِيْ ذٰلِكَ لَاٰيَةً
لِّقَوْمٍ يَّذَّكَّرُوْنَ ﴿١٣﴾ وَهُوَ الَّذِيْ سَخَّرَ الْبَحْرَ
لِتَاْكُلُوْا مِنْهُ لَحْمًا طَرِيًّا وَّتَسْتَخْرِجُوْا مِنْهُ
حِلْيَةً تَلْبَسُوْنَهَا ۚ وَتَرَى الْفُلْكَ مَوَاخِرَ فِيْهِ
وَلِتَبْتَغُوْا مِنْ فَضْلِهٖ وَلَعَلَّكُمْ تَشْكُرُوْنَ ﴿١٤﴾ وَاَلْقٰى
فِي الْاَرْضِ رَوَاسِيَ اَنْ تَمِيْدَ بِكُمْ وَاَنْهٰرًا وَّسُبُلًا
لَّعَلَّكُمْ تَهْتَدُوْنَ ﴿١٥﴾ ۙ وَعَلٰمٰتٍ ؕ وَبِالنَّجْمِ هُمْ
يَهْتَدُوْنَ ﴿١٦﴾ اَفَمَنْ يَّخْلُقُ كَمَنْ لَّا يَخْلُقُ ؕ اَفَلَا
تَذَكَّرُوْنَ ﴿١٧﴾ وَاِنْ تَعُدُّوْا نِعْمَةَ اللّٰهِ لَا تُحْصُوْهَا ؕ
اِنَّ اللّٰهَ لَغَفُوْرٌ رَّحِيْمٌ ﴿١٨﴾ وَاللّٰهُ يَعْلَمُ مَا تُسِرُّوْنَ
وَمَا تُعْلِنُوْنَ ﴿١٩﴾ وَالَّذِيْنَ يَدْعُوْنَ مِنْ دُوْنِ اللّٰهِ
لَا يَخْلُقُوْنَ شَيْـًٔا وَّهُمْ يُخْلَقُوْنَ ﴿٢٠﴾ ؕ اَمْوَاتٌ
غَيْرُ اَحْيَآءٍ ۚ وَمَا يَشْعُرُوْنَ ۙ اَيَّانَ يُبْعَثُوْنَ ﴿٢١﴾ ع ١٢ ٨

منزل ٣

اِلٰـهُكُمْ اِلٰهٌ وَّاحِدٌ ۚ فَالَّذِيْنَ لَا يُؤْمِنُوْنَ بِالْاٰخِرَةِ
قُلُوْبُهُمْ مُّنْكِرَةٌ وَّهُمْ مُّسْتَكْبِرُوْنَ ﴿۲۲﴾ لَا جَرَمَ
اَنَّ اللّٰهَ يَعْلَمُ مَا يُسِرُّوْنَ وَمَا يُعْلِنُوْنَ ؕ اِنَّهٗ لَا
يُحِبُّ الْمُسْتَكْبِرِيْنَ ﴿۲۳﴾ وَاِذَا قِيْلَ لَهُمْ مَّاذَاۤ
اَنْزَلَ رَبُّكُمْ ۙ قَالُوْۤا اَسَاطِيْرُ الْاَوَّلِيْنَ ﴿۲۴﴾ لِيَحْمِلُوْۤا
اَوْزَارَهُمْ كَامِلَةً يَّوْمَ الْقِيٰمَةِ ۙ وَمِنْ اَوْزَارِ
٣ع ١٤ ٩ الَّذِيْنَ يُضِلُّوْنَهُمْ بِغَيْرِ عِلْمٍ ؕ اَلَا سَآءَ مَا يَزِرُوْنَ ﴿۲۵﴾ ع منزل ٣
قَدْ مَكَرَ الَّذِيْنَ مِنْ قَبْلِهِمْ فَاَتَى اللّٰهُ بُنْيَانَهُمْ
مِّنَ الْقَوَاعِدِ فَخَرَّ عَلَيْهِمُ السَّقْفُ مِنْ فَوْقِهِمْ وَ
اَتٰىهُمُ الْعَذَابُ مِنْ حَيْثُ لَا يَشْعُرُوْنَ ﴿۲۶﴾ ثُمَّ يَوْمَ
الْقِيٰمَةِ يُخْزِيْهِمْ وَيَقُوْلُ اَيْنَ شُرَكَآءِىَ الَّذِيْنَ
كُنْتُمْ تُشَآقُّوْنَ فِيْهِمْ ؕ قَالَ الَّذِيْنَ اُوْتُوا الْعِلْمَ
اِنَّ الْخِزْيَ الْيَوْمَ وَالسُّوْٓءَ عَلَى الْكٰفِرِيْنَ ﴿۲۷﴾ ۙ

الَّذِيْنَ تَتَوَفّٰىهُمُ الْمَلٰٓئِكَةُ ظَالِمِيْٓ اَنْفُسِهِمْ ۠ص
فَاَلْقَوُا السَّلَمَ مَا كُنَّا نَعْمَلُ مِنْ سُوْٓءٍ ؕ بَلٰٓى
اِنَّ اللّٰهَ عَلِيْمٌ ۢبِمَا كُنْتُمْ تَعْمَلُوْنَ ﴿۲۸﴾ فَادْخُلُوْٓا
اَبْوَابَ جَهَنَّمَ خٰلِدِيْنَ فِيْهَا ؕ فَلَبِئْسَ مَثْوَى
الْمُتَكَبِّرِيْنَ ﴿۲۹﴾ وَقِيْلَ لِلَّذِيْنَ اتَّقَوْا مَاذَآ اَنْزَلَ
رَبُّكُمْ ؕ قَالُوْا خَيْرًا ؕ لِلَّذِيْنَ اَحْسَنُوْا فِيْ هٰذِهِ الدُّنْيَا
حَسَنَةٌ ؕ وَلَدَارُ الْاٰخِرَةِ خَيْرٌ ؕ وَلَنِعْمَ دَارُ
الْمُتَّقِيْنَ ﴿۳۰﴾ ۙ جَنّٰتُ عَدْنٍ يَّدْخُلُوْنَهَا تَجْرِيْ مِنْ
تَحْتِهَا الْاَنْهٰرُ لَهُمْ فِيْهَا مَا يَشَآءُوْنَ ؕ كَذٰلِكَ
يَجْزِي اللّٰهُ الْمُتَّقِيْنَ ﴿۳۱﴾ ۙ الَّذِيْنَ تَتَوَفّٰىهُمُ الْمَلٰٓئِكَةُ
طَيِّبِيْنَ ۙ يَقُوْلُوْنَ سَلٰمٌ عَلَيْكُمُ ۙ ادْخُلُوا الْجَنَّةَ بِمَا
كُنْتُمْ تَعْمَلُوْنَ ﴿۳۲﴾ هَلْ يَنْظُرُوْنَ اِلَّآ اَنْ تَاْتِيَهُمُ
الْمَلٰٓئِكَةُ اَوْ يَاْتِيَ اَمْرُ رَبِّكَ ؕ كَذٰلِكَ فَعَلَ

منزل ٣

الَّذِيْنَ مِنْ قَبْلِهِمْ ؕ وَمَا ظَلَمَهُمُ اللّٰهُ وَ لٰكِنْ
كَانُوْۤا اَنْفُسَهُمْ يَظْلِمُوْنَ ﴿٣٣﴾ فَاَصَابَهُمْ سَيِّاٰتُ مَا
عَمِلُوْا وَحَاقَ بِهِمْ مَّا كَانُوْا بِهٖ يَسْتَهْزِءُوْنَ ﴿٣٤﴾ ع وَ ع ٩/١٠
قَالَ الَّذِيْنَ اَشْرَكُوْا لَوْ شَآءَ اللّٰهُ مَا عَبَدْنَا مِنْ دُوْنِهٖ
مِنْ شَيْءٍ نَّحْنُ وَلَاۤ اٰبَآؤُنَا وَلَا حَرَّمْنَا مِنْ دُوْنِهٖ
مِنْ شَيْءٍ ؕ كَذٰلِكَ فَعَلَ الَّذِيْنَ مِنْ قَبْلِهِمْ ۚ فَهَلْ
عَلَى الرُّسُلِ اِلَّا الْبَلٰغُ الْمُبِيْنُ ﴿٣٥﴾ وَلَقَدْ بَعَثْنَا منزل ٣
فِيْ كُلِّ اُمَّةٍ رَّسُوْلًا اَنِ اعْبُدُوا اللّٰهَ وَاجْتَنِبُوا
الطَّاغُوْتَ ۚ فَمِنْهُمْ مَّنْ هَدَى اللّٰهُ وَمِنْهُمْ مَّنْ
حَقَّتْ عَلَيْهِ الضَّلٰلَةُ ؕ فَسِيْرُوْا فِي الْاَرْضِ
فَانْظُرُوْا كَيْفَ كَانَ عَاقِبَةُ الْمُكَذِّبِيْنَ ﴿٣٦﴾ اِنْ
تَحْرِصْ عَلٰى هُدٰىهُمْ فَاِنَّ اللّٰهَ لَا يَهْدِيْ مَنْ يُّضِلُّ
وَمَا لَهُمْ مِّنْ نّٰصِرِيْنَ ﴿٣٧﴾ وَاَقْسَمُوْا بِاللّٰهِ جَهْدَ

اَيْمَانِهِمْ ۙ لَا يَبْعَثُ اللّٰهُ مَنْ يَّمُوْتُ ؕ بَلٰى وَعْدًا
عَلَيْهِ حَقًّا وَّلٰكِنَّ اَكْثَرَ النَّاسِ لَا يَعْلَمُوْنَ ۙ﴿۳۸﴾
لِيُبَيِّنَ لَهُمُ الَّذِىْ يَخْتَلِفُوْنَ فِيْهِ وَلِيَعْلَمَ الَّذِيْنَ
كَفَرُوْٓا اَنَّهُمْ كَانُوْا كٰذِبِيْنَ ﴿۳۹﴾ اِنَّمَا قَوْلُنَا لِشَىْءٍ
اِذَآ اَرَدْنٰهُ اَنْ نَّقُوْلَ لَهٗ كُنْ فَيَكُوْنُ ﴿۴۰﴾ؑ وَالَّذِيْنَ ع ٥/٦
هَاجَرُوْا فِى اللّٰهِ مِنْۢ بَعْدِ مَا ظُلِمُوْا لَنُبَوِّئَنَّهُمْ
فِى الدُّنْيَا حَسَنَةً ؕ وَلَاَجْرُ الْاٰخِرَةِ اَكْبَرُ ۘ لَوْ كَانُوْا وقف لازم
يَعْلَمُوْنَ ﴿۴۱﴾ الَّذِيْنَ صَبَرُوْا وَعَلٰى رَبِّهِمْ يَتَوَكَّلُوْنَ ﴿۴۲﴾
وَمَآ اَرْسَلْنَا مِنْ قَبْلِكَ اِلَّا رِجَالًا نُّوْحِىْٓ اِلَيْهِمْ
فَسْـَٔلُوْٓا اَهْلَ الذِّكْرِ اِنْ كُنْتُمْ لَا تَعْلَمُوْنَ ۙ﴿۴۳﴾
بِالْبَيِّنٰتِ وَالزُّبُرِ ؕ وَاَنْزَلْنَآ اِلَيْكَ الذِّكْرَ لِتُبَيِّنَ
لِلنَّاسِ مَا نُزِّلَ اِلَيْهِمْ وَلَعَلَّهُمْ يَتَفَكَّرُوْنَ ﴿۴۴﴾ النّصف
اَفَاَمِنَ الَّذِيْنَ مَكَرُوا السَّيِّاٰتِ اَنْ يَّخْسِفَ اللّٰهُ

منزل ٣

بِهِمُ الْاَرْضَ اَوْ يَاْتِيَهُمُ الْعَذَابُ مِنْ حَيْثُ لَا
يَشْعُرُوْنَ ﴿٤٥﴾ اَوْ يَاْخُذَهُمْ فِيْ تَقَلُّبِهِمْ فَمَا هُمْ
بِمُعْجِزِيْنَ ﴿٤٦﴾ اَوْ يَاْخُذَهُمْ عَلٰى تَخَوُّفٍ فَاِنَّ رَبَّكُمْ
لَرَءُوْفٌ رَّحِيْمٌ ﴿٤٧﴾ اَوَلَمْ يَرَوْا اِلٰى مَا خَلَقَ اللّٰهُ مِنْ شَيْءٍ
يَّتَفَيَّؤُا ظِلٰلُهٗ عَنِ الْيَمِيْنِ وَالشَّمَآئِلِ سُجَّدًا لِّلّٰهِ
وَهُمْ دٰخِرُوْنَ ﴿٤٨﴾ وَلِلّٰهِ يَسْجُدُ مَا فِي السَّمٰوٰتِ وَمَا
فِي الْاَرْضِ مِنْ دَآبَّةٍ وَّالْمَلٰٓئِكَةُ وَهُمْ لَا يَسْتَكْبِرُوْنَ ﴿٤٩﴾
يَخَافُوْنَ رَبَّهُمْ مِّنْ فَوْقِهِمْ وَيَفْعَلُوْنَ مَا يُؤْمَرُوْنَ ﴿٥٠﴾ السَّجدة ع
وَقَالَ اللّٰهُ لَا تَتَّخِذُوْٓا اِلٰهَيْنِ اثْنَيْنِ ۚ اِنَّمَا هُوَ اِلٰهٌ
وَّاحِدٌ ۚ فَاِيَّايَ فَارْهَبُوْنِ ﴿٥١﴾ وَلَهٗ مَا فِي السَّمٰوٰتِ وَ
الْاَرْضِ وَلَهُ الدِّيْنُ وَاصِبًا ۭ اَفَغَيْرَ اللّٰهِ تَتَّقُوْنَ ﴿٥٢﴾ وَمَا
بِكُمْ مِّنْ نِّعْمَةٍ فَمِنَ اللّٰهِ ثُمَّ اِذَا مَسَّكُمُ الضُّرُّ
فَاِلَيْهِ تَجْـَٔرُوْنَ ﴿٥٣﴾ ۚ ثُمَّ اِذَا كَشَفَ الضُّرَّ عَنْكُمْ اِذَا

منزل ٣

فَرِيقٌ مِّنكُم بِرَبِّهِمْ يُشْرِكُونَ ﴿٥٤﴾ لِيَكْفُرُوا بِمَا
اٰتَيْنٰهُمْ ۚ فَتَمَتَّعُوا ۖ فَسَوْفَ تَعْلَمُونَ ﴿٥٥﴾ وَيَجْعَلُونَ
لِمَا لَا يَعْلَمُونَ نَصِيبًا مِّمَّا رَزَقْنٰهُمْ ۗ تَاللّٰهِ لَتُسْـَٔلُنَّ
عَمَّا كُنتُمْ تَفْتَرُونَ ﴿٥٦﴾ وَيَجْعَلُونَ لِلّٰهِ الْبَنٰتِ
سُبْحٰنَهُ ۙ وَلَهُم مَّا يَشْتَهُونَ ﴿٥٧﴾ وَإِذَا بُشِّرَ اَحَدُهُم
بِالْاُنثٰى ظَلَّ وَجْهُهُ مُسْوَدًّا وَّهُوَ كَظِيمٌ ﴿٥٨﴾
يَتَوَارٰى مِنَ الْقَوْمِ مِن سُوٓءِ مَا بُشِّرَ بِهِ ۚ اَيُمْسِكُهُ
عَلٰى هُونٍ اَمْ يَدُسُّهُ فِى التُّرَابِ ۗ اَلَا سَآءَ مَا
يَحْكُمُونَ ﴿٥٩﴾ لِلَّذِينَ لَا يُؤْمِنُونَ بِالْاٰخِرَةِ
مَثَلُ السَّوْءِ ۖ وَلِلّٰهِ الْمَثَلُ الْاَعْلٰى ۚ وَهُوَ الْعَزِيزُ
الْحَكِيمُ ﴿٦٠﴾ وَلَوْ يُؤَاخِذُ اللّٰهُ النَّاسَ بِظُلْمِهِم مَّا ع ١٠ ١٣
تَرَكَ عَلَيْهَا مِن دَآبَّةٍ وَّلٰكِن يُؤَخِّرُهُمْ
اِلٰٓى اَجَلٍ مُّسَمًّى ۖ فَاِذَا جَآءَ اَجَلُهُمْ لَا

منزل ٣

يَسْتَأْخِرُونَ سَاعَةً وَّلَا يَسْتَقْدِمُونَ ﴿٦١﴾ وَيَجْعَلُونَ
لِلّٰهِ مَا يَكْرَهُونَ وَتَصِفُ اَلْسِنَتُهُمُ الْكَذِبَ اَنَّ
لَهُمُ الْحُسْنٰى ؕ لَا جَرَمَ اَنَّ لَهُمُ النَّارَ وَاَنَّهُمْ
مُّفْرَطُونَ ﴿٦٢﴾ تَاللّٰهِ لَقَدْ اَرْسَلْنَآ اِلٰٓى اُمَمٍ
مِّنْ قَبْلِكَ فَزَيَّنَ لَهُمُ الشَّيْطٰنُ اَعْمَالَهُمْ فَهُوَ
وَلِيُّهُمُ الْيَوْمَ وَلَهُمْ عَذَابٌ اَلِيْمٌ ﴿٦٣﴾ وَمَآ
اَنْزَلْنَا عَلَيْكَ الْكِتٰبَ اِلَّا لِتُبَيِّنَ لَهُمُ الَّذِى
اخْتَلَفُوْا فِيْهِ ۙ وَهُدًى وَّرَحْمَةً لِّقَوْمٍ يُّؤْمِنُوْنَ ﴿٦٤﴾
وَاللّٰهُ اَنْزَلَ مِنَ السَّمَآءِ مَآءً فَاَحْيَا بِهِ الْاَرْضَ
بَعْدَ مَوْتِهَا ؕ اِنَّ فِىْ ذٰلِكَ لَاٰيَةً لِّقَوْمٍ
يَّسْمَعُوْنَ ﴿٦٥﴾ ع وَاِنَّ لَكُمْ فِى الْاَنْعَامِ لَعِبْرَةً ؕ
نُسْقِيْكُمْ مِّمَّا فِىْ بُطُوْنِهٖ مِنْۢ بَيْنِ فَرْثٍ وَّدَمٍ
لَّبَنًا خَالِصًا سَآئِغًا لِّلشّٰرِبِيْنَ ﴿٦٦﴾ وَمِنْ ثَمَرٰتِ

منزل ٣

ع ٨ ۵ ١٤

Ikhfa اِخفا | Ikhfa Meem Saakin اِخفامیم ساکن | Qalqala قلقلہ | Qalb قلب | Idghaam اِدغام | Idghaam Meem Saakin اِدغام میم ساکن | Ghunna غُنّہ

النَّخِيۡلِ وَالۡاَعۡنَابِ تَتَّخِذُوۡنَ مِنۡهُ سَكَرًا وَّ

رِزۡقًا حَسَنًا ؕ اِنَّ فِىۡ ذٰلِكَ لَاٰيَةً لِّقَوۡمٍ يَّعۡقِلُوۡنَ ﴿۶۷﴾

وَاَوۡحٰى رَبُّكَ اِلَى النَّحۡلِ اَنِ اتَّخِذِىۡ مِنَ

الۡجِبَالِ بُيُوۡتًا وَّمِنَ الشَّجَرِ وَمِمَّا يَعۡرِشُوۡنَ ﴿۶۸﴾ ۙ

ثُمَّ كُلِىۡ مِنۡ كُلِّ الثَّمَرٰتِ فَاسۡلُكِىۡ سُبُلَ

رَبِّكِ ذُلُلًا ؕ يَخۡرُجُ مِنۡۢ بُطُوۡنِهَا شَرَابٌ مُّخۡتَلِفٌ

اَلۡوَانُهٗ فِيۡهِ شِفَآءٌ لِّلنَّاسِ ؕ اِنَّ فِىۡ ذٰلِكَ لَاٰيَةً

لِّقَوۡمٍ يَّتَفَكَّرُوۡنَ ﴿۶۹﴾ وَاللّٰهُ خَلَقَكُمۡ ثُمَّ يَتَوَفّٰٮكُمۡ ۛ قف

وَمِنۡكُمۡ مَّنۡ يُّرَدُّ اِلٰٓى اَرۡذَلِ الۡعُمُرِ لِكَىۡ لَا يَعۡلَمَ

بَعۡدَ عِلۡمٍ شَيۡـئًا ؕ اِنَّ اللّٰهَ عَلِيۡمٌ قَدِيۡرٌ ﴿۷۰﴾ ع ٩ ۵ ١٥

وَاللّٰهُ فَضَّلَ بَعۡضَكُمۡ عَلٰى بَعۡضٍ فِى الرِّزۡقِ ۚ

فَمَا الَّذِيۡنَ فُضِّلُوۡا بِرَآدِّىۡ رِزۡقِهِمۡ عَلٰى مَا مَلَكَتۡ

اَيۡمَانُهُمۡ فَهُمۡ فِيۡهِ سَوَآءٌ ؕ اَفَبِنِعۡمَةِ اللّٰهِ

منزل ٣

يَجْحَدُوْنَ ﴿٧١﴾ وَاللّٰهُ جَعَلَ لَكُمْ مِّنْ اَنْفُسِكُمْ
اَزْوَاجًا وَّجَعَلَ لَكُمْ مِّنْ اَزْوَاجِكُمْ بَنِيْنَ وَ
حَفَدَةً وَّرَزَقَكُمْ مِّنَ الطَّيِّبٰتِ ؕ اَفَبِالْبَاطِلِ
يُؤْمِنُوْنَ وَبِنِعْمَتِ اللّٰهِ هُمْ يَكْفُرُوْنَ ﴿٧٢﴾ لا وَ
يَعْبُدُوْنَ مِنْ دُوْنِ اللّٰهِ مَا لَا يَمْلِكُ لَهُمْ رِزْقًا
مِّنَ السَّمٰوٰتِ وَالْاَرْضِ شَيْـًٔا وَّلَا يَسْتَطِيْعُوْنَ ﴿٧٣﴾ ج
فَلَا تَضْرِبُوْا لِلّٰهِ الْاَمْثَالَ ؕ اِنَّ اللّٰهَ يَعْلَمُ وَ
اَنْتُمْ لَا تَعْلَمُوْنَ ﴿٧٤﴾ ضَرَبَ اللّٰهُ مَثَلًا عَبْدًا
مَّمْلُوْكًا لَّا يَقْدِرُ عَلٰى شَيْءٍ وَّمَنْ رَّزَقْنٰهُ مِنَّا
رِزْقًا حَسَنًا فَهُوَ يُنْفِقُ مِنْهُ سِرًّا وَّجَهْرًا ؕ هَلْ
يَسْتَوٗنَ ؕ اَلْحَمْدُ لِلّٰهِ ؕ بَلْ اَكْثَرُهُمْ لَا يَعْلَمُوْنَ ﴿٧٥﴾
وَضَرَبَ اللّٰهُ مَثَلًا رَّجُلَيْنِ اَحَدُهُمَآ اَبْكَمُ لَا
يَقْدِرُ عَلٰى شَيْءٍ وَّهُوَ كَلٌّ عَلٰى مَوْلٰىهُ ۙ اَيْنَمَا

منزل ٣

يُوَجِّهْهُّ لَا يَاْتِ بِخَيْرٍ ۭ هَلْ يَسْتَوِىْ هُوَ ۙ وَمَنْ
ع ١٦ يَّاْمُرُ بِالْعَدْلِ ۙ وَهُوَ عَلٰى صِرَاطٍ مُّسْتَقِيْمٍ ۝٧٦ وَلِلّٰهِ
غَيْبُ السَّمٰوٰتِ وَالْاَرْضِ ۭ وَمَآ اَمْرُ السَّاعَةِ اِلَّا
كَلَمْحِ الْبَصَرِ اَوْ هُوَ اَقْرَبُ ۭ اِنَّ اللّٰهَ عَلٰى كُلِّ شَىْءٍ
قَدِيْرٌ ۝٧٧ وَاللّٰهُ اَخْرَجَكُمْ مِّنْۢ بُطُوْنِ اُمَّهٰتِكُمْ لَا
تَعْلَمُوْنَ شَيْـًٔا ۙ وَّجَعَلَ لَكُمُ السَّمْعَ وَالْاَبْصَارَ
وَالْاَفْــِٕدَةَ ۙ لَعَلَّكُمْ تَشْكُرُوْنَ ۝٧٨ اَلَمْ يَرَوْا اِلَى
الطَّيْرِ مُسَخَّرٰتٍ فِىْ جَوِّ السَّمَاۗءِ ۭ مَا يُمْسِكُهُنَّ اِلَّا
اللّٰهُ ۭ اِنَّ فِىْ ذٰلِكَ لَاٰيٰتٍ لِّقَوْمٍ يُّؤْمِنُوْنَ ۝٧٩ وَاللّٰهُ
جَعَلَ لَكُمْ مِّنْۢ بُيُوْتِكُمْ سَكَنًا وَّجَعَلَ لَكُمْ
مِّنْ جُلُوْدِ الْاَنْعَامِ بُيُوْتًا تَسْتَخِفُّوْنَهَا يَوْمَ
ظَعْنِكُمْ وَيَوْمَ اِقَامَتِكُمْ ۙ وَمِنْ اَصْوَافِهَا وَ
اَوْبَارِهَا وَاَشْعَارِهَآ اَثَاثًا وَّمَتَاعًا اِلٰى حِيْنٍ ۝٨٠

منزل ٣

وَاللّٰهُ جَعَلَ لَكُمْ مِّمَّا خَلَقَ ظِلٰلًا وَّجَعَلَ لَكُمْ
مِّنَ الْجِبَالِ اَكْنَانًا وَّجَعَلَ لَكُمْ سَرَابِيْلَ تَقِيْكُمُ
الْحَرَّ وَسَرَابِيْلَ تَقِيْكُمْ بَاْسَكُمْ ؕ كَذٰلِكَ يُتِمُّ
نِعْمَتَهٗ عَلَيْكُمْ لَعَلَّكُمْ تُسْلِمُوْنَ ﴿٨١﴾ فَاِنْ تَوَلَّوْا
فَاِنَّمَا عَلَيْكَ الْبَلٰغُ الْمُبِيْنُ ﴿٨٢﴾ يَعْرِفُوْنَ نِعْمَتَ
ع ١٧ ٧ اللّٰهِ ثُمَّ يُنْكِرُوْنَهَا وَاَكْثَرُهُمُ الْكٰفِرُوْنَ ﴿٨٣﴾ ع وَيَوْمَ
نَبْعَثُ مِنْ كُلِّ اُمَّةٍ شَهِيْدًا ثُمَّ لَا يُؤْذَنُ لِلَّذِيْنَ منزل ٣
كَفَرُوْا وَلَا هُمْ يُسْتَعْتَبُوْنَ ﴿٨٤﴾ وَاِذَا رَاَ الَّذِيْنَ ظَلَمُوا
الْعَذَابَ فَلَا يُخَفَّفُ عَنْهُمْ وَلَا هُمْ يُنْظَرُوْنَ ﴿٨٥﴾
وَاِذَا رَاَ الَّذِيْنَ اَشْرَكُوْا شُرَكَآءَهُمْ قَالُوْا رَبَّنَا
هٰۤؤُلَآءِ شُرَكَآؤُنَا الَّذِيْنَ كُنَّا نَدْعُوْا مِنْ دُوْنِكَ ۚ
الثلثة فَاَلْقَوْا اِلَيْهِمُ الْقَوْلَ اِنَّكُمْ لَكٰذِبُوْنَ ﴿٨٦﴾ ۚ وَاَلْقَوْا
اِلَى اللّٰهِ يَوْمَىِٕذِ ِۨالسَّلَمَ وَضَلَّ عَنْهُمْ مَّا كَانُوْا

يَفْتَرُوْنَ ﴿٨٧﴾ اَلَّذِيْنَ كَفَرُوْا وَصَدُّوْا عَنْ سَبِيْلِ
اللّٰهِ زِدْنٰهُمْ عَذَابًا فَوْقَ الْعَذَابِ بِمَا كَانُوْا
يُفْسِدُوْنَ ﴿٨٨﴾ وَيَوْمَ نَبْعَثُ فِيْ كُلِّ اُمَّةٍ شَهِيْدًا
عَلَيْهِمْ مِّنْ اَنْفُسِهِمْ وَجِئْنَا بِكَ شَهِيْدًا عَلٰى
هٰۤؤُلَآءِ ؕ وَنَزَّلْنَا عَلَيْكَ الْكِتٰبَ تِبْيَانًا لِّكُلِّ
شَيْءٍ وَّهُدًى وَّرَحْمَةً وَّبُشْرٰى لِلْمُسْلِمِيْنَ ﴿٨٩﴾ ع ١٢ ١٨
اِنَّ اللّٰهَ يَاْمُرُ بِالْعَدْلِ وَالْاِحْسَانِ وَاِيْتَآئِ ذِي
الْقُرْبٰى وَيَنْهٰى عَنِ الْفَحْشَآءِ وَالْمُنْكَرِ وَالْبَغْيِ ۚ
يَعِظُكُمْ لَعَلَّكُمْ تَذَكَّرُوْنَ ﴿٩٠﴾ وَاَوْفُوْا بِعَهْدِ اللّٰهِ اِذَا
عٰهَدْتُّمْ وَلَا تَنْقُضُوا الْاَيْمَانَ بَعْدَ تَوْكِيْدِهَا وَ
قَدْ جَعَلْتُمُ اللّٰهَ عَلَيْكُمْ كَفِيْلًا ؕ اِنَّ اللّٰهَ يَعْلَمُ مَا
تَفْعَلُوْنَ ﴿٩١﴾ وَلَا تَكُوْنُوْا كَالَّتِيْ نَقَضَتْ غَزْلَهَا
مِنْۢ بَعْدِ قُوَّةٍ اَنْكَاثًا ؕ تَتَّخِذُوْنَ اَيْمَانَكُمْ دَخَلًۢا

Ikhfa إخفا | Ikhfa Meem Saakin إخفاميم ساكن | Qalqala قلقله | Qalb قلب | Idghaam ادغام | Idghaam Meem Saakin ادغام میم ساکن | Ghunna غُنّه

بَيْنَكُمْ اَنْ تَكُوْنَ اُمَّةٌ هِيَ اَرْبٰى مِنْ اُمَّةٍ ؕ
اِنَّمَا يَبْلُوْكُمُ اللّٰهُ بِهٖ ؕ وَلَيُبَيِّنَنَّ لَكُمْ يَوْمَ
الْقِيٰمَةِ مَا كُنْتُمْ فِيْهِ تَخْتَلِفُوْنَ ﴿٩٢﴾ وَلَوْ شَآءَ اللّٰهُ
لَجَعَلَكُمْ اُمَّةً وَّاحِدَةً وَّلٰكِنْ يُّضِلُّ مَنْ يَّشَآءُ وَ
يَهْدِيْ مَنْ يَّشَآءُ ؕ وَلَتُسْـَٔلُنَّ عَمَّا كُنْتُمْ تَعْمَلُوْنَ ﴿٩٣﴾
وَلَا تَتَّخِذُوْٓا اَيْمَانَكُمْ دَخَلًۢا بَيْنَكُمْ فَتَزِلَّ قَدَمٌۢ
بَعْدَ ثُبُوْتِهَا وَتَذُوْقُوا السُّوْٓءَ بِمَا صَدَدْتُّمْ عَنْ
سَبِيْلِ اللّٰهِ ۚ وَلَكُمْ عَذَابٌ عَظِيْمٌ ﴿٩٤﴾ وَلَا تَشْتَرُوْا
بِعَهْدِ اللّٰهِ ثَمَنًا قَلِيْلًا ؕ اِنَّمَا عِنْدَ اللّٰهِ هُوَ خَيْرٌ
لَّكُمْ اِنْ كُنْتُمْ تَعْلَمُوْنَ ﴿٩٥﴾ مَا عِنْدَكُمْ يَنْفَدُ
وَمَا عِنْدَ اللّٰهِ بَاقٍ ؕ وَلَنَجْزِيَنَّ الَّذِيْنَ صَبَرُوْٓا
اَجْرَهُمْ بِاَحْسَنِ مَا كَانُوْا يَعْمَلُوْنَ ﴿٩٦﴾ مَنْ عَمِلَ
صَالِحًا مِّنْ ذَكَرٍ اَوْ اُنْثٰى وَهُوَ مُؤْمِنٌ فَلَنُحْيِيَنَّهٗ

منزل ٣

حَيٰوةً طَيِّبَةً ۚ وَلَنَجْزِيَنَّهُمْ اَجْرَهُمْ بِاَحْسَنِ
مَا كَانُوْا يَعْمَلُوْنَ ﴿٩٧﴾ فَاِذَا قَرَاْتَ الْقُرْاٰنَ فَاسْتَعِذْ
بِاللّٰهِ مِنَ الشَّيْطٰنِ الرَّجِيْمِ ﴿٩٨﴾ اِنَّهٗ لَيْسَ لَهٗ
سُلْطٰنٌ عَلَى الَّذِيْنَ اٰمَنُوْا وَعَلٰى رَبِّهِمْ يَتَوَكَّلُوْنَ ﴿٩٩﴾
اِنَّمَا سُلْطٰنُهٗ عَلَى الَّذِيْنَ يَتَوَلَّوْنَهٗ وَالَّذِيْنَ هُمْ
بِهٖ مُشْرِكُوْنَ ﴿١٠٠﴾ ع وَاِذَا بَدَّلْنَآ اٰيَةً مَّكَانَ اٰيَةٍ ۙ ١٣ ع ١١ ١٩
وَّاللّٰهُ اَعْلَمُ بِمَا يُنَزِّلُ قَالُوْٓا اِنَّمَآ اَنْتَ مُفْتَرٍ ؕ
بَلْ اَكْثَرُهُمْ لَا يَعْلَمُوْنَ ﴿١٠١﴾ قُلْ نَزَّلَهٗ رُوْحُ
الْقُدُسِ مِنْ رَّبِّكَ بِالْحَقِّ لِيُثَبِّتَ الَّذِيْنَ اٰمَنُوْا
وَهُدًى وَّبُشْرٰى لِلْمُسْلِمِيْنَ ﴿١٠٢﴾ وَلَقَدْ نَعْلَمُ
اَنَّهُمْ يَقُوْلُوْنَ اِنَّمَا يُعَلِّمُهٗ بَشَرٌ ؕ لِسَانُ الَّذِيْ
يُلْحِدُوْنَ اِلَيْهِ اَعْجَمِيٌّ وَّهٰذَا لِسَانٌ عَرَبِيٌّ
مُّبِيْنٌ ﴿١٠٣﴾ اِنَّ الَّذِيْنَ لَا يُؤْمِنُوْنَ بِاٰيٰتِ اللّٰهِ ۙ

منزل ٣

لَا يَهْدِيْهِمُ اللّٰهُ وَ لَهُمْ عَذَابٌ اَلِيْمٌ ﴿١٠٤﴾
اِنَّمَا يَفْتَرِي الْكَذِبَ الَّذِيْنَ لَا يُؤْمِنُوْنَ
بِاٰيٰتِ اللّٰهِ ۚ وَ اُولٰٓئِكَ هُمُ الْكٰذِبُوْنَ ﴿١٠٥﴾ مَنْ
كَفَرَ بِاللّٰهِ مِنْ بَعْدِ اِيْمَانِهٖٓ اِلَّا مَنْ اُكْرِهَ وَ
قَلْبُهٗ مُطْمَئِنٌّۢ بِالْاِيْمَانِ وَ لٰكِنْ مَّنْ شَرَحَ
بِالْكُفْرِ صَدْرًا فَعَلَيْهِمْ غَضَبٌ مِّنَ اللّٰهِ ۚ وَ لَهُمْ
عَذَابٌ عَظِيْمٌ ﴿١٠٦﴾ ذٰلِكَ بِاَنَّهُمُ اسْتَحَبُّوا الْحَيٰوةَ
الدُّنْيَا عَلَى الْاٰخِرَةِ ۙ وَ اَنَّ اللّٰهَ لَا يَهْدِي الْقَوْمَ
الْكٰفِرِيْنَ ﴿١٠٧﴾ اُولٰٓئِكَ الَّذِيْنَ طَبَعَ اللّٰهُ عَلٰى
قُلُوْبِهِمْ وَسَمْعِهِمْ وَ اَبْصَارِهِمْ ۚ وَ اُولٰٓئِكَ هُمُ
الْغٰفِلُوْنَ ﴿١٠٨﴾ لَا جَرَمَ اَنَّهُمْ فِي الْاٰخِرَةِ هُمُ
الْخٰسِرُوْنَ ﴿١٠٩﴾ ثُمَّ اِنَّ رَبَّكَ لِلَّذِيْنَ هَاجَرُوْا مِنْ بَعْدِ
مَا فُتِنُوْا ثُمَّ جٰهَدُوْا وَ صَبَرُوْٓا ۙ اِنَّ رَبَّكَ مِنْ

منزل ٣

ع ١٤ ٢٠

بَعْدِهَا لَغَفُوْرٌ رَّحِيْمٌ ع ﴿١١٠﴾ يَوْمَ تَاْتِيْ كُلُّ

نَفْسٍ تُجَادِلُ عَنْ نَّفْسِهَا وَتُوَفّٰى كُلُّ نَفْسٍ

مَّا عَمِلَتْ وَهُمْ لَا يُظْلَمُوْنَ ﴿١١١﴾ وَضَرَبَ اللّٰهُ

مَثَلًا قَرْيَةً كَانَتْ اٰمِنَةً مُّطْمَئِنَّةً يَّاْتِيْهَا

رِزْقُهَا رَغَدًا مِّنْ كُلِّ مَكَانٍ فَكَفَرَتْ بِاَنْعُمِ

اللّٰهِ فَاَذَاقَهَا اللّٰهُ لِبَاسَ الْجُوْعِ وَالْخَوْفِ بِمَا

كَانُوْا يَصْنَعُوْنَ ﴿١١٢﴾ وَلَقَدْ جَآءَهُمْ رَسُوْلٌ مِّنْهُمْ

فَكَذَّبُوْهُ فَاَخَذَهُمُ الْعَذَابُ وَهُمْ ظٰلِمُوْنَ ﴿١١٣﴾

فَكُلُوْا مِمَّا رَزَقَكُمُ اللّٰهُ حَلٰلًا طَيِّبًا ص وَّاشْكُرُوْا

نِعْمَتَ اللّٰهِ اِنْ كُنْتُمْ اِيَّاهُ تَعْبُدُوْنَ ﴿١١٤﴾ اِنَّمَا

حَرَّمَ عَلَيْكُمُ الْمَيْتَةَ وَالدَّمَ وَلَحْمَ الْخِنْزِيْرِ وَمَآ

اُهِلَّ لِغَيْرِ اللّٰهِ بِهٖ ج فَمَنِ اضْطُرَّ غَيْرَ بَاغٍ وَّلَا

عَادٍ فَاِنَّ اللّٰهَ غَفُوْرٌ رَّحِيْمٌ ﴿١١٥﴾ وَلَا تَقُوْلُوْا

منزل ٣

لِمَا تَصِفُ اَلۡسِنَتُكُمُ الۡكَذِبَ هٰذَا حَلٰلٌ وَّ
هٰذَا حَرَامٌ لِّتَفۡتَرُوۡا عَلَى اللّٰهِ الۡكَذِبَ ؕ
اِنَّ الَّذِيۡنَ يَفۡتَرُوۡنَ عَلَى اللّٰهِ الۡكَذِبَ
لَا يُفۡلِحُوۡنَ ؕ ﴿١١٦﴾ مَتَاعٌ قَلِيۡلٌ ۖ وَّلَهُمۡ عَذَابٌ
اَلِيۡمٌ ﴿١١٧﴾ وَعَلَى الَّذِيۡنَ هَادُوۡا حَرَّمۡنَا مَا
قَصَصۡنَا عَلَيۡكَ مِنۡ قَبۡلُ ۚ وَمَا ظَلَمۡنٰهُمۡ وَلٰكِنۡ
كَانُوۡۤا اَنۡفُسَهُمۡ يَظۡلِمُوۡنَ ﴿١١٨﴾ ثُمَّ اِنَّ رَبَّكَ
لِلَّذِيۡنَ عَمِلُوا السُّوۡٓءَ بِجَهَالَةٍ ثُمَّ تَابُوۡا مِنۡۢ
بَعۡدِ ذٰلِكَ وَاَصۡلَحُوۡۤا ۙ اِنَّ رَبَّكَ مِنۡۢ بَعۡدِهَا
لَغَفُوۡرٌ رَّحِيۡمٌ ﴿١١٩﴾ اِنَّ اِبۡرٰهِيۡمَ كَانَ اُمَّةً قَانِتًا
لِّلّٰهِ حَنِيۡفًا ؕ وَلَمۡ يَكُ مِنَ الۡمُشۡرِكِيۡنَ ۙ ﴿١٢٠﴾ شَاكِرًا
لِّاَنۡعُمِهٖ ؕ اِجۡتَبٰهُ وَهَدٰهُ اِلٰى صِرَاطٍ مُّسۡتَقِيۡمٍ ﴿١٢١﴾
وَاٰتَيۡنٰهُ فِى الدُّنۡيَا حَسَنَةً ؕ وَاِنَّهٗ فِى الۡاٰخِرَةِ

منزل ٣

ع ١٥ ٩ ٢١

لِمَنَ الصّٰلِحِيۡنَ ؕ ﴿۱۲۲﴾ ثُمَّ اَوۡحَيۡنَاۤ اِلَيۡكَ اَنِ اتَّبِعۡ
مِلَّةَ اِبۡرٰهِيۡمَ حَنِيۡفًا ؕ وَمَا كَانَ مِنَ الۡمُشۡرِكِيۡنَ ﴿۱۲۳﴾
اِنَّمَا جُعِلَ السَّبۡتُ عَلَى الَّذِيۡنَ اخۡتَلَفُوۡا فِيۡهِ ؕ
وَاِنَّ رَبَّكَ لَيَحۡكُمُ بَيۡنَهُمۡ يَوۡمَ الۡقِيٰمَةِ فِيۡمَا
كَانُوۡا فِيۡهِ يَخۡتَلِفُوۡنَ ﴿۱۲۴﴾ اُدۡعُ اِلٰى سَبِيۡلِ رَبِّكَ
بِالۡحِكۡمَةِ وَالۡمَوۡعِظَةِ الۡحَسَنَةِ وَجَادِلۡهُمۡ بِالَّتِىۡ
هِىَ اَحۡسَنُ ؕ اِنَّ رَبَّكَ هُوَ اَعۡلَمُ بِمَنۡ ضَلَّ عَنۡ
سَبِيۡلِهٖ وَهُوَ اَعۡلَمُ بِالۡمُهۡتَدِيۡنَ ﴿۱۲۵﴾ وَاِنۡ عَاقَبۡتُمۡ
فَعَاقِبُوۡا بِمِثۡلِ مَا عُوۡقِبۡتُمۡ بِهٖ ؕ وَلَئِنۡ صَبَرۡتُمۡ
لَهُوَ خَيۡرٌ لِّلصّٰبِرِيۡنَ ﴿۱۲۶﴾ وَاصۡبِرۡ وَمَا صَبۡرُكَ اِلَّا
بِاللّٰهِ وَلَا تَحۡزَنۡ عَلَيۡهِمۡ وَلَا تَكُ فِىۡ ضَيۡقٍ
مِّمَّا يَمۡكُرُوۡنَ ﴿۱۲۷﴾ اِنَّ اللّٰهَ مَعَ الَّذِيۡنَ اتَّقَوۡا
وَّالَّذِيۡنَ هُمۡ مُّحۡسِنُوۡنَ ﴿۱۲۸﴾ ع

منزل ٣

ع ٢٦ ٩ ٢٢

اٰیَاتُهَا ١١١ (١٧) سُوۡرَةُ بَنِیۡۤ اِسۡرَآءِیۡلَ مَکِّیَّةٌ (٥٠) رُکُوۡعَاتُهَا ١٢

بِسۡمِ اللّٰهِ الرَّحۡمٰنِ الرَّحِیۡمِ ۝

سُبۡحٰنَ الَّذِیۡۤ اَسۡرٰی بِعَبۡدِهٖ لَیۡلًا مِّنَ الۡمَسۡجِدِ الۡحَرَامِ
اِلَی الۡمَسۡجِدِ الۡاَقۡصَا الَّذِیۡ بٰرَکۡنَا حَوۡلَهٗ لِنُرِیَهٗ مِنۡ
اٰیٰتِنَا ؕ اِنَّهٗ هُوَ السَّمِیۡعُ الۡبَصِیۡرُ ۝١ وَ اٰتَیۡنَا مُوۡسَی الۡکِتٰبَ
وَ جَعَلۡنٰهُ هُدًی لِّبَنِیۡۤ اِسۡرَآءِیۡلَ اَلَّا تَتَّخِذُوۡا مِنۡ
دُوۡنِیۡ وَکِیۡلًا ؕ۝٢ ذُرِّیَّةَ مَنۡ حَمَلۡنَا مَعَ نُوۡحٍ ؕ اِنَّهٗ کَانَ
عَبۡدًا شَکُوۡرًا ۝٣ وَ قَضَیۡنَاۤ اِلٰی بَنِیۡۤ اِسۡرَآءِیۡلَ فِی
الۡکِتٰبِ لَتُفۡسِدُنَّ فِی الۡاَرۡضِ مَرَّتَیۡنِ وَ لَتَعۡلُنَّ
عُلُوًّا کَبِیۡرًا ۝٤ فَاِذَا جَآءَ وَعۡدُ اُوۡلٰىهُمَا بَعَثۡنَا عَلَیۡکُمۡ
عِبَادًا لَّنَاۤ اُولِیۡ بَاۡسٍ شَدِیۡدٍ فَجَاسُوۡا خِلٰلَ الدِّیَارِ ؕ
وَ کَانَ وَعۡدًا مَّفۡعُوۡلًا ۝٥ ثُمَّ رَدَدۡنَا لَکُمُ الۡکَرَّةَ عَلَیۡهِمۡ
وَ اَمۡدَدۡنٰکُمۡ بِاَمۡوَالٍ وَّ بَنِیۡنَ وَ جَعَلۡنٰکُمۡ اَکۡثَرَ نَفِیۡرًا ۝٦

اِنۡ اَحۡسَنۡتُمۡ اَحۡسَنۡتُمۡ لِاَنۡفُسِكُمۡ ۟ وَاِنۡ اَسَاۡتُمۡ فَلَهَا ؕ
فَاِذَا جَآءَ وَعۡدُ الۡاٰخِرَةِ لِيَسُوۡٓءٗا وُجُوۡهَكُمۡ وَلِيَدۡخُلُوا
الۡمَسۡجِدَ كَمَا دَخَلُوۡهُ اَوَّلَ مَرَّةٍ وَّلِيُتَبِّرُوۡا مَا عَلَوۡا
تَتۡبِيۡرًا ۝٧ عَسٰى رَبُّكُمۡ اَنۡ يَّرۡحَمَكُمۡ ۚ وَاِنۡ عُدۡتُّمۡ
عُدۡنَا ۘ وَجَعَلۡنَا جَهَنَّمَ لِلۡكٰفِرِيۡنَ حَصِيۡرًا ۝٨ اِنَّ هٰذَا وقف لازم
الۡقُرۡاٰنَ يَهۡدِىۡ لِلَّتِىۡ هِىَ اَقۡوَمُ وَيُبَشِّرُ الۡمُؤۡمِنِيۡنَ
الَّذِيۡنَ يَعۡمَلُوۡنَ الصّٰلِحٰتِ اَنَّ لَهُمۡ اَجۡرًا كَبِيۡرًا ۝٩
وَّاَنَّ الَّذِيۡنَ لَا يُؤۡمِنُوۡنَ بِالۡاٰخِرَةِ اَعۡتَدۡنَا لَهُمۡ عَذَابًا
اَلِيۡمًا ۝١٠ وَيَدۡعُ الۡاِنۡسَانُ بِالشَّرِّ دُعَآءَهٗ بِالۡخَيۡرِ ؕ وَ ع
كَانَ الۡاِنۡسَانُ عَجُوۡلًا ۝١١ وَجَعَلۡنَا الَّيۡلَ وَالنَّهَارَ اٰيَتَيۡنِ
فَمَحَوۡنَاۤ اٰيَةَ الَّيۡلِ وَجَعَلۡنَاۤ اٰيَةَ النَّهَارِ مُبۡصِرَةً
لِّتَبۡتَغُوۡا فَضۡلًا مِّنۡ رَّبِّكُمۡ وَلِتَعۡلَمُوۡا عَدَدَ السِّنِيۡنَ وَ
الۡحِسَابَ ؕ وَكُلَّ شَىۡءٍ فَصَّلۡنٰهُ تَفۡصِيۡلًا ۝١٢ وَكُلَّ

منزل ٤

Ikhfa إخفا | Ikhfa Meem Saakin إخفاميم ساكن | Qalqala قلقله | Qalb قلب | Idghaam إدغام | Idghaam Meem Saakin ادغام ميم ساكن | Ghunna غُنّه

اِنْسَانٍ اَلْزَمْنٰهُ طٰٓئِرَهٗ فِيْ عُنُقِهٖ ؕ وَنُخْرِجُ لَهٗ يَوْمَ
الْقِيٰمَةِ كِتٰبًا يَّلْقٰىهُ مَنْشُوْرًا ﴿۱۳﴾ اِقْرَاْ كِتٰبَكَ ؕ كَفٰى
بِنَفْسِكَ الْيَوْمَ عَلَيْكَ حَسِيْبًا ﴿۱۴﴾ؕ مَنِ اهْتَدٰى فَاِنَّمَا
يَهْتَدِيْ لِنَفْسِهٖ ۚ وَمَنْ ضَلَّ فَاِنَّمَا يَضِلُّ عَلَيْهَا ؕ
وَلَا تَزِرُ وَازِرَةٌ وِّزْرَ اُخْرٰى ؕ وَمَا كُنَّا مُعَذِّبِيْنَ
حَتّٰى نَبْعَثَ رَسُوْلًا ﴿۱۵﴾ وَاِذَآ اَرَدْنَآ اَنْ نُّهْلِكَ قَرْيَةً
اَمَرْنَا مُتْرَفِيْهَا فَفَسَقُوْا فِيْهَا فَحَقَّ عَلَيْهَا الْقَوْلُ
فَدَمَّرْنٰهَا تَدْمِيْرًا ﴿۱۶﴾ وَكَمْ اَهْلَكْنَا مِنَ الْقُرُوْنِ
مِنْ بَعْدِ نُوْحٍ ؕ وَكَفٰى بِرَبِّكَ بِذُنُوْبِ عِبَادِهٖ خَبِيْرًۢا
بَصِيْرًا ﴿۱۷﴾ مَنْ كَانَ يُرِيْدُ الْعَاجِلَةَ عَجَّلْنَا لَهٗ
فِيْهَا مَا نَشَآءُ لِمَنْ نُّرِيْدُ ثُمَّ جَعَلْنَا لَهٗ جَهَنَّمَ ۚ
يَصْلٰىهَا مَذْمُوْمًا مَّدْحُوْرًا ﴿۱۸﴾ وَمَنْ اَرَادَ الْاٰخِرَةَ وَ
سَعٰى لَهَا سَعْيَهَا وَهُوَ مُؤْمِنٌ فَاُولٰٓئِكَ كَانَ سَعْيُهُمْ

منزل ٤

مَّشْكُوْرًا ﴿١٩﴾ كُلًّا نُّمِدُّ هٰٓؤُلَآءِ وَهٰٓؤُلَآءِ مِنْ عَطَآءِ رَبِّكَ ؕ
وَمَا كَانَ عَطَآءُ رَبِّكَ مَحْظُوْرًا ﴿٢٠﴾ اُنْظُرْ كَيْفَ فَضَّلْنَا
بَعْضَهُمْ عَلٰى بَعْضٍ ؕ وَلَلْاٰخِرَةُ اَكْبَرُ دَرَجٰتٍ وَّاَكْبَرُ
تَفْضِيْلًا ﴿٢١﴾ لَا تَجْعَلْ مَعَ اللّٰهِ اِلٰهًا اٰخَرَ فَتَقْعُدَ مَذْمُوْمًا
مَّخْذُوْلًا ﴿٢٢﴾ ع وَقَضٰى رَبُّكَ اَلَّا تَعْبُدُوْٓا اِلَّآ اِيَّاهُ وَبِالْوَالِدَيْنِ ع ١٢/٢
اِحْسَانًا ؕ اِمَّا يَبْلُغَنَّ عِنْدَكَ الْكِبَرَ اَحَدُهُمَآ اَوْ كِلٰهُمَا
فَلَا تَقُلْ لَّهُمَآ اُفٍّ وَّلَا تَنْهَرْهُمَا وَقُلْ لَّهُمَا قَوْلًا
كَرِيْمًا ﴿٢٣﴾ وَاخْفِضْ لَهُمَا جَنَاحَ الذُّلِّ مِنَ الرَّحْمَةِ
وَقُلْ رَّبِّ ارْحَمْهُمَا كَمَا رَبَّيٰنِيْ صَغِيْرًا ﴿٢٤﴾ ؕ رَبُّكُمْ اَعْلَمُ
بِمَا فِيْ نُفُوْسِكُمْ ؕ اِنْ تَكُوْنُوْا صٰلِحِيْنَ فَاِنَّهٗ كَانَ
لِلْاَوَّابِيْنَ غَفُوْرًا ﴿٢٥﴾ وَاٰتِ ذَا الْقُرْبٰى حَقَّهٗ وَالْمِسْكِيْنَ
وَابْنَ السَّبِيْلِ وَلَا تُبَذِّرْ تَبْذِيْرًا ﴿٢٦﴾ اِنَّ الْمُبَذِّرِيْنَ
كَانُوْٓا اِخْوَانَ الشَّيٰطِيْنِ ؕ وَكَانَ الشَّيْطٰنُ لِرَبِّهٖ كَفُوْرًا ﴿٢٧﴾

منزل ٤

Ikhfa اِخفا | Ikhfa Meem Saakin اِخفامیم ساکن | Qalqala قلقلہ | Qalb قلب | Idghaam اِدغام | Idghaam Meem Saakin اِدغام میم ساکن | Ghunna غُنّہ

وَاِمَّا تُعۡرِضَنَّ عَنۡهُمُ ابۡتِغَآءَ رَحۡمَةٍ مِّنۡ رَّبِّكَ تَرۡجُوۡهَا
فَقُلۡ لَّهُمۡ قَوۡلًا مَّيۡسُوۡرًا ﴿٢٨﴾ وَلَا تَجۡعَلۡ يَدَكَ مَغۡلُوۡلَةً
اِلٰى عُنُقِكَ وَلَا تَبۡسُطۡهَا كُلَّ الۡبَسۡطِ فَتَقۡعُدَ مَلُوۡمًا
مَّحۡسُوۡرًا ﴿٢٩﴾ اِنَّ رَبَّكَ يَبۡسُطُ الرِّزۡقَ لِمَنۡ يَّشَآءُ وَيَقۡدِرُؕ
اِنَّهٗ كَانَ بِعِبَادِهٖ خَبِيۡرًاۢ بَصِيۡرًا ﴿٣٠﴾ وَلَا تَقۡتُلُوۡۤا اَوۡلَادَكُمۡ
خَشۡيَةَ اِمۡلَاقٍؕ نَحۡنُ نَرۡزُقُهُمۡ وَاِيَّاكُمۡؕ اِنَّ قَتۡلَهُمۡ
كَانَ خِطۡاً كَبِيۡرًا ﴿٣١﴾ وَلَا تَقۡرَبُوا الزِّنٰٓى اِنَّهٗ كَانَ فَاحِشَةً
وَسَآءَ سَبِيۡلًا ﴿٣٢﴾ وَلَا تَقۡتُلُوا النَّفۡسَ الَّتِىۡ حَرَّمَ اللّٰهُ
اِلَّا بِالۡحَـقِّ ؕ وَمَنۡ قُتِلَ مَظۡلُوۡمًا فَقَدۡ جَعَلۡنَا لِوَلِيِّهٖ
سُلۡطٰنًا فَلَا يُسۡرِفْ فِّى الۡقَتۡلِؕ اِنَّهٗ كَانَ مَنۡصُوۡرًا ﴿٣٣﴾
وَلَا تَقۡرَبُوۡا مَالَ الۡيَتِيۡمِ اِلَّا بِالَّتِىۡ هِىَ اَحۡسَنُ حَتّٰى
يَبۡلُغَ اَشُدَّهٗ ۖ وَاَوۡفُوۡا بِالۡعَهۡدِ ۚ اِنَّ الۡعَهۡدَ كَانَ
مَسۡـُٔوۡلًا ﴿٣٤﴾ وَاَوۡفُوا الۡكَيۡلَ اِذَا كِلۡتُمۡ وَزِنُوۡا بِالۡقِسۡطَاسِ

منزل ٤

Ikhfa اِخفا | Ikhfa Meem Saakin اِخفامیم ساکن | Qalqala قلقلہ | Qalb قلب | Idghaam اِدغام | Idghaam Meem Saakin اِدغام میم ساکن | Ghunna غُنّہ

الْمُسْتَقِیْمِؕ ذٰلِكَ خَیْرٌ وَّاَحْسَنُ تَاْوِیْلًا ﴿٣٥﴾ وَلَا تَقْفُ
مَا لَیْسَ لَكَ بِهٖ عِلْمٌؕ اِنَّ السَّمْعَ وَالْبَصَرَ وَالْفُؤَادَ
كُلُّ اُولٰٓئِكَ كَانَ عَنْهُ مَسْـُٔوْلًا ﴿٣٦﴾ وَلَا تَمْشِ فِی
الْاَرْضِ مَرَحًاۚ اِنَّكَ لَنْ تَخْرِقَ الْاَرْضَ وَلَنْ تَبْلُغَ
الْجِبَالَ طُوْلًا ﴿٣٧﴾ كُلُّ ذٰلِكَ كَانَ سَیِّئُهٗ عِنْدَ رَبِّكَ
مَكْرُوْهًا ﴿٣٨﴾ ذٰلِكَ مِمَّاۤ اَوْحٰۤى اِلَیْكَ رَبُّكَ مِنَ الْحِكْمَةِؕ
وَلَا تَجْعَلْ مَعَ اللّٰهِ اِلٰهًا اٰخَرَ فَتُلْقٰى فِیْ جَهَنَّمَ مَلُوْمًا
مَّدْحُوْرًا ﴿٣٩﴾ اَفَاَصْفٰىكُمْ رَبُّكُمْ بِالْبَنِیْنَ وَاتَّخَذَ مِنَ
ع الْمَلٰٓئِكَةِ اِنَاثًاؕ اِنَّكُمْ لَتَقُوْلُوْنَ قَوْلًا عَظِیْمًا ﴿٤٠﴾ وَلَقَدْ
صَرَّفْنَا فِیْ هٰذَا الْقُرْاٰنِ لِیَذَّكَّرُوْاؕ وَمَا یَزِیْدُهُمْ اِلَّا
نُفُوْرًا ﴿٤١﴾ قُلْ لَّوْ كَانَ مَعَهٗۤ اٰلِهَةٌ كَمَا یَقُوْلُوْنَ اِذًا
لَّابْتَغَوْا اِلٰى ذِی الْعَرْشِ سَبِیْلًا ﴿٤٢﴾ سُبْحٰنَهٗ وَ
تَعٰلٰى عَمَّا یَقُوْلُوْنَ عُلُوًّا كَبِیْرًا ﴿٤٣﴾ تُسَبِّحُ لَهُ السَّمٰوٰتُ

منزل ٤

السَّبْعُ وَالْاَرْضُ وَمَنْ فِیْهِنَّ ؕ وَاِنْ مِّنْ شَیْءٍ اِلَّا یُسَبِّحُ
بِحَمْدِهٖ وَلٰكِنْ لَّا تَفْقَهُوْنَ تَسْبِیْحَهُمْ ؕ اِنَّهٗ كَانَ
حَلِیْمًا غَفُوْرًا ﴿٤٤﴾ وَاِذَا قَرَاْتَ الْقُرْاٰنَ جَعَلْنَا بَیْنَكَ
وَبَیْنَ الَّذِیْنَ لَا یُؤْمِنُوْنَ بِالْاٰخِرَةِ حِجَابًا مَّسْتُوْرًا ﴿٤٥﴾ لا وَّ
جَعَلْنَا عَلٰی قُلُوْبِهِمْ اَكِنَّةً اَنْ یَّفْقَهُوْهُ وَفِیْٓ اٰذَانِهِمْ
وَقْرًا ؕ وَاِذَا ذَكَرْتَ رَبَّكَ فِی الْقُرْاٰنِ وَحْدَهٗ وَلَّوْا عَلٰٓی
اَدْبَارِهِمْ نُفُوْرًا ﴿٤٦﴾ نَحْنُ اَعْلَمُ بِمَا یَسْتَمِعُوْنَ بِهٖٓ اِذْ منزل ٤
یَسْتَمِعُوْنَ اِلَیْكَ وَاِذْ هُمْ نَجْوٰٓی اِذْ یَقُوْلُ الظّٰلِمُوْنَ
اِنْ تَتَّبِعُوْنَ اِلَّا رَجُلًا مَّسْحُوْرًا ﴿٤٧﴾ اُنْظُرْ كَیْفَ ضَرَبُوْا
الربع لَكَ الْاَمْثَالَ فَضَلُّوْا فَلَا یَسْتَطِیْعُوْنَ سَبِیْلًا ﴿٤٨﴾ وَ
قَالُوْٓا ءَاِذَا كُنَّا عِظَامًا وَّرُفَاتًا ءَاِنَّا لَمَبْعُوْثُوْنَ
خَلْقًا جَدِیْدًا ﴿٤٩﴾ قُلْ كُوْنُوْا حِجَارَةً اَوْ حَدِیْدًا ﴿٥٠﴾ لا اَوْ
خَلْقًا مِّمَّا یَكْبُرُ فِیْ صُدُوْرِكُمْ ۚ فَسَیَقُوْلُوْنَ مَنْ یُّعِیْدُنَا ؕ

Ikhfa اِخفا | Ikhfa Meem Saakin اِخفامیم ساکن | Qalqala قلقلہ | Qalb قلب | Idghaam اِدغام | Idghaam Meem Saakin اِدغام میم ساکن | Ghunna غُنّہ

قُلِ الَّذِيْ فَطَرَكُمْ اَوَّلَ مَرَّةٍ ۚ فَسَيُنْغِضُوْنَ اِلَيْكَ

رُءُوْسَهُمْ وَيَقُوْلُوْنَ مَتٰى هُوَ ؕ قُلْ عَسٰۤى اَنْ يَّكُوْنَ

قَرِيْبًا ﴿۵۱﴾ يَوْمَ يَدْعُوْكُمْ فَتَسْتَجِيْبُوْنَ بِحَمْدِهٖ وَتَظُنُّوْنَ

اِنْ لَّبِثْتُمْ اِلَّا قَلِيْلًا ﴿۵۲﴾ ع وَقُلْ لِّعِبَادِيْ يَقُوْلُوا الَّتِيْ ع ١٢ ٥

هِيَ اَحْسَنُ ؕ اِنَّ الشَّيْطٰنَ يَنْزَغُ بَيْنَهُمْ ؕ اِنَّ الشَّيْطٰنَ

كَانَ لِلْاِنْسَانِ عَدُوًّا مُّبِيْنًا ﴿۵۳﴾ رَبُّكُمْ اَعْلَمُ بِكُمْ ؕ

منزل ٤ اِنْ يَّشَاْ يَرْحَمْكُمْ اَوْ اِنْ يَّشَاْ يُعَذِّبْكُمْ ؕ وَمَاۤ اَرْسَلْنٰكَ

عَلَيْهِمْ وَكِيْلًا ﴿۵۴﴾ وَرَبُّكَ اَعْلَمُ بِمَنْ فِي السَّمٰوٰتِ وَ

الْاَرْضِ ؕ وَلَقَدْ فَضَّلْنَا بَعْضَ النَّبِيّٖنَ عَلٰى بَعْضٍ وَّ

اٰتَيْنَا دَاوٗدَ زَبُوْرًا ﴿۵۵﴾ قُلِ ادْعُوا الَّذِيْنَ زَعَمْتُمْ مِّنْ

دُوْنِهٖ فَلَا يَمْلِكُوْنَ كَشْفَ الضُّرِّ عَنْكُمْ وَلَا تَحْوِيْلًا ﴿۵۶﴾

اُولٰٓئِكَ الَّذِيْنَ يَدْعُوْنَ يَبْتَغُوْنَ اِلٰى رَبِّهِمُ

الْوَسِيْلَةَ اَيُّهُمْ اَقْرَبُ وَيَرْجُوْنَ رَحْمَتَهٗ وَيَخَافُوْنَ

عَذَابَهٗ ؕ اِنَّ عَذَابَ رَبِّكَ كَانَ مَحْذُوْرًا ﴿٥٧﴾ وَاِنْ مِّنْ
قَرْيَةٍ اِلَّا نَحْنُ مُهْلِكُوْهَا قَبْلَ يَوْمِ الْقِيٰمَةِ اَوْ مُعَذِّبُوْهَا
عَذَابًا شَدِيْدًا ؕ كَانَ ذٰلِكَ فِى الْكِتٰبِ مَسْطُوْرًا ﴿٥٨﴾
وَمَا مَنَعَنَآ اَنْ نُّرْسِلَ بِالْاٰيٰتِ اِلَّآ اَنْ كَذَّبَ بِهَا
الْاَوَّلُوْنَ ؕ وَاٰتَيْنَا ثَمُوْدَ النَّاقَةَ مُبْصِرَةً فَظَلَمُوْا بِهَا ؕ
وَمَا نُرْسِلُ بِالْاٰيٰتِ اِلَّا تَخْوِيْفًا ﴿٥٩﴾ وَاِذْ قُلْنَا لَكَ اِنَّ
رَبَّكَ اَحَاطَ بِالنَّاسِ ؕ وَمَا جَعَلْنَا الرُّءْيَا الَّتِىْٓ اَرَيْنٰكَ
اِلَّا فِتْنَةً لِّلنَّاسِ وَالشَّجَرَةَ الْمَلْعُوْنَةَ فِى الْقُرْاٰنِ ؕ
وَنُخَوِّفُهُمْ ۙ فَمَا يَزِيْدُهُمْ اِلَّا طُغْيَانًا كَبِيْرًا ﴿٦٠﴾ ع وَاِذْ قُلْنَا
لِلْمَلٰٓئِكَةِ اسْجُدُوْا لِاٰدَمَ فَسَجَدُوْٓا اِلَّآ اِبْلِيْسَ ؕ قَالَ
ءَاَسْجُدُ لِمَنْ خَلَقْتَ طِيْنًا ﴿٦١﴾ ج قَالَ اَرَءَيْتَكَ هٰذَا الَّذِىْ
كَرَّمْتَ عَلَىَّ ز لَئِنْ اَخَّرْتَنِ اِلٰى يَوْمِ الْقِيٰمَةِ لَاَحْتَنِكَنَّ
ذُرِّيَّتَهٗٓ اِلَّا قَلِيْلًا ﴿٦٢﴾ قَالَ اذْهَبْ فَمَنْ تَبِعَكَ مِنْهُمْ

منزل ٤ ع ٦/٨

فَاِنَّ جَهَنَّمَ جَزَآؤُكُمْ جَزَآءً مَّوْفُوْرًا ﴿٦٣﴾ وَاسْتَفْزِزْ مَنِ
اسْتَطَعْتَ مِنْهُمْ بِصَوْتِكَ وَاَجْلِبْ عَلَيْهِمْ بِخَيْلِكَ وَ
رَجِلِكَ وَشَارِكْهُمْ فِى الْاَمْوَالِ وَالْاَوْلَادِ وَعِدْهُمْ ؕ وَمَا
يَعِدُهُمُ الشَّيْطٰنُ اِلَّا غُرُوْرًا ﴿٦٤﴾ اِنَّ عِبَادِىْ لَيْسَ لَكَ
عَلَيْهِمْ سُلْطٰنٌ ؕ وَكَفٰى بِرَبِّكَ وَكِيْلًا ﴿٦٥﴾ رَبُّكُمُ الَّذِىْ يُزْجِىْ
لَكُمُ الْفُلْكَ فِى الْبَحْرِ لِتَبْتَغُوْا مِنْ فَضْلِهٖ ؕ اِنَّهٗ كَانَ
بِكُمْ رَحِيْمًا ﴿٦٦﴾ وَاِذَا مَسَّكُمُ الضُّرُّ فِى الْبَحْرِ ضَلَّ مَنْ
تَدْعُوْنَ اِلَّاۤ اِيَّاهُ ۚ فَلَمَّا نَجّٰىكُمْ اِلَى الْبَرِّ اَعْرَضْتُمْ ؕ وَ
كَانَ الْاِنْسَانُ كَفُوْرًا ﴿٦٧﴾ اَفَاَمِنْتُمْ اَنْ يَّخْسِفَ بِكُمْ جَانِبَ
الْبَرِّ اَوْ يُرْسِلَ عَلَيْكُمْ حَاصِبًا ثُمَّ لَا تَجِدُوْا لَكُمْ
وَكِيْلًا ﴿٦٨﴾ ۙ اَمْ اَمِنْتُمْ اَنْ يُّعِيْدَكُمْ فِيْهِ تَارَةً اُخْرٰى
فَيُرْسِلَ عَلَيْكُمْ قَاصِفًا مِّنَ الرِّيْحِ فَيُغْرِقَكُمْ بِمَا كَفَرْتُمْ ۙ
ثُمَّ لَا تَجِدُوْا لَكُمْ عَلَيْنَا بِهٖ تَبِيْعًا ﴿٦٩﴾ وَلَقَدْ كَرَّمْنَا

منزل ٤

بَنِيْٓ اٰدَمَ وَحَمَلْنٰهُمْ فِي الْبَرِّ وَالْبَحْرِ وَرَزَقْنٰهُمْ مِّنَ

الطَّيِّبٰتِ وَفَضَّلْنٰهُمْ عَلٰي كَثِيْرٍ مِّمَّنْ خَلَقْنَا

ع ٧/٧ تَفْضِيْلًا ۝٧٠ يَوْمَ نَدْعُوْا كُلَّ اُنَاسٍۢ بِاِمَامِهِمْ ۚ فَمَنْ

اُوْتِيَ كِتٰبَهٗ بِيَمِيْنِهٖ فَاُولٰۗىِٕكَ يَقْرَءُوْنَ كِتٰبَهُمْ وَلَا

يُظْلَمُوْنَ فَتِيْلًا ۝٧١ وَمَنْ كَانَ فِيْ هٰذِهٖٓ اَعْمٰى فَهُوَ فِي

الْاٰخِرَةِ اَعْمٰى وَاَضَلُّ سَبِيْلًا ۝٧٢ وَاِنْ كَادُوْا لَيَفْتِنُوْنَكَ

عَنِ الَّذِيْٓ اَوْحَيْنَآ اِلَيْكَ لِتَفْتَرِيَ عَلَيْنَا غَيْرَهٗ ۖ ق منزل ٤

وَاِذًا لَّاتَّخَذُوْكَ خَلِيْلًا ۝٧٣ وَلَوْلَآ اَنْ ثَبَّتْنٰكَ لَقَدْ

كِدْتَّ تَرْكَنُ اِلَيْهِمْ شَيْـــًٔا قَلِيْلًا ۝٧٤ ق اِذًا لَّاَذَقْنٰكَ ضِعْفَ

الْحَيٰوةِ وَضِعْفَ الْمَمَاتِ ثُمَّ لَا تَجِدُ لَكَ عَلَيْنَا نَصِيْرًا ۝٧٥

وَاِنْ كَادُوْا لَيَسْتَفِزُّوْنَكَ مِنَ الْاَرْضِ لِيُخْرِجُوْكَ

مِنْهَا وَاِذًا لَّا يَلْبَثُوْنَ خِلٰفَكَ اِلَّا قَلِيْلًا ۝٧٦ سُنَّةَ

مَنْ قَدْ اَرْسَلْنَا قَبْلَكَ مِنْ رُّسُلِنَا وَلَا تَجِدُ لِسُنَّتِنَا

Ikhfa اِخفا | Ikhfa Meem Saakin اِخفامیم ساکن | Qalqala قلقلہ | Qalb قلب | Idghaam اِدغام | Idghaam Meem Saakin اِدغام میم ساکن | Ghunna غُنّہ

ع ۸ ۷ ۸ تَحۡوِیۡلًا ﴿۷۷﴾ اَقِمِ الصَّلٰوۃَ لِدُلُوۡکِ الشَّمۡسِ اِلٰی غَسَقِ الَّیۡلِ
وَ قُرۡاٰنَ الۡفَجۡرِ ؕ اِنَّ قُرۡاٰنَ الۡفَجۡرِ کَانَ مَشۡہُوۡدًا ﴿۷۸﴾ وَ
مِنَ الَّیۡلِ فَتَہَجَّدۡ بِہٖ نَافِلَۃً لَّکَ ٭ۖ عَسٰۤی اَنۡ یَّبۡعَثَکَ
رَبُّکَ مَقَامًا مَّحۡمُوۡدًا ﴿۷۹﴾ وَ قُلۡ رَّبِّ اَدۡخِلۡنِیۡ مُدۡخَلَ
صِدۡقٍ وَّ اَخۡرِجۡنِیۡ مُخۡرَجَ صِدۡقٍ وَّ اجۡعَلۡ لِّیۡ مِنۡ
لَّدُنۡکَ سُلۡطٰنًا نَّصِیۡرًا ﴿۸۰﴾ وَ قُلۡ جَآءَ الۡحَقُّ وَ زَہَقَ
الۡبَاطِلُ ؕ اِنَّ الۡبَاطِلَ کَانَ زَہُوۡقًا ﴿۸۱﴾ وَ نُنَزِّلُ مِنَ
الۡقُرۡاٰنِ مَا ہُوَ شِفَآءٌ وَّ رَحۡمَۃٌ لِّلۡمُؤۡمِنِیۡنَ ۙ وَ لَا یَزِیۡدُ
الظّٰلِمِیۡنَ اِلَّا خَسَارًا ﴿۸۲﴾ وَ اِذَاۤ اَنۡعَمۡنَا عَلَی الۡاِنۡسَانِ
اَعۡرَضَ وَ نَاٰ بِجَانِبِہٖ ۚ وَ اِذَا مَسَّہُ الشَّرُّ کَانَ یَـُٔوۡسًا ﴿۸۳﴾
قُلۡ کُلٌّ یَّعۡمَلُ عَلٰی شَاکِلَتِہٖ ؕ فَرَبُّکُمۡ اَعۡلَمُ بِمَنۡ
ع ۹ ۸ ۹ ہُوَ اَہۡدٰی سَبِیۡلًا ﴿۸۴﴾ وَ یَسۡـَٔلُوۡنَکَ عَنِ الرُّوۡحِ ؕ قُلِ
الرُّوۡحُ مِنۡ اَمۡرِ رَبِّیۡ وَ مَاۤ اُوۡتِیۡتُمۡ مِّنَ الۡعِلۡمِ اِلَّا قَلِیۡلًا ﴿۸۵﴾

منزل ۴

Ikhfa إخفا | Ikhfa Meem Saakin إخفاميم ساكن | Qalqala قلقله | Qalb قلب | Idghaam إدغام | Idghaam Meem Saakin إدغام ميم ساكن | Ghunna غُنّه

وَلَئِنْ شِئْنَا لَنَذْهَبَنَّ بِالَّذِیْٓ اَوْحَیْنَآ اِلَیْكَ ثُمَّ لَا
تَجِدُ لَكَ بِهٖ عَلَیْنَا وَكِیْلًا ۙ﴿۸۶﴾ اِلَّا رَحْمَةً مِّنْ
رَّبِّكَ ؕ اِنَّ فَضْلَهٗ كَانَ عَلَیْكَ كَبِیْرًا ﴿۸۷﴾ قُلْ لَّئِنِ
اجْتَمَعَتِ الْاِنْسُ وَالْجِنُّ عَلٰۤی اَنْ یَّاْتُوْا بِمِثْلِ هٰذَا
الْقُرْاٰنِ لَا یَاْتُوْنَ بِمِثْلِهٖ وَلَوْ كَانَ بَعْضُهُمْ لِبَعْضٍ
ظَهِیْرًا ﴿۸۸﴾ وَلَقَدْ صَرَّفْنَا لِلنَّاسِ فِیْ هٰذَا الْقُرْاٰنِ
مِنْ كُلِّ مَثَلٍ ؗ فَاَبٰۤی اَكْثَرُ النَّاسِ اِلَّا كُفُوْرًا ﴿۸۹﴾
وَقَالُوْا لَنْ نُّؤْمِنَ لَكَ حَتّٰی تَفْجُرَ لَنَا مِنَ الْاَرْضِ
یَنْۢبُوْعًا ۙ﴿۹۰﴾ اَوْ تَكُوْنَ لَكَ جَنَّةٌ مِّنْ نَّخِیْلٍ وَّعِنَبٍ
فَتُفَجِّرَ الْاَنْهٰرَ خِلٰلَهَا تَفْجِیْرًا ۙ﴿۹۱﴾ اَوْ تُسْقِطَ السَّمَآءَ
كَمَا زَعَمْتَ عَلَیْنَا كِسَفًا اَوْ تَاْتِیَ بِاللّٰهِ وَالْمَلٰٓئِكَةِ
قَبِیْلًا ۙ﴿۹۲﴾ اَوْ یَكُوْنَ لَكَ بَیْتٌ مِّنْ زُخْرُفٍ اَوْ تَرْقٰی
فِی السَّمَآءِ ؕ وَلَنْ نُّؤْمِنَ لِرُقِیِّكَ حَتّٰی تُنَزِّلَ عَلَیْنَا

منزل ۴

كِتٰبًا نَّقْرَؤُهٗ ؕ قُلْ سُبْحَانَ رَبِّيْ هَلْ كُنْتُ اِلَّا بَشَرًا

ع ٩ رَّسُوْلًا ﴿٩٣﴾ ع وَمَا مَنَعَ النَّاسَ اَنْ يُّؤْمِنُوْٓا اِذْ جَآءَهُمُ

الْهُدٰٓى اِلَّآ اَنْ قَالُوْٓا اَبَعَثَ اللّٰهُ بَشَرًا رَّسُوْلًا ﴿٩٤﴾ قُلْ

لَّوْ كَانَ فِي الْاَرْضِ مَلٰٓئِكَةٌ يَّمْشُوْنَ مُطْمَئِنِّيْنَ

لَنَزَّلْنَا عَلَيْهِمْ مِّنَ السَّمَآءِ مَلَكًا رَّسُوْلًا ﴿٩٥﴾ قُلْ كَفٰى

بِاللّٰهِ شَهِيْدًۢا بَيْنِيْ وَبَيْنَكُمْ ؕ اِنَّهٗ كَانَ بِعِبَادِهٖ

خَبِيْرًۢا بَصِيْرًا ﴿٩٦﴾ وَمَنْ يَّهْدِ اللّٰهُ فَهُوَ الْمُهْتَدِ ۚ وَمَنْ منزل ٤

يُّضْلِلْ فَلَنْ تَجِدَ لَهُمْ اَوْلِيَآءَ مِنْ دُوْنِهٖ ؕ وَنَحْشُرُهُمْ

يَوْمَ الْقِيٰمَةِ عَلٰى وُجُوْهِهِمْ عُمْيًا وَّبُكْمًا وَّصُمًّا ؕ مَاْوٰىهُمْ

النصف جَهَنَّمُ ؕ كُلَّمَا خَبَتْ زِدْنٰهُمْ سَعِيْرًا ﴿٩٧﴾ ذٰلِكَ جَزَآؤُهُمْ

بِاَنَّهُمْ كَفَرُوْا بِاٰيٰتِنَا وَقَالُوْٓا ءَاِذَا كُنَّا عِظَامًا وَّرُفَاتًا

ءَاِنَّا لَمَبْعُوْثُوْنَ خَلْقًا جَدِيْدًا ﴿٩٨﴾ اَوَلَمْ يَرَوْا اَنَّ اللّٰهَ

الَّذِيْ خَلَقَ السَّمٰوٰتِ وَالْاَرْضَ قَادِرٌ عَلٰٓى اَنْ يَّخْلُقَ

مِثْلَهُمْ وَجَعَلَ لَهُمْ اَجَلًا لَّا رَيْبَ فِيْهِ ؕ فَاَبَى الظّٰلِمُوْنَ

اِلَّا كُفُوْرًا ﴿۹۹﴾ قُلْ لَّوْ اَنْتُمْ تَمْلِكُوْنَ خَزَآىِٕنَ رَحْمَةِ رَبِّيْۤ

ع ۱۱/۷ اِذًا لَّاَمْسَكْتُمْ خَشْيَةَ الْاِنْفَاقِ ؕ وَكَانَ الْاِنْسَانُ قَتُوْرًا ﴿۱۰۰﴾ ع

وَلَقَدْ اٰتَيْنَا مُوْسٰى تِسْعَ اٰيٰتٍۭ بَيِّنٰتٍ فَسْـَٔلْ بَنِيْۤ اِسْرَآءِيْلَ

اِذْ جَآءَهُمْ فَقَالَ لَهٗ فِرْعَوْنُ اِنِّيْ لَاَظُنُّكَ يٰمُوْسٰى

مَسْحُوْرًا ﴿۱۰۱﴾ قَالَ لَقَدْ عَلِمْتَ مَاۤ اَنْزَلَ هٰۤؤُلَآءِ اِلَّا رَبُّ

السَّمٰوٰتِ وَالْاَرْضِ بَصَآىِٕرَ ۚ وَاِنِّيْ لَاَظُنُّكَ يٰفِرْعَوْنُ مَنْزِل ۴

مَثْبُوْرًا ﴿۱۰۲﴾ فَاَرَادَ اَنْ يَّسْتَفِزَّهُمْ مِّنَ الْاَرْضِ فَاَغْرَقْنٰهُ وَ

مَنْ مَّعَهٗ جَمِيْعًا ﴿۱۰۳﴾ وَّقُلْنَا مِنْۢ بَعْدِهٖ لِبَنِيْۤ اِسْرَآءِيْلَ

اسْكُنُوا الْاَرْضَ فَاِذَا جَآءَ وَعْدُ الْاٰخِرَةِ جِئْنَا بِكُمْ لَفِيْفًا ﴿۱۰۴﴾ ؕ

وَبِالْحَقِّ اَنْزَلْنٰهُ وَبِالْحَقِّ نَزَلَ ؕ وَمَاۤ اَرْسَلْنٰكَ اِلَّا مُبَشِّرًا

وقف لازم وَّنَذِيْرًا ﴿۱۰۵﴾ ۘ وَقُرْاٰنًا فَرَقْنٰهُ لِتَقْرَاَهٗ عَلَى النَّاسِ عَلٰى

مُكْثٍ وَّنَزَّلْنٰهُ تَنْزِيْلًا ﴿۱۰۶﴾ قُلْ اٰمِنُوْا بِهٖۤ اَوْ لَا تُؤْمِنُوْا ؕ

Ikhfa اِخفا | Ikhfa Meem Saakin اِخفامیم ساکن | Qalqala قلقلہ | Qalb قلب | Idghaam اِدغام | Idghaam Meem Saakin اِدغام میم ساکن | Ghunna غُنّہ

اِنَّ الَّذِيۡنَ اُوۡتُوا الۡعِلۡمَ مِنۡ قَبۡلِهٖۤ اِذَا يُتۡلٰى عَلَيۡهِمۡ
يَخِرُّوۡنَ لِلۡاَذۡقَانِ سُجَّدًا ۙ‏ ﴿١٠٧﴾ وَّيَقُوۡلُوۡنَ سُبۡحٰنَ رَبِّنَاۤ
اِنۡ كَانَ وَعۡدُ رَبِّنَا لَمَفۡعُوۡلًا‏ ﴿١٠٨﴾ وَيَخِرُّوۡنَ لِلۡاَذۡقَانِ
يَبۡكُوۡنَ وَيَزِيۡدُهُمۡ خُشُوۡعًا ۩‏ ﴿١٠٩﴾ قُلِ ادۡعُوا اللّٰهَ اَوِ السَّجۡدَة (٤)
ادۡعُوا الرَّحۡمٰنَ‌ ؕ اَيًّا مَّا تَدۡعُوۡا فَلَهُ الۡاَسۡمَآءُ الۡحُسۡنٰى‌ ۚ
وَلَا تَجۡهَرۡ بِصَلَاتِكَ وَلَا تُخَافِتۡ بِهَا وَابۡتَغِ بَيۡنَ
ذٰلِكَ سَبِيۡلًا‏ ﴿١١٠﴾ وَقُلِ الۡحَمۡدُ لِلّٰهِ الَّذِىۡ لَمۡ يَتَّخِذۡ
وَلَدًا وَّلَمۡ يَكُنۡ لَّهٗ شَرِيۡكٌ فِى الۡمُلۡكِ وَلَمۡ يَكُنۡ
لَّهٗ وَلِىٌّ مِّنَ الذُّلِّ‌ وَكَبِّرۡهُ تَكۡبِيۡرًا ع ﴿١١١﴾ ع ١٢ / ١١ / ١٢

اٰيَاتُهَا ١١٠ (١٨) سُوۡرَةُ الۡكَهۡفِ مَكِّيَّةٌ (٦٩) رُكُوۡعَاتُهَا ١٢

بِسۡمِ اللّٰهِ الرَّحۡمٰنِ الرَّحِيۡمِ

اَلۡحَمۡدُ لِلّٰهِ الَّذِىۡۤ اَنۡزَلَ عَلٰى عَبۡدِهِ الۡكِتٰبَ وَلَمۡ
يَجۡعَلْ لَّهٗ عِوَجًا ؕ سکتة ﴿١﴾ قَيِّمًا لِّيُنۡذِرَ بَاۡسًا شَدِيۡدًا مِّنۡ

منزل ٤

لَّدُنْهُ وَيُبَشِّرَ الْمُؤْمِنِيْنَ الَّذِيْنَ يَعْمَلُوْنَ الصّٰلِحٰتِ
اَنَّ لَهُمْ اَجْرًا حَسَنًا ۙ﴿٢﴾ مّٰكِثِيْنَ فِيْهِ اَبَدًا ۙ﴿٣﴾ وَّ
يُنْذِرَ الَّذِيْنَ قَالُوا اتَّخَذَ اللّٰهُ وَلَدًا ۗ﴿٤﴾ مَا لَهُمْ بِهٖ
مِنْ عِلْمٍ وَّلَا لِاٰبَآئِهِمْ ؕ كَبُرَتْ كَلِمَةً تَخْرُجُ مِنْ
اَفْوَاهِهِمْ ؕ اِنْ يَّقُوْلُوْنَ اِلَّا كَذِبًا ﴿٥﴾ فَلَعَلَّكَ بَاخِعٌ
نَّفْسَكَ عَلٰۤى اٰثَارِهِمْ اِنْ لَّمْ يُؤْمِنُوْا بِهٰذَا الْحَدِيْثِ
اَسَفًا ﴿٦﴾ اِنَّا جَعَلْنَا مَا عَلَى الْاَرْضِ زِيْنَةً لَّهَا
لِنَبْلُوَهُمْ اَيُّهُمْ اَحْسَنُ عَمَلًا ﴿٧﴾ وَاِنَّا لَجٰعِلُوْنَ مَا
عَلَيْهَا صَعِيْدًا جُرُزًا ؕ﴿٨﴾ اَمْ حَسِبْتَ اَنَّ اَصْحٰبَ
الْكَهْفِ وَالرَّقِيْمِ ۙ كَانُوْا مِنْ اٰيٰتِنَا عَجَبًا ﴿٩﴾ اِذْ اَوَى
الْفِتْيَةُ اِلَى الْكَهْفِ فَقَالُوْا رَبَّنَآ اٰتِنَا مِنْ لَّدُنْكَ
رَحْمَةً وَّهَيِّئْ لَنَا مِنْ اَمْرِنَا رَشَدًا ﴿١٠﴾ فَضَرَبْنَا
عَلٰۤى اٰذَانِهِمْ فِي الْكَهْفِ سِنِيْنَ عَدَدًا ۙ﴿١١﴾ ثُمَّ

منزل ٤

بَعَثۡنٰهُمۡ لِنَعۡلَمَ اَیُّ الۡحِزۡبَیۡنِ اَحۡصٰی لِمَا لَبِثُوۡۤا
اَمَدًا ﴿١٢﴾ ع نَحۡنُ نَقُصُّ عَلَیۡكَ نَبَاَهُمۡ بِالۡحَقِّ ؕ اِنَّهُمۡ
فِتۡیَةٌ اٰمَنُوۡا بِرَبِّهِمۡ وَ زِدۡنٰهُمۡ هُدًی ﴿١٣﴾ ۖ ق وَّ رَبَطۡنَا
عَلٰی قُلُوۡبِهِمۡ اِذۡ قَامُوۡا فَقَالُوۡا رَبُّنَا رَبُّ السَّمٰوٰتِ
وَ الۡاَرۡضِ لَنۡ نَّدۡعُوَاۡ مِنۡ دُوۡنِهٖۤ اِلٰهًا لَّقَدۡ قُلۡنَاۤ
اِذًا شَطَطًا ﴿١٤﴾ هٰۤؤُلَآءِ قَوۡمُنَا اتَّخَذُوۡا مِنۡ دُوۡنِهٖۤ
اٰلِهَةً ؕ لَوۡ لَا یَاۡتُوۡنَ عَلَیۡهِمۡ بِسُلۡطٰنٍۭ بَیِّنٍ ؕ فَمَنۡ
اَظۡلَمُ مِمَّنِ افۡتَرٰی عَلَی اللّٰهِ كَذِبًا ﴿١٥﴾ ؕ وَ اِذِ
اعۡتَزَلۡتُمُوۡهُمۡ وَمَا یَعۡبُدُوۡنَ اِلَّا اللّٰهَ فَاۡوٗۤا اِلَی الۡكَهۡفِ
یَنۡشُرۡ لَكُمۡ رَبُّكُمۡ مِّنۡ رَّحۡمَتِهٖ وَیُهَیِّیٔۡ لَكُمۡ مِّنۡ
اَمۡرِكُمۡ مِّرۡفَقًا ﴿١٦﴾ وَتَرَی الشَّمۡسَ اِذَا طَلَعَتۡ تَّزٰوَرُ
عَنۡ كَهۡفِهِمۡ ذَاتَ الۡیَمِیۡنِ وَاِذَا غَرَبَتۡ تَّقۡرِضُهُمۡ
ذَاتَ الشِّمَالِ وَهُمۡ فِیۡ فَجۡوَةٍ مِّنۡهُ ؕ ذٰلِكَ مِنۡ

منزل ٤ ع ١٢/١٤

اٰيٰتِ اللّٰهِ ؕ مَنۡ يَّهۡدِ اللّٰهُ فَهُوَ الۡمُهۡتَدِ ۚ وَمَنۡ يُّضۡلِلۡ
فَلَنۡ تَجِدَ لَهٗ وَلِيًّا مُّرۡشِدًا ﴿۱۷﴾ وَتَحۡسَبُهُمۡ اَيۡقَاظًا
وَّهُمۡ رُقُوۡدٌ ۖۗ وَّنُقَلِّبُهُمۡ ذَاتَ الۡيَمِيۡنِ وَ ذَاتَ
الشِّمَالِ ۖۗ وَكَلۡبُهُمۡ بَاسِطٌ ذِرَاعَيۡهِ بِالۡوَصِيۡدِ ؕ لَوِ اطَّلَعۡتَ
عَلَيۡهِمۡ لَوَلَّيۡتَ مِنۡهُمۡ فِرَارًا وَّلَمُلِئۡتَ مِنۡهُمۡ رُعۡبًا ﴿۱۸﴾ وَ
كَذٰلِكَ بَعَثۡنٰهُمۡ لِيَتَسَآءَلُوۡا بَيۡنَهُمۡ ؕ قَالَ قَآئِلٌ
مِّنۡهُمۡ كَمۡ لَبِثۡتُمۡ ؕ قَالُوۡا لَبِثۡنَا يَوۡمًا اَوۡ بَعۡضَ يَوۡمٍ ؕ
قَالُوۡا رَبُّكُمۡ اَعۡلَمُ بِمَا لَبِثۡتُمۡ ؕ فَابۡعَثُوۡۤا اَحَدَكُمۡ
بِوَرِقِكُمۡ هٰذِهٖۤ اِلَى الۡمَدِيۡنَةِ فَلۡيَنۡظُرۡ اَيُّهَاۤ اَزۡكٰى
طَعَامًا فَلۡيَاۡتِكُمۡ بِرِزۡقٍ مِّنۡهُ وَلۡيَتَلَطَّفۡ وَلَا
يُشۡعِرَنَّ بِكُمۡ اَحَدًا ﴿۱۹﴾ اِنَّهُمۡ اِنۡ يَّظۡهَرُوۡا عَلَيۡكُمۡ
يَرۡجُمُوۡكُمۡ اَوۡ يُعِيۡدُوۡكُمۡ فِىۡ مِلَّتِهِمۡ وَلَنۡ تُفۡلِحُوۡۤا اِذًا
اَبَدًا ﴿۲۰﴾ وَكَذٰلِكَ اَعۡثَرۡنَا عَلَيۡهِمۡ لِيَعۡلَمُوۡۤا اَنَّ وَعۡدَ

ع ٥/٤ ٢٠

نِصۡفُ الۡقُرۡاٰنِ بِاعۡتِبَارِ عَدَدِ الۡحُرُوۡفِ بِاَنَّ التَّآءَ بَعۡدَ الۡيَآءِ مِنَ النِّصۡفِ الۡاَوَّلِ وَاللَّامَ الثَّانِيَةَ مِنَ النِّصۡفِ الۡاٰخِرِ ١٢

منزل ٤

اللّٰهِ حَقٌّ وَّاَنَّ السَّاعَةَ لَا رَيْبَ فِيْهَا ۚ اِذْ يَتَنَازَعُوْنَ
بَيْنَهُمْ اَمْرَهُمْ فَقَالُوا ابْنُوْا عَلَيْهِمْ بُنْيَانًا ؕ رَبُّهُمْ
اَعْلَمُ بِهِمْ ؕ قَالَ الَّذِيْنَ غَلَبُوْا عَلٰٓى اَمْرِهِمْ لَنَتَّخِذَنَّ
عَلَيْهِمْ مَّسْجِدًا ﴿٢١﴾ سَيَقُوْلُوْنَ ثَلٰثَةٌ رَّابِعُهُمْ
كَلْبُهُمْ ۚ وَيَقُوْلُوْنَ خَمْسَةٌ سَادِسُهُمْ كَلْبُهُمْ
رَجْمًا بِالْغَيْبِ ۚ وَيَقُوْلُوْنَ سَبْعَةٌ وَّثَامِنُهُمْ كَلْبُهُمْ ؕ
منزل ٤ قُلْ رَّبِّيْٓ اَعْلَمُ بِعِدَّتِهِمْ مَّا يَعْلَمُهُمْ اِلَّا قَلِيْلٌ ۵ قف
فَلَا تُمَارِ فِيْهِمْ اِلَّا مِرَآءً ظَاهِرًا ۪ وَّلَا تَسْتَفْتِ فِيْهِمْ
مِّنْهُمْ اَحَدًا ﴿٢٢﴾ ع وَلَا تَقُوْلَنَّ لِشَايْءٍ اِنِّيْ فَاعِلٌ ع ٣ ١٥
ذٰلِكَ غَدًا ﴿٢٣﴾ لا اِلَّآ اَنْ يَّشَآءَ اللّٰهُ ز وَاذْكُرْ رَّبَّكَ
اِذَا نَسِيْتَ وَقُلْ عَسٰٓى اَنْ يَّهْدِيَنِ رَبِّيْ لِاَقْرَبَ
مِنْ هٰذَا رَشَدًا ﴿٢٤﴾ وَلَبِثُوْا فِيْ كَهْفِهِمْ ثَلٰثَ مِائَةٍ
سِنِيْنَ وَازْدَادُوْا تِسْعًا ﴿٢٥﴾ قُلِ اللّٰهُ اَعْلَمُ بِمَا

Ikhfa إخفا | Ikhfa Meem Saakin إخفاميم ساكن | Qalqala قلقله | Qalb قلب | Idghaam ادغام | Idghaam Meem Saakin ادغام ميم ساكن | Ghunna غنّه

لَبِثُوۡا ۚ لَهٗ غَيۡبُ السَّمٰوٰتِ وَالۡاَرۡضِ ؕ اَبۡصِرۡ بِهٖ وَ
اَسۡمِعۡ ؕ مَا لَهُمۡ مِّنۡ دُوۡنِهٖ مِنۡ وَّلِىٍّ ز وَّلَا يُشۡرِكُ
فِىۡ حُكۡمِهٖۤ اَحَدًا ﴿٢٦﴾ وَاتۡلُ مَاۤ اُوۡحِىَ اِلَيۡكَ مِنۡ
كِتَابِ رَبِّكَ ۚ لَا مُبَدِّلَ لِكَلِمٰتِهٖ ۚ قف وَلَنۡ تَجِدَ مِنۡ
دُوۡنِهٖ مُلۡتَحَدًا ﴿٢٧﴾ وَاصۡبِرۡ نَفۡسَكَ مَعَ الَّذِيۡنَ
يَدۡعُوۡنَ رَبَّهُمۡ بِالۡغَدٰوةِ وَالۡعَشِىِّ يُرِيۡدُوۡنَ
وَجۡهَهٗ وَلَا تَعۡدُ عَيۡنٰكَ عَنۡهُمۡ ۚ تُرِيۡدُ زِيۡنَةَ الۡحَيٰوةِ
الدُّنۡيَا ۚ وَلَا تُطِعۡ مَنۡ اَغۡفَلۡنَا قَلۡبَهٗ عَنۡ ذِكۡرِنَا
وَاتَّبَعَ هَوٰٮهُ وَكَانَ اَمۡرُهٗ فُرُطًا ﴿٢٨﴾ وَقُلِ الۡحَقُّ مِنۡ
رَّبِّكُمۡ قف فَمَنۡ شَآءَ فَلۡيُؤۡمِنۡ وَّمَنۡ شَآءَ فَلۡيَكۡفُرۡ ۙ
اِنَّاۤ اَعۡتَدۡنَا لِلظّٰلِمِيۡنَ نَارًا ۙ اَحَاطَ بِهِمۡ سُرَادِقُهَا ؕ
وَاِنۡ يَّسۡتَغِيۡثُوۡا يُغَاثُوۡا بِمَآءٍ كَالۡمُهۡلِ يَشۡوِى الۡوُجُوۡهَ ؕ
بِئۡسَ الشَّرَابُ ؕ وَسَآءَتۡ مُرۡتَفَقًا ﴿٢٩﴾ اِنَّ الَّذِيۡنَ

منزل ٤

الثلٰثة

اٰمَنُوۡا وَعَمِلُوا الصّٰلِحٰتِ اِنَّا لَا نُضِيۡعُ اَجۡرَ مَنۡ اَحۡسَنَ
عَمَلًا ۚ﴿۳۰﴾ اُولٰٓـئِكَ لَهُمۡ جَنّٰتُ عَدۡنٍ تَجۡرِىۡ مِنۡ
تَحۡتِهِمُ الۡاَنۡهٰرُ يُحَلَّوۡنَ فِيۡهَا مِنۡ اَسَاوِرَ مِنۡ ذَهَبٍ
وَّيَلۡبَسُوۡنَ ثِيَابًا خُضۡرًا مِّنۡ سُنۡدُسٍ وَّاِسۡتَبۡرَقٍ
مُّتَّكِـئِيۡنَ فِيۡهَا عَلَى الۡاَرَآئِكِ ؕ نِعۡمَ الثَّوَابُ ؕ وَحَسُنَتۡ
مُرۡتَفَقًا ﴿۳۱﴾ وَاضۡرِبۡ لَهُمۡ مَّثَلًا رَّجُلَيۡنِ جَعَلۡنَا ع ٤ ١٦ ٥
لِاَحَدِهِمَا جَنَّتَيۡنِ مِنۡ اَعۡنَابٍ وَّحَفَفۡنٰهُمَا بِنَخۡلٍ وَّ
جَعَلۡنَا بَيۡنَهُمَا زَرۡعًا ؕ﴿۳۲﴾ كِلۡتَا الۡجَـنَّتَيۡنِ اٰتَتۡ
اُكُلَهَا وَلَمۡ تَظۡلِمۡ مِّنۡهُ شَيۡـئًا ۙ وَّفَجَّرۡنَا خِلٰلَهُمَا
نَهَرًا ۙ﴿۳۳﴾ وَّكَانَ لَهٗ ثَمَرٌ ۚ فَقَالَ لِصَاحِبِهٖ وَهُوَ يُحَاوِرُهٗۤ
اَنَا اَكۡثَرُ مِنۡكَ مَالًا وَّاَعَزُّ نَفَرًا ﴿۳۴﴾ وَدَخَلَ جَنَّتَهٗ
وَهُوَ ظَالِمٌ لِّنَفۡسِهٖ ۚ قَالَ مَاۤ اَظُنُّ اَنۡ تَبِيۡدَ هٰذِهٖۤ
اَبَدًا ۙ﴿۳۵﴾ وَّمَاۤ اَظُنُّ السَّاعَةَ قَآئِمَةً ۙ وَّلَئِنۡ رُّدِدۡتُّ

Ikhfa اِخفا | Ikhfa Meem Saakin اِخفامیم ساکن | Qalqala قلقلہ | Qalb قلب | Idghaam اِدغام | Idghaam Meem Saakin اِدغام میم ساکن | Ghunna غُنّہ

اِلٰى رَبِّىۡ لَاَجِدَنَّ خَيۡرًا مِّنۡهَا مُنۡقَلَبًا ﴿۳۶﴾ قَالَ
لَهٗ صَاحِبُهٗ وَهُوَ يُحَاوِرُهٗۤ اَكَفَرۡتَ بِالَّذِىۡ
خَلَقَكَ مِنۡ تُرَابٍ ثُمَّ مِنۡ نُّطۡفَةٍ ثُمَّ سَوّٰٮكَ
رَجُلًا ﴿۳۷﴾ لٰـكِنَّا۟ هُوَ اللّٰهُ رَبِّىۡ وَلَاۤ اُشۡرِكُ بِرَبِّىۡۤ
اَحَدًا ﴿۳۸﴾ وَلَوۡلَاۤ اِذۡ دَخَلۡتَ جَنَّتَكَ قُلۡتَ مَا
شَآءَ اللّٰهُ ۙ لَا قُوَّةَ اِلَّا بِاللّٰهِ ۚ اِنۡ تَرَنِ اَنَا اَقَلَّ
مِنۡكَ مَالًا وَّوَلَدًا ﴿۳۹﴾ فَعَسٰى رَبِّىۡۤ اَنۡ يُّؤۡتِيَنِ
خَيۡرًا مِّنۡ جَنَّتِكَ وَيُرۡسِلَ عَلَيۡهَا حُسۡبَانًا مِّنَ
السَّمَآءِ فَتُصۡبِحَ صَعِيۡدًا زَلَقًا ﴿۴۰﴾ ۙ اَوۡ يُصۡبِحَ مَآؤُهَا
غَوۡرًا فَلَنۡ تَسۡتَطِيۡعَ لَهٗ طَلَبًا ﴿۴۱﴾ وَاُحِيۡطَ بِثَمَرِهٖ
فَاَصۡبَحَ يُقَلِّبُ كَفَّيۡهِ عَلٰى مَاۤ اَنۡفَقَ فِيۡهَا وَهِىَ
خَاوِيَةٌ عَلٰى عُرُوۡشِهَا وَيَقُوۡلُ يٰلَيۡتَنِىۡ لَمۡ اُشۡرِكۡ
بِرَبِّىۡۤ اَحَدًا ﴿۴۲﴾ وَلَمۡ تَكُنۡ لَّهٗ فِئَةٌ يَّـنۡصُرُوۡنَهٗ

منزل ۴

مِنْ دُوْنِ اللّٰهِ وَمَا كَانَ مُنْتَصِرًا ﴿٤٣﴾ ؕ هُنَالِكَ

الْوَلَايَةُ لِلّٰهِ الْحَقِّ ؕ هُوَ خَيْرٌ ثَوَابًا وَّخَيْرٌ عُقْبًا ﴿٤٤﴾ ع ٦ ١٧

وَاضْرِبْ لَهُمْ مَّثَلَ الْحَيٰوةِ الدُّنْيَا كَمَآءٍ اَنْزَلْنٰهُ

مِنَ السَّمَآءِ فَاخْتَلَطَ بِهٖ نَبَاتُ الْاَرْضِ فَاَصْبَحَ

هَشِيْمًا تَذْرُوْهُ الرِّيٰحُ ؕ وَكَانَ اللّٰهُ عَلٰى كُلِّ شَیْءٍ

مُّقْتَدِرًا ﴿٤٥﴾ اَلْمَالُ وَالْبَنُوْنَ زِيْنَةُ الْحَيٰوةِ الدُّنْيَا ج

وَالْبٰقِيٰتُ الصّٰلِحٰتُ خَيْرٌ عِنْدَ رَبِّكَ ثَوَابًا وَّخَيْرٌ

اَمَلًا ﴿٤٦﴾ وَيَوْمَ نُسَيِّرُ الْجِبَالَ وَتَرَى الْاَرْضَ بَارِزَةً ۙ

وَّحَشَرْنٰهُمْ فَلَمْ نُغَادِرْ مِنْهُمْ اَحَدًا ﴿٤٧﴾ ج وَعُرِضُوْا

عَلٰى رَبِّكَ صَفًّا ؕ لَقَدْ جِئْتُمُوْنَا كَمَا خَلَقْنٰكُمْ

اَوَّلَ مَرَّةٍ ۢ بَلْ زَعَمْتُمْ اَلَّنْ نَّجْعَلَ لَكُمْ مَّوْعِدًا ﴿٤٨﴾

وَوُضِعَ الْكِتٰبُ فَتَرَى الْمُجْرِمِيْنَ مُشْفِقِيْنَ

مِمَّا فِيْهِ وَيَقُوْلُوْنَ يٰوَيْلَتَنَا مَالِ هٰذَا الْكِتٰبِ

منزل ٤

لَا يُغَادِرُ صَغِيْرَةً وَّلَا كَبِيْرَةً اِلَّاۤ اَحْصٰىهَا ۚ وَ

وَجَدُوْا مَا عَمِلُوْا حَاضِرًا ؕ وَلَا يَظْلِمُ رَبُّكَ

ع ٦ ٥ ١٨ اَحَدًا ﴿٤٩﴾ ع وَاِذْ قُلْنَا لِلْمَلٰٓئِكَةِ اسْجُدُوْا لِاٰدَمَ

فَسَجَدُوْۤا اِلَّاۤ اِبْلِيْسَ ؕ كَانَ مِنَ الْجِنِّ فَفَسَقَ

عَنْ اَمْرِ رَبِّهٖ ؕ اَفَتَتَّخِذُوْنَهٗ وَذُرِّيَّتَهٗۤ اَوْلِيَآءَ

مِنْ دُوْنِيْ وَهُمْ لَكُمْ عَدُوٌّ ؕ بِئْسَ لِلظّٰلِمِيْنَ

بَدَلًا ﴿٥٠﴾ مَاۤ اَشْهَدْتُّهُمْ خَلْقَ السَّمٰوٰتِ وَالْاَرْضِ منزل ٤

وَلَا خَلْقَ اَنْفُسِهِمْ ۪ وَمَا كُنْتُ مُتَّخِذَ الْمُضِلِّيْنَ

عَضُدًا ﴿٥١﴾ وَيَوْمَ يَقُوْلُ نَادُوْا شُرَكَآءِىَ

الَّذِيْنَ زَعَمْتُمْ فَدَعَوْهُمْ فَلَمْ يَسْتَجِيْبُوْا لَهُمْ

وَجَعَلْنَا بَيْنَهُمْ مَّوْبِقًا ﴿٥٢﴾ وَرَاَ الْمُجْرِمُوْنَ النَّارَ

فَظَنُّوْۤا اَنَّهُمْ مُّوَاقِعُوْهَا وَلَمْ يَجِدُوْا عَنْهَا

ع ٧ ٦ ١٩ مَصْرِفًا ﴿٥٣﴾ ع وَلَقَدْ صَرَّفْنَا فِيْ هٰذَا الْقُرْاٰنِ لِلنَّاسِ

Ikhfa اِخفا | Ikhfa Meem Saakin اِخفامیم ساکن | Qalqala قلقلہ | Qalb قلب | Idghaam اِدغام | Idghaam Meem Saakin اِدغام میم ساکن | Ghunna غُنّہ

مِنۡ كُلِّ مَثَلٍ ؕ وَكَانَ الۡاِنۡسَانُ اَكۡثَرَ شَىۡءٍ
جَدَلًا ﴿۵۴﴾ وَمَا مَنَعَ النَّاسَ اَنۡ يُّؤۡمِنُوۡۤا اِذۡ جَآءَهُمُ
الۡهُدٰى وَيَسۡتَغۡفِرُوۡا رَبَّهُمۡ اِلَّاۤ اَنۡ تَاۡتِيَهُمۡ
سُنَّةُ الۡاَوَّلِيۡنَ اَوۡ يَاۡتِيَهُمُ الۡعَذَابُ قُبُلًا ﴿۵۵﴾
وَمَا نُرۡسِلُ الۡمُرۡسَلِيۡنَ اِلَّا مُبَشِّرِيۡنَ وَمُنۡذِرِيۡنَ ۚ
وَيُجَادِلُ الَّذِيۡنَ كَفَرُوۡا بِالۡبَاطِلِ لِيُدۡحِضُوۡا
بِهِ الۡحَقَّ وَاتَّخَذُوۡۤا اٰيٰتِىۡ وَمَاۤ اُنۡذِرُوۡا هُزُوًا ﴿۵۶﴾
وَمَنۡ اَظۡلَمُ مِمَّنۡ ذُكِّرَ بِاٰيٰتِ رَبِّهٖ فَاَعۡرَضَ
عَنۡهَا وَنَسِىَ مَا قَدَّمَتۡ يَدٰهُ ؕ اِنَّا جَعَلۡنَا عَلٰى
قُلُوۡبِهِمۡ اَكِنَّةً اَنۡ يَّفۡقَهُوۡهُ وَفِىۡۤ اٰذَانِهِمۡ وَقۡرًا ؕ
وَاِنۡ تَدۡعُهُمۡ اِلَى الۡهُدٰى فَلَنۡ يَّهۡتَدُوۡۤا اِذًا اَبَدًا ﴿۵۷﴾
وَرَبُّكَ الۡغَفُوۡرُ ذُو الرَّحۡمَةِ ؕ لَوۡ يُؤَاخِذُهُمۡ بِمَا
كَسَبُوۡا لَعَجَّلَ لَهُمُ الۡعَذَابَ ؕ بَلۡ لَّهُمۡ مَّوۡعِدٌ

منزل ٤

لَنْ یَّجِدُوْا مِنْ دُوْنِهٖ مَوْىِٕلًا ﴿٥٨﴾ وَتِلْكَ الْقُرٰٓى
اَهْلَكْنٰهُمْ لَمَّا ظَلَمُوْا وَجَعَلْنَا لِمَهْلِكِهِمْ
مَّوْعِدًا ﴿٥٩﴾ ع وَاِذْ قَالَ مُوْسٰى لِفَتٰىهُ لَآ اَبْرَحُ حَتّٰٓى ع ٨ ٢
اَبْلُغَ مَجْمَعَ الْبَحْرَیْنِ اَوْ اَمْضِیَ حُقُبًا ﴿٦٠﴾ فَلَمَّا بَلَغَا
مَجْمَعَ بَیْنِهِمَا نَسِیَا حُوْتَهُمَا فَاتَّخَذَ سَبِیْلَهٗ
فِی الْبَحْرِ سَرَبًا ﴿٦١﴾ فَلَمَّا جَاوَزَا قَالَ لِفَتٰىهُ اٰتِنَا
غَدَآءَنَا ز لَقَدْ لَقِیْنَا مِنْ سَفَرِنَا هٰذَا نَصَبًا ﴿٦٢﴾ منزل ٤
قَالَ اَرَءَیْتَ اِذْ اَوَیْنَآ اِلَى الصَّخْرَةِ فَاِنِّیْ نَسِیْتُ
الْحُوْتَ ز وَمَآ اَنْسٰنِیْهُ اِلَّا الشَّیْطٰنُ اَنْ اَذْكُرَهٗ ج
وَاتَّخَذَ سَبِیْلَهٗ فِی الْبَحْرِ ۖ عَجَبًا ﴿٦٣﴾ قَالَ ذٰلِكَ
مَا كُنَّا نَبْغِ ۖ فَارْتَدَّا عَلٰٓى اٰثَارِهِمَا قَصَصًا ﴿٦٤﴾ لا
فَوَجَدَا عَبْدًا مِّنْ عِبَادِنَآ اٰتَیْنٰهُ رَحْمَةً مِّنْ
عِنْدِنَا وَعَلَّمْنٰهُ مِنْ لَّدُنَّا عِلْمًا ﴿٦٥﴾ قَالَ لَهٗ

مُوۡسٰی هَلۡ اَتَّبِعُكَ عَلٰۤی اَنۡ تُعَلِّمَنِ مِمَّا
عُلِّمۡتَ رُشۡدًا ﴿٦٦﴾ قَالَ اِنَّكَ لَنۡ تَسۡتَطِیۡعَ
مَعِیَ صَبۡرًا ﴿٦٧﴾ وَكَیۡفَ تَصۡبِرُ عَلٰی مَا لَمۡ تُحِطۡ
بِهٖ خُبۡرًا ﴿٦٨﴾ قَالَ سَتَجِدُنِیۡۤ اِنۡ شَآءَ اللّٰهُ صَابِرًا
وَّلَاۤ اَعۡصِیۡ لَكَ اَمۡرًا ﴿٦٩﴾ قَالَ فَاِنِ اتَّبَعۡتَنِیۡ
فَلَا تَسۡـَٔلۡنِیۡ عَنۡ شَیۡءٍ حَتّٰۤی اُحۡدِثَ لَكَ مِنۡهُ
ذِكۡرًا ﴿٧٠﴾ ع فَانۡطَلَقَا وقفة حَتّٰۤی اِذَا رَكِبَا فِی السَّفِیۡنَةِ ع ١١ ٩ ٢١
خَرَقَهَا ط قَالَ اَخَرَقۡتَهَا لِتُغۡرِقَ اَهۡلَهَا ج لَقَدۡ
جِئۡتَ شَیۡـًٔا اِمۡرًا ﴿٧١﴾ قَالَ اَلَمۡ اَقُلۡ اِنَّكَ لَنۡ
تَسۡتَطِیۡعَ مَعِیَ صَبۡرًا ﴿٧٢﴾ قَالَ لَا تُؤَاخِذۡنِیۡ بِمَا
نَسِیۡتُ وَلَا تُرۡهِقۡنِیۡ مِنۡ اَمۡرِیۡ عُسۡرًا ﴿٧٣﴾
فَانۡطَلَقَا وقفة حَتّٰۤی اِذَا لَقِیَا غُلٰمًا فَقَتَلَهٗ لا قَالَ اَقَتَلۡتَ
نَفۡسًا زَكِیَّةًۢ م بِغَیۡرِ نَفۡسٍ ط لَقَدۡ جِئۡتَ شَیۡـًٔا نُّكۡرًا ﴿٧٤﴾

منزل ٤

قَالَ اَلَمْ اَقُلْ لَّكَ اِنَّكَ لَنْ تَسْتَطِيْعَ مَعِیَ
صَبْرًا ﴿٧٥﴾ قَالَ اِنْ سَاَلْتُكَ عَنْ شَیْءٍۭ بَعْدَهَا فَلَا
تُصٰحِبْنِیْ ۚ قَدْ بَلَغْتَ مِنْ لَّدُنِّیْ عُذْرًا ﴿٧٦﴾ فَانْطَلَقَا ۫ وقفة
حَتّٰۤی اِذَاۤ اَتَیَاۤ اَهْلَ قَرْیَةِ ِۣاسْتَطْعَمَاۤ اَهْلَهَا فَاَبَوْا
اَنْ یُّضَیِّفُوْهُمَا فَوَجَدَا فِیْهَا جِدَارًا یُّرِیْدُ اَنْ
یَّنْقَضَّ فَاَقَامَهٗ ؕ قَالَ لَوْ شِئْتَ لَتَّخَذْتَ عَلَیْهِ
اَجْرًا ﴿٧٧﴾ قَالَ هٰذَا فِرَاقُ بَیْنِیْ وَبَیْنِكَ ۚ سَاُنَبِّئُكَ
بِتَاْوِیْلِ مَا لَمْ تَسْتَطِعْ عَّلَیْهِ صَبْرًا ﴿٧٨﴾ اَمَّا السَّفِیْنَةُ
فَكَانَتْ لِمَسٰكِیْنَ یَعْمَلُوْنَ فِی الْبَحْرِ فَاَرَدْتُّ اَنْ
اَعِیْبَهَا وَكَانَ وَرَآءَهُمْ مَّلِكٌ یَّاْخُذُ كُلَّ سَفِیْنَةٍ
غَصْبًا ﴿٧٩﴾ وَاَمَّا الْغُلٰمُ فَكَانَ اَبَوٰهُ مُؤْمِنَیْنِ
فَخَشِیْنَاۤ اَنْ یُّرْهِقَهُمَا طُغْیَانًا وَّكُفْرًا ﴿٨٠﴾ ۚ فَاَرَدْنَاۤ
اَنْ یُّبْدِلَهُمَا رَبُّهُمَا خَیْرًا مِّنْهُ زَكٰوةً وَّاَقْرَبَ رُحْمًا ﴿٨١﴾

Ghunna غُنّہ | Idghaam Meem Saakin اِدغام میم ساکن | Idghaam اِدغام | Qalb قلب | Qalqala قلقلہ | Ikhfa Meem Saakin اِخفا میم ساکن | Ikhfa اِخفا

وَاَمَّا الْجِدَارُ فَكَانَ لِغُلٰمَيْنِ يَتِيْمَيْنِ فِي الْمَدِيْنَةِ وَكَانَ
تَحْتَهٗ كَنْزٌ لَّهُمَا وَكَانَ اَبُوْهُمَا صَالِحًا ۚ فَاَرَادَ رَبُّكَ
اَنْ يَّبْلُغَآ اَشُدَّهُمَا وَيَسْتَخْرِجَا كَنْزَهُمَا ۖ رَحْمَةً مِّنْ
رَّبِّكَ ۚ وَمَا فَعَلْتُهٗ عَنْ اَمْرِيْ ۭ ذٰلِكَ تَاْوِيْلُ مَا لَمْ
تَسْطِعْ عَّلَيْهِ صَبْرًا ۭ ﴿٨٢﴾ وَيَسْـَٔلُوْنَكَ عَنْ ذِي الْقَرْنَيْنِ ۭ ع ١٢
قُلْ سَاَتْلُوْا عَلَيْكُمْ مِّنْهُ ذِكْرًا ۭ ﴿٨٣﴾ اِنَّا مَكَّنَّا لَهٗ فِي
منزل ٤ الْاَرْضِ وَاٰتَيْنٰهُ مِنْ كُلِّ شَيْءٍ سَبَبًا ﴿٨٤﴾ فَاَتْبَعَ
سَبَبًا ﴿٨٥﴾ حَتّٰٓى اِذَا بَلَغَ مَغْرِبَ الشَّمْسِ وَجَدَهَا تَغْرُبُ
فِيْ عَيْنٍ حَمِئَةٍ وَّوَجَدَ عِنْدَهَا قَوْمًا ۭ قُلْنَا يٰذَا
الْقَرْنَيْنِ اِمَّآ اَنْ تُعَذِّبَ وَاِمَّآ اَنْ تَتَّخِذَ فِيْهِمْ
حُسْنًا ﴿٨٦﴾ قَالَ اَمَّا مَنْ ظَلَمَ فَسَوْفَ نُعَذِّبُهٗ ثُمَّ يُرَدُّ
اِلٰى رَبِّهٖ فَيُعَذِّبُهٗ عَذَابًا نُّكْرًا ﴿٨٧﴾ وَاَمَّا مَنْ اٰمَنَ وَ
عَمِلَ صَالِحًا فَلَهٗ جَزَآءَ ۨالْحُسْنٰى ۚ وَسَنَقُوْلُ لَهٗ مِنْ

أَمْرِنَا يُسْرًا ﴿٨٨﴾ ثُمَّ أَتْبَعَ سَبَبًا ﴿٨٩﴾ حَتّٰىٓ إِذَا بَلَغَ مَطْلِعَ
الشَّمْسِ وَجَدَهَا تَطْلُعُ عَلٰى قَوْمٍ لَّمْ نَجْعَلْ لَّهُمْ مِّنْ
دُوْنِهَا سِتْرًا ﴿٩٠﴾ كَذٰلِكَ ۖ وَقَدْ أَحَطْنَا بِمَا لَدَيْهِ خُبْرًا ﴿٩١﴾
ثُمَّ أَتْبَعَ سَبَبًا ﴿٩٢﴾ حَتّٰىٓ إِذَا بَلَغَ بَيْنَ السَّدَّيْنِ وَجَدَ مِنْ
دُوْنِهِمَا قَوْمًا ۙ لَّا يَكَادُوْنَ يَفْقَهُوْنَ قَوْلًا ﴿٩٣﴾ قَالُوْا يٰذَا
الْقَرْنَيْنِ إِنَّ يَأْجُوْجَ وَمَأْجُوْجَ مُفْسِدُوْنَ فِي الْأَرْضِ
فَهَلْ نَجْعَلُ لَكَ خَرْجًا عَلٰٓى أَنْ تَجْعَلَ بَيْنَنَا وَبَيْنَهُمْ
سَدًّا ﴿٩٤﴾ قَالَ مَا مَكَّنِّيْ فِيْهِ رَبِّيْ خَيْرٌ فَأَعِيْنُوْنِيْ
بِقُوَّةٍ أَجْعَلْ بَيْنَكُمْ وَبَيْنَهُمْ رَدْمًا ﴿٩٥﴾ اٰتُوْنِيْ زُبَرَ الْحَدِيْدِ ۖ
حَتّٰىٓ إِذَا سَاوٰى بَيْنَ الصَّدَفَيْنِ قَالَ انْفُخُوْا ۖ
حَتّٰىٓ إِذَا جَعَلَهٗ نَارًا ۙ قَالَ اٰتُوْنِيْٓ أُفْرِغْ عَلَيْهِ قِطْرًا ﴿٩٦﴾
فَمَا اسْطَاعُوْٓا أَنْ يَّظْهَرُوْهُ وَمَا اسْتَطَاعُوْا لَهٗ نَقْبًا ﴿٩٧﴾
قَالَ هٰذَا رَحْمَةٌ مِّنْ رَّبِّيْ ۚ فَإِذَا جَآءَ وَعْدُ رَبِّيْ جَعَلَهٗ

دَكَّآءَۚ وَكَانَ وَعْدُ رَبِّيْ حَقًّا ﴿٩٨﴾ وَتَرَكْنَا بَعْضَهُمْ
يَوْمَئِذٍ يَّمُوْجُ فِيْ بَعْضٍ وَّنُفِخَ فِي الصُّوْرِ فَجَمَعْنٰهُمْ
جَمْعًا ﴿٩٩﴾ لا وَّعَرَضْنَا جَهَنَّمَ يَوْمَئِذٍ لِّلْكٰفِرِيْنَ عَرْضَا ﴿١٠٠﴾ لا
الَّذِيْنَ كَانَتْ اَعْيُنُهُمْ فِيْ غِطَآءٍ عَنْ ذِكْرِيْ وَكَانُوْا
لَا يَسْتَطِيْعُوْنَ سَمْعًا ﴿١٠١﴾ ع اَفَحَسِبَ الَّذِيْنَ كَفَرُوْٓا اَنْ ع ١١ ١٩ ٢
يَّتَّخِذُوْا عِبَادِيْ مِنْ دُوْنِيْٓ اَوْلِيَآءَؕ اِنَّآ اَعْتَدْنَا جَهَنَّمَ
لِلْكٰفِرِيْنَ نُزُلًا ﴿١٠٢﴾ قُلْ هَلْ نُنَبِّئُكُمْ بِالْاَخْسَرِيْنَ
اَعْمَالًاؕ ﴿١٠٣﴾ اَلَّذِيْنَ ضَلَّ سَعْيُهُمْ فِي الْحَيٰوةِ الدُّنْيَا وَهُمْ
يَحْسَبُوْنَ اَنَّهُمْ يُحْسِنُوْنَ صُنْعًا ﴿١٠٤﴾ اُولٰٓئِكَ الَّذِيْنَ
كَفَرُوْا بِاٰيٰتِ رَبِّهِمْ وَلِقَآئِهٖ فَحَبِطَتْ اَعْمَالُهُمْ فَلَا
نُقِيْمُ لَهُمْ يَوْمَ الْقِيٰمَةِ وَزْنًا ﴿١٠٥﴾ ذٰلِكَ جَزَآؤُهُمْ
جَهَنَّمُ بِمَا كَفَرُوْا وَاتَّخَذُوْٓا اٰيٰتِيْ وَرُسُلِيْ هُزُوًا ﴿١٠٦﴾
اِنَّ الَّذِيْنَ اٰمَنُوْا وَعَمِلُوا الصّٰلِحٰتِ كَانَتْ لَهُمْ جَنّٰتُ

منزل ٤

Ikhfa اِخفا | Ikhfa Meem Saakin اِخفامیم ساکن | Qalqala قلقلہ | Qalb قلب | Idghaam اِدغام | Idghaam Meem Saakin اِدغام میم ساکن | Ghunna غُنّہ

الۡفِرۡدَوۡسِ نُزُلًا ﴿۱۰۷﴾ خٰلِدِيۡنَ فِيۡهَا لَا يَبۡغُوۡنَ عَنۡهَا
حِوَلًا ﴿۱۰۸﴾ قُلۡ لَّوۡ كَانَ الۡبَحۡرُ مِدَادًا لِّكَلِمٰتِ رَبِّىۡ لَنَفِدَ
الۡبَحۡرُ قَبۡلَ اَنۡ تَنۡفَدَ كَلِمٰتُ رَبِّىۡ وَلَوۡ جِئۡنَا بِمِثۡلِهٖ
مَدَدًا ﴿۱۰۹﴾ قُلۡ اِنَّمَاۤ اَنَا بَشَرٌ مِّثۡلُكُمۡ يُوۡحٰٓى اِلَىَّ اَنَّمَاۤ
اِلٰهُكُمۡ اِلٰهٌ وَّاحِدٌ ۚ فَمَنۡ كَانَ يَرۡجُوۡا لِقَآءَ رَبِّهٖ فَلۡيَعۡمَلۡ
عَمَلًا صَالِحًا وَّلَا يُشۡرِكۡ بِعِبَادَةِ رَبِّهٖۤ اَحَدًا ﴿۱۱۰﴾ ع ١٢ ٩ ٣

اٰيَاتُهَا ٩٨ (١٩) سُوۡرَةُ مَرۡيَمَ مَكِّيَّةٌ (٤٤) رُكُوۡعَاتُهَا ٦

منزل ٤

بِسۡمِ اللّٰهِ الرَّحۡمٰنِ الرَّحِيۡمِ

كٓهٰيٰعٓصٓ ﴿۱﴾ ذِكۡرُ رَحۡمَتِ رَبِّكَ عَبۡدَهٗ زَكَرِيَّا ﴿۲﴾
اِذۡ نَادٰى رَبَّهٗ نِدَآءً خَفِيًّا ﴿۳﴾ قَالَ رَبِّ اِنِّىۡ وَهَنَ
الۡعَظۡمُ مِنِّىۡ وَاشۡتَعَلَ الرَّاۡسُ شَيۡبًا وَّلَمۡ اَكُنۡ
بِدُعَآئِكَ رَبِّ شَقِيًّا ﴿۴﴾ وَاِنِّىۡ خِفۡتُ الۡمَوَالِىَ مِنۡ
وَّرَآءِىۡ وَكَانَتِ امۡرَاَتِىۡ عَاقِرًا فَهَبۡ لِىۡ مِنۡ لَّدُنۡكَ

Ikhfa اِخفا | Ikhfa Meem Saakin اِخفامیم ساکن | Qalqala قلقلہ | Qalb قلب | Idghaam اِدغام | Idghaam Meem Saakin اِدغام میم ساکن | Ghunna غُنّہ

وَلِيًّا ۙ ﴿٥﴾ يَّرِثُنِيْ وَيَرِثُ مِنْ اٰلِ يَعْقُوْبَ ۖ وَاجْعَلْهُ رَبِّ
رَضِيًّا ﴿٦﴾ يٰزَكَرِيَّآ اِنَّا نُبَشِّرُكَ بِغُلٰمِ ۨ اسْمُهٗ يَحْيٰى ۙ لَمْ
نَجْعَلْ لَّهٗ مِنْ قَبْلُ سَمِيًّا ﴿٧﴾ قَالَ رَبِّ اَنّٰى يَكُوْنُ
لِيْ غُلٰمٌ وَّكَانَتِ امْرَاَتِيْ عَاقِرًا وَّقَدْ بَلَغْتُ مِنَ
الْكِبَرِ عِتِيًّا ﴿٨﴾ قَالَ كَذٰلِكَ ۚ قَالَ رَبُّكَ هُوَ عَلَيَّ
هَيِّنٌ وَّقَدْ خَلَقْتُكَ مِنْ قَبْلُ وَلَمْ تَكُ شَيْــًٔا ﴿٩﴾ قَالَ
رَبِّ اجْعَلْ لِّيْٓ اٰيَةً ۭ قَالَ اٰيَتُكَ اَلَّا تُكَلِّمَ النَّاسَ
ثَلٰثَ لَيَالٍ سَوِيًّا ﴿١٠﴾ فَخَرَجَ عَلٰى قَوْمِهٖ مِنَ الْمِحْرَابِ
فَاَوْحٰٓى اِلَيْهِمْ اَنْ سَبِّحُوْا بُكْرَةً وَّعَشِيًّا ﴿١١﴾ يٰيَحْيٰى خُذِ
الْكِتٰبَ بِقُوَّةٍ ۭ وَاٰتَيْنٰهُ الْحُكْمَ صَبِيًّا ﴿١٢﴾ وَّحَنَانًا مِّنْ لَّدُنَّا
وَزَكٰوةً ۭ وَكَانَ تَقِيًّا ۙ ﴿١٣﴾ وَّبَرًّۢا بِوَالِدَيْهِ وَلَمْ يَكُنْ جَبَّارًا
عَصِيًّا ﴿١٤﴾ وَسَلٰمٌ عَلَيْهِ يَوْمَ وُلِدَ وَيَوْمَ يَمُوْتُ وَيَوْمَ
يُبْعَثُ حَيًّا ﴿١٥﴾ ع وَاذْكُرْ فِي الْكِتٰبِ مَرْيَمَ ۘ اِذِ انْتَبَذَتْ

منزل ٤

ع ١٥ ١ وقف لازم

Ikhfa اِخفا | Ikhfa Meem Saakin اِخفامیم ساکن | Qalqala قلقلہ | Qalb قلب | Idghaam اِدغام | Idghaam Meem Saakin اِدغام میم ساکن | Ghunna غُنّہ

مِنْ اَهْلِهَا مَكَانًا شَرْقِيًّا ﴿١٦﴾ فَاتَّخَذَتْ مِنْ دُوْنِهِمْ
حِجَابًا قف فَاَرْسَلْنَآ اِلَيْهَا رُوْحَنَا فَتَمَثَّلَ لَهَا بَشَرًا
سَوِيًّا ﴿١٧﴾ قَالَتْ اِنِّیْٓ اَعُوْذُ بِالرَّحْمٰنِ مِنْكَ اِنْ كُنْتَ
تَقِيًّا ﴿١٨﴾ قَالَ اِنَّمَآ اَنَا رَسُوْلُ رَبِّكِ ق صلے لِاَهَبَ لَكِ غُلٰمًا
زَكِيًّا ﴿١٩﴾ قَالَتْ اَنّٰى يَكُوْنُ لِیْ غُلٰمٌ وَّلَمْ يَمْسَسْنِیْ بَشَرٌ وَّلَمْ
اَكُ بَغِيًّا ﴿٢٠﴾ قَالَ كَذٰلِكِ ج قَالَ رَبُّكِ هُوَ عَلَیَّ هَيِّنٌ ج
وَلِنَجْعَلَهٗٓ اٰيَةً لِّلنَّاسِ وَرَحْمَةً مِّنَّا ج وَكَانَ اَمْرًا
مَّقْضِيًّا ﴿٢١﴾ فَحَمَلَتْهُ فَانْتَبَذَتْ بِهٖ مَكَانًا قَصِيًّا ﴿٢٢﴾
فَاَجَآءَهَا الْمَخَاضُ اِلٰى جِذْعِ النَّخْلَةِ ج قَالَتْ يٰلَيْتَنِیْ
مِتُّ قَبْلَ هٰذَا وَكُنْتُ نَسْيًا مَّنْسِيًّا ﴿٢٣﴾ فَنَادٰىهَا مِنْ
تَحْتِهَآ اَلَّا تَحْزَنِیْ قَدْ جَعَلَ رَبُّكِ تَحْتَكِ سَرِيًّا ﴿٢٤﴾ وَ
هُزِّیْٓ اِلَيْكِ بِجِذْعِ النَّخْلَةِ تُسٰقِطْ عَلَيْكِ رُطَبًا
جَنِيًّا ﴿٢٥﴾ ز فَكُلِیْ وَاشْرَبِیْ وَقَرِّیْ عَيْنًا ج فَاِمَّا تَرَيِنَّ مِنَ

الربع

منزل ٤

الۡبَشَرِ اَحَدًا ۙ فَقُوۡلِىۡۤ اِنِّىۡ نَذَرۡتُ لِلرَّحۡمٰنِ صَوۡمًا فَلَنۡ
اُكَلِّمَ الۡيَوۡمَ اِنۡسِيًّا ۚ ﴿٢٦﴾ فَاَتَتۡ بِهٖ قَوۡمَهَا تَحۡمِلُهٗ ؕ قَالُوۡا
يٰمَرۡيَمُ لَقَدۡ جِئۡتِ شَيۡـًٔـا فَرِيًّا ﴿٢٧﴾ يٰۤاُخۡتَ هٰرُوۡنَ مَا كَانَ
اَبُوۡكِ امۡرَاَ سَوۡءٍ وَّمَا كَانَتۡ اُمُّكِ بَغِيًّا ۖۚ ﴿٢٨﴾ فَاَشَارَتۡ
اِلَيۡهِ ؕ قَالُوۡا كَيۡفَ نُكَلِّمُ مَنۡ كَانَ فِى الۡمَهۡدِ صَبِيًّا ﴿٢٩﴾ قَالَ
اِنِّىۡ عَبۡدُ اللّٰهِ ؕ ۛ اٰتٰنِىَ الۡكِتٰبَ وَجَعَلَنِىۡ نَبِيًّا ۙ ﴿٣٠﴾ وَّجَعَلَنِىۡ
مُبٰرَكًا اَيۡنَ مَا كُنۡتُ ۖ وَاَوۡصٰنِىۡ بِالصَّلٰوةِ وَالزَّكٰوةِ
مَا دُمۡتُ حَيًّا ۖ ﴿٣١﴾ وَّبَرًّاۢ بِوَالِدَتِىۡ ۚ وَلَمۡ يَجۡعَلۡنِىۡ جَبَّارًا
شَقِيًّا ﴿٣٢﴾ وَالسَّلٰمُ عَلَىَّ يَوۡمَ وُلِدْتُّ وَيَوۡمَ اَمُوۡتُ وَ
يَوۡمَ اُبۡعَثُ حَيًّا ﴿٣٣﴾ ذٰلِكَ عِيۡسَى ابۡنُ مَرۡيَمَ ۚ قَوۡلَ الۡحَـقِّ
الَّذِىۡ فِيۡهِ يَمۡتَرُوۡنَ ﴿٣٤﴾ مَا كَانَ لِلّٰهِ اَنۡ يَّتَّخِذَ مِنۡ
وَّلَدٍ ۙ سُبۡحٰنَهٗ ؕ اِذَا قَضٰۤى اَمۡرًا فَاِنَّمَا يَقُوۡلُ لَهٗ كُنۡ
فَيَكُوۡنُ ؕ ﴿٣٥﴾ وَاِنَّ اللّٰهَ رَبِّىۡ وَرَبُّكُمۡ فَاعۡبُدُوۡهُ ؕ هٰذَا

منزل ٤

صِرَاطٌ مُّسْتَقِيْمٌ ﴿٣٦﴾ فَاخْتَلَفَ الْاَحْزَابُ مِنْۢ بَيْنِهِمْ ۚ
فَوَيْلٌ لِّلَّذِيْنَ كَفَرُوْا مِنْ مَّشْهَدِ يَوْمٍ عَظِيْمٍ ﴿٣٧﴾ اَسْمِعْ
بِهِمْ وَاَبْصِرْ ۙ يَوْمَ يَاْتُوْنَنَا لٰكِنِ الظّٰلِمُوْنَ الْيَوْمَ فِيْ
ضَلٰلٍ مُّبِيْنٍ ﴿٣٨﴾ وَاَنْذِرْهُمْ يَوْمَ الْحَسْرَةِ اِذْ قُضِيَ
الْاَمْرُ ۘ وَهُمْ فِيْ غَفْلَةٍ وَّهُمْ لَا يُؤْمِنُوْنَ ﴿٣٩﴾ اِنَّا نَحْنُ
نَرِثُ الْاَرْضَ وَمَنْ عَلَيْهَا وَاِلَيْنَا يُرْجَعُوْنَ ﴿٤٠﴾ ع وَاذْكُرْ
فِي الْكِتٰبِ اِبْرٰهِيْمَ ۬ؕ اِنَّهٗ كَانَ صِدِّيْقًا نَّبِيًّا ﴿٤١﴾ اِذْ
قَالَ لِاَبِيْهِ يٰۤاَبَتِ لِمَ تَعْبُدُ مَا لَا يَسْمَعُ وَلَا يُبْصِرُ
وَلَا يُغْنِيْ عَنْكَ شَيْـًٔا ﴿٤٢﴾ يٰۤاَبَتِ اِنِّيْ قَدْ جَآءَنِيْ مِنَ
الْعِلْمِ مَا لَمْ يَاْتِكَ فَاتَّبِعْنِيْۤ اَهْدِكَ صِرَاطًا سَوِيًّا ﴿٤٣﴾
يٰۤاَبَتِ لَا تَعْبُدِ الشَّيْطٰنَ ؕ اِنَّ الشَّيْطٰنَ كَانَ لِلرَّحْمٰنِ
عَصِيًّا ﴿٤٤﴾ يٰۤاَبَتِ اِنِّيْۤ اَخَافُ اَنْ يَّمَسَّكَ عَذَابٌ مِّنَ
الرَّحْمٰنِ فَتَكُوْنَ لِلشَّيْطٰنِ وَلِيًّا ﴿٤٥﴾ قَالَ اَرَاغِبٌ اَنْتَ

وقف لازم

ع ٢ ٢٥ ٥

منزل ٤

عَنْ اٰلِهَتِيْ يٰۤاِبْرٰهِيْمُ ۚ لَئِنْ لَّمْ تَنْتَهِ لَاَرْجُمَنَّكَ

وَاهْجُرْنِيْ مَلِيًّا ﴿٤٦﴾ قَالَ سَلٰمٌ عَلَيْكَ ۚ سَاَسْتَغْفِرُ لَكَ رَبِّيْ ؕ

اِنَّهٗ كَانَ بِيْ حَفِيًّا ﴿٤٧﴾ وَاَعْتَزِلُكُمْ وَمَا تَدْعُوْنَ مِنْ دُوْنِ

اللّٰهِ وَاَدْعُوْا رَبِّيْ ۖ عَسٰۤى اَلَّاۤ اَكُوْنَ بِدُعَآءِ رَبِّيْ

شَقِيًّا ﴿٤٨﴾ فَلَمَّا اعْتَزَلَهُمْ وَمَا يَعْبُدُوْنَ مِنْ دُوْنِ

اللّٰهِ ۙ وَهَبْنَا لَهٗۤ اِسْحٰقَ وَيَعْقُوْبَ ؕ وَكُلًّا جَعَلْنَا نَبِيًّا ﴿٤٩﴾

منزل ٤ وَوَهَبْنَا لَهُمْ مِّنْ رَّحْمَتِنَا وَجَعَلْنَا لَهُمْ لِسَانَ

صِدْقٍ عَلِيًّا ﴿٥٠﴾ عِ وَاذْكُرْ فِي الْكِتٰبِ مُوْسٰۤى ۫ اِنَّهٗ كَانَ ع ٣

مُخْلَصًا وَّكَانَ رَسُوْلًا نَّبِيًّا ﴿٥١﴾ وَنَادَيْنٰهُ مِنْ جَانِبِ

الطُّوْرِ الْاَيْمَنِ وَقَرَّبْنٰهُ نَجِيًّا ﴿٥٢﴾ وَوَهَبْنَا لَهٗ مِنْ

رَّحْمَتِنَاۤ اَخَاهُ هٰرُوْنَ نَبِيًّا ﴿٥٣﴾ وَاذْكُرْ فِي الْكِتٰبِ اِسْمٰعِيْلَ ۫

اِنَّهٗ كَانَ صَادِقَ الْوَعْدِ وَكَانَ رَسُوْلًا نَّبِيًّا ۚ ﴿٥٤﴾ وَكَانَ

يَاْمُرُ اَهْلَهٗ بِالصَّلٰوةِ وَالزَّكٰوةِ ۪ وَكَانَ عِنْدَ رَبِّهٖ

مَرْضِيًّا ﴿٥٥﴾ وَاذْكُرْ فِي الْكِتٰبِ اِدْرِيْسَ ز اِنَّهٗ كَانَ
صِدِّيْقًا نَّبِيًّا ﴿٥٦﴾ لا وَّرَفَعْنٰهُ مَكَانًا عَلِيًّا ﴿٥٧﴾ اُولٰٓئِكَ الَّذِيْنَ
اَنْعَمَ اللّٰهُ عَلَيْهِمْ مِّنَ النَّبِيّٖنَ مِنْ ذُرِّيَّةِ اٰدَمَ ق وَ
مِمَّنْ حَمَلْنَا مَعَ نُوْحٍ ز وَّمِنْ ذُرِّيَّةِ اِبْرٰهِيْمَ وَ
اِسْرَآءِيْلَ ز وَمِمَّنْ هَدَيْنَا وَاجْتَبَيْنَا ط اِذَا تُتْلٰى
عَلَيْهِمْ اٰيٰتُ الرَّحْمٰنِ خَرُّوْا سُجَّدًا وَّبُكِيًّا ﴿٥٨﴾ السَّجْدَة فَخَلَفَ
مِنْۢ بَعْدِهِمْ خَلْفٌ اَضَاعُوا الصَّلٰوةَ وَاتَّبَعُوا
الشَّهَوٰتِ فَسَوْفَ يَلْقَوْنَ غَيًّا ﴿٥٩﴾ لا اِلَّا مَنْ تَابَ وَاٰمَنَ
وَعَمِلَ صَالِحًا فَاُولٰٓئِكَ يَدْخُلُوْنَ الْجَنَّةَ وَلَا يُظْلَمُوْنَ
شَيْـًٔا ﴿٦٠﴾ لا جَنّٰتِ عَدْنِ ِۨ الَّتِيْ وَعَدَ الرَّحْمٰنُ عِبَادَهٗ بِالْغَيْبِ ط
اِنَّهٗ كَانَ وَعْدُهٗ مَاْتِيًّا ﴿٦١﴾ لَا يَسْمَعُوْنَ فِيْهَا لَغْوًا اِلَّا
سَلٰمًا ط وَلَهُمْ رِزْقُهُمْ فِيْهَا بُكْرَةً وَّعَشِيًّا ﴿٦٢﴾ تِلْكَ
الْجَنَّةُ الَّتِيْ نُوْرِثُ مِنْ عِبَادِنَا مَنْ كَانَ تَقِيًّا ﴿٦٣﴾

السَّجْدَة (٥)

منزل ٤

وَمَا نَتَنَزَّلُ اِلَّا بِاَمْرِ رَبِّكَ ج لَهٗ مَا بَيْنَ اَيْدِيْنَا وَمَا
خَلْفَنَا وَمَا بَيْنَ ذٰلِكَ ج وَمَا كَانَ رَبُّكَ نَسِيًّا ﴿٦٤﴾ ج رَبُّ
السَّمٰوٰتِ وَالْاَرْضِ وَمَا بَيْنَهُمَا فَاعْبُدْهُ وَ اصْطَبِرْ
لِعِبَادَتِهٖ ط هَلْ تَعْلَمُ لَهٗ سَمِيًّا ﴿٦٥﴾ ع وَيَقُوْلُ الْاِنْسَانُ ع ١٥/٧
ءَاِذَا مَا مِتُّ لَسَوْفَ اُخْرَجُ حَيًّا ﴿٦٦﴾ اَوَلَا يَذْكُرُ الْاِنْسَانُ
اَنَّا خَلَقْنٰهُ مِنْ قَبْلُ وَلَمْ يَكُ شَيْـًٔا ﴿٦٧﴾ فَوَرَبِّكَ
لَنَحْشُرَنَّهُمْ وَالشَّيٰطِيْنَ ثُمَّ لَنُحْضِرَنَّهُمْ حَوْلَ جَهَنَّمَ
جِثِيًّا ﴿٦٨﴾ ج ثُمَّ لَنَنْزِعَنَّ مِنْ كُلِّ شِيْعَةٍ اَيُّهُمْ اَشَدُّ عَلَى
الرَّحْمٰنِ عِتِيًّا ﴿٦٩﴾ ج ثُمَّ لَنَحْنُ اَعْلَمُ بِالَّذِيْنَ هُمْ اَوْلٰى بِهَا
صِلِيًّا ﴿٧٠﴾ وَاِنْ مِّنْكُمْ اِلَّا وَارِدُهَا ج كَانَ عَلٰى رَبِّكَ حَتْمًا
مَّقْضِيًّا ﴿٧١﴾ ج ثُمَّ نُنَجِّي الَّذِيْنَ اتَّقَوْا وَّنَذَرُ الظّٰلِمِيْنَ
فِيْهَا جِثِيًّا ﴿٧٢﴾ وَاِذَا تُتْلٰى عَلَيْهِمْ اٰيٰتُنَا بَيِّنٰتٍ قَالَ
الَّذِيْنَ كَفَرُوْا لِلَّذِيْنَ اٰمَنُوْٓا ۙ اَيُّ الْفَرِيْقَيْنِ خَيْرٌ

منزل ٤

مَّقَامًا وَّاَحۡسَنُ نَدِيًّا ﴿٧٣﴾ وَكَمۡ اَهۡلَكۡنَا قَبۡلَهُمۡ مِّنۡ قَرۡنٍ
هُمۡ اَحۡسَنُ اَثَاثًا وَّرِءۡيًا ﴿٧٤﴾ قُلۡ مَنۡ كَانَ فِى الضَّلٰلَةِ
فَلۡيَمۡدُدۡ لَهُ الرَّحۡمٰنُ مَدًّا ۚ حَتّٰٓى اِذَا رَاَوۡا مَا يُوۡعَدُوۡنَ
اِمَّا الۡعَذَابَ وَاِمَّا السَّاعَةَ ؕ فَسَيَعۡلَمُوۡنَ مَنۡ هُوَ
شَرٌّ مَّكَانًا وَّاَضۡعَفُ جُنۡدًا ﴿٧٥﴾ وَيَزِيۡدُ اللّٰهُ الَّذِيۡنَ
اهۡتَدَوۡا هُدًى ؕ وَالۡبٰقِيٰتُ الصّٰلِحٰتُ خَيۡرٌ عِنۡدَ
رَبِّكَ ثَوَابًا وَّخَيۡرٌ مَّرَدًّا ﴿٧٦﴾ اَفَرَءَيۡتَ الَّذِىۡ كَفَرَ منزل ٤
بِاٰيٰتِنَا وَقَالَ لَاُوۡتَيَنَّ مَالًا وَّوَلَدًا ﴿٧٧﴾ ؕ اَطَّلَعَ الۡغَيۡبَ
اَمِ اتَّخَذَ عِنۡدَ الرَّحۡمٰنِ عَهۡدًا ﴿٧٨﴾ ۙ كَلَّا ؕ سَنَكۡتُبُ مَا
يَقُوۡلُ وَنَمُدُّ لَهٗ مِنَ الۡعَذَابِ مَدًّا ﴿٧٩﴾ ۙ وَّنَرِثُهٗ مَا
يَقُوۡلُ وَيَاۡتِيۡنَا فَرۡدًا ﴿٨٠﴾ وَاتَّخَذُوۡا مِنۡ دُوۡنِ اللّٰهِ اٰلِهَةً
لِّيَكُوۡنُوۡا لَهُمۡ عِزًّا ﴿٨١﴾ ۙ كَلَّا ؕ سَيَكۡفُرُوۡنَ بِعِبَادَتِهِمۡ
ع ٥ ١٧ ٨ وَيَكُوۡنُوۡنَ عَلَيۡهِمۡ ضِدًّا ﴿٨٢﴾ ع اَلَمۡ تَرَ اَنَّاۤ اَرۡسَلۡنَا

الشَّيٰطِيۡنَ عَلَى الۡكٰفِرِيۡنَ تَؤُزُّهُمۡ اَزًّا ۙ﴿۸۳﴾ فَلَا تَعۡجَلۡ
عَلَيۡهِمۡ ؕ اِنَّمَا نَعُدُّ لَهُمۡ عَدًّا ۚ﴿۸۴﴾ يَوۡمَ نَحۡشُرُ الۡمُتَّقِيۡنَ اِلَى
الرَّحۡمٰنِ وَفۡدًا ۙ﴿۸۵﴾ وَّنَسُوۡقُ الۡمُجۡرِمِيۡنَ اِلٰى جَهَنَّمَ وِرۡدًا ۘ﴿۸۶﴾ وقف لازم
لَا يَمۡلِكُوۡنَ الشَّفَاعَةَ اِلَّا مَنِ اتَّخَذَ عِنۡدَ الرَّحۡمٰنِ
عَهۡدًا ۘ﴿۸۷﴾ وَقَالُوا اتَّخَذَ الرَّحۡمٰنُ وَلَدًا ؕ﴿۸۸﴾ لَقَدۡ جِئۡتُمۡ وقف لازم
شَيۡـًٔـا اِدًّا ۙ﴿۸۹﴾ تَكَادُ السَّمٰوٰتُ يَتَفَطَّرۡنَ مِنۡهُ وَ تَنۡشَقُّ
الۡاَرۡضُ وَتَخِرُّ الۡجِبَالُ هَدًّا ۙ﴿۹۰﴾ اَنۡ دَعَوۡا لِلرَّحۡمٰنِ وَلَدًا ۚ﴿۹۱﴾
وَمَا يَنۡۢبَغِىۡ لِلرَّحۡمٰنِ اَنۡ يَّتَّخِذَ وَلَدًا ؕ﴿۹۲﴾ اِنۡ كُلُّ مَنۡ فِى
السَّمٰوٰتِ وَالۡاَرۡضِ اِلَّاۤ اٰتِى الرَّحۡمٰنِ عَبۡدًا ؕ﴿۹۳﴾ لَقَدۡ اَحۡصٰٮهُمۡ
وَعَدَّهُمۡ عَدًّا ؕ﴿۹۴﴾ وَكُلُّهُمۡ اٰتِيۡهِ يَوۡمَ الۡقِيٰمَةِ فَرۡدًا ﴿۹۵﴾ اِنَّ
الَّذِيۡنَ اٰمَنُوۡا وَعَمِلُوا الصّٰلِحٰتِ سَيَجۡعَلُ لَهُمُ الرَّحۡمٰنُ
وُدًّا ﴿۹۶﴾ فَاِنَّمَا يَسَّرۡنٰهُ بِلِسَانِكَ لِتُبَشِّرَ بِهِ الۡمُتَّقِيۡنَ وَ
تُنۡذِرَ بِهٖ قَوۡمًا لُّدًّا ﴿۹۷﴾ وَكَمۡ اَهۡلَكۡنَا قَبۡلَهُمۡ مِّنۡ قَرۡنٍ ؕ

منزل ٤

هَلْ تُحِسُّ مِنْهُمْ مِّنْ اَحَدٍ اَوْ تَسْمَعُ لَهُمْ رِكْزًا ﴿٩٨﴾ ع

اٰيَاتُهَا ١٣٥ (٢٠) سُوْرَةُ طٰهٰ مَكِّيَّةٌ (٤٥) رُكُوْعَاتُهَا ٨

بِسْمِ اللّٰهِ الرَّحْمٰنِ الرَّحِيْمِ

طٰهٰ ﴿١﴾ مَآ اَنْزَلْنَا عَلَيْكَ الْقُرْاٰنَ لِتَشْقٰٓى ﴿٢﴾ اِلَّا تَذْكِرَةً
لِّمَنْ يَّخْشٰى ﴿٣﴾ تَنْزِيْلًا مِّمَّنْ خَلَقَ الْاَرْضَ وَالسَّمٰوٰتِ
الْعُلٰى ﴿٤﴾ اَلرَّحْمٰنُ عَلَى الْعَرْشِ اسْتَوٰى ﴿٥﴾ لَهٗ مَا فِي السَّمٰوٰتِ
وَمَا فِي الْاَرْضِ وَمَا بَيْنَهُمَا وَمَا تَحْتَ الثَّرٰى ﴿٦﴾ وَاِنْ
تَجْهَرْ بِالْقَوْلِ فَاِنَّهٗ يَعْلَمُ السِّرَّ وَاَخْفٰى ﴿٧﴾ اَللّٰهُ لَآ اِلٰهَ
اِلَّا هُوَ ط لَهُ الْاَسْمَآءُ الْحُسْنٰى ﴿٨﴾ وَهَلْ اَتٰىكَ حَدِيْثُ مُوْسٰى ﴿٩﴾ م
اِذْ رَاٰ نَارًا فَقَالَ لِاَهْلِهِ امْكُثُوْٓا اِنِّيْٓ اٰنَسْتُ نَارًا
لَّعَلِّيْٓ اٰتِيْكُمْ مِّنْهَا بِقَبَسٍ اَوْ اَجِدُ عَلَى النَّارِ هُدًى ﴿١٠﴾
فَلَمَّآ اَتٰىهَا نُوْدِيَ يٰمُوْسٰى ﴿١١﴾ اِنِّيْٓ اَنَا رَبُّكَ فَاخْلَعْ
نَعْلَيْكَ اِنَّكَ بِالْوَادِ الْمُقَدَّسِ طُوًى ﴿١٢﴾ وَاَنَا اخْتَرْتُكَ

ع ٦ النصف ٤

منزل ٤

وقف لازم

Ikhfa إخفا · Ikhfa Meem Saakin إخفاميم ساكن · Qalqala قلقله · Qalb قلب · Idghaam ادغام · Idghaam Meem Saakin ادغام ميم ساكن · Ghunna غنّه

فَاسْتَمِعْ لِمَا يُوْحٰى ﴿١٣﴾ اِنَّنِيْٓ اَنَا اللّٰهُ لَآ اِلٰهَ اِلَّآ اَنَا
فَاعْبُدْنِيْ ۙ وَاَقِمِ الصَّلٰوةَ لِذِكْرِيْ ﴿١٤﴾ اِنَّ السَّاعَةَ اٰتِيَةٌ
اَكَادُ اُخْفِيْهَا لِتُجْزٰى كُلُّ نَفْسٍۭ بِمَا تَسْعٰى ﴿١٥﴾ فَلَا
يَصُدَّنَّكَ عَنْهَا مَنْ لَّا يُؤْمِنُ بِهَا وَاتَّبَعَ هَوٰىهُ فَتَرْدٰى ﴿١٦﴾
وَمَا تِلْكَ بِيَمِيْنِكَ يٰمُوْسٰى ﴿١٧﴾ قَالَ هِيَ عَصَايَ ۚ اَتَوَكَّؤُا
عَلَيْهَا وَاَهُشُّ بِهَا عَلٰى غَنَمِيْ وَلِيَ فِيْهَا مَاٰرِبُ
اُخْرٰى ﴿١٨﴾ قَالَ اَلْقِهَا يٰمُوْسٰى ﴿١٩﴾ فَاَلْقٰىهَا فَاِذَا هِيَ حَيَّةٌ
تَسْعٰى ﴿٢٠﴾ قَالَ خُذْهَا وَلَا تَخَفْ ۥ وقفة سَنُعِيْدُهَا سِيْرَتَهَا
الْاُوْلٰى ﴿٢١﴾ وَاضْمُمْ يَدَكَ اِلٰى جَنَاحِكَ تَخْرُجْ بَيْضَآءَ مِنْ
غَيْرِ سُوْٓءٍ اٰيَةً اُخْرٰى ۙ﴿٢٢﴾ لِنُرِيَكَ مِنْ اٰيٰتِنَا الْكُبْرٰى ۚ﴿٢٣﴾
اِذْهَبْ اِلٰى فِرْعَوْنَ اِنَّهٗ طَغٰى ﴿٢٤﴾ ع قَالَ رَبِّ اشْرَحْ لِيْ ١ع٢٤
صَدْرِيْ ۙ﴿٢٥﴾ وَيَسِّرْ لِيْٓ اَمْرِيْ ۙ﴿٢٦﴾ وَاحْلُلْ عُقْدَةً مِّنْ لِّسَانِيْ ۙ﴿٢٧﴾
يَفْقَهُوْا قَوْلِيْ ۠﴿٢٨﴾ وَاجْعَلْ لِّيْ وَزِيْرًا مِّنْ اَهْلِيْ ۙ﴿٢٩﴾

منزل ٤

Ikhfa إخفا | Ikhfa Meem Saakin إخفاميم ساكن | Qalqala قلقله | Qalb قلب | Idghaam إدغام | Idghaam Meem Saakin إدغام میم ساکن | Ghunna غُنّه

هٰرُوۡنَ اَخِى ۙ﴿۳۰﴾ اشۡدُدۡ بِهٖۤ اَزۡرِىۡ ۙ﴿۳۱﴾ وَ اَشۡرِكۡهُ فِىۡۤ
اَمۡرِىۡ ۙ﴿۳۲﴾ كَىۡ نُسَبِّحَكَ كَثِيۡرًا ۙ﴿۳۳﴾ وَّنَذۡكُرَكَ كَثِيۡرًا ؕ﴿۳۴﴾ اِنَّكَ
كُنۡتَ بِنَا بَصِيۡرًا ﴿۳۵﴾ قَالَ قَدۡ اُوۡتِيۡتَ سُؤۡلَكَ يٰمُوۡسٰى ﴿۳۶﴾
وَلَقَدۡ مَنَنَّا عَلَيۡكَ مَرَّةً اُخۡرٰٓى ۙ﴿۳۷﴾ اِذۡ اَوۡحَيۡنَاۤ اِلٰٓى اُمِّكَ
مَا يُوۡحٰٓى ۙ﴿۳۸﴾ اَنِ اقۡذِفِيۡهِ فِى التَّابُوۡتِ فَاقۡذِفِيۡهِ فِى
الۡيَمِّ فَلۡيُلۡقِهِ الۡيَمُّ بِالسَّاحِلِ يَاۡخُذۡهُ عَدُوٌّ لِّىۡ وَ
عَدُوٌّ لَّهٗ ؕ وَاَلۡقَيۡتُ عَلَيۡكَ مَحَبَّةً مِّنِّىۡ ۚ وَلِتُصۡنَعَ عَلٰى
عَيۡنِىۡ ﴿۳۹﴾ اِذۡ تَمۡشِىۡۤ اُخۡتُكَ فَتَقُوۡلُ هَلۡ اَدُلُّكُمۡ عَلٰى مَنۡ
يَّكۡفُلُهٗ ؕ فَرَجَعۡنٰكَ اِلٰٓى اُمِّكَ كَىۡ تَقَرَّ عَيۡنُهَا وَلَا
تَحۡزَنَ ؕ وَقَتَلۡتَ نَفۡسًا فَنَجَّيۡنٰكَ مِنَ الۡغَمِّ وَفَتَنّٰكَ
فُتُوۡنًا ؕ قف فَلَبِثۡتَ سِنِيۡنَ فِىۡۤ اَهۡلِ مَدۡيَنَ ۙ ثُمَّ جِئۡتَ
عَلٰى قَدَرٍ يّٰمُوۡسٰى ﴿۴۰﴾ وَاصۡطَنَعۡتُكَ لِنَفۡسِىۡ ۚ﴿۴۱﴾ اِذۡهَبۡ
اَنۡتَ وَاَخُوۡكَ بِاٰيٰتِىۡ وَلَا تَنِيَا فِىۡ ذِكۡرِىۡ ۚ﴿۴۲﴾ اِذۡهَبَاۤ

منزل ٤

وقف لازم

اِلٰى فِرْعَوْنَ اِنَّهٗ طَغٰى ۚ ﴿٤٣﴾ فَقُوْلَا لَهٗ قَوْلًا لَّيِّنًا لَّعَلَّهٗ
يَتَذَكَّرُ اَوْ يَخْشٰى ﴿٤٤﴾ قَالَا رَبَّنَآ اِنَّنَا نَخَافُ اَنْ يَّفْرُطَ
عَلَيْنَآ اَوْ اَنْ يَّطْغٰى ﴿٤٥﴾ قَالَ لَا تَخَافَآ اِنَّنِىْ مَعَكُمَآ
اَسْمَعُ وَاَرٰى ﴿٤٦﴾ فَاْتِيٰهُ فَقُوْلَآ اِنَّا رَسُوْلَا رَبِّكَ فَاَرْسِلْ
مَعَنَا بَنِىْٓ اِسْرَآءِيْلَ ۙ۬ وَلَا تُعَذِّبْهُمْ ؕ قَدْ جِئْنٰكَ بِاٰيَةٍ
مِّنْ رَّبِّكَ ؕ وَالسَّلٰمُ عَلٰى مَنِ اتَّبَعَ الْهُدٰى ﴿٤٧﴾ اِنَّا قَدْ
اُوْحِىَ اِلَيْنَآ اَنَّ الْعَذَابَ عَلٰى مَنْ كَذَّبَ وَتَوَلّٰى ﴿٤٨﴾ قَالَ
فَمَنْ رَّبُّكُمَا يٰمُوْسٰى ﴿٤٩﴾ قَالَ رَبُّنَا الَّذِىْٓ اَعْطٰى كُلَّ شَىْءٍ
خَلْقَهٗ ثُمَّ هَدٰى ﴿٥٠﴾ قَالَ فَمَا بَالُ الْقُرُوْنِ الْاُوْلٰى ﴿٥١﴾
قَالَ عِلْمُهَا عِنْدَ رَبِّىْ فِىْ كِتٰبٍ ۚ لَا يَضِلُّ رَبِّىْ وَلَا يَنْسَى ﴿٥٢﴾ ز
الَّذِىْ جَعَلَ لَكُمُ الْاَرْضَ مَهْدًا وَّسَلَكَ لَكُمْ فِيْهَا
سُبُلًا وَّاَنْزَلَ مِنَ السَّمَآءِ مَآءً ؕ فَاَخْرَجْنَا بِهٖٓ اَزْوَاجًا
مِّنْ نَّبَاتٍ شَتّٰى ﴿٥٣﴾ كُلُوْا وَارْعَوْا اَنْعَامَكُمْ ؕ اِنَّ فِىْ

منزل ٤

ذٰلِكَ لَاٰيٰتٍ لِّاُولِي النُّهٰى ﴿٥٤﴾ ع مِنْهَا خَلَقْنٰكُمْ وَ ع ٢ ٣٠ ١١
فِيْهَا نُعِيْدُكُمْ وَمِنْهَا نُخْرِجُكُمْ تَارَةً اُخْرٰى ﴿٥٥﴾
وَلَقَدْ اَرَيْنٰهُ اٰيٰتِنَا كُلَّهَا فَكَذَّبَ وَاَبٰى ﴿٥٦﴾ قَالَ
اَجِئْتَنَا لِتُخْرِجَنَا مِنْ اَرْضِنَا بِسِحْرِكَ يٰمُوْسٰى ﴿٥٧﴾
فَلَنَاْتِيَنَّكَ بِسِحْرٍ مِّثْلِهٖ فَاجْعَلْ بَيْنَنَا وَبَيْنَكَ
مَوْعِدًا لَّا نُخْلِفُهٗ نَحْنُ وَلَآ اَنْتَ مَكَانًا سُوًى ﴿٥٨﴾
منزل ٤ قَالَ مَوْعِدُكُمْ يَوْمُ الزِّيْنَةِ وَاَنْ يُّحْشَرَ النَّاسُ
ضُحًى ﴿٥٩﴾ فَتَوَلّٰى فِرْعَوْنُ فَجَمَعَ كَيْدَهٗ ثُمَّ اَتٰى ﴿٦٠﴾
قَالَ لَهُمْ مُّوْسٰى وَيْلَكُمْ لَا تَفْتَرُوْا عَلَى اللّٰهِ كَذِبًا
فَيُسْحِتَكُمْ بِعَذَابٍ ج وَقَدْ خَابَ مَنِ افْتَرٰى ﴿٦١﴾
فَتَنَازَعُوْٓا اَمْرَهُمْ بَيْنَهُمْ وَاَسَرُّوا النَّجْوٰى ﴿٦٢﴾
قَالُوْٓا اِنْ هٰذٰنِ لَسٰحِرٰنِ يُرِيْدٰنِ اَنْ يُّخْرِجٰكُمْ
مِّنْ اَرْضِكُمْ بِسِحْرِهِمَا وَيَذْهَبَا بِطَرِيْقَتِكُمُ

الْمُثْلٰى ﴿٦٣﴾ فَاَجْمِعُوْا كَيْدَكُمْ ثُمَّ ائْتُوْا صَفًّا ۚ وَقَدْ
اَفْلَحَ الْيَوْمَ مَنِ اسْتَعْلٰى ﴿٦٤﴾ قَالُوْا يٰمُوْسٰۤى اِمَّاۤ اَنْ
تُلْقِيَ وَاِمَّاۤ اَنْ نَّكُوْنَ اَوَّلَ مَنْ اَلْقٰى ﴿٦٥﴾ قَالَ
بَلْ اَلْقُوْا ۚ فَاِذَا حِبَالُهُمْ وَعِصِيُّهُمْ يُخَيَّلُ اِلَيْهِ
مِنْ سِحْرِهِمْ اَنَّهَا تَسْعٰى ﴿٦٦﴾ فَاَوْجَسَ فِيْ نَفْسِهٖ
خِيْفَةً مُّوْسٰى ﴿٦٧﴾ قُلْنَا لَا تَخَفْ اِنَّكَ اَنْتَ
الْاَعْلٰى ﴿٦٨﴾ وَاَلْقِ مَا فِيْ يَمِيْنِكَ تَلْقَفْ مَا صَنَعُوْا ۗ
اِنَّمَا صَنَعُوْا كَيْدُ سٰحِرٍ ۗ وَلَا يُفْلِحُ السَّاحِرُ حَيْثُ اَتٰى ﴿٦٩﴾
فَاُلْقِيَ السَّحَرَةُ سُجَّدًا قَالُوْۤا اٰمَنَّا بِرَبِّ هٰرُوْنَ
وَمُوْسٰى ﴿٧٠﴾ قَالَ اٰمَنْتُمْ لَهٗ قَبْلَ اَنْ اٰذَنَ لَكُمْ ۗ اِنَّهٗ
لَكَبِيْرُكُمُ الَّذِيْ عَلَّمَكُمُ السِّحْرَ ۚ فَلَاُقَطِّعَنَّ اَيْدِيَكُمْ
وَاَرْجُلَكُمْ مِّنْ خِلَافٍ وَّلَاُوصَلِّبَنَّكُمْ فِيْ جُذُوْعِ
النَّخْلِ ۫ وَلَتَعْلَمُنَّ اَيُّنَاۤ اَشَدُّ عَذَابًا وَّاَبْقٰى ﴿٧١﴾ قَالُوْا

منزل ٤

لَنْ نُّؤْثِرَكَ عَلٰى مَا جَآءَنَا مِنَ الْبَيِّنٰتِ وَ الَّذِىْ
فَطَرَنَا فَاقْضِ مَآ اَنْتَ قَاضٍ ؕ اِنَّمَا تَقْضِىْ هٰذِهِ
الْحَيٰوةَ الدُّنْيَا ؕ ﴿٧٢﴾ اِنَّآ اٰمَنَّا بِرَبِّنَا لِيَغْفِرَ لَنَا خَطٰيٰنَا
وَمَآ اَكْرَهْتَنَا عَلَيْهِ مِنَ السِّحْرِ ؕ وَاللّٰهُ خَيْرٌ وَّ
اَبْقٰى ﴿٧٣﴾ اِنَّهٗ مَنْ يَّاْتِ رَبَّهٗ مُجْرِمًا فَاِنَّ لَهٗ
جَهَنَّمَ ؕ لَا يَمُوْتُ فِيْهَا وَلَا يَحْيٰى ﴿٧٤﴾ وَمَنْ يَّاْتِهٖ
مُؤْمِنًا قَدْ عَمِلَ الصّٰلِحٰتِ فَاُولٰٓئِكَ لَهُمُ الدَّرَجٰتُ
الْعُلٰى ﴿٧٥﴾ جَنّٰتُ عَدْنٍ تَجْرِىْ مِنْ تَحْتِهَا الْاَنْهٰرُ
خٰلِدِيْنَ فِيْهَا ؕ وَذٰلِكَ جَزٰٓؤُا مَنْ تَزَكّٰى ﴿٧٦﴾ ع
وَلَقَدْ اَوْحَيْنَآ اِلٰى مُوْسٰٓى ۙ اَنْ اَسْرِ بِعِبَادِىْ
فَاضْرِبْ لَهُمْ طَرِيْقًا فِى الْبَحْرِ يَبَسًا ۙ لَّا تَخٰفُ
دَرَكًا وَّلَا تَخْشٰى ﴿٧٧﴾ فَاَتْبَعَهُمْ فِرْعَوْنُ بِجُنُوْدِهٖ
فَغَشِيَهُمْ مِّنَ الْيَمِّ مَا غَشِيَهُمْ ﴿٧٨﴾ وَاَضَلَّ فِرْعَوْنُ

الثلثة منزل ٤ ع ١٤

Ikhfa إخفا | Ikhfa Meem Saakin إخفاميم ساكن | Qalqala قلقله | Qalb قلب | Idghaam إدغام | Idghaam Meem Saakin إدغام ميم ساكن | Ghunna غُنّہ

قَوْمَهٗ وَمَا هَدٰى ﴿٧٩﴾ يٰبَنِيْٓ اِسْرَآءِيْلَ قَدْ اَنْجَيْنٰكُمْ
مِّنْ عَدُوِّكُمْ وَوٰعَدْنٰكُمْ جَانِبَ الطُّوْرِ الْاَيْمَنَ
وَنَزَّلْنَا عَلَيْكُمُ الْمَنَّ وَالسَّلْوٰى ﴿٨٠﴾ كُلُوْا مِنْ
طَيِّبٰتِ مَا رَزَقْنٰكُمْ وَلَا تَطْغَوْا فِيْهِ فَيَحِلَّ
عَلَيْكُمْ غَضَبِيْ ۚ وَمَنْ يَّحْلِلْ عَلَيْهِ غَضَبِيْ فَقَدْ
هَوٰى ﴿٨١﴾ وَاِنِّيْ لَغَفَّارٌ لِّمَنْ تَابَ وَاٰمَنَ وَعَمِلَ
صَالِحًا ثُمَّ اهْتَدٰى ﴿٨٢﴾ وَمَآ اَعْجَلَكَ عَنْ قَوْمِكَ
يٰمُوْسٰى ﴿٨٣﴾ قَالَ هُمْ اُولَآءِ عَلٰٓى اَثَرِيْ وَعَجِلْتُ
اِلَيْكَ رَبِّ لِتَرْضٰى ﴿٨٤﴾ قَالَ فَاِنَّا قَدْ فَتَنَّا قَوْمَكَ
مِنْۢ بَعْدِكَ وَاَضَلَّهُمُ السَّامِرِيُّ ﴿٨٥﴾ فَرَجَعَ
مُوْسٰٓى اِلٰى قَوْمِهٖ غَضْبَانَ اَسِفًا ۚ۬ قَالَ يٰقَوْمِ
اَلَمْ يَعِدْكُمْ رَبُّكُمْ وَعْدًا حَسَنًا ۬ؕ اَفَطَالَ
عَلَيْكُمُ الْعَهْدُ اَمْ اَرَدْتُّمْ اَنْ يَّحِلَّ عَلَيْكُمْ

منزل ٤

غَضَبٌ مِّنْ رَّبِّكُمْ فَاَخْلَفْتُمْ مَّوْعِدِیْ ﴿٨٦﴾ قَالُوْا مَآ
اَخْلَفْنَا مَوْعِدَكَ بِمَلْكِنَا وَلٰكِنَّا حُمِّلْنَآ اَوْزَارًا
مِّنْ زِیْنَةِ الْقَوْمِ فَقَذَفْنٰهَا فَكَذٰلِكَ اَلْقَى
السَّامِرِیُّ ﴿٨٧﴾ لا فَاَخْرَجَ لَهُمْ عِجْلًا جَسَدًا لَّهٗ خُوَارٌ
فَقَالُوْا هٰذَآ اِلٰهُكُمْ وَاِلٰهُ مُوْسٰى ۬ فَنَسِیَ ﴿٨٨﴾ ط
اَفَلَا یَرَوْنَ اَلَّا یَرْجِعُ اِلَیْهِمْ قَوْلًا ۬ لا وَّلَا یَمْلِكُ
ع ٤ ١٤ لَهُمْ ضَرًّا وَّلَا نَفْعًا ﴿٨٩﴾ ع وَلَقَدْ قَالَ لَهُمْ هٰرُوْنُ مِنْ منزل ٤
قَبْلُ یٰقَوْمِ اِنَّمَا فُتِنْتُمْ بِهٖ ج وَاِنَّ رَبَّكُمُ الرَّحْمٰنُ
فَاتَّبِعُوْنِیْ وَاَطِیْعُوْٓا اَمْرِیْ ﴿٩٠﴾ قَالُوْا لَنْ نَّبْرَحَ عَلَیْهِ
عٰكِفِیْنَ حَتّٰى یَرْجِعَ اِلَیْنَا مُوْسٰى ﴿٩١﴾ قَالَ یٰهٰرُوْنُ مَا
مَنَعَكَ اِذْ رَاَیْتَهُمْ ضَلُّوْٓا ﴿٩٢﴾ لا اَلَّا تَتَّبِعَنِ ط اَفَعَصَیْتَ
اَمْرِیْ ﴿٩٣﴾ قَالَ یَبْنَؤُمَّ لَا تَاْخُذْ بِلِحْیَتِیْ وَلَا بِرَاْسِیْ ج
اِنِّیْ خَشِیْتُ اَنْ تَقُوْلَ فَرَّقْتَ بَیْنَ بَنِیْٓ اِسْرَآءِیْلَ

وَلَمۡ تَرۡقُبۡ قَوۡلِىۡ ﴿٩٤﴾ قَالَ فَمَا خَطۡبُكَ يٰسَامِرِىُّ ﴿٩٥﴾
قَالَ بَصُرۡتُ بِمَا لَمۡ يَبۡصُرُوۡا بِهٖ فَقَبَضۡتُ قَبۡضَةً
مِّنۡ اَثَرِ الرَّسُوۡلِ فَنَبَذۡتُهَا وَكَذٰلِكَ سَوَّلَتۡ لِىۡ
نَفۡسِىۡ ﴿٩٦﴾ قَالَ فَاذۡهَبۡ فَاِنَّ لَكَ فِى الۡحَيٰوةِ اَنۡ
تَقُوۡلَ لَا مِسَاسَ ۖ وَاِنَّ لَكَ مَوۡعِدًا لَّنۡ تُخۡلَفَهٗ ۚ
وَانۡظُرۡ اِلٰٓى اِلٰهِكَ الَّذِىۡ ظَلۡتَ عَلَيۡهِ عَاكِفًا ؕ
لَنُحَرِّقَنَّهٗ ثُمَّ لَنَنۡسِفَنَّهٗ فِى الۡيَمِّ نَسۡفًا ﴿٩٧﴾ اِنَّمَاۤ اِلٰهُكُمُ
اللّٰهُ الَّذِىۡ لَاۤ اِلٰهَ اِلَّا هُوَ ؕ وَسِعَ كُلَّ شَىۡءٍ عِلۡمًا ﴿٩٨﴾
كَذٰلِكَ نَقُصُّ عَلَيۡكَ مِنۡ اَنۡۢبَآءِ مَا قَدۡ سَبَقَ ۚ وَقَدۡ
اٰتَيۡنٰكَ مِنۡ لَّدُنَّا ذِكۡرًا ﴿٩٩﴾ ۖ مَنۡ اَعۡرَضَ عَنۡهُ فَاِنَّهٗ
يَحۡمِلُ يَوۡمَ الۡقِيٰمَةِ وِزۡرًا ۙ ﴿١٠٠﴾ خٰلِدِيۡنَ فِيۡهِ ؕ وَسَآءَ لَهُمۡ
يَوۡمَ الۡقِيٰمَةِ حِمۡلًا ۙ ﴿١٠١﴾ يَّوۡمَ يُنۡفَخُ فِى الصُّوۡرِ وَنَحۡشُرُ
الۡمُجۡرِمِيۡنَ يَوۡمَئِذٍ زُرۡقًا ﴿١٠٢﴾ ۖ يَّتَخَافَتُوۡنَ بَيۡنَهُمۡ اِنۡ

منزل ٤

Ikhfa اِخفا | Ikhfa Meem Saakin اِخفامیم ساکن | Qalqala قلقلہ | Qalb قلب | Idghaam اِدغام | Idghaam Meem Saakin اِدغام میم ساکن | Ghunna غُنّہ

لَّبِثْتُمْ اِلَّا عَشْرًا ﴿١٠٣﴾ نَحْنُ اَعْلَمُ بِمَا يَقُوْلُوْنَ اِذْ يَقُوْلُ
اَمْثَلُهُمْ طَرِيْقَةً اِنْ لَّبِثْتُمْ اِلَّا يَوْمًا ﴿١٠٤﴾ ع وَيَسْـَٔلُوْنَكَ ع ٥ ١٥ ١٤
عَنِ الْجِبَالِ فَقُلْ يَنْسِفُهَا رَبِّيْ نَسْفًا ﴿١٠٥﴾ لا فَيَذَرُهَا
قَاعًا صَفْصَفًا ﴿١٠٦﴾ لا لَّا تَرٰى فِيْهَا عِوَجًا وَّلَآ اَمْتًا ﴿١٠٧﴾ ط
يَوْمَئِذٍ يَّتَّبِعُوْنَ الدَّاعِيَ لَا عِوَجَ لَهٗ ج وَخَشَعَتِ
الْاَصْوَاتُ لِلرَّحْمٰنِ فَلَا تَسْمَعُ اِلَّا هَمْسًا ﴿١٠٨﴾
منزل ٤ يَوْمَئِذٍ لَّا تَنْفَعُ الشَّفَاعَةُ اِلَّا مَنْ اَذِنَ لَهُ الرَّحْمٰنُ
وَرَضِيَ لَهٗ قَوْلًا ﴿١٠٩﴾ يَعْلَمُ مَا بَيْنَ اَيْدِيْهِمْ وَمَا
خَلْفَهُمْ وَلَا يُحِيْطُوْنَ بِهٖ عِلْمًا ﴿١١٠﴾ وَعَنَتِ الْوُجُوْهُ
لِلْحَيِّ الْقَيُّوْمِ ط وَقَدْ خَابَ مَنْ حَمَلَ ظُلْمًا ﴿١١١﴾ وَمَنْ
يَّعْمَلْ مِنَ الصّٰلِحٰتِ وَهُوَ مُؤْمِنٌ فَلَا يَخٰفُ
ظُلْمًا وَّلَا هَضْمًا ﴿١١٢﴾ وَكَذٰلِكَ اَنْزَلْنٰهُ قُرْاٰنًا عَرَبِيًّا
وَّصَرَّفْنَا فِيْهِ مِنَ الْوَعِيْدِ لَعَلَّهُمْ يَتَّقُوْنَ

اَوۡ يُحۡدِثُ لَهُمۡ ذِكۡرًا ﴿١١٣﴾ فَتَعٰلَى اللّٰهُ الۡمَلِكُ الۡحَقُّ ۚ
وَلَا تَعۡجَلۡ بِالۡقُرۡاٰنِ مِنۡ قَبۡلِ اَنۡ يُّقۡضٰۤى اِلَيۡكَ
وَحۡيُهٗ ۫ وَقُلۡ رَّبِّ زِدۡنِىۡ عِلۡمًا ﴿١١٤﴾ وَلَقَدۡ عَهِدۡنَاۤ اِلٰۤى
اٰدَمَ مِنۡ قَبۡلُ فَنَسِىَ وَلَمۡ نَجِدۡ لَهٗ عَزۡمًا ﴿١١٥﴾ ع وَ ع ٦ ١١ ١٥
اِذۡ قُلۡنَا لِلۡمَلٰٓـئِكَةِ اسۡجُدُوۡا لِاٰدَمَ فَسَجَدُوۡۤا اِلَّاۤ
اِبۡلِيۡسَ ؕ اَبٰى ﴿١١٦﴾ فَقُلۡنَا يٰۤاٰدَمُ اِنَّ هٰذَا عَدُوٌّ لَّكَ
وَلِزَوۡجِكَ فَلَا يُخۡرِجَنَّكُمَا مِنَ الۡجَنَّةِ فَتَشۡقٰى ﴿١١٧﴾
اِنَّ لَكَ اَلَّا تَجُوۡعَ فِيۡهَا وَلَا تَعۡرٰى ﴿١١٨﴾ لا وَاَنَّكَ
لَا تَظۡمَؤُا فِيۡهَا وَلَا تَضۡحٰى ﴿١١٩﴾ فَوَسۡوَسَ اِلَيۡهِ
الشَّيۡطٰنُ قَالَ يٰۤاٰدَمُ هَلۡ اَدُلُّكَ عَلٰى شَجَرَةِ
الۡخُلۡدِ وَمُلۡكٍ لَّا يَبۡلٰى ﴿١٢٠﴾ فَاَكَلَا مِنۡهَا فَبَدَتۡ
لَهُمَا سَوۡاٰتُهُمَا وَطَفِقَا يَخۡصِفٰنِ عَلَيۡهِمَا مِنۡ
وَّرَقِ الۡجَنَّةِ ۫ وَعَصٰۤى اٰدَمُ رَبَّهٗ فَغَوٰى ﴿١٢١﴾ صلے ثُمَّ

منزل ٤

Ikhfa إخفا | Ikhfa Meem Saakin إخفاميم ساكن | Qalqala قلقله | Qalb قلب | Idghaam إدغام | Idghaam Meem Saakin إدغام ميم ساكن | Ghunna غُنّه

اجۡتَبٰهُ رَبُّهٗ فَتَابَ عَلَيۡهِ وَهَدٰى ﴿١٢٢﴾ قَالَ اهۡبِطَا
مِنۡهَا جَمِيۡعًا بَعۡضُكُمۡ لِبَعۡضٍ عَدُوٌّ ۚ فَاِمَّا يَاۡتِيَنَّكُمۡ
مِّنِّىۡ هُدًى ۙ فَمَنِ اتَّبَعَ هُدَاىَ فَلَا يَضِلُّ وَلَا يَشۡقٰى ﴿١٢٣﴾
وَمَنۡ اَعۡرَضَ عَنۡ ذِكۡرِىۡ فَاِنَّ لَهٗ مَعِيۡشَةً
ضَنۡكًا وَّنَحۡشُرُهٗ يَوۡمَ الۡقِيٰمَةِ اَعۡمٰى ﴿١٢٤﴾ قَالَ رَبِّ لِمَ
حَشَرۡتَنِىۡۤ اَعۡمٰى وَقَدۡ كُنۡتُ بَصِيۡرًا ﴿١٢٥﴾ قَالَ كَذٰلِكَ
اَتَتۡكَ اٰيٰتُنَا فَنَسِيۡتَهَا ۚ وَكَذٰلِكَ الۡيَوۡمَ تُنۡسٰى ﴿١٢٦﴾
وَكَذٰلِكَ نَجۡزِىۡ مَنۡ اَسۡرَفَ وَلَمۡ يُؤۡمِنۡ بِاٰيٰتِ رَبِّهٖ ؕ
وَلَعَذَابُ الۡاٰخِرَةِ اَشَدُّ وَاَبۡقٰى ﴿١٢٧﴾ اَفَلَمۡ يَهۡدِ لَهُمۡ
كَمۡ اَهۡلَكۡنَا قَبۡلَهُمۡ مِّنَ الۡقُرُوۡنِ يَمۡشُوۡنَ فِىۡ
مَسٰكِنِهِمۡ ؕ اِنَّ فِىۡ ذٰلِكَ لَاٰيٰتٍ لِّاُولِى النُّهٰى ﴿١٢٨﴾ ع ٧/١٣ ١٦
وَلَوۡلَا كَلِمَةٌ سَبَقَتۡ مِنۡ رَّبِّكَ لَكَانَ لِزَامًا وَّ
اَجَلٌ مُّسَمًّى ﴿١٢٩﴾ ؕ فَاصۡبِرۡ عَلٰى مَا يَقُوۡلُوۡنَ وَسَبِّحۡ

منزل ٤

بِحَمْدِ رَبِّكَ قَبْلَ طُلُوْعِ الشَّمْسِ وَقَبْلَ غُرُوْبِهَا ۚ
وَمِنْ اٰنَآئِ الَّيْلِ فَسَبِّحْ وَاَطْرَافَ النَّهَارِ لَعَلَّكَ
تَرْضٰى ﴿١٣٠﴾ وَلَا تَمُدَّنَّ عَيْنَيْكَ اِلٰى مَا مَتَّعْنَا بِهٖٓ
اَزْوَاجًا مِّنْهُمْ زَهْرَةَ الْحَيٰوةِ الدُّنْيَا ۙ۬ لِنَفْتِنَهُمْ
فِيْهِ ؕ وَرِزْقُ رَبِّكَ خَيْرٌ وَّاَبْقٰى ﴿١٣١﴾ وَاْمُرْ اَهْلَكَ
بِالصَّلٰوةِ وَاصْطَبِرْ عَلَيْهَا ؕ لَا نَسْـَٔلُكَ رِزْقًا ؕ نَحْنُ
نَرْزُقُكَ ؕ وَالْعَاقِبَةُ لِلتَّقْوٰى ﴿١٣٢﴾ وَقَالُوْا لَوْلَا
يَاْتِيْنَا بِاٰيَةٍ مِّنْ رَّبِّهٖ ؕ اَوَلَمْ تَاْتِهِمْ بَيِّنَةُ مَا فِى
الصُّحُفِ الْاُوْلٰى ﴿١٣٣﴾ وَلَوْ اَنَّآ اَهْلَكْنٰهُمْ بِعَذَابٍ مِّنْ
قَبْلِهٖ لَقَالُوْا رَبَّنَا لَوْلَآ اَرْسَلْتَ اِلَيْنَا رَسُوْلًا
فَنَتَّبِعَ اٰيٰتِكَ مِنْ قَبْلِ اَنْ نَّذِلَّ وَنَخْزٰى ﴿١٣٤﴾
قُلْ كُلٌّ مُّتَرَبِّصٌ فَتَرَبَّصُوْا ۚ فَسَتَعْلَمُوْنَ مَنْ
اَصْحٰبُ الصِّرَاطِ السَّوِيِّ وَمَنِ اهْتَدٰى ﴿١٣٥﴾ ع ٨ ١٧

منزل ٤

(٨) الجزء السابع عشر (١٧) رکوع

آياتها ١١٢ (٢١) سورة الانبيآء مكية (٧٣) ركوعاتها ٧

بسم الله الرحمن الرحيم

اقترب للناس حسابهم وهم في غفلة معرضون ﴿١﴾
ما يأتيهم من ذكر من ربهم محدث الا استمعوه
وهم يلعبون ﴿٢﴾ لاهية قلوبهم واسروا النجوى
الذين ظلموا هل هذا الا بشر مثلكم افتاتون
السحر وانتم تبصرون ﴿٣﴾ قل ربي يعلم القول
في السماء والارض وهو السميع العليم ﴿٤﴾ بل
قالوا اضغاث احلام بل افترىه بل هو شاعر
فلياتنا باية كما ارسل الاولون ﴿٥﴾ ما امنت
قبلهم من قرية اهلكنها افهم يؤمنون ﴿٦﴾
وما ارسلنا قبلك الا رجالا نوحي اليهم
فسـٔلوا اهل الذكر ان كنتم لا تعلمون ﴿٧﴾

منزل ٤

وَمَا جَعَلْنٰهُمْ جَسَدًا لَّا يَاْكُلُوْنَ الطَّعَامَ وَمَا
كَانُوْا خٰلِدِيْنَ ﴿٨﴾ ثُمَّ صَدَقْنٰهُمُ الْوَعْدَ فَاَنْجَيْنٰهُمْ
وَمَنْ نَّشَآءُ وَ اَهْلَكْنَا الْمُسْرِفِيْنَ ﴿٩﴾ لَقَدْ اَنْزَلْنَاۤ
اِلَيْكُمْ كِتٰبًا فِيْهِ ذِكْرُكُمْ ۭ اَفَلَا تَعْقِلُوْنَ ﴿١٠﴾ وَكَمْ ع
قَصَمْنَا مِنْ قَرْيَةٍ كَانَتْ ظَالِمَةً وَّاَنْشَاْنَا
بَعْدَهَا قَوْمًا اٰخَرِيْنَ ﴿١١﴾ فَلَمَّاۤ اَحَسُّوْا بَاْسَنَاۤ اِذَا
هُمْ مِّنْهَا يَرْكُضُوْنَ ﴿١٢﴾ ۭ لَا تَرْكُضُوْا وَارْجِعُوْۤا اِلٰى مَاۤ
اُتْرِفْتُمْ فِيْهِ وَمَسٰكِنِكُمْ لَعَلَّكُمْ تُسْـَٔلُوْنَ ﴿١٣﴾ قَالُوْا
يٰوَيْلَنَاۤ اِنَّا كُنَّا ظٰلِمِيْنَ ﴿١٤﴾ فَمَا زَالَتْ تِّلْكَ
دَعْوٰىهُمْ حَتّٰى جَعَلْنٰهُمْ حَصِيْدًا خٰمِدِيْنَ ﴿١٥﴾ وَمَا
خَلَقْنَا السَّمَآءَ وَالْاَرْضَ وَمَا بَيْنَهُمَا لٰعِبِيْنَ ﴿١٦﴾ لَوْ
اَرَدْنَاۤ اَنْ نَّتَّخِذَ لَهْوًا لَّاتَّخَذْنٰهُ مِنْ لَّدُنَّاۤ ۖۗ
اِنْ كُنَّا فٰعِلِيْنَ ﴿١٧﴾ بَلْ نَقْذِفُ بِالْحَقِّ عَلَى

منزل ٤

الْبَاطِلِ فَيَدْمَغُهٗ فَاِذَا هُوَ زَاهِقٌ ؕ وَلَكُمُ الْوَيْلُ
مِمَّا تَصِفُوْنَ ﴿١٨﴾ وَلَهٗ مَنْ فِى السَّمٰوٰتِ وَالْاَرْضِ ؕ
وَمَنْ عِنْدَهٗ لَا يَسْتَكْبِرُوْنَ عَنْ عِبَادَتِهٖ
وَلَا يَسْتَحْسِرُوْنَ ﴿١٩﴾ يُسَبِّحُوْنَ الَّيْلَ وَالنَّهَارَ
لَا يَفْتُرُوْنَ ﴿٢٠﴾ اَمِ اتَّخَذُوْۤا اٰلِهَةً مِّنَ الْاَرْضِ
هُمْ يُنْشِرُوْنَ ﴿٢١﴾ لَوْ كَانَ فِيْهِمَاۤ اٰلِهَةٌ اِلَّا اللّٰهُ
لَفَسَدَتَا ۚ فَسُبْحٰنَ اللّٰهِ رَبِّ الْعَرْشِ عَمَّا
يَصِفُوْنَ ﴿٢٢﴾ لَا يُسْئَلُ عَمَّا يَفْعَلُ وَهُمْ يُسْئَلُوْنَ ﴿٢٣﴾
اَمِ اتَّخَذُوْا مِنْ دُوْنِهٖۤ اٰلِهَةً ؕ قُلْ هَاتُوْا بُرْهَانَكُمْ ۚ
هٰذَا ذِكْرُ مَنْ مَّعِىَ وَذِكْرُ مَنْ قَبْلِىْ ؕ بَلْ اَكْثَرُهُمْ
لَا يَعْلَمُوْنَ ۙ الْحَقَّ فَهُمْ مُّعْرِضُوْنَ ﴿٢٤﴾ وَمَاۤ اَرْسَلْنَا
مِنْ قَبْلِكَ مِنْ رَّسُوْلٍ اِلَّا نُوْحِىْۤ اِلَيْهِ اَنَّهٗ لَاۤ
اِلٰهَ اِلَّاۤ اَنَا فَاعْبُدُوْنِ ﴿٢٥﴾ وَقَالُوا اتَّخَذَ الرَّحْمٰنُ

منزل ٤

Ikhfa اِخفا | Ikhfa Meem Saakin اِخفامیم ساکن | Qalqala قلقلہ | Qalb قلب | Idghaam اِدغام | Idghaam Meem Saakin اِدغام میم ساکن | Ghunna غُنّہ

وَلَدًا سُبْحٰنَهٗ ؕ بَلْ عِبَادٌ مُّكْرَمُوْنَ ﴿٢٦﴾ لَا يَسْبِقُوْنَهٗ
بِالْقَوْلِ وَهُمْ بِاَمْرِهٖ يَعْمَلُوْنَ ﴿٢٧﴾ يَعْلَمُ مَا
بَيْنَ اَيْدِيْهِمْ وَمَا خَلْفَهُمْ وَلَا يَشْفَعُوْنَ ۙ اِلَّا لِمَنِ
ارْتَضٰى وَهُمْ مِّنْ خَشْيَتِهٖ مُشْفِقُوْنَ ﴿٢٨﴾ وَمَنْ
يَّقُلْ مِنْهُمْ اِنِّىْۤ اِلٰهٌ مِّنْ دُوْنِهٖ فَذٰلِكَ نَجْزِيْهِ
جَهَنَّمَ ؕ كَذٰلِكَ نَجْزِى الظّٰلِمِيْنَ ﴿٢٩﴾ ع اَوَلَمْ يَرَ
الَّذِيْنَ كَفَرُوْۤا اَنَّ السَّمٰوٰتِ وَالْاَرْضَ كَانَتَا
رَتْقًا فَفَتَقْنٰهُمَا ؕ وَجَعَلْنَا مِنَ الْمَآءِ كُلَّ شَىْءٍ
حَىٍّ ؕ اَفَلَا يُؤْمِنُوْنَ ﴿٣٠﴾ وَجَعَلْنَا فِى الْاَرْضِ رَوَاسِىَ
اَنْ تَمِيْدَ بِهِمْ ۠ وَجَعَلْنَا فِيْهَا فِجَاجًا سُبُلًا
لَّعَلَّهُمْ يَهْتَدُوْنَ ﴿٣١﴾ وَجَعَلْنَا السَّمَآءَ سَقْفًا
مَّحْفُوْظًا ۚۖ وَّهُمْ عَنْ اٰيٰتِهَا مُعْرِضُوْنَ ﴿٣٢﴾ وَهُوَ
الَّذِىْ خَلَقَ الَّيْلَ وَالنَّهَارَ وَالشَّمْسَ وَالْقَمَرَ ؕ

منزل ٤

Ikhfa اِخفا | Ikhfa Meem Saakin اِخفامیم ساکن | Qalqala قلقلہ | Qalb قلب | Idghaam اِدغام | Idghaam Meem Saakin اِدغام میم ساکن | Ghunna غُنّہ

كُلٌّ فِىْ فَلَكٍ يَّسْبَحُوْنَ ﴿٣٣﴾ وَمَا جَعَلْنَا لِبَشَرٍ مِّنْ
قَبْلِكَ الْخُلْدَ ؕ اَفَا۟ئِنْ مِّتَّ فَهُمُ الْخٰلِدُوْنَ ﴿٣٤﴾
كُلُّ نَفْسٍ ذَآئِقَةُ الْمَوْتِ ؕ وَنَبْلُوْكُمْ بِالشَّرِّ
وَالْخَيْرِ فِتْنَةً ؕ وَاِلَيْنَا تُرْجَعُوْنَ ﴿٣٥﴾ وَاِذَا
رَاٰكَ الَّذِيْنَ كَفَرُوْٓا اِنْ يَّتَّخِذُوْنَكَ اِلَّا هُزُوًا ؕ
اَهٰذَا الَّذِىْ يَذْكُرُ اٰلِهَتَكُمْ ۚ وَهُمْ بِذِكْرِ الرَّحْمٰنِ
هُمْ كٰفِرُوْنَ ﴿٣٦﴾ خُلِقَ الْاِنْسَانُ مِنْ عَجَلٍ ؕ سَاُورِيْكُمْ
اٰيٰتِىْ فَلَا تَسْتَعْجِلُوْنِ ﴿٣٧﴾ وَيَقُوْلُوْنَ مَتٰى هٰذَا
الْوَعْدُ اِنْ كُنْتُمْ صٰدِقِيْنَ ﴿٣٨﴾ لَوْ يَعْلَمُ الَّذِيْنَ
كَفَرُوْا حِيْنَ لَا يَكُفُّوْنَ عَنْ وُّجُوْهِهِمُ النَّارَ وَلَا
عَنْ ظُهُوْرِهِمْ وَلَا هُمْ يُنْصَرُوْنَ ﴿٣٩﴾ بَلْ تَاْتِيْهِمْ
بَغْتَةً فَتَبْهَتُهُمْ فَلَا يَسْتَطِيْعُوْنَ رَدَّهَا وَلَا هُمْ
يُنْظَرُوْنَ ﴿٤٠﴾ وَلَقَدِ اسْتُهْزِئَ بِرُسُلٍ مِّنْ

منزل ٤

قَبْلِكَ فَحَاقَ بِالَّذِيْنَ سَخِرُوْا مِنْهُمْ مَّا كَانُوْا

بِهٖ يَسْتَهْزِءُوْنَ ﴿٤١﴾ ع قُلْ مَنْ يَّكْلَؤُكُمْ بِالَّيْلِ وَ ع ٣ ١٢

النَّهَارِ مِنَ الرَّحْمٰنِ ؕ بَلْ هُمْ عَنْ ذِكْرِ رَبِّهِمْ

مُّعْرِضُوْنَ ﴿٤٢﴾ اَمْ لَهُمْ اٰلِهَةٌ تَمْنَعُهُمْ مِّنْ دُوْنِنَا ؕ

لَا يَسْتَطِيْعُوْنَ نَصْرَ اَنْفُسِهِمْ وَلَا هُمْ مِّنَّا يُصْحَبُوْنَ ﴿٤٣﴾

بَلْ مَتَّعْنَا هٰۤؤُلَآءِ وَاٰبَآءَهُمْ حَتّٰى طَالَ عَلَيْهِمُ الْعُمُرُ ؕ

اَفَلَا يَرَوْنَ اَنَّا نَاْتِى الْاَرْضَ نَنْقُصُهَا مِنْ اَطْرَافِهَا ؕ

اَفَهُمُ الْغٰلِبُوْنَ ﴿٤٤﴾ قُلْ اِنَّمَاۤ اُنْذِرُكُمْ بِالْوَحْىِ ۖ ز

وَلَا يَسْمَعُ الصُّمُّ الدُّعَآءَ اِذَا مَا يُنْذَرُوْنَ ﴿٤٥﴾

وَلَئِنْ مَّسَّتْهُمْ نَفْحَةٌ مِّنْ عَذَابِ رَبِّكَ لَيَقُوْلُنَّ

يٰوَيْلَنَاۤ اِنَّا كُنَّا ظٰلِمِيْنَ ﴿٤٦﴾ وَنَضَعُ الْمَوَازِيْنَ

الْقِسْطَ لِيَوْمِ الْقِيٰمَةِ فَلَا تُظْلَمُ نَفْسٌ شَيْـًٔا ؕ وَاِنْ

كَانَ مِثْقَالَ حَبَّةٍ مِّنْ خَرْدَلٍ اَتَيْنَا بِهَا ؕ وَكَفٰى

بِنَا حٰسِبِيْنَ ﴿٤٧﴾ وَلَقَدْ اٰتَيْنَا مُوْسٰى وَهٰرُوْنَ
الْفُرْقَانَ وَضِيَآءً وَّذِكْرًا لِّلْمُتَّقِيْنَ ﴿٤٨﴾ الَّذِيْنَ
يَخْشَوْنَ رَبَّهُمْ بِالْغَيْبِ وَهُمْ مِّنَ السَّاعَةِ مُشْفِقُوْنَ ﴿٤٩﴾
وَهٰذَا ذِكْرٌ مُّبٰرَكٌ اَنْزَلْنٰهُ ۭ اَفَاَنْتُمْ لَهٗ مُنْكِرُوْنَ ﴿٥٠﴾ ع
وَلَقَدْ اٰتَيْنَآ اِبْرٰهِيْمَ رُشْدَهٗ مِنْ قَبْلُ وَكُنَّا بِهٖ
عٰلِمِيْنَ ﴿٥١﴾ ج اِذْ قَالَ لِاَبِيْهِ وَقَوْمِهٖ مَا هٰذِهِ التَّمَاثِيْلُ
الَّتِيْٓ اَنْتُمْ لَهَا عٰكِفُوْنَ ﴿٥٢﴾ قَالُوْا وَجَدْنَآ اٰبَآءَنَا
لَهَا عٰبِدِيْنَ ﴿٥٣﴾ قَالَ لَقَدْ كُنْتُمْ اَنْتُمْ وَاٰبَآؤُكُمْ
فِيْ ضَلٰلٍ مُّبِيْنٍ ﴿٥٤﴾ قَالُوْٓا اَجِئْتَنَا بِالْحَقِّ اَمْ
اَنْتَ مِنَ اللّٰعِبِيْنَ ﴿٥٥﴾ قَالَ بَلْ رَّبُّكُمْ رَبُّ
السَّمٰوٰتِ وَالْاَرْضِ الَّذِيْ فَطَرَهُنَّ ۡ صلے ۡ وَاَنَا عَلٰى
ذٰلِكُمْ مِّنَ الشّٰهِدِيْنَ ﴿٥٦﴾ وَتَاللّٰهِ لَاَكِيْدَنَّ
اَصْنَامَكُمْ بَعْدَ اَنْ تُوَلُّوْا مُدْبِرِيْنَ ﴿٥٧﴾ فَجَعَلَهُمْ

جُذٰذًا اِلَّا كَبِيْرًا لَّهُمْ لَعَلَّهُمْ اِلَيْهِ يَرْجِعُوْنَ ﴿٥٨﴾
قَالُوْا مَنْ فَعَلَ هٰذَا بِاٰلِهَتِنَآ اِنَّهٗ لَمِنَ الظّٰلِمِيْنَ ﴿٥٩﴾
قَالُوْا سَمِعْنَا فَتًى يَّذْكُرُهُمْ يُقَالُ لَهٗٓ اِبْرٰهِيْمُ ﴿٦٠﴾ قَالُوْا
فَاْتُوْا بِهٖ عَلٰٓى اَعْيُنِ النَّاسِ لَعَلَّهُمْ يَشْهَدُوْنَ ﴿٦١﴾
قَالُوْٓا ءَاَنْتَ فَعَلْتَ هٰذَا بِاٰلِهَتِنَا يٰٓاِبْرٰهِيْمُ ﴿٦٢﴾
قَالَ بَلْ فَعَلَهٗ ۖ كَبِيْرُهُمْ هٰذَا فَسْـَٔلُوْهُمْ اِنْ كَانُوْا
يَنْطِقُوْنَ ﴿٦٣﴾ فَرَجَعُوْٓا اِلٰٓى اَنْفُسِهِمْ فَقَالُوْٓا اِنَّكُمْ
اَنْتُمُ الظّٰلِمُوْنَ ﴿٦٤﴾ ثُمَّ نُكِسُوْا عَلٰى رُءُوْسِهِمْ ۚ لَقَدْ
عَلِمْتَ مَا هٰٓؤُلَآءِ يَنْطِقُوْنَ ﴿٦٥﴾ قَالَ اَفَتَعْبُدُوْنَ
مِنْ دُوْنِ اللّٰهِ مَا لَا يَنْفَعُكُمْ شَيْـًٔا وَّلَا يَضُرُّكُمْ ﴿٦٦﴾
اُفٍّ لَّكُمْ وَلِمَا تَعْبُدُوْنَ مِنْ دُوْنِ اللّٰهِ ۭ اَفَلَا
تَعْقِلُوْنَ ﴿٦٧﴾ قَالُوْا حَرِّقُوْهُ وَانْصُرُوْٓا اٰلِهَتَكُمْ
اِنْ كُنْتُمْ فٰعِلِيْنَ ﴿٦٨﴾ قُلْنَا يٰنَارُ كُوْنِيْ بَرْدًا

منزل٤

وَّ سَلٰمًا عَلٰۤى اِبْرٰهِيْمَ ﴿٦٩﴾ ۙ وَ اَرَادُوْا بِهٖ كَيْدًا
فَجَعَلْنٰهُمُ الْاَخْسَرِيْنَ ﴿٧٠﴾ ۚ وَ نَجَّيْنٰهُ وَ لُوْطًا اِلَى
الْاَرْضِ الَّتِىْ بٰرَكْنَا فِيْهَا لِلْعٰلَمِيْنَ ﴿٧١﴾ وَ وَهَبْنَا
لَهٗۤ اِسْحٰقَ ط وَ يَعْقُوْبَ نَافِلَةً ط وَ كُلًّا جَعَلْنَا
صٰلِحِيْنَ ﴿٧٢﴾ وَ جَعَلْنٰهُمْ اَئِمَّةً يَّهْدُوْنَ بِاَمْرِنَا
وَ اَوْحَيْنَاۤ اِلَيْهِمْ فِعْلَ الْخَيْرٰتِ وَ اِقَامَ الصَّلٰوةِ وَ
اِيْتَآءَ الزَّكٰوةِ ۚ وَ كَانُوْا لَنَا عٰبِدِيْنَ ﴿٧٣﴾ ۚ ۙ وَ لُوْطًا
اٰتَيْنٰهُ حُكْمًا وَّ عِلْمًا وَّ نَجَّيْنٰهُ مِنَ الْقَرْيَةِ الَّتِىْ
كَانَتْ تَّعْمَلُ الْخَبٰٓئِثَ ط اِنَّهُمْ كَانُوْا قَوْمَ سَوْءٍ
فٰسِقِيْنَ ﴿٧٤﴾ ۙ وَ اَدْخَلْنٰهُ فِىْ رَحْمَتِنَا ط اِنَّهٗ مِنَ الصّٰلِحِيْنَ ﴿٧٥﴾ ع ٥ ٢٥ ٥
وَ نُوْحًا اِذْ نَادٰى مِنْ قَبْلُ فَاسْتَجَبْنَا لَهٗ فَنَجَّيْنٰهُ
وَ اَهْلَهٗ مِنَ الْكَرْبِ الْعَظِيْمِ ﴿٧٦﴾ ۚ وَ نَصَرْنٰهُ
مِنَ الْقَوْمِ الَّذِيْنَ كَذَّبُوْا بِاٰيٰتِنَا ط اِنَّهُمْ كَانُوْا

منزل ٤

Ikhfa اِخفا | Ikhfa Meem Saakin اِخفامیم ساکن | Qalqala قلقلہ | Qalb قلب | Idghaam اِدغام | Idghaam Meem Saakin اِدغام میم ساکن | Ghunna غُنّہ

قَوۡمَ سَوۡءٍ فَاَغۡرَقۡنٰهُمۡ اَجۡمَعِيۡنَ ﴿٧٧﴾ وَ دَاوٗدَ وَ
سُلَيۡمٰنَ اِذۡ يَحۡكُمٰنِ فِى الۡحَرۡثِ اِذۡ نَفَشَتۡ فِيۡهِ
غَنَمُ الۡقَوۡمِ ۚ وَكُنَّا لِحُكۡمِهِمۡ شٰهِدِيۡنَ ﴿٧٨﴾ ۙ فَفَهَّمۡنٰهَا
سُلَيۡمٰنَ ۚ وَكُلًّا اٰتَيۡنَا حُكۡمًا وَّعِلۡمًا ۫ وَّسَخَّرۡنَا
مَعَ دَاوٗدَ الۡجِبَالَ يُسَبِّحۡنَ وَالطَّيۡرَ ؕ وَكُنَّا فٰعِلِيۡنَ ﴿٧٩﴾
وَعَلَّمۡنٰهُ صَنۡعَةَ لَبُوۡسٍ لَّكُمۡ لِتُحۡصِنَكُمۡ مِّنۡۢ
بَاۡسِكُمۡ ۚ فَهَلۡ اَنۡتُمۡ شٰكِرُوۡنَ ﴿٨٠﴾ وَلِسُلَيۡمٰنَ
الرِّيۡحَ عَاصِفَةً تَجۡرِىۡ بِاَمۡرِهٖۤ اِلَى الۡاَرۡضِ الَّتِىۡ
بٰرَكۡنَا فِيۡهَا ؕ وَكُنَّا بِكُلِّ شَىۡءٍ عٰلِمِيۡنَ ﴿٨١﴾ وَمِنَ
الشَّيٰطِيۡنِ مَنۡ يَّغُوۡصُوۡنَ لَهٗ وَيَعۡمَلُوۡنَ عَمَلًا دُوۡنَ
ذٰلِكَ ۚ وَكُنَّا لَهُمۡ حٰفِظِيۡنَ ﴿٨٢﴾ ۙ وَاَيُّوۡبَ اِذۡ
نَادٰى رَبَّهٗۤ اَنِّىۡ مَسَّنِىَ الضُّرُّ وَاَنۡتَ اَرۡحَمُ
الرّٰحِمِيۡنَ ﴿٨٣﴾ ۚۖ فَاسۡتَجَبۡنَا لَهٗ فَكَشَفۡنَا مَا بِهٖ مِنۡ

منزل ٤

ضُرٍّ وَّاٰتَيْنٰهُ اَهْلَهٗ وَمِثْلَهُمْ مَّعَهُمْ رَحْمَةً مِّنْ
عِنْدِنَا وَذِكْرٰى لِلْعٰبِدِيْنَ ﴿٨٤﴾ وَاِسْمٰعِيْلَ وَ
اِدْرِيْسَ وَذَا الْكِفْلِ ط كُلٌّ مِّنَ الصّٰبِرِيْنَ ﴿٨٥﴾ صلے ج
وَاَدْخَلْنٰهُمْ فِيْ رَحْمَتِنَا ط اِنَّهُمْ مِّنَ الصّٰلِحِيْنَ ﴿٨٦﴾
وَذَا النُّوْنِ اِذْ ذَّهَبَ مُغَاضِبًا فَظَنَّ اَنْ لَّنْ
نَّقْدِرَ عَلَيْهِ فَنَادٰى فِي الظُّلُمٰتِ اَنْ لَّآ اِلٰهَ
اِلَّآ اَنْتَ سُبْحٰنَكَ صلے اِنِّيْ كُنْتُ مِنَ الظّٰلِمِيْنَ ﴿٨٧﴾ ج صلے
فَاسْتَجَبْنَا لَهٗ وَنَجَّيْنٰهُ مِنَ الْغَمِّ ط وَكَذٰلِكَ
نُـْۨجِي الْمُؤْمِنِيْنَ ﴿٨٨﴾ وَزَكَرِيَّآ اِذْ نَادٰى رَبَّهٗ
رَبِّ لَا تَذَرْنِيْ فَرْدًا وَّاَنْتَ خَيْرُ الْوٰرِثِيْنَ ﴿٨٩﴾ صلے ج
فَاسْتَجَبْنَا لَهٗ وَوَهَبْنَا لَهٗ يَحْيٰى وَاَصْلَحْنَا لَهٗ
زَوْجَهٗ ط اِنَّهُمْ كَانُوْا يُسٰرِعُوْنَ فِي الْخَيْرٰتِ وَ
يَدْعُوْنَنَا رَغَبًا وَّرَهَبًا ط وَكَانُوْا لَنَا خٰشِعِيْنَ ﴿٩٠﴾

منزل ٤

وَالَّتِيْٓ اَحْصَنَتْ فَرْجَهَا فَنَفَخْنَا فِيْهَا مِنْ رُّوْحِنَا
وَجَعَلْنٰهَا وَابْنَهَآ اٰيَةً لِّلْعٰلَمِيْنَ ﴿٩١﴾ اِنَّ هٰذِهٖٓ
اُمَّتُكُمْ اُمَّةً وَّاحِدَةً ۖ وَّاَنَا رَبُّكُمْ فَاعْبُدُوْنِ ﴿٩٢﴾
وَتَقَطَّعُوْٓا اَمْرَهُمْ بَيْنَهُمْ ؕ كُلٌّ اِلَيْنَا رٰجِعُوْنَ ﴿٩٣﴾ ع ٦ ١٨
فَمَنْ يَّعْمَلْ مِنَ الصّٰلِحٰتِ وَهُوَ مُؤْمِنٌ فَلَا كُفْرَانَ
لِسَعْيِهٖ ۚ وَاِنَّا لَهٗ كٰتِبُوْنَ ﴿٩٤﴾ وَحَرٰمٌ عَلٰى قَرْيَةٍ
اَهْلَكْنٰهَآ اَنَّهُمْ لَا يَرْجِعُوْنَ ﴿٩٥﴾ حَتّٰٓى اِذَا فُتِحَتْ
يَاْجُوْجُ وَمَاْجُوْجُ وَهُمْ مِّنْ كُلِّ حَدَبٍ يَّنْسِلُوْنَ ﴿٩٦﴾
وَاقْتَرَبَ الْوَعْدُ الْحَقُّ فَاِذَا هِيَ شَاخِصَةٌ
اَبْصَارُ الَّذِيْنَ كَفَرُوْا ؕ يٰوَيْلَنَا قَدْ كُنَّا فِيْ
غَفْلَةٍ مِّنْ هٰذَا بَلْ كُنَّا ظٰلِمِيْنَ ﴿٩٧﴾ اِنَّكُمْ وَمَا
تَعْبُدُوْنَ مِنْ دُوْنِ اللّٰهِ حَصَبُ جَهَنَّمَ ؕ اَنْتُمْ لَهَا
وٰرِدُوْنَ ﴿٩٨﴾ لَوْ كَانَ هٰٓؤُلَآءِ اٰلِهَةً مَّا وَرَدُوْهَا ؕ

منزل ٤

وَكُلٌّ فِيهَا خٰلِدُونَ ﴿٩٩﴾ لَهُمْ فِيهَا زَفِيرٌ وَّهُمْ
فِيهَا لَا يَسْمَعُونَ ﴿١٠٠﴾ إِنَّ الَّذِينَ سَبَقَتْ لَهُمْ مِّنَّا
الْحُسْنٰىٓ ۙ أُولٰٓئِكَ عَنْهَا مُبْعَدُونَ ﴿١٠١﴾ ۙ لَا يَسْمَعُونَ
حَسِيسَهَا ۚ وَهُمْ فِي مَا اشْتَهَتْ أَنْفُسُهُمْ
خٰلِدُونَ ﴿١٠٢﴾ ۚ لَا يَحْزُنُهُمُ الْفَزَعُ الْأَكْبَرُ وَتَتَلَقّٰىهُمُ
الْمَلٰٓئِكَةُ ۗ هٰذَا يَوْمُكُمُ الَّذِي كُنْتُمْ تُوعَدُونَ ﴿١٠٣﴾
يَوْمَ نَطْوِي السَّمَآءَ كَطَيِّ السِّجِلِّ لِلْكُتُبِ ۗ كَمَا
بَدَأْنَآ أَوَّلَ خَلْقٍ نُّعِيدُهٗ ۗ وَعْدًا عَلَيْنَا ۗ إِنَّا
كُنَّا فٰعِلِينَ ﴿١٠٤﴾ وَلَقَدْ كَتَبْنَا فِي الزَّبُورِ مِنْۢ
بَعْدِ الذِّكْرِ أَنَّ الْأَرْضَ يَرِثُهَا عِبَادِيَ الصّٰلِحُونَ ﴿١٠٥﴾
إِنَّ فِي هٰذَا لَبَلٰغًا لِّقَوْمٍ عٰبِدِينَ ﴿١٠٦﴾ ۗ وَمَآ أَرْسَلْنٰكَ
إِلَّا رَحْمَةً لِّلْعٰلَمِينَ ﴿١٠٧﴾ قُلْ إِنَّمَا يُوحٰىٓ إِلَيَّ أَنَّمَآ
إِلٰهُكُمْ إِلٰهٌ وَّاحِدٌ ۚ فَهَلْ أَنْتُمْ مُّسْلِمُونَ ﴿١٠٨﴾

فَاِنْ تَوَلَّوْا فَقُلْ اٰذَنْتُكُمْ عَلٰى سَوَآءٍ ؕ وَ اِنْ

اَدْرِیْۤ اَقَرِیْبٌ اَمْ بَعِیْدٌ مَّا تُوْعَدُوْنَ ﴿۱۰۹﴾ اِنَّهٗ

یَعْلَمُ الْجَهْرَ مِنَ الْقَوْلِ وَیَعْلَمُ مَا تَكْتُمُوْنَ ﴿۱۱۰﴾

وَاِنْ اَدْرِیْ لَعَلَّهٗ فِتْنَةٌ لَّكُمْ وَ مَتَاعٌ اِلٰى

حِیْنٍ ﴿۱۱۱﴾ قٰلَ رَبِّ احْكُمْ بِالْحَقِّ ؕ وَرَبُّنَا الرَّحْمٰنُ

الْمُسْتَعَانُ عَلٰى مَا تَصِفُوْنَ ﴿۱۱۲﴾ ع

النصف ١٩ ع

منزل ٤

اٰیَاتُهَا ٧٨ (٢٢) سُوْرَةُ الْحَجِّ مَدَنِیَّةٌ (١٠٣) رُكُوْعَاتُهَا ١٠

بِسْمِ اللّٰهِ الرَّحْمٰنِ الرَّحِیْمِ

یٰۤاَیُّهَا النَّاسُ اتَّقُوْا رَبَّكُمْ ۚ اِنَّ زَلْزَلَةَ السَّاعَةِ

شَیْءٌ عَظِیْمٌ ﴿۱﴾ یَوْمَ تَرَوْنَهَا تَذْهَلُ كُلُّ مُرْضِعَةٍ

عَمَّاۤ اَرْضَعَتْ وَتَضَعُ كُلُّ ذَاتِ حَمْلٍ حَمْلَهَا

وَتَرَى النَّاسَ سُكٰرٰی وَمَا هُمْ بِسُكٰرٰی وَلٰكِنَّ

عَذَابَ اللّٰهِ شَدِیْدٌ ﴿۲﴾ وَمِنَ النَّاسِ مَنْ یُّجَادِلُ

فِي اللّٰهِ بِغَيْرِ عِلْمٍ وَّيَتَّبِعُ كُلَّ شَيْطٰنٍ مَّرِيْدٍ ۙ ﴿۳﴾
كُتِبَ عَلَيْهِ اَنَّهٗ مَنْ تَوَلَّاهُ فَاَنَّهٗ يُضِلُّهٗ وَ
يَهْدِيْهِ اِلٰى عَذَابِ السَّعِيْرِ ﴿۴﴾ يٰٓاَيُّهَا النَّاسُ
اِنْ كُنْتُمْ فِيْ رَيْبٍ مِّنَ الْبَعْثِ فَاِنَّا خَلَقْنٰكُمْ
مِّنْ تُرَابٍ ثُمَّ مِنْ نُّطْفَةٍ ثُمَّ مِنْ عَلَقَةٍ ثُمَّ مِنْ
مُّضْغَةٍ مُّخَلَّقَةٍ وَّغَيْرِ مُخَلَّقَةٍ لِّنُبَيِّنَ لَكُمْ ؕ
وَنُقِرُّ فِي الْاَرْحَامِ مَا نَشَآءُ اِلٰٓى اَجَلٍ مُّسَمًّى
ثُمَّ نُخْرِجُكُمْ طِفْلًا ثُمَّ لِتَبْلُغُوْٓا اَشُدَّكُمْ ۚ
وَمِنْكُمْ مَّنْ يُّتَوَفّٰى وَمِنْكُمْ مَّنْ يُّرَدُّ اِلٰٓى
اَرْذَلِ الْعُمُرِ لِكَيْلَا يَعْلَمَ مِنْ بَعْدِ عِلْمٍ شَيْئًا ؕ
وَتَرَى الْاَرْضَ هَامِدَةً فَاِذَآ اَنْزَلْنَا عَلَيْهَا
الْمَآءَ اهْتَزَّتْ وَرَبَتْ وَاَنْۢبَتَتْ مِنْ كُلِّ زَوْجٍۢ
بَهِيْجٍ ﴿۵﴾ ذٰلِكَ بِاَنَّ اللّٰهَ هُوَ الْحَقُّ وَاَنَّهٗ يُحْيِ

منزل ٤

Ikhfa اِخفا | Ikhfa Meem Saakin اِخفا میم ساکن | Qalqala قلقلہ | Qalb قلب | Idghaam اِدغام | Idghaam Meem Saakin اِدغام میم ساکن | Ghunna غُنّہ

الْمَوْتٰى وَاَنَّهٗ عَلٰى كُلِّ شَىْءٍ قَدِيْرٌ ۙ ﴿٦﴾ وَّاَنَّ السَّاعَةَ
اٰتِيَةٌ لَّا رَيْبَ فِيْهَا ۙ وَاَنَّ اللّٰهَ يَبْعَثُ مَنْ فِى
الْقُبُوْرِ ﴿٧﴾ وَمِنَ النَّاسِ مَنْ يُّجَادِلُ فِى اللّٰهِ
بِغَيْرِ عِلْمٍ وَّلَا هُدًى وَّلَا كِتٰبٍ مُّنِيْرٍ ۙ ﴿٨﴾ ثَانِىَ
عِطْفِهٖ لِيُضِلَّ عَنْ سَبِيْلِ اللّٰهِ ؕ لَهٗ فِى الدُّنْيَا
خِزْىٌ وَّنُذِيْقُهٗ يَوْمَ الْقِيٰمَةِ عَذَابَ الْحَرِيْقِ ﴿٩﴾
منزل ٤ ذٰلِكَ بِمَا قَدَّمَتْ يَدٰكَ وَاَنَّ اللّٰهَ لَيْسَ بِظَلَّامٍ
لِّلْعَبِيْدِ ﴿١٠﴾ ع وَمِنَ النَّاسِ مَنْ يَّعْبُدُ اللّٰهَ عَلٰى ع ٨
حَرْفٍ ۚ فَاِنْ اَصَابَهٗ خَيْرُ ۨ اطْمَاَنَّ بِهٖ ۚ وَاِنْ
اَصَابَتْهُ فِتْنَةُ ۨ انْقَلَبَ عَلٰى وَجْهِهٖ ۚ قف خَسِرَ الدُّنْيَا
وَالْاٰخِرَةَ ؕ ذٰلِكَ هُوَ الْخُسْرَانُ الْمُبِيْنُ ﴿١١﴾ يَدْعُوْا
مِنْ دُوْنِ اللّٰهِ مَا لَا يَضُرُّهٗ وَمَا لَا يَنْفَعُهٗ ؕ ذٰلِكَ
هُوَ الضَّلٰلُ الْبَعِيْدُ ﴿١٢﴾ ۚ يَدْعُوْا لَمَنْ ضَرُّهٗۤ اَقْرَبُ

Ikhfa إخفا | Ikhfa Meem Saakin إخفاميم ساكن | Qalqala قلقلہ | Qalb قلب | Idghaam إدغام | Idghaam Meem Saakin إدغام ميم ساكن | Ghunna غنّہ

مِنْ نَّفْعِهٖ ؕ لَبِئْسَ الْمَوْلٰى وَلَبِئْسَ الْعَشِيْرُ ﴿١٣﴾ اِنَّ
اللّٰهَ يُدْخِلُ الَّذِيْنَ اٰمَنُوْا وَعَمِلُوا الصّٰلِحٰتِ جَنّٰتٍ
تَجْرِىْ مِنْ تَحْتِهَا الْاَنْهٰرُ ؕ اِنَّ اللّٰهَ يَفْعَلُ مَا
يُرِيْدُ ﴿١٤﴾ مَنْ كَانَ يَظُنُّ اَنْ لَّنْ يَّنْصُرَهُ اللّٰهُ فِى
الدُّنْيَا وَالْاٰخِرَةِ فَلْيَمْدُدْ بِسَبَبٍ اِلَى السَّمَآءِ
ثُمَّ لْيَقْطَعْ فَلْيَنْظُرْ هَلْ يُذْهِبَنَّ كَيْدُهٗ مَا يَغِيْظُ ﴿١٥﴾
وَكَذٰلِكَ اَنْزَلْنٰهُ اٰيٰتٍۭ بَيِّنٰتٍ ۙ وَّاَنَّ اللّٰهَ يَهْدِىْ
مَنْ يُّرِيْدُ ﴿١٦﴾ اِنَّ الَّذِيْنَ اٰمَنُوْا وَالَّذِيْنَ هَادُوْا
وَالصّٰبِـِٕيْنَ وَالنَّصٰرٰى وَالْمَجُوْسَ وَالَّذِيْنَ اَشْرَكُوْٓا ۖۗ
اِنَّ اللّٰهَ يَفْصِلُ بَيْنَهُمْ يَوْمَ الْقِيٰمَةِ ؕ اِنَّ اللّٰهَ عَلٰى
كُلِّ شَىْءٍ شَهِيْدٌ ﴿١٧﴾ اَلَمْ تَرَ اَنَّ اللّٰهَ يَسْجُدُ لَهٗ
مَنْ فِى السَّمٰوٰتِ وَمَنْ فِى الْاَرْضِ وَالشَّمْسُ وَ
الْقَمَرُ وَالنُّجُوْمُ وَالْجِبَالُ وَالشَّجَرُ وَالدَّوَآبُّ

منزل ٤

وَكَثِيۡرٌ مِّنَ النَّاسِ ؕ وَكَثِيۡرٌ حَقَّ عَلَيۡهِ الۡعَذَابُ ؕ وَ
مَنۡ يُّهِنِ اللّٰهُ فَمَا لَهٗ مِنۡ مُّكۡرِمٍ ؕ اِنَّ اللّٰهَ يَفۡعَلُ
مَا يَشَآءُ ؕ السّجدة ﴿١٨﴾ هٰذٰنِ خَصۡمٰنِ اخۡتَصَمُوۡا فِىۡ رَبِّهِمۡ ز السّجدة (٦)
فَالَّذِيۡنَ كَفَرُوۡا قُطِّعَتۡ لَهُمۡ ثِيَابٌ مِّنۡ نَّارٍ ؕ
يُصَبُّ مِنۡ فَوۡقِ رُءُوۡسِهِمُ الۡحَمِيۡمُ ج ﴿١٩﴾ يُصۡهَرُ
بِهٖ مَا فِىۡ بُطُوۡنِهِمۡ وَالۡجُلُوۡدُ ؕ ﴿٢٠﴾ وَلَهُمۡ مَّقَامِعُ
منزل ٤ مِنۡ حَدِيۡدٍ ﴿٢١﴾ كُلَّمَاۤ اَرَادُوۡۤا اَنۡ يَّخۡرُجُوۡا مِنۡهَا مِنۡ
غَمٍّ اُعِيۡدُوۡا فِيۡهَا ق وَذُوۡقُوۡا عَذَابَ الۡحَرِيۡقِ ع ﴿٢٢﴾ ع ٢/١٢
اِنَّ اللّٰهَ يُدۡخِلُ الَّذِيۡنَ اٰمَنُوۡا وَعَمِلُوا الصّٰلِحٰتِ
جَنّٰتٍ تَجۡرِىۡ مِنۡ تَحۡتِهَا الۡاَنۡهٰرُ يُحَلَّوۡنَ فِيۡهَا
مِنۡ اَسَاوِرَ مِنۡ ذَهَبٍ وَّلُـؤۡلُـؤًا ؕ وَلِبَاسُهُمۡ فِيۡهَا
حَرِيۡرٌ ﴿٢٣﴾ وَهُدُوۡۤا اِلَى الطَّيِّبِ مِنَ الۡقَوۡلِ ۚۖ وَهُدُوۡۤا
اِلٰى صِرَاطِ الۡحَمِيۡدِ ﴿٢٤﴾ اِنَّ الَّذِيۡنَ كَفَرُوۡا

وَيَصُدُّوْنَ عَنْ سَبِيْلِ اللّٰهِ وَ الْمَسْجِدِ الْحَرَامِ
الَّذِيْ جَعَلْنٰهُ لِلنَّاسِ سَوَآءَ ۨ الْعَاكِفُ فِيْهِ وَ
الْبَادِ ؕ وَمَنْ يُّرِدْ فِيْهِ بِاِلْحَادٍۭ بِظُلْمٍ نُّذِقْهُ
مِنْ عَذَابٍ اَلِيْمٍ ٢٥ ع وَاِذْ بَوَّاْنَا لِاِبْرٰهِيْمَ مَكَانَ
الْبَيْتِ اَنْ لَّا تُشْرِكْ بِيْ شَيْـًٔا وَّ طَهِّرْ بَيْتِيَ
لِلطَّآئِفِيْنَ وَالْقَآئِمِيْنَ وَالرُّكَّعِ السُّجُوْدِ ٢٦
وَاَذِّنْ فِي النَّاسِ بِالْحَجِّ يَاْتُوْكَ رِجَالًا وَّ عَلٰى
كُلِّ ضَامِرٍ يَّاْتِيْنَ مِنْ كُلِّ فَجٍّ عَمِيْقٍ ٢٧ لا
لِّيَشْهَدُوْا مَنَافِعَ لَهُمْ وَيَذْكُرُوا اسْمَ اللّٰهِ فِيْٓ
اَيَّامٍ مَّعْلُوْمٰتٍ عَلٰى مَا رَزَقَهُمْ مِّنْۢ بَهِيْمَةِ
الْاَنْعَامِ ۚ فَكُلُوْا مِنْهَا وَ اَطْعِمُوا الْبَآئِسَ الْفَقِيْرَ ٢٨ ز
ثُمَّ لْيَقْضُوْا تَفَثَهُمْ وَلْيُوْفُوْا نُذُوْرَهُمْ وَلْيَطَّوَّفُوْا
بِالْبَيْتِ الْعَتِيْقِ ٢٩ ذٰلِكَ ۗ وَمَنْ يُّعَظِّمْ حُرُمٰتِ

ربع

منزل ٤

اللّٰهِ فَهُوَ خَيْرٌ لَّهٗ عِنْدَ رَبِّهٖ ؕ وَ اُحِلَّتْ لَكُمُ
الْاَنْعَامُ اِلَّا مَا يُتْلٰى عَلَيْكُمْ فَاجْتَنِبُوا الرِّجْسَ
مِنَ الْاَوْثَانِ وَاجْتَنِبُوْا قَوْلَ الزُّوْرِ ۙ ﴿٣٠﴾ حُنَفَآءَ
لِلّٰهِ غَيْرَ مُشْرِكِيْنَ بِهٖ ؕ وَمَنْ يُّشْرِكْ بِاللّٰهِ
فَكَاَنَّمَا خَرَّ مِنَ السَّمَآءِ فَتَخْطَفُهُ الطَّيْرُ اَوْ
تَهْوِيْ بِهِ الرِّيْحُ فِيْ مَكَانٍ سَحِيْقٍ ﴿٣١﴾ ذٰلِكَ ۗ
منزل ٤ وَمَنْ يُّعَظِّمْ شَعَآئِرَ اللّٰهِ فَاِنَّهَا مِنْ تَقْوَى الْقُلُوْبِ ﴿٣٢﴾
لَكُمْ فِيْهَا مَنَافِعُ اِلٰۤى اَجَلٍ مُّسَمًّى ثُمَّ مَحِلُّهَاۤ
اِلَى الْبَيْتِ الْعَتِيْقِ ﴿٣٣﴾ ع وَلِكُلِّ اُمَّةٍ جَعَلْنَا مَنْسَكًا ع ٨
لِّيَذْكُرُوا اسْمَ اللّٰهِ عَلٰى مَا رَزَقَهُمْ مِّنْۢ بَهِيْمَةِ
الْاَنْعَامِ ؕ فَاِلٰهُكُمْ اِلٰهٌ وَّاحِدٌ فَلَهٗۤ اَسْلِمُوْا ؕ
وَبَشِّرِ الْمُخْبِتِيْنَ ۙ ﴿٣٤﴾ الَّذِيْنَ اِذَا ذُكِرَ اللّٰهُ
وَجِلَتْ قُلُوْبُهُمْ وَ الصّٰبِرِيْنَ عَلٰى مَاۤ اَصَابَهُمْ

وَالْمُقِيْمِي الصَّلٰوةِ ۙ وَمِمَّا رَزَقْنٰهُمْ يُنْفِقُوْنَ ﴿٣٥﴾
وَالْبُدْنَ جَعَلْنٰهَا لَكُمْ مِّنْ شَعَآئِرِ اللّٰهِ لَكُمْ
فِيْهَا خَيْرٌ ۖ ق فَاذْكُرُوا اسْمَ اللّٰهِ عَلَيْهَا صَوَآفَّ ۚ
فَاِذَا وَجَبَتْ جُنُوْبُهَا فَكُلُوْا مِنْهَا وَاَطْعِمُوا
الْقَانِعَ وَالْمُعْتَرَّ ؕ كَذٰلِكَ سَخَّرْنٰهَا لَكُمْ
لَعَلَّكُمْ تَشْكُرُوْنَ ﴿٣٦﴾ لَنْ يَّنَالَ اللّٰهَ لُحُوْمُهَا
وَلَا دِمَآؤُهَا وَلٰكِنْ يَّنَالُهُ التَّقْوٰى مِنْكُمْ ؕ
كَذٰلِكَ سَخَّرَهَا لَكُمْ لِتُكَبِّرُوا اللّٰهَ عَلٰى مَا
هَدٰىكُمْ ؕ وَبَشِّرِ الْمُحْسِنِيْنَ ﴿٣٧﴾ اِنَّ اللّٰهَ يُدٰفِعُ
عَنِ الَّذِيْنَ اٰمَنُوْا ؕ اِنَّ اللّٰهَ لَا يُحِبُّ كُلَّ خَوَّانٍ
كَفُوْرٍ ﴿٣٨﴾ ع اُذِنَ لِلَّذِيْنَ يُقٰتَلُوْنَ بِاَنَّهُمْ ظُلِمُوْا ؕ
وَاِنَّ اللّٰهَ عَلٰى نَصْرِهِمْ لَقَدِيْرُ ۨ ﴿٣٩﴾ الَّذِيْنَ
اُخْرِجُوْا مِنْ دِيَارِهِمْ بِغَيْرِ حَقٍّ اِلَّآ اَنْ يَّقُوْلُوْا

منزل ٤

الثلٰثۃ ع ٥

رَبُّنَا اللّٰهُ ؕ وَلَوْلَا دَفْعُ اللّٰهِ النَّاسَ بَعْضَهُمْ
بِبَعْضٍ لَّهُدِّمَتْ صَوَامِعُ وَبِيَعٌ وَّصَلَوٰتٌ وَّ
مَسٰجِدُ يُذْكَرُ فِيْهَا اسْمُ اللّٰهِ كَثِيْرًا ؕ
وَلَيَنْصُرَنَّ اللّٰهُ مَنْ يَّنْصُرُهٗ ؕ اِنَّ اللّٰهَ لَقَوِيٌّ
عَزِيْزٌ ﴿٤٠﴾ اَلَّذِيْنَ اِنْ مَّكَّنّٰهُمْ فِي الْاَرْضِ
اَقَامُوا الصَّلٰوةَ وَاٰتَوُا الزَّكٰوةَ وَاَمَرُوْا
بِالْمَعْرُوْفِ وَنَهَوْا عَنِ الْمُنْكَرِ ؕ وَلِلّٰهِ عَاقِبَةُ
الْاُمُوْرِ ﴿٤١﴾ وَاِنْ يُّكَذِّبُوْكَ فَقَدْ كَذَّبَتْ
قَبْلَهُمْ قَوْمُ نُوْحٍ وَّعَادٌ وَّثَمُوْدُ ﴿٤٢﴾ لا وَقَوْمُ
اِبْرٰهِيْمَ وَقَوْمُ لُوْطٍ ﴿٤٣﴾ لا وَّاَصْحٰبُ مَدْيَنَ ۚ وَكُذِّبَ
مُوْسٰى فَاَمْلَيْتُ لِلْكٰفِرِيْنَ ثُمَّ اَخَذْتُهُمْ ۚ
فَكَيْفَ كَانَ نَكِيْرِ ﴿٤٤﴾ فَكَاَيِّنْ مِّنْ قَرْيَةٍ
اَهْلَكْنٰهَا وَهِيَ ظَالِمَةٌ فَهِيَ خَاوِيَةٌ عَلٰى

منزل٤

عُرُوْشِهَا وَبِئْرٍ مُّعَطَّلَةٍ وَّقَصْرٍ مَّشِيْدٍ ﴿٤٥﴾
اَفَلَمْ يَسِيْرُوْا فِي الْاَرْضِ فَتَكُوْنَ لَهُمْ قُلُوْبٌ
يَّعْقِلُوْنَ بِهَآ اَوْ اٰذَانٌ يَّسْمَعُوْنَ بِهَا ۚ فَاِنَّهَا لَا
تَعْمَى الْاَبْصَارُ وَلٰكِنْ تَعْمَى الْقُلُوْبُ الَّتِيْ
فِي الصُّدُوْرِ ﴿٤٦﴾ وَيَسْتَعْجِلُوْنَكَ بِالْعَذَابِ وَ
لَنْ يُّخْلِفَ اللّٰهُ وَعْدَهٗ ۭ وَاِنَّ يَوْمًا عِنْدَ
رَبِّكَ كَاَلْفِ سَنَةٍ مِّمَّا تَعُدُّوْنَ ﴿٤٧﴾ وَكَاَيِّنْ
مِّنْ قَرْيَةٍ اَمْلَيْتُ لَهَا وَهِيَ ظَالِمَةٌ ثُمَّ
اَخَذْتُهَا ۚ وَاِلَيَّ الْمَصِيْرُ ﴿٤٨﴾ قُلْ يٰٓاَيُّهَا
النَّاسُ اِنَّمَآ اَنَا لَكُمْ نَذِيْرٌ مُّبِيْنٌ ﴿٤٩﴾ فَالَّذِيْنَ
اٰمَنُوْا وَعَمِلُوا الصّٰلِحٰتِ لَهُمْ مَّغْفِرَةٌ وَّرِزْقٌ
كَرِيْمٌ ﴿٥٠﴾ وَالَّذِيْنَ سَعَوْا فِيْٓ اٰيٰتِنَا مُعٰجِزِيْنَ
اُولٰٓئِكَ اَصْحٰبُ الْجَحِيْمِ ﴿٥١﴾ وَمَآ اَرْسَلْنَا مِنْ

منزل ٤

ع ١٤/٦

قَبْلِكَ مِنْ رَّسُوْلٍ وَّلَا نَبِيٍّ اِلَّآ اِذَا تَمَنّٰٓى اَلْقَى

الشَّيْطٰنُ فِيْٓ اُمْنِيَّتِهٖ ۚ فَيَنْسَخُ اللّٰهُ مَا يُلْقِي

الشَّيْطٰنُ ثُمَّ يُحْكِمُ اللّٰهُ اٰيٰتِهٖ ؕ وَاللّٰهُ عَلِيْمٌ

حَكِيْمٌ ﴿٥٢﴾ لِّيَجْعَلَ مَا يُلْقِي الشَّيْطٰنُ فِتْنَةً

لِّلَّذِيْنَ فِيْ قُلُوْبِهِمْ مَّرَضٌ وَّالْقَاسِيَةِ قُلُوْبُهُمْ ؕ

وَاِنَّ الظّٰلِمِيْنَ لَفِيْ شِقَاقٍۭ بَعِيْدٍ ﴿٥٣﴾ وَّلِيَعْلَمَ

الَّذِيْنَ اُوْتُوا الْعِلْمَ اَنَّهُ الْحَقُّ مِنْ رَّبِّكَ

فَيُؤْمِنُوْا بِهٖ فَتُخْبِتَ لَهٗ قُلُوْبُهُمْ ؕ وَاِنَّ اللّٰهَ

لَهَادِ الَّذِيْنَ اٰمَنُوْٓا اِلٰى صِرَاطٍ مُّسْتَقِيْمٍ ﴿٥٤﴾

وَلَا يَزَالُ الَّذِيْنَ كَفَرُوْا فِيْ مِرْيَةٍ مِّنْهُ

حَتّٰى تَاْتِيَهُمُ السَّاعَةُ بَغْتَةً اَوْ يَاْتِيَهُمْ عَذَابُ

يَوْمٍ عَقِيْمٍ ﴿٥٥﴾ اَلْمُلْكُ يَوْمَئِذٍ لِّلّٰهِ ؕ يَحْكُمُ

بَيْنَهُمْ ؕ فَالَّذِيْنَ اٰمَنُوْا وَعَمِلُوا الصّٰلِحٰتِ فِيْ

منزل ٤

جَنّٰتِ النَّعِيْمِ ﴿٥٦﴾ وَالَّذِيْنَ كَفَرُوْا وَكَذَّبُوْا بِاٰيٰتِنَا

فَاُولٰٓئِكَ لَهُمْ عَذَابٌ مُّهِيْنٌ ﴿٥٧﴾ ع وَالَّذِيْنَ ع ٩/١٤

هَاجَرُوْا فِيْ سَبِيْلِ اللّٰهِ ثُمَّ قُتِلُوْٓا اَوْ مَاتُوْا

لَيَرْزُقَنَّهُمُ اللّٰهُ رِزْقًا حَسَنًا ؕ وَاِنَّ اللّٰهَ لَهُوَ

خَيْرُ الرّٰزِقِيْنَ ﴿٥٨﴾ لَيُدْخِلَنَّهُمْ مُّدْخَلًا يَّرْضَوْنَهٗ ؕ

وَاِنَّ اللّٰهَ لَعَلِيْمٌ حَلِيْمٌ ﴿٥٩﴾ ذٰلِكَ ۚ وَمَنْ

منزل ٤ عَاقَبَ بِمِثْلِ مَا عُوْقِبَ بِهٖ ثُمَّ بُغِيَ عَلَيْهِ

لَيَنْصُرَنَّهُ اللّٰهُ ؕ اِنَّ اللّٰهَ لَعَفُوٌّ غَفُوْرٌ ﴿٦٠﴾ ذٰلِكَ

بِاَنَّ اللّٰهَ يُوْلِجُ الَّيْلَ فِي النَّهَارِ وَيُوْلِجُ النَّهَارَ

فِي الَّيْلِ وَاَنَّ اللّٰهَ سَمِيْعٌۢ بَصِيْرٌ ﴿٦١﴾ ذٰلِكَ بِاَنَّ

اللّٰهَ هُوَ الْحَقُّ وَاَنَّ مَا يَدْعُوْنَ مِنْ دُوْنِهٖ هُوَ

الْبَاطِلُ وَاَنَّ اللّٰهَ هُوَ الْعَلِيُّ الْكَبِيْرُ ﴿٦٢﴾ اَلَمْ

تَرَ اَنَّ اللّٰهَ اَنْزَلَ مِنَ السَّمَآءِ مَآءً ز فَتُصْبِحُ

Ikhfa اِخفا | Ikhfa Meem Saakin اِخفامیم ساکن | Qalqala قلقلہ | Qalb قلب | Idghaam اِدغام | Idghaam Meem Saakin اِدغام میم ساکن | Ghunna غُنّہ

الْاَرْضُ مُخْضَرَّةً ؕ اِنَّ اللّٰهَ لَطِيْفٌ خَبِيْرٌ ۚ ﴿۶۳﴾ لَهٗ مَا
فِي السَّمٰوٰتِ وَمَا فِي الْاَرْضِ ؕ وَاِنَّ اللّٰهَ لَهُوَ
الْغَنِيُّ الْحَمِيْدُ ﴿۶۴﴾ ع اَلَمْ تَرَ اَنَّ اللّٰهَ سَخَّرَ لَكُمْ مَّا ع ۷ ۱۵
فِي الْاَرْضِ وَالْفُلْكَ تَجْرِيْ فِي الْبَحْرِ بِاَمْرِهٖ ؕ
وَيُمْسِكُ السَّمَآءَ اَنْ تَقَعَ عَلَى الْاَرْضِ اِلَّا
بِاِذْنِهٖ ؕ اِنَّ اللّٰهَ بِالنَّاسِ لَرَءُوْفٌ رَّحِيْمٌ ﴿۶۵﴾ وَ
هُوَ الَّذِيْۤ اَحْيَاكُمْ ز ثُمَّ يُمِيْتُكُمْ ثُمَّ يُحْيِيْكُمْ ؕ
اِنَّ الْاِنْسَانَ لَكَفُوْرٌ ﴿۶۶﴾ لِكُلِّ اُمَّةٍ جَعَلْنَا
مَنْسَكًا هُمْ نَاسِكُوْهُ فَلَا يُنَازِعُنَّكَ فِي الْاَمْرِ
وَادْعُ اِلٰى رَبِّكَ ؕ اِنَّكَ لَعَلٰى هُدًى مُّسْتَقِيْمٍ ﴿۶۷﴾
وَاِنْ جٰدَلُوْكَ فَقُلِ اللّٰهُ اَعْلَمُ بِمَا تَعْمَلُوْنَ ﴿۶۸﴾
اَللّٰهُ يَحْكُمُ بَيْنَكُمْ يَوْمَ الْقِيٰمَةِ فِيْمَا كُنْتُمْ فِيْهِ
تَخْتَلِفُوْنَ ﴿۶۹﴾ اَلَمْ تَعْلَمْ اَنَّ اللّٰهَ يَعْلَمُ مَا فِي

السَّمَآءِ وَ الۡاَرۡضِ ؕ اِنَّ ذٰلِكَ فِىۡ كِتٰبٍ ؕ اِنَّ
ذٰلِكَ عَلَى اللّٰهِ يَسِيۡرٌ ﴿٧٠﴾ وَ يَعۡبُدُوۡنَ مِنۡ دُوۡنِ
اللّٰهِ مَا لَمۡ يُنَزِّلۡ بِهٖ سُلۡطٰنًا وَّمَا لَيۡسَ لَهُمۡ
بِهٖ عِلۡمٌ ؕ وَمَا لِلظّٰلِمِيۡنَ مِنۡ نَّصِيۡرٍ ﴿٧١﴾ وَ اِذَا تُتۡلٰى
عَلَيۡهِمۡ اٰيٰتُنَا بَيِّنٰتٍ تَعۡرِفُ فِىۡ وُجُوۡهِ الَّذِيۡنَ
كَفَرُوا الۡمُنۡكَرَ ؕ يَكَادُوۡنَ يَسۡطُوۡنَ بِالَّذِيۡنَ
يَتۡلُوۡنَ عَلَيۡهِمۡ اٰيٰتِنَا ؕ قُلۡ اَفَاُنَبِّئُكُمۡ بِشَرٍّ منزل ٤
مِّنۡ ذٰلِكُمۡ ؕ اَلنَّارُ ؕ وَعَدَهَا اللّٰهُ الَّذِيۡنَ كَفَرُوۡا ؕ
ع ٨ ٩ ١٦ وَبِئۡسَ الۡمَصِيۡرُ ﴿٧٢﴾ ع يٰۤاَيُّهَا النَّاسُ ضُرِبَ مَثَلٌ
فَاسۡتَمِعُوۡا لَهٗ ؕ اِنَّ الَّذِيۡنَ تَدۡعُوۡنَ مِنۡ دُوۡنِ
اللّٰهِ لَنۡ يَّخۡلُقُوۡا ذُبَابًا وَّلَوِ اجۡتَمَعُوۡا لَهٗ ؕ وَ
اِنۡ يَّسۡلُبۡهُمُ الذُّبَابُ شَيۡـئًا لَّا يَسۡتَنۡقِذُوۡهُ
مِنۡهُ ؕ ضَعُفَ الطَّالِبُ وَالۡمَطۡلُوۡبُ ﴿٧٣﴾ مَا قَدَرُوا

اللّٰهَ حَقَّ قَدْرِهٖ ؕ اِنَّ اللّٰهَ لَقَوِیٌّ عَزِیْزٌ ﴿۷۴﴾ اَللّٰهُ

یَصْطَفِیْ مِنَ الْمَلٰٓئِكَةِ رُسُلًا وَّمِنَ النَّاسِ ؕ

اِنَّ اللّٰهَ سَمِیْعٌۢ بَصِیْرٌ ﴿۷۵﴾ یَعْلَمُ مَا بَیْنَ اَیْدِیْهِمْ

وَمَا خَلْفَهُمْ ؕ وَاِلَی اللّٰهِ تُرْجَعُ الْاُمُوْرُ ﴿۷۶﴾

یٰۤاَیُّهَا الَّذِیْنَ اٰمَنُوا ارْكَعُوْا وَاسْجُدُوْا وَاعْبُدُوْا

رَبَّكُمْ وَافْعَلُوا الْخَیْرَ لَعَلَّكُمْ تُفْلِحُوْنَ ﴿۷۷﴾ السَّجْدَة ج وَجَاهِدُوْا

فِی اللّٰهِ حَقَّ جِهَادِهٖ ؕ هُوَ اجْتَبٰىكُمْ وَمَا جَعَلَ

عَلَیْكُمْ فِی الدِّیْنِ مِنْ حَرَجٍ ؕ مِلَّةَ اَبِیْكُمْ

اِبْرٰهِیْمَ ؕ هُوَ سَمّٰىكُمُ الْمُسْلِمِیْنَ ۙ۬ مِنْ قَبْلُ

وَفِیْ هٰذَا لِیَكُوْنَ الرَّسُوْلُ شَهِیْدًا عَلَیْكُمْ

وَتَكُوْنُوْا شُهَدَآءَ عَلَی النَّاسِ ۚۖ فَاَقِیْمُوا

الصَّلٰوةَ وَاٰتُوا الزَّكٰوةَ وَاعْتَصِمُوْا بِاللّٰهِ ؕ هُوَ

مَوْلٰىكُمْ ۚ فَنِعْمَ الْمَوْلٰی وَنِعْمَ النَّصِیْرُ ﴿۷۸﴾ ع

السَّجدة عند الامام الشافعی رحمه الله تعالیٰ ١٢

منزل ٤

ع ١٠/٢

Ikhfa إخفا | Ikhfa Meem Saakin إخفاميم ساكن | Qalqala قلقله | Qalb قلب | Idghaam إدغام | Idghaam Meem Saakin إدغام ميم ساكن | Ghunna غنّه

اٰیَاتُهَا ١١٨ (٢٣) سُوْرَةُ الْمُؤْمِنُوْنَ مَكِّيَّةٌ (٧٤) رُكُوْعَاتُهَا ٦

بِسْمِ اللّٰهِ الرَّحْمٰنِ الرَّحِيْمِ

قَدْ اَفْلَحَ الْمُؤْمِنُوْنَ ۙ﴿١﴾ الَّذِيْنَ هُمْ فِيْ صَلَاتِهِمْ
خٰشِعُوْنَ ۙ﴿٢﴾ وَالَّذِيْنَ هُمْ عَنِ اللَّغْوِ مُعْرِضُوْنَ ۙ﴿٣﴾ وَ
الَّذِيْنَ هُمْ لِلزَّكٰوةِ فٰعِلُوْنَ ۙ﴿٤﴾ وَالَّذِيْنَ هُمْ لِفُرُوْجِهِمْ
حٰفِظُوْنَ ۙ﴿٥﴾ اِلَّا عَلٰٓى اَزْوَاجِهِمْ اَوْ مَا مَلَكَتْ اَيْمَانُهُمْ
فَاِنَّهُمْ غَيْرُ مَلُوْمِيْنَ ۚ﴿٦﴾ فَمَنِ ابْتَغٰى وَرَآءَ ذٰلِكَ
فَاُولٰٓئِكَ هُمُ الْعٰدُوْنَ ۚ﴿٧﴾ وَالَّذِيْنَ هُمْ لِاَمٰنٰتِهِمْ وَعَهْدِهِمْ
رٰعُوْنَ ۙ﴿٨﴾ وَالَّذِيْنَ هُمْ عَلٰى صَلَوٰتِهِمْ يُحَافِظُوْنَ ۘ﴿٩﴾
اُولٰٓئِكَ هُمُ الْوٰرِثُوْنَ ۙ﴿١٠﴾ الَّذِيْنَ يَرِثُوْنَ الْفِرْدَوْسَ ؕ
هُمْ فِيْهَا خٰلِدُوْنَ ﴿١١﴾ وَلَقَدْ خَلَقْنَا الْاِنْسَانَ مِنْ
سُلٰلَةٍ مِّنْ طِيْنٍ ۚ﴿١٢﴾ ثُمَّ جَعَلْنٰهُ نُطْفَةً فِيْ قَرَارٍ
مَّكِيْنٍ ۪﴿١٣﴾ ثُمَّ خَلَقْنَا النُّطْفَةَ عَلَقَةً فَخَلَقْنَا

اَلْجُزْءُ الثَّامِنَ عَشَر (١٨)

منزل ٤

وقف لازم

Ikhfa اِخفا | Ikhfa Meem Saakin اِخفامیم ساکن | Qalqala قلقلہ | Qalb قلب | Idghaam اِدغام | Idghaam Meem Saakin اِدغام میم ساکن | Ghunna غُنّہ

الْعَلَقَةَ مُضْغَةً فَخَلَقْنَا الْمُضْغَةَ عِظٰمًا فَكَسَوْنَا الْعِظٰمَ
لَحْمًا ۗ ثُمَّ اَنْشَاْنٰهُ خَلْقًا اٰخَرَ ؕ فَتَبٰرَكَ اللّٰهُ اَحْسَنُ
الْخٰلِقِيْنَ ﴿١٤﴾ ثُمَّ اِنَّكُمْ بَعْدَ ذٰلِكَ لَمَيِّتُوْنَ ؕ ﴿١٥﴾ ثُمَّ اِنَّكُمْ
يَوْمَ الْقِيٰمَةِ تُبْعَثُوْنَ ﴿١٦﴾ وَلَقَدْ خَلَقْنَا فَوْقَكُمْ سَبْعَ طَرَآئِقَ ۖۗ
وَمَا كُنَّا عَنِ الْخَلْقِ غٰفِلِيْنَ ﴿١٧﴾ وَاَنْزَلْنَا مِنَ السَّمَآءِ مَآءًۢ
بِقَدَرٍ فَاَسْكَنّٰهُ فِى الْاَرْضِ ۖۗ وَاِنَّا عَلٰى ذَهَابٍۢ بِهٖ
منزل ٤ لَقٰدِرُوْنَ ۚ ﴿١٨﴾ فَاَنْشَاْنَا لَكُمْ بِهٖ جَنّٰتٍ مِّنْ نَّخِيْلٍ وَّ
اَعْنَابٍ ۘ لَكُمْ فِيْهَا فَوَاكِهُ كَثِيْرَةٌ وَّمِنْهَا تَاْكُلُوْنَ ۙ ﴿١٩﴾ وَ وقف لازم
شَجَرَةً تَخْرُجُ مِنْ طُوْرِ سَيْنَآءَ تَنْۢبُتُ بِالدُّهْنِ وَصِبْغٍ
لِّلْاٰكِلِيْنَ ﴿٢٠﴾ وَاِنَّ لَكُمْ فِى الْاَنْعَامِ لَعِبْرَةً ؕ نُسْقِيْكُمْ مِّمَّا
فِىْ بُطُوْنِهَا وَلَكُمْ فِيْهَا مَنَافِعُ كَثِيْرَةٌ وَّمِنْهَا
تَاْكُلُوْنَ ۙ ﴿٢١﴾ وَعَلَيْهَا وَعَلَى الْفُلْكِ تُحْمَلُوْنَ ﴿٢٢﴾ ع وَلَقَدْ ع ٢٢
اَرْسَلْنَا نُوْحًا اِلٰى قَوْمِهٖ فَقَالَ يٰقَوْمِ اعْبُدُوا اللّٰهَ مَا

لَكُمْ مِّنْ اِلٰهٍ غَيْرُهٗ ؕ اَفَلَا تَتَّقُوْنَ ﴿٢٣﴾ فَقَالَ الْمَلَؤُا الَّذِيْنَ
كَفَرُوْا مِنْ قَوْمِهٖ مَا هٰذَاۤ اِلَّا بَشَرٌ مِّثْلُكُمْ ۙ يُرِيْدُ
اَنْ يَّتَفَضَّلَ عَلَيْكُمْ ؕ وَلَوْ شَآءَ اللّٰهُ لَاَنْزَلَ مَلٰٓئِكَةً ۚۖ مَّا
سَمِعْنَا بِهٰذَا فِيْۤ اٰبَآئِنَا الْاَوَّلِيْنَ ﴿٢٤﴾ ۚ اِنْ هُوَ اِلَّا رَجُلٌۢ
بِهٖ جِنَّةٌ فَتَرَبَّصُوْا بِهٖ حَتّٰى حِيْنٍ ﴿٢٥﴾ قَالَ رَبِّ انْصُرْنِيْ
بِمَا كَذَّبُوْنِ ﴿٢٦﴾ فَاَوْحَيْنَاۤ اِلَيْهِ اَنِ اصْنَعِ الْفُلْكَ
بِاَعْيُنِنَا وَوَحْيِنَا فَاِذَا جَآءَ اَمْرُنَا وَفَارَ التَّنُّوْرُ ۙ فَاسْلُكْ
فِيْهَا مِنْ كُلٍّ زَوْجَيْنِ اثْنَيْنِ وَاَهْلَكَ اِلَّا مَنْ سَبَقَ
عَلَيْهِ الْقَوْلُ مِنْهُمْ ۚ وَلَا تُخَاطِبْنِيْ فِي الَّذِيْنَ ظَلَمُوْا ۚ
اِنَّهُمْ مُّغْرَقُوْنَ ﴿٢٧﴾ فَاِذَا اسْتَوَيْتَ اَنْتَ وَمَنْ مَّعَكَ
عَلَى الْفُلْكِ فَقُلِ الْحَمْدُ لِلّٰهِ الَّذِيْ نَجّٰىنَا مِنَ الْقَوْمِ
الظّٰلِمِيْنَ ﴿٢٨﴾ وَقُلْ رَّبِّ اَنْزِلْنِيْ مُنْزَلًا مُّبٰرَكًا وَّاَنْتَ
خَيْرُ الْمُنْزِلِيْنَ ﴿٢٩﴾ اِنَّ فِيْ ذٰلِكَ لَاٰيٰتٍ وَّاِنْ كُنَّا

منزل ٤

Ikhfa إخفا | Ikhfa Meem Saakin إخفاميم ساكن | Qalqala قلقله | Qalb قلب | Idghaam إدغام | Idghaam Meem Saakin إدغام ميم ساكن | Ghunna غُنّه

لَمُبْتَلِيْنَ ۝٣٠ ثُمَّ اَنْشَاْنَا مِنْۢ بَعْدِهِمْ قَرْنًا اٰخَرِيْنَ ۝٣١ ج

فَاَرْسَلْنَا فِيْهِمْ رَسُوْلًا مِّنْهُمْ اَنِ اعْبُدُوا اللّٰهَ مَا لَكُمْ

مِّنْ اِلٰهٍ غَيْرُهٗ ؕ اَفَلَا تَتَّقُوْنَ ۝٣٢ وَقَالَ الْمَلَاُ مِنْ ع ٢ ٢

قَوْمِهِ الَّذِيْنَ كَفَرُوْا وَكَذَّبُوْا بِلِقَآءِ الْاٰخِرَةِ وَاَتْرَفْنٰهُمْ

فِي الْحَيٰوةِ الدُّنْيَا ۙ مَا هٰذَآ اِلَّا بَشَرٌ مِّثْلُكُمْ ۙ يَاْكُلُ

مِمَّا تَاْكُلُوْنَ مِنْهُ وَيَشْرَبُ مِمَّا تَشْرَبُوْنَ ۝٣٣ ۙ وَلَئِنْ

منزل ٤ اَطَعْتُمْ بَشَرًا مِّثْلَكُمْ اِنَّكُمْ اِذًا لَّخٰسِرُوْنَ ۝٣٤ ۙ اَيَعِدُكُمْ

اَنَّكُمْ اِذَا مِتُّمْ وَكُنْتُمْ تُرَابًا وَّعِظَامًا اَنَّكُمْ مُّخْرَجُوْنَ ۝٣٥ ۙ

هَيْهَاتَ هَيْهَاتَ لِمَا تُوْعَدُوْنَ ۝٣٦ ۙ اِنْ هِيَ اِلَّا حَيَاتُنَا

الدُّنْيَا نَمُوْتُ وَنَحْيَا وَمَا نَحْنُ بِمَبْعُوْثِيْنَ ۝٣٧ ۙ اِنْ هُوَ اِلَّا

رَجُلُ ۨ افْتَرٰى عَلَى اللّٰهِ كَذِبًا وَّمَا نَحْنُ لَهٗ بِمُؤْمِنِيْنَ ۝٣٨

قَالَ رَبِّ انْصُرْنِيْ بِمَا كَذَّبُوْنِ ۝٣٩ قَالَ عَمَّا قَلِيْلٍ

لَّيُصْبِحُنَّ نٰدِمِيْنَ ۝٤٠ ج فَاَخَذَتْهُمُ الصَّيْحَةُ بِالْحَقِّ فَجَعَلْنٰهُمْ

غُثَآءً ۚ فَبُعْدًا لِّلْقَوْمِ الظّٰلِمِیْنَ ﴿٤١﴾ ثُمَّ اَنْشَاْنَا مِنْۢ
بَعْدِهِمْ قُرُوْنًا اٰخَرِیْنَ ؕ ﴿٤٢﴾ مَا تَسْبِقُ مِنْ اُمَّةٍ اَجَلَهَا
وَمَا یَسْتَاْخِرُوْنَ ؕ ﴿٤٣﴾ ثُمَّ اَرْسَلْنَا رُسُلَنَا تَتْرَا ؕ كُلَّمَا
جَآءَ اُمَّةً رَّسُوْلُهَا كَذَّبُوْهُ فَاَتْبَعْنَا بَعْضَهُمْ بَعْضًا
وَّجَعَلْنٰهُمْ اَحَادِیْثَ ۚ فَبُعْدًا لِّقَوْمٍ لَّا یُؤْمِنُوْنَ ﴿٤٤﴾ ثُمَّ
اَرْسَلْنَا مُوْسٰى وَاَخَاهُ هٰرُوْنَ ۙ۬ بِاٰیٰتِنَا وَسُلْطٰنٍ
مُّبِیْنٍ ۙ ﴿٤٥﴾ اِلٰى فِرْعَوْنَ وَمَلَا۟ئِهٖ فَاسْتَكْبَرُوْا وَكَانُوْا قَوْمًا منزل ٤
عَالِیْنَ ۚ ﴿٤٦﴾ فَقَالُوْۤا اَنُؤْمِنُ لِبَشَرَیْنِ مِثْلِنَا وَقَوْمُهُمَا لَنَا
عٰبِدُوْنَ ۚ ﴿٤٧﴾ فَكَذَّبُوْهُمَا فَكَانُوْا مِنَ الْمُهْلَكِیْنَ ﴿٤٨﴾
وَلَقَدْ اٰتَیْنَا مُوْسَى الْكِتٰبَ لَعَلَّهُمْ یَهْتَدُوْنَ ﴿٤٩﴾ وَ
جَعَلْنَا ابْنَ مَرْیَمَ وَاُمَّهٗۤ اٰیَةً وَّاٰوَیْنٰهُمَاۤ اِلٰى رَبْوَةٍ
ذَاتِ قَرَارٍ وَّمَعِیْنٍ ﴿٥٠﴾ ع یٰۤاَیُّهَا الرُّسُلُ كُلُوْا مِنَ ع ١٨ ٣ ٣
الطَّیِّبٰتِ وَاعْمَلُوْا صَالِحًا ؕ اِنِّیْ بِمَا تَعْمَلُوْنَ عَلِیْمٌ ؕ ﴿٥١﴾

وَإِنَّ هَٰذِهِۦٓ أُمَّتُكُمْ أُمَّةً وَٰحِدَةً وَأَنَا۠ رَبُّكُمْ فَٱتَّقُونِ ﴿٥٢﴾
فَتَقَطَّعُوٓا۟ أَمْرَهُم بَيْنَهُمْ زُبُرًا ۖ كُلُّ حِزْبٍۭ بِمَا لَدَيْهِمْ
فَرِحُونَ ﴿٥٣﴾ فَذَرْهُمْ فِى غَمْرَتِهِمْ حَتَّىٰ حِينٍ ﴿٥٤﴾ أَيَحْسَبُونَ
أَنَّمَا نُمِدُّهُم بِهِۦ مِن مَّالٍ وَبَنِينَ ﴿٥٥﴾ نُسَارِعُ لَهُمْ فِى
ٱلْخَيْرَٰتِ ۚ بَل لَّا يَشْعُرُونَ ﴿٥٦﴾ إِنَّ ٱلَّذِينَ هُم مِّنْ خَشْيَةِ
رَبِّهِم مُّشْفِقُونَ ﴿٥٧﴾ وَٱلَّذِينَ هُم بِـَٔايَٰتِ رَبِّهِمْ يُؤْمِنُونَ ﴿٥٨﴾
وَٱلَّذِينَ هُم بِرَبِّهِمْ لَا يُشْرِكُونَ ﴿٥٩﴾ وَٱلَّذِينَ يُؤْتُونَ مَآ
ءَاتَوا۟ وَّقُلُوبُهُمْ وَجِلَةٌ أَنَّهُمْ إِلَىٰ رَبِّهِمْ رَٰجِعُونَ ﴿٦٠﴾
أُو۟لَٰٓئِكَ يُسَٰرِعُونَ فِى ٱلْخَيْرَٰتِ وَهُمْ لَهَا سَٰبِقُونَ ﴿٦١﴾ وَلَا
نُكَلِّفُ نَفْسًا إِلَّا وُسْعَهَا ۖ وَلَدَيْنَا كِتَٰبٌ يَنطِقُ
بِٱلْحَقِّ ۚ وَهُمْ لَا يُظْلَمُونَ ﴿٦٢﴾ بَلْ قُلُوبُهُمْ فِى غَمْرَةٍ مِّنْ
هَٰذَا وَلَهُمْ أَعْمَٰلٌ مِّن دُونِ ذَٰلِكَ هُمْ لَهَا عَٰمِلُونَ ﴿٦٣﴾
حَتَّىٰٓ إِذَآ أَخَذْنَا مُتْرَفِيهِم بِٱلْعَذَابِ إِذَا هُمْ يَجْـَٔرُونَ ﴿٦٤﴾

منزل ٤

Ikhfa إخفا | Ikhfa Meem Saakin إخفاميم ساكن | Qalqala قلقله | Qalb قلب | Idghaam إدغام | Idghaam Meem Saakin إدغام ميم ساكن | Ghunna غُنّه

لَا تَجْـَٔرُوا الْيَوْمَ إِنَّكُمْ مِّنَّا لَا تُنْصَرُوْنَ ﴿٦٥﴾ قَدْ كَانَتْ
اٰيٰتِيْ تُتْلٰى عَلَيْكُمْ فَكُنْتُمْ عَلٰٓى اَعْقَابِكُمْ تَنْكِصُوْنَ ﴿٦٦﴾
مُسْتَكْبِرِيْنَ بِهٖ سٰمِرًا تَهْجُرُوْنَ ﴿٦٧﴾ اَفَلَمْ يَدَّبَّرُوا
الْقَوْلَ اَمْ جَآءَهُمْ مَّا لَمْ يَاْتِ اٰبَآءَهُمُ الْاَوَّلِيْنَ ﴿٦٨﴾
اَمْ لَمْ يَعْرِفُوْا رَسُوْلَهُمْ فَهُمْ لَهٗ مُنْكِرُوْنَ ﴿٦٩﴾ اَمْ
يَقُوْلُوْنَ بِهٖ جِنَّةٌ بَلْ جَآءَهُمْ بِالْحَقِّ وَاَكْثَرُهُمْ
لِلْحَقِّ كٰرِهُوْنَ ﴿٧٠﴾ وَلَوِ اتَّبَعَ الْحَقُّ اَهْوَآءَهُمْ لَفَسَدَتِ
السَّمٰوٰتُ وَالْاَرْضُ وَمَنْ فِيْهِنَّ بَلْ اَتَيْنٰهُمْ بِذِكْرِهِمْ
فَهُمْ عَنْ ذِكْرِهِمْ مُّعْرِضُوْنَ ﴿٧١﴾ اَمْ تَسْـَٔلُهُمْ خَرْجًا
فَخَرَاجُ رَبِّكَ خَيْرٌ وَّهُوَ خَيْرُ الرّٰزِقِيْنَ ﴿٧٢﴾ وَاِنَّكَ
لَتَدْعُوْهُمْ اِلٰى صِرَاطٍ مُّسْتَقِيْمٍ ﴿٧٣﴾ وَاِنَّ الَّذِيْنَ
لَا يُؤْمِنُوْنَ بِالْاٰخِرَةِ عَنِ الصِّرَاطِ لَنٰكِبُوْنَ ﴿٧٤﴾ وَلَوْ
رَحِمْنٰهُمْ وَكَشَفْنَا مَا بِهِمْ مِّنْ ضُرٍّ لَّلَجُّوْا فِيْ طُغْيَانِهِمْ

منزل ٤

الربع

Ikhfa إخفا | Ikhfa Meem Saakin إخفا ميم ساكن | Qalqala قلقله | Qalb قلب | Idghaam إدغام | Idghaam Meem Saakin إدغام ميم ساكن | Ghunna غُنّه

يَعْمَهُوْنَ ﴿٧٥﴾ وَلَقَدْ اَخَذْنٰهُمْ بِالْعَذَابِ فَمَا اسْتَكَانُوْا
لِرَبِّهِمْ وَمَا يَتَضَرَّعُوْنَ ﴿٧٦﴾ حَتّٰٓى اِذَا فَتَحْنَا عَلَيْهِمْ بَابًا ذَا
عَذَابٍ شَدِيْدٍ اِذَا هُمْ فِيْهِ مُبْلِسُوْنَ ﴿٧٧﴾ ع وَهُوَ ع ٢٧/٤
الَّذِىْٓ اَنْشَاَ لَكُمُ السَّمْعَ وَالْاَبْصَارَ وَالْاَفْـِٕدَةَ ؕ قَلِيْلًا
مَّا تَشْكُرُوْنَ ﴿٧٨﴾ وَهُوَ الَّذِىْ ذَرَاَكُمْ فِى الْاَرْضِ وَ
اِلَيْهِ تُحْشَرُوْنَ ﴿٧٩﴾ وَهُوَ الَّذِىْ يُحْىٖ وَيُمِيْتُ وَلَهُ
منزل ٤ اخْتِلَافُ الَّيْلِ وَالنَّهَارِ ؕ اَفَلَا تَعْقِلُوْنَ ﴿٨٠﴾ بَلْ قَالُوْا
مِثْلَ مَا قَالَ الْاَوَّلُوْنَ ﴿٨١﴾ قَالُوْٓا ءَاِذَا مِتْنَا وَكُنَّا تُرَابًا
وَّعِظَامًا ءَاِنَّا لَمَبْعُوْثُوْنَ ﴿٨٢﴾ لَقَدْ وُعِدْنَا نَحْنُ وَاٰبَآؤُنَا
هٰذَا مِنْ قَبْلُ اِنْ هٰذَآ اِلَّآ اَسَاطِيْرُ الْاَوَّلِيْنَ ﴿٨٣﴾ قُلْ
لِّمَنِ الْاَرْضُ وَمَنْ فِيْهَآ اِنْ كُنْتُمْ تَعْلَمُوْنَ ﴿٨٤﴾ سَيَقُوْلُوْنَ
لِلّٰهِ ؕ قُلْ اَفَلَا تَذَكَّرُوْنَ ﴿٨٥﴾ قُلْ مَنْ رَّبُّ السَّمٰوٰتِ السَّبْعِ
وَرَبُّ الْعَرْشِ الْعَظِيْمِ ﴿٨٦﴾ سَيَقُوْلُوْنَ لِلّٰهِ ؕ قُلْ اَفَلَا

Ikhfa إخفا | Ikhfa Meem Saakin إخفاميم ساكن | Qalqala قلقله | Qalb قلب | Idghaam إدغام | Idghaam Meem Saakin إدغام ميم ساكن | Ghunna غُنّه

تَتَّقُوْنَ ﴿٨٧﴾ قُلْ مَنْۢ بِيَدِهٖ مَلَكُوْتُ كُلِّ شَيْءٍ وَّهُوَ يُجِيْرُ
وَلَا يُجَارُ عَلَيْهِ اِنْ كُنْتُمْ تَعْلَمُوْنَ ﴿٨٨﴾ سَيَقُوْلُوْنَ لِلّٰهِ ؕ
قُلْ فَاَنّٰى تُسْحَرُوْنَ ﴿٨٩﴾ بَلْ اَتَيْنٰهُمْ بِالْحَقِّ وَاِنَّهُمْ
لَكٰذِبُوْنَ ﴿٩٠﴾ مَا اتَّخَذَ اللّٰهُ مِنْ وَّلَدٍ وَّمَا كَانَ مَعَهٗ
مِنْ اِلٰهٍ اِذًا لَّذَهَبَ كُلُّ اِلٰهٍۢ بِمَا خَلَقَ وَلَعَلَا بَعْضُهُمْ
عَلٰى بَعْضٍ ؕ سُبْحٰنَ اللّٰهِ عَمَّا يَصِفُوْنَ ﴿٩١﴾ ۙ عٰلِمِ الْغَيْبِ وَ
الشَّهَادَةِ فَتَعٰلٰى عَمَّا يُشْرِكُوْنَ ﴿٩٢﴾ ع قُلْ رَّبِّ اِمَّا تُرِيَنِّيْ ٥ ع ١٥ ٥
مَا يُوْعَدُوْنَ ﴿٩٣﴾ ۙ رَبِّ فَلَا تَجْعَلْنِيْ فِي الْقَوْمِ الظّٰلِمِيْنَ ﴿٩٤﴾
وَاِنَّا عَلٰٓى اَنْ نُّرِيَكَ مَا نَعِدُهُمْ لَقٰدِرُوْنَ ﴿٩٥﴾ اِدْفَعْ بِالَّتِيْ
هِيَ اَحْسَنُ السَّيِّئَةَ ؕ نَحْنُ اَعْلَمُ بِمَا يَصِفُوْنَ ﴿٩٦﴾ وَ
قُلْ رَّبِّ اَعُوْذُ بِكَ مِنْ هَمَزٰتِ الشَّيٰطِيْنِ ﴿٩٧﴾ ۙ وَاَعُوْذُ
بِكَ رَبِّ اَنْ يَّحْضُرُوْنِ ﴿٩٨﴾ حَتّٰٓى اِذَا جَآءَ اَحَدَهُمُ الْمَوْتُ
قَالَ رَبِّ ارْجِعُوْنِ ﴿٩٩﴾ ۙ لَعَلِّيْٓ اَعْمَلُ صَالِحًا فِيْمَا تَرَكْتُ

منزل ٤

كَلَّا ؕ اِنَّهَا كَلِمَةٌ هُوَ قَآئِلُهَا ؕ وَمِنْ وَّرَآئِهِمْ
بَرْزَخٌ اِلٰى يَوْمِ يُبْعَثُوْنَ ﴿١٠٠﴾ فَاِذَا نُفِخَ فِى الصُّوْرِ
فَلَآ اَنْسَابَ بَيْنَهُمْ يَوْمَئِذٍ وَّلَا يَتَسَآءَلُوْنَ ﴿١٠١﴾ فَمَنْ
ثَقُلَتْ مَوَازِيْنُهٗ فَاُولٰٓئِكَ هُمُ الْمُفْلِحُوْنَ ﴿١٠٢﴾ وَمَنْ
خَفَّتْ مَوَازِيْنُهٗ فَاُولٰٓئِكَ الَّذِيْنَ خَسِرُوْٓا
اَنْفُسَهُمْ فِىْ جَهَنَّمَ خٰلِدُوْنَ ﴿١٠٣﴾ ج تَلْفَحُ وُجُوْهَهُمُ
النَّارُ وَهُمْ فِيْهَا كٰلِحُوْنَ ﴿١٠٤﴾ اَلَمْ تَكُنْ اٰيٰتِىْ تُتْلٰى
عَلَيْكُمْ فَكُنْتُمْ بِهَا تُكَذِّبُوْنَ ﴿١٠٥﴾ قَالُوْا رَبَّنَا غَلَبَتْ
عَلَيْنَا شِقْوَتُنَا وَكُنَّا قَوْمًا ضَآلِّيْنَ ﴿١٠٦﴾ رَبَّنَآ اَخْرِجْنَا
مِنْهَا فَاِنْ عُدْنَا فَاِنَّا ظٰلِمُوْنَ ﴿١٠٧﴾ قَالَ اخْسَـُٔوْا فِيْهَا
وَلَا تُكَلِّمُوْنِ ﴿١٠٨﴾ اِنَّهٗ كَانَ فَرِيْقٌ مِّنْ عِبَادِىْ
يَقُوْلُوْنَ رَبَّنَآ اٰمَنَّا فَاغْفِرْ لَنَا وَارْحَمْنَا وَاَنْتَ خَيْرُ
الرّٰحِمِيْنَ ﴿١٠٩﴾ صلے فَاتَّخَذْتُمُوْهُمْ سِخْرِيًّا حَتّٰٓى اَنْسَوْكُمْ

منزل ٤

ذِكْرِیْ وَكُنْتُمْ مِّنْهُمْ تَضْحَكُوْنَ ﴿١١٠﴾ اِنِّیْ جَزَیْتُهُمُ
الْیَوْمَ بِمَا صَبَرُوْۤا ۙ اَنَّهُمْ هُمُ الْفَآئِزُوْنَ ﴿١١١﴾ قٰلَ كَمْ
لَبِثْتُمْ فِی الْاَرْضِ عَدَدَ سِنِیْنَ ﴿١١٢﴾ قَالُوْا لَبِثْنَا یَوْمًا اَوْ
بَعْضَ یَوْمٍ فَسْئَلِ الْعَآدِّیْنَ ﴿١١٣﴾ قٰلَ اِنْ لَّبِثْتُمْ اِلَّا قَلِیْلًا
لَّوْ اَنَّكُمْ كُنْتُمْ تَعْلَمُوْنَ ﴿١١٤﴾ اَفَحَسِبْتُمْ اَنَّمَا خَلَقْنٰكُمْ
عَبَثًا وَّاَنَّكُمْ اِلَیْنَا لَا تُرْجَعُوْنَ ﴿١١٥﴾ فَتَعٰلَى اللّٰهُ الْمَلِكُ
الْحَقُّ ۚ لَاۤ اِلٰهَ اِلَّا هُوَ ۚ رَبُّ الْعَرْشِ الْكَرِیْمِ ﴿١١٦﴾ وَمَنْ منزل٤
یَّدْعُ مَعَ اللّٰهِ اِلٰهًا اٰخَرَ ۙ لَا بُرْهَانَ لَهٗ بِهٖ ۙ فَاِنَّمَا
حِسَابُهٗ عِنْدَ رَبِّهٖ ؕ اِنَّهٗ لَا یُفْلِحُ الْكٰفِرُوْنَ ﴿١١٧﴾ وَقُلْ
ع ٢٦ رَّبِّ اغْفِرْ وَارْحَمْ وَاَنْتَ خَیْرُ الرّٰحِمِیْنَ ﴿١١٨﴾ ع

اٰیَاتُهَا ٦٤ (٢٤) سُوْرَةُ النُّوْرِ مَدَنِیَّةٌ (١٠٢) رُكُوْعَاتُهَا ٩

بِسْمِ اللّٰهِ الرَّحْمٰنِ الرَّحِیْمِ

سُوْرَةٌ اَنْزَلْنٰهَا وَفَرَضْنٰهَا وَاَنْزَلْنَا فِیْهَاۤ اٰیٰتٍۭ بَیِّنٰتٍ

لَعَلَّكُمْ تَذَكَّرُوْنَ ۝١ اَلزَّانِيَةُ وَالزَّانِيْ فَاجْلِدُوْا كُلَّ
وَاحِدٍ مِّنْهُمَا مِائَةَ جَلْدَةٍ ۪ وَّلَا تَاْخُذْكُمْ بِهِمَا رَاْفَةٌ
فِيْ دِيْنِ اللّٰهِ اِنْ كُنْتُمْ تُؤْمِنُوْنَ بِاللّٰهِ وَالْيَوْمِ الْاٰخِرِ ۚ
وَلْيَشْهَدْ عَذَابَهُمَا طَآئِفَةٌ مِّنَ الْمُؤْمِنِيْنَ ۝٢ اَلزَّانِيْ
لَا يَنْكِحُ اِلَّا زَانِيَةً اَوْ مُشْرِكَةً ۫ وَّالزَّانِيَةُ لَا يَنْكِحُهَآ
اِلَّا زَانٍ اَوْ مُشْرِكٌ ۚ وَحُرِّمَ ذٰلِكَ عَلَى الْمُؤْمِنِيْنَ ۝٣
وَالَّذِيْنَ يَرْمُوْنَ الْمُحْصَنٰتِ ثُمَّ لَمْ يَاْتُوْا بِاَرْبَعَةِ
شُهَدَآءَ فَاجْلِدُوْهُمْ ثَمٰنِيْنَ جَلْدَةً وَّلَا تَقْبَلُوْا لَهُمْ
شَهَادَةً اَبَدًا ۚ وَاُولٰٓئِكَ هُمُ الْفٰسِقُوْنَ ۝٤ ۙ اِلَّا الَّذِيْنَ
تَابُوْا مِنْۢ بَعْدِ ذٰلِكَ وَاَصْلَحُوْا ۚ فَاِنَّ اللّٰهَ غَفُوْرٌ
رَّحِيْمٌ ۝٥ وَالَّذِيْنَ يَرْمُوْنَ اَزْوَاجَهُمْ وَلَمْ يَكُنْ لَّهُمْ
شُهَدَآءُ اِلَّآ اَنْفُسُهُمْ فَشَهَادَةُ اَحَدِهِمْ اَرْبَعُ شَهٰدٰتٍ ۢ
بِاللّٰهِ ۙ اِنَّهٗ لَمِنَ الصّٰدِقِيْنَ ۝٦ وَالْخَامِسَةُ اَنَّ لَعْنَتَ

اللّٰهِ عَلَيْهِ اِنْ كَانَ مِنَ الْكٰذِبِيْنَ ۝٧ وَيَدْرَؤُا عَنْهَا

الْعَذَابَ اَنْ تَشْهَدَ اَرْبَعَ شَهٰدٰتٍۢ بِاللّٰهِ ۙ اِنَّهٗ لَمِنَ

الْكٰذِبِيْنَ ۙ ۝٨ وَالْخَامِسَةَ اَنَّ غَضَبَ اللّٰهِ عَلَيْهَآ اِنْ

كَانَ مِنَ الصّٰدِقِيْنَ ۝٩ وَلَوْلَا فَضْلُ اللّٰهِ عَلَيْكُمْ وَ

ع ١٠/٧ رَحْمَتُهٗ وَاَنَّ اللّٰهَ تَوَّابٌ حَكِيْمٌ ۝١٠ ع اِنَّ الَّذِيْنَ جَآءُوْ

بِالْاِفْكِ عُصْبَةٌ مِّنْكُمْ ۭ لَا تَحْسَبُوْهُ شَرًّا لَّكُمْ ۭ بَلْ هُوَ

خَيْرٌ لَّكُمْ ۭ لِكُلِّ امْرِئٍ مِّنْهُمْ مَّا اكْتَسَبَ مِنَ الْاِثْمِ ۚ منزل ٤

وَالَّذِيْ تَوَلّٰى كِبْرَهٗ مِنْهُمْ لَهٗ عَذَابٌ عَظِيْمٌ ۝١١

لَوْلَآ اِذْ سَمِعْتُمُوْهُ ظَنَّ الْمُؤْمِنُوْنَ وَالْمُؤْمِنٰتُ بِاَنْفُسِهِمْ

خَيْرًا ۙ وَّقَالُوْا هٰذَآ اِفْكٌ مُّبِيْنٌ ۝١٢ لَوْلَا جَآءُوْ

عَلَيْهِ بِاَرْبَعَةِ شُهَدَآءَ ۚ فَاِذْ لَمْ يَاْتُوْا بِالشُّهَدَآءِ

فَاُولٰٓئِكَ عِنْدَ اللّٰهِ هُمُ الْكٰذِبُوْنَ ۝١٣ وَلَوْلَا فَضْلُ اللّٰهِ

عَلَيْكُمْ وَرَحْمَتُهٗ فِى الدُّنْيَا وَالْاٰخِرَةِ لَمَسَّكُمْ فِيْ مَآ

اَفَضْتُمْ فِيْهِ عَذَابٌ عَظِيْمٌ ﴿١٤﴾ اِذْ تَلَقَّوْنَهٗ بِاَلْسِنَتِكُمْ وَ
تَقُوْلُوْنَ بِاَفْوَاهِكُمْ مَّا لَيْسَ لَكُمْ بِهٖ عِلْمٌ وَّ تَحْسَبُوْنَهٗ
هَيِّنًا ۖۗ وَّهُوَ عِنْدَ اللّٰهِ عَظِيْمٌ ﴿١٥﴾ وَلَوْلَآ اِذْ سَمِعْتُمُوْهُ
قُلْتُمْ مَّا يَكُوْنُ لَنَآ اَنْ نَّتَكَلَّمَ بِهٰذَا ۖۗ سُبْحٰنَكَ هٰذَا
بُهْتَانٌ عَظِيْمٌ ﴿١٦﴾ يَعِظُكُمُ اللّٰهُ اَنْ تَعُوْدُوْا لِمِثْلِهٖٓ اَبَدًا
اِنْ كُنْتُمْ مُّؤْمِنِيْنَ ﴿١٧﴾ وَيُبَيِّنُ اللّٰهُ لَكُمُ الْاٰيٰتِ ؕ وَاللّٰهُ
عَلِيْمٌ حَكِيْمٌ ﴿١٨﴾ اِنَّ الَّذِيْنَ يُحِبُّوْنَ اَنْ تَشِيْعَ الْفَاحِشَةُ
فِى الَّذِيْنَ اٰمَنُوْا لَهُمْ عَذَابٌ اَلِيْمٌ ۙ فِى الدُّنْيَا وَالْاٰخِرَةِ ؕ
وَاللّٰهُ يَعْلَمُ وَاَنْتُمْ لَا تَعْلَمُوْنَ ﴿١٩﴾ وَلَوْلَا فَضْلُ اللّٰهِ
عَلَيْكُمْ وَرَحْمَتُهٗ وَاَنَّ اللّٰهَ رَءُوْفٌ رَّحِيْمٌ ﴿٢٠﴾ يٰٓاَيُّهَا الرُّبع ع ١٠ ٢ ٨
الَّذِيْنَ اٰمَنُوْا لَا تَتَّبِعُوْا خُطُوٰتِ الشَّيْطٰنِ ؕ وَمَنْ يَّتَّبِعْ
خُطُوٰتِ الشَّيْطٰنِ فَاِنَّهٗ يَاْمُرُ بِالْفَحْشَآءِ وَ الْمُنْكَرِ ؕ
وَلَوْلَا فَضْلُ اللّٰهِ عَلَيْكُمْ وَرَحْمَتُهٗ مَا زَكٰى مِنْكُمْ مِّنْ

منزل ٤

اَحَدٍ اَبَدًا ۙ وَّلٰكِنَّ اللّٰهَ يُزَكِّيْ مَنْ يَّشَآءُ ؕ وَاللّٰهُ سَمِيْعٌ
عَلِيْمٌ ﴿۲۱﴾ وَلَا يَاْتَلِ اُولُوا الْفَضْلِ مِنْكُمْ وَالسَّعَةِ اَنْ
يُّؤْتُوْۤا اُولِي الْقُرْبٰى وَالْمَسٰكِيْنَ وَالْمُهٰجِرِيْنَ فِيْ
سَبِيْلِ اللّٰهِ ۖ وَلْيَعْفُوْا وَلْيَصْفَحُوْا ؕ اَلَا تُحِبُّوْنَ اَنْ يَّغْفِرَ
اللّٰهُ لَكُمْ ؕ وَاللّٰهُ غَفُوْرٌ رَّحِيْمٌ ﴿۲۲﴾ اِنَّ الَّذِيْنَ يَرْمُوْنَ
الْمُحْصَنٰتِ الْغٰفِلٰتِ الْمُؤْمِنٰتِ لُعِنُوْا فِي الدُّنْيَا وَالْاٰخِرَةِ ۪
وَلَهُمْ عَذَابٌ عَظِيْمٌ ۙ ﴿۲۳﴾ يَّوْمَ تَشْهَدُ عَلَيْهِمْ اَلْسِنَتُهُمْ
وَاَيْدِيْهِمْ وَاَرْجُلُهُمْ بِمَا كَانُوْا يَعْمَلُوْنَ ﴿۲۴﴾ يَوْمَئِذٍ
يُّوَفِّيْهِمُ اللّٰهُ دِيْنَهُمُ الْحَقَّ وَيَعْلَمُوْنَ اَنَّ اللّٰهَ هُوَ
الْحَقُّ الْمُبِيْنُ ﴿۲۵﴾ اَلْخَبِيْثٰتُ لِلْخَبِيْثِيْنَ وَالْخَبِيْثُوْنَ
لِلْخَبِيْثٰتِ ۚ وَالطَّيِّبٰتُ لِلطَّيِّبِيْنَ وَالطَّيِّبُوْنَ لِلطَّيِّبٰتِ ۚ
اُولٰٓئِكَ مُبَرَّءُوْنَ مِمَّا يَقُوْلُوْنَ ؕ لَهُمْ مَّغْفِرَةٌ وَّرِزْقٌ
كَرِيْمٌ ﴿۲۶﴾ يٰۤاَيُّهَا الَّذِيْنَ اٰمَنُوْا لَا تَدْخُلُوْا بُيُوْتًا غَيْرَ

منزل ٤

ع ٣ ٦ ٩

بُيُوْتِكُمْ حَتّٰى تَسْتَاْنِسُوْا وَتُسَلِّمُوْا عَلٰٓى اَهْلِهَا ؕ ذٰلِكُمْ
خَيْرٌ لَّكُمْ لَعَلَّكُمْ تَذَكَّرُوْنَ ﴿٢٧﴾ فَاِنْ لَّمْ تَجِدُوْا فِيْهَآ
اَحَدًا فَلَا تَدْخُلُوْهَا حَتّٰى يُؤْذَنَ لَكُمْ ۚ وَاِنْ قِيْلَ
لَكُمُ ارْجِعُوْا فَارْجِعُوْا هُوَ اَزْكٰى لَكُمْ ؕ وَاللّٰهُ بِمَا
تَعْمَلُوْنَ عَلِيْمٌ ﴿٢٨﴾ لَيْسَ عَلَيْكُمْ جُنَاحٌ اَنْ تَدْخُلُوْا
بُيُوْتًا غَيْرَ مَسْكُوْنَةٍ فِيْهَا مَتَاعٌ لَّكُمْ ؕ وَاللّٰهُ يَعْلَمُ مَا
تُبْدُوْنَ وَمَا تَكْتُمُوْنَ ﴿٢٩﴾ قُلْ لِّلْمُؤْمِنِيْنَ يَغُضُّوْا
مِنْ اَبْصَارِهِمْ وَيَحْفَظُوْا فُرُوْجَهُمْ ؕ ذٰلِكَ اَزْكٰى
لَهُمْ ؕ اِنَّ اللّٰهَ خَبِيْرٌۢ بِمَا يَصْنَعُوْنَ ﴿٣٠﴾ وَقُلْ لِّلْمُؤْمِنٰتِ
يَغْضُضْنَ مِنْ اَبْصَارِهِنَّ وَيَحْفَظْنَ فُرُوْجَهُنَّ
وَلَا يُبْدِيْنَ زِيْنَتَهُنَّ اِلَّا مَا ظَهَرَ مِنْهَا وَلْيَضْرِبْنَ
بِخُمُرِهِنَّ عَلٰى جُيُوْبِهِنَّ ۖ وَلَا يُبْدِيْنَ زِيْنَتَهُنَّ
اِلَّا لِبُعُوْلَتِهِنَّ اَوْ اٰبَآئِهِنَّ اَوْ اٰبَآءِ بُعُوْلَتِهِنَّ اَوْ

منزل ٤

اَوْ اَبْنَآئِهِنَّ اَوْ اَبْنَآءِ بُعُوْلَتِهِنَّ اَوْ اِخْوَانِهِنَّ اَوْ
بَنِيْٓ اِخْوَانِهِنَّ اَوْ بَنِيْٓ اَخَوٰتِهِنَّ اَوْ نِسَآئِهِنَّ اَوْ مَا
مَلَكَتْ اَيْمَانُهُنَّ اَوِ التّٰبِعِيْنَ غَيْرِ اُولِي الْاِرْبَةِ
مِنَ الرِّجَالِ اَوِ الطِّفْلِ الَّذِيْنَ لَمْ يَظْهَرُوْا عَلٰى عَوْرٰتِ
النِّسَآءِ ۪ وَلَا يَضْرِبْنَ بِاَرْجُلِهِنَّ لِيُعْلَمَ مَا يُخْفِيْنَ مِنْ
زِيْنَتِهِنَّ ؕ وَتُوْبُوْٓا اِلَى اللّٰهِ جَمِيْعًا اَيُّهَ الْمُؤْمِنُوْنَ
لَعَلَّكُمْ تُفْلِحُوْنَ ﴿٣١﴾ وَاَنْكِحُوا الْاَيَامٰى مِنْكُمْ وَالصّٰلِحِيْنَ
مِنْ عِبَادِكُمْ وَاِمَآئِكُمْ ؕ اِنْ يَّكُوْنُوْا فُقَرَآءَ يُغْنِهِمُ
اللّٰهُ مِنْ فَضْلِهٖ ؕ وَاللّٰهُ وَاسِعٌ عَلِيْمٌ ﴿٣٢﴾ وَلْيَسْتَعْفِفِ
الَّذِيْنَ لَا يَجِدُوْنَ نِكَاحًا حَتّٰى يُغْنِيَهُمُ اللّٰهُ مِنْ
فَضْلِهٖ ؕ وَالَّذِيْنَ يَبْتَغُوْنَ الْكِتٰبَ مِمَّا مَلَكَتْ
اَيْمَانُكُمْ فَكَاتِبُوْهُمْ اِنْ عَلِمْتُمْ فِيْهِمْ خَيْرًا ۖۗ وَّاٰتُوْهُمْ
مِّنْ مَّالِ اللّٰهِ الَّذِيْٓ اٰتٰىكُمْ ؕ وَلَا تُكْرِهُوْا فَتَيٰتِكُمْ

منزل ٤

عَلَى الْبِغَآءِ اِنْ اَرَدْنَ تَحَصُّنًا لِّتَبْتَغُوْا عَرَضَ الْحَيٰوةِ

الدُّنْيَا ؕ وَمَنْ يُّكْرِهْهُّنَّ فَاِنَّ اللّٰهَ مِنْۢ بَعْدِ اِكْرَاهِهِنَّ

غَفُوْرٌ رَّحِيْمٌ ﴿٣٣﴾ وَلَقَدْ اَنْزَلْنَاۤ اِلَيْكُمْ اٰيٰتٍ مُّبَيِّنٰتٍ

وَّمَثَلًا مِّنَ الَّذِيْنَ خَلَوْا مِنْ قَبْلِكُمْ وَمَوْعِظَةً

لِّلْمُتَّقِيْنَ ﴿٣٤﴾ ع اَللّٰهُ نُوْرُ السَّمٰوٰتِ وَالْاَرْضِ ؕ مَثَلُ ع ٤/١٠

نُوْرِهٖ كَمِشْكٰوةٍ فِيْهَا مِصْبَاحٌ ؕ اَلْمِصْبَاحُ فِيْ زُجَاجَةٍ ؕ

اَلزُّجَاجَةُ كَاَنَّهَا كَوْكَبٌ دُرِّيٌّ يُّوْقَدُ مِنْ شَجَرَةٍ مُّبٰرَكَةٍ

زَيْتُوْنَةٍ لَّا شَرْقِيَّةٍ وَّلَا غَرْبِيَّةٍ ۙ يَّكَادُ زَيْتُهَا يُضِيْٓءُ وَلَوْ

لَمْ تَمْسَسْهُ نَارٌ ؕ نُوْرٌ عَلٰى نُوْرٍ ؕ يَهْدِى اللّٰهُ لِنُوْرِهٖ مَنْ

يَّشَآءُ ؕ وَيَضْرِبُ اللّٰهُ الْاَمْثَالَ لِلنَّاسِ ؕ وَاللّٰهُ بِكُلِّ

شَيْءٍ عَلِيْمٌ ﴿٣٥﴾ ۙ فِيْ بُيُوْتٍ اَذِنَ اللّٰهُ اَنْ تُرْفَعَ وَيُذْكَرَ

فِيْهَا اسْمُهٗ ۙ يُسَبِّحُ لَهٗ فِيْهَا بِالْغُدُوِّ وَالْاٰصَالِ ﴿٣٦﴾ ۙ

رِجَالٌ ۙ لَّا تُلْهِيْهِمْ تِجَارَةٌ وَّلَا بَيْعٌ عَنْ ذِكْرِ اللّٰهِ وَ

منزل ٤

Ghunna غُنّہ | Idghaam Meem Saakin اِدغام میم ساکن | Idghaam اِدغام | Qalb قلب | Qalqala قلقلہ | Ikhfa Meem Saakin اِخفامیم ساکن | Ikhfa اِخفا

اِقَامِ الصَّلٰوةِ وَاِيْتَآءِ الزَّكٰوةِ ۙ يَخَافُوْنَ يَوْمًا تَتَقَلَّبُ
فِيْهِ الْقُلُوْبُ وَالْاَبْصَارُ ﴿٣٧﴾ لِيَجْزِيَهُمُ اللّٰهُ اَحْسَنَ مَا
عَمِلُوْا وَيَزِيْدَهُمْ مِّنْ فَضْلِهٖ ؕ وَاللّٰهُ يَرْزُقُ مَنْ
يَّشَآءُ بِغَيْرِ حِسَابٍ ﴿٣٨﴾ وَالَّذِيْنَ كَفَرُوْۤا اَعْمَالُهُمْ
كَسَرَابٍۭ بِقِيْعَةٍ يَّحْسَبُهُ الظَّمْاٰنُ مَآءً ؕ حَتّٰۤى اِذَا جَآءَهٗ
لَمْ يَجِدْهُ شَيْـًٔا وَّوَجَدَ اللّٰهَ عِنْدَهٗ فَوَفّٰىهُ حِسَابَهٗ ؕ
منزل ٤ وَاللّٰهُ سَرِيْعُ الْحِسَابِ ﴿٣٩﴾ اَوْ كَظُلُمٰتٍ فِىْ بَحْرٍ لُّجِّىٍّ
يَّغْشٰىهُ مَوْجٌ مِّنْ فَوْقِهٖ مَوْجٌ مِّنْ فَوْقِهٖ سَحَابٌ ؕ
ظُلُمٰتٌۢ بَعْضُهَا فَوْقَ بَعْضٍ ؕ اِذَاۤ اَخْرَجَ يَدَهٗ لَمْ
يَكَدْ يَرٰىهَا ؕ وَمَنْ لَّمْ يَجْعَلِ اللّٰهُ لَهٗ نُوْرًا فَمَا لَهٗ
مِنْ نُّوْرٍ ﴿٤٠﴾ اَلَمْ تَرَ اَنَّ اللّٰهَ يُسَبِّحُ لَهٗ مَنْ فِى السَّمٰوٰتِ ع ٥/٦ ١١
وَالْاَرْضِ وَالطَّيْرُ صٰٓفّٰتٍ ؕ كُلٌّ قَدْ عَلِمَ صَلَاتَهٗ وَ
تَسْبِيْحَهٗ ؕ وَاللّٰهُ عَلِيْمٌۢ بِمَا يَفْعَلُوْنَ ﴿٤١﴾ وَلِلّٰهِ مُلْكُ

السَّمٰوٰتِ وَالْاَرْضِ ۚ وَاِلَى اللّٰهِ الْمَصِيْرُ ﴿۴۲﴾ اَلَمْ تَرَ
اَنَّ اللّٰهَ يُزْجِيْ سَحَابًا ثُمَّ يُؤَلِّفُ بَيْنَهٗ ثُمَّ يَجْعَلُهٗ
رُكَامًا فَتَرَى الْوَدْقَ يَخْرُجُ مِنْ خِلٰلِهٖ ۚ وَيُنَزِّلُ مِنَ
السَّمَآءِ مِنْ جِبَالٍ فِيْهَا مِنْۢ بَرَدٍ فَيُصِيْبُ بِهٖ
مَنْ يَّشَآءُ وَيَصْرِفُهٗ عَنْ مَّنْ يَّشَآءُ ۭ يَكَادُ سَنَا بَرْقِهٖ
يَذْهَبُ بِالْاَبْصَارِ ﴿۴۳﴾ يُقَلِّبُ اللّٰهُ الَّيْلَ وَالنَّهَارَ ۭ
اِنَّ فِيْ ذٰلِكَ لَعِبْرَةً لِّاُولِي الْاَبْصَارِ ﴿۴۴﴾ وَاللّٰهُ
خَلَقَ كُلَّ دَآبَّةٍ مِّنْ مَّآءٍ ۚ فَمِنْهُمْ مَّنْ يَّمْشِيْ عَلٰى
بَطْنِهٖ ۚ وَمِنْهُمْ مَّنْ يَّمْشِيْ عَلٰى رِجْلَيْنِ ۚ وَمِنْهُمْ
مَّنْ يَّمْشِيْ عَلٰٓى اَرْبَعٍ ۭ يَخْلُقُ اللّٰهُ مَا يَشَآءُ ۭ اِنَّ اللّٰهَ عَلٰى
كُلِّ شَيْءٍ قَدِيْرٌ ﴿۴۵﴾ لَقَدْ اَنْزَلْنَآ اٰيٰتٍ مُّبَيِّنٰتٍ ۭ وَاللّٰهُ
يَهْدِيْ مَنْ يَّشَآءُ اِلٰى صِرَاطٍ مُّسْتَقِيْمٍ ﴿۴۶﴾ وَيَقُوْلُوْنَ
اٰمَنَّا بِاللّٰهِ وَبِالرَّسُوْلِ وَاَطَعْنَا ثُمَّ يَتَوَلّٰى فَرِيْقٌ

منزل ۴

مِّنْهُمْ مِّنْۢ بَعْدِ ذٰلِكَ ؕ وَمَاۤ اُولٰٓئِكَ بِالْمُؤْمِنِيْنَ ﴿۴۷﴾ وَ
اِذَا دُعُوْۤا اِلَى اللّٰهِ وَرَسُوْلِهٖ لِيَحْكُمَ بَيْنَهُمْ اِذَا
فَرِيْقٌ مِّنْهُمْ مُّعْرِضُوْنَ ﴿۴۸﴾ وَاِنْ يَّكُنْ لَّهُمُ الْحَقُّ
يَاْتُوْۤا اِلَيْهِ مُذْعِنِيْنَ ﴿۴۹﴾ ؕ اَفِيْ قُلُوْبِهِمْ مَّرَضٌ اَمِ
ارْتَابُوْۤا اَمْ يَخَافُوْنَ اَنْ يَّحِيْفَ اللّٰهُ عَلَيْهِمْ وَرَسُوْلُهٗ ؕ
بَلْ اُولٰٓئِكَ هُمُ الظّٰلِمُوْنَ ﴿۵۰﴾ ع اِنَّمَا كَانَ قَوْلَ
الْمُؤْمِنِيْنَ اِذَا دُعُوْۤا اِلَى اللّٰهِ وَرَسُوْلِهٖ لِيَحْكُمَ بَيْنَهُمْ اَنْ
يَّقُوْلُوْا سَمِعْنَا وَاَطَعْنَا ؕ وَاُولٰٓئِكَ هُمُ الْمُفْلِحُوْنَ ﴿۵۱﴾
وَمَنْ يُّطِعِ اللّٰهَ وَرَسُوْلَهٗ وَيَخْشَ اللّٰهَ وَيَتَّقْهِ فَاُولٰٓئِكَ
هُمُ الْفَآئِزُوْنَ ﴿۵۲﴾ وَاَقْسَمُوْا بِاللّٰهِ جَهْدَ اَيْمَانِهِمْ
لَئِنْ اَمَرْتَهُمْ لَيَخْرُجُنَّ ؕ قُلْ لَّا تُقْسِمُوْا ۚ طَاعَةٌ
مَّعْرُوْفَةٌ ؕ اِنَّ اللّٰهَ خَبِيْرٌۢ بِمَا تَعْمَلُوْنَ ﴿۵۳﴾ قُلْ
اَطِيْعُوا اللّٰهَ وَاَطِيْعُوا الرَّسُوْلَ ۚ فَاِنْ تَوَلَّوْا فَاِنَّمَا

منزل ٤

عَلَيْهِ مَا حُمِّلَ وَعَلَيْكُمْ مَّا حُمِّلْتُمْ ؕ وَاِنْ تُطِيْعُوْهُ
تَهْتَدُوْا ؕ وَمَا عَلَى الرَّسُوْلِ اِلَّا الْبَلٰغُ الْمُبِيْنُ ﴿٥٤﴾
وَعَدَ اللّٰهُ الَّذِيْنَ اٰمَنُوْا مِنْكُمْ وَعَمِلُوا الصّٰلِحٰتِ
لَيَسْتَخْلِفَنَّهُمْ فِى الْاَرْضِ كَمَا اسْتَخْلَفَ الَّذِيْنَ مِنْ
قَبْلِهِمْ ۪ وَلَيُمَكِّنَنَّ لَهُمْ دِيْنَهُمُ الَّذِى ارْتَضٰى لَهُمْ
وَلَيُبَدِّلَنَّهُمْ مِّنْۢ بَعْدِ خَوْفِهِمْ اَمْنًا ؕ يَعْبُدُوْنَنِىْ لَا
يُشْرِكُوْنَ بِىْ شَيْـًٔا ؕ وَمَنْ كَفَرَ بَعْدَ ذٰلِكَ فَاُولٰٓئِكَ
هُمُ الْفٰسِقُوْنَ ﴿٥٥﴾ وَاَقِيْمُوا الصَّلٰوةَ وَاٰتُوا الزَّكٰوةَ
وَاَطِيْعُوا الرَّسُوْلَ لَعَلَّكُمْ تُرْحَمُوْنَ ﴿٥٦﴾ لَا تَحْسَبَنَّ
الَّذِيْنَ كَفَرُوْا مُعْجِزِيْنَ فِى الْاَرْضِ ۚ وَمَاْوٰىهُمُ النَّارُ ؕ
وَلَبِئْسَ الْمَصِيْرُ ﴿٥٧﴾ ع يٰۤاَيُّهَا الَّذِيْنَ اٰمَنُوْا لِيَسْتَاْذِنْكُمُ ع ٧ ١٣
الَّذِيْنَ مَلَكَتْ اَيْمَانُكُمْ وَالَّذِيْنَ لَمْ يَبْلُغُوا الْحُلُمَ مِنْكُمْ
ثَلٰثَ مَرّٰتٍ ؕ مِنْ قَبْلِ صَلٰوةِ الْفَجْرِ وَحِيْنَ تَضَعُوْنَ

منزل ٤

ثِيَابَكُمْ مِّنَ الظَّهِيْرَةِ وَمِنْۢ بَعْدِ صَلٰوةِ الْعِشَآءِ ۫ ثَلٰثُ
عَوْرٰتٍ لَّكُمْ ؕ لَيْسَ عَلَيْكُمْ وَلَا عَلَيْهِمْ جُنَاحٌۢ بَعْدَهُنَّ ؕ
طَوّٰفُوْنَ عَلَيْكُمْ بَعْضُكُمْ عَلٰى بَعْضٍ ؕ كَذٰلِكَ
يُبَيِّنُ اللّٰهُ لَكُمُ الْاٰيٰتِ ؕ وَاللّٰهُ عَلِيْمٌ حَكِيْمٌ ﴿٥٨﴾
وَاِذَا بَلَغَ الْاَطْفَالُ مِنْكُمُ الْحُلُمَ فَلْيَسْتَاْذِنُوْا
كَمَا اسْتَاْذَنَ الَّذِيْنَ مِنْ قَبْلِهِمْ ؕ كَذٰلِكَ يُبَيِّنُ
اللّٰهُ لَكُمْ اٰيٰتِهٖ ؕ وَاللّٰهُ عَلِيْمٌ حَكِيْمٌ ﴿٥٩﴾ وَالْقَوَاعِدُ
مِنَ النِّسَآءِ الّٰتِيْ لَا يَرْجُوْنَ نِكَاحًا فَلَيْسَ عَلَيْهِنَّ
جُنَاحٌ اَنْ يَّضَعْنَ ثِيَابَهُنَّ غَيْرَ مُتَبَرِّجٰتٍۢ بِزِيْنَةٍ ؕ
وَاَنْ يَّسْتَعْفِفْنَ خَيْرٌ لَّهُنَّ ؕ وَاللّٰهُ سَمِيْعٌ عَلِيْمٌ ﴿٦٠﴾
لَيْسَ عَلَى الْاَعْمٰى حَرَجٌ وَّلَا عَلَى الْاَعْرَجِ حَرَجٌ
وَّلَا عَلَى الْمَرِيْضِ حَرَجٌ وَّلَا عَلٰۤى اَنْفُسِكُمْ اَنْ
تَاْكُلُوْا مِنْۢ بُيُوْتِكُمْ اَوْ بُيُوْتِ اٰبَآئِكُمْ اَوْ بُيُوْتِ

منزل ٤

اُمَّهٰتِكُمْ اَوْ بُيُوْتِ اِخْوَانِكُمْ اَوْ بُيُوْتِ اَخَوٰتِكُمْ
اَوْ بُيُوْتِ اَعْمَامِكُمْ اَوْ بُيُوْتِ عَمّٰتِكُمْ اَوْ بُيُوْتِ
اَخْوَالِكُمْ اَوْ بُيُوْتِ خٰلٰتِكُمْ اَوْ مَا مَلَكْتُمْ مَّفَاتِحَهٗٓ
اَوْ صَدِيْقِكُمْ ؕ لَيْسَ عَلَيْكُمْ جُنَاحٌ اَنْ تَاْكُلُوْا
جَمِيْعًا اَوْ اَشْتَاتًا ؕ فَاِذَا دَخَلْتُمْ بُيُوْتًا فَسَلِّمُوْا
عَلٰٓى اَنْفُسِكُمْ تَحِيَّةً مِّنْ عِنْدِ اللّٰهِ مُبٰرَكَةً
طَيِّبَةً ؕ كَذٰلِكَ يُبَيِّنُ اللّٰهُ لَكُمُ الْاٰيٰتِ لَعَلَّكُمْ
تَعْقِلُوْنَ ﴿٦١﴾ ع اِنَّمَا الْمُؤْمِنُوْنَ الَّذِيْنَ اٰمَنُوْا بِاللّٰهِ ع ٨
وَرَسُوْلِهٖ وَ اِذَا كَانُوْا مَعَهٗ عَلٰٓى اَمْرٍ جَامِعٍ لَّمْ
يَذْهَبُوْا حَتّٰى يَسْتَاْذِنُوْهُ ؕ اِنَّ الَّذِيْنَ يَسْتَاْذِنُوْنَكَ
اُولٰٓئِكَ الَّذِيْنَ يُؤْمِنُوْنَ بِاللّٰهِ وَ رَسُوْلِهٖ ۚ فَاِذَا
اسْتَاْذَنُوْكَ لِبَعْضِ شَاْنِهِمْ فَاْذَنْ لِّمَنْ شِئْتَ
مِنْهُمْ وَاسْتَغْفِرْ لَهُمُ اللّٰهَ ؕ اِنَّ اللّٰهَ غَفُوْرٌ رَّحِيْمٌ ﴿٦٢﴾

منزل ٤

لَا تَجْعَلُوْا دُعَآءَ الرَّسُوْلِ بَيْنَكُمْ كَدُعَآءِ بَعْضِكُمْ

بَعْضًا ؕ قَدْ يَعْلَمُ اللّٰهُ الَّذِيْنَ يَتَسَلَّلُوْنَ مِنْكُمْ

لِوَاذًا ۚ فَلْيَحْذَرِ الَّذِيْنَ يُخَالِفُوْنَ عَنْ اَمْرِهٖۤ اَنْ

تُصِيْبَهُمْ فِتْنَةٌ اَوْ يُصِيْبَهُمْ عَذَابٌ اَلِيْمٌ ﴿٦٣﴾ اَلَاۤ

اِنَّ لِلّٰهِ مَا فِى السَّمٰوٰتِ وَالْاَرْضِ ؕ قَدْ يَعْلَمُ مَاۤ

اَنْتُمْ عَلَيْهِ ؕ وَيَوْمَ يُرْجَعُوْنَ اِلَيْهِ فَيُنَبِّئُهُمْ بِمَا

عَمِلُوْا ؕ وَاللّٰهُ بِكُلِّ شَىْءٍ عَلِيْمٌ ﴿٦٤﴾ ع

ع ٩ ٣ ١٥

منزل ٤

اٰيَاتُهَا ٧٧ (٢٥) سُوْرَةُ الْفُرْقَانِ مَكِّيَّةٌ (٤٢) رُكُوْعَاتُهَا ٦

بِسْمِ اللّٰهِ الرَّحْمٰنِ الرَّحِيْمِ

تَبٰرَكَ الَّذِىْ نَزَّلَ الْفُرْقَانَ عَلٰى عَبْدِهٖ لِيَكُوْنَ

لِلْعٰلَمِيْنَ نَذِيْرَا ۙ ﴿١﴾ الَّذِىْ لَهٗ مُلْكُ السَّمٰوٰتِ

وَالْاَرْضِ وَلَمْ يَتَّخِذْ وَلَدًا وَّلَمْ يَكُنْ لَّهٗ شَرِيْكٌ

فِى الْمُلْكِ وَخَلَقَ كُلَّ شَىْءٍ فَقَدَّرَهٗ تَقْدِيْرًا ﴿٢﴾

Ikhfa إخفا | Ikhfa Meem Saakin إخفاميم ساكن | Qalqala قلقله | Qalb قلب | Idghaam إدغام | Idghaam Meem Saakin إدغام ميم ساكن | Ghunna غُنّه

وَاتَّخَذُوْا مِنْ دُوْنِهٖٓ اٰلِهَةً لَّا يَخْلُقُوْنَ شَيْـًٔا
وَّهُمْ يُخْلَقُوْنَ وَلَا يَمْلِكُوْنَ لِاَنْفُسِهِمْ ضَرًّا
وَّلَا نَفْعًا وَّلَا يَمْلِكُوْنَ مَوْتًا وَّلَا حَيٰوةً وَّلَا
نُشُوْرًا ﴿٣﴾ وَقَالَ الَّذِيْنَ كَفَرُوْٓا اِنْ هٰذَآ اِلَّآ
اِفْكُ ِۨ افْتَرٰىهُ وَاَعَانَهٗ عَلَيْهِ قَوْمٌ اٰخَرُوْنَ ۚ
فَقَدْ جَآءُوْ ظُلْمًا وَّزُوْرًا ﴿٤﴾ ۚ وَقَالُوْٓا اَسَاطِيْرُ
الْاَوَّلِيْنَ اكْتَتَبَهَا فَهِيَ تُمْلٰى عَلَيْهِ بُكْرَةً
وَّاَصِيْلًا ﴿٥﴾ قُلْ اَنْزَلَهُ الَّذِيْ يَعْلَمُ السِّرَّ
فِي السَّمٰوٰتِ وَالْاَرْضِ ؕ اِنَّهٗ كَانَ غَفُوْرًا
رَّحِيْمًا ﴿٦﴾ وَقَالُوْا مَالِ هٰذَا الرَّسُوْلِ يَاْكُلُ
الطَّعَامَ وَيَمْشِيْ فِي الْاَسْوَاقِ ؕ لَوْلَآ اُنْزِلَ
اِلَيْهِ مَلَكٌ فَيَكُوْنَ مَعَهٗ نَذِيْرًا ﴿٧﴾ ۙ اَوْ يُلْقٰٓى
اِلَيْهِ كَنْزٌ اَوْ تَكُوْنُ لَهٗ جَنَّةٌ يَّاْكُلُ مِنْهَا ؕ

مُعَانَقَة عند المتاخرين ١٢

منزل٤

وَقَالَ الظّٰلِمُوْنَ اِنْ تَتَّبِعُوْنَ اِلَّا رَجُلًا مَّسْحُوْرًا ﴿۸﴾
اُنْظُرْ كَيْفَ ضَرَبُوْا لَكَ الْاَمْثَالَ فَضَلُّوْا
فَلَا يَسْتَطِيْعُوْنَ سَبِيْلًا ﴿۹﴾ ع تَبٰرَكَ الَّذِيْٓ
اِنْ شَآءَ جَعَلَ لَكَ خَيْرًا مِّنْ ذٰلِكَ جَنّٰتٍ
تَجْرِيْ مِنْ تَحْتِهَا الْاَنْهٰرُ ۙ وَيَجْعَلْ لَّكَ
قُصُوْرًا ﴿۱۰﴾ بَلْ كَذَّبُوْا بِالسَّاعَةِ قف وَاَعْتَدْنَا
لِمَنْ كَذَّبَ بِالسَّاعَةِ سَعِيْرًا ﴿۱۱﴾ ج اِذَا رَاَتْهُمْ
مِّنْ مَّكَانٍۢ بَعِيْدٍ سَمِعُوْا لَهَا تَغَيُّظًا وَّ
زَفِيْرًا ﴿۱۲﴾ وَاِذَآ اُلْقُوْا مِنْهَا مَكَانًا ضَيِّقًا مُّقَرَّنِيْنَ
دَعَوْا هُنَالِكَ ثُبُوْرًا ﴿۱۳﴾ ط لَا تَدْعُوا الْيَوْمَ ثُبُوْرًا
وَّاحِدًا وَّادْعُوْا ثُبُوْرًا كَثِيْرًا ﴿۱۴﴾ قُلْ اَذٰلِكَ خَيْرٌ
اَمْ جَنَّةُ الْخُلْدِ الَّتِيْ وُعِدَ الْمُتَّقُوْنَ ۭ كَانَتْ
لَهُمْ جَزَآءً وَّمَصِيْرًا ﴿۱۵﴾ لَهُمْ فِيْهَا مَا يَشَآءُوْنَ

ع ۱/۹ ۱۲

منزل ٤

Ikhfa اخفا | Ikhfa Meem Saakin اخفامیم ساکن | Qalqala قلقلہ | Qalb قلب | Idghaam ادغام | Idghaam Meem Saakin ادغام میم ساکن | Ghunna غنّہ

خٰلِدِيْنَ ؕ كَانَ عَلٰى رَبِّكَ وَعْدًا مَّسْئُوْلًا ﴿١٦﴾ وَ
يَوْمَ يَحْشُرُهُمْ وَمَا يَعْبُدُوْنَ مِنْ دُوْنِ اللّٰهِ
فَيَقُوْلُ ءَاَنْتُمْ اَضْلَلْتُمْ عِبَادِىْ هٰۤؤُلَآءِ اَمْ
هُمْ ضَلُّوا السَّبِيْلَ ﴿١٧﴾ؕ قَالُوْا سُبْحٰنَكَ مَا كَانَ
يَنْۢبَغِىْ لَنَاۤ اَنْ نَّتَّخِذَ مِنْ دُوْنِكَ مِنْ
اَوْلِيَآءَ وَلٰكِنْ مَّتَّعْتَهُمْ وَاٰبَآءَهُمْ حَتّٰى نَسُوا
الذِّكْرَ ۚ وَكَانُوْا قَوْمًۢا بُوْرًا ﴿١٨﴾ فَقَدْ كَذَّبُوْكُمْ
بِمَا تَقُوْلُوْنَ ۙ فَمَا تَسْتَطِيْعُوْنَ صَرْفًا وَّلَا نَصْرًا ۚ
وَمَنْ يَّظْلِمْ مِّنْكُمْ نُذِقْهُ عَذَابًا كَبِيْرًا ﴿١٩﴾
وَمَاۤ اَرْسَلْنَا قَبْلَكَ مِنَ الْمُرْسَلِيْنَ اِلَّاۤ
اِنَّهُمْ لَيَاْكُلُوْنَ الطَّعَامَ وَيَمْشُوْنَ فِى
الْاَسْوَاقِ ؕ وَجَعَلْنَا بَعْضَكُمْ لِبَعْضٍ فِتْنَةً ؕ
اَتَصْبِرُوْنَ ۚ وَكَانَ رَبُّكَ بَصِيْرًا ﴿٢٠﴾ ع

منزل ٤

ع ٢ ١١ ١٧

وَقَالَ الَّذِيْنَ لَا يَرْجُوْنَ لِقَآءَنَا لَوْلَآ اُنْزِلَ عَلَيْنَا
الْمَلٰٓئِكَةُ اَوْ نَرٰى رَبَّنَا ؕ لَقَدِ اسْتَكْبَرُوْا فِيْٓ اَنْفُسِهِمْ
وَعَتَوْ عُتُوًّا كَبِيْرًا ﴿٢١﴾ يَوْمَ يَرَوْنَ الْمَلٰٓئِكَةَ لَا بُشْرٰى
يَوْمَئِذٍ لِّلْمُجْرِمِيْنَ وَيَقُوْلُوْنَ حِجْرًا مَّحْجُوْرًا ﴿٢٢﴾ وَقَدِمْنَآ
اِلٰى مَا عَمِلُوْا مِنْ عَمَلٍ فَجَعَلْنٰهُ هَبَآءً مَّنْثُوْرًا ﴿٢٣﴾ اَصْحٰبُ
الْجَنَّةِ يَوْمَئِذٍ خَيْرٌ مُّسْتَقَرًّا وَّاَحْسَنُ مَقِيْلًا ﴿٢٤﴾ وَيَوْمَ
تَشَقَّقُ السَّمَآءُ بِالْغَمَامِ وَنُزِّلَ الْمَلٰٓئِكَةُ تَنْزِيْلًا ﴿٢٥﴾
اَلْمُلْكُ يَوْمَئِذِ ۨالْحَقُّ لِلرَّحْمٰنِ ؕ وَكَانَ يَوْمًا عَلَى
الْكٰفِرِيْنَ عَسِيْرًا ﴿٢٦﴾ وَيَوْمَ يَعَضُّ الظَّالِمُ عَلٰى يَدَيْهِ
يَقُوْلُ يٰلَيْتَنِى اتَّخَذْتُ مَعَ الرَّسُوْلِ سَبِيْلًا ﴿٢٧﴾ يٰوَيْلَتٰى
لَيْتَنِىْ لَمْ اَتَّخِذْ فُلَانًا خَلِيْلًا ﴿٢٨﴾ لَقَدْ اَضَلَّنِىْ عَنِ
الذِّكْرِ بَعْدَ اِذْ جَآءَنِىْ ؕ وَكَانَ الشَّيْطٰنُ لِلْاِنْسَانِ
خَذُوْلًا ﴿٢٩﴾ وَقَالَ الرَّسُوْلُ يٰرَبِّ اِنَّ قَوْمِى اتَّخَذُوْا

هٰذَا الْقُرْاٰنَ مَهْجُوْرًا ﴿٣٠﴾ وَكَذٰلِكَ جَعَلْنَا لِكُلِّ نَبِيٍّ
عَدُوًّا مِّنَ الْمُجْرِمِيْنَ ؕ وَكَفٰى بِرَبِّكَ هَادِيًا وَّنَصِيْرًا ﴿٣١﴾
وَقَالَ الَّذِيْنَ كَفَرُوْا لَوْلَا نُزِّلَ عَلَيْهِ الْقُرْاٰنُ جُمْلَةً
وَّاحِدَةً ۛۚ كَذٰلِكَ ۛۚ لِنُثَبِّتَ بِهٖ فُؤَادَكَ وَرَتَّلْنٰهُ
تَرْتِيْلًا ﴿٣٢﴾ وَلَا يَاْتُوْنَكَ بِمَثَلٍ اِلَّا جِئْنٰكَ بِالْحَقِّ وَاَحْسَنَ
تَفْسِيْرًا ؕ ﴿٣٣﴾ اَلَّذِيْنَ يُحْشَرُوْنَ عَلٰى وُجُوْهِهِمْ اِلٰى
جَهَنَّمَ ۙ اُولٰٓئِكَ شَرٌّ مَّكَانًا وَّاَضَلُّ سَبِيْلًا ﴿٣٤﴾ ع وَلَقَدْ
اٰتَيْنَا مُوْسَى الْكِتٰبَ وَجَعَلْنَا مَعَهٗٓ اَخَاهُ هٰرُوْنَ
وَزِيْرًا ﴿٣٥﴾ صلے فَقُلْنَا اذْهَبَآ اِلَى الْقَوْمِ الَّذِيْنَ كَذَّبُوْا
بِاٰيٰتِنَا ؕ فَدَمَّرْنٰهُمْ تَدْمِيْرًا ؕ ﴿٣٦﴾ وَقَوْمَ نُوْحٍ لَّمَّا كَذَّبُوا
الرُّسُلَ اَغْرَقْنٰهُمْ وَجَعَلْنٰهُمْ لِلنَّاسِ اٰيَةً ؕ وَاَعْتَدْنَا
لِلظّٰلِمِيْنَ عَذَابًا اَلِيْمًا ﴿٣٧﴾ صلے وَّعَادًا وَّثَمُوْدَا۟ وَاَصْحٰبَ
الرَّسِّ وَقُرُوْنًا بَيْنَ ذٰلِكَ كَثِيْرًا ﴿٣٨﴾ وَكُلًّا ضَرَبْنَا لَهُ

مع ٧ عند المتقدمين ١٢

ع ٣ ٤

منزل ٤

Ikhfa إخفا · Ikhfa Meem Saakin إخفاميم ساكن · Qalqala قلقلہ · Qalb قلب · Idghaam إدغام · Idghaam Meem Saakin إدغام ميم ساكن · Ghunna غنّہ

اَلْاَمْثَالَ وَكُلًّا تَبَّرْنَا تَتْبِيْرًا ﴿٣٩﴾ وَلَقَدْ اَتَوْا عَلَى الْقَرْيَةِ
الَّتِيْٓ اُمْطِرَتْ مَطَرَ السَّوْءِ ۭ اَفَلَمْ يَكُوْنُوْا يَرَوْنَهَا ۚ بَلْ
كَانُوْا لَا يَرْجُوْنَ نُشُوْرًا ﴿٤٠﴾ وَاِذَا رَاَوْكَ اِنْ يَّتَّخِذُوْنَكَ
اِلَّا هُزُوًا ۭ اَهٰذَا الَّذِيْ بَعَثَ اللّٰهُ رَسُوْلًا ﴿٤١﴾ اِنْ كَادَ
لَيُضِلُّنَا عَنْ اٰلِهَتِنَا لَوْلَآ اَنْ صَبَرْنَا عَلَيْهَا ۭ وَسَوْفَ
يَعْلَمُوْنَ حِيْنَ يَرَوْنَ الْعَذَابَ مَنْ اَضَلُّ سَبِيْلًا ﴿٤٢﴾
اَرَءَيْتَ مَنِ اتَّخَذَ اِلٰهَهٗ هَوٰىهُ ۭ اَفَاَنْتَ تَكُوْنُ عَلَيْهِ وَكِيْلًا منزل ٤
وَكِيْلًا ﴿٤٣﴾ ۙ اَمْ تَحْسَبُ اَنَّ اَكْثَرَهُمْ يَسْمَعُوْنَ اَوْ يَعْقِلُوْنَ ۭ
اِنْ هُمْ اِلَّا كَالْاَنْعَامِ بَلْ هُمْ اَضَلُّ سَبِيْلًا ﴿٤٤﴾ ع اَلَمْ تَرَ ع ٤/١٠
اِلٰى رَبِّكَ كَيْفَ مَدَّ الظِّلَّ ۚ وَلَوْ شَاۗءَ لَجَعَلَهٗ سَاكِنًا ۚ
ثُمَّ جَعَلْنَا الشَّمْسَ عَلَيْهِ دَلِيْلًا ﴿٤٥﴾ ۙ ثُمَّ قَبَضْنٰهُ اِلَيْنَا
قَبْضًا يَّسِيْرًا ﴿٤٦﴾ وَهُوَ الَّذِيْ جَعَلَ لَكُمُ الَّيْلَ لِبَاسًا
وَّالنَّوْمَ سُبَاتًا وَّجَعَلَ النَّهَارَ نُشُوْرًا ﴿٤٧﴾ وَهُوَ الَّذِيْٓ

اَرْسَلَ الرِّيٰحَ بُشْرًاۢ بَيْنَ يَدَيْ رَحْمَتِهٖ ۚ وَاَنْزَلْنَا مِنَ

السَّمَآءِ مَآءً طَهُوْرًا ﴿٤٨﴾ لِّنُحْیِ َ بِهٖ بَلْدَةً مَّيْتًا وَّنُسْقِيَهٗ

مِمَّا خَلَقْنَآ اَنْعَامًا وَّاَنَاسِيَّ كَثِيْرًا ﴿٤٩﴾ وَلَقَدْ صَرَّفْنٰهُ

بَيْنَهُمْ لِيَذَّكَّرُوْا ۖ فَاَبٰۤى اَكْثَرُ النَّاسِ اِلَّا كُفُوْرًا ﴿٥٠﴾ وَلَوْ

شِئْنَا لَبَعَثْنَا فِيْ كُلِّ قَرْيَةٍ نَّذِيْرًا ﴿٥١﴾ فَلَا تُطِعِ الْكٰفِرِيْنَ

وَجَاهِدْهُمْ بِهٖ جِهَادًا كَبِيْرًا ﴿٥٢﴾ وَهُوَ الَّذِيْ مَرَجَ الْبَحْرَيْنِ

هٰذَا عَذْبٌ فُرَاتٌ وَّهٰذَا مِلْحٌ اُجَاجٌ ۚ وَجَعَلَ بَيْنَهُمَا

بَرْزَخًا وَّحِجْرًا مَّحْجُوْرًا ﴿٥٣﴾ وَهُوَ الَّذِيْ خَلَقَ مِنَ الْمَآءِ

بَشَرًا فَجَعَلَهٗ نَسَبًا وَّصِهْرًا ۗ وَكَانَ رَبُّكَ قَدِيْرًا ﴿٥٤﴾ وَ

يَعْبُدُوْنَ مِنْ دُوْنِ اللّٰهِ مَا لَا يَنْفَعُهُمْ وَلَا يَضُرُّهُمْ ۗ وَكَانَ

الْكَافِرُ عَلٰى رَبِّهٖ ظَهِيْرًا ﴿٥٥﴾ وَمَآ اَرْسَلْنٰكَ اِلَّا مُبَشِّرًا وَّ

نَذِيْرًا ﴿٥٦﴾ قُلْ مَآ اَسْئَلُكُمْ عَلَيْهِ مِنْ اَجْرٍ اِلَّا مَنْ شَآءَ

اَنْ يَّتَّخِذَ اِلٰى رَبِّهٖ سَبِيْلًا ﴿٥٧﴾ وَتَوَكَّلْ عَلَى الْحَيِّ الَّذِيْ

منزل ٤

مع ٨ عند المتقدمين ١٢

لَا يَمُوْتُ وَسَبِّحْ بِحَمْدِهٖ ۭ وَكَفٰى بِهٖ بِذُنُوْبِ عِبَادِهٖ خَبِيْرَاۨ ۚ ۝٥٨
الَّذِيْ خَلَقَ السَّمٰوٰتِ وَالْاَرْضَ وَمَا بَيْنَهُمَا فِيْ سِتَّةِ
اَيَّامٍ ثُمَّ اسْتَوٰى عَلَي الْعَرْشِ ۚ اَلرَّحْمٰنُ فَسْـَٔلْ بِهٖ
خَبِيْرًا ۝٥٩ وَاِذَا قِيْلَ لَهُمُ اسْجُدُوْا لِلرَّحْمٰنِ قَالُوْا وَمَا
الرَّحْمٰنُ ۤ اَنَسْجُدُ لِمَا تَاْمُرُنَا وَزَادَهُمْ نُفُوْرًا ۝٦٠ السَّجْدَة ع تَبٰرَكَ
الَّذِيْ جَعَلَ فِي السَّمَاۗءِ بُرُوْجًا وَّجَعَلَ فِيْهَا سِرٰجًا وَّ
قَمَرًا مُّنِيْرًا ۝٦١ وَهُوَ الَّذِيْ جَعَلَ الَّيْلَ وَالنَّهَارَ خِلْفَةً
لِّمَنْ اَرَادَ اَنْ يَّذَّكَّرَ اَوْ اَرَادَ شُكُوْرًا ۝٦٢ وَعِبَادُ الرَّحْمٰنِ
الَّذِيْنَ يَمْشُوْنَ عَلَي الْاَرْضِ هَوْنًا وَّاِذَا خَاطَبَهُمُ
الْجٰهِلُوْنَ قَالُوْا سَلٰمًا ۝٦٣ وَالَّذِيْنَ يَبِيْتُوْنَ لِرَبِّهِمْ
سُجَّدًا وَّقِيَامًا ۝٦٤ وَالَّذِيْنَ يَقُوْلُوْنَ رَبَّنَا اصْرِفْ عَنَّا
عَذَابَ جَهَنَّمَ ڰ اِنَّ عَذَابَهَا كَانَ غَرَامًا ۝٦٥ ڰ اِنَّهَا سَاۗءَتْ
مُسْتَقَرًّا وَّمُقَامًا ۝٦٦ وَالَّذِيْنَ اِذَآ اَنْفَقُوْا لَمْ يُسْرِفُوْا

السجدة ٤ (٧)

منزل ٤

وَلَمْ يَقْتُرُوْا وَكَانَ بَيْنَ ذٰلِكَ قَوَامًا ﴿٦٧﴾ وَالَّذِيْنَ لَا

يَدْعُوْنَ مَعَ اللّٰهِ اِلٰهًا اٰخَرَ وَلَا يَقْتُلُوْنَ النَّفْسَ الَّتِيْ

حَرَّمَ اللّٰهُ اِلَّا بِالْحَقِّ وَلَا يَزْنُوْنَ ۚ وَمَنْ يَّفْعَلْ ذٰلِكَ يَلْقَ

اَثَامًا ﴿٦٨﴾ يُّضٰعَفْ لَهُ الْعَذَابُ يَوْمَ الْقِيٰمَةِ وَيَخْلُدْ

فِيْهٖ مُهَانًا ﴿٦٩﴾ اِلَّا مَنْ تَابَ وَاٰمَنَ وَعَمِلَ عَمَلًا صَالِحًا

فَاُولٰٓئِكَ يُبَدِّلُ اللّٰهُ سَيِّاٰتِهِمْ حَسَنٰتٍ ؕ وَكَانَ اللّٰهُ

غَفُوْرًا رَّحِيْمًا ﴿٧٠﴾ وَمَنْ تَابَ وَعَمِلَ صَالِحًا فَاِنَّهٗ يَتُوْبُ

اِلَى اللّٰهِ مَتَابًا ﴿٧١﴾ وَالَّذِيْنَ لَا يَشْهَدُوْنَ الزُّوْرَ ۙ وَاِذَا مَرُّوْا

بِاللَّغْوِ مَرُّوْا كِرَامًا ﴿٧٢﴾ وَالَّذِيْنَ اِذَا ذُكِّرُوْا بِاٰيٰتِ رَبِّهِمْ

لَمْ يَخِرُّوْا عَلَيْهَا صُمًّا وَّعُمْيَانًا ﴿٧٣﴾ وَالَّذِيْنَ يَقُوْلُوْنَ

رَبَّنَا هَبْ لَنَا مِنْ اَزْوَاجِنَا وَذُرِّيّٰتِنَا قُرَّةَ اَعْيُنٍ وَّ

اجْعَلْنَا لِلْمُتَّقِيْنَ اِمَامًا ﴿٧٤﴾ اُولٰٓئِكَ يُجْزَوْنَ الْغُرْفَةَ

بِمَا صَبَرُوْا وَيُلَقَّوْنَ فِيْهَا تَحِيَّةً وَّسَلٰمًا ۙ ﴿٧٥﴾ خٰلِدِيْنَ

فِيْهَا ؕ حَسُنَتْ مُسْتَقَرًّا وَّمُقَامًا ﴿٧٦﴾ قُلْ مَا يَعْبَؤُا بِكُمْ رَبِّيْ
لَوْلَا دُعَآؤُكُمْ ۚ فَقَدْ كَذَّبْتُمْ فَسَوْفَ يَكُوْنُ لِزَامًا ﴿٧٧﴾ ع

آيَاتُهَا ٢٢٧ (٢٦) سُوْرَةُ الشُّعَرَآءِ مَكِّيَّةٌ (٤٧) رُكُوْعَاتُهَا ١١

بِسْمِ اللّٰهِ الرَّحْمٰنِ الرَّحِيْمِ

طٰسٓمّٓ ﴿١﴾ تِلْكَ اٰيٰتُ الْكِتٰبِ الْمُبِيْنِ ﴿٢﴾ لَعَلَّكَ بَاخِعٌ
نَّفْسَكَ اَلَّا يَكُوْنُوْا مُؤْمِنِيْنَ ﴿٣﴾ اِنْ نَّشَاْ نُنَزِّلْ عَلَيْهِمْ
مِّنَ السَّمَآءِ اٰيَةً فَظَلَّتْ اَعْنَاقُهُمْ لَهَا خٰضِعِيْنَ ﴿٤﴾
وَمَا يَاْتِيْهِمْ مِّنْ ذِكْرٍ مِّنَ الرَّحْمٰنِ مُحْدَثٍ اِلَّا كَانُوْا عَنْهُ
مُعْرِضِيْنَ ﴿٥﴾ فَقَدْ كَذَّبُوْا فَسَيَاْتِيْهِمْ اَنْبٰٓؤُا مَا كَانُوْا بِهٖ
يَسْتَهْزِءُوْنَ ﴿٦﴾ اَوَلَمْ يَرَوْا اِلَى الْاَرْضِ كَمْ اَنْۢبَتْنَا
فِيْهَا مِنْ كُلِّ زَوْجٍ كَرِيْمٍ ﴿٧﴾ اِنَّ فِيْ ذٰلِكَ لَاٰيَةً ؕ وَمَا
كَانَ اَكْثَرُهُمْ مُّؤْمِنِيْنَ ﴿٨﴾ وَاِنَّ رَبَّكَ لَهُوَ الْعَزِيْزُ
الرَّحِيْمُ ﴿٩﴾ ع وَاِذْ نَادٰى رَبُّكَ مُوْسٰٓى اَنِ ائْتِ الْقَوْمَ

الربع ٢٦ ع ٧
آيته الخامس (٥)
منزل ٥
ع ٥

Ikhfa إخفا | Ikhfa Meem Saakin إخفاميم ساكن | Qalqala قلقله | Qalb قلب | Idghaam إدغام | Idghaam Meem Saakin إدغاميم ساكن | Ghunna غُنّه

الظّٰلِمِيْنَ ۝١٠ قَوْمَ فِرْعَوْنَ ؕ اَلَا يَتَّقُوْنَ ۝١١ قَالَ رَبِّ
اِنِّيْٓ اَخَافُ اَنْ يُّكَذِّبُوْنِ ۝١٢ؕ وَيَضِيْقُ صَدْرِيْ وَلَا
يَنْطَلِقُ لِسَانِيْ فَاَرْسِلْ اِلٰى هٰرُوْنَ ۝١٣ وَلَهُمْ عَلَيَّ
ذَنْۢبٌ فَاَخَافُ اَنْ يَّقْتُلُوْنِ ۝١٤ۚ قَالَ كَلَّا ۚ فَاذْهَبَا
بِاٰيٰتِنَآ اِنَّا مَعَكُمْ مُّسْتَمِعُوْنَ ۝١٥ فَاْتِيَا فِرْعَوْنَ فَقُوْلَآ
اِنَّا رَسُوْلُ رَبِّ الْعٰلَمِيْنَ ۝١٦ۙ اَنْ اَرْسِلْ مَعَنَا بَنِيْٓ
اِسْرَآءِيْلَ ۝١٧ؕ قَالَ اَلَمْ نُرَبِّكَ فِيْنَا وَلِيْدًا وَّلَبِثْتَ
فِيْنَا مِنْ عُمُرِكَ سِنِيْنَ ۝١٨ۙ وَفَعَلْتَ فَعْلَتَكَ الَّتِيْ
فَعَلْتَ وَاَنْتَ مِنَ الْكٰفِرِيْنَ ۝١٩ قَالَ فَعَلْتُهَآ اِذًا وَّاَنَا
مِنَ الضَّآلِّيْنَ ۝٢٠ؕ فَفَرَرْتُ مِنْكُمْ لَمَّا خِفْتُكُمْ فَوَهَبَ
لِيْ رَبِّيْ حُكْمًا وَّجَعَلَنِيْ مِنَ الْمُرْسَلِيْنَ ۝٢١ وَتِلْكَ
نِعْمَةٌ تَمُنُّهَا عَلَيَّ اَنْ عَبَّدْتَّ بَنِيْٓ اِسْرَآءِيْلَ ۝٢٢ؕ قَالَ
فِرْعَوْنُ وَمَا رَبُّ الْعٰلَمِيْنَ ۝٢٣ؕ قَالَ رَبُّ السَّمٰوٰتِ

منزل ٥

وَالْاَرْضِ وَمَا بَيْنَهُمَا ؕ اِنْ كُنْتُمْ مُّوْقِنِيْنَ ﴿٢٤﴾ قَالَ لِمَنْ
حَوْلَهٗۤ اَلَا تَسْتَمِعُوْنَ ﴿٢٥﴾ قَالَ رَبُّكُمْ وَرَبُّ اٰبَآئِكُمُ
الْاَوَّلِيْنَ ﴿٢٦﴾ قَالَ اِنَّ رَسُوْلَكُمُ الَّذِيْۤ اُرْسِلَ اِلَيْكُمْ
لَمَجْنُوْنٌ ﴿٢٧﴾ قَالَ رَبُّ الْمَشْرِقِ وَالْمَغْرِبِ وَمَا بَيْنَهُمَا ؕ
اِنْ كُنْتُمْ تَعْقِلُوْنَ ﴿٢٨﴾ قَالَ لَئِنِ اتَّخَذْتَ اِلٰهًا غَيْرِيْ
لَاَجْعَلَنَّكَ مِنَ الْمَسْجُوْنِيْنَ ﴿٢٩﴾ قَالَ اَوَلَوْ جِئْتُكَ بِشَیْءٍ
مُّبِيْنٍ ﴿٣٠﴾ قَالَ فَاْتِ بِهٖۤ اِنْ كُنْتَ مِنَ الصّٰدِقِيْنَ ﴿٣١﴾ منزل ٥
فَاَلْقٰى عَصَاهُ فَاِذَا هِیَ ثُعْبَانٌ مُّبِيْنٌ ۚۖ ﴿٣٢﴾ وَّنَزَعَ يَدَهٗ
ع ٢ فَاِذَا هِیَ بَيْضَآءُ لِلنّٰظِرِيْنَ ﴿٣٣﴾ ع قَالَ لِلْمَلَاِ حَوْلَهٗۤ اِنَّ
هٰذَا لَسٰحِرٌ عَلِيْمٌ ﴿٣٤﴾ يُّرِيْدُ اَنْ يُّخْرِجَكُمْ مِّنْ اَرْضِكُمْ
بِسِحْرِهٖ ۖۗ فَمَاذَا تَاْمُرُوْنَ ﴿٣٥﴾ قَالُوْۤا اَرْجِهْ وَاَخَاهُ وَابْعَثْ
فِی الْمَدَآئِنِ حٰشِرِيْنَ ﴿٣٦﴾ يَاْتُوْكَ بِكُلِّ سَحَّارٍ عَلِيْمٍ ﴿٣٧﴾
فَجُمِعَ السَّحَرَةُ لِمِيْقَاتِ يَوْمٍ مَّعْلُوْمٍ ﴿٣٨﴾ وَّقِيْلَ

لِلنَّاسِ هَلْ اَنْتُمْ مُّجْتَمِعُوْنَ ﴿٣٩﴾ لَعَلَّنَا نَتَّبِعُ السَّحَرَةَ
اِنْ كَانُوْا هُمُ الْغٰلِبِيْنَ ﴿٤٠﴾ فَلَمَّا جَآءَ السَّحَرَةُ قَالُوْا
لِفِرْعَوْنَ اَئِنَّ لَنَا لَاَجْرًا اِنْ كُنَّا نَحْنُ الْغٰلِبِيْنَ ﴿٤١﴾
قَالَ نَعَمْ وَاِنَّكُمْ اِذًا لَّمِنَ الْمُقَرَّبِيْنَ ﴿٤٢﴾ قَالَ لَهُمْ مُّوْسٰۤى
اَلْقُوْا مَاۤ اَنْتُمْ مُّلْقُوْنَ ﴿٤٣﴾ فَاَلْقَوْا حِبَالَهُمْ وَعِصِيَّهُمْ
وَقَالُوْا بِعِزَّةِ فِرْعَوْنَ اِنَّا لَنَحْنُ الْغٰلِبُوْنَ ﴿٤٤﴾ فَاَلْقٰى
مُوْسٰى عَصَاهُ فَاِذَا هِىَ تَلْقَفُ مَا يَاْفِكُوْنَ ﴿٤٥﴾ فَاُلْقِىَ
السَّحَرَةُ سٰجِدِيْنَ ﴿٤٦﴾ قَالُوْۤا اٰمَنَّا بِرَبِّ الْعٰلَمِيْنَ ﴿٤٧﴾
رَبِّ مُوْسٰى وَهٰرُوْنَ ﴿٤٨﴾ قَالَ اٰمَنْتُمْ لَهٗ قَبْلَ اَنْ
اٰذَنَ لَكُمْ اِنَّهٗ لَكَبِيْرُكُمُ الَّذِىْ عَلَّمَكُمُ السِّحْرَ
فَلَسَوْفَ تَعْلَمُوْنَ ۬ لَاُقَطِّعَنَّ اَيْدِيَكُمْ وَاَرْجُلَكُمْ مِّنْ
خِلَافٍ وَّلَاُوصَلِّبَنَّكُمْ اَجْمَعِيْنَ ﴿٤٩﴾ قَالُوْا لَا ضَيْرَ
اِنَّاۤ اِلٰى رَبِّنَا مُنْقَلِبُوْنَ ﴿٥٠﴾ اِنَّا نَطْمَعُ اَنْ يَّغْفِرَ لَنَا

منزل ٥

رَبُّنَا خَطٰيٰنَآ اَنْ كُنَّآ اَوَّلَ الْمُؤْمِنِيْنَ ﴿٥١﴾ وَاَوْحَيْنَآ
اِلٰى مُوْسٰٓى اَنْ اَسْرِ بِعِبَادِيْٓ اِنَّكُمْ مُّتَّبَعُوْنَ ﴿٥٢﴾
فَاَرْسَلَ فِرْعَوْنُ فِى الْمَدَآئِنِ حٰشِرِيْنَ ﴿٥٣﴾ اِنَّ هٰٓؤُلَآءِ
لَشِرْذِمَةٌ قَلِيْلُوْنَ ﴿٥٤﴾ وَاِنَّهُمْ لَنَا لَغَآئِظُوْنَ ﴿٥٥﴾ وَ
اِنَّا لَجَمِيْعٌ حٰذِرُوْنَ ﴿٥٦﴾ فَاَخْرَجْنٰهُمْ مِّنْ جَنّٰتٍ وَّ
عُيُوْنٍ ﴿٥٧﴾ وَّكُنُوْزٍ وَّمَقَامٍ كَرِيْمٍ ﴿٥٨﴾ كَذٰلِكَ ؕ وَ
اَوْرَثْنٰهَا بَنِيْٓ اِسْرَآءِيْلَ ﴿٥٩﴾ فَاَتْبَعُوْهُمْ مُّشْرِقِيْنَ ﴿٦٠﴾
فَلَمَّا تَرَآءَ الْجَمْعٰنِ قَالَ اَصْحٰبُ مُوْسٰٓى اِنَّا لَمُدْرَكُوْنَ ﴿٦١﴾
قَالَ كَلَّا ۚ اِنَّ مَعِىَ رَبِّىْ سَيَهْدِيْنِ ﴿٦٢﴾ فَاَوْحَيْنَآ اِلٰى
مُوْسٰٓى اَنِ اضْرِبْ بِّعَصَاكَ الْبَحْرَ ؕ فَانْفَلَقَ فَكَانَ كُلُّ
فِرْقٍ كَالطَّوْدِ الْعَظِيْمِ ﴿٦٣﴾ وَاَزْلَفْنَا ثَمَّ الْاٰخَرِيْنَ ﴿٦٤﴾ وَ
اَنْجَيْنَا مُوْسٰى وَمَنْ مَّعَهٗٓ اَجْمَعِيْنَ ﴿٦٥﴾ ثُمَّ اَغْرَقْنَا
الْاٰخَرِيْنَ ﴿٦٦﴾ اِنَّ فِىْ ذٰلِكَ لَاٰيَةً ؕ وَمَا كَانَ اَكْثَرُهُمْ

منزل ٥

Ikhfa اِخفا | Ikhfa Meem Saakin اِخفامیم ساکن | Qalqala قلقلہ | Qalb قلب | Idghaam اِدغام | Idghaam Meem Saakin اِدغام میم ساکن | Ghunna غُنّہ

ع ١٧ / ٨ وقف لازم

مُّؤْمِنِيْنَ ﴿٦٧﴾ وَاِنَّ رَبَّكَ لَهُوَ الْعَزِيْزُ الرَّحِيْمُ ﴿٦٨﴾ وَاتْلُ
عَلَيْهِمْ نَبَاَ اِبْرٰهِيْمَ ﴿٦٩﴾ اِذْ قَالَ لِاَبِيْهِ وَقَوْمِهٖ مَا تَعْبُدُوْنَ ﴿٧٠﴾
قَالُوْا نَعْبُدُ اَصْنَامًا فَنَظَلُّ لَهَا عٰكِفِيْنَ ﴿٧١﴾ قَالَ هَلْ
يَسْمَعُوْنَكُمْ اِذْ تَدْعُوْنَ ﴿٧٢﴾ اَوْ يَنْفَعُوْنَكُمْ اَوْ يَضُرُّوْنَ ﴿٧٣﴾
قَالُوْا بَلْ وَجَدْنَآ اٰبَآءَنَا كَذٰلِكَ يَفْعَلُوْنَ ﴿٧٤﴾ قَالَ
اَفَرَءَيْتُمْ مَّا كُنْتُمْ تَعْبُدُوْنَ ﴿٧٥﴾ اَنْتُمْ وَاٰبَآؤُكُمُ
الْاَقْدَمُوْنَ ﴿٧٦﴾ فَاِنَّهُمْ عَدُوٌّ لِّيْٓ اِلَّا رَبَّ الْعٰلَمِيْنَ ﴿٧٧﴾
الَّذِيْ خَلَقَنِيْ فَهُوَ يَهْدِيْنِ ﴿٧٨﴾ وَالَّذِيْ هُوَ يُطْعِمُنِيْ وَ
يَسْقِيْنِ ﴿٧٩﴾ وَاِذَا مَرِضْتُ فَهُوَ يَشْفِيْنِ ﴿٨٠﴾ وَالَّذِيْ
يُمِيْتُنِيْ ثُمَّ يُحْيِيْنِ ﴿٨١﴾ وَالَّذِيْٓ اَطْمَعُ اَنْ يَّغْفِرَ لِيْ
خَطِيْٓئَتِيْ يَوْمَ الدِّيْنِ ﴿٨٢﴾ رَبِّ هَبْ لِيْ حُكْمًا وَّاَلْحِقْنِيْ
بِالصّٰلِحِيْنَ ﴿٨٣﴾ وَاجْعَلْ لِّيْ لِسَانَ صِدْقٍ فِي
الْاٰخِرِيْنَ ﴿٨٤﴾ وَاجْعَلْنِيْ مِنْ وَّرَثَةِ جَنَّةِ النَّعِيْمِ ﴿٨٥﴾

منزل ٥

وَاغْفِرْ لِاَبِيْٓ اِنَّهٗ كَانَ مِنَ الضَّآلِّيْنَ ﴿٨٦﴾ وَلَا تُخْزِنِيْ يَوْمَ
يُبْعَثُوْنَ ﴿٨٧﴾ يَوْمَ لَا يَنْفَعُ مَالٌ وَّلَا بَنُوْنَ ﴿٨٨﴾ اِلَّا
مَنْ اَتَى اللّٰهَ بِقَلْبٍ سَلِيْمٍ ﴿٨٩﴾ وَ اُزْلِفَتِ الْجَنَّةُ
لِلْمُتَّقِيْنَ ﴿٩٠﴾ وَ بُرِّزَتِ الْجَحِيْمُ لِلْغٰوِيْنَ ﴿٩١﴾ وَقِيْلَ لَهُمْ
اَيْنَمَا كُنْتُمْ تَعْبُدُوْنَ ﴿٩٢﴾ مِنْ دُوْنِ اللّٰهِ هَلْ يَنْصُرُوْنَكُمْ
اَوْ يَنْتَصِرُوْنَ ﴿٩٣﴾ فَكُبْكِبُوْا فِيْهَا هُمْ وَالْغَاوٗنَ ﴿٩٤﴾ وَجُنُوْدُ
اِبْلِيْسَ اَجْمَعُوْنَ ﴿٩٥﴾ قَالُوْا وَهُمْ فِيْهَا يَخْتَصِمُوْنَ ﴿٩٦﴾
تَاللّٰهِ اِنْ كُنَّا لَفِيْ ضَلٰلٍ مُّبِيْنٍ ﴿٩٧﴾ اِذْ نُسَوِّيْكُمْ بِرَبِّ
الْعٰلَمِيْنَ ﴿٩٨﴾ وَمَآ اَضَلَّنَآ اِلَّا الْمُجْرِمُوْنَ ﴿٩٩﴾ فَمَا لَنَا
مِنْ شَافِعِيْنَ ﴿١٠٠﴾ وَلَا صَدِيْقٍ حَمِيْمٍ ﴿١٠١﴾ فَلَوْ اَنَّ لَنَا
كَرَّةً فَنَكُوْنَ مِنَ الْمُؤْمِنِيْنَ ﴿١٠٢﴾ اِنَّ فِيْ ذٰلِكَ لَاٰيَةً
وَمَا كَانَ اَكْثَرُهُمْ مُّؤْمِنِيْنَ ﴿١٠٣﴾ وَاِنَّ رَبَّكَ لَهُوَ الْعَزِيْزُ
الرَّحِيْمُ ﴿١٠٤﴾ كَذَّبَتْ قَوْمُ نُوْحِ ِۨ الْمُرْسَلِيْنَ ﴿١٠٥﴾ اِذْ قَالَ

منزل ٥

ع ٣٦ ٥ ٩

لَهُمْ اَخُوْهُمْ نُوْحٌ اَلَا تَتَّقُوْنَ ﴿١٠٦﴾ اِنِّىْ لَكُمْ رَسُوْلٌ

اَمِيْنٌ ﴿١٠٧﴾ فَاتَّقُوا اللّٰهَ وَاَطِيْعُوْنِ ﴿١٠٨﴾ وَمَآ اَسْـَٔلُكُمْ عَلَيْهِ

مِنْ اَجْرٍ اِنْ اَجْرِىَ اِلَّا عَلٰى رَبِّ الْعٰلَمِيْنَ ﴿١٠٩﴾ فَاتَّقُوا

اللّٰهَ وَاَطِيْعُوْنِ ﴿١١٠﴾ قَالُوْٓا اَنُؤْمِنُ لَكَ وَاتَّبَعَكَ

الْاَرْذَلُوْنَ ﴿١١١﴾ قَالَ وَمَا عِلْمِىْ بِمَا كَانُوْا يَعْمَلُوْنَ ﴿١١٢﴾

اِنْ حِسَابُهُمْ اِلَّا عَلٰى رَبِّىْ لَوْ تَشْعُرُوْنَ ﴿١١٣﴾ وَمَآ اَنَا

بِطَارِدِ الْمُؤْمِنِيْنَ ﴿١١٤﴾ اِنْ اَنَا اِلَّا نَذِيْرٌ مُّبِيْنٌ ﴿١١٥﴾ قَالُوْا

لَئِنْ لَّمْ تَنْتَهِ يٰنُوْحُ لَتَكُوْنَنَّ مِنَ الْمَرْجُوْمِيْنَ ﴿١١٦﴾

قَالَ رَبِّ اِنَّ قَوْمِىْ كَذَّبُوْنِ ﴿١١٧﴾ فَافْتَحْ بَيْنِىْ وَبَيْنَهُمْ

فَتْحًا وَّنَجِّنِىْ وَمَنْ مَّعِىَ مِنَ الْمُؤْمِنِيْنَ ﴿١١٨﴾ فَاَنْجَيْنٰهُ

وَمَنْ مَّعَهٗ فِى الْفُلْكِ الْمَشْحُوْنِ ﴿١١٩﴾ ثُمَّ اَغْرَقْنَا بَعْدُ

الْبٰقِيْنَ ﴿١٢٠﴾ اِنَّ فِىْ ذٰلِكَ لَاٰيَةً وَمَا كَانَ اَكْثَرُهُمْ

مُّؤْمِنِيْنَ ﴿١٢١﴾ وَاِنَّ رَبَّكَ لَهُوَ الْعَزِيْزُ الرَّحِيْمُ ﴿١٢٢﴾ كَذَّبَتْ

النصف

منزل ٥

ع ١٨ ١٠

عَادُ ۨالْمُرْسَلِیْنَ ۝١٢٣ۚۖ اِذْ قَالَ لَهُمْ اَخُوْهُمْ هُوْدٌ اَلَا
تَتَّقُوْنَ ۝١٢٤ۚ اِنِّیْ لَكُمْ رَسُوْلٌ اَمِیْنٌ ۝١٢٥ۙ فَاتَّقُوا اللّٰهَ وَ
اَطِیْعُوْنِ ۝١٢٦ۚ وَمَاۤ اَسْـَٔلُكُمْ عَلَیْهِ مِنْ اَجْرٍ ۚ اِنْ اَجْرِیَ
اِلَّا عَلٰی رَبِّ الْعٰلَمِیْنَ ۝١٢٧ؕ اَتَبْنُوْنَ بِكُلِّ رِیْعٍ اٰیَةً
تَعْبَثُوْنَ ۝١٢٨ۙ وَتَتَّخِذُوْنَ مَصَانِعَ لَعَلَّكُمْ تَخْلُدُوْنَ ۝١٢٩ۚ
وَاِذَا بَطَشْتُمْ بَطَشْتُمْ جَبَّارِیْنَ ۝١٣٠ۚ فَاتَّقُوا اللّٰهَ وَ
اَطِیْعُوْنِ ۝١٣١ۚ وَاتَّقُوا الَّذِیْۤ اَمَدَّكُمْ بِمَا تَعْلَمُوْنَ ۝١٣٢ۚ
اَمَدَّكُمْ بِاَنْعَامٍ وَّبَنِیْنَ ۝١٣٣ۚۙ وَجَنّٰتٍ وَّعُیُوْنٍ ۝١٣٤ۚ اِنِّیْۤ
اَخَافُ عَلَیْكُمْ عَذَابَ یَوْمٍ عَظِیْمٍ ۝١٣٥ؕ قَالُوْا سَوَآءٌ
عَلَیْنَاۤ اَوَعَظْتَ اَمْ لَمْ تَكُنْ مِّنَ الْوٰعِظِیْنَ ۝١٣٦ۙ اِنْ هٰذَاۤ
اِلَّا خُلُقُ الْاَوَّلِیْنَ ۝١٣٧ۙ وَمَا نَحْنُ بِمُعَذَّبِیْنَ ۝١٣٨ۚ فَكَذَّبُوْهُ
فَاَهْلَكْنٰهُمْ ؕ اِنَّ فِیْ ذٰلِكَ لَاٰیَةً ؕ وَمَا كَانَ اَكْثَرُهُمْ
ع ١٨ ١١ مُّؤْمِنِیْنَ ۝١٣٩ وَاِنَّ رَبَّكَ لَهُوَ الْعَزِیْزُ الرَّحِیْمُ ۝١٤٠ع كَذَّبَتْ

منزل ٥

ثَمُوْدُ الْمُرْسَلِيْنَ ﴿١٤١﴾ اِذْ قَالَ لَهُمْ اَخُوْهُمْ صٰلِحٌ اَلَا

تَتَّقُوْنَ ﴿١٤٢﴾ اِنِّيْ لَكُمْ رَسُوْلٌ اَمِيْنٌ ﴿١٤٣﴾ فَاتَّقُوا اللّٰهَ وَ

اَطِيْعُوْنِ ﴿١٤٤﴾ وَمَآ اَسْئَلُكُمْ عَلَيْهِ مِنْ اَجْرٍ اِنْ

اَجْرِيَ اِلَّا عَلٰى رَبِّ الْعٰلَمِيْنَ ﴿١٤٥﴾ اَتُتْرَكُوْنَ فِيْ مَا

هٰهُنَآ اٰمِنِيْنَ ﴿١٤٦﴾ فِيْ جَنّٰتٍ وَّعُيُوْنٍ ﴿١٤٧﴾ وَّزُرُوْعٍ وَّ

نَخْلٍ طَلْعُهَا هَضِيْمٌ ﴿١٤٨﴾ وَتَنْحِتُوْنَ مِنَ الْجِبَالِ بُيُوْتًا

فٰرِهِيْنَ ﴿١٤٩﴾ فَاتَّقُوا اللّٰهَ وَاَطِيْعُوْنِ ﴿١٥٠﴾ وَلَا تُطِيْعُوْٓا اَمْرَ

الْمُسْرِفِيْنَ ﴿١٥١﴾ الَّذِيْنَ يُفْسِدُوْنَ فِي الْاَرْضِ وَلَا

يُصْلِحُوْنَ ﴿١٥٢﴾ قَالُوْٓا اِنَّمَآ اَنْتَ مِنَ الْمُسَحَّرِيْنَ ﴿١٥٣﴾ مَآ اَنْتَ

اِلَّا بَشَرٌ مِّثْلُنَا ۚ فَاْتِ بِاٰيَةٍ اِنْ كُنْتَ مِنَ الصّٰدِقِيْنَ ﴿١٥٤﴾

قَالَ هٰذِهٖ نَاقَةٌ لَّهَا شِرْبٌ وَّلَكُمْ شِرْبُ يَوْمٍ مَّعْلُوْمٍ ﴿١٥٥﴾

وَلَا تَمَسُّوْهَا بِسُوْٓءٍ فَيَاْخُذَكُمْ عَذَابُ يَوْمٍ عَظِيْمٍ ﴿١٥٦﴾

فَعَقَرُوْهَا فَاَصْبَحُوْا نٰدِمِيْنَ ﴿١٥٧﴾ فَاَخَذَهُمُ الْعَذَابُ ؕ

منزل ٥

اِنَّ فِیْ ذٰلِكَ لَاٰیَةً ؕ وَمَا كَانَ اَكْثَرُهُمْ مُّؤْمِنِیْنَ ﴿۱۵۸﴾ وَ
اِنَّ رَبَّكَ لَهُوَ الْعَزِیْزُ الرَّحِیْمُ ﴿۱۵۹﴾ ع كَذَّبَتْ قَوْمُ لُوْطِ ۣ
الْمُرْسَلِیْنَ ﴿۱۶۰﴾ ۚۖ اِذْ قَالَ لَهُمْ اَخُوْهُمْ لُوْطٌ اَلَا تَتَّقُوْنَ ﴿۱۶۱﴾ ۚ
اِنِّیْ لَكُمْ رَسُوْلٌ اَمِیْنٌ ﴿۱۶۲﴾ ۙ فَاتَّقُوا اللّٰهَ وَاَطِیْعُوْنِ ﴿۱۶۳﴾ ۚ
وَمَاۤ اَسْــَٔلُكُمْ عَلَیْهِ مِنْ اَجْرٍ ۚ اِنْ اَجْرِیَ اِلَّا عَلٰی رَبِّ
الْعٰلَمِیْنَ ﴿۱۶۴﴾ ؕ اَتَاْتُوْنَ الذُّكْرَانَ مِنَ الْعٰلَمِیْنَ ﴿۱۶۵﴾ ۙ وَ
تَذَرُوْنَ مَا خَلَقَ لَكُمْ رَبُّكُمْ مِّنْ اَزْوَاجِكُمْ ؕ بَلْ اَنْتُمْ
قَوْمٌ عٰدُوْنَ ﴿۱۶۶﴾ قَالُوْا لَىِٕنْ لَّمْ تَنْتَهِ یٰلُوْطُ لَتَكُوْنَنَّ مِنَ
الْمُخْرَجِیْنَ ﴿۱۶۷﴾ قَالَ اِنِّیْ لِعَمَلِكُمْ مِّنَ الْقَالِیْنَ ﴿۱۶۸﴾ ؕ رَبِّ
نَجِّنِیْ وَاَهْلِیْ مِمَّا یَعْمَلُوْنَ ﴿۱۶۹﴾ فَنَجَّیْنٰهُ وَاَهْلَهٗۤ اَجْمَعِیْنَ ﴿۱۷۰﴾ ۙ
اِلَّا عَجُوْزًا فِی الْغٰبِرِیْنَ ﴿۱۷۱﴾ ۚ ثُمَّ دَمَّرْنَا الْاٰخَرِیْنَ ﴿۱۷۲﴾ ۚ وَ
اَمْطَرْنَا عَلَیْهِمْ مَّطَرًا ۚ فَسَآءَ مَطَرُ الْمُنْذَرِیْنَ ﴿۱۷۳﴾ اِنَّ
فِیْ ذٰلِكَ لَاٰیَةً ؕ وَمَا كَانَ اَكْثَرُهُمْ مُّؤْمِنِیْنَ ﴿۱۷۴﴾ وَاِنَّ

ع ۸ ۱۹ ۱۲

منزل ۵

رَبَّكَ لَهُوَ الْعَزِيْزُ الرَّحِيْمُ ﴿١٧٥﴾ كَذَّبَ اَصْحٰبُ لْئَيْكَةِ ع ٩ ١٦ ١٣
الْمُرْسَلِيْنَ ﴿١٧٦﴾ اِذْ قَالَ لَهُمْ شُعَيْبٌ اَلَا تَتَّقُوْنَ ﴿١٧٧﴾
اِنِّىْ لَكُمْ رَسُوْلٌ اَمِيْنٌ ﴿١٧٨﴾ فَاتَّقُوا اللّٰهَ وَاَطِيْعُوْنِ ﴿١٧٩﴾
وَمَاۤ اَسْـَٔلُكُمْ عَلَيْهِ مِنْ اَجْرٍ اِنْ اَجْرِىَ اِلَّا عَلٰى رَبِّ
الْعٰلَمِيْنَ ﴿١٨٠﴾ اَوْفُوا الْكَيْلَ وَلَا تَكُوْنُوْا مِنَ الْمُخْسِرِيْنَ ﴿١٨١﴾
وَزِنُوْا بِالْقِسْطَاسِ الْمُسْتَقِيْمِ ﴿١٨٢﴾ وَلَا تَبْخَسُوا النَّاسَ
منزل ٥ اَشْيَآءَهُمْ وَلَا تَعْثَوْا فِى الْاَرْضِ مُفْسِدِيْنَ ﴿١٨٣﴾ وَ
اتَّقُوا الَّذِىْ خَلَقَكُمْ وَالْجِبِلَّةَ الْاَوَّلِيْنَ ﴿١٨٤﴾ قَالُوْۤا
اِنَّمَاۤ اَنْتَ مِنَ الْمُسَحَّرِيْنَ ﴿١٨٥﴾ وَمَاۤ اَنْتَ اِلَّا بَشَرٌ مِّثْلُنَا
وَاِنْ نَّظُنُّكَ لَمِنَ الْكٰذِبِيْنَ ﴿١٨٦﴾ فَاَسْقِطْ عَلَيْنَا كِسَفًا
مِّنَ السَّمَآءِ اِنْ كُنْتَ مِنَ الصّٰدِقِيْنَ ﴿١٨٧﴾ قَالَ رَبِّىْۤ
اَعْلَمُ بِمَا تَعْمَلُوْنَ ﴿١٨٨﴾ فَكَذَّبُوْهُ فَاَخَذَهُمْ عَذَابُ
يَوْمِ الظُّلَّةِ اِنَّهٗ كَانَ عَذَابَ يَوْمٍ عَظِيْمٍ ﴿١٨٩﴾ اِنَّ

Ikhfa اِخفا | Ikhfa Meem Saakin اِخفاميم ساكن | Qalqala قلقله | Qalb قلب | Idghaam اِدغام | Idghaam Meem Saakin اِدغام ميم ساكن | Ghunna غنّه

فِيْ ذٰلِكَ لَاٰيَةً ۭ وَمَا كَانَ اَكْثَرُهُمْ مُّؤْمِنِيْنَ ﴿١٩٠﴾
وَاِنَّ رَبَّكَ لَهُوَ الْعَزِيْزُ الرَّحِيْمُ ﴿١٩١﴾ وَاِنَّهٗ لَتَنْزِيْلُ
رَبِّ الْعٰلَمِيْنَ ﴿١٩٢﴾ۭ نَزَلَ بِهِ الرُّوْحُ الْاَمِيْنُ ﴿١٩٣﴾ۙ عَلٰى
قَلْبِكَ لِتَكُوْنَ مِنَ الْمُنْذِرِيْنَ ﴿١٩٤﴾ۙ بِلِسَانٍ عَرَبِيٍّ
مُّبِيْنٍ ﴿١٩٥﴾ۭ وَاِنَّهٗ لَفِيْ زُبُرِ الْاَوَّلِيْنَ ﴿١٩٦﴾ اَوَلَمْ يَكُنْ
لَّهُمْ اٰيَةً اَنْ يَّعْلَمَهٗ عُلَمٰۗؤُا بَنِيْٓ اِسْرَاۗءِيْلَ ﴿١٩٧﴾ۭ وَلَوْ
نَزَّلْنٰهُ عَلٰي بَعْضِ الْاَعْجَمِيْنَ ﴿١٩٨﴾ۙ فَقَرَاَهٗ عَلَيْهِمْ مَّا
كَانُوْا بِهٖ مُؤْمِنِيْنَ ﴿١٩٩﴾ۭ كَذٰلِكَ سَلَكْنٰهُ فِيْ قُلُوْبِ
الْمُجْرِمِيْنَ ﴿٢٠٠﴾ۭ لَا يُؤْمِنُوْنَ بِهٖ حَتّٰى يَرَوُا الْعَذَابَ
الْاَلِيْمَ ﴿٢٠١﴾ۙ فَيَاْتِيَهُمْ بَغْتَةً وَّهُمْ لَا يَشْعُرُوْنَ ﴿٢٠٢﴾ۙ
فَيَقُوْلُوْا هَلْ نَحْنُ مُنْظَرُوْنَ ﴿٢٠٣﴾ۭ اَفَبِعَذَابِنَا
يَسْتَعْجِلُوْنَ ﴿٢٠٤﴾ اَفَرَءَيْتَ اِنْ مَّتَّعْنٰهُمْ سِنِيْنَ ﴿٢٠٥﴾ۙ ثُمَّ
جَاۗءَهُمْ مَّا كَانُوْا يُوْعَدُوْنَ ﴿٢٠٦﴾ۙ مَآ اَغْنٰى عَنْهُمْ مَّا كَانُوْا

ع ١٦/٢٦

منزل ٥

يُمَتَّعُوْنَ ﴿۲۰۷﴾ وَمَآ اَهْلَكْنَا مِنْ قَرْيَةٍ اِلَّا لَهَا مُنْذِرُوْنَ ﴿۲۰۸﴾
ذِكْرٰى ۛ وَمَا كُنَّا ظٰلِمِيْنَ ﴿۲۰۹﴾ وَمَا تَنَزَّلَتْ بِهِ الشَّيٰطِيْنُ ﴿۲۱۰﴾
وَمَا يَنْۢبَغِيْ لَهُمْ وَمَا يَسْتَطِيْعُوْنَ ﴿۲۱۱﴾ اِنَّهُمْ عَنِ السَّمْعِ
لَمَعْزُوْلُوْنَ ﴿۲۱۲﴾ فَلَا تَدْعُ مَعَ اللّٰهِ اِلٰهًا اٰخَرَ فَتَكُوْنَ
مِنَ الْمُعَذَّبِيْنَ ﴿۲۱۳﴾ وَاَنْذِرْ عَشِيْرَتَكَ الْاَقْرَبِيْنَ ﴿۲۱۴﴾
وَاخْفِضْ جَنَاحَكَ لِمَنِ اتَّبَعَكَ مِنَ الْمُؤْمِنِيْنَ ﴿۲۱۵﴾
فَاِنْ عَصَوْكَ فَقُلْ اِنِّيْ بَرِیْٓءٌ مِّمَّا تَعْمَلُوْنَ ﴿۲۱۶﴾ وَتَوَكَّلْ
عَلَى الْعَزِيْزِ الرَّحِيْمِ ﴿۲۱۷﴾ الَّذِيْ يَرٰىكَ حِيْنَ تَقُوْمُ ﴿۲۱۸﴾ وَ
تَقَلُّبَكَ فِي السّٰجِدِيْنَ ﴿۲۱۹﴾ اِنَّهٗ هُوَ السَّمِيْعُ الْعَلِيْمُ ﴿۲۲۰﴾ هَلْ
اُنَبِّئُكُمْ عَلٰى مَنْ تَنَزَّلُ الشَّيٰطِيْنُ ﴿۲۲۱﴾ تَنَزَّلُ عَلٰى كُلِّ
اَفَّاكٍ اَثِيْمٍ ﴿۲۲۲﴾ يُّلْقُوْنَ السَّمْعَ وَاَكْثَرُهُمْ كٰذِبُوْنَ ﴿۲۲۳﴾
وَالشُّعَرَآءُ يَتَّبِعُهُمُ الْغَاوٗنَ ﴿۲۲۴﴾ اَلَمْ تَرَ اَنَّهُمْ فِيْ كُلِّ
وَادٍ يَّهِيْمُوْنَ ﴿۲۲۵﴾ وَاَنَّهُمْ يَقُوْلُوْنَ مَا لَا يَفْعَلُوْنَ ﴿۲۲۶﴾

معٓ عند المتقدمين ۱۲

منزل ۵

اِلَّا الَّذِيْنَ اٰمَنُوْا وَعَمِلُوا الصّٰلِحٰتِ وَذَكَرُوا اللّٰهَ
كَثِيْرًا وَّانْتَصَرُوْا مِنْۢ بَعْدِ مَا ظُلِمُوْا ؕ وَسَيَعْلَمُ
الَّذِيْنَ ظَلَمُوْٓا اَيَّ مُنْقَلَبٍ يَّنْقَلِبُوْنَ ﴿٢٢٧﴾ ع

اٰيَاتُهَا ٩٣ (٢٧) سُوْرَةُ النَّمْلِ مَكِّيَّةٌ (٤٨) رُكُوْعَاتُهَا ٧

بِسْمِ اللّٰهِ الرَّحْمٰنِ الرَّحِيْمِ

طٰسٓ ۚ تِلْكَ اٰيٰتُ الْقُرْاٰنِ وَكِتَابٍ مُّبِيْنٍ ۙ ﴿١﴾
هُدًى وَّبُشْرٰى لِلْمُؤْمِنِيْنَ ۙ ﴿٢﴾ الَّذِيْنَ يُقِيْمُوْنَ الصَّلٰوةَ
وَيُؤْتُوْنَ الزَّكٰوةَ وَهُمْ بِالْاٰخِرَةِ هُمْ يُوْقِنُوْنَ ﴿٣﴾ اِنَّ
الَّذِيْنَ لَا يُؤْمِنُوْنَ بِالْاٰخِرَةِ زَيَّنَّا لَهُمْ اَعْمَالَهُمْ فَهُمْ
يَعْمَهُوْنَ ؕ ﴿٤﴾ اُولٰٓئِكَ الَّذِيْنَ لَهُمْ سُوْٓءُ الْعَذَابِ وَهُمْ
فِي الْاٰخِرَةِ هُمُ الْاَخْسَرُوْنَ ﴿٥﴾ وَاِنَّكَ لَتُلَقَّى الْقُرْاٰنَ
مِنْ لَّدُنْ حَكِيْمٍ عَلِيْمٍ ﴿٦﴾ اِذْ قَالَ مُوْسٰى لِاَهْلِهٖٓ
اِنِّيْٓ اٰنَسْتُ نَارًا ؕ سَاٰتِيْكُمْ مِّنْهَا بِخَبَرٍ اَوْ اٰتِيْكُمْ

ع ٢٦ ١٥
منزل ٥
الثلثة

Ikhfa اِخفا | Ikhfa Meem Saakin اِخفامیم ساکن | Qalqala قلقلہ | Qalb قلب | Idghaam اِدغام | Idghaam Meem Saakin اِدغام میم ساکن | Ghunna غُنّہ

بِشِهَابٍ قَبَسٍ لَّعَلَّكُمْ تَصْطَلُوْنَ ﴿٧﴾ فَلَمَّا جَآءَهَا
نُوْدِیَ اَنْۢ بُوْرِكَ مَنْ فِی النَّارِ وَمَنْ حَوْلَهَا ؕ وَ
سُبْحٰنَ اللّٰهِ رَبِّ الْعٰلَمِیْنَ ﴿٨﴾ یٰمُوْسٰۤی اِنَّهٗۤ اَنَا اللّٰهُ
الْعَزِیْزُ الْحَكِیْمُ ۙ﴿٩﴾ وَاَلْقِ عَصَاكَ ؕ فَلَمَّا رَاٰهَا تَهْتَزُّ
كَاَنَّهَا جَآنٌّ وَّلّٰی مُدْبِرًا وَّلَمْ یُعَقِّبْ ؕ یٰمُوْسٰی
لَا تَخَفْ ۫ اِنِّیْ لَا یَخَافُ لَدَیَّ الْمُرْسَلُوْنَ ﴿۱۰﴾ ۖۗ اِلَّا
مَنْ ظَلَمَ ثُمَّ بَدَّلَ حُسْنًۢا بَعْدَ سُوْٓءٍ فَاِنِّیْ غَفُوْرٌ
رَّحِیْمٌ ﴿۱۱﴾ وَاَدْخِلْ یَدَكَ فِیْ جَیْبِكَ تَخْرُجْ بَیْضَآءَ
مِنْ غَیْرِ سُوْٓءٍ ۫ فِیْ تِسْعِ اٰیٰتٍ اِلٰی فِرْعَوْنَ وَقَوْمِهٖ ؕ
اِنَّهُمْ كَانُوْا قَوْمًا فٰسِقِیْنَ ﴿۱۲﴾ فَلَمَّا جَآءَتْهُمْ اٰیٰتُنَا
مُبْصِرَةً قَالُوْا هٰذَا سِحْرٌ مُّبِیْنٌ ﴿۱۳﴾ ۚ وَجَحَدُوْا بِهَا
وَاسْتَیْقَنَتْهَاۤ اَنْفُسُهُمْ ظُلْمًا وَّعُلُوًّا ؕ فَانْظُرْ كَیْفَ
كَانَ عَاقِبَةُ الْمُفْسِدِیْنَ ﴿۱۴﴾ ع وَلَقَدْ اٰتَیْنَا دَاوٗدَ ع ٢ ١٦

منزل ٥

وَ سُلَيْمٰنَ عِلْمًا ۚ وَقَالَا الْحَمْدُ لِلّٰهِ الَّذِیْ فَضَّلَنَا
عَلٰی كَثِیْرٍ مِّنْ عِبَادِهِ الْمُؤْمِنِیْنَ ﴿۱۵﴾ وَ وَرِثَ
سُلَیْمٰنُ دَاوٗدَ وَقَالَ یٰۤاَیُّهَا النَّاسُ عُلِّمْنَا مَنْطِقَ
الطَّیْرِ وَاُوْتِیْنَا مِنْ كُلِّ شَیْءٍ ؕ اِنَّ هٰذَا لَهُوَ الْفَضْلُ
الْمُبِیْنُ ﴿۱۶﴾ وَحُشِرَ لِسُلَیْمٰنَ جُنُوْدُهٗ مِنَ الْجِنِّ وَ
الْاِنْسِ وَالطَّیْرِ فَهُمْ یُوْزَعُوْنَ ﴿۱۷﴾ حَتّٰۤی اِذَاۤ اَتَوْا
عَلٰی وَادِ النَّمْلِ ۙ قَالَتْ نَمْلَةٌ یّٰۤاَیُّهَا النَّمْلُ
ادْخُلُوْا مَسٰكِنَكُمْ ۚ لَا یَحْطِمَنَّكُمْ سُلَیْمٰنُ وَجُنُوْدُهٗ ۙ
وَهُمْ لَا یَشْعُرُوْنَ ﴿۱۸﴾ فَتَبَسَّمَ ضَاحِكًا مِّنْ قَوْلِهَا وَ
قَالَ رَبِّ اَوْزِعْنِیْۤ اَنْ اَشْكُرَ نِعْمَتَكَ الَّتِیْۤ اَنْعَمْتَ
عَلَیَّ وَعَلٰی وَالِدَیَّ وَاَنْ اَعْمَلَ صَالِحًا تَرْضٰىهُ
وَاَدْخِلْنِیْ بِرَحْمَتِكَ فِیْ عِبَادِكَ الصّٰلِحِیْنَ ﴿۱۹﴾ وَ
تَفَقَّدَ الطَّیْرَ فَقَالَ مَا لِیَ لَاۤ اَرَی الْهُدْهُدَ ۖ اَمْ كَانَ

منزل ٥

مِنَ الْغَآىِٕبِيْنَ ﴿۲۰﴾ لَاُعَذِّبَنَّهٗ عَذَابًا شَدِيْدًا اَوْ لَاَاذْبَحَنَّهٗۤ

اَوْ لَيَاْتِيَنِّيْ بِسُلْطٰنٍ مُّبِيْنٍ ﴿۲۱﴾ فَمَكَثَ غَيْرَ بَعِيْدٍ

فَقَالَ اَحَطْتُّ بِمَا لَمْ تُحِطْ بِهٖ وَ جِئْتُكَ مِنْ سَبَاٍۭ بِنَبَاٍ

يَّقِيْنٍ ﴿۲۲﴾ اِنِّيْ وَجَدْتُّ امْرَاَةً تَمْلِكُهُمْ وَ اُوْتِيَتْ

مِنْ كُلِّ شَيْءٍ وَّ لَهَا عَرْشٌ عَظِيْمٌ ﴿۲۳﴾ وَجَدْتُّهَا وَ قَوْمَهَا

يَسْجُدُوْنَ لِلشَّمْسِ مِنْ دُوْنِ اللّٰهِ وَ زَيَّنَ لَهُمُ الشَّيْطٰنُ

اَعْمَالَهُمْ فَصَدَّهُمْ عَنِ السَّبِيْلِ فَهُمْ لَا يَهْتَدُوْنَ ﴿۲۴﴾ۙ

اَلَّا يَسْجُدُوْا لِلّٰهِ الَّذِيْ يُخْرِجُ الْخَبْءَ فِي السَّمٰوٰتِ وَ

الْاَرْضِ وَ يَعْلَمُ مَا تُخْفُوْنَ وَ مَا تُعْلِنُوْنَ ﴿۲۵﴾ اَللّٰهُ

لَاۤ اِلٰهَ اِلَّا هُوَ رَبُّ الْعَرْشِ الْعَظِيْمِ ﴿۲۶﴾ السَّجدة قَالَ سَنَنْظُرُ

اَصَدَقْتَ اَمْ كُنْتَ مِنَ الْكٰذِبِيْنَ ﴿۲۷﴾ اِذْهَبْ بِّكِتٰبِيْ

هٰذَا فَاَلْقِهْ اِلَيْهِمْ ثُمَّ تَوَلَّ عَنْهُمْ فَانْظُرْ مَا ذَا

يَرْجِعُوْنَ ﴿۲۸﴾ قَالَتْ يٰۤاَيُّهَا الْمَلَؤُا اِنِّيْۤ اُلْقِيَ اِلَيَّ كِتٰبٌ

السَّجدة (٨)

منزل ٥

كَرِيْمٌ ﴿٢٩﴾ اِنَّهٗ مِنْ سُلَيْمٰنَ وَاِنَّهٗ بِسْمِ اللّٰهِ الرَّحْمٰنِ
الرَّحِيْمِ ﴿٣٠﴾ اَلَّا تَعْلُوْا عَلَيَّ وَاْتُوْنِيْ مُسْلِمِيْنَ ﴿٣١﴾ قَالَتْ
يٰۤاَيُّهَا الْمَلَؤُا اَفْتُوْنِيْ فِيْۤ اَمْرِيْ ۚ مَا كُنْتُ قَاطِعَةً
اَمْرًا حَتّٰى تَشْهَدُوْنِ ﴿٣٢﴾ قَالُوْا نَحْنُ اُولُوْا قُوَّةٍ وَّاُولُوْا
بَاْسٍ شَدِيْدٍ ۙ۬ وَّالْاَمْرُ اِلَيْكِ فَانْظُرِيْ مَاذَا تَاْمُرِيْنَ ﴿٣٣﴾
قَالَتْ اِنَّ الْمُلُوْكَ اِذَا دَخَلُوْا قَرْيَةً اَفْسَدُوْهَا
وَجَعَلُوْۤا اَعِزَّةَ اَهْلِهَاۤ اَذِلَّةً ۚ وَكَذٰلِكَ يَفْعَلُوْنَ ﴿٣٤﴾
وَاِنِّيْ مُرْسِلَةٌ اِلَيْهِمْ بِهَدِيَّةٍ فَنٰظِرَةٌۢ بِمَ يَرْجِعُ
الْمُرْسَلُوْنَ ﴿٣٥﴾ فَلَمَّا جَآءَ سُلَيْمٰنَ قَالَ اَتُمِدُّوْنَنِ
بِمَالٍ ۫ فَمَاۤ اٰتٰىنِۦَ اللّٰهُ خَيْرٌ مِّمَّاۤ اٰتٰىكُمْ ۚ بَلْ اَنْتُمْ
بِهَدِيَّتِكُمْ تَفْرَحُوْنَ ﴿٣٦﴾ اِرْجِعْ اِلَيْهِمْ فَلَنَاْتِيَنَّهُمْ
بِجُنُوْدٍ لَّا قِبَلَ لَهُمْ بِهَا وَلَنُخْرِجَنَّهُمْ مِّنْهَاۤ اَذِلَّةً
وَّهُمْ صٰغِرُوْنَ ﴿٣٧﴾ قَالَ يٰۤاَيُّهَا الْمَلَؤُا اَيُّكُمْ

منزل ٥

يَاْتِيْنِيْ بِعَرْشِهَا قَبْلَ اَنْ يَّاْتُوْنِيْ مُسْلِمِيْنَ ﴿٣٨﴾ قَالَ
عِفْرِيْتٌ مِّنَ الْجِنِّ اَنَا اٰتِيْكَ بِهٖ قَبْلَ اَنْ تَقُوْمَ
مِنْ مَّقَامِكَ ۚ وَاِنِّيْ عَلَيْهِ لَقَوِيٌّ اَمِيْنٌ ﴿٣٩﴾ قَالَ
الَّذِيْ عِنْدَهٗ عِلْمٌ مِّنَ الْكِتٰبِ اَنَا اٰتِيْكَ بِهٖ قَبْلَ
اَنْ يَّرْتَدَّ اِلَيْكَ طَرْفُكَ ؕ فَلَمَّا رَاٰهُ مُسْتَقِرًّا عِنْدَهٗ
قَالَ هٰذَا مِنْ فَضْلِ رَبِّيْ ۣ ۖ لِيَبْلُوَنِيْٓ ءَاَشْكُرُ اَمْ
اَكْفُرُ ؕ وَمَنْ شَكَرَ فَاِنَّمَا يَشْكُرُ لِنَفْسِهٖ ۚ وَمَنْ كَفَرَ
فَاِنَّ رَبِّيْ غَنِيٌّ كَرِيْمٌ ﴿٤٠﴾ قَالَ نَكِّرُوْا لَهَا عَرْشَهَا نَنْظُرْ
اَتَهْتَدِيْٓ اَمْ تَكُوْنُ مِنَ الَّذِيْنَ لَا يَهْتَدُوْنَ ﴿٤١﴾ فَلَمَّا
جَآءَتْ قِيْلَ اَهٰكَذَا عَرْشُكِ ؕ قَالَتْ كَاَنَّهٗ هُوَ ۚ وَ
اُوْتِيْنَا الْعِلْمَ مِنْ قَبْلِهَا وَكُنَّا مُسْلِمِيْنَ ﴿٤٢﴾ وَصَدَّهَا
مَا كَانَتْ تَّعْبُدُ مِنْ دُوْنِ اللّٰهِ ؕ اِنَّهَا كَانَتْ مِنْ قَوْمٍ
كٰفِرِيْنَ ﴿٤٣﴾ قِيْلَ لَهَا ادْخُلِي الصَّرْحَ ۚ فَلَمَّا رَاَتْهُ

منزل ٥

حَسِبَتْهُ لُجَّةً وَّكَشَفَتْ عَنْ سَاقَيْهَا ؕ قَالَ اِنَّهٗ
صَرْحٌ مُّمَرَّدٌ مِّنْ قَوَارِيْرَ ؕ۬ قَالَتْ رَبِّ اِنِّيْ ظَلَمْتُ
نَفْسِيْ وَاَسْلَمْتُ مَعَ سُلَيْمٰنَ لِلّٰهِ رَبِّ الْعٰلَمِيْنَ ﴿۴۴﴾ ع
وَلَقَدْ اَرْسَلْنَاۤ اِلٰى ثَمُوْدَ اَخَاهُمْ صٰلِحًا اَنِ
اعْبُدُوا اللّٰهَ فَاِذَا هُمْ فَرِيْقٰنِ يَخْتَصِمُوْنَ ﴿۴۵﴾
قَالَ يٰقَوْمِ لِمَ تَسْتَعْجِلُوْنَ بِالسَّيِّئَةِ قَبْلَ
الْحَسَنَةِ ۚ لَوْلَا تَسْتَغْفِرُوْنَ اللّٰهَ لَعَلَّكُمْ تُرْحَمُوْنَ ﴿۴۶﴾
قَالُوا اطَّيَّرْنَا بِكَ وَبِمَنْ مَّعَكَ ؕ قَالَ طٰٓئِرُكُمْ
عِنْدَ اللّٰهِ بَلْ اَنْتُمْ قَوْمٌ تُفْتَنُوْنَ ﴿۴۷﴾ وَكَانَ فِي
الْمَدِيْنَةِ تِسْعَةُ رَهْطٍ يُّفْسِدُوْنَ فِي الْاَرْضِ وَلَا
يُصْلِحُوْنَ ﴿۴۸﴾ قَالُوْا تَقَاسَمُوْا بِاللّٰهِ لَنُبَيِّتَنَّهٗ وَ
اَهْلَهٗ ثُمَّ لَنَقُوْلَنَّ لِوَلِيِّهٖ مَا شَهِدْنَا مَهْلِكَ
اَهْلِهٖ وَاِنَّا لَصٰدِقُوْنَ ﴿۴۹﴾ وَمَكَرُوْا مَكْرًا وَّمَكَرْنَا

منزل ۵

Ikhfa إخفا | Ikhfa Meem Saakin إخفاميم ساكن | Qalqala قلقله | Qalb قلب | Idghaam إدغام | Idghaam Meem Saakin إدغام ميم ساكن | Ghunna غُنّه

مَكْرًا وَّهُمْ لَا يَشْعُرُوْنَ ﴿٥٠﴾ فَانْظُرْ كَيْفَ كَانَ
عَاقِبَةُ مَكْرِهِمْ ۙ اَنَّا دَمَّرْنٰهُمْ وَ قَوْمَهُمْ اَجْمَعِيْنَ ﴿٥١﴾
فَتِلْكَ بُيُوْتُهُمْ خَاوِيَةًۢ بِمَا ظَلَمُوْا ؕ اِنَّ فِيْ ذٰلِكَ
لَاٰيَةً لِّقَوْمٍ يَّعْلَمُوْنَ ﴿٥٢﴾ وَ اَنْجَيْنَا الَّذِيْنَ اٰمَنُوْا وَ
كَانُوْا يَتَّقُوْنَ ﴿٥٣﴾ وَ لُوْطًا اِذْ قَالَ لِقَوْمِهٖٓ اَتَاْتُوْنَ
الْفَاحِشَةَ وَاَنْتُمْ تُبْصِرُوْنَ ﴿٥٤﴾ اَئِنَّكُمْ لَتَاْتُوْنَ الرِّجَالَ
شَهْوَةً مِّنْ دُوْنِ النِّسَآءِ ؕ بَلْ اَنْتُمْ قَوْمٌ تَجْهَلُوْنَ ﴿٥٥﴾
فَمَا كَانَ جَوَابَ قَوْمِهٖٓ اِلَّآ اَنْ قَالُوْٓا اَخْرِجُوْٓا اٰلَ لُوْطٍ
مِّنْ قَرْيَتِكُمْ ۚ اِنَّهُمْ اُنَاسٌ يَّتَطَهَّرُوْنَ ﴿٥٦﴾ فَاَنْجَيْنٰهُ
وَاَهْلَهٗٓ اِلَّا امْرَاَتَهٗ ۫ قَدَّرْنٰهَا مِنَ الْغٰبِرِيْنَ ﴿٥٧﴾ وَ
اَمْطَرْنَا عَلَيْهِمْ مَّطَرًا ۚ فَسَآءَ مَطَرُ الْمُنْذَرِيْنَ ﴿٥٨﴾ ع ٤ ١٩
قُلِ الْحَمْدُ لِلّٰهِ وَ سَلٰمٌ عَلٰى عِبَادِهِ الَّذِيْنَ
اصْطَفٰى ؕ آٰللّٰهُ خَيْرٌ اَمَّا يُشْرِكُوْنَ ﴿٥٩﴾

منزل ٥

اَمَّنْ خَلَقَ السَّمٰوٰتِ وَالْاَرْضَ وَاَنْزَلَ لَكُمْ مِّنَ
السَّمَآءِ مَآءً ۚ فَاَنْۢبَتْنَا بِهٖ حَدَآئِقَ ذَاتَ بَهْجَةٍ ۚ مَا كَانَ
لَكُمْ اَنْ تُنْۢبِتُوْا شَجَرَهَا ؕ ءَاِلٰهٌ مَّعَ اللّٰهِ ؕ بَلْ هُمْ قَوْمٌ
يَّعْدِلُوْنَ ؕ ﴿٦٠﴾ اَمَّنْ جَعَلَ الْاَرْضَ قَرَارًا وَّجَعَلَ خِلٰلَهَآ
اَنْهٰرًا وَّجَعَلَ لَهَا رَوَاسِيَ وَجَعَلَ بَيْنَ الْبَحْرَيْنِ
حَاجِزًا ؕ ءَاِلٰهٌ مَّعَ اللّٰهِ ؕ بَلْ اَكْثَرُهُمْ لَا يَعْلَمُوْنَ ؕ ﴿٦١﴾ اَمَّنْ
يُّجِيْبُ الْمُضْطَرَّ اِذَا دَعَاهُ وَيَكْشِفُ السُّوْٓءَ وَيَجْعَلُكُمْ
خُلَفَآءَ الْاَرْضِ ؕ ءَاِلٰهٌ مَّعَ اللّٰهِ ؕ قَلِيْلًا مَّا تَذَكَّرُوْنَ ؕ ﴿٦٢﴾
اَمَّنْ يَّهْدِيْكُمْ فِيْ ظُلُمٰتِ الْبَرِّ وَالْبَحْرِ وَمَنْ
يُّرْسِلُ الرِّيٰحَ بُشْرًاۢ بَيْنَ يَدَيْ رَحْمَتِهٖ ؕ ءَاِلٰهٌ مَّعَ
اللّٰهِ ؕ تَعٰلَى اللّٰهُ عَمَّا يُشْرِكُوْنَ ؕ ﴿٦٣﴾ اَمَّنْ يَّبْدَؤُا الْخَلْقَ
ثُمَّ يُعِيْدُهٗ وَمَنْ يَّرْزُقُكُمْ مِّنَ السَّمَآءِ وَالْاَرْضِ ؕ ءَاِلٰهٌ
مَّعَ اللّٰهِ ؕ قُلْ هَاتُوْا بُرْهَانَكُمْ اِنْ كُنْتُمْ صٰدِقِيْنَ ﴿٦٤﴾

قُلْ لَّا يَعْلَمُ مَنْ فِي السَّمٰوٰتِ وَالْاَرْضِ الْغَيْبَ اِلَّا
اللّٰهُ ؕ وَمَا يَشْعُرُوْنَ اَيَّانَ يُبْعَثُوْنَ ﴿٦٥﴾ بَلِ ادّٰرَكَ عِلْمُهُمْ
فِي الْاٰخِرَةِ ۫ بَلْ هُمْ فِيْ شَكٍّ مِّنْهَا ۫ بَلْ هُمْ مِّنْهَا عَمُوْنَ ﴿٦٦﴾ ع ٥ ٤٨ ١
وَقَالَ الَّذِيْنَ كَفَرُوْٓا ءَاِذَا كُنَّا تُرٰبًا وَّاٰبَآؤُنَآ اَئِنَّا
لَمُخْرَجُوْنَ ﴿٦٧﴾ لَقَدْ وُعِدْنَا هٰذَا نَحْنُ وَاٰبَآؤُنَا مِنْ قَبْلُ ۙ
اِنْ هٰذَآ اِلَّآ اَسَاطِيْرُ الْاَوَّلِيْنَ ﴿٦٨﴾ قُلْ سِيْرُوْا فِي الْاَرْضِ
منزل ٥ فَانْظُرُوْا كَيْفَ كَانَ عَاقِبَةُ الْمُجْرِمِيْنَ ﴿٦٩﴾ وَلَا تَحْزَنْ عَلَيْهِمْ
وَلَا تَكُنْ فِيْ ضَيْقٍ مِّمَّا يَمْكُرُوْنَ ﴿٧٠﴾ وَيَقُوْلُوْنَ مَتٰى هٰذَا
الْوَعْدُ اِنْ كُنْتُمْ صٰدِقِيْنَ ﴿٧١﴾ قُلْ عَسٰٓى اَنْ يَّكُوْنَ رَدِفَ
لَكُمْ بَعْضُ الَّذِيْ تَسْتَعْجِلُوْنَ ﴿٧٢﴾ وَاِنَّ رَبَّكَ لَذُوْ فَضْلٍ
عَلَى النَّاسِ وَلٰكِنَّ اَكْثَرَهُمْ لَا يَشْكُرُوْنَ ﴿٧٣﴾ وَاِنَّ رَبَّكَ
لَيَعْلَمُ مَا تُكِنُّ صُدُوْرُهُمْ وَمَا يُعْلِنُوْنَ ﴿٧٤﴾ وَمَا مِنْ غَآئِبَةٍ
فِي السَّمَآءِ وَالْاَرْضِ اِلَّا فِيْ كِتٰبٍ مُّبِيْنٍ ﴿٧٥﴾ اِنَّ هٰذَا

الْقُرْاٰنَ يَقُصُّ عَلٰى بَنِیْٓ اِسْرَآءِيْلَ اَكْثَرَ الَّذِیْ هُمْ فِيْهِ
يَخْتَلِفُوْنَ ﴿٧٦﴾ وَاِنَّهٗ لَهُدًى وَّرَحْمَةٌ لِّلْمُؤْمِنِيْنَ ﴿٧٧﴾ اِنَّ
رَبَّكَ يَقْضِیْ بَيْنَهُمْ بِحُكْمِهٖ ۚ وَهُوَ الْعَزِيْزُ الْعَلِيْمُ ﴿٧٨﴾
فَتَوَكَّلْ عَلَى اللّٰهِ ۭ اِنَّكَ عَلَى الْحَقِّ الْمُبِيْنِ ﴿٧٩﴾ اِنَّكَ لَا تُسْمِعُ
الْمَوْتٰى وَلَا تُسْمِعُ الصُّمَّ الدُّعَآءَ اِذَا وَلَّوْا مُدْبِرِيْنَ ﴿٨٠﴾
وَمَآ اَنْتَ بِهٰدِی الْعُمْیِ عَنْ ضَلٰلَتِهِمْ ۭ اِنْ تُسْمِعُ اِلَّا
مَنْ يُّؤْمِنُ بِاٰيٰتِنَا فَهُمْ مُّسْلِمُوْنَ ﴿٨١﴾ وَاِذَا وَقَعَ الْقَوْلُ
عَلَيْهِمْ اَخْرَجْنَا لَهُمْ دَآبَّةً مِّنَ الْاَرْضِ تُكَلِّمُهُمْ ۙ اَنَّ
النَّاسَ كَانُوْا بِاٰيٰتِنَا لَا يُوْقِنُوْنَ ﴿٨٢﴾ ع وَيَوْمَ نَحْشُرُ مِنْ كُلِّ
اُمَّةٍ فَوْجًا مِّمَّنْ يُّكَذِّبُ بِاٰيٰتِنَا فَهُمْ يُوْزَعُوْنَ ﴿٨٣﴾ حَتّٰٓى
اِذَا جَآءُوْ قَالَ اَكَذَّبْتُمْ بِاٰيٰتِیْ وَلَمْ تُحِيْطُوْا بِهَا عِلْمًا
اَمَّاذَا كُنْتُمْ تَعْمَلُوْنَ ﴿٨٤﴾ وَوَقَعَ الْقَوْلُ عَلَيْهِمْ بِمَا
ظَلَمُوْا فَهُمْ لَا يَنْطِقُوْنَ ﴿٨٥﴾ اَلَمْ يَرَوْا اَنَّا جَعَلْنَا الَّيْلَ

منزل ٥

ع ٦

لِيَسْكُنُوْا فِيْهِ وَالنَّهَارَ مُبْصِرًا ؕ اِنَّ فِیْ ذٰلِكَ لَاٰيٰتٍ
لِّقَوْمٍ يُّؤْمِنُوْنَ ﴿۸۶﴾ وَيَوْمَ يُنْفَخُ فِی الصُّوْرِ فَفَزِعَ مَنْ
فِی السَّمٰوٰتِ وَمَنْ فِی الْاَرْضِ اِلَّا مَنْ شَآءَ اللّٰهُ ؕ
وَكُلٌّ اَتَوْهُ دٰخِرِيْنَ ﴿۸۷﴾ وَتَرَى الْجِبَالَ تَحْسَبُهَا
جَامِدَةً وَّهِیَ تَمُرُّ مَرَّ السَّحَابِ ؕ صُنْعَ اللّٰهِ الَّذِیْۤ اَتْقَنَ
كُلَّ شَیْءٍ ؕ اِنَّهٗ خَبِيْرٌۢ بِمَا تَفْعَلُوْنَ ﴿۸۸﴾ مَنْ جَآءَ بِالْحَسَنَةِ
فَلَهٗ خَيْرٌ مِّنْهَا ۚ وَهُمْ مِّنْ فَزَعٍ يَّوْمَئِذٍ اٰمِنُوْنَ ﴿۸۹﴾
وَمَنْ جَآءَ بِالسَّيِّئَةِ فَكُبَّتْ وُجُوْهُهُمْ فِی النَّارِ ؕ هَلْ
تُجْزَوْنَ اِلَّا مَا كُنْتُمْ تَعْمَلُوْنَ ﴿۹۰﴾ اِنَّمَاۤ اُمِرْتُ اَنْ اَعْبُدَ
رَبَّ هٰذِهِ الْبَلْدَةِ الَّذِیْ حَرَّمَهَا وَلَهٗ كُلُّ شَیْءٍ ز
وَّاُمِرْتُ اَنْ اَكُوْنَ مِنَ الْمُسْلِمِيْنَ ﴿۹۱﴾ ۙ وَاَنْ اَتْلُوَا الْقُرْاٰنَ ۚ
فَمَنِ اهْتَدٰى فَاِنَّمَا يَهْتَدِیْ لِنَفْسِهٖ ۚ وَمَنْ ضَلَّ فَقُلْ
اِنَّمَاۤ اَنَا مِنَ الْمُنْذِرِيْنَ ﴿۹۲﴾ وَقُلِ الْحَمْدُ لِلّٰهِ سَيُرِيْكُمْ

منزل ٥

Ikhfa اِخفا | Ikhfa Meem Saakin اِخفامیم ساکن | Qalqala قلقلہ | Qalb قلب | Idghaam اِدغام | Idghaam Meem Saakin اِدغام میم ساکن | Ghunna غُنّہ

ابْنَتِهٖ فَتَعْرِفُوْنَهَا ؕ وَمَا رَبُّكَ بِغَافِلٍ عَمَّا تَعْمَلُوْنَ ﴿٩٣﴾ ع

ع ١١ ٣

اٰيَاتُهَا ٨٨ (٢٨) سُوْرَةُ الْقَصَصِ مَكِّيَّةٌ (٤٩) رُكُوْعَاتُهَا ٩

بِسْمِ اللّٰهِ الرَّحْمٰنِ الرَّحِيْمِ ○

طٰسٓمٓ ﴿١﴾ تِلْكَ اٰيٰتُ الْكِتٰبِ الْمُبِيْنِ ﴿٢﴾ نَتْلُوْا عَلَيْكَ
مِنْ نَّبَاِ مُوْسٰى وَفِرْعَوْنَ بِالْحَقِّ لِقَوْمٍ يُّؤْمِنُوْنَ ﴿٣﴾
اِنَّ فِرْعَوْنَ عَلَا فِي الْاَرْضِ وَجَعَلَ اَهْلَهَا شِيَعًا
يَّسْتَضْعِفُ طَآئِفَةً مِّنْهُمْ يُذَبِّحُ اَبْنَآءَهُمْ وَيَسْتَحْيٖ نِسَآءَهُمْ ؕ
اِنَّهٗ كَانَ مِنَ الْمُفْسِدِيْنَ ﴿٤﴾ وَنُرِيْدُ اَنْ نَّمُنَّ عَلَى
الَّذِيْنَ اسْتُضْعِفُوْا فِي الْاَرْضِ وَنَجْعَلَهُمْ اَئِمَّةً وَّنَجْعَلَهُمُ
الْوٰرِثِيْنَ ﴿٥﴾ لا وَنُمَكِّنَ لَهُمْ فِي الْاَرْضِ وَنُرِيَ فِرْعَوْنَ
وَهَامٰنَ وَجُنُوْدَهُمَا مِنْهُمْ مَّا كَانُوْا يَحْذَرُوْنَ ﴿٦﴾ وَ
اَوْحَيْنَآ اِلٰٓى اُمِّ مُوْسٰٓى اَنْ اَرْضِعِيْهِ ۚ فَاِذَا خِفْتِ
عَلَيْهِ فَاَلْقِيْهِ فِي الْيَمِّ وَلَا تَخَافِيْ وَلَا تَحْزَنِيْ ۚ اِنَّا

منزل ٥

رَآدُّوْهُ اِلَيْكِ وَجَاعِلُوْهُ مِنَ الْمُرْسَلِيْنَ ﴿٧﴾ فَالْتَقَطَهٗۤ
اٰلُ فِرْعَوْنَ لِيَكُوْنَ لَهُمْ عَدُوًّا وَّحَزَنًا ؕ اِنَّ فِرْعَوْنَ
وَهَامٰنَ وَجُنُوْدَهُمَا كَانُوْا خٰطِـِٕيْنَ ﴿٨﴾ وَقَالَتِ امْرَاَتُ
فِرْعَوْنَ قُرَّتُ عَيْنٍ لِّيْ وَلَكَ ؕ لَا تَقْتُلُوْهُ ۖۗ عَسٰۤى اَنْ
يَّنْفَعَنَاۤ اَوْ نَتَّخِذَهٗ وَلَدًا وَّهُمْ لَا يَشْعُرُوْنَ ﴿٩﴾ وَاَصْبَحَ
فُؤَادُ اُمِّ مُوْسٰى فٰرِغًا ؕ اِنْ كَادَتْ لَتُبْدِيْ بِهٖ لَوْلَاۤ
اَنْ رَّبَطْنَا عَلٰى قَلْبِهَا لِتَكُوْنَ مِنَ الْمُؤْمِنِيْنَ ﴿١٠﴾ وَ
قَالَتْ لِاُخْتِهٖ قُصِّيْهِ ؗ فَبَصُرَتْ بِهٖ عَنْ جُنُبٍ وَّهُمْ
لَا يَشْعُرُوْنَ ﴿١١﴾ ۙ وَحَرَّمْنَا عَلَيْهِ الْمَرَاضِعَ مِنْ قَبْلُ
فَقَالَتْ هَلْ اَدُلُّكُمْ عَلٰۤى اَهْلِ بَيْتٍ يَّكْفُلُوْنَهٗ لَكُمْ
وَهُمْ لَهٗ نٰصِحُوْنَ ﴿١٢﴾ فَرَدَدْنٰهُ اِلٰۤى اُمِّهٖ كَيْ تَقَرَّ
عَيْنُهَا وَلَا تَحْزَنَ وَلِتَعْلَمَ اَنَّ وَعْدَ اللّٰهِ حَقٌّ وَّلٰكِنَّ
اَكْثَرَهُمْ لَا يَعْلَمُوْنَ ﴿١٣﴾ ع وَلَمَّا بَلَغَ اَشُدَّهٗ وَاسْتَوٰۤى ع

منزل ٥

اٰتَيْنٰهُ حُكْمًا وَّ عِلْمًا ؕ وَ كَذٰلِكَ نَجْزِى الْمُحْسِنِيْنَ ﴿١٤﴾ وَ
دَخَلَ الْمَدِيْنَةَ عَلٰى حِيْنِ غَفْلَةٍ مِّنْ اَهْلِهَا فَوَجَدَ
فِيْهَا رَجُلَيْنِ يَقْتَتِلٰنِ ۗ هٰذَا مِنْ شِيْعَتِهٖ وَ هٰذَا مِنْ
عَدُوِّهٖ ۚ فَاسْتَغَاثَهُ الَّذِىْ مِنْ شِيْعَتِهٖ عَلَى الَّذِىْ مِنْ
عَدُوِّهٖ ۙ فَوَكَزَهٗ مُوْسٰى فَقَضٰى عَلَيْهِ ۗ قَالَ هٰذَا مِنْ
عَمَلِ الشَّيْطٰنِ ؕ اِنَّهٗ عَدُوٌّ مُّضِلٌّ مُّبِيْنٌ ﴿١٥﴾ قَالَ رَبِّ
اِنِّىْ ظَلَمْتُ نَفْسِىْ فَاغْفِرْ لِىْ فَغَفَرَ لَهٗ ؕ اِنَّهٗ هُوَ
الْغَفُوْرُ الرَّحِيْمُ ﴿١٦﴾ قَالَ رَبِّ بِمَاۤ اَنْعَمْتَ عَلَىَّ فَلَنْ
اَكُوْنَ ظَهِيْرًا لِّلْمُجْرِمِيْنَ ﴿١٧﴾ فَاَصْبَحَ فِى الْمَدِيْنَةِ
خَآئِفًا يَّتَرَقَّبُ فَاِذَا الَّذِى اسْتَنْصَرَهٗ بِالْاَمْسِ
يَسْتَصْرِخُهٗ ؕ قَالَ لَهٗ مُوْسٰۤى اِنَّكَ لَغَوِىٌّ مُّبِيْنٌ ﴿١٨﴾
فَلَمَّاۤ اَنْ اَرَادَ اَنْ يَّبْطِشَ بِالَّذِىْ هُوَ عَدُوٌّ لَّهُمَا ۙ
قَالَ يٰمُوْسٰۤى اَتُرِيْدُ اَنْ تَقْتُلَنِىْ كَمَا قَتَلْتَ نَفْسًا

منزل ٥

Ikhfa إخفا | Ikhfa Meem Saakin إخفاميم ساكن | Qalqala قلقله | Qalb قلب | Idghaam اِدغام | Idghaam Meem Saakin اِدغام ميم ساكن | Ghunna غُنّه

بِالْاَمْسِ ۖ اِنْ تُرِیْدُ اِلَّآ اَنْ تَكُوْنَ جَبَّارًا فِی
الْاَرْضِ وَمَا تُرِیْدُ اَنْ تَكُوْنَ مِنَ الْمُصْلِحِیْنَ ﴿۱۹﴾ وَجَآءَ
رَجُلٌ مِّنْ اَقْصَا الْمَدِیْنَةِ یَسْعٰی ۫ قَالَ یٰمُوْسٰۤی اِنَّ
الْمَلَاَ یَاْتَمِرُوْنَ بِكَ لِیَقْتُلُوْكَ فَاخْرُجْ اِنِّیْ لَكَ مِنَ
النّٰصِحِیْنَ ﴿۲۰﴾ فَخَرَجَ مِنْهَا خَآئِفًا یَّتَرَقَّبُ ۫ قَالَ رَبِّ نَجِّنِیْ
مِنَ الْقَوْمِ الظّٰلِمِیْنَ ﴿۲۱﴾ ع وَلَمَّا تَوَجَّهَ تِلْقَآءَ مَدْیَنَ قَالَ ع ٤٨٥
عَسٰی رَبِّیْۤ اَنْ یَّهْدِیَنِیْ سَوَآءَ السَّبِیْلِ ﴿۲۲﴾ وَلَمَّا وَرَدَ
مَآءَ مَدْیَنَ وَجَدَ عَلَیْهِ اُمَّةً مِّنَ النَّاسِ یَسْقُوْنَ ۫ ٥ وَ
وَجَدَ مِنْ دُوْنِهِمُ امْرَاَتَیْنِ تَذُوْدٰنِ ۚ قَالَ مَا خَطْبُكُمَا ؕ
قَالَتَا لَا نَسْقِیْ حَتّٰی یُصْدِرَ الرِّعَآءُ سکتة وَاَبُوْنَا شَیْخٌ
كَبِیْرٌ ﴿۲۳﴾ فَسَقٰی لَهُمَا ثُمَّ تَوَلّٰۤی اِلَی الظِّلِّ فَقَالَ رَبِّ
اِنِّیْ لِمَاۤ اَنْزَلْتَ اِلَیَّ مِنْ خَیْرٍ فَقِیْرٌ ﴿۲۴﴾ فَجَآءَتْهُ اِحْدٰىهُمَا
تَمْشِیْ عَلَی اسْتِحْیَآءٍ ۫ قَالَتْ اِنَّ اَبِیْ یَدْعُوْكَ لِیَجْزِیَكَ

منزل ٥

اَجْرَ مَا سَقَيْتَ لَنَا ط فَلَمَّا جَآءَهٗ وَ قَصَّ عَلَيْهِ
الْقَصَصَ لا قَالَ لَا تَخَفْ قف نَجَوْتَ مِنَ الْقَوْمِ الظّٰلِمِيْنَ ﴿٢٥﴾
قَالَتْ اِحْدٰىهُمَا يٰٓاَبَتِ اسْتَاْجِرْهُ ز اِنَّ خَيْرَ مَنِ
اسْتَاْجَرْتَ الْقَوِيُّ الْاَمِيْنُ ﴿٢٦﴾ قَالَ اِنِّيْٓ اُرِيْدُ اَنْ اُنْكِحَكَ
اِحْدَى ابْنَتَيَّ هٰتَيْنِ عَلٰٓى اَنْ تَاْجُرَنِيْ ثَمٰنِيَ حِجَجٍ ج
فَاِنْ اَتْمَمْتَ عَشْرًا فَمِنْ عِنْدِكَ ج وَمَآ اُرِيْدُ اَنْ
اَشُقَّ عَلَيْكَ ط سَتَجِدُنِيْٓ اِنْ شَآءَ اللّٰهُ مِنَ الصّٰلِحِيْنَ ﴿٢٧﴾
قَالَ ذٰلِكَ بَيْنِيْ وَبَيْنَكَ ط اَيَّمَا الْاَجَلَيْنِ قَضَيْتُ
فَلَا عُدْوَانَ عَلَيَّ ط وَاللّٰهُ عَلٰى مَا نَقُوْلُ وَكِيْلٌ ﴿٢٨﴾ ع
فَلَمَّا قَضٰى مُوْسَى الْاَجَلَ وَسَارَ بِاَهْلِهٖٓ اٰنَسَ
مِنْ جَانِبِ الطُّوْرِ نَارًا ج قَالَ لِاَهْلِهِ امْكُثُوْٓا اِنِّيْٓ
اٰنَسْتُ نَارًا لَّعَلِّيْٓ اٰتِيْكُمْ مِّنْهَا بِخَبَرٍ اَوْ جَذْوَةٍ
مِّنَ النَّارِ لَعَلَّكُمْ تَصْطَلُوْنَ ﴿٢٩﴾ فَلَمَّآ اَتٰىهَا نُوْدِيَ مِنْ

منزل ٥

ع ٣ / ٧

Ikhfa إخفا | Ikhfa Meem Saakin إخفاميم ساكن | Qalqala قلقلہ | Qalb قلب | Idghaam ادغام | Idghaam Meem Saakin ادغام میم ساکن | Ghunna غُنّہ

شَاطِئِ الْوَادِ الْاَيْمَنِ فِي الْبُقْعَةِ الْمُبٰرَكَةِ مِنَ
الشَّجَرَةِ اَنْ يّٰمُوْسٰٓى اِنِّيْٓ اَنَا اللّٰهُ رَبُّ الْعٰلَمِيْنَ ﴿٣٠﴾ وَ
اَنْ اَلْقِ عَصَاكَ ؕ فَلَمَّا رَاٰهَا تَهْتَزُّ كَاَنَّهَا جَآنٌّ وَّلّٰى
مُدْبِرًا وَّلَمْ يُعَقِّبْ ؕ يٰمُوْسٰٓى اَقْبِلْ وَلَا تَخَفْ قف
اِنَّكَ مِنَ الْاٰمِنِيْنَ ﴿٣١﴾ اُسْلُكْ يَدَكَ فِيْ جَيْبِكَ تَخْرُجْ
بَيْضَآءَ مِنْ غَيْرِ سُوْٓءٍ ز وَّاضْمُمْ اِلَيْكَ جَنَاحَكَ مِنَ
الرَّهْبِ فَذٰنِكَ بُرْهَانٰنِ مِنْ رَّبِّكَ اِلٰى فِرْعَوْنَ وَ
مَلَا۟ئِهٖ ؕ اِنَّهُمْ كَانُوْا قَوْمًا فٰسِقِيْنَ ﴿٣٢﴾ قَالَ رَبِّ اِنِّيْ
قَتَلْتُ مِنْهُمْ نَفْسًا فَاَخَافُ اَنْ يَّقْتُلُوْنِ ﴿٣٣﴾ وَاَخِيْ
هٰرُوْنُ هُوَ اَفْصَحُ مِنِّيْ لِسَانًا فَاَرْسِلْهُ مَعِيَ رِدْاً
يُّصَدِّقُنِيْٓ ز اِنِّيْٓ اَخَافُ اَنْ يُّكَذِّبُوْنِ ﴿٣٤﴾ قَالَ سَنَشُدُّ
عَضُدَكَ بِاَخِيْكَ وَنَجْعَلُ لَكُمَا سُلْطٰنًا فَلَا
يَصِلُوْنَ اِلَيْكُمَا ۛ بِاٰيٰتِنَا ۛ اَنْتُمَا وَمَنِ اتَّبَعَكُمَا

منزل ٥

معانقہ ١٢ عند المتأخرین ١٢

Ikhfa إخفا | Ikhfa Meem Saakin إخفا میم ساکن | Qalqala قلقلہ | Qalb قلب | Idghaam إدغام | Idghaam Meem Saakin إدغام میم ساکن | Ghunna غُنّہ

الْغٰلِبُوْنَ ﴿٣٥﴾ فَلَمَّا جَآءَهُمْ مُّوْسٰى بِاٰيٰتِنَا بَيِّنٰتٍ

قَالُوْا مَا هٰذَآ اِلَّا سِحْرٌ مُّفْتَرًى وَّمَا سَمِعْنَا بِهٰذَا

فِیْٓ اٰبَآئِنَا الْاَوَّلِیْنَ ﴿٣٦﴾ وَقَالَ مُوْسٰى رَبِّیْٓ اَعْلَمُ

بِمَنْ جَآءَ بِالْهُدٰى مِنْ عِنْدِهٖ وَمَنْ تَكُوْنُ لَهٗ

عَاقِبَةُ الدَّارِ ط اِنَّهٗ لَا يُفْلِحُ الظّٰلِمُوْنَ ﴿٣٧﴾ وَقَالَ

فِرْعَوْنُ يٰٓاَيُّهَا الْمَلَاُ مَا عَلِمْتُ لَكُمْ مِّنْ اِلٰهٍ غَيْرِیْ ج

فَاَوْقِدْ لِیْ يٰهَامٰنُ عَلَى الطِّيْنِ فَاجْعَلْ لِّیْ صَرْحًا

لَّعَلِّیْٓ اَطَّلِعُ اِلٰٓى اِلٰهِ مُوْسٰى ۙ وَاِنِّیْ لَاَظُنُّهٗ مِنَ

الْكٰذِبِيْنَ ﴿٣٨﴾ وَاسْتَكْبَرَ هُوَ وَجُنُوْدُهٗ فِی الْاَرْضِ

بِغَيْرِ الْحَقِّ وَظَنُّوْٓا اَنَّهُمْ اِلَيْنَا لَا يُرْجَعُوْنَ ﴿٣٩﴾

فَاَخَذْنٰهُ وَجُنُوْدَهٗ فَنَبَذْنٰهُمْ فِی الْيَمِّ ج فَانْظُرْ كَيْفَ

كَانَ عَاقِبَةُ الظّٰلِمِيْنَ ﴿٤٠﴾ وَجَعَلْنٰهُمْ اَئِمَّةً يَّدْعُوْنَ

اِلَى النَّارِ ج وَيَوْمَ الْقِيٰمَةِ لَا يُنْصَرُوْنَ ﴿٤١﴾ وَاَتْبَعْنٰهُمْ

فِي هٰذِهِ الدُّنْيَا لَعْنَةً ۚ وَيَوْمَ الْقِيٰمَةِ هُمْ مِّنَ
الْمَقْبُوحِينَ ﴿٤٢﴾ ع وَلَقَدْ اٰتَيْنَا مُوسَى الْكِتٰبَ مِنْ بَعْدِ ع ١٤ ٤
مَآ اَهْلَكْنَا الْقُرُونَ الْاُولٰى بَصَآئِرَ لِلنَّاسِ وَهُدًى
وَّرَحْمَةً لَّعَلَّهُمْ يَتَذَكَّرُونَ ﴿٤٣﴾ وَمَا كُنْتَ بِجَانِبِ
الْغَرْبِيِّ اِذْ قَضَيْنَآ اِلٰى مُوسَى الْاَمْرَ وَمَا كُنْتَ مِنَ
الشّٰهِدِينَ ﴿٤٤﴾ وَلٰكِنَّآ اَنْشَاْنَا قُرُونًا فَتَطَاوَلَ عَلَيْهِمُ
الْعُمُرُ ۚ وَمَا كُنْتَ ثَاوِيًا فِيٓ اَهْلِ مَدْيَنَ تَتْلُوا
عَلَيْهِمْ اٰيٰتِنَا ۙ وَلٰكِنَّا كُنَّا مُرْسِلِينَ ﴿٤٥﴾ وَمَا كُنْتَ
بِجَانِبِ الطُّورِ اِذْ نَادَيْنَا وَلٰكِنْ رَّحْمَةً مِّنْ رَّبِّكَ
لِتُنْذِرَ قَوْمًا مَّآ اَتٰىهُمْ مِّنْ نَّذِيرٍ مِّنْ قَبْلِكَ
لَعَلَّهُمْ يَتَذَكَّرُونَ ﴿٤٦﴾ وَلَوْلَآ اَنْ تُصِيبَهُمْ مُّصِيبَةٌ
بِمَا قَدَّمَتْ اَيْدِيهِمْ فَيَقُولُوا رَبَّنَا لَوْلَآ اَرْسَلْتَ
اِلَيْنَا رَسُولًا فَنَتَّبِعَ اٰيٰتِكَ وَنَكُونَ مِنَ الْمُؤْمِنِينَ ﴿٤٧﴾

منزل ٥

فَلَمَّا جَآءَهُمُ الْحَقُّ مِنْ عِنْدِنَا قَالُوْا لَوْلَآ اُوْتِيَ
مِثْلَ مَآ اُوْتِيَ مُوْسٰى ؕ اَوَلَمْ يَكْفُرُوْا بِمَآ اُوْتِيَ مُوْسٰى
مِنْ قَبْلُ ۚ قَالُوْا سِحْرٰنِ تَظَاهَرَا ۫ وَقَالُوْٓا اِنَّا بِكُلٍّ
كٰفِرُوْنَ ﴿٤٨﴾ قُلْ فَاْتُوْا بِكِتٰبٍ مِّنْ عِنْدِ اللّٰهِ هُوَ
اَهْدٰى مِنْهُمَآ اَتَّبِعْهُ اِنْ كُنْتُمْ صٰدِقِيْنَ ﴿٤٩﴾ فَاِنْ لَّمْ
يَسْتَجِيْبُوْا لَكَ فَاعْلَمْ اَنَّمَا يَتَّبِعُوْنَ اَهْوَآءَهُمْ ؕ وَمَنْ
اَضَلُّ مِمَّنِ اتَّبَعَ هَوٰىهُ بِغَيْرِ هُدًى مِّنَ اللّٰهِ ؕ
اِنَّ اللّٰهَ لَا يَهْدِي الْقَوْمَ الظّٰلِمِيْنَ ﴿٥٠﴾ ع وَلَقَدْ
وَصَّلْنَا لَهُمُ الْقَوْلَ لَعَلَّهُمْ يَتَذَكَّرُوْنَ ﴿٥١﴾ ط اَلَّذِيْنَ اٰتَيْنٰهُمُ
الْكِتٰبَ مِنْ قَبْلِهٖ هُمْ بِهٖ يُؤْمِنُوْنَ ﴿٥٢﴾ وَاِذَا يُتْلٰى
عَلَيْهِمْ قَالُوْٓا اٰمَنَّا بِهٖٓ اِنَّهُ الْحَقُّ مِنْ رَّبِّنَآ اِنَّا كُنَّا
مِنْ قَبْلِهٖ مُسْلِمِيْنَ ﴿٥٣﴾ اُولٰٓئِكَ يُؤْتَوْنَ اَجْرَهُمْ مَّرَّتَيْنِ
بِمَا صَبَرُوْا وَيَدْرَءُوْنَ بِالْحَسَنَةِ السَّيِّئَةَ وَمِمَّا

منزل ٥

٥٤٨ النّصف

Ikhfa اِخفا | Ikhfa Meem Saakin اِخفامیم ساکن | Qalqala قلقلہ | Qalb قلب | Idghaam اِدغام | Idghaam Meem Saakin اِدغام میم ساکن | Ghunna غُنّہ

رَزَقْنٰهُمْ يُنْفِقُوْنَ ﴿٥٤﴾ وَاِذَا سَمِعُوا اللَّغْوَ اَعْرَضُوْا
عَنْهُ وَقَالُوْا لَنَآ اَعْمَالُنَا وَلَكُمْ اَعْمَالُكُمْ ز سَلٰمٌ
عَلَيْكُمْ ز لَا نَبْتَغِى الْجٰهِلِيْنَ ﴿٥٥﴾ اِنَّكَ لَا تَهْدِىْ مَنْ
اَحْبَبْتَ وَلٰكِنَّ اللّٰهَ يَهْدِىْ مَنْ يَّشَآءُ ج وَهُوَ
اَعْلَمُ بِالْمُهْتَدِيْنَ ﴿٥٦﴾ وَقَالُوْٓا اِنْ نَّتَّبِعِ الْهُدٰى مَعَكَ
نُتَخَطَّفْ مِنْ اَرْضِنَا ط اَوَلَمْ نُمَكِّنْ لَّهُمْ حَرَمًا اٰمِنًا
يُّجْبٰٓى اِلَيْهِ ثَمَرٰتُ كُلِّ شَیْءٍ رِّزْقًا مِّنْ لَّدُنَّا وَ
لٰكِنَّ اَكْثَرَهُمْ لَا يَعْلَمُوْنَ ﴿٥٧﴾ وَكَمْ اَهْلَكْنَا مِنْ
قَرْيَةٍۭ بَطِرَتْ مَعِيْشَتَهَا ج فَتِلْكَ مَسٰكِنُهُمْ لَمْ تُسْكَنْ
مِّنْ بَعْدِهِمْ اِلَّا قَلِيْلًا ط وَكُنَّا نَحْنُ الْوٰرِثِيْنَ ﴿٥٨﴾
وَمَا كَانَ رَبُّكَ مُهْلِكَ الْقُرٰى حَتّٰى يَبْعَثَ فِىْٓ
اُمِّهَا رَسُوْلًا يَّتْلُوْا عَلَيْهِمْ اٰيٰتِنَا ج وَمَا كُنَّا مُهْلِكِى
الْقُرٰٓى اِلَّا وَاَهْلُهَا ظٰلِمُوْنَ ﴿٥٩﴾ وَمَآ اُوْتِيْتُمْ مِّنْ شَیْءٍ

منزل ٥

فَمَتَاعُ الْحَيٰوةِ الدُّنْيَا وَزِيْنَتُهَا ۚ وَمَا عِنْدَ اللّٰهِ
خَيْرٌ وَّ اَبْقٰى ۗ اَفَلَا تَعْقِلُوْنَ ﴿٦٠﴾ اَفَمَنْ وَّعَدْنٰهُ
وَعْدًا حَسَنًا فَهُوَ لَاقِيْهِ كَمَنْ مَّتَّعْنٰهُ مَتَاعَ
الْحَيٰوةِ الدُّنْيَا ثُمَّ هُوَ يَوْمَ الْقِيٰمَةِ مِنَ الْمُحْضَرِيْنَ ﴿٦١﴾
وَيَوْمَ يُنَادِيْهِمْ فَيَقُوْلُ اَيْنَ شُرَكَآءِيَ الَّذِيْنَ كُنْتُمْ
تَزْعُمُوْنَ ﴿٦٢﴾ قَالَ الَّذِيْنَ حَقَّ عَلَيْهِمُ الْقَوْلُ رَبَّنَا
هٰٓؤُلَآءِ الَّذِيْنَ اَغْوَيْنَا ۚ اَغْوَيْنٰهُمْ كَمَا غَوَيْنَا ۚ تَبَرَّاْنَآ
اِلَيْكَ ۫ مَا كَانُوْٓا اِيَّانَا يَعْبُدُوْنَ ﴿٦٣﴾ وَقِيْلَ ادْعُوْا
شُرَكَآءَكُمْ فَدَعَوْهُمْ فَلَمْ يَسْتَجِيْبُوْا لَهُمْ وَرَاَوُا الْعَذَابَ ۚ
لَوْ اَنَّهُمْ كَانُوْا يَهْتَدُوْنَ ﴿٦٤﴾ وَيَوْمَ يُنَادِيْهِمْ فَيَقُوْلُ
مَاذَآ اَجَبْتُمُ الْمُرْسَلِيْنَ ﴿٦٥﴾ فَعَمِيَتْ عَلَيْهِمُ الْاَنْۢبَآءُ
يَوْمَىِٕذٍ فَهُمْ لَا يَتَسَآءَلُوْنَ ﴿٦٦﴾ فَاَمَّا مَنْ تَابَ وَاٰمَنَ
وَعَمِلَ صَالِحًا فَعَسٰٓى اَنْ يَّكُوْنَ مِنَ الْمُفْلِحِيْنَ ﴿٦٧﴾

ركوع ٦

منزل ٥

وَرَبُّكَ يَخْلُقُ مَا يَشَآءُ وَيَخْتَارُ ؕ مَا كَانَ لَهُمُ
الْخِيَرَةُ ؕ سُبْحٰنَ اللّٰهِ وَتَعٰلٰى عَمَّا يُشْرِكُوْنَ ﴿٦٨﴾
وَرَبُّكَ يَعْلَمُ مَا تُكِنُّ صُدُوْرُهُمْ وَمَا يُعْلِنُوْنَ ﴿٦٩﴾
وَهُوَ اللّٰهُ لَآ اِلٰهَ اِلَّا هُوَ ؕ لَهُ الْحَمْدُ فِى الْاُوْلٰى وَ
الْاٰخِرَةِ ز وَلَهُ الْحُكْمُ وَاِلَيْهِ تُرْجَعُوْنَ ﴿٧٠﴾ قُلْ
اَرَءَيْتُمْ اِنْ جَعَلَ اللّٰهُ عَلَيْكُمُ الَّيْلَ سَرْمَدًا اِلٰى يَوْمِ
الْقِيٰمَةِ مَنْ اِلٰهٌ غَيْرُ اللّٰهِ يَاْتِيْكُمْ بِضِيَآءٍ ؕ اَفَلَا
تَسْمَعُوْنَ ﴿٧١﴾ قُلْ اَرَءَيْتُمْ اِنْ جَعَلَ اللّٰهُ عَلَيْكُمُ
النَّهَارَ سَرْمَدًا اِلٰى يَوْمِ الْقِيٰمَةِ مَنْ اِلٰهٌ غَيْرُ اللّٰهِ
يَاْتِيْكُمْ بِلَيْلٍ تَسْكُنُوْنَ فِيْهِ ؕ اَفَلَا تُبْصِرُوْنَ ﴿٧٢﴾
وَمِنْ رَّحْمَتِهٖ جَعَلَ لَكُمُ الَّيْلَ وَالنَّهَارَ لِتَسْكُنُوْا
فِيْهِ وَلِتَبْتَغُوْا مِنْ فَضْلِهٖ وَلَعَلَّكُمْ تَشْكُرُوْنَ ﴿٧٣﴾
وَيَوْمَ يُنَادِيْهِمْ فَيَقُوْلُ اَيْنَ شُرَكَآءِيَ الَّذِيْنَ

منزل ٥

كُنْتُمْ تَزْعُمُوْنَ ﴿٧٤﴾ وَنَزَعْنَا مِنْ كُلِّ اُمَّةٍ شَهِيْدًا

فَقُلْنَا هَاتُوْا بُرْهَانَكُمْ فَعَلِمُوْٓا اَنَّ الْحَقَّ لِلّٰهِ وَ

ع ٥ ١٠ ضَلَّ عَنْهُمْ مَّا كَانُوْا يَفْتَرُوْنَ ﴿٧٥﴾ اِنَّ قَارُوْنَ

كَانَ مِنْ قَوْمِ مُوْسٰى فَبَغٰى عَلَيْهِمْ ۠ وَاٰتَيْنٰهُ

مِنَ الْكُنُوْزِ مَآ اِنَّ مَفَاتِحَهٗ لَتَنُوْٓاُ بِالْعُصْبَةِ

اُولِى الْقُوَّةِ ۗ اِذْ قَالَ لَهٗ قَوْمُهٗ لَا تَفْرَحْ اِنَّ اللّٰهَ

لَا يُحِبُّ الْفَرِحِيْنَ ﴿٧٦﴾ وَابْتَغِ فِيْمَآ اٰتٰىكَ اللّٰهُ منزل ٥

الدَّارَ الْاٰخِرَةَ وَلَا تَنْسَ نَصِيْبَكَ مِنَ الدُّنْيَا

وَاَحْسِنْ كَمَآ اَحْسَنَ اللّٰهُ اِلَيْكَ وَلَا تَبْغِ الْفَسَادَ

فِى الْاَرْضِ ؕ اِنَّ اللّٰهَ لَا يُحِبُّ الْمُفْسِدِيْنَ ﴿٧٧﴾ قَالَ

اِنَّمَآ اُوْتِيْتُهٗ عَلٰى عِلْمٍ عِنْدِىْ ؕ اَوَلَمْ يَعْلَمْ اَنَّ

اللّٰهَ قَدْ اَهْلَكَ مِنْ قَبْلِهٖ مِنَ الْقُرُوْنِ مَنْ هُوَ

اَشَدُّ مِنْهُ قُوَّةً وَّاَكْثَرُ جَمْعًا ؕ وَلَا يُسْئَلُ

عَنْ ذُنُوْبِهِمُ الْمُجْرِمُوْنَ ﴿٧٨﴾ فَخَرَجَ عَلٰى قَوْمِهٖ
فِيْ زِيْنَتِهٖ ؕ قَالَ الَّذِيْنَ يُرِيْدُوْنَ الْحَيٰوةَ الدُّنْيَا
يٰلَيْتَ لَنَا مِثْلَ مَاۤ اُوْتِيَ قَارُوْنُ ۙ اِنَّهٗ لَذُوْ حَظٍّ
عَظِيْمٍ ﴿٧٩﴾ وَقَالَ الَّذِيْنَ اُوْتُوا الْعِلْمَ وَيْلَكُمْ
ثَوَابُ اللّٰهِ خَيْرٌ لِّمَنْ اٰمَنَ وَعَمِلَ صَالِحًا ۚ وَلَا
يُلَقّٰىهَاۤ اِلَّا الصّٰبِرُوْنَ ﴿٨٠﴾ فَخَسَفْنَا بِهٖ وَبِدَارِهِ
منزل ٥ الْاَرْضَ ۫ فَمَا كَانَ لَهٗ مِنْ فِئَةٍ يَّنْصُرُوْنَهٗ
مِنْ دُوْنِ اللّٰهِ ۗ وَمَا كَانَ مِنَ الْمُنْتَصِرِيْنَ ﴿٨١﴾
وَاَصْبَحَ الَّذِيْنَ تَمَنَّوْا مَكَانَهٗ بِالْاَمْسِ يَقُوْلُوْنَ
وَيْكَاَنَّ اللّٰهَ يَبْسُطُ الرِّزْقَ لِمَنْ يَّشَآءُ مِنْ
عِبَادِهٖ وَيَقْدِرُ ۚ لَوْلَاۤ اَنْ مَّنَّ اللّٰهُ عَلَيْنَا لَخَسَفَ
بِنَا ؕ وَيْكَاَنَّهٗ لَا يُفْلِحُ الْكٰفِرُوْنَ ﴿٨٢﴾ ع تِلْكَ الدَّارُ ع ٨ / ١١
الْاٰخِرَةُ نَجْعَلُهَا لِلَّذِيْنَ لَا يُرِيْدُوْنَ عُلُوًّا فِي

الْاَرْضِ وَلَا فَسَادًا ؕ وَ الْعَاقِبَةُ لِلْمُتَّقِيْنَ ﴿۸۳﴾
مَنْ جَآءَ بِالْحَسَنَةِ فَلَهٗ خَيْرٌ مِّنْهَا ۚ وَ مَنْ
جَآءَ بِالسَّيِّئَةِ فَلَا يُجْزَى الَّذِيْنَ عَمِلُوا السَّيِّاٰتِ
اِلَّا مَا كَانُوْا يَعْمَلُوْنَ ﴿۸۴﴾ اِنَّ الَّذِيْ فَرَضَ
عَلَيْكَ الْقُرْاٰنَ لَرَآدُّكَ اِلٰى مَعَادٍ ؕ قُلْ رَّبِّيْۤ
اَعْلَمُ مَنْ جَآءَ بِالْهُدٰى وَمَنْ هُوَ فِيْ ضَلٰلٍ
مُّبِيْنٍ ﴿۸۵﴾ وَمَا كُنْتَ تَرْجُوْۤا اَنْ يُّلْقٰۤى اِلَيْكَ
الْكِتٰبُ اِلَّا رَحْمَةً مِّنْ رَّبِّكَ فَلَا تَكُوْنَنَّ ظَهِيْرًا
لِّلْكٰفِرِيْنَ ﴿۸۶﴾ وَلَا يَصُدُّنَّكَ عَنْ اٰيٰتِ اللّٰهِ بَعْدَ
اِذْ اُنْزِلَتْ اِلَيْكَ وَادْعُ اِلٰى رَبِّكَ وَلَا تَكُوْنَنَّ
مِنَ الْمُشْرِكِيْنَ ﴿۸۷﴾ ۚ وَلَا تَدْعُ مَعَ اللّٰهِ اِلٰهًا اٰخَرَ ۘ
لَاۤ اِلٰهَ اِلَّا هُوَ ۣ كُلُّ شَيْءٍ هَالِكٌ اِلَّا وَجْهَهٗ ؕ
لَهُ الْحُكْمُ وَاِلَيْهِ تُرْجَعُوْنَ ﴿۸۸﴾ ع

منزل ٥

وقف لازم

الثلثة

Ikhfa اِخفا | Ikhfa Meem Saakin اِخفامیم ساکن | Qalqala قلقلہ | Qalb قلب | Idghaam اِدغام | Idghaam Meem Saakin اِدغام میم ساکن | Ghunna غُنّہ

اٰيَاتُهَا ٦٩ (٢٩) سُوْرَةُ الْعَنْكَبُوْتِ مَكِّيَّةٌ (٨٥) رُكُوْعَاتُهَا ٧

بِسْمِ اللّٰهِ الرَّحْمٰنِ الرَّحِيْمِ ۝

الٓمّٓ ۚ ۝١ اَحَسِبَ النَّاسُ اَنْ يُّتْرَكُوْٓا اَنْ يَّقُوْلُوْٓا
اٰمَنَّا وَهُمْ لَا يُفْتَنُوْنَ ۝٢ وَلَقَدْ فَتَنَّا الَّذِيْنَ مِنْ
قَبْلِهِمْ فَلَيَعْلَمَنَّ اللّٰهُ الَّذِيْنَ صَدَقُوْا وَلَيَعْلَمَنَّ
الْكٰذِبِيْنَ ۝٣ اَمْ حَسِبَ الَّذِيْنَ يَعْمَلُوْنَ السَّيِّاٰتِ اَنْ
يَّسْبِقُوْنَا ؕ سَآءَ مَا يَحْكُمُوْنَ ۝٤ مَنْ كَانَ يَرْجُوْا لِقَآءَ
اللّٰهِ فَاِنَّ اَجَلَ اللّٰهِ لَاٰتٍ ؕ وَهُوَ السَّمِيْعُ الْعَلِيْمُ ۝٥
وَمَنْ جَاهَدَ فَاِنَّمَا يُجَاهِدُ لِنَفْسِهٖ ؕ اِنَّ اللّٰهَ لَغَنِيٌّ
عَنِ الْعٰلَمِيْنَ ۝٦ وَالَّذِيْنَ اٰمَنُوْا وَعَمِلُوا الصّٰلِحٰتِ
لَنُكَفِّرَنَّ عَنْهُمْ سَيِّاٰتِهِمْ وَلَنَجْزِيَنَّهُمْ اَحْسَنَ الَّذِيْ
كَانُوْا يَعْمَلُوْنَ ۝٧ وَوَصَّيْنَا الْاِنْسَانَ بِوَالِدَيْهِ
حُسْنًا ؕ وَاِنْ جَاهَدٰكَ لِتُشْرِكَ بِيْ مَا لَيْسَ لَكَ

منزل ٥

بِهٖ عِلْمٌ فَلَا تُطِعْهُمَا ؕ اِلَیَّ مَرْجِعُكُمْ فَاُنَبِّئُكُمْ بِمَا
كُنْتُمْ تَعْمَلُوْنَ ۝٨ وَالَّذِیْنَ اٰمَنُوْا وَعَمِلُوا الصّٰلِحٰتِ
لَنُدْخِلَنَّهُمْ فِی الصّٰلِحِیْنَ ۝٩ وَمِنَ النَّاسِ مَنْ یَّقُوْلُ
اٰمَنَّا بِاللّٰهِ فَاِذَاۤ اُوْذِیَ فِی اللّٰهِ جَعَلَ فِتْنَةَ النَّاسِ
كَعَذَابِ اللّٰهِ ؕ وَلَئِنْ جَآءَ نَصْرٌ مِّنْ رَّبِّكَ لَیَقُوْلُنَّ
اِنَّا كُنَّا مَعَكُمْ ؕ اَوَلَیْسَ اللّٰهُ بِاَعْلَمَ بِمَا فِیْ صُدُوْرِ
الْعٰلَمِیْنَ ۝١٠ وَلَیَعْلَمَنَّ اللّٰهُ الَّذِیْنَ اٰمَنُوْا وَلَیَعْلَمَنَّ منزل ٥
الْمُنٰفِقِیْنَ ۝١١ وَقَالَ الَّذِیْنَ كَفَرُوْا لِلَّذِیْنَ اٰمَنُوا
اتَّبِعُوْا سَبِیْلَنَا وَلْنَحْمِلْ خَطٰیٰكُمْ ؕ وَمَا هُمْ بِحٰمِلِیْنَ
مِنْ خَطٰیٰهُمْ مِّنْ شَیْءٍ ؕ اِنَّهُمْ لَكٰذِبُوْنَ ۝١٢ وَلَیَحْمِلُنَّ
اَثْقَالَهُمْ وَاَثْقَالًا مَّعَ اَثْقَالِهِمْ ز وَلَیُسْئَلُنَّ یَوْمَ
ع ١٣/١٤ الْقِیٰمَةِ عَمَّا كَانُوْا یَفْتَرُوْنَ ۝١٣ ع وَلَقَدْ اَرْسَلْنَا نُوْحًا
اِلٰی قَوْمِهٖ فَلَبِثَ فِیْهِمْ اَلْفَ سَنَةٍ اِلَّا خَمْسِیْنَ عَامًا ؕ

فَاَخَذَهُمُ الطُّوْفَانُ وَهُمْ ظٰلِمُوْنَ ﴿١٤﴾ فَاَنْجَيْنٰهُ وَ
اَصْحٰبَ السَّفِيْنَةِ وَجَعَلْنٰهَآ اٰيَةً لِّلْعٰلَمِيْنَ ﴿١٥﴾ وَاِبْرٰهِيْمَ
اِذْ قَالَ لِقَوْمِهِ اعْبُدُوا اللّٰهَ وَاتَّقُوْهُ ؕ ذٰلِكُمْ خَيْرٌ لَّكُمْ
اِنْ كُنْتُمْ تَعْلَمُوْنَ ﴿١٦﴾ اِنَّمَا تَعْبُدُوْنَ مِنْ دُوْنِ اللّٰهِ
اَوْثَانًا وَّتَخْلُقُوْنَ اِفْكًا ؕ اِنَّ الَّذِيْنَ تَعْبُدُوْنَ مِنْ
دُوْنِ اللّٰهِ لَا يَمْلِكُوْنَ لَكُمْ رِزْقًا فَابْتَغُوْا عِنْدَ اللّٰهِ
الرِّزْقَ وَاعْبُدُوْهُ وَاشْكُرُوْا لَهٗ ؕ اِلَيْهِ تُرْجَعُوْنَ ﴿١٧﴾
وَاِنْ تُكَذِّبُوْا فَقَدْ كَذَّبَ اُمَمٌ مِّنْ قَبْلِكُمْ ؕ وَمَا عَلَى
الرَّسُوْلِ اِلَّا الْبَلٰغُ الْمُبِيْنُ ﴿١٨﴾ اَوَلَمْ يَرَوْا كَيْفَ
يُبْدِئُ اللّٰهُ الْخَلْقَ ثُمَّ يُعِيْدُهٗ ؕ اِنَّ ذٰلِكَ عَلَى
اللّٰهِ يَسِيْرٌ ﴿١٩﴾ قُلْ سِيْرُوْا فِى الْاَرْضِ فَانْظُرُوْا كَيْفَ
بَدَاَ الْخَلْقَ ثُمَّ اللّٰهُ يُنْشِئُ النَّشْاَةَ الْاٰخِرَةَ ؕ اِنَّ
اللّٰهَ عَلٰى كُلِّ شَيْءٍ قَدِيْرٌ ﴿٢٠﴾ ج يُعَذِّبُ مَنْ يَّشَآءُ

وَ يَرْحَمُ مَنْ يَّشَآءُ ۚ وَ اِلَيْهِ تُقْلَبُوْنَ ﴿٢١﴾ وَ مَآ اَنْتُمْ
بِمُعْجِزِيْنَ فِى الْاَرْضِ وَلَا فِى السَّمَآءِ ۫ وَ مَا لَكُمْ مِّنْ
دُوْنِ اللّٰهِ مِنْ وَّلِيٍّ وَّلَا نَصِيْرٍ ﴿٢٢﴾ ع وَ الَّذِيْنَ كَفَرُوْا
بِاٰيٰتِ اللّٰهِ وَلِقَآئِهٖٓ اُولٰٓئِكَ يَئِسُوْا مِنْ رَّحْمَتِيْ وَ
اُولٰٓئِكَ لَهُمْ عَذَابٌ اَلِيْمٌ ﴿٢٣﴾ فَمَا كَانَ جَوَابَ قَوْمِهٖٓ
اِلَّآ اَنْ قَالُوا اقْتُلُوْهُ اَوْ حَرِّقُوْهُ فَاَنْجٰىهُ اللّٰهُ مِنَ
النَّارِ ۭ اِنَّ فِيْ ذٰلِكَ لَاٰيٰتٍ لِّقَوْمٍ يُّؤْمِنُوْنَ ﴿٢٤﴾ وَ قَالَ
اِنَّمَا اتَّخَذْتُمْ مِّنْ دُوْنِ اللّٰهِ اَوْثَانًا ۙ مَّوَدَّةَ
بَيْنِكُمْ فِي الْحَيٰوةِ الدُّنْيَا ۚ ثُمَّ يَوْمَ الْقِيٰمَةِ يَكْفُرُ
بَعْضُكُمْ بِبَعْضٍ وَّيَلْعَنُ بَعْضُكُمْ بَعْضًا ۫ وَّمَاْوٰىكُمُ
النَّارُ وَمَا لَكُمْ مِّنْ نّٰصِرِيْنَ ﴿٢٥﴾ ۖۚ فَاٰمَنَ لَهٗ لُوْطٌ ۘ
وَ قَالَ اِنِّيْ مُهَاجِرٌ اِلٰى رَبِّيْ ۭ اِنَّهٗ هُوَ الْعَزِيْزُ
الْحَكِيْمُ ﴿٢٦﴾ وَ وَهَبْنَا لَهٗٓ اِسْحٰقَ وَ يَعْقُوْبَ وَجَعَلْنَا

ركوع ١٤ / ١٢ ع

منزل ٥

وقف لازم

فِيْ ذُرِّيَّتِهِ النُّبُوَّةَ وَ الْكِتٰبَ وَاٰتَيْنٰهُ اَجْرَهٗ فِي
الدُّنْيَا ج وَاِنَّهٗ فِي الْاٰخِرَةِ لَمِنَ الصّٰلِحِيْنَ ﴿٢٧﴾ وَ
لُوْطًا اِذْ قَالَ لِقَوْمِهٖٓ اِنَّكُمْ لَتَاْتُوْنَ الْفَاحِشَةَ ز
مَا سَبَقَكُمْ بِهَا مِنْ اَحَدٍ مِّنَ الْعٰلَمِيْنَ ﴿٢٨﴾ اَئِنَّكُمْ
لَتَاْتُوْنَ الرِّجَالَ وَتَقْطَعُوْنَ السَّبِيْلَ ۵ لا وَتَاْتُوْنَ
فِيْ نَادِيْكُمُ الْمُنْكَرَ ط فَمَا كَانَ جَوَابَ قَوْمِهٖٓ
اِلَّآ اَنْ قَالُوا ائْتِنَا بِعَذَابِ اللّٰهِ اِنْ كُنْتَ مِنَ
الصّٰدِقِيْنَ ﴿٢٩﴾ قَالَ رَبِّ انْصُرْنِيْ عَلَى الْقَوْمِ
الْمُفْسِدِيْنَ ﴿٣٠﴾ ع وَلَمَّا جَآءَتْ رُسُلُنَآ اِبْرٰهِيْمَ ع ٣ ٨ ١٥
بِالْبُشْرٰى لا قَالُوْٓا اِنَّا مُهْلِكُوْٓا اَهْلِ هٰذِهِ الْقَرْيَةِ ج
اِنَّ اَهْلَهَا كَانُوْا ظٰلِمِيْنَ ﴿٣١﴾ صلے قَالَ اِنَّ فِيْهَا لُوْطًا ط
قَالُوْا نَحْنُ اَعْلَمُ بِمَنْ فِيْهَا ز وقفة لَنُنَجِّيَنَّهٗ وَاَهْلَهٗٓ
اِلَّا امْرَاَتَهٗ ز كَانَتْ مِنَ الْغٰبِرِيْنَ ﴿٣٢﴾ وَلَمَّآ اَنْ

منزل ٥

جَآءَتْ رُسُلُنَا لُوْطًا سِیْٓءَ بِهِمْ وَ ضَاقَ بِهِمْ ذَرْعًا وَّ
قَالُوْا لَا تَخَفْ وَ لَا تَحْزَنْ قف اِنَّا مُنَجُّوْكَ وَ اَهْلَكَ
اِلَّا امْرَاَتَكَ كَانَتْ مِنَ الْغٰبِرِیْنَ ﴿۳۳﴾ اِنَّا مُنْزِلُوْنَ عَلٰۤى
اَهْلِ هٰذِهِ الْقَرْیَةِ رِجْزًا مِّنَ السَّمَآءِ بِمَا كَانُوْا
یَفْسُقُوْنَ ﴿۳۴﴾ وَ لَقَدْ تَّرَكْنَا مِنْهَاۤ اٰیَةًۢ بَیِّنَةً لِّقَوْمٍ
یَّعْقِلُوْنَ ﴿۳۵﴾ وَ اِلٰى مَدْیَنَ اَخَاهُمْ شُعَیْبًا لا
فَقَالَ یٰقَوْمِ اعْبُدُوا اللّٰهَ وَ ارْجُوا الْیَوْمَ الْاٰخِرَ وَ لَا
تَعْثَوْا فِی الْاَرْضِ مُفْسِدِیْنَ ﴿۳۶﴾ فَكَذَّبُوْهُ فَاَخَذَتْهُمُ
الرَّجْفَةُ فَاَصْبَحُوْا فِیْ دَارِهِمْ جٰثِمِیْنَ ﴿۳۷﴾ وَ عَادًا وَّ ثَمُوْدَاۡ
وَ قَدْ تَّبَیَّنَ لَكُمْ مِّنْ مَّسٰكِنِهِمْ قف وَ زَیَّنَ لَهُمُ
الشَّیْطٰنُ اَعْمَالَهُمْ فَصَدَّهُمْ عَنِ السَّبِیْلِ وَ
كَانُوْا مُسْتَبْصِرِیْنَ ﴿۳۸﴾ لا وَ قَارُوْنَ وَ فِرْعَوْنَ وَ
هَامٰنَ قف وَ لَقَدْ جَآءَهُمْ مُّوْسٰى بِالْبَیِّنٰتِ

منزل ۵

فَاسْتَكْبَرُوْا فِي الْاَرْضِ وَمَا كَانُوْا سٰبِقِيْنَ ﴿٣٩﴾ صلے ج

فَكُلًّا اَخَذْنَا بِذَنْۢبِهٖ ۚ فَمِنْهُمْ مَّنْ اَرْسَلْنَا عَلَيْهِ

حَاصِبًا ۚ وَمِنْهُمْ مَّنْ اَخَذَتْهُ الصَّيْحَةُ ۚ وَمِنْهُمْ مَّنْ

خَسَفْنَا بِهِ الْاَرْضَ ۚ وَمِنْهُمْ مَّنْ اَغْرَقْنَا ۚ وَمَا

كَانَ اللّٰهُ لِيَظْلِمَهُمْ وَلٰكِنْ كَانُوْٓا اَنْفُسَهُمْ

يَظْلِمُوْنَ ﴿٤٠﴾ مَثَلُ الَّذِيْنَ اتَّخَذُوْا مِنْ دُوْنِ

منزل ٥ اللّٰهِ اَوْلِيَآءَ كَمَثَلِ الْعَنْكَبُوْتِ ۚ صلے اِتَّخَذَتْ بَيْتًا ۭ

وَاِنَّ اَوْهَنَ الْبُيُوْتِ لَبَيْتُ الْعَنْكَبُوْتِ ۘ لَوْ كَانُوْا وقف لازم

يَعْلَمُوْنَ ﴿٤١﴾ اِنَّ اللّٰهَ يَعْلَمُ مَا يَدْعُوْنَ مِنْ

دُوْنِهٖ مِنْ شَيْءٍ ۭ وَهُوَ الْعَزِيْزُ الْحَكِيْمُ ﴿٤٢﴾

وَتِلْكَ الْاَمْثَالُ نَضْرِبُهَا لِلنَّاسِ ۚ وَمَا يَعْقِلُهَآ

اِلَّا الْعٰلِمُوْنَ ﴿٤٣﴾ خَلَقَ اللّٰهُ السَّمٰوٰتِ وَالْاَرْضَ

بِالْحَقِّ ۭ اِنَّ فِيْ ذٰلِكَ لَاٰيَةً لِّلْمُؤْمِنِيْنَ ﴿٤٤﴾ ع ع ٤ ١٦

اُتْلُ مَاۤ اُوْحِیَ اِلَیْكَ مِنَ الْكِتٰبِ وَ اَقِمِ الصَّلٰوةَ ؕ اِنَّ
الصَّلٰوةَ تَنْهٰى عَنِ الْفَحْشَآءِ وَ الْمُنْكَرِ ؕ وَ لَذِكْرُ اللّٰهِ
اَكْبَرُ ؕ وَ اللّٰهُ یَعْلَمُ مَا تَصْنَعُوْنَ ﴿٤٥﴾ وَ لَا تُجَادِلُوْۤا اَهْلَ
الْكِتٰبِ اِلَّا بِالَّتِیْ هِیَ اَحْسَنُ ۖۗ اِلَّا الَّذِیْنَ ظَلَمُوْا
مِنْهُمْ وَ قُوْلُوْۤا اٰمَنَّا بِالَّذِیْۤ اُنْزِلَ اِلَیْنَا وَ اُنْزِلَ اِلَیْكُمْ
وَ اِلٰهُنَا وَ اِلٰهُكُمْ وَاحِدٌ وَّ نَحْنُ لَهٗ مُسْلِمُوْنَ ﴿٤٦﴾ وَ
كَذٰلِكَ اَنْزَلْنَاۤ اِلَیْكَ الْكِتٰبَ ؕ فَالَّذِیْنَ اٰتَیْنٰهُمُ الْكِتٰبَ
یُؤْمِنُوْنَ بِهٖ ۚ وَ مِنْ هٰۤؤُلَآءِ مَنْ یُّؤْمِنُ بِهٖ ؕ وَ مَا یَجْحَدُ
بِاٰیٰتِنَاۤ اِلَّا الْكٰفِرُوْنَ ﴿٤٧﴾ وَ مَا كُنْتَ تَتْلُوْا مِنْ قَبْلِهٖ
مِنْ كِتٰبٍ وَّ لَا تَخُطُّهٗ بِیَمِیْنِكَ اِذًا لَّارْتَابَ الْمُبْطِلُوْنَ ﴿٤٨﴾
بَلْ هُوَ اٰیٰتٌۢ بَیِّنٰتٌ فِیْ صُدُوْرِ الَّذِیْنَ اُوْتُوا الْعِلْمَ ؕ
وَ مَا یَجْحَدُ بِاٰیٰتِنَاۤ اِلَّا الظّٰلِمُوْنَ ﴿٤٩﴾ وَ قَالُوْا لَوْ لَاۤ
اُنْزِلَ عَلَیْهِ اٰیٰتٌ مِّنْ رَّبِّهٖ ؕ قُلْ اِنَّمَا الْاٰیٰتُ

عِنْدَ اللّٰهِ ؕ وَ اِنَّمَآ اَنَا نَذِيْرٌ مُّبِيْنٌ ۞ ٥٠ اَوَلَمْ يَكْفِهِمْ اَنَّآ
اَنْزَلْنَا عَلَيْكَ الْكِتٰبَ يُتْلٰى عَلَيْهِمْ ؕ اِنَّ فِيْ ذٰلِكَ
لَرَحْمَةً وَّذِكْرٰى لِقَوْمٍ يُّؤْمِنُوْنَ ۞ ٥١ قُلْ كَفٰى بِاللّٰهِ ع ٥ ٧
بَيْنِيْ وَبَيْنَكُمْ شَهِيْدًا ۚ يَعْلَمُ مَا فِي السَّمٰوٰتِ وَالْاَرْضِ ؕ
وَالَّذِيْنَ اٰمَنُوْا بِالْبَاطِلِ وَكَفَرُوْا بِاللّٰهِ ۙ اُولٰٓئِكَ هُمُ
الْخٰسِرُوْنَ ۞ ٥٢ وَيَسْتَعْجِلُوْنَكَ بِالْعَذَابِ ؕ وَلَوْلَآ
اَجَلٌ مُّسَمًّى لَّجَآءَهُمُ الْعَذَابُ ؕ وَلَيَاْتِيَنَّهُمْ بَغْتَةً
وَّهُمْ لَا يَشْعُرُوْنَ ۞ ٥٣ يَسْتَعْجِلُوْنَكَ بِالْعَذَابِ ؕ وَاِنَّ
جَهَنَّمَ لَمُحِيْطَةٌ بِالْكٰفِرِيْنَ ۞ ٥٤ يَوْمَ يَغْشٰهُمُ الْعَذَابُ
مِنْ فَوْقِهِمْ وَمِنْ تَحْتِ اَرْجُلِهِمْ وَيَقُوْلُ ذُوْقُوْا
مَا كُنْتُمْ تَعْمَلُوْنَ ۞ ٥٥ يٰعِبَادِيَ الَّذِيْنَ اٰمَنُوْٓا اِنَّ
اَرْضِيْ وَاسِعَةٌ فَاِيَّايَ فَاعْبُدُوْنِ ۞ ٥٦ كُلُّ نَفْسٍ
ذَآئِقَةُ الْمَوْتِ ۫ ثُمَّ اِلَيْنَا تُرْجَعُوْنَ ۞ ٥٧ وَالَّذِيْنَ اٰمَنُوْا

منزل ٥

وَعَمِلُوا الصّٰلِحٰتِ لَنُبَوِّئَنَّهُمۡ مِّنَ الۡجَنَّةِ غُرَفًا تَجۡرِیۡ مِنۡ
تَحۡتِهَا الۡاَنۡهٰرُ خٰلِدِیۡنَ فِیۡهَا ؕ نِعۡمَ اَجۡرُ الۡعٰمِلِیۡنَ ٭ۖ ﴿۵۸﴾
الَّذِیۡنَ صَبَرُوۡا وَعَلٰی رَبِّهِمۡ یَتَوَکَّلُوۡنَ ﴿۵۹﴾ وَکَاَیِّنۡ
مِّنۡ دَآبَّةٍ لَّا تَحۡمِلُ رِزۡقَهَا ٭ۖ اَللّٰهُ یَرۡزُقُهَا وَاِیَّاکُمۡ ۖ٭
وَهُوَ السَّمِیۡعُ الۡعَلِیۡمُ ﴿۶۰﴾ وَلَئِنۡ سَاَلۡتَهُمۡ مَّنۡ خَلَقَ
السَّمٰوٰتِ وَالۡاَرۡضَ وَسَخَّرَ الشَّمۡسَ وَالۡقَمَرَ لَیَقُوۡلُنَّ
اللّٰهُ ۚ فَاَنّٰی یُؤۡفَکُوۡنَ ﴿۶۱﴾ اَللّٰهُ یَبۡسُطُ الرِّزۡقَ لِمَنۡ منزل ۵
یَّشَآءُ مِنۡ عِبَادِهٖ وَیَقۡدِرُ لَهٗ ؕ اِنَّ اللّٰهَ بِکُلِّ شَیۡءٍ
عَلِیۡمٌ ﴿۶۲﴾ وَلَئِنۡ سَاَلۡتَهُمۡ مَّنۡ نَّزَّلَ مِنَ السَّمَآءِ مَآءً
فَاَحۡیَا بِهِ الۡاَرۡضَ مِنۡۢ بَعۡدِ مَوۡتِهَا لَیَقُوۡلُنَّ اللّٰهُ ؕ
ع ۲ ۶ قُلِ الۡحَمۡدُ لِلّٰهِ ؕ بَلۡ اَکۡثَرُهُمۡ لَا یَعۡقِلُوۡنَ ﴿۶۳﴾ ع وَمَا
هٰذِهِ الۡحَیٰوةُ الدُّنۡیَاۤ اِلَّا لَهۡوٌ وَّلَعِبٌ ؕ وَاِنَّ الدَّارَ
وقف لازم الۡاٰخِرَةَ لَهِیَ الۡحَیَوَانُ ۘ لَوۡ کَانُوۡا یَعۡلَمُوۡنَ ﴿۶۴﴾

فَاِذَا رَكِبُوْا فِی الْفُلْكِ دَعَوُا اللّٰهَ مُخْلِصِیْنَ لَهُ
الدِّیْنَ ۚ۬ فَلَمَّا نَجّٰىهُمْ اِلَى الْبَرِّ اِذَا هُمْ یُشْرِكُوْنَ ﴿٦٥﴾ۙ
لِیَكْفُرُوْا بِمَاۤ اٰتَیْنٰهُمْ ۚۙ وَ لِیَتَمَتَّعُوْا ۫ فَسَوْفَ یَعْلَمُوْنَ ﴿٦٦﴾
اَوَ لَمْ یَرَوْا اَنَّا جَعَلْنَا حَرَمًا اٰمِنًا وَّ یُتَخَطَّفُ النَّاسُ
مِنْ حَوْلِهِمْ ؕ اَفَبِالْبَاطِلِ یُؤْمِنُوْنَ وَ بِنِعْمَةِ اللّٰهِ
یَكْفُرُوْنَ ﴿٦٧﴾ وَ مَنْ اَظْلَمُ مِمَّنِ افْتَرٰى عَلَى اللّٰهِ
كَذِبًا اَوْ كَذَّبَ بِالْحَقِّ لَمَّا جَآءَهٗ ؕ اَلَیْسَ فِیْ
جَهَنَّمَ مَثْوًى لِّلْكٰفِرِیْنَ ﴿٦٨﴾ وَ الَّذِیْنَ جَاهَدُوْا فِیْنَا
لَنَهْدِیَنَّهُمْ سُبُلَنَا ؕ وَ اِنَّ اللّٰهَ لَمَعَ الْمُحْسِنِیْنَ ﴿٦٩﴾ ع

اٰیَاتُهَا ٦٠ (٣٠) سُوْرَةُ الرُّوْمِ مَكِّیَّةٌ (٨٤) رُكُوْعَاتُهَا ٦

بِسْمِ اللّٰهِ الرَّحْمٰنِ الرَّحِیْمِ

الٓمّٓ ۚ﴿١﴾ غُلِبَتِ الرُّوْمُ ﴿٢﴾ۙ فِیْۤ اَدْنَى الْاَرْضِ وَ هُمْ مِّنْۢ
بَعْدِ غَلَبِهِمْ سَیَغْلِبُوْنَ ﴿٣﴾ۙ فِیْ بِضْعِ سِنِیْنَ ؕ۬ لِلّٰهِ

منزل ٥

ع ٦ ٢

الْاَمْرُ مِنْ قَبْلُ وَمِنْۢ بَعْدُ ؕ وَ يَوْمَئِذٍ يَّفْرَحُ
الْمُؤْمِنُوْنَ ۙ ﴿٤﴾ بِنَصْرِ اللّٰهِ ؕ يَنْصُرُ مَنْ يَّشَآءُ ؕ وَهُوَ الْعَزِيْزُ
الرَّحِيْمُ ۙ ﴿٥﴾ وَعْدَ اللّٰهِ ؕ لَا يُخْلِفُ اللّٰهُ وَعْدَهٗ وَلٰكِنَّ
اَكْثَرَ النَّاسِ لَا يَعْلَمُوْنَ ﴿٦﴾ يَعْلَمُوْنَ ظَاهِرًا مِّنَ
الْحَيٰوةِ الدُّنْيَا ۚۖ وَهُمْ عَنِ الْاٰخِرَةِ هُمْ غٰفِلُوْنَ ﴿٧﴾ اَوَلَمْ
يَتَفَكَّرُوْا فِيْۤ اَنْفُسِهِمْ قف مَا خَلَقَ اللّٰهُ السَّمٰوٰتِ وَ
الْاَرْضَ وَمَا بَيْنَهُمَاۤ اِلَّا بِالْحَقِّ وَاَجَلٍ مُّسَمًّى ؕ وَ
اِنَّ كَثِيْرًا مِّنَ النَّاسِ بِلِقَآئِ رَبِّهِمْ لَكٰفِرُوْنَ ﴿٨﴾
اَوَلَمْ يَسِيْرُوْا فِي الْاَرْضِ فَيَنْظُرُوْا كَيْفَ كَانَ
عَاقِبَةُ الَّذِيْنَ مِنْ قَبْلِهِمْ ؕ كَانُوْۤا اَشَدَّ مِنْهُمْ قُوَّةً
وَّ اَثَارُوا الْاَرْضَ وَعَمَرُوْهَاۤ اَكْثَرَ مِمَّا عَمَرُوْهَا وَ
جَآءَتْهُمْ رُسُلُهُمْ بِالْبَيِّنٰتِ ؕ فَمَا كَانَ اللّٰهُ لِيَظْلِمَهُمْ
وَلٰكِنْ كَانُوْۤا اَنْفُسَهُمْ يَظْلِمُوْنَ ﴿٩﴾ ؕ ثُمَّ كَانَ عَاقِبَةَ

منزل ٥

الَّذِیۡنَ اَسَآءُوا السُّوۡٓاٰۤی اَنۡ کَذَّبُوۡا بِاٰیٰتِ اللّٰہِ وَ
کَانُوۡا بِہَا یَسۡتَہۡزِءُوۡنَ ﴿۱۰﴾ ع اَللّٰہُ یَبۡدَؤُا الۡخَلۡقَ ثُمَّ یُعِیۡدُہٗ ع ١
ثُمَّ اِلَیۡہِ تُرۡجَعُوۡنَ ﴿۱۱﴾ وَ یَوۡمَ تَقُوۡمُ السَّاعَۃُ یُبۡلِسُ
الۡمُجۡرِمُوۡنَ ﴿۱۲﴾ وَ لَمۡ یَکُنۡ لَّہُمۡ مِّنۡ شُرَکَآئِہِمۡ شُفَعٰٓؤُا
وَ کَانُوۡا بِشُرَکَآئِہِمۡ کٰفِرِیۡنَ ﴿۱۳﴾ وَ یَوۡمَ تَقُوۡمُ السَّاعَۃُ
یَوۡمَئِذٍ یَّتَفَرَّقُوۡنَ ﴿۱۴﴾ فَاَمَّا الَّذِیۡنَ اٰمَنُوۡا وَ عَمِلُوا
منزل ٥ الصّٰلِحٰتِ فَہُمۡ فِیۡ رَوۡضَۃٍ یُّحۡبَرُوۡنَ ﴿۱۵﴾ وَ اَمَّا الَّذِیۡنَ
کَفَرُوۡا وَ کَذَّبُوۡا بِاٰیٰتِنَا وَ لِقَآیِٔ الۡاٰخِرَۃِ فَاُولٰٓئِکَ فِی
الۡعَذَابِ مُحۡضَرُوۡنَ ﴿۱۶﴾ فَسُبۡحٰنَ اللّٰہِ حِیۡنَ تُمۡسُوۡنَ وَ
حِیۡنَ تُصۡبِحُوۡنَ ﴿۱۷﴾ وَ لَہُ الۡحَمۡدُ فِی السَّمٰوٰتِ وَ
الۡاَرۡضِ وَ عَشِیًّا وَّ حِیۡنَ تُظۡہِرُوۡنَ ﴿۱۸﴾ یُخۡرِجُ الۡحَیَّ
مِنَ الۡمَیِّتِ وَ یُخۡرِجُ الۡمَیِّتَ مِنَ الۡحَیِّ وَ یُحۡیِ
الۡاَرۡضَ بَعۡدَ مَوۡتِہَا ؕ وَ کَذٰلِکَ تُخۡرَجُوۡنَ ﴿۱۹﴾ ع وَ مِنۡ اٰیٰتِہٖۤ ع ٢ ٩ ٥

Ikhfa إخفا | Ikhfa Meem Saakin إخفاميم ساکن | Qalqala قلقلہ | Qalb قلب | Idghaam إدغام | Idghaam Meem Saakin إدغام میم ساکن | Ghunna غُنّہ

اَنْ خَلَقَكُمْ مِّنْ تُرَابٍ ثُمَّ اِذَآ اَنْتُمْ بَشَرٌ تَنْتَشِرُوْنَ ۝۲۰
وَمِنْ اٰيٰتِهٖۤ اَنْ خَلَقَ لَكُمْ مِّنْ اَنْفُسِكُمْ اَزْوَاجًا
لِّتَسْكُنُوْٓا اِلَيْهَا وَجَعَلَ بَيْنَكُمْ مَّوَدَّةً وَّرَحْمَةً ؕ اِنَّ
فِيْ ذٰلِكَ لَاٰيٰتٍ لِّقَوْمٍ يَّتَفَكَّرُوْنَ ۝۲۱ وَمِنْ اٰيٰتِهٖ خَلْقُ
السَّمٰوٰتِ وَالْاَرْضِ وَاخْتِلَافُ اَلْسِنَتِكُمْ وَاَلْوَانِكُمْ ؕ
اِنَّ فِيْ ذٰلِكَ لَاٰيٰتٍ لِّلْعٰلِمِيْنَ ۝۲۲ وَمِنْ اٰيٰتِهٖ مَنَامُكُمْ
بِالَّيْلِ وَالنَّهَارِ وَابْتِغَآؤُكُمْ مِّنْ فَضْلِهٖ ؕ اِنَّ فِيْ
ذٰلِكَ لَاٰيٰتٍ لِّقَوْمٍ يَّسْمَعُوْنَ ۝۲۳ وَمِنْ اٰيٰتِهٖ يُرِيْكُمُ
الْبَرْقَ خَوْفًا وَّطَمَعًا وَّيُنَزِّلُ مِنَ السَّمَآءِ مَآءً فَيُحْيٖ
بِهِ الْاَرْضَ بَعْدَ مَوْتِهَا ؕ اِنَّ فِيْ ذٰلِكَ لَاٰيٰتٍ
لِّقَوْمٍ يَّعْقِلُوْنَ ۝۲۴ وَمِنْ اٰيٰتِهٖۤ اَنْ تَقُوْمَ السَّمَآءُ وَ
الْاَرْضُ بِاَمْرِهٖ ؕ ثُمَّ اِذَا دَعَاكُمْ دَعْوَةً ۖۗ مِّنَ
الْاَرْضِ ۖۗ اِذَآ اَنْتُمْ تَخْرُجُوْنَ ۝۲۵ وَلَهٗ مَنْ فِي

منزل ۵

Ikhfa إخفا | Ikhfa Meem Saakin إخفامیم ساکن | Qalqala قلقلہ | Qalb قلب | Idghaam اِدغام | Idghaam Meem Saakin اِدغام میم ساکن | Ghunna غُنّہ

السَّمٰوٰتِ وَالْاَرْضِؕ كُلٌّ لَّهٗ قٰنِتُوْنَ ﴿٢٦﴾ وَهُوَ الَّذِیْ
یَبْدَؤُا الْخَلْقَ ثُمَّ یُعِیْدُهٗ وَهُوَ اَهْوَنُ عَلَیْهِؕ وَلَهُ
الْمَثَلُ الْاَعْلٰی فِی السَّمٰوٰتِ وَالْاَرْضِۚ وَهُوَ الْعَزِیْزُ
الْحَكِیْمُ ﴿٢٧﴾ ضَرَبَ لَكُمْ مَّثَلًا مِّنْ اَنْفُسِكُمْؕ هَلْ لَّكُمْ ع ٨
مِّنْ مَّا مَلَكَتْ اَیْمَانُكُمْ مِّنْ شُرَكَآءَ فِیْ مَا رَزَقْنٰكُمْ
فَاَنْتُمْ فِیْهِ سَوَآءٌ تَخَافُوْنَهُمْ كَخِیْفَتِكُمْ اَنْفُسَكُمْؕ
كَذٰلِكَ نُفَصِّلُ الْاٰیٰتِ لِقَوْمٍ یَّعْقِلُوْنَ ﴿٢٨﴾ بَلِ اتَّبَعَ
الَّذِیْنَ ظَلَمُوْۤا اَهْوَآءَهُمْ بِغَیْرِ عِلْمٍۚ فَمَنْ یَّهْدِیْ مَنْ
اَضَلَّ اللّٰهُؕ وَمَا لَهُمْ مِّنْ نّٰصِرِیْنَ ﴿٢٩﴾ فَاَقِمْ وَجْهَكَ
لِلدِّیْنِ حَنِیْفًاؕ فِطْرَتَ اللّٰهِ الَّتِیْ فَطَرَ النَّاسَ
عَلَیْهَاؕ لَا تَبْدِیْلَ لِخَلْقِ اللّٰهِؕ ذٰلِكَ الدِّیْنُ الْقَیِّمُ ۙۗ
وَلٰكِنَّ اَكْثَرَ النَّاسِ لَا یَعْلَمُوْنَ ﴿٣٠﴾ ۙ مُنِیْبِیْنَ اِلَیْهِ
وَاتَّقُوْهُ وَاَقِیْمُوا الصَّلٰوةَ وَلَا تَكُوْنُوْا مِنَ الْمُشْرِكِیْنَ ﴿٣١﴾ ۙ

منزل ٥

Ikhfa إخفا | Ikhfa Meem Saakin إخفاميم ساكن | Qalqala قلقله | Qalb قلب | Idghaam ادغام | Idghaam Meem Saakin ادغام ميم ساكن | Ghunna غنّه

مِنَ الَّذِيْنَ فَرَّقُوْا دِيْنَهُمْ وَكَانُوْا شِيَعًا ؕ كُلُّ حِزْبٍۢ
بِمَا لَدَيْهِمْ فَرِحُوْنَ ﴿٣٢﴾ وَاِذَا مَسَّ النَّاسَ ضُرٌّ دَعَوْا
رَبَّهُمْ مُّنِيْبِيْنَ اِلَيْهِ ثُمَّ اِذَآ اَذَاقَهُمْ مِّنْهُ رَحْمَةً
اِذَا فَرِيْقٌ مِّنْهُمْ بِرَبِّهِمْ يُشْرِكُوْنَ ﴿٣٣﴾ لِيَكْفُرُوْا بِمَآ
اٰتَيْنٰهُمْ ؕ فَتَمَتَّعُوْا ۫ فَسَوْفَ تَعْلَمُوْنَ ﴿٣٤﴾ اَمْ اَنْزَلْنَا
عَلَيْهِمْ سُلْطٰنًا فَهُوَ يَتَكَلَّمُ بِمَا كَانُوْا بِهٖ يُشْرِكُوْنَ ﴿٣٥﴾
وَاِذَآ اَذَقْنَا النَّاسَ رَحْمَةً فَرِحُوْا بِهَا ؕ وَاِنْ تُصِبْهُمْ
سَيِّئَةٌۢ بِمَا قَدَّمَتْ اَيْدِيْهِمْ اِذَا هُمْ يَقْنَطُوْنَ ﴿٣٦﴾
اَوَلَمْ يَرَوْا اَنَّ اللّٰهَ يَبْسُطُ الرِّزْقَ لِمَنْ يَّشَآءُ وَيَقْدِرُ ؕ
اِنَّ فِيْ ذٰلِكَ لَاٰيٰتٍ لِّقَوْمٍ يُّؤْمِنُوْنَ ﴿٣٧﴾ فَاٰتِ
ذَا الْقُرْبٰى حَقَّهٗ وَالْمِسْكِيْنَ وَابْنَ السَّبِيْلِ ؕ ذٰلِكَ
خَيْرٌ لِّلَّذِيْنَ يُرِيْدُوْنَ وَجْهَ اللّٰهِ ز وَاُولٰٓئِكَ هُمُ
الْمُفْلِحُوْنَ ﴿٣٨﴾ وَمَآ اٰتَيْتُمْ مِّنْ رِّبًا لِّيَرْبُوَا۠ فِيْٓ اَمْوَالِ

منزل ٥

النَّاسِ فَلَا يَرْبُوا عِنْدَ اللّٰهِ ۚ وَمَآ اٰتَيْتُمْ مِّنْ زَكٰوةٍ
تُرِيْدُوْنَ وَجْهَ اللّٰهِ فَاُولٰٓئِكَ هُمُ الْمُضْعِفُوْنَ ﴿٣٩﴾ اَللّٰهُ
الَّذِيْ خَلَقَكُمْ ثُمَّ رَزَقَكُمْ ثُمَّ يُمِيْتُكُمْ ثُمَّ يُحْيِيْكُمْ ؕ
هَلْ مِنْ شُرَكَآئِكُمْ مَّنْ يَّفْعَلُ مِنْ ذٰلِكُمْ مِّنْ
شَيْءٍ ؕ سُبْحٰنَهٗ وَتَعٰلٰى عَمَّا يُشْرِكُوْنَ ﴿٤٠﴾ ظَهَرَ الْفَسَادُ ع ١٣
فِي الْبَرِّ وَالْبَحْرِ بِمَا كَسَبَتْ اَيْدِي النَّاسِ لِيُذِيْقَهُمْ
بَعْضَ الَّذِيْ عَمِلُوْا لَعَلَّهُمْ يَرْجِعُوْنَ ﴿٤١﴾ قُلْ سِيْرُوْا
فِي الْاَرْضِ فَانْظُرُوْا كَيْفَ كَانَ عَاقِبَةُ الَّذِيْنَ
مِنْ قَبْلُ ؕ كَانَ اَكْثَرُهُمْ مُّشْرِكِيْنَ ﴿٤٢﴾ فَاَقِمْ وَجْهَكَ
لِلدِّيْنِ الْقَيِّمِ مِنْ قَبْلِ اَنْ يَّاْتِيَ يَوْمٌ لَّا مَرَدَّ لَهٗ
مِنَ اللّٰهِ يَوْمَئِذٍ يَّصَّدَّعُوْنَ ﴿٤٣﴾ مَنْ كَفَرَ فَعَلَيْهِ
كُفْرُهٗ ۚ وَمَنْ عَمِلَ صَالِحًا فَلِاَنْفُسِهِمْ يَمْهَدُوْنَ ﴿٤٤﴾
لِيَجْزِيَ الَّذِيْنَ اٰمَنُوْا وَعَمِلُوا الصّٰلِحٰتِ مِنْ فَضْلِهٖ ؕ

منزل ٥

اِنَّهٗ لَا يُحِبُّ الْكٰفِرِيْنَ ﴿۴۵﴾ وَمِنْ اٰيٰتِهٖٓ اَنْ يُّرْسِلَ
الرِّيَاحَ مُبَشِّرٰتٍ وَّلِيُذِيْقَكُمْ مِّنْ رَّحْمَتِهٖ وَلِتَجْرِيَ
الْفُلْكُ بِاَمْرِهٖ وَلِتَبْتَغُوْا مِنْ فَضْلِهٖ وَلَعَلَّكُمْ
تَشْكُرُوْنَ ﴿۴۶﴾ وَلَقَدْ اَرْسَلْنَا مِنْ قَبْلِكَ رُسُلًا اِلٰى قَوْمِهِمْ
فَجَآءُوْهُمْ بِالْبَيِّنٰتِ فَانْتَقَمْنَا مِنَ الَّذِيْنَ اَجْرَمُوْا ؕ
وَكَانَ حَقًّا عَلَيْنَا نَصْرُ الْمُؤْمِنِيْنَ ﴿۴۷﴾ اَللّٰهُ الَّذِيْ
يُرْسِلُ الرِّيٰحَ فَتُثِيْرُ سَحَابًا فَيَبْسُطُهٗ فِي السَّمَآءِ كَيْفَ
يَشَآءُ وَيَجْعَلُهٗ كِسَفًا فَتَرَى الْوَدْقَ يَخْرُجُ مِنْ
خِلٰلِهٖ ۚ فَاِذَآ اَصَابَ بِهٖ مَنْ يَّشَآءُ مِنْ عِبَادِهٖٓ
اِذَا هُمْ يَسْتَبْشِرُوْنَ ﴿۴۸﴾ ۚ وَاِنْ كَانُوْا مِنْ قَبْلِ
اَنْ يُّنَزَّلَ عَلَيْهِمْ مِّنْ قَبْلِهٖ لَمُبْلِسِيْنَ ﴿۴۹﴾ فَانْظُرْ
اِلٰٓى اٰثٰرِ رَحْمَتِ اللّٰهِ كَيْفَ يُحْيِ الْاَرْضَ بَعْدَ مَوْتِهَا ؕ
اِنَّ ذٰلِكَ لَمُحْيِ الْمَوْتٰى ۚ وَهُوَ عَلٰى كُلِّ شَيْءٍ قَدِيْرٌ ﴿۵۰﴾

منزل ۵

وَلَئِنۡ اَرۡسَلۡنَا رِيۡحًا فَرَاَوۡهُ مُصۡفَرًّا لَّظَلُّوۡا مِنۡۢ بَعۡدِهٖ

يَكۡفُرُوۡنَ ﴿۵۱﴾ فَاِنَّكَ لَا تُسۡمِعُ الۡمَوۡتٰى وَلَا تُسۡمِعُ الصُّمَّ

الدُّعَآءَ اِذَا وَلَّوۡا مُدۡبِرِيۡنَ ﴿۵۲﴾ وَمَاۤ اَنۡتَ بِهٰدِ الۡعُمۡىِ

عَنۡ ضَلٰلَتِهِمۡ ؕ اِنۡ تُسۡمِعُ اِلَّا مَنۡ يُّؤۡمِنُ بِاٰيٰتِنَا

فَهُمۡ مُّسۡلِمُوۡنَ ﴿۵۳﴾ ع اَللّٰهُ الَّذِىۡ خَلَقَكُمۡ مِّنۡ ضُعۡفٍ

ثُمَّ جَعَلَ مِنۡۢ بَعۡدِ ضُعۡفٍ قُوَّةً ثُمَّ جَعَلَ مِنۡۢ

بَعۡدِ قُوَّةٍ ضُعۡفًا وَّشَيۡبَةً ؕ يَخۡلُقُ مَا يَشَآءُ ۚ وَهُوَ

الۡعَلِيۡمُ الۡقَدِيۡرُ ﴿۵۴﴾ وَيَوۡمَ تَقُوۡمُ السَّاعَةُ يُقۡسِمُ

الۡمُجۡرِمُوۡنَ ۙ مَا لَبِثُوۡا غَيۡرَ سَاعَةٍ ؕ كَذٰلِكَ كَانُوۡا

يُؤۡفَكُوۡنَ ﴿۵۵﴾ وَقَالَ الَّذِيۡنَ اُوۡتُوا الۡعِلۡمَ وَالۡاِيۡمَانَ لَقَدۡ

لَبِثۡتُمۡ فِىۡ كِتٰبِ اللّٰهِ اِلٰى يَوۡمِ الۡبَعۡثِ فَهٰذَا يَوۡمُ

الۡبَعۡثِ وَلٰكِنَّكُمۡ كُنۡتُمۡ لَا تَعۡلَمُوۡنَ ﴿۵۶﴾ فَيَوۡمَئِذٍ

لَّا يَنۡفَعُ الَّذِيۡنَ ظَلَمُوۡا مَعۡذِرَتُهُمۡ وَلَا هُمۡ يُسۡتَعۡتَبُوۡنَ ﴿۵۷﴾

ع ۵ ١٣ ٦

قرأ حفص بضم الضاد وفتحها في الثلاثة والضم مختار ١٢

منزل ۵

وَلَقَدْ ضَرَبْنَا لِلنَّاسِ فِيْ هٰذَا الْقُرْاٰنِ مِنْ كُلِّ مَثَلٍ ؕ
وَلَئِنْ جِئْتَهُمْ بِاٰيَةٍ لَّيَقُوْلَنَّ الَّذِيْنَ كَفَرُوْٓا اِنْ
اَنْتُمْ اِلَّا مُبْطِلُوْنَ ﴿۵۸﴾ كَذٰلِكَ يَطْبَعُ اللّٰهُ عَلٰى
قُلُوْبِ الَّذِيْنَ لَا يَعْلَمُوْنَ ﴿۵۹﴾ فَاصْبِرْ اِنَّ وَعْدَ
اللّٰهِ حَقٌّ وَّلَا يَسْتَخِفَّنَّكَ الَّذِيْنَ لَا يُوْقِنُوْنَ ﴿۶۰﴾ ع

رکوع ۶ ۹

اٰياتها ۳۴ (۳۱) سُوْرَةُ لُقْمٰنَ مَكِّيَّةٌ (۵۷) رُكُوعَاتها ۴

بِسْمِ اللّٰهِ الرَّحْمٰنِ الرَّحِيْمِ ○

الٓمّٓ ﴿۱﴾ ج تِلْكَ اٰيٰتُ الْكِتٰبِ الْحَكِيْمِ ﴿۲﴾ لا هُدًى وَّ
رَحْمَةً لِّلْمُحْسِنِيْنَ ﴿۳﴾ لا الَّذِيْنَ يُقِيْمُوْنَ الصَّلٰوةَ
وَيُؤْتُوْنَ الزَّكٰوةَ وَهُمْ بِالْاٰخِرَةِ هُمْ يُوْقِنُوْنَ ﴿۴﴾ ط
اُولٰٓئِكَ عَلٰى هُدًى مِّنْ رَّبِّهِمْ وَاُولٰٓئِكَ هُمُ
الْمُفْلِحُوْنَ ﴿۵﴾ وَمِنَ النَّاسِ مَنْ يَّشْتَرِيْ لَهْوَ
الْحَدِيْثِ لِيُضِلَّ عَنْ سَبِيْلِ اللّٰهِ بِغَيْرِ عِلْمٍ ق صلے

منزل ۵

وَّ يَتَّخِذَهَا هُزُوًا ؕ اُولٰٓئِكَ لَهُمْ عَذَابٌ مُّهِيْنٌ ﴿٦﴾
وَ اِذَا تُتْلٰى عَلَيْهِ اٰيٰتُنَا وَلّٰى مُسْتَكْبِرًا كَاَنْ لَّمْ
يَسْمَعْهَا كَاَنَّ فِيْٓ اُذُنَيْهِ وَقْرًا ۚ فَبَشِّرْهُ بِعَذَابٍ
اَلِيْمٍ ﴿٧﴾ اِنَّ الَّذِيْنَ اٰمَنُوْا وَ عَمِلُوا الصّٰلِحٰتِ لَهُمْ
جَنّٰتُ النَّعِيْمِ ﴿٨﴾ لا خٰلِدِيْنَ فِيْهَا ؕ وَعْدَ اللّٰهِ حَقًّا ؕ
وَهُوَ الْعَزِيْزُ الْحَكِيْمُ ﴿٩﴾ خَلَقَ السَّمٰوٰتِ بِغَيْرِ عَمَدٍ
منزل ٥ تَرَوْنَهَا وَاَلْقٰى فِى الْاَرْضِ رَوَاسِىَ اَنْ تَمِيْدَ بِكُمْ
وَبَثَّ فِيْهَا مِنْ كُلِّ دَآبَّةٍ ؕ وَاَنْزَلْنَا مِنَ السَّمَآءِ
مَآءً فَاَنْۢبَتْنَا فِيْهَا مِنْ كُلِّ زَوْجٍ كَرِيْمٍ ﴿١٠﴾ هٰذَا خَلْقُ
اللّٰهِ فَاَرُوْنِىْ مَاذَا خَلَقَ الَّذِيْنَ مِنْ دُوْنِهٖ ؕ بَلِ
الظّٰلِمُوْنَ فِىْ ضَلٰلٍ مُّبِيْنٍ ﴿١١﴾ ع وَلَقَدْ اٰتَيْنَا لُقْمٰنَ ع ١١
الْحِكْمَةَ اَنِ اشْكُرْ لِلّٰهِ ؕ وَمَنْ يَّشْكُرْ فَاِنَّمَا يَشْكُرُ
لِنَفْسِهٖ ۚ وَمَنْ كَفَرَ فَاِنَّ اللّٰهَ غَنِىٌّ حَمِيْدٌ ﴿١٢﴾ وَاِذْ

Ikhfa اِخفا | Ikhfa Meem Saakin اِخفامیم ساکن | Qalqala قلقلہ | Qalb قلب | Idghaam اِدغام | Idghaam Meem Saakin اِدغام میم ساکن | Ghunna غُنّہ

قَالَ لُقْمٰنُ لِابْنِهٖ وَهُوَ يَعِظُهٗ يٰبُنَيَّ لَا تُشْرِكْ
بِاللّٰهِ ؕ اِنَّ الشِّرْكَ لَظُلْمٌ عَظِيْمٌ ﴿۱۳﴾ وَوَصَّيْنَا الْاِنْسَانَ
بِوَالِدَيْهِ ۚ حَمَلَتْهُ اُمُّهٗ وَهْنًا عَلٰى وَهْنٍ وَّفِصٰلُهٗ
فِيْ عَامَيْنِ اَنِ اشْكُرْ لِيْ وَلِوَالِدَيْكَ ؕ اِلَيَّ الْمَصِيْرُ ﴿۱۴﴾
وَاِنْ جَاهَدٰكَ عَلٰۤى اَنْ تُشْرِكَ بِيْ مَا لَيْسَ لَكَ
بِهٖ عِلْمٌ فَلَا تُطِعْهُمَا وَصَاحِبْهُمَا فِي الدُّنْيَا مَعْرُوْفًا ز
وَّاتَّبِعْ سَبِيْلَ مَنْ اَنَابَ اِلَيَّ ۚ ثُمَّ اِلَيَّ مَرْجِعُكُمْ
فَاُنَبِّئُكُمْ بِمَا كُنْتُمْ تَعْمَلُوْنَ ﴿۱۵﴾ يٰبُنَيَّ اِنَّهَاۤ اِنْ تَكُ
مِثْقَالَ حَبَّةٍ مِّنْ خَرْدَلٍ فَتَكُنْ فِيْ صَخْرَةٍ اَوْ
فِي السَّمٰوٰتِ اَوْ فِي الْاَرْضِ يَاْتِ بِهَا اللّٰهُ ؕ اِنَّ
اللّٰهَ لَطِيْفٌ خَبِيْرٌ ﴿۱۶﴾ يٰبُنَيَّ اَقِمِ الصَّلٰوةَ وَاْمُرْ
بِالْمَعْرُوْفِ وَانْهَ عَنِ الْمُنْكَرِ وَاصْبِرْ عَلٰى مَا
اَصَابَكَ ؕ اِنَّ ذٰلِكَ مِنْ عَزْمِ الْاُمُوْرِ ۚ ﴿۱۷﴾ وَلَا تُصَعِّرْ

وقف النبي صلی اللہ علیہ وآلہ وسلم ۱۲

النصف

منزل ٥

Ikhfa إخفا | Ikhfa Meem Saakin إخفا ميم ساكن | Qalqala قلقله | Qalb قلب | Idghaam ادغام | Idghaam Meem Saakin ادغام ميم ساكن | Ghunna غنّہ

خَدَّكَ لِلنَّاسِ وَلَا تَمْشِ فِی الْاَرْضِ مَرَحًا ؕ
اِنَّ اللّٰهَ لَا یُحِبُّ كُلَّ مُخْتَالٍ فَخُوْرٍ ۚ ﴿۱۸﴾ وَاقْصِدْ
فِیْ مَشْیِكَ وَاغْضُضْ مِنْ صَوْتِكَ ؕ اِنَّ اَنْكَرَ
الْاَصْوَاتِ لَصَوْتُ الْحَمِیْرِ ﴿۱۹﴾ ع اَلَمْ تَرَوْا اَنَّ اللّٰهَ ع ٢ ٨
سَخَّرَ لَكُمْ مَّا فِی السَّمٰوٰتِ وَمَا فِی الْاَرْضِ
وَاَسْبَغَ عَلَیْكُمْ نِعَمَهٗ ظَاهِرَةً وَّبَاطِنَةً ؕ وَمِنَ
النَّاسِ مَنْ یُّجَادِلُ فِی اللّٰهِ بِغَیْرِ عِلْمٍ وَّلَا هُدًی
وَّلَا كِتٰبٍ مُّنِیْرٍ ﴿۲۰﴾ وَاِذَا قِیْلَ لَهُمُ اتَّبِعُوْا مَا
اَنْزَلَ اللّٰهُ قَالُوْا بَلْ نَتَّبِعُ مَا وَجَدْنَا عَلَیْهِ
اٰبَآءَنَا ؕ اَوَلَوْ كَانَ الشَّیْطٰنُ یَدْعُوْهُمْ اِلٰی عَذَابِ
السَّعِیْرِ ﴿۲۱﴾ وَمَنْ یُّسْلِمْ وَجْهَهٗۤ اِلَی اللّٰهِ وَهُوَ
مُحْسِنٌ فَقَدِ اسْتَمْسَكَ بِالْعُرْوَةِ الْوُثْقٰی ؕ وَاِلَی
اللّٰهِ عَاقِبَةُ الْاُمُوْرِ ﴿۲۲﴾ وَمَنْ كَفَرَ فَلَا یَحْزُنْكَ

منزل ٥

كُفْرُهٗ ؕ اِلَيْنَا مَرْجِعُهُمْ فَنُنَبِّئُهُمْ بِمَا عَمِلُوْا ؕ اِنَّ اللّٰهَ

عَلِيْمٌۢ بِذَاتِ الصُّدُوْرِ ﴿٢٣﴾ نُمَتِّعُهُمْ قَلِيْلًا ثُمَّ نَضْطَرُّهُمْ

اِلٰى عَذَابٍ غَلِيْظٍ ﴿٢٤﴾ وَلَئِنْ سَاَلْتَهُمْ مَّنْ خَلَقَ

السَّمٰوٰتِ وَالْاَرْضَ لَيَقُوْلُنَّ اللّٰهُ ؕ قُلِ الْحَمْدُ لِلّٰهِ ؕ

بَلْ اَكْثَرُهُمْ لَا يَعْلَمُوْنَ ﴿٢٥﴾ لِلّٰهِ مَا فِي السَّمٰوٰتِ وَ

الْاَرْضِ ؕ اِنَّ اللّٰهَ هُوَ الْغَنِيُّ الْحَمِيْدُ ﴿٢٦﴾ وَلَوْ اَنَّ مَا

فِي الْاَرْضِ مِنْ شَجَرَةٍ اَقْلَامٌ وَّالْبَحْرُ يَمُدُّهٗ مِنْۢ

بَعْدِهٖ سَبْعَةُ اَبْحُرٍ مَّا نَفِدَتْ كَلِمٰتُ اللّٰهِ ؕ اِنَّ

اللّٰهَ عَزِيْزٌ حَكِيْمٌ ﴿٢٧﴾ مَا خَلْقُكُمْ وَلَا بَعْثُكُمْ اِلَّا

كَنَفْسٍ وَّاحِدَةٍ ؕ اِنَّ اللّٰهَ سَمِيْعٌۢ بَصِيْرٌ ﴿٢٨﴾ اَلَمْ تَرَ اَنَّ

اللّٰهَ يُوْلِجُ الَّيْلَ فِي النَّهَارِ وَيُوْلِجُ النَّهَارَ فِي الَّيْلِ وَ

سَخَّرَ الشَّمْسَ وَالْقَمَرَ ۫ كُلٌّ يَّجْرِيْۤ اِلٰۤى اَجَلٍ مُّسَمًّى

وَّاَنَّ اللّٰهَ بِمَا تَعْمَلُوْنَ خَبِيْرٌ ﴿٢٩﴾ ذٰلِكَ بِاَنَّ اللّٰهَ

منزل ٥

Ikhfa اِخفا | Ikhfa Meem Saakin اِخفامیم ساکن | Qalqala قلقلہ | Qalb قلب | Idghaam اِدغام | Idghaam Meem Saakin اِدغام میم ساکن | Ghunna غُنّہ

هُوَ الۡحَقُّ وَاَنَّ مَا يَدۡعُوۡنَ مِنۡ دُوۡنِهِ الۡبَاطِلُ ۙ وَ
اَنَّ اللّٰهَ هُوَ الۡعَلِىُّ الۡكَبِيۡرُ ﴿٣٠﴾ اَلَمۡ تَرَ اَنَّ الۡفُلۡكَ ع ١١ ١٢ ٣
تَجۡرِىۡ فِى الۡبَحۡرِ بِنِعۡمَتِ اللّٰهِ لِيُرِيَكُمۡ مِّنۡ اٰيٰتِهٖ ؕ
اِنَّ فِىۡ ذٰلِكَ لَاٰيٰتٍ لِّكُلِّ صَبَّارٍ شَكُوۡرٍ ﴿٣١﴾ وَاِذَا
غَشِيَهُمۡ مَّوۡجٌ كَالظُّلَلِ دَعَوُا اللّٰهَ مُخۡلِصِيۡنَ
لَهُ الدِّيۡنَ ۚ فَلَمَّا نَجّٰىهُمۡ اِلَى الۡبَرِّ فَمِنۡهُمۡ مُّقۡتَصِدٌ ؕ
منزل ٥ وَمَا يَجۡحَدُ بِاٰيٰتِنَاۤ اِلَّا كُلُّ خَتَّارٍ كَفُوۡرٍ ﴿٣٢﴾ يٰۤاَيُّهَا
النَّاسُ اتَّقُوۡا رَبَّكُمۡ وَاخۡشَوۡا يَوۡمًا لَّا يَجۡزِىۡ
وَالِدٌ عَنۡ وَّلَدِهٖ ۖ وَلَا مَوۡلُوۡدٌ هُوَ جَازٍ عَنۡ
وَّالِدِهٖ شَيۡـًٔا ؕ اِنَّ وَعۡدَ اللّٰهِ حَقٌّ فَلَا تَغُرَّنَّكُمُ
الۡحَيٰوةُ الدُّنۡيَا ٚ وَلَا يَغُرَّنَّكُمۡ بِاللّٰهِ الۡغَرُوۡرُ ﴿٣٣﴾
اِنَّ اللّٰهَ عِنۡدَهٗ عِلۡمُ السَّاعَةِ ۚ وَيُنَزِّلُ الۡغَيۡثَ ۚ
وَيَعۡلَمُ مَا فِى الۡاَرۡحَامِ ؕ وَمَا تَدۡرِىۡ نَفۡسٌ

Ikhfa إخفا | Ikhfa Meem Saakin إخفا میم ساکن | Qalqala قلقلہ | Qalb قلب | Idghaam ادغام | Idghaam Meem Saakin ادغام میم ساکن | Ghunna غُنّہ

مَّاذَا تَكْسِبُ غَدًا ؕ وَمَا تَدْرِیْ نَفْسٌۢ بِاَیِّ اَرْضٍ

تَمُوْتُ ؕ اِنَّ اللّٰهَ عَلِیْمٌ خَبِیْرٌ ﴿٣٤﴾ ع

ع ١٤

اٰیَاتُهَا ٣٠ (٣٢) سُوْرَةُ السَّجْدَةِ مَكِّیَّةٌ (٧٥) رُكُوْعَاتُهَا ٣

بِسْمِ اللّٰهِ الرَّحْمٰنِ الرَّحِیْمِ

الٓمّٓ ﴿١﴾ تَنْزِیْلُ الْكِتٰبِ لَا رَیْبَ فِیْهِ مِنْ رَّبِّ

الْعٰلَمِیْنَ ﴿٢﴾ ؕ اَمْ یَقُوْلُوْنَ افْتَرٰىهُ ۚ بَلْ هُوَ الْحَقُّ مِنْ

رَّبِّكَ لِتُنْذِرَ قَوْمًا مَّاۤ اَتٰىهُمْ مِّنْ نَّذِیْرٍ مِّنْ قَبْلِكَ

لَعَلَّهُمْ یَهْتَدُوْنَ ﴿٣﴾ اَللّٰهُ الَّذِیْ خَلَقَ السَّمٰوٰتِ

وَالْاَرْضَ وَمَا بَیْنَهُمَا فِیْ سِتَّةِ اَیَّامٍ ثُمَّ اسْتَوٰی

عَلَی الْعَرْشِ ؕ مَا لَكُمْ مِّنْ دُوْنِهٖ مِنْ وَّلِیٍّ وَّلَا

شَفِیْعٍ ؕ اَفَلَا تَتَذَكَّرُوْنَ ﴿٤﴾ یُدَبِّرُ الْاَمْرَ مِنَ

السَّمَآءِ اِلَی الْاَرْضِ ثُمَّ یَعْرُجُ اِلَیْهِ فِیْ یَوْمٍ

كَانَ مِقْدَارُهٗۤ اَلْفَ سَنَةٍ مِّمَّا تَعُدُّوْنَ ﴿٥﴾ ذٰلِكَ

منزل ٥

عٰلِمُ الْغَيْبِ وَالشَّهَادَةِ الْعَزِيْزُ الرَّحِيْمُ ⑥ الَّذِیْٓ
اَحْسَنَ كُلَّ شَیْءٍ خَلَقَهٗ وَبَدَاَ خَلْقَ الْاِنْسَانِ
مِنْ طِيْنٍ ⑦ ثُمَّ جَعَلَ نَسْلَهٗ مِنْ سُلٰلَةٍ مِّنْ مَّآءٍ
مَّهِيْنٍ ⑧ ثُمَّ سَوّٰىهُ وَنَفَخَ فِيْهِ مِنْ رُّوْحِهٖ وَجَعَلَ
لَكُمُ السَّمْعَ وَالْاَبْصَارَ وَالْاَفْـِٕدَةَ ؕ قَلِيْلًا مَّا تَشْكُرُوْنَ ⑨
وَقَالُوْٓا ءَاِذَا ضَلَلْنَا فِی الْاَرْضِ ءَاِنَّا لَفِیْ خَلْقٍ
جَدِيْدٍ ؕ بَلْ هُمْ بِلِقَآئِ رَبِّهِمْ كٰفِرُوْنَ ⑩ قُلْ
يَتَوَفّٰىكُمْ مَّلَكُ الْمَوْتِ الَّذِیْ وُكِّلَ بِكُمْ ثُمَّ
اِلٰی رَبِّكُمْ تُرْجَعُوْنَ ⑪ وَلَوْ تَرٰٓی اِذِ الْمُجْرِمُوْنَ
نَاكِسُوْا رُءُوْسِهِمْ عِنْدَ رَبِّهِمْ ؕ رَبَّنَآ اَبْصَرْنَا
وَسَمِعْنَا فَارْجِعْنَا نَعْمَلْ صَالِحًا اِنَّا مُوْقِنُوْنَ ⑫ وَلَوْ
شِئْنَا لَاٰتَيْنَا كُلَّ نَفْسٍ هُدٰىهَا وَلٰكِنْ حَقَّ
الْقَوْلُ مِنِّیْ لَاَمْلَئَنَّ جَهَنَّمَ مِنَ الْجِنَّةِ وَالنَّاسِ

منزل ٥ ع ١ ١٤

Ikhfa إخفا | Ikhfa Meem Saakin إخفاميم ساكن | Qalqala قلقلہ | Qalb قلب | Idghaam إدغام | Idghaam Meem Saakin إدغام میم ساکن | Ghunna غنّہ

اَجْمَعِيْنَ ﴿١٣﴾ فَذُوْقُوْا بِمَا نَسِيْتُمْ لِقَآءَ يَوْمِكُمْ هٰذَا ۚ
اِنَّا نَسِيْنٰكُمْ وَذُوْقُوْا عَذَابَ الْخُلْدِ بِمَا كُنْتُمْ
تَعْمَلُوْنَ ﴿١٤﴾ اِنَّمَا يُؤْمِنُ بِاٰيٰتِنَا الَّذِيْنَ اِذَا ذُكِّرُوْا
بِهَا خَرُّوْا سُجَّدًا وَّسَبَّحُوْا بِحَمْدِ رَبِّهِمْ وَهُمْ لَا
يَسْتَكْبِرُوْنَ ﴿١٥﴾ السَّجْدَة تَتَجَافٰى جُنُوْبُهُمْ عَنِ الْمَضَاجِعِ
يَدْعُوْنَ رَبَّهُمْ خَوْفًا وَّطَمَعًا ۫ وَّمِمَّا رَزَقْنٰهُمْ يُنْفِقُوْنَ ﴿١٦﴾
فَلَا تَعْلَمُ نَفْسٌ مَّآ اُخْفِيَ لَهُمْ مِّنْ قُرَّةِ اَعْيُنٍ ۚ
جَزَآءًۢ بِمَا كَانُوْا يَعْمَلُوْنَ ﴿١٧﴾ اَفَمَنْ كَانَ مُؤْمِنًا
كَمَنْ كَانَ فَاسِقًا ؕ لَا يَسْتَوٗنَ ﴿١٨﴾ اَمَّا الَّذِيْنَ اٰمَنُوْا
وَعَمِلُوا الصّٰلِحٰتِ فَلَهُمْ جَنّٰتُ الْمَاْوٰى ۫ نُزُلًۢا بِمَا
كَانُوْا يَعْمَلُوْنَ ﴿١٩﴾ وَاَمَّا الَّذِيْنَ فَسَقُوْا فَمَاْوٰىهُمُ
النَّارُ ؕ كُلَّمَآ اَرَادُوْٓا اَنْ يَّخْرُجُوْا مِنْهَآ اُعِيْدُوْا فِيْهَا
وَقِيْلَ لَهُمْ ذُوْقُوْا عَذَابَ النَّارِ الَّذِيْ كُنْتُمْ بِهٖ

السَّجْدَة (٩)

وقف غفران

منزل ٥

تُكَذِّبُوْنَ ﴿٢٠﴾ وَلَنُذِيْقَنَّهُمْ مِّنَ الْعَذَابِ الْاَدْنٰى
دُوْنَ الْعَذَابِ الْاَكْبَرِ لَعَلَّهُمْ يَرْجِعُوْنَ ﴿٢١﴾ وَمَنْ
اَظْلَمُ مِمَّنْ ذُكِّرَ بِاٰيٰتِ رَبِّهٖ ثُمَّ اَعْرَضَ عَنْهَا ؕ
اِنَّا مِنَ الْمُجْرِمِيْنَ مُنْتَقِمُوْنَ ﴿٢٢﴾ ع وَلَقَدْ اٰتَيْنَا مُوْسَى الْكِتٰبَ ع ١١ ٢ ١٥
الْكِتٰبَ فَلَا تَكُنْ فِيْ مِرْيَةٍ مِّنْ لِّقَآئِهٖ وَجَعَلْنٰهُ
هُدًى لِّبَنِيْٓ اِسْرَآءِيْلَ ﴿٢٣﴾ ج وَجَعَلْنَا مِنْهُمْ اَئِمَّةً
يَّهْدُوْنَ بِاَمْرِنَا لَمَّا صَبَرُوْا ؕقف وَكَانُوْا بِاٰيٰتِنَا
يُوْقِنُوْنَ ﴿٢٤﴾ اِنَّ رَبَّكَ هُوَ يَفْصِلُ بَيْنَهُمْ يَوْمَ الْقِيٰمَةِ
فِيْمَا كَانُوْا فِيْهِ يَخْتَلِفُوْنَ ﴿٢٥﴾ اَوَلَمْ يَهْدِ لَهُمْ كَمْ
اَهْلَكْنَا مِنْ قَبْلِهِمْ مِّنَ الْقُرُوْنِ يَمْشُوْنَ فِيْ
مَسٰكِنِهِمْ ؕ اِنَّ فِيْ ذٰلِكَ لَاٰيٰتٍ ؕ اَفَلَا يَسْمَعُوْنَ ﴿٢٦﴾
اَوَلَمْ يَرَوْا اَنَّا نَسُوْقُ الْمَآءَ اِلَى الْاَرْضِ الْجُرُزِ
فَنُخْرِجُ بِهٖ زَرْعًا تَاْكُلُ مِنْهُ اَنْعَامُهُمْ وَاَنْفُسُهُمْ ؕ

منزل ٥

اَفَلَا یُبْصِرُوْنَ ﴿٢٧﴾ وَیَقُوْلُوْنَ مَتٰی هٰذَا الْفَتْحُ اِنْ
كُنْتُمْ صٰدِقِیْنَ ﴿٢٨﴾ قُلْ یَوْمَ الْفَتْحِ لَا یَنْفَعُ الَّذِیْنَ
كَفَرُوْٓا اِیْمَانُهُمْ وَلَا هُمْ یُنْظَرُوْنَ ﴿٢٩﴾ فَاَعْرِضْ
عَنْهُمْ وَانْتَظِرْ اِنَّهُمْ مُّنْتَظِرُوْنَ ﴿٣٠﴾ ع

آیَاتُهَا ٧٣ (٣٣) سُوْرَةُ الْاَحْزَابِ مَدَنِیَّةٌ (٩٠) رُكُوْعَاتُهَا ٩

بِسْمِ اللّٰهِ الرَّحْمٰنِ الرَّحِیْمِ

یٰٓاَیُّهَا النَّبِیُّ اتَّقِ اللّٰهَ وَلَا تُطِعِ الْكٰفِرِیْنَ وَالْمُنٰفِقِیْنَ ط
اِنَّ اللّٰهَ كَانَ عَلِیْمًا حَكِیْمًا ﴿١﴾ وَّاتَّبِعْ مَا یُوْحٰٓی اِلَیْكَ
مِنْ رَّبِّكَ ط اِنَّ اللّٰهَ كَانَ بِمَا تَعْمَلُوْنَ خَبِیْرًا ﴿٢﴾
وَّتَوَكَّلْ عَلَی اللّٰهِ ط وَكَفٰی بِاللّٰهِ وَكِیْلًا ﴿٣﴾ مَا جَعَلَ
اللّٰهُ لِرَجُلٍ مِّنْ قَلْبَیْنِ فِیْ جَوْفِهٖ ج وَمَا جَعَلَ
اَزْوَاجَكُمُ الّٰٓـِٔیْ تُظٰهِرُوْنَ مِنْهُنَّ اُمَّهٰتِكُمْ ج وَمَا
جَعَلَ اَدْعِیَآءَكُمْ اَبْنَآءَكُمْ ط ذٰلِكُمْ قَوْلُكُمْ

الثلثة ٤٨٦ ع ٢ منزل ٥

Ikhfa إخفا | Ikhfa Meem Saakin إخفاميم ساكن | Qalqala قلقله | Qalb قلب | Idghaam إدغام | Idghaam Meem Saakin إدغام میم ساكن | Ghunna غُنّه

بِاَفْوَاهِكُمْ ؕ وَاللّٰهُ يَقُوْلُ الْحَقَّ وَهُوَ يَهْدِى السَّبِيْلَ ﴿٤﴾
اُدْعُوْهُمْ لِاٰبَآئِهِمْ هُوَ اَقْسَطُ عِنْدَ اللّٰهِ ۚ فَاِنْ
لَّمْ تَعْلَمُوْٓا اٰبَآءَهُمْ فَاِخْوَانُكُمْ فِى الدِّيْنِ وَمَوَالِيْكُمْ ؕ
وَلَيْسَ عَلَيْكُمْ جُنَاحٌ فِيْمَآ اَخْطَاْتُمْ بِهٖ ۙ وَلٰكِنْ
مَّا تَعَمَّدَتْ قُلُوْبُكُمْ ؕ وَكَانَ اللّٰهُ غَفُوْرًا
رَّحِيْمًا ﴿٥﴾ اَلنَّبِىُّ اَوْلٰى بِالْمُؤْمِنِيْنَ مِنْ اَنْفُسِهِمْ
وَاَزْوَاجُهٗٓ اُمَّهٰتُهُمْ ؕ وَاُولُوا الْاَرْحَامِ بَعْضُهُمْ اَوْلٰى
بِبَعْضٍ فِىْ كِتٰبِ اللّٰهِ مِنَ الْمُؤْمِنِيْنَ وَالْمُهٰجِرِيْنَ
اِلَّآ اَنْ تَفْعَلُوْٓا اِلٰٓى اَوْلِيٰٓئِكُمْ مَّعْرُوْفًا ؕ كَانَ ذٰلِكَ
فِى الْكِتٰبِ مَسْطُوْرًا ﴿٦﴾ وَاِذْ اَخَذْنَا مِنَ النَّبِيّٖنَ
مِيْثَاقَهُمْ وَمِنْكَ وَمِنْ نُّوْحٍ وَّاِبْرٰهِيْمَ وَمُوْسٰى
وَعِيْسَى ابْنِ مَرْيَمَ ۪ وَاَخَذْنَا مِنْهُمْ مِّيْثَاقًا غَلِيْظًا ﴿٧﴾
لِّيَسْـَٔلَ الصّٰدِقِيْنَ عَنْ صِدْقِهِمْ ۚ وَاَعَدَّ لِلْكٰفِرِيْنَ

منزل ٥

عَذَابًا اَلِيْمًا ۝٨ يٰۤاَيُّهَا الَّذِيْنَ اٰمَنُوا اذْكُرُوْا نِعْمَةَ اللّٰهِ
عَلَيْكُمْ اِذْ جَآءَتْكُمْ جُنُوْدٌ فَاَرْسَلْنَا عَلَيْهِمْ رِيْحًا
وَّجُنُوْدًا لَّمْ تَرَوْهَا ؕ وَكَانَ اللّٰهُ بِمَا تَعْمَلُوْنَ بَصِيْرًا ۝٩
اِذْ جَآءُوْكُمْ مِّنْ فَوْقِكُمْ وَمِنْ اَسْفَلَ مِنْكُمْ وَاِذْ
زَاغَتِ الْاَبْصَارُ وَبَلَغَتِ الْقُلُوْبُ الْحَنَاجِرَ وَتَظُنُّوْنَ
بِاللّٰهِ الظُّنُوْنَا ۝١٠ هُنَالِكَ ابْتُلِيَ الْمُؤْمِنُوْنَ وَزُلْزِلُوْا
زِلْزَالًا شَدِيْدًا ۝١١ وَاِذْ يَقُوْلُ الْمُنٰفِقُوْنَ وَالَّذِيْنَ
فِيْ قُلُوْبِهِمْ مَّرَضٌ مَّا وَعَدَنَا اللّٰهُ وَرَسُوْلُهٗۤ
اِلَّا غُرُوْرًا ۝١٢ وَاِذْ قَالَتْ طَّآئِفَةٌ مِّنْهُمْ يٰۤاَهْلَ
يَثْرِبَ لَا مُقَامَ لَكُمْ فَارْجِعُوْا ۚ وَيَسْتَاْذِنُ فَرِيْقٌ
مِّنْهُمُ النَّبِيَّ يَقُوْلُوْنَ اِنَّ بُيُوْتَنَا عَوْرَةٌ ؕۛ وَمَا هِيَ
بِعَوْرَةٍ ۚۛ اِنْ يُّرِيْدُوْنَ اِلَّا فِرَارًا ۝١٣ وَلَوْ دُخِلَتْ
عَلَيْهِمْ مِّنْ اَقْطَارِهَا ثُمَّ سُئِلُوا الْفِتْنَةَ لَاٰتَوْهَا

ع ١٧

منزل ٥

مع عند المتقدمين ١٢

Ikhfa اخفا | Ikhfa Meem Saakin اخفامیم ساکن | Qalqala قلقلہ | Qalb قلب | Idghaam ادغام | Idghaam Meem Saakin ادغام میم ساکن | Ghunna غُنّہ

وَمَا تَلَبَّثُوۡا بِهَاۤ اِلَّا یَسِیۡرًا ﴿۱۴﴾ وَلَقَدۡ كَانُوۡا عَاهَدُوا
اللّٰهَ مِنۡ قَبۡلُ لَا یُوَلُّوۡنَ الۡاَدۡبَارَ ؕ وَكَانَ عَهۡدُ اللّٰهِ
مَسۡـُٔوۡلًا ﴿۱۵﴾ قُلۡ لَّنۡ یَّنۡفَعَكُمُ الۡفِرَارُ اِنۡ فَرَرۡتُمۡ مِّنَ
الۡمَوۡتِ اَوِ الۡقَتۡلِ وَاِذًا لَّا تُمَتَّعُوۡنَ اِلَّا قَلِیۡلًا ﴿۱۶﴾
قُلۡ مَنۡ ذَا الَّذِیۡ یَعۡصِمُكُمۡ مِّنَ اللّٰهِ اِنۡ اَرَادَ بِكُمۡ
سُوۡٓءًا اَوۡ اَرَادَ بِكُمۡ رَحۡمَةً ؕ وَلَا یَجِدُوۡنَ لَهُمۡ مِّنۡ
دُوۡنِ اللّٰهِ وَلِیًّا وَّلَا نَصِیۡرًا ﴿۱۷﴾ قَدۡ یَعۡلَمُ اللّٰهُ
الۡمُعَوِّقِیۡنَ مِنۡكُمۡ وَالۡقَآئِلِیۡنَ لِاِخۡوَانِهِمۡ هَلُمَّ اِلَیۡنَا ۚ
وَلَا یَاۡتُوۡنَ الۡبَاۡسَ اِلَّا قَلِیۡلًا ﴿۱۸﴾ ۙ اَشِحَّةً عَلَیۡكُمۡ ۖۚ
فَاِذَا جَآءَ الۡخَوۡفُ رَاَیۡتَهُمۡ یَنۡظُرُوۡنَ اِلَیۡكَ تَدُوۡرُ
اَعۡیُنُهُمۡ كَالَّذِیۡ یُغۡشٰی عَلَیۡهِ مِنَ الۡمَوۡتِ ۚ فَاِذَا
ذَهَبَ الۡخَوۡفُ سَلَقُوۡكُمۡ بِاَلۡسِنَةٍ حِدَادٍ اَشِحَّةً عَلَی
الۡخَیۡرِ ؕ اُولٰٓئِكَ لَمۡ یُؤۡمِنُوۡا فَاَحۡبَطَ اللّٰهُ اَعۡمَالَهُمۡ ؕ

منزل ٥

وَكَانَ ذٰلِكَ عَلَى اللّٰهِ يَسِيْرًا ﴿۱۹﴾ يَحْسَبُوْنَ الْاَحْزَابَ لَمْ
يَذْهَبُوْا ۚ وَاِنْ يَّاْتِ الْاَحْزَابُ يَوَدُّوْا لَوْ اَنَّهُمْ
بَادُوْنَ فِى الْاَعْرَابِ يَسْاَلُوْنَ عَنْ اَنْۢبَآئِكُمْ ؕ وَلَوْ
ع ۲/۱۲ ۱۸ كَانُوْا فِيْكُمْ مَّا قٰتَلُوْٓا اِلَّا قَلِيْلًا ﴿۲۰﴾ ع لَقَدْ كَانَ لَكُمْ
فِىْ رَسُوْلِ اللّٰهِ اُسْوَةٌ حَسَنَةٌ لِّمَنْ كَانَ يَرْجُوا اللّٰهَ وَ
الْيَوْمَ الْاٰخِرَ وَذَكَرَ اللّٰهَ كَثِيْرًا ﴿۲۱﴾ ؕ وَلَمَّا رَاَ الْمُؤْمِنُوْنَ
الْاَحْزَابَ ۙ قَالُوْا هٰذَا مَا وَعَدَنَا اللّٰهُ وَرَسُوْلُهٗ وَ منزل ۵
صَدَقَ اللّٰهُ وَرَسُوْلُهٗ ز وَمَا زَادَهُمْ اِلَّآ اِيْمَانًا
وَّتَسْلِيْمًا ﴿۲۲﴾ ؕ مِنَ الْمُؤْمِنِيْنَ رِجَالٌ صَدَقُوْا مَا
عَاهَدُوا اللّٰهَ عَلَيْهِ ۚ فَمِنْهُمْ مَّنْ قَضٰى نَحْبَهٗ وَمِنْهُمْ
مَّنْ يَّنْتَظِرُ ۖ ز وَمَا بَدَّلُوْا تَبْدِيْلًا ﴿۲۳﴾ ۙ لِّيَجْزِىَ اللّٰهُ
الصّٰدِقِيْنَ بِصِدْقِهِمْ وَيُعَذِّبَ الْمُنٰفِقِيْنَ اِنْ شَآءَ
اَوْ يَتُوْبَ عَلَيْهِمْ ؕ اِنَّ اللّٰهَ كَانَ غَفُوْرًا رَّحِيْمًا ﴿۲۴﴾ ج

Ikhfa اِخفا | Ikhfa Meem Saakin اِخفامیم ساکن | Qalqala قلقلہ | Qalb قلب | Idghaam اِدغام | Idghaam Meem Saakin اِدغام میم ساکن | Ghunna غُنّہ

وَرَدَّ اللّٰهُ الَّذِيْنَ كَفَرُوْا بِغَيْظِهِمْ لَمْ يَنَالُوْا خَيْرًا ؕ وَ
كَفَى اللّٰهُ الْمُؤْمِنِيْنَ الْقِتَالَ ؕ وَكَانَ اللّٰهُ قَوِيًّا عَزِيْزًا ج ﴿۲۵﴾
وَاَنْزَلَ الَّذِيْنَ ظَاهَرُوْهُمْ مِّنْ اَهْلِ الْكِتٰبِ مِنْ
صَيَاصِيْهِمْ وَقَذَفَ فِيْ قُلُوْبِهِمُ الرُّعْبَ فَرِيْقًا تَقْتُلُوْنَ
وَتَاْسِرُوْنَ فَرِيْقًا ج ﴿۲۶﴾ وَاَوْرَثَكُمْ اَرْضَهُمْ وَدِيَارَهُمْ
وَاَمْوَالَهُمْ وَاَرْضًا لَّمْ تَطَئُوْهَا ؕ وَكَانَ اللّٰهُ عَلٰى كُلِّ
منزل ۵ شَيْءٍ قَدِيْرًا ﴿۲۷﴾ ع يٰۤاَيُّهَا النَّبِيُّ قُلْ لِّاَزْوَاجِكَ اِنْ ع ۳ ۷ ۱۹
كُنْتُنَّ تُرِدْنَ الْحَيٰوةَ الدُّنْيَا وَزِيْنَتَهَا فَتَعَالَيْنَ
اُمَتِّعْكُنَّ وَاُسَرِّحْكُنَّ سَرَاحًا جَمِيْلًا ﴿۲۸﴾ وَاِنْ كُنْتُنَّ
تُرِدْنَ اللّٰهَ وَرَسُوْلَهٗ وَالدَّارَ الْاٰخِرَةَ فَاِنَّ اللّٰهَ
اَعَدَّ لِلْمُحْسِنٰتِ مِنْكُنَّ اَجْرًا عَظِيْمًا ﴿۲۹﴾ يٰنِسَآءَ النَّبِيِّ
مَنْ يَّاْتِ مِنْكُنَّ بِفَاحِشَةٍ مُّبَيِّنَةٍ يُّضٰعَفْ لَهَا
الْعَذَابُ ضِعْفَيْنِ ؕ وَكَانَ ذٰلِكَ عَلَى اللّٰهِ يَسِيْرًا ﴿۳۰﴾

وَمَنْ يَّقْنُتْ مِنْكُنَّ لِلّٰهِ وَرَسُوْلِهٖ وَتَعْمَلْ صَالِحًا
نُّؤْتِهَآ اَجْرَهَا مَرَّتَيْنِ ۙ وَاَعْتَدْنَا لَهَا رِزْقًا كَرِيْمًا ﴿٣١﴾
يٰنِسَآءَ النَّبِيِّ لَسْتُنَّ كَاَحَدٍ مِّنَ النِّسَآءِ اِنِ اتَّقَيْتُنَّ
فَلَا تَخْضَعْنَ بِالْقَوْلِ فَيَطْمَعَ الَّذِيْ فِيْ قَلْبِهٖ
مَرَضٌ وَّقُلْنَ قَوْلًا مَّعْرُوْفًا ﴿٣٢﴾ ۚ وَقَرْنَ فِيْ بُيُوْتِكُنَّ
وَلَا تَبَرَّجْنَ تَبَرُّجَ الْجَاهِلِيَّةِ الْاُوْلٰى وَاَقِمْنَ الصَّلٰوةَ
وَاٰتِيْنَ الزَّكٰوةَ وَاَطِعْنَ اللّٰهَ وَرَسُوْلَهٗ ؕ اِنَّمَا يُرِيْدُ
اللّٰهُ لِيُذْهِبَ عَنْكُمُ الرِّجْسَ اَهْلَ الْبَيْتِ وَيُطَهِّرَكُمْ
تَطْهِيْرًا ﴿٣٣﴾ ۚ وَاذْكُرْنَ مَا يُتْلٰى فِيْ بُيُوْتِكُنَّ مِنْ
اٰيٰتِ اللّٰهِ وَالْحِكْمَةِ ؕ اِنَّ اللّٰهَ كَانَ لَطِيْفًا خَبِيْرًا ﴿٣٤﴾ ع
اِنَّ الْمُسْلِمِيْنَ وَالْمُسْلِمٰتِ وَالْمُؤْمِنِيْنَ وَالْمُؤْمِنٰتِ
وَالْقٰنِتِيْنَ وَالْقٰنِتٰتِ وَالصّٰدِقِيْنَ وَالصّٰدِقٰتِ وَ
الصّٰبِرِيْنَ وَالصّٰبِرٰتِ وَالْخٰشِعِيْنَ وَالْخٰشِعٰتِ وَ

منزل ٥

ع ٧

الْمُتَصَدِّقِيْنَ وَالْمُتَصَدِّقٰتِ وَالصَّآئِمِيْنَ وَالصّٰٓئِمٰتِ وَ
الْحٰفِظِيْنَ فُرُوْجَهُمْ وَالْحٰفِظٰتِ وَالذّٰكِرِيْنَ اللّٰهَ كَثِيْرًا
وَّالذّٰكِرٰتِ اَعَدَّ اللّٰهُ لَهُمْ مَّغْفِرَةً وَّاَجْرًا عَظِيْمًا ﴿٣٥﴾
وَمَا كَانَ لِمُؤْمِنٍ وَّلَا مُؤْمِنَةٍ اِذَا قَضَى اللّٰهُ وَرَسُوْلُهٗٓ
اَمْرًا اَنْ يَّكُوْنَ لَهُمُ الْخِيَرَةُ مِنْ اَمْرِهِمْ ؕ وَمَنْ يَّعْصِ
اللّٰهَ وَرَسُوْلَهٗ فَقَدْ ضَلَّ ضَلٰلًا مُّبِيْنًا ﴿٣٦﴾ ؕ وَاِذْ
تَقُوْلُ لِلَّذِيْٓ اَنْعَمَ اللّٰهُ عَلَيْهِ وَاَنْعَمْتَ عَلَيْهِ اَمْسِكْ
عَلَيْكَ زَوْجَكَ وَاتَّقِ اللّٰهَ وَتُخْفِيْ فِيْ نَفْسِكَ مَا اللّٰهُ
مُبْدِيْهِ وَتَخْشَى النَّاسَ ۚ وَاللّٰهُ اَحَقُّ اَنْ تَخْشٰهُ ؕ
فَلَمَّا قَضٰى زَيْدٌ مِّنْهَا وَطَرًا زَوَّجْنٰكَهَا لِكَيْ لَا يَكُوْنَ
عَلَى الْمُؤْمِنِيْنَ حَرَجٌ فِيْٓ اَزْوَاجِ اَدْعِيَآئِهِمْ اِذَا قَضَوْا
مِنْهُنَّ وَطَرًا ؕ وَكَانَ اَمْرُ اللّٰهِ مَفْعُوْلًا ﴿٣٧﴾ مَا كَانَ عَلَى
النَّبِيِّ مِنْ حَرَجٍ فِيْمَا فَرَضَ اللّٰهُ لَهٗ ؕ سُنَّةَ اللّٰهِ

منزل ٥

فِي الَّذِيْنَ خَلَوْا مِنْ قَبْلُ ؕ وَكَانَ اَمْرُ اللّٰهِ قَدَرًا

مَّقْدُوْرَا ۟ۙ ﴿٣٨﴾ الَّذِيْنَ يُبَلِّغُوْنَ رِسٰلٰتِ اللّٰهِ وَ

يَخْشَوْنَهٗ وَلَا يَخْشَوْنَ اَحَدًا اِلَّا اللّٰهَ ؕ وَكَفٰى بِاللّٰهِ

حَسِيْبًا ﴿٣٩﴾ مَا كَانَ مُحَمَّدٌ اَبَآ اَحَدٍ مِّنْ رِّجَالِكُمْ وَلٰكِنْ

رَّسُوْلَ اللّٰهِ وَخَاتَمَ النَّبِيّٖنَ ؕ وَكَانَ اللّٰهُ بِكُلِّ شَيْءٍ

ع ٥ ٦ ٢ عَلِيْمًا ﴿٤٠﴾ يٰۤاَيُّهَا الَّذِيْنَ اٰمَنُوا اذْكُرُوا اللّٰهَ ذِكْرًا

كَثِيْرًا ﴿٤١﴾ وَّسَبِّحُوْهُ بُكْرَةً وَّاَصِيْلًا ﴿٤٢﴾ هُوَ الَّذِيْ منزل ٥

يُصَلِّيْ عَلَيْكُمْ وَمَلٰٓئِكَتُهٗ لِيُخْرِجَكُمْ مِّنَ الظُّلُمٰتِ

اِلَى النُّوْرِ ؕ وَكَانَ بِالْمُؤْمِنِيْنَ رَحِيْمًا ﴿٤٣﴾ تَحِيَّتُهُمْ يَوْمَ

يَلْقَوْنَهٗ سَلٰمٌ ۖۚ وَّاَعَدَّ لَهُمْ اَجْرًا كَرِيْمًا ﴿٤٤﴾ يٰۤاَيُّهَا

النَّبِيُّ اِنَّآ اَرْسَلْنٰكَ شَاهِدًا وَّمُبَشِّرًا وَّنَذِيْرًا ﴿٤٥﴾ وَّ

دَاعِيًا اِلَى اللّٰهِ بِاِذْنِهٖ وَسِرَاجًا مُّنِيْرًا ﴿٤٦﴾ وَبَشِّرِ

الْمُؤْمِنِيْنَ بِاَنَّ لَهُمْ مِّنَ اللّٰهِ فَضْلًا كَبِيْرًا ﴿٤٧﴾ وَلَا

Ikhfa اخفا | Ikhfa Meem Saakin اخفاميم ساكن | Qalqala قلقله | Qalb قلب | Idghaam ادغام | Idghaam Meem Saakin ادغام ميم ساكن | Ghunna غنّہ

تُطِعِ الْكٰفِرِيْنَ وَالْمُنٰفِقِيْنَ وَدَعْ اَذٰىهُمْ وَتَوَكَّلْ عَلَى
اللّٰهِ ؕ وَكَفٰى بِاللّٰهِ وَكِيْلًا ﴿۴۸﴾ يٰۤاَيُّهَا الَّذِيْنَ اٰمَنُوْۤا اِذَا
نَكَحْتُمُ الْمُؤْمِنٰتِ ثُمَّ طَلَّقْتُمُوْهُنَّ مِنْ قَبْلِ اَنْ
تَمَسُّوْهُنَّ فَمَا لَكُمْ عَلَيْهِنَّ مِنْ عِدَّةٍ تَعْتَدُّوْنَهَا ۚ
فَمَتِّعُوْهُنَّ وَسَرِّحُوْهُنَّ سَرَاحًا جَمِيْلًا ﴿۴۹﴾ يٰۤاَيُّهَا النَّبِيُّ اِنَّاۤ
اَحْلَلْنَا لَكَ اَزْوَاجَكَ الّٰتِيْۤ اٰتَيْتَ اُجُوْرَهُنَّ وَمَا مَلَكَتْ
يَمِيْنُكَ مِمَّاۤ اَفَآءَ اللّٰهُ عَلَيْكَ وَبَنٰتِ عَمِّكَ وَبَنٰتِ عَمّٰتِكَ
وَبَنٰتِ خَالِكَ وَبَنٰتِ خٰلٰتِكَ الّٰتِيْ هَاجَرْنَ مَعَكَ ۫ وَ
امْرَاَةً مُّؤْمِنَةً اِنْ وَّهَبَتْ نَفْسَهَا لِلنَّبِيِّ اِنْ اَرَادَ النَّبِيُّ
اَنْ يَّسْتَنْكِحَهَا ۗ خَالِصَةً لَّكَ مِنْ دُوْنِ الْمُؤْمِنِيْنَ ؕ
قَدْ عَلِمْنَا مَا فَرَضْنَا عَلَيْهِمْ فِيْۤ اَزْوَاجِهِمْ وَمَا مَلَكَتْ
اَيْمَانُهُمْ لِكَيْلَا يَكُوْنَ عَلَيْكَ حَرَجٌ ؕ وَكَانَ اللّٰهُ غَفُوْرًا
رَّحِيْمًا ﴿۵۰﴾ تُرْجِيْ مَنْ تَشَآءُ مِنْهُنَّ وَتُـْٔوِيْۤ اِلَيْكَ مَنْ

منزل ٥

نَشَآءُ ؕ وَمَنِ ابْتَغَيْتَ مِمَّنْ عَزَلْتَ فَلَا جُنَاحَ عَلَيْكَ ؕ
ذٰلِكَ اَدْنٰۤى اَنْ تَقَرَّ اَعْيُنُهُنَّ وَلَا يَحْزَنَّ وَيَرْضَيْنَ
بِمَاۤ اٰتَيْتَهُنَّ كُلُّهُنَّ ؕ وَاللّٰهُ يَعْلَمُ مَا فِيْ قُلُوْبِكُمْ ؕ
وَكَانَ اللّٰهُ عَلِيْمًا حَلِيْمًا ﴿٥١﴾ لَا يَحِلُّ لَكَ النِّسَآءُ مِنْۢ
بَعْدُ وَلَاۤ اَنْ تَبَدَّلَ بِهِنَّ مِنْ اَزْوَاجٍ وَّلَوْ اَعْجَبَكَ
حُسْنُهُنَّ اِلَّا مَا مَلَكَتْ يَمِيْنُكَ ؕ وَكَانَ اللّٰهُ عَلٰى كُلِّ
شَيْءٍ رَّقِيْبًا ﴿٥٢﴾ ع يٰۤاَيُّهَا الَّذِيْنَ اٰمَنُوْا لَا تَدْخُلُوْا بُيُوْتَ
النَّبِيِّ اِلَّاۤ اَنْ يُّؤْذَنَ لَكُمْ اِلٰى طَعَامٍ غَيْرَ نٰظِرِيْنَ
اِنٰىهُ ۙ وَلٰكِنْ اِذَا دُعِيْتُمْ فَادْخُلُوْا فَاِذَا طَعِمْتُمْ
فَانْتَشِرُوْا وَلَا مُسْتَاْنِسِيْنَ لِحَدِيْثٍ ؕ اِنَّ ذٰلِكُمْ كَانَ
يُؤْذِي النَّبِيَّ فَيَسْتَحْيٖ مِنْكُمْ ۫ وَاللّٰهُ لَا يَسْتَحْيٖ مِنَ
الْحَقِّ ؕ وَاِذَا سَاَلْتُمُوْهُنَّ مَتَاعًا فَسْـَٔلُوْهُنَّ مِنْ وَّرَآءِ
حِجَابٍ ؕ ذٰلِكُمْ اَطْهَرُ لِقُلُوْبِكُمْ وَقُلُوْبِهِنَّ ؕ وَمَا كَانَ

منزل ٥

ع ٢/٢

Ikhfa إخفا | Ikhfa Meem Saakin إخفاميم ساكن | Qalqala قلقله | Qalb قلب | Idghaam إدغام | Idghaam Meem Saakin إدغام ميم ساكن | Ghunna غُنّه

لَكُمْ اَنْ تُؤْذُوْا رَسُوْلَ اللّٰهِ وَلَاۤ اَنْ تَنْكِحُوْۤا اَزْوَاجَهٗ
مِنْۢ بَعْدِهٖۤ اَبَدًا ؕ اِنَّ ذٰلِكُمْ كَانَ عِنْدَ اللّٰهِ عَظِيْمًا ﴿٥٣﴾
اِنْ تُبْدُوْا شَيْـًٔا اَوْ تُخْفُوْهُ فَاِنَّ اللّٰهَ كَانَ بِكُلِّ شَيْءٍ
عَلِيْمًا ﴿٥٤﴾ لَا جُنَاحَ عَلَيْهِنَّ فِيْۤ اٰبَآئِهِنَّ وَلَاۤ اَبْنَآئِهِنَّ
وَلَاۤ اِخْوَانِهِنَّ وَلَاۤ اَبْنَآءِ اِخْوَانِهِنَّ وَلَاۤ اَبْنَآءِ
اَخَوٰتِهِنَّ وَلَا نِسَآئِهِنَّ وَلَا مَا مَلَكَتْ اَيْمَانُهُنَّ ۚ
وَاتَّقِيْنَ اللّٰهَ ؕ اِنَّ اللّٰهَ كَانَ عَلٰى كُلِّ شَيْءٍ شَهِيْدًا ﴿٥٥﴾
اِنَّ اللّٰهَ وَمَلٰٓئِكَتَهٗ يُصَلُّوْنَ عَلَى النَّبِيِّ ؕ يٰۤاَيُّهَا الَّذِيْنَ
اٰمَنُوْا صَلُّوْا عَلَيْهِ وَسَلِّمُوْا تَسْلِيْمًا ﴿٥٦﴾ اِنَّ الَّذِيْنَ
يُؤْذُوْنَ اللّٰهَ وَرَسُوْلَهٗ لَعَنَهُمُ اللّٰهُ فِي الدُّنْيَا وَ
الْاٰخِرَةِ وَاَعَدَّ لَهُمْ عَذَابًا مُّهِيْنًا ﴿٥٧﴾ وَالَّذِيْنَ
يُؤْذُوْنَ الْمُؤْمِنِيْنَ وَالْمُؤْمِنٰتِ بِغَيْرِ مَا اكْتَسَبُوْا
فَقَدِ احْتَمَلُوْا بُهْتَانًا وَّاِثْمًا مُّبِيْنًا ﴿٥٨﴾ ع يٰۤاَيُّهَا النَّبِيُّ قُلْ

لِّاَزْوَاجِكَ وَبَنٰتِكَ وَنِسَآءِ الْمُؤْمِنِيْنَ يُدْنِيْنَ عَلَيْهِنَّ
مِنْ جَلَابِيْبِهِنَّ ؕ ذٰلِكَ اَدْنٰۤى اَنْ يُّعْرَفْنَ فَلَا يُؤْذَيْنَ ؕ
وَكَانَ اللّٰهُ غَفُوْرًا رَّحِيْمًا ۝٥٩ لَئِنْ لَّمْ يَنْتَهِ الْمُنٰفِقُوْنَ وَ
الَّذِيْنَ فِىْ قُلُوْبِهِمْ مَّرَضٌ وَّالْمُرْجِفُوْنَ فِى الْمَدِيْنَةِ
لَنُغْرِيَنَّكَ بِهِمْ ثُمَّ لَا يُجَاوِرُوْنَكَ فِيْهَاۤ اِلَّا قَلِيْلًا ۝٦٠ ۛ
مَّلْعُوْنِيْنَ ۛۚ اَيْنَمَا ثُقِفُوْۤا اُخِذُوْا وَقُتِّلُوْا تَقْتِيْلًا ۝٦١
سُنَّةَ اللّٰهِ فِى الَّذِيْنَ خَلَوْا مِنْ قَبْلُ ۚ وَلَنْ تَجِدَ لِسُنَّةِ
اللّٰهِ تَبْدِيْلًا ۝٦٢ يَسْـَٔلُكَ النَّاسُ عَنِ السَّاعَةِ ؕ قُلْ اِنَّمَا
عِلْمُهَا عِنْدَ اللّٰهِ ؕ وَمَا يُدْرِيْكَ لَعَلَّ السَّاعَةَ تَكُوْنُ
قَرِيْبًا ۝٦٣ اِنَّ اللّٰهَ لَعَنَ الْكٰفِرِيْنَ وَاَعَدَّ لَهُمْ سَعِيْرًا ۝٦٤
خٰلِدِيْنَ فِيْهَاۤ اَبَدًا ۚ لَا يَجِدُوْنَ وَلِيًّا وَّلَا نَصِيْرًا ۝٦٥ ۚ يَوْمَ
تُقَلَّبُ وُجُوْهُهُمْ فِى النَّارِ يَقُوْلُوْنَ يٰلَيْتَنَاۤ اَطَعْنَا اللّٰهَ
وَاَطَعْنَا الرَّسُوْلَا ۝٦٦ وَقَالُوْا رَبَّنَاۤ اِنَّاۤ اَطَعْنَا سَادَتَنَا

معانقة ۱۲ عند المتاخرین ۱۲

الربع

منزل ۵

وَكُبَرَآءَنَا فَاَضَلُّوْنَا السَّبِيْلَا ﴿٦٧﴾ رَبَّنَآ اٰتِهِمْ ضِعْفَيْنِ
مِنَ الْعَذَابِ وَالْعَنْهُمْ لَعْنًا كَبِيْرًا ﴿٦٨﴾ ع يٰۤاَيُّهَا الَّذِيْنَ ع ٨ ١٠ ٥
اٰمَنُوْا لَا تَكُوْنُوْا كَالَّذِيْنَ اٰذَوْا مُوْسٰى فَبَرَّاَهُ اللّٰهُ
مِمَّا قَالُوْا ؕ وَكَانَ عِنْدَ اللّٰهِ وَجِيْهًا ﴿٦٩﴾ ؕ يٰۤاَيُّهَا
الَّذِيْنَ اٰمَنُوا اتَّقُوا اللّٰهَ وَقُوْلُوْا قَوْلًا سَدِيْدًا ﴿٧٠﴾ لا
يُّصْلِحْ لَكُمْ اَعْمَالَكُمْ وَيَغْفِرْ لَكُمْ ذُنُوْبَكُمْ ؕ
منزل ٥ وَمَنْ يُّطِعِ اللّٰهَ وَرَسُوْلَهٗ فَقَدْ فَازَ فَوْزًا عَظِيْمًا ﴿٧١﴾
اِنَّا عَرَضْنَا الْاَمَانَةَ عَلَى السَّمٰوٰتِ وَالْاَرْضِ وَ
الْجِبَالِ فَاَبَيْنَ اَنْ يَّحْمِلْنَهَا وَاَشْفَقْنَ مِنْهَا
وَحَمَلَهَا الْاِنْسَانُ ؕ اِنَّهٗ كَانَ ظَلُوْمًا جَهُوْلًا ﴿٧٢﴾ لا
لِّيُعَذِّبَ اللّٰهُ الْمُنٰفِقِيْنَ وَالْمُنٰفِقٰتِ وَالْمُشْرِكِيْنَ
وَالْمُشْرِكٰتِ وَيَتُوْبَ اللّٰهُ عَلَى الْمُؤْمِنِيْنَ وَالْمُؤْمِنٰتِ ؕ
وَكَانَ اللّٰهُ غَفُوْرًا رَّحِيْمًا ﴿٧٣﴾ ع ع ٩ ٥٢ ٦

اٰیَاتُهَا ٥٤ (٣٤) سُوْرَةُ سَبَاٍ مَّكِّیَّةٌ (٥٨) رُكُوْعَاتُهَا ٦

بِسْمِ اللّٰهِ الرَّحْمٰنِ الرَّحِیْمِ ○

اَلْحَمْدُ لِلّٰهِ الَّذِیْ لَهٗ مَا فِی السَّمٰوٰتِ وَمَا فِی الْاَرْضِ وَلَهُ
الْحَمْدُ فِی الْاٰخِرَةِ ؕ وَهُوَ الْحَكِیْمُ الْخَبِیْرُ ﴿١﴾ یَعْلَمُ مَا یَلِجُ
فِی الْاَرْضِ وَمَا یَخْرُجُ مِنْهَا وَمَا یَنْزِلُ مِنَ السَّمَآءِ وَمَا
یَعْرُجُ فِیْهَا ؕ وَهُوَ الرَّحِیْمُ الْغَفُوْرُ ﴿٢﴾ وَقَالَ الَّذِیْنَ
كَفَرُوْا لَا تَاْتِیْنَا السَّاعَةُ ؕ قُلْ بَلٰی وَرَبِّیْ لَتَاْتِیَنَّكُمْ ۙ
عٰلِمِ الْغَیْبِ ۚ لَا یَعْزُبُ عَنْهُ مِثْقَالُ ذَرَّةٍ فِی السَّمٰوٰتِ
وَلَا فِی الْاَرْضِ وَلَاۤ اَصْغَرُ مِنْ ذٰلِكَ وَلَاۤ اَكْبَرُ اِلَّا فِیْ
كِتٰبٍ مُّبِیْنٍ ﴿٣﴾ قلا لِّیَجْزِیَ الَّذِیْنَ اٰمَنُوْا وَعَمِلُوا الصّٰلِحٰتِ ؕ
اُولٰٓئِكَ لَهُمْ مَّغْفِرَةٌ وَّرِزْقٌ كَرِیْمٌ ﴿٤﴾ وَالَّذِیْنَ سَعَوْ فِیْۤ
اٰیٰتِنَا مُعٰجِزِیْنَ اُولٰٓئِكَ لَهُمْ عَذَابٌ مِّنْ رِّجْزٍ اَلِیْمٌ ﴿٥﴾
وَیَرَی الَّذِیْنَ اُوْتُوا الْعِلْمَ الَّذِیْۤ اُنْزِلَ اِلَیْكَ

منزل ٥

Ikhfa إخفا | Ikhfa Meem Saakin إخفاميم ساكن | Qalqala قلقله | Qalb قلب | Idghaam إدغام | Idghaam Meem Saakin إدغام ميم ساكن | Ghunna غُنّه

مَنْزِل ٥

مِنْ رَّبِّكَ هُوَ الْحَقَّ ۙ وَيَهْدِيْۤ اِلٰى صِرَاطِ الْعَزِيْزِ

الْحَمِيْدِ ۝٦ وَقَالَ الَّذِيْنَ كَفَرُوْا هَلْ نَدُلُّكُمْ عَلٰى

رَجُلٍ يُّنَبِّئُكُمْ اِذَا مُزِّقْتُمْ كُلَّ مُمَزَّقٍ ۙ اِنَّكُمْ لَفِيْ

خَلْقٍ جَدِيْدٍ ۚ ۝٧ اَفْتَرٰى عَلَى اللّٰهِ كَذِبًا اَمْ بِهٖ جِنَّةٌ ۭ

بَلِ الَّذِيْنَ لَا يُؤْمِنُوْنَ بِالْاٰخِرَةِ فِي الْعَذَابِ وَالضَّلٰلِ

الْبَعِيْدِ ۝٨ اَفَلَمْ يَرَوْا اِلٰى مَا بَيْنَ اَيْدِيْهِمْ وَمَا خَلْفَهُمْ

مِّنَ السَّمَاۗءِ وَالْاَرْضِ ۭ اِنْ نَّشَاْ نَخْسِفْ بِهِمُ الْاَرْضَ

اَوْ نُسْقِطْ عَلَيْهِمْ كِسَفًا مِّنَ السَّمَاۗءِ ۭ اِنَّ فِيْ ذٰلِكَ

لَاٰيَةً لِّكُلِّ عَبْدٍ مُّنِيْبٍ ۝٩ ع وَلَقَدْ اٰتَيْنَا دَاوٗدَ مِنَّا ع ٩

فَضْلًا ۭ يٰجِبَالُ اَوِّبِيْ مَعَهٗ وَالطَّيْرَ ۚ وَاَلَنَّا لَهُ

الْحَدِيْدَ ۝١٠ اَنِ اعْمَلْ سٰبِغٰتٍ وَّقَدِّرْ فِي السَّرْدِ وَاعْمَلُوْا

صَالِحًا ۭ اِنِّيْ بِمَا تَعْمَلُوْنَ بَصِيْرٌ ۝١١ وَلِسُلَيْمٰنَ الرِّيْحَ

غُدُوُّهَا شَهْرٌ وَّرَوَاحُهَا شَهْرٌ ۚ وَاَسَلْنَا لَهٗ عَيْنَ

الْقِطْرِ ؕ وَمِنَ الْجِنِّ مَنْ يَّعْمَلُ بَيْنَ يَدَيْهِ بِاِذْنِ رَبِّهٖ ؕ
وَمَنْ يَّزِغْ مِنْهُمْ عَنْ اَمْرِنَا نُذِقْهُ مِنْ عَذَابِ السَّعِيْرِ ﴿١٢﴾
يَعْمَلُوْنَ لَهٗ مَا يَشَآءُ مِنْ مَّحَارِيْبَ وَتَمَاثِيْلَ وَجِفَانٍ
كَالْجَوَابِ وَقُدُوْرٍ رّٰسِيٰتٍ ؕ اِعْمَلُوْٓا اٰلَ دَاوٗدَ شُكْرًا ؕ
وَقَلِيْلٌ مِّنْ عِبَادِيَ الشَّكُوْرُ ﴿١٣﴾ فَلَمَّا قَضَيْنَا عَلَيْهِ
الْمَوْتَ مَا دَلَّهُمْ عَلٰى مَوْتِهٖٓ اِلَّا دَآبَّةُ الْاَرْضِ تَاْكُلُ
مِنْسَاَتَهٗ ۚ فَلَمَّا خَرَّ تَبَيَّنَتِ الْجِنُّ اَنْ لَّوْ كَانُوْا يَعْلَمُوْنَ
الْغَيْبَ مَا لَبِثُوْا فِى الْعَذَابِ الْمُهِيْنِ ﴿١٤﴾ ؕ لَقَدْ كَانَ
لِسَبَاٍ فِىْ مَسْكَنِهِمْ اٰيَةٌ ۚ جَنَّتٰنِ عَنْ يَّمِيْنٍ وَّشِمَالٍ ۵
كُلُوْا مِنْ رِّزْقِ رَبِّكُمْ وَاشْكُرُوْا لَهٗ ؕ بَلْدَةٌ طَيِّبَةٌ وَّ
رَبٌّ غَفُوْرٌ ﴿١٥﴾ فَاَعْرَضُوْا فَاَرْسَلْنَا عَلَيْهِمْ سَيْلَ الْعَرِمِ
وَبَدَّلْنٰهُمْ بِجَنَّتَيْهِمْ جَنَّتَيْنِ ذَوَاتَىْ اُكُلٍ خَمْطٍ وَّ
اَثْلٍ وَّشَىْءٍ مِّنْ سِدْرٍ قَلِيْلٍ ﴿١٦﴾ ذٰلِكَ جَزَيْنٰهُمْ بِمَا كَفَرُوْا ؕ

وَهَلْ نُجٰزِيْٓ اِلَّا الْكَفُوْرَ ﴿١٧﴾ وَجَعَلْنَا بَيْنَهُمْ وَبَيْنَ
الْقُرَى الَّتِيْ بٰرَكْنَا فِيْهَا قُرًى ظَاهِرَةً وَّقَدَّرْنَا فِيْهَا
السَّيْرَ ط سِيْرُوْا فِيْهَا لَيَالِيَ وَاَيَّامًا اٰمِنِيْنَ ﴿١٨﴾ فَقَالُوْا
رَبَّنَا بٰعِدْ بَيْنَ اَسْفَارِنَا وَظَلَمُوْٓا اَنْفُسَهُمْ فَجَعَلْنٰهُمْ
اَحَادِيْثَ وَمَزَّقْنٰهُمْ كُلَّ مُمَزَّقٍ ط اِنَّ فِيْ ذٰلِكَ لَاٰيٰتٍ
لِّكُلِّ صَبَّارٍ شَكُوْرٍ ﴿١٩﴾ وَلَقَدْ صَدَّقَ عَلَيْهِمْ اِبْلِيْسُ
ظَنَّهٗ فَاتَّبَعُوْهُ اِلَّا فَرِيْقًا مِّنَ الْمُؤْمِنِيْنَ ﴿٢٠﴾ وَمَا كَانَ
لَهٗ عَلَيْهِمْ مِّنْ سُلْطٰنٍ اِلَّا لِنَعْلَمَ مَنْ يُّؤْمِنُ بِالْاٰخِرَةِ
مِمَّنْ هُوَ مِنْهَا فِيْ شَكٍّ ط وَرَبُّكَ عَلٰى كُلِّ شَيْءٍ حَفِيْظٌ ﴿٢١﴾ ع ع ١٢ ٢ ٨
قُلِ ادْعُوا الَّذِيْنَ زَعَمْتُمْ مِّنْ دُوْنِ اللّٰهِ ج لَا يَمْلِكُوْنَ
مِثْقَالَ ذَرَّةٍ فِي السَّمٰوٰتِ وَلَا فِي الْاَرْضِ وَمَا لَهُمْ
فِيْهِمَا مِنْ شِرْكٍ وَّمَا لَهٗ مِنْهُمْ مِّنْ ظَهِيْرٍ ﴿٢٢﴾ وَلَا تَنْفَعُ
الشَّفَاعَةُ عِنْدَهٗٓ اِلَّا لِمَنْ اَذِنَ لَهٗ ط حَتّٰٓى اِذَا فُزِّعَ عَنْ

منزل ٥

قُلُوْبِهِمْ قَالُوْا مَاذَا ۙ قَالَ رَبُّكُمْ ؕ قَالُوا الْحَقَّ ۚ وَهُوَ الْعَلِیُّ
الْكَبِیْرُ ﴿۲۳﴾ قُلْ مَنْ یَّرْزُقُكُمْ مِّنَ السَّمٰوٰتِ وَالْاَرْضِ ؕ قُلِ
اللّٰهُ ۙ وَاِنَّاۤ اَوْ اِیَّاكُمْ لَعَلٰی هُدًی اَوْ فِیْ ضَلٰلٍ مُّبِیْنٍ ﴿۲۴﴾
قُلْ لَّا تُسْـَٔلُوْنَ عَمَّاۤ اَجْرَمْنَا وَلَا نُسْـَٔلُ عَمَّا تَعْمَلُوْنَ ﴿۲۵﴾
قُلْ یَجْمَعُ بَیْنَنَا رَبُّنَا ثُمَّ یَفْتَحُ بَیْنَنَا بِالْحَقِّ ؕ وَهُوَ الْفَتَّاحُ
الْعَلِیْمُ ﴿۲۶﴾ قُلْ اَرُوْنِیَ الَّذِیْنَ اَلْحَقْتُمْ بِهٖ شُرَكَآءَ كَلَّا ؕ
منزل ۵ بَلْ هُوَ اللّٰهُ الْعَزِیْزُ الْحَكِیْمُ ﴿۲۷﴾ وَمَاۤ اَرْسَلْنٰكَ اِلَّا كَآفَّةً
لِّلنَّاسِ بَشِیْرًا وَّنَذِیْرًا وَّلٰكِنَّ اَكْثَرَ النَّاسِ لَا یَعْلَمُوْنَ ﴿۲۸﴾
وَیَقُوْلُوْنَ مَتٰی هٰذَا الْوَعْدُ اِنْ كُنْتُمْ صٰدِقِیْنَ ﴿۲۹﴾
قُلْ لَّكُمْ مِّیْعَادُ یَوْمٍ لَّا تَسْتَاْخِرُوْنَ عَنْهُ سَاعَةً وَّلَا
تَسْتَقْدِمُوْنَ ﴿۳۰﴾ ع وَقَالَ الَّذِیْنَ كَفَرُوْا لَنْ نُّؤْمِنَ بِهٰذَا ع ٩ النصف ٣
الْقُرْاٰنِ وَلَا بِالَّذِیْ بَیْنَ یَدَیْهِ ؕ وَلَوْ تَرٰۤی اِذِ الظّٰلِمُوْنَ
مَوْقُوْفُوْنَ عِنْدَ رَبِّهِمْ ۖۚ یَرْجِعُ بَعْضُهُمْ اِلٰی بَعْضِ ِۨ

Ikhfa اخفا | Ikhfa Meem Saakin اخفامیم ساکن | Qalqala قلقلہ | Qalb قلب | Idghaam ادغام | Idghaam Meem Saakin ادغام میم ساکن | Ghunna غنّہ

الْقَوْلَ ۚ يَقُوْلُ الَّذِيْنَ اسْتُضْعِفُوْا لِلَّذِيْنَ اسْتَكْبَرُوْا
لَوْ لَآ اَنْتُمْ لَكُنَّا مُؤْمِنِيْنَ ﴿٣١﴾ قَالَ الَّذِيْنَ اسْتَكْبَرُوْا
لِلَّذِيْنَ اسْتُضْعِفُوْٓا اَنَحْنُ صَدَدْنٰكُمْ عَنِ الْهُدٰى
بَعْدَ اِذْ جَآءَكُمْ بَلْ كُنْتُمْ مُّجْرِمِيْنَ ﴿٣٢﴾ وَقَالَ الَّذِيْنَ
اسْتُضْعِفُوْا لِلَّذِيْنَ اسْتَكْبَرُوْا بَلْ مَكْرُ الَّيْلِ وَالنَّهَارِ
اِذْ تَاْمُرُوْنَنَآ اَنْ نَّكْفُرَ بِاللّٰهِ وَنَجْعَلَ لَهٗٓ اَنْدَادًا ؕ وَ
منزل ٥ اَسَرُّوا النَّدَامَةَ لَمَّا رَاَوُا الْعَذَابَ ؕ وَجَعَلْنَا الْاَغْلٰلَ
فِيْٓ اَعْنَاقِ الَّذِيْنَ كَفَرُوْا ؕ هَلْ يُجْزَوْنَ اِلَّا مَا كَانُوْا
يَعْمَلُوْنَ ﴿٣٣﴾ وَمَآ اَرْسَلْنَا فِيْ قَرْيَةٍ مِّنْ نَّذِيْرٍ اِلَّا قَالَ
مُتْرَفُوْهَآ اِنَّا بِمَآ اُرْسِلْتُمْ بِهٖ كٰفِرُوْنَ ﴿٣٤﴾ وَقَالُوْا نَحْنُ
اَكْثَرُ اَمْوَالًا وَّاَوْلَادًا ۙ وَّمَا نَحْنُ بِمُعَذَّبِيْنَ ﴿٣٥﴾ قُلْ اِنَّ رَبِّيْ
يَبْسُطُ الرِّزْقَ لِمَنْ يَّشَآءُ وَيَقْدِرُ وَلٰكِنَّ اَكْثَرَ النَّاسِ
لَا يَعْلَمُوْنَ ﴿٣٦﴾ ع وَمَآ اَمْوَالُكُمْ وَلَآ اَوْلَادُكُمْ بِالَّتِيْ ع ٦

تُقَرِّبُكُمْ عِنْدَنَا زُلْفٰٓى اِلَّا مَنْ اٰمَنَ وَعَمِلَ صَالِحًا ز فَاُولٰٓئِكَ
لَهُمْ جَزَآءُ الضِّعْفِ بِمَا عَمِلُوْا وَهُمْ فِى الْغُرُفٰتِ اٰمِنُوْنَ ﴿٣٧﴾
وَالَّذِيْنَ يَسْعَوْنَ فِىْٓ اٰيٰتِنَا مُعٰجِزِيْنَ اُولٰٓئِكَ فِى الْعَذَابِ
مُحْضَرُوْنَ ﴿٣٨﴾ قُلْ اِنَّ رَبِّىْ يَبْسُطُ الرِّزْقَ لِمَنْ يَّشَآءُ
مِنْ عِبَادِهٖ وَيَقْدِرُ لَهٗ ط وَمَآ اَنْفَقْتُمْ مِّنْ شَىْءٍ فَهُوَ
يُخْلِفُهٗ ج وَهُوَ خَيْرُ الرّٰزِقِيْنَ ﴿٣٩﴾ وَيَوْمَ يَحْشُرُهُمْ جَمِيْعًا
ثُمَّ يَقُوْلُ لِلْمَلٰٓئِكَةِ اَهٰٓؤُلَآءِ اِيَّاكُمْ كَانُوْا يَعْبُدُوْنَ ﴿٤٠﴾
قَالُوْا سُبْحٰنَكَ اَنْتَ وَلِيُّنَا مِنْ دُوْنِهِمْ ج بَلْ كَانُوْا
يَعْبُدُوْنَ الْجِنَّ ج اَكْثَرُهُمْ بِهِمْ مُّؤْمِنُوْنَ ﴿٤١﴾ فَالْيَوْمَ لَا
يَمْلِكُ بَعْضُكُمْ لِبَعْضٍ نَّفْعًا وَّلَا ضَرًّا ط وَنَقُوْلُ لِلَّذِيْنَ
ظَلَمُوْا ذُوْقُوْا عَذَابَ النَّارِ الَّتِىْ كُنْتُمْ بِهَا تُكَذِّبُوْنَ ﴿٤٢﴾
وَاِذَا تُتْلٰى عَلَيْهِمْ اٰيٰتُنَا بَيِّنٰتٍ قَالُوْا مَا هٰذَآ اِلَّا رَجُلٌ
يُّرِيْدُ اَنْ يَّصُدَّكُمْ عَمَّا كَانَ يَعْبُدُ اٰبَآؤُكُمْ ج وَقَالُوْا

منزل ٥

مَا هٰذَآ اِلَّاۤ اِفْكٌ مُّفْتَرًى ؕ وَقَالَ الَّذِيْنَ كَفَرُوْا لِلْحَقِّ
لَمَّا جَآءَهُمْ ۙ اِنْ هٰذَاۤ اِلَّا سِحْرٌ مُّبِيْنٌ ﴿۴۳﴾ وَمَاۤ اٰتَيْنٰهُمْ
مِّنْ كُتُبٍ يَّدْرُسُوْنَهَا وَمَاۤ اَرْسَلْنَاۤ اِلَيْهِمْ قَبْلَكَ مِنْ
نَّذِيْرٍ ﴿۴۴﴾ وَكَذَّبَ الَّذِيْنَ مِنْ قَبْلِهِمْ ۙ وَمَا بَلَغُوْا مِعْشَارَ
مَاۤ اٰتَيْنٰهُمْ فَكَذَّبُوْا رُسُلِيْ ۫ فَكَيْفَ كَانَ نَكِيْرِ ﴿۴۵﴾ ع قُلْ اِنَّمَاۤ ع ٥ ٩ ١١
اَعِظُكُمْ بِوَاحِدَةٍ ۚ اَنْ تَقُوْمُوْا لِلّٰهِ مَثْنٰى وَفُرَادٰى ثُمَّ
منزل ٥
تَتَفَكَّرُوْا ۫ مَا بِصَاحِبِكُمْ مِّنْ جِنَّةٍ ؕ اِنْ هُوَ اِلَّا نَذِيْرٌ لَّكُمْ
بَيْنَ يَدَيْ عَذَابٍ شَدِيْدٍ ﴿۴۶﴾ قُلْ مَا سَاَلْتُكُمْ مِّنْ اَجْرٍ
فَهُوَ لَكُمْ ؕ اِنْ اَجْرِيَ اِلَّا عَلَى اللّٰهِ ۚ وَهُوَ عَلٰى كُلِّ شَيْءٍ
شَهِيْدٌ ﴿۴۷﴾ قُلْ اِنَّ رَبِّيْ يَقْذِفُ بِالْحَقِّ ۚ عَلَّامُ الْغُيُوْبِ ﴿۴۸﴾
قُلْ جَآءَ الْحَقُّ وَمَا يُبْدِئُ الْبَاطِلُ وَمَا يُعِيْدُ ﴿۴۹﴾ قُلْ اِنْ
ضَلَلْتُ فَاِنَّمَاۤ اَضِلُّ عَلٰى نَفْسِيْ ۚ وَاِنِ اهْتَدَيْتُ فَبِمَا
يُوْحِيْۤ اِلَيَّ رَبِّيْ ؕ اِنَّهٗ سَمِيْعٌ قَرِيْبٌ ﴿۵۰﴾ وَلَوْ تَرٰۤى اِذْ فَزِعُوْا

Ikhfa إخفا | Ikhfa Meem Saakin إخفاميم ساكن | Qalqala قلقلہ | Qalb قلب | Idghaam اِدغام | Idghaam Meem Saakin اِدغام میم ساکن | Ghunna غُنّہ

فَلَا فَوْتَ وَاُخِذُوْا مِنْ مَّكَانٍ قَرِيْبٍ ﴿٥١﴾ وَّقَالُوْٓا اٰمَنَّا
بِهٖ ۚ وَاَنّٰى لَهُمُ التَّنَاوُشُ مِنْ مَّكَانٍۢ بَعِيْدٍ ﴿٥٢﴾ وَّقَدْ
كَفَرُوْا بِهٖ مِنْ قَبْلُ ۚ وَيَقْذِفُوْنَ بِالْغَيْبِ مِنْ مَّكَانٍۢ
بَعِيْدٍ ﴿٥٣﴾ وَحِيْلَ بَيْنَهُمْ وَبَيْنَ مَا يَشْتَهُوْنَ كَمَا فُعِلَ
بِاَشْيَاعِهِمْ مِّنْ قَبْلُ ۭ اِنَّهُمْ كَانُوْا فِيْ شَكٍّ مُّرِيْبٍ ﴿٥٤﴾ ع

اٰيَاتُهَا ٤٥ سُوْرَةُ فَاطِرٍ مَّكِّيَّةٌ (٣٥) (٤٣) رُكُوْعَاتُهَا ٥

بِسْمِ اللّٰهِ الرَّحْمٰنِ الرَّحِيْمِ

اَلْحَمْدُ لِلّٰهِ فَاطِرِ السَّمٰوٰتِ وَالْاَرْضِ جَاعِلِ الْمَلٰٓئِكَةِ
رُسُلًا اُولِيْٓ اَجْنِحَةٍ مَّثْنٰى وَثُلٰثَ وَرُبٰعَ ۭ يَزِيْدُ فِي الْخَلْقِ
مَا يَشَاۗءُ ۭ اِنَّ اللّٰهَ عَلٰي كُلِّ شَيْءٍ قَدِيْرٌ ﴿١﴾ مَا يَفْتَحِ اللّٰهُ
لِلنَّاسِ مِنْ رَّحْمَةٍ فَلَا مُمْسِكَ لَهَا ۚ وَمَا يُمْسِكْ ۙ
فَلَا مُرْسِلَ لَهٗ مِنْۢ بَعْدِهٖ ۭ وَهُوَ الْعَزِيْزُ الْحَكِيْمُ ﴿٢﴾
يٰٓاَيُّهَا النَّاسُ اذْكُرُوْا نِعْمَتَ اللّٰهِ عَلَيْكُمْ ۭ هَلْ مِنْ

ع ٢٦ / ١٢ — منزل ٥

خَالِقٍ غَيْرُ اللّٰهِ يَرْزُقُكُمْ مِّنَ السَّمَآءِ وَالْاَرْضِ ؕ لَآ اِلٰهَ
اِلَّا هُوَ ۫ۖ فَاَنّٰى تُؤْفَكُوْنَ ﴿٣﴾ وَاِنْ يُّكَذِّبُوْكَ فَقَدْ
كُذِّبَتْ رُسُلٌ مِّنْ قَبْلِكَ ؕ وَاِلَى اللّٰهِ تُرْجَعُ الْاُمُوْرُ ﴿٤﴾
يٰۤاَيُّهَا النَّاسُ اِنَّ وَعْدَ اللّٰهِ حَقٌّ فَلَا تَغُرَّنَّكُمُ الْحَيٰوةُ
الدُّنْيَا ٚ وَلَا يَغُرَّنَّكُمْ بِاللّٰهِ الْغَرُوْرُ ﴿٥﴾ اِنَّ الشَّيْطٰنَ
لَكُمْ عَدُوٌّ فَاتَّخِذُوْهُ عَدُوًّا ؕ اِنَّمَا يَدْعُوْا حِزْبَهٗ لِيَكُوْنُوْا
مِنْ اَصْحٰبِ السَّعِيْرِ ؕ ﴿٦﴾ اَلَّذِيْنَ كَفَرُوْا لَهُمْ عَذَابٌ
شَدِيْدٌ ؕ۬ وَالَّذِيْنَ اٰمَنُوْا وَعَمِلُوا الصّٰلِحٰتِ لَهُمْ مَّغْفِرَةٌ وَّ
اَجْرٌ كَبِيْرٌ ﴿٧﴾ اَفَمَنْ زُيِّنَ لَهٗ سُوْٓءُ عَمَلِهٖ فَرَاٰهُ حَسَنًا ؕ ع ٢ / ١٣
فَاِنَّ اللّٰهَ يُضِلُّ مَنْ يَّشَآءُ وَيَهْدِيْ مَنْ يَّشَآءُ ۫ۖ
فَلَا تَذْهَبْ نَفْسُكَ عَلَيْهِمْ حَسَرٰتٍ ؕ اِنَّ اللّٰهَ عَلِيْمٌۢ
بِمَا يَصْنَعُوْنَ ﴿٨﴾ وَاللّٰهُ الَّذِيْٓ اَرْسَلَ الرِّيٰحَ فَتُثِيْرُ
سَحَابًا فَسُقْنٰهُ اِلٰى بَلَدٍ مَّيِّتٍ فَاَحْيَيْنَا بِهِ الْاَرْضَ

منزل ٥

بَعْدَ مَوْتِهَا ۚ كَذٰلِكَ النُّشُوْرُ ﴿٩﴾ مَنْ كَانَ يُرِيْدُ
الْعِزَّةَ فَلِلّٰهِ الْعِزَّةُ جَمِيْعًا ۚ اِلَيْهِ يَصْعَدُ الْكَلِمُ
الطَّيِّبُ وَالْعَمَلُ الصَّالِحُ يَرْفَعُهٗ ۚ وَالَّذِيْنَ يَمْكُرُوْنَ
السَّيِّاٰتِ لَهُمْ عَذَابٌ شَدِيْدٌ ۚ وَمَكْرُ اُولٰٓئِكَ هُوَ
يَبُوْرُ ﴿١٠﴾ وَاللّٰهُ خَلَقَكُمْ مِّنْ تُرَابٍ ثُمَّ مِنْ نُّطْفَةٍ ثُمَّ
جَعَلَكُمْ اَزْوَاجًا ۚ وَمَا تَحْمِلُ مِنْ اُنْثٰى وَلَا تَضَعُ اِلَّا
بِعِلْمِهٖ ۚ وَمَا يُعَمَّرُ مِنْ مُّعَمَّرٍ وَّلَا يُنْقَصُ مِنْ عُمُرِهٖٓ
اِلَّا فِيْ كِتٰبٍ ۚ اِنَّ ذٰلِكَ عَلَى اللّٰهِ يَسِيْرٌ ﴿١١﴾ وَمَا
يَسْتَوِي الْبَحْرٰنِ ۖ هٰذَا عَذْبٌ فُرَاتٌ سَآئِغٌ شَرَابُهٗ
وَهٰذَا مِلْحٌ اُجَاجٌ ۚ وَمِنْ كُلٍّ تَاْكُلُوْنَ لَحْمًا طَرِيًّا وَّ
تَسْتَخْرِجُوْنَ حِلْيَةً تَلْبَسُوْنَهَا ۚ وَتَرَى الْفُلْكَ فِيْهِ
مَوَاخِرَ لِتَبْتَغُوْا مِنْ فَضْلِهٖ وَلَعَلَّكُمْ تَشْكُرُوْنَ ﴿١٢﴾
يُوْلِجُ الَّيْلَ فِي النَّهَارِ وَيُوْلِجُ النَّهَارَ فِي الَّيْلِ ۙ وَ

منزل ٥

سَخَّرَ الشَّمْسَ وَالْقَمَرَ ۖ كُلٌّ يَجْرِي لِأَجَلٍ مُّسَمًّى ط

ذَٰلِكُمُ اللَّهُ رَبُّكُمْ لَهُ الْمُلْكُ ط وَالَّذِينَ تَدْعُونَ

مِن دُونِهِ مَا يَمْلِكُونَ مِن قِطْمِيرٍ ﴿١٣﴾ إِن تَدْعُوهُمْ

لَا يَسْمَعُوا دُعَاءَكُمْ ج وَلَوْ سَمِعُوا مَا اسْتَجَابُوا لَكُمْ ط

وَيَوْمَ الْقِيَامَةِ يَكْفُرُونَ بِشِرْكِكُمْ ط وَلَا يُنَبِّئُكَ

مِثْلُ خَبِيرٍ ﴿١٤﴾ ع يَا أَيُّهَا النَّاسُ أَنتُمُ الْفُقَرَاءُ إِلَى

اللَّهِ ج وَاللَّهُ هُوَ الْغَنِيُّ الْحَمِيدُ ﴿١٥﴾ إِن يَشَأْ يُذْهِبْكُمْ وَ

يَأْتِ بِخَلْقٍ جَدِيدٍ ﴿١٦﴾ ج وَمَا ذَٰلِكَ عَلَى اللَّهِ بِعَزِيزٍ ﴿١٧﴾

وَلَا تَزِرُ وَازِرَةٌ وِزْرَ أُخْرَىٰ ط وَإِن تَدْعُ مُثْقَلَةٌ

إِلَىٰ حِمْلِهَا لَا يُحْمَلْ مِنْهُ شَيْءٌ وَلَوْ كَانَ ذَا قُرْبَىٰ ط

إِنَّمَا تُنذِرُ الَّذِينَ يَخْشَوْنَ رَبَّهُم بِالْغَيْبِ وَأَقَامُوا

الصَّلَاةَ ط وَمَن تَزَكَّىٰ فَإِنَّمَا يَتَزَكَّىٰ لِنَفْسِهِ ط وَإِلَى

اللَّهِ الْمَصِيرُ ﴿١٨﴾ وَمَا يَسْتَوِي الْأَعْمَىٰ وَالْبَصِيرُ ﴿١٩﴾

منزل ٥

وَلَا الظُّلُمٰتُ وَلَا النُّوْرُ ﴿٢٠﴾ وَلَا الظِّلُّ وَلَا الْحَرُوْرُ ﴿٢١﴾ ۚ
وَمَا يَسْتَوِى الْاَحْيَآءُ وَلَا الْاَمْوَاتُ ؕ اِنَّ اللّٰهَ يُسْمِعُ
مَنْ يَّشَآءُ ۚ وَمَآ اَنْتَ بِمُسْمِعٍ مَّنْ فِى الْقُبُوْرِ ﴿٢٢﴾ اِنْ اَنْتَ
اِلَّا نَذِيْرٌ ﴿٢٣﴾ اِنَّآ اَرْسَلْنٰكَ بِالْحَقِّ بَشِيْرًا وَّنَذِيْرًا ؕ وَاِنْ
مِّنْ اُمَّةٍ اِلَّا خَلَا فِيْهَا نَذِيْرٌ ﴿٢٤﴾ وَاِنْ يُّكَذِّبُوْكَ فَقَدْ
كَذَّبَ الَّذِيْنَ مِنْ قَبْلِهِمْ ۚ جَآءَتْهُمْ رُسُلُهُمْ بِالْبَيِّنٰتِ
وَبِالزُّبُرِ وَبِالْكِتٰبِ الْمُنِيْرِ ﴿٢٥﴾ ثُمَّ اَخَذْتُ الَّذِيْنَ
كَفَرُوْا فَكَيْفَ كَانَ نَكِيْرِ ﴿٢٦﴾ ع اَلَمْ تَرَ اَنَّ اللّٰهَ اَنْزَلَ ع ١٢ ٣ ١٥
مِنَ السَّمَآءِ مَآءً ۚ فَاَخْرَجْنَا بِهٖ ثَمَرٰتٍ مُّخْتَلِفًا
اَلْوَانُهَا ؕ وَمِنَ الْجِبَالِ جُدَدٌۢ بِيْضٌ وَّحُمْرٌ مُّخْتَلِفٌ
اَلْوَانُهَا وَغَرَابِيْبُ سُوْدٌ ﴿٢٧﴾ وَمِنَ النَّاسِ وَالدَّوَآبِّ
وَالْاَنْعَامِ مُخْتَلِفٌ اَلْوَانُهٗ كَذٰلِكَ ؕ اِنَّمَا يَخْشَى اللّٰهَ
مِنْ عِبَادِهِ الْعُلَمٰٓؤُا ؕ اِنَّ اللّٰهَ عَزِيْزٌ غَفُوْرٌ ﴿٢٨﴾ اِنَّ

منزل ٥

الَّذِيْنَ يَتْلُوْنَ كِتٰبَ اللّٰهِ وَاَقَامُوا الصَّلٰوةَ وَ اَنْفَقُوْا
مِمَّا رَزَقْنٰهُمْ سِرًّا وَّعَلَانِيَةً يَّرْجُوْنَ تِجَارَةً لَّنْ
تَبُوْرَ ۙ﴿٢٩﴾ لِيُوَفِّيَهُمْ اُجُوْرَهُمْ وَيَزِيْدَهُمْ مِّنْ فَضْلِهٖ ؕ
اِنَّهٗ غَفُوْرٌ شَكُوْرٌ ﴿٣٠﴾ وَالَّذِيْٓ اَوْحَيْنَآ اِلَيْكَ مِنَ
الْكِتٰبِ هُوَ الْحَقُّ مُصَدِّقًا لِّمَا بَيْنَ يَدَيْهِ ؕ اِنَّ اللّٰهَ
بِعِبَادِهٖ لَخَبِيْرٌۢ بَصِيْرٌ ﴿٣١﴾ ثُمَّ اَوْرَثْنَا الْكِتٰبَ الَّذِيْنَ
اصْطَفَيْنَا مِنْ عِبَادِنَا ۚ فَمِنْهُمْ ظَالِمٌ لِّنَفْسِهٖ ۚ وَمِنْهُمْ
مُّقْتَصِدٌ ۚ وَمِنْهُمْ سَابِقٌۢ بِالْخَيْرٰتِ بِاِذْنِ اللّٰهِ ؕ ذٰلِكَ
هُوَ الْفَضْلُ الْكَبِيْرُ ؕ﴿٣٢﴾ جَنّٰتُ عَدْنٍ يَّدْخُلُوْنَهَا
يُحَلَّوْنَ فِيْهَا مِنْ اَسَاوِرَ مِنْ ذَهَبٍ وَّلُؤْلُؤًا ۚ وَلِبَاسُهُمْ
فِيْهَا حَرِيْرٌ ﴿٣٣﴾ وَقَالُوا الْحَمْدُ لِلّٰهِ الَّذِيْٓ اَذْهَبَ عَنَّا
الْحَزَنَ ؕ اِنَّ رَبَّنَا لَغَفُوْرٌ شَكُوْرُ ۙ﴿٣٤﴾ الَّذِيْٓ اَحَلَّنَا
دَارَ الْمُقَامَةِ مِنْ فَضْلِهٖ ۚ لَا يَمَسُّنَا فِيْهَا نَصَبٌ وَّلَا

منزل ٥

يَمَسُّنَا فِيهَا لُغُوبٌ ﴿٣٥﴾ وَالَّذِينَ كَفَرُوا لَهُمْ نَارُ جَهَنَّمَ ج
لَا يُقْضٰى عَلَيْهِمْ فَيَمُوتُوا وَلَا يُخَفَّفُ عَنْهُمْ مِّنْ
عَذَابِهَا ط كَذٰلِكَ نَجْزِي كُلَّ كَفُورٍ ﴿٣٦﴾ ج وَهُمْ يَصْطَرِخُونَ
فِيهَا ج رَبَّنَآ أَخْرِجْنَا نَعْمَلْ صَالِحًا غَيْرَ الَّذِي كُنَّا
نَعْمَلُ ط أَوَلَمْ نُعَمِّرْكُمْ مَّا يَتَذَكَّرُ فِيهِ مَنْ تَذَكَّرَ وَ
ع ١١ ١٢ جَآءَكُمُ النَّذِيرُ ط فَذُوقُوا فَمَا لِلظّٰلِمِينَ مِنْ نَّصِيرٍ ﴿٣٧﴾ ع
إِنَّ اللّٰهَ عٰلِمُ غَيْبِ السَّمٰوٰتِ وَالْأَرْضِ ط إِنَّهُ عَلِيمٌ م
بِذَاتِ الصُّدُورِ ﴿٣٨﴾ هُوَ الَّذِي جَعَلَكُمْ خَلٰٓئِفَ فِي
الْأَرْضِ ط فَمَنْ كَفَرَ فَعَلَيْهِ كُفْرُهُ ط وَلَا يَزِيدُ الْكٰفِرِينَ
كُفْرُهُمْ عِنْدَ رَبِّهِمْ إِلَّا مَقْتًا ج وَلَا يَزِيدُ الْكٰفِرِينَ
كُفْرُهُمْ إِلَّا خَسَارًا ﴿٣٩﴾ قُلْ أَرَءَيْتُمْ شُرَكَآءَكُمُ الَّذِينَ
تَدْعُونَ مِنْ دُونِ اللّٰهِ ط أَرُونِي مَاذَا خَلَقُوا مِنَ
الْأَرْضِ أَمْ لَهُمْ شِرْكٌ فِي السَّمٰوٰتِ ج أَمْ اٰتَيْنٰهُمْ كِتٰبًا

منزل ٥

فَهُمْ عَلٰى بَيِّنَتٍ مِّنْهُ ۚ بَلْ اِنْ يَّعِدُ الظّٰلِمُوْنَ بَعْضُهُمْ

بَعْضًا اِلَّا غُرُوْرًا ﴿٤٠﴾ اِنَّ اللّٰهَ يُمْسِكُ السَّمٰوٰتِ وَالْاَرْضَ

اَنْ تَزُوْلَا ۚ۬ وَلَئِنْ زَالَتَآ اِنْ اَمْسَكَهُمَا مِنْ اَحَدٍ مِّنْ

بَعْدِهٖ ؕ اِنَّهٗ كَانَ حَلِيْمًا غَفُوْرًا ﴿٤١﴾ وَاَقْسَمُوْا بِاللّٰهِ جَهْدَ

اَيْمَانِهِمْ لَئِنْ جَآءَهُمْ نَذِيْرٌ لَّيَكُوْنُنَّ اَهْدٰى مِنْ اِحْدَى

الْاُمَمِ ۚ فَلَمَّا جَآءَهُمْ نَذِيْرٌ مَّا زَادَهُمْ اِلَّا نُفُوْرَا ۨ ﴿٤٢﴾ ۙ

اسْتِكْبَارًا فِى الْاَرْضِ وَمَكْرَ السَّيِّئِ ؕ وَلَا يَحِيْقُ الْمَكْرُ

السَّيِّئُ اِلَّا بِاَهْلِهٖ ؕ فَهَلْ يَنْظُرُوْنَ اِلَّا سُنَّتَ الْاَوَّلِيْنَ ۚ

فَلَنْ تَجِدَ لِسُنَّتِ اللّٰهِ تَبْدِيْلًا ۚ۬ وَلَنْ تَجِدَ لِسُنَّتِ اللّٰهِ

تَحْوِيْلًا ﴿٤٣﴾ اَوَلَمْ يَسِيْرُوْا فِى الْاَرْضِ فَيَنْظُرُوْا كَيْفَ

كَانَ عَاقِبَةُ الَّذِيْنَ مِنْ قَبْلِهِمْ وَكَانُوْٓا اَشَدَّ مِنْهُمْ

قُوَّةً ؕ وَمَا كَانَ اللّٰهُ لِيُعْجِزَهٗ مِنْ شَىْءٍ فِى السَّمٰوٰتِ وَلَا

فِى الْاَرْضِ ؕ اِنَّهٗ كَانَ عَلِيْمًا قَدِيْرًا ﴿٤٤﴾ وَلَوْ يُؤَاخِذُ

منزل ٥

Ikhfa إخفا | Ikhfa Meem Saakin إخفاميم ساكن | Qalqala قلقلہ | Qalb قلب | Idghaam إدغام | Idghaam Meem Saakin إدغام ميم ساكن | Ghunna غُنّہ

اللّٰهُ النَّاسَ بِمَا كَسَبُوْا مَا تَرَكَ عَلٰى ظَهْرِهَا مِنْ
دَآبَّةٍ وَّلٰكِنْ يُّؤَخِّرُهُمْ اِلٰٓى اَجَلٍ مُّسَمًّى ۚ فَاِذَا
جَآءَ اَجَلُهُمْ فَاِنَّ اللّٰهَ كَانَ بِعِبَادِهٖ بَصِيْرًا ﴿۴۵﴾ ع ۵ ۸ ۱۷

اٰيَاتُهَا ۸۳ (۳۶) سُوْرَةُ يٰسٓ مَكِّيَّةٌ (۴۱) رُكُوْعَاتُهَا ۵

بِسْمِ اللّٰهِ الرَّحْمٰنِ الرَّحِيْمِ

يٰسٓ ۚ ﴿۱﴾ وَالْقُرْاٰنِ الْحَكِيْمِ ﴿۲﴾ اِنَّكَ لَمِنَ الْمُرْسَلِيْنَ ﴿۳﴾ لا عَلٰى
صِرَاطٍ مُّسْتَقِيْمٍ ﴿۴﴾ ط تَنْزِيْلَ الْعَزِيْزِ الرَّحِيْمِ ﴿۵﴾ لا لِتُنْذِرَ قَوْمًا
مَّآ اُنْذِرَ اٰبَآؤُهُمْ فَهُمْ غٰفِلُوْنَ ﴿۶﴾ لَقَدْ حَقَّ الْقَوْلُ عَلٰٓى
اَكْثَرِهِمْ فَهُمْ لَا يُؤْمِنُوْنَ ﴿۷﴾ اِنَّا جَعَلْنَا فِيْٓ اَعْنَاقِهِمْ اَغْلٰلًا
فَهِيَ اِلَى الْاَذْقَانِ فَهُمْ مُّقْمَحُوْنَ ﴿۸﴾ وَجَعَلْنَا مِنْۢ بَيْنِ
اَيْدِيْهِمْ سَدًّا وَّمِنْ خَلْفِهِمْ سَدًّا فَاَغْشَيْنٰهُمْ فَهُمْ
لَا يُبْصِرُوْنَ ﴿۹﴾ وَسَوَآءٌ عَلَيْهِمْ ءَاَنْذَرْتَهُمْ اَمْ لَمْ تُنْذِرْهُمْ
لَا يُؤْمِنُوْنَ ﴿۱۰﴾ اِنَّمَا تُنْذِرُ مَنِ اتَّبَعَ الذِّكْرَ وَخَشِيَ الرَّحْمٰنَ

منزل ۵

بِالْغَيْبِ ۚ فَبَشِّرْهُ بِمَغْفِرَةٍ وَّ اَجْرٍ كَرِيْمٍ ﴿١١﴾ اِنَّا نَحْنُ نُحْيِ
الْمَوْتٰى وَنَكْتُبُ مَا قَدَّمُوْا وَاٰثَارَهُمْ ۗ وَكُلَّ شَيْءٍ اَحْصَيْنٰهُ
فِيْٓ اِمَامٍ مُّبِيْنٍ ﴿١٢﴾ وَاضْرِبْ لَهُمْ مَّثَلًا اَصْحٰبَ الْقَرْيَةِ ۘ
اِذْ جَآءَهَا الْمُرْسَلُوْنَ ﴿١٣﴾ اِذْ اَرْسَلْنَآ اِلَيْهِمُ اثْنَيْنِ
فَكَذَّبُوْهُمَا فَعَزَّزْنَا بِثَالِثٍ فَقَالُوْٓا اِنَّآ اِلَيْكُمْ مُّرْسَلُوْنَ ﴿١٤﴾
قَالُوْا مَآ اَنْتُمْ اِلَّا بَشَرٌ مِّثْلُنَا ۙ وَمَآ اَنْزَلَ الرَّحْمٰنُ مِنْ
شَيْءٍ ۙ اِنْ اَنْتُمْ اِلَّا تَكْذِبُوْنَ ﴿١٥﴾ قَالُوْا رَبُّنَا يَعْلَمُ
اِنَّآ اِلَيْكُمْ لَمُرْسَلُوْنَ ﴿١٦﴾ وَمَا عَلَيْنَآ اِلَّا الْبَلٰغُ الْمُبِيْنُ ﴿١٧﴾
قَالُوْٓا اِنَّا تَطَيَّرْنَا بِكُمْ ۚ لَئِنْ لَّمْ تَنْتَهُوْا لَنَرْجُمَنَّكُمْ وَ
لَيَمَسَّنَّكُمْ مِّنَّا عَذَابٌ اَلِيْمٌ ﴿١٨﴾ قَالُوْا طَآئِرُكُمْ مَّعَكُمْ ۗ
اَئِنْ ذُكِّرْتُمْ ۗ بَلْ اَنْتُمْ قَوْمٌ مُّسْرِفُوْنَ ﴿١٩﴾ وَجَآءَ مِنْ
اَقْصَا الْمَدِيْنَةِ رَجُلٌ يَّسْعٰى قَالَ يٰقَوْمِ اتَّبِعُوا الْمُرْسَلِيْنَ ﴿٢٠﴾ ۙ
اتَّبِعُوْا مَنْ لَّا يَسْئَلُكُمْ اَجْرًا وَّهُمْ مُّهْتَدُوْنَ ﴿٢١﴾

وقف غفران

ع ١٢ / ٨١ وقف لازم

منزل ٥

الجزء الثالث والعشرون (٢٣)

وَمَا لِيَ لَآ اَعْبُدُ الَّذِيْ فَطَرَنِيْ وَاِلَيْهِ تُرْجَعُوْنَ ﴿٢٢﴾
ءَاَتَّخِذُ مِنْ دُوْنِهٖٓ اٰلِهَةً اِنْ يُّرِدْنِ الرَّحْمٰنُ بِضُرٍّ لَّا
تُغْنِ عَنِّيْ شَفَاعَتُهُمْ شَيْئًا وَّلَا يُنْقِذُوْنِ ﴿٢٣﴾ ج اِنِّيْٓ اِذًا
لَّفِيْ ضَلٰلٍ مُّبِيْنٍ ﴿٢٤﴾ اِنِّيْٓ اٰمَنْتُ بِرَبِّكُمْ فَاسْمَعُوْنِ ﴿٢٥﴾ ط
قِيْلَ ادْخُلِ الْجَنَّةَ ط قَالَ يٰلَيْتَ قَوْمِيْ يَعْلَمُوْنَ ﴿٢٦﴾ لا بِمَا
غَفَرَ لِيْ رَبِّيْ وَجَعَلَنِيْ مِنَ الْمُكْرَمِيْنَ ﴿٢٧﴾ وَمَآ اَنْزَلْنَا
عَلٰى قَوْمِهٖ مِنْۢ بَعْدِهٖ مِنْ جُنْدٍ مِّنَ السَّمَآءِ وَمَا كُنَّا
مُنْزِلِيْنَ ﴿٢٨﴾ اِنْ كَانَتْ اِلَّا صَيْحَةً وَّاحِدَةً فَاِذَا هُمْ
خٰمِدُوْنَ ﴿٢٩﴾ يٰحَسْرَةً عَلَى الْعِبَادِ ج مَا يَاْتِيْهِمْ مِّنْ
رَّسُوْلٍ اِلَّا كَانُوْا بِهٖ يَسْتَهْزِءُوْنَ ﴿٣٠﴾ اَلَمْ يَرَوْا كَمْ اَهْلَكْنَا
قَبْلَهُمْ مِّنَ الْقُرُوْنِ اَنَّهُمْ اِلَيْهِمْ لَا يَرْجِعُوْنَ ﴿٣١﴾ ط وَاِنْ
كُلٌّ لَّمَّا جَمِيْعٌ لَّدَيْنَا مُحْضَرُوْنَ ﴿٣٢﴾ ع وَاٰيَةٌ لَّهُمُ الْاَرْضُ
الْمَيْتَةُ ج صلے اَحْيَيْنٰهَا وَاَخْرَجْنَا مِنْهَا حَبًّا فَمِنْهُ

وقف غفران ١٢

منزل ٥

ع ٢

Ikhfa إخفا | Ikhfa Meem Saakin إخفاميم ساكن | Qalqala قلقله | Qalb قلب | Idghaam إدغام | Idghaam Meem Saakin إدغام ميم ساكن | Ghunna غُنّہ

يَاْكُلُوْنَ ﴿٣٣﴾ وَجَعَلْنَا فِيْهَا جَنّٰتٍ مِّنْ نَّخِيْلٍ وَّاَعْنَابٍ
وَّفَجَّرْنَا فِيْهَا مِنَ الْعُيُوْنِ ﴿٣٤﴾ ۙ لِيَاْكُلُوْا مِنْ ثَمَرِهٖ ۙ
وَمَا عَمِلَتْهُ اَيْدِيْهِمْ ؕ اَفَلَا يَشْكُرُوْنَ ﴿٣٥﴾ سُبْحٰنَ الَّذِيْ
خَلَقَ الْاَزْوَاجَ كُلَّهَا مِمَّا تُنْۢبِتُ الْاَرْضُ وَمِنْ اَنْفُسِهِمْ
وَمِمَّا لَا يَعْلَمُوْنَ ﴿٣٦﴾ وَاٰيَةٌ لَّهُمُ الَّيْلُ ۚۖ نَسْلَخُ مِنْهُ النَّهَارَ
فَاِذَا هُمْ مُّظْلِمُوْنَ ﴿٣٧﴾ ۙ وَالشَّمْسُ تَجْرِيْ لِمُسْتَقَرٍّ لَّهَا ؕ
ذٰلِكَ تَقْدِيْرُ الْعَزِيْزِ الْعَلِيْمِ ﴿٣٨﴾ ؕ وَالْقَمَرَ قَدَّرْنٰهُ مَنَازِلَ
حَتّٰى عَادَ كَالْعُرْجُوْنِ الْقَدِيْمِ ﴿٣٩﴾ لَا الشَّمْسُ يَنْۢبَغِيْ لَهَاۤ
اَنْ تُدْرِكَ الْقَمَرَ وَلَا الَّيْلُ سَابِقُ النَّهَارِ ؕ وَكُلٌّ
فِيْ فَلَكٍ يَّسْبَحُوْنَ ﴿٤٠﴾ وَاٰيَةٌ لَّهُمْ اَنَّا حَمَلْنَا ذُرِّيَّتَهُمْ
فِي الْفُلْكِ الْمَشْحُوْنِ ﴿٤١﴾ ۙ وَخَلَقْنَا لَهُمْ مِّنْ مِّثْلِهٖ مَا
يَرْكَبُوْنَ ﴿٤٢﴾ وَاِنْ نَّشَاْ نُغْرِقْهُمْ فَلَا صَرِيْخَ لَهُمْ وَلَا
هُمْ يُنْقَذُوْنَ ﴿٤٣﴾ ۙ اِلَّا رَحْمَةً مِّنَّا وَمَتَاعًا اِلٰى حِيْنٍ ﴿٤٤﴾

منزل ٥

وَاِذَا قِيۡلَ لَهُمُ اتَّقُوۡا مَا بَيۡنَ اَيۡدِيۡكُمۡ وَمَا خَلۡفَكُمۡ
لَعَلَّكُمۡ تُرۡحَمُوۡنَ ﴿٤٥﴾ وَمَا تَاۡتِيۡهِمۡ مِّنۡ اٰيَةٍ مِّنۡ اٰيٰتِ
رَبِّهِمۡ اِلَّا كَانُوۡا عَنۡهَا مُعۡرِضِيۡنَ ﴿٤٦﴾ وَاِذَا قِيۡلَ لَهُمۡ
اَنۡفِقُوۡا مِمَّا رَزَقَكُمُ اللّٰهُ ۙ قَالَ الَّذِيۡنَ كَفَرُوۡا لِلَّذِيۡنَ اٰمَنُوۡۤا
اَنُطۡعِمُ مَنۡ لَّوۡ يَشَآءُ اللّٰهُ اَطۡعَمَهٗۤ ۖ اِنۡ اَنۡتُمۡ اِلَّا فِىۡ
ضَلٰلٍ مُّبِيۡنٍ ﴿٤٧﴾ وَيَقُوۡلُوۡنَ مَتٰى هٰذَا الۡوَعۡدُ اِنۡ
كُنۡتُمۡ صٰدِقِيۡنَ ﴿٤٨﴾ مَا يَنۡظُرُوۡنَ اِلَّا صَيۡحَةً وَّاحِدَةً
تَاۡخُذُهُمۡ وَهُمۡ يَخِصِّمُوۡنَ ﴿٤٩﴾ فَلَا يَسۡتَطِيۡعُوۡنَ تَوۡصِيَةً
وَّلَاۤ اِلٰٓى اَهۡلِهِمۡ يَرۡجِعُوۡنَ ﴿٥٠﴾ ع وَنُفِخَ فِى الصُّوۡرِ فَاِذَا ع ٣ ١٨
هُمۡ مِّنَ الۡاَجۡدَاثِ اِلٰى رَبِّهِمۡ يَنۡسِلُوۡنَ ﴿٥١﴾ قَالُوۡا
يٰوَيۡلَنَا مَنۡۢ بَعَثَنَا مِنۡ مَّرۡقَدِنَا ۜ سکتة هٰذَا مَا وَعَدَ
الرَّحۡمٰنُ وَصَدَقَ الۡمُرۡسَلُوۡنَ ﴿٥٢﴾ اِنۡ كَانَتۡ اِلَّا
صَيۡحَةً وَّاحِدَةً فَاِذَا هُمۡ جَمِيۡعٌ لَّدَيۡنَا مُحۡضَرُوۡنَ ﴿٥٣﴾

منزل ٥

فَالْيَوْمَ لَا تُظْلَمُ نَفْسٌ شَيْـًٔا وَّلَا تُجْزَوْنَ اِلَّا مَا
كُنْتُمْ تَعْمَلُوْنَ ﴿٥٤﴾ اِنَّ اَصْحٰبَ الْجَنَّةِ الْيَوْمَ فِيْ
شُغُلٍ فٰكِهُوْنَ ﴿٥٥﴾ هُمْ وَاَزْوَاجُهُمْ فِيْ ظِلٰلٍ عَلَى
الْاَرَآئِكِ مُتَّكِـُٔوْنَ ﴿٥٦﴾ لَهُمْ فِيْهَا فَاكِهَةٌ وَّلَهُمْ
مَّا يَدَّعُوْنَ ﴿٥٧﴾ سَلٰمٌ قَوْلًا مِّنْ رَّبٍّ رَّحِيْمٍ ﴿٥٨﴾ وَامْتَازُوا
الْيَوْمَ اَيُّهَا الْمُجْرِمُوْنَ ﴿٥٩﴾ اَلَمْ اَعْهَدْ اِلَيْكُمْ
يٰبَنِيْٓ اٰدَمَ اَنْ لَّا تَعْبُدُوا الشَّيْطٰنَ ۚ اِنَّهٗ لَكُمْ عَدُوٌّ
مُّبِيْنٌ ﴿٦٠﴾ وَّاَنِ اعْبُدُوْنِيْ ۭ هٰذَا صِرَاطٌ مُّسْتَقِيْمٌ ﴿٦١﴾
وَلَقَدْ اَضَلَّ مِنْكُمْ جِبِلًّا كَثِيْرًا ۭ اَفَلَمْ تَكُوْنُوْا
تَعْقِلُوْنَ ﴿٦٢﴾ هٰذِهٖ جَهَنَّمُ الَّتِيْ كُنْتُمْ تُوْعَدُوْنَ ﴿٦٣﴾
اِصْلَوْهَا الْيَوْمَ بِمَا كُنْتُمْ تَكْفُرُوْنَ ﴿٦٤﴾ اَلْيَوْمَ نَخْتِمُ
عَلٰٓى اَفْوَاهِهِمْ وَتُكَلِّمُنَآ اَيْدِيْهِمْ وَتَشْهَدُ اَرْجُلُهُمْ
بِمَا كَانُوْا يَكْسِبُوْنَ ﴿٦٥﴾ وَلَوْ نَشَآءُ لَطَمَسْنَا عَلٰٓى

منزل ٥

وقف غفران ١٢

Ikhfa اِخفا | Ikhfa Meem Saakin اِخفامیم ساکن | Qalqala قلقلہ | Qalb قلب | Idghaam ادغام | Idghaam Meem Saakin ادغام میم ساکن | Ghunna غنّہ

أَعْيُنِهِمْ فَاسْتَبَقُوا الصِّرَاطَ فَأَنَّىٰ يُبْصِرُونَ ﴿٦٦﴾ وَلَوْ
نَشَاءُ لَمَسَخْنَاهُمْ عَلَىٰ مَكَانَتِهِمْ فَمَا اسْتَطَاعُوا
ع ٤/٧ مُضِيًّا وَلَا يَرْجِعُونَ ﴿٦٧﴾ ع وَمَنْ نُعَمِّرْهُ نُنَكِّسْهُ فِي
الْخَلْقِ ۖ أَفَلَا يَعْقِلُونَ ﴿٦٨﴾ وَمَا عَلَّمْنَاهُ الشِّعْرَ وَمَا يَنْبَغِي
لَهُ ۚ إِنْ هُوَ إِلَّا ذِكْرٌ وَقُرْآنٌ مُبِينٌ ﴿٦٩﴾ لا لِيُنْذِرَ
مَنْ كَانَ حَيًّا وَيَحِقَّ الْقَوْلُ عَلَى الْكَافِرِينَ ﴿٧٠﴾ أَوَلَمْ
يَرَوْا أَنَّا خَلَقْنَا لَهُمْ مِمَّا عَمِلَتْ أَيْدِينَا أَنْعَامًا منزل ٥
فَهُمْ لَهَا مَالِكُونَ ﴿٧١﴾ وَذَلَّلْنَاهَا لَهُمْ فَمِنْهَا رَكُوبُهُمْ
وَمِنْهَا يَأْكُلُونَ ﴿٧٢﴾ وَلَهُمْ فِيهَا مَنَافِعُ وَمَشَارِبُ ۖ
أَفَلَا يَشْكُرُونَ ﴿٧٣﴾ وَاتَّخَذُوا مِنْ دُونِ اللَّهِ آلِهَةً
لَعَلَّهُمْ يُنْصَرُونَ ﴿٧٤﴾ لَا يَسْتَطِيعُونَ نَصْرَهُمْ لا وَهُمْ
وقف لازم لَهُمْ جُنْدٌ مُحْضَرُونَ ﴿٧٥﴾ فَلَا يَحْزُنْكَ قَوْلُهُمْ م إِنَّا
نَعْلَمُ مَا يُسِرُّونَ وَمَا يُعْلِنُونَ ﴿٧٦﴾ أَوَلَمْ يَرَ

الْاِنْسَانُ اَنَّا خَلَقْنٰهُ مِنْ نُّطْفَةٍ فَاِذَا هُوَ خَصِيْمٌ
مُّبِيْنٌ ﴿٧٧﴾ وَضَرَبَ لَنَا مَثَلًا وَّنَسِيَ خَلْقَهٗ ؕ قَالَ مَنْ يُّحْيِ
الْعِظَامَ وَهِيَ رَمِيْمٌ ﴿٧٨﴾ قُلْ يُحْيِيْهَا الَّذِيْٓ اَنْشَاَهَآ
اَوَّلَ مَرَّةٍ ؕ وَهُوَ بِكُلِّ خَلْقٍ عَلِيْمُ ۨ ﴿٧٩﴾ لا الَّذِيْ جَعَلَ لَكُمْ
مِّنَ الشَّجَرِ الْاَخْضَرِ نَارًا فَاِذَآ اَنْتُمْ مِّنْهُ تُوْقِدُوْنَ ﴿٨٠﴾
اَوَلَيْسَ الَّذِيْ خَلَقَ السَّمٰوٰتِ وَالْاَرْضَ بِقٰدِرٍ عَلٰٓى
اَنْ يَّخْلُقَ مِثْلَهُمْ ؕ بَلٰى ۗ وَهُوَ الْخَلّٰقُ الْعَلِيْمُ ﴿٨١﴾ اِنَّمَآ اَمْرُهٗٓ
اِذَآ اَرَادَ شَيْـًٔا اَنْ يَّقُوْلَ لَهٗ كُنْ فَيَكُوْنُ ﴿٨٢﴾ فَسُبْحٰنَ
الَّذِيْ بِيَدِهٖ مَلَكُوْتُ كُلِّ شَيْءٍ وَّاِلَيْهِ تُرْجَعُوْنَ ﴿٨٣﴾ ع

وقف غفران ١٢

ع ٥ / ٦

منزل ٦

اٰيَاتُهَا ١٨٢ (٣٧) سُوْرَةُ الصّٰٓفّٰتِ مَكِّيَّةٌ (٥٦) رُكُوْعَاتُهَا ٥

بِسْمِ اللّٰهِ الرَّحْمٰنِ الرَّحِيْمِ

وَالصّٰٓفّٰتِ صَفًّا ﴿١﴾ لا فَالزّٰجِرٰتِ زَجْرًا ﴿٢﴾ لا فَالتّٰلِيٰتِ
ذِكْرًا ﴿٣﴾ لا اِنَّ اِلٰهَكُمْ لَوَاحِدٌ ﴿٤﴾ ط رَبُّ السَّمٰوٰتِ وَالْاَرْضِ

المنزل السادس (٦)

وَمَا بَيْنَهُمَا وَرَبُّ الْمَشَارِقِ ۟ؕ﴿٥﴾ اِنَّا زَيَّنَّا السَّمَآءَ الدُّنْيَا
بِزِيْنَةِ ِۣ الْكَوَاكِبِ ۟ۙ﴿٦﴾ وَحِفْظًا مِّنْ كُلِّ شَيْطٰنٍ مَّارِدٍ ۟ۚ﴿٧﴾
لَا يَسَّمَّعُوْنَ اِلَى الْمَلَاِ الْاَعْلٰى وَيُقْذَفُوْنَ مِنْ كُلِّ
جَانِبٍ ۟ۖۗ﴿٨﴾ دُحُوْرًا وَّلَهُمْ عَذَابٌ وَّاصِبٌ ۟ۙ﴿٩﴾ اِلَّا مَنْ
خَطِفَ الْخَطْفَةَ فَاَتْبَعَهٗ شِهَابٌ ثَاقِبٌ ﴿١٠﴾ فَاسْتَفْتِهِمْ
اَهُمْ اَشَدُّ خَلْقًا اَمْ مَّنْ خَلَقْنَا ؕ اِنَّا خَلَقْنٰهُمْ مِّنْ طِيْنٍ
لَّازِبٍ ﴿١١﴾ بَلْ عَجِبْتَ وَيَسْخَرُوْنَ ۪﴿١٢﴾ وَاِذَا ذُكِّرُوْا لَا
يَذْكُرُوْنَ ۪﴿١٣﴾ وَاِذَا رَاَوْا اٰيَةً يَّسْتَسْخِرُوْنَ ۪﴿١٤﴾ وَقَالُوْٓا اِنْ
هٰذَآ اِلَّا سِحْرٌ مُّبِيْنٌ ۚۖ﴿١٥﴾ ءَاِذَا مِتْنَا وَكُنَّا تُرَابًا وَّعِظَامًا
ءَاِنَّا لَمَبْعُوْثُوْنَ ۟ۙ﴿١٦﴾ اَوَاٰبَآؤُنَا الْاَوَّلُوْنَ ۟ؕ﴿١٧﴾ قُلْ نَعَمْ وَاَنْتُمْ
دَاخِرُوْنَ ۟ۚ﴿١٨﴾ فَاِنَّمَا هِيَ زَجْرَةٌ وَّاحِدَةٌ فَاِذَا هُمْ يَنْظُرُوْنَ ﴿١٩﴾
وَقَالُوْا يٰوَيْلَنَا هٰذَا يَوْمُ الدِّيْنِ ﴿٢٠﴾ هٰذَا يَوْمُ الْفَصْلِ
الَّذِيْ كُنْتُمْ بِهٖ تُكَذِّبُوْنَ ۧ﴿٢١﴾ اُحْشُرُوا الَّذِيْنَ ظَلَمُوْا

منزل ٦

ع ٥ / ٢١

وَ اَزْوَاجَهُمْ وَمَا كَانُوْا یَعْبُدُوْنَ ﴿٢٢﴾ مِنْ دُوْنِ اللّٰهِ
فَاهْدُوْهُمْ اِلٰی صِرَاطِ الْجَحِیْمِ ﴿٢٣﴾ وَقِفُوْهُمْ اِنَّهُمْ
مَّسْـُٔوْلُوْنَ ﴿٢٤﴾ مَا لَكُمْ لَا تَنَاصَرُوْنَ ﴿٢٥﴾ بَلْ هُمُ الْیَوْمَ
مُسْتَسْلِمُوْنَ ﴿٢٦﴾ وَاَقْبَلَ بَعْضُهُمْ عَلٰی بَعْضٍ یَّتَسَآءَلُوْنَ ﴿٢٧﴾
قَالُوْٓا اِنَّكُمْ كُنْتُمْ تَاْتُوْنَنَا عَنِ الْیَمِیْنِ ﴿٢٨﴾ قَالُوْا بَلْ
لَّمْ تَكُوْنُوْا مُؤْمِنِیْنَ ﴿٢٩﴾ وَمَا كَانَ لَنَا عَلَیْكُمْ مِّنْ
سُلْطٰنٍ بَلْ كُنْتُمْ قَوْمًا طٰغِیْنَ ﴿٣٠﴾ فَحَقَّ عَلَیْنَا قَوْلُ
رَبِّنَآ اِنَّا لَذَآىِٕقُوْنَ ﴿٣١﴾ فَاَغْوَیْنٰكُمْ اِنَّا كُنَّا غٰوِیْنَ ﴿٣٢﴾
فَاِنَّهُمْ یَوْمَىِٕذٍ فِی الْعَذَابِ مُشْتَرِكُوْنَ ﴿٣٣﴾ اِنَّا كَذٰلِكَ
نَفْعَلُ بِالْمُجْرِمِیْنَ ﴿٣٤﴾ اِنَّهُمْ كَانُوْٓا اِذَا قِیْلَ لَهُمْ لَآ اِلٰهَ
اِلَّا اللّٰهُ یَسْتَكْبِرُوْنَ ﴿٣٥﴾ وَیَقُوْلُوْنَ اَىِٕنَّا لَتَارِكُوْٓا اٰلِهَتِنَا
لِشَاعِرٍ مَّجْنُوْنٍ ﴿٣٦﴾ بَلْ جَآءَ بِالْحَقِّ وَصَدَّقَ الْمُرْسَلِیْنَ ﴿٣٧﴾
اِنَّكُمْ لَذَآىِٕقُوا الْعَذَابِ الْاَلِیْمِ ﴿٣٨﴾ وَمَا تُجْزَوْنَ

Ikhfa إخفا | Ikhfa Meem Saakin إخفاميم ساكن | Qalqala قلقله | Qalb قلب | Idghaam إدغام | Idghaam Meem Saakin إدغام ميم ساكن | Ghunna غنّہ

اِلَّا مَا كُنْتُمْ تَعْمَلُوْنَ ﴿٣٩﴾ اِلَّا عِبَادَ اللّٰهِ الْمُخْلَصِيْنَ ﴿٤٠﴾

اُولٰٓئِكَ لَهُمْ رِزْقٌ مَّعْلُوْمٌ ﴿٤١﴾ فَوَاكِهُ ۚ وَهُمْ مُّكْرَمُوْنَ ﴿٤٢﴾

فِيْ جَنّٰتِ النَّعِيْمِ ﴿٤٣﴾ عَلٰى سُرُرٍ مُّتَقٰبِلِيْنَ ﴿٤٤﴾ يُطَافُ

عَلَيْهِمْ بِكَاْسٍ مِّنْ مَّعِيْنٍ ۙ ﴿٤٥﴾ بَيْضَآءَ لَذَّةٍ لِّلشّٰرِبِيْنَ ﴿٤٦﴾ ۚ

لَا فِيْهَا غَوْلٌ وَّلَا هُمْ عَنْهَا يُنْزَفُوْنَ ﴿٤٧﴾ وَعِنْدَهُمْ

قٰصِرٰتُ الطَّرْفِ عِيْنٌ ﴿٤٨﴾ كَاَنَّهُنَّ بَيْضٌ مَّكْنُوْنٌ ﴿٤٩﴾

فَاَقْبَلَ بَعْضُهُمْ عَلٰى بَعْضٍ يَّتَسَآءَلُوْنَ ﴿٥٠﴾ قَالَ

قَآئِلٌ مِّنْهُمْ اِنِّيْ كَانَ لِيْ قَرِيْنٌ ﴿٥١﴾ يَّقُوْلُ اَئِنَّكَ

لَمِنَ الْمُصَدِّقِيْنَ ﴿٥٢﴾ ءَاِذَا مِتْنَا وَكُنَّا تُرَابًا وَّعِظَامًا

ءَاِنَّا لَمَدِيْنُوْنَ ﴿٥٣﴾ قَالَ هَلْ اَنْتُمْ مُّطَّلِعُوْنَ ﴿٥٤﴾

فَاطَّلَعَ فَرَاٰهُ فِيْ سَوَآءِ الْجَحِيْمِ ﴿٥٥﴾ قَالَ تَاللّٰهِ اِنْ

كِدْتَّ لَتُرْدِيْنِ ﴿٥٦﴾ وَلَوْلَا نِعْمَةُ رَبِّيْ لَكُنْتُ مِنَ

الْمُحْضَرِيْنَ ﴿٥٧﴾ اَفَمَا نَحْنُ بِمَيِّتِيْنَ ﴿٥٨﴾ اِلَّا مَوْتَتَنَا

منزل ٦

الْاُوْلٰى وَمَا نَحْنُ بِمُعَذَّبِيْنَ ﴿٥٩﴾ اِنَّ هٰذَا لَهُوَ الْفَوْزُ
الْعَظِيْمُ ﴿٦٠﴾ لِمِثْلِ هٰذَا فَلْيَعْمَلِ الْعٰمِلُوْنَ ﴿٦١﴾ اَذٰلِكَ
خَيْرٌ نُّزُلًا اَمْ شَجَرَةُ الزَّقُّوْمِ ﴿٦٢﴾ اِنَّا جَعَلْنٰهَا فِتْنَةً
لِّلظّٰلِمِيْنَ ﴿٦٣﴾ اِنَّهَا شَجَرَةٌ تَخْرُجُ فِيْٓ اَصْلِ الْجَحِيْمِ ﴿٦٤﴾ لا
طَلْعُهَا كَاَنَّهٗ رُءُوْسُ الشَّيٰطِيْنِ ﴿٦٥﴾ فَاِنَّهُمْ
لَاٰكِلُوْنَ مِنْهَا فَمَالِـُٔوْنَ مِنْهَا الْبُطُوْنَ ﴿٦٦﴾ ط ثُمَّ اِنَّ لَهُمْ
عَلَيْهَا لَشَوْبًا مِّنْ حَمِيْمٍ ﴿٦٧﴾ ج ثُمَّ اِنَّ مَرْجِعَهُمْ لَاِلَى
الْجَحِيْمِ ﴿٦٨﴾ اِنَّهُمْ اَلْفَوْا اٰبَآءَهُمْ ضَآلِّيْنَ ﴿٦٩﴾ لا فَهُمْ
عَلٰٓى اٰثٰرِهِمْ يُهْرَعُوْنَ ﴿٧٠﴾ وَلَقَدْ ضَلَّ قَبْلَهُمْ اَكْثَرُ
الْاَوَّلِيْنَ ﴿٧١﴾ لا وَلَقَدْ اَرْسَلْنَا فِيْهِمْ مُّنْذِرِيْنَ ﴿٧٢﴾ فَانْظُرْ
كَيْفَ كَانَ عَاقِبَةُ الْمُنْذَرِيْنَ ﴿٧٣﴾ لا اِلَّا عِبَادَ اللّٰهِ
الْمُخْلَصِيْنَ ﴿٧٤﴾ ع وَلَقَدْ نَادٰىنَا نُوْحٌ فَلَنِعْمَ الْمُجِيْبُوْنَ ﴿٧٥﴾ صلے ع ٥٣ ٢
وَنَجَّيْنٰهُ وَاَهْلَهٗ مِنَ الْكَرْبِ الْعَظِيْمِ ﴿٧٦﴾ صلے وَجَعَلْنَا

منزل ٦

ذُرِّيَّتَهٗ هُمُ الْبٰقِيْنَ ﴿٧٧﴾ۖ وَتَرَكْنَا عَلَيْهِ فِي الْاٰخِرِيْنَ ﴿٧٨﴾ۖ
سَلٰمٌ عَلٰى نُوْحٍ فِي الْعٰلَمِيْنَ ﴿٧٩﴾ اِنَّا كَذٰلِكَ نَجْزِي الْمُحْسِنِيْنَ ﴿٨٠﴾
اِنَّهٗ مِنْ عِبَادِنَا الْمُؤْمِنِيْنَ ﴿٨١﴾ ثُمَّ اَغْرَقْنَا
الْاٰخَرِيْنَ ﴿٨٢﴾ وَاِنَّ مِنْ شِيْعَتِهٖ لَاِبْرٰهِيْمَ ﴿٨٣﴾ۘ اِذْ جَآءَ
رَبَّهٗ بِقَلْبٍ سَلِيْمٍ ﴿٨٤﴾ اِذْ قَالَ لِاَبِيْهِ وَقَوْمِهٖ مَاذَا
تَعْبُدُوْنَ ﴿٨٥﴾ۚ اَئِفْكًا اٰلِهَةً دُوْنَ اللّٰهِ تُرِيْدُوْنَ ﴿٨٦﴾ؕ
فَمَا ظَنُّكُمْ بِرَبِّ الْعٰلَمِيْنَ ﴿٨٧﴾ فَنَظَرَ نَظْرَةً فِي النُّجُوْمِ ﴿٨٨﴾ۙ
فَقَالَ اِنِّيْ سَقِيْمٌ ﴿٨٩﴾ فَتَوَلَّوْا عَنْهُ مُدْبِرِيْنَ ﴿٩٠﴾ فَرَاغَ اِلٰٓى
اٰلِهَتِهِمْ فَقَالَ اَلَا تَاْكُلُوْنَ ﴿٩١﴾ۚ مَا لَكُمْ لَا تَنْطِقُوْنَ ﴿٩٢﴾
فَرَاغَ عَلَيْهِمْ ضَرْبًا بِالْيَمِيْنِ ﴿٩٣﴾ فَاَقْبَلُوْٓا اِلَيْهِ يَزِفُّوْنَ ﴿٩٤﴾
قَالَ اَتَعْبُدُوْنَ مَا تَنْحِتُوْنَ ﴿٩٥﴾ۙ وَاللّٰهُ خَلَقَكُمْ وَمَا
تَعْمَلُوْنَ ﴿٩٦﴾ قَالُوا ابْنُوْا لَهٗ بُنْيَانًا فَاَلْقُوْهُ فِي الْجَحِيْمِ ﴿٩٧﴾
فَاَرَادُوْا بِهٖ كَيْدًا فَجَعَلْنٰهُمُ الْاَسْفَلِيْنَ ﴿٩٨﴾ وَقَالَ اِنِّيْ

وقف لازم

منزل ٦

ذَاهِبٌ اِلٰى رَبِّىۡ سَيَهۡدِيۡنِ ﴿٩٩﴾ رَبِّ هَبۡ لِىۡ مِنَ
الصّٰلِحِيۡنَ ﴿١٠٠﴾ فَبَشَّرۡنٰهُ بِغُلٰمٍ حَلِيۡمٍ ﴿١٠١﴾ فَلَمَّا بَلَغَ
مَعَهُ السَّعۡىَ قَالَ يٰبُنَىَّ اِنِّىۡۤ اَرٰى فِى الۡمَنَامِ اَنِّىۡۤ
اَذۡبَحُكَ فَانْظُرۡ مَاذَا تَرٰى ؕ قَالَ يٰۤاَبَتِ افۡعَلۡ مَا تُؤۡمَرُ ز
سَتَجِدُنِىۡۤ اِنۡ شَآءَ اللّٰهُ مِنَ الصّٰبِرِيۡنَ ﴿١٠٢﴾ فَلَمَّاۤ
اَسۡلَمَا وَتَلَّهٗ لِلۡجَبِيۡنِ ﴿١٠٣﴾ ۚ وَنَادَيۡنٰهُ اَنۡ يّٰۤاِبۡرٰهِيۡمُ ﴿١٠٤﴾ ۙ قَدۡ
منزل ٦ صَدَّقۡتَ الرُّءۡيَا ۚ اِنَّا كَذٰلِكَ نَجۡزِى الۡمُحۡسِنِيۡنَ ﴿١٠٥﴾
اِنَّ هٰذَا لَهُوَ الۡبَلٰٓؤُا الۡمُبِيۡنُ ﴿١٠٦﴾ وَفَدَيۡنٰهُ بِذِبۡحٍ
عَظِيۡمٍ ﴿١٠٧﴾ وَتَرَكۡنَا عَلَيۡهِ فِى الۡاٰخِرِيۡنَ ﴿١٠٨﴾ ۖ سَلٰمٌ عَلٰٓى
اِبۡرٰهِيۡمَ ﴿١٠٩﴾ كَذٰلِكَ نَجۡزِى الۡمُحۡسِنِيۡنَ ﴿١١٠﴾ اِنَّهٗ مِنۡ
عِبَادِنَا الۡمُؤۡمِنِيۡنَ ﴿١١١﴾ وَبَشَّرۡنٰهُ بِاِسۡحٰقَ نَبِيًّا مِّنَ
الصّٰلِحِيۡنَ ﴿١١٢﴾ وَبٰرَكۡنَا عَلَيۡهِ وَعَلٰٓى اِسۡحٰقَ ؕ وَمِنۡ
ذُرِّيَّتِهِمَا مُحۡسِنٌ وَّظَالِمٌ لِّنَفۡسِهٖ مُبِيۡنٌ ﴿١١٣﴾ ع وَلَقَدۡ مَنَنَّا ع ٣ ٤٩ ٧

عَلٰى مُوْسٰى وَهٰرُوْنَ ﴿١١٤﴾ وَنَجَّيْنٰهُمَا وَقَوْمَهُمَا مِنَ
الْكَرْبِ الْعَظِيْمِ ﴿١١٥﴾ وَنَصَرْنٰهُمْ فَكَانُوْا هُمُ الْغٰلِبِيْنَ ﴿١١٦﴾ وَ
اٰتَيْنٰهُمَا الْكِتٰبَ الْمُسْتَبِيْنَ ﴿١١٧﴾ وَهَدَيْنٰهُمَا الصِّرَاطَ
الْمُسْتَقِيْمَ ﴿١١٨﴾ وَتَرَكْنَا عَلَيْهِمَا فِي الْاٰخِرِيْنَ ﴿١١٩﴾ سَلٰمٌ عَلٰى
مُوْسٰى وَهٰرُوْنَ ﴿١٢٠﴾ اِنَّا كَذٰلِكَ نَجْزِي الْمُحْسِنِيْنَ ﴿١٢١﴾
اِنَّهُمَا مِنْ عِبَادِنَا الْمُؤْمِنِيْنَ ﴿١٢٢﴾ وَاِنَّ اِلْيَاسَ لَمِنَ
الْمُرْسَلِيْنَ ﴿١٢٣﴾ اِذْ قَالَ لِقَوْمِهٖٓ اَلَا تَتَّقُوْنَ ﴿١٢٤﴾ اَتَدْعُوْنَ
بَعْلًا وَّتَذَرُوْنَ اَحْسَنَ الْخَالِقِيْنَ ﴿١٢٥﴾ اللّٰهَ رَبَّكُمْ وَ
رَبَّ اٰبَآىِٕكُمُ الْاَوَّلِيْنَ ﴿١٢٦﴾ فَكَذَّبُوْهُ فَاِنَّهُمْ لَمُحْضَرُوْنَ ﴿١٢٧﴾
اِلَّا عِبَادَ اللّٰهِ الْمُخْلَصِيْنَ ﴿١٢٨﴾ وَتَرَكْنَا عَلَيْهِ فِي الْاٰخِرِيْنَ ﴿١٢٩﴾
سَلٰمٌ عَلٰٓى اِلْ يَاسِيْنَ ﴿١٣٠﴾ اِنَّا كَذٰلِكَ نَجْزِي الْمُحْسِنِيْنَ ﴿١٣١﴾
اِنَّهٗ مِنْ عِبَادِنَا الْمُؤْمِنِيْنَ ﴿١٣٢﴾ وَاِنَّ لُوْطًا لَّمِنَ
الْمُرْسَلِيْنَ ﴿١٣٣﴾ اِذْ نَجَّيْنٰهُ وَاَهْلَهٗٓ اَجْمَعِيْنَ ﴿١٣٤﴾ اِلَّا عَجُوْزًا

منزل ٦

فِي الْغٰبِرِيْنَ ﴿١٣٥﴾ ثُمَّ دَمَّرْنَا الْاٰخَرِيْنَ ﴿١٣٦﴾ وَاِنَّكُمْ لَتَمُرُّوْنَ
عَلَيْهِمْ مُّصْبِحِيْنَ ﴿١٣٧﴾ لا وَبِالَّيْلِ ط اَفَلَا تَعْقِلُوْنَ ﴿١٣٨﴾ ع وَاِنَّ ع ٢٥ ٨
يُوْنُسَ لَمِنَ الْمُرْسَلِيْنَ ﴿١٣٩﴾ ط اِذْ اَبَقَ اِلَى الْفُلْكِ الْمَشْحُوْنِ ﴿١٤٠﴾ لا
فَسَاهَمَ فَكَانَ مِنَ الْمُدْحَضِيْنَ ﴿١٤١﴾ ج فَالْتَقَمَهُ الْحُوْتُ
وَهُوَ مُلِيْمٌ ﴿١٤٢﴾ فَلَوْلَآ اَنَّهٗ كَانَ مِنَ الْمُسَبِّحِيْنَ ﴿١٤٣﴾ لا لَلَبِثَ
فِيْ بَطْنِهٖٓ اِلٰى يَوْمِ يُبْعَثُوْنَ ﴿١٤٤﴾ ج فَنَبَذْنٰهُ بِالْعَرَآءِ وَهُوَ الصّٰفّٰت
منزل ٦ سَقِيْمٌ ﴿١٤٥﴾ ج وَاَنْۢبَتْنَا عَلَيْهِ شَجَرَةً مِّنْ يَّقْطِيْنٍ ﴿١٤٦﴾ ج وَ
اَرْسَلْنٰهُ اِلٰى مِائَةِ اَلْفٍ اَوْ يَزِيْدُوْنَ ﴿١٤٧﴾ ج فَاٰمَنُوْا
فَمَتَّعْنٰهُمْ اِلٰى حِيْنٍ ﴿١٤٨﴾ ط فَاسْتَفْتِهِمْ اَلِرَبِّكَ الْبَنَاتُ
وَلَهُمُ الْبَنُوْنَ ﴿١٤٩﴾ لا اَمْ خَلَقْنَا الْمَلٰٓئِكَةَ اِنَاثًا وَّهُمْ
شٰهِدُوْنَ ﴿١٥٠﴾ اَلَآ اِنَّهُمْ مِّنْ اِفْكِهِمْ لَيَقُوْلُوْنَ ﴿١٥١﴾ لا
وَلَدَ اللّٰهُ لا وَاِنَّهُمْ لَكٰذِبُوْنَ ﴿١٥٢﴾ اَصْطَفَى الْبَنَاتِ
عَلَى الْبَنِيْنَ ﴿١٥٣﴾ ط مَا لَكُمْ تف كَيْفَ تَحْكُمُوْنَ ﴿١٥٤﴾ اَفَلَا تَذَكَّرُوْنَ ﴿١٥٥﴾ ج

اَمْ لَكُمْ سُلْطٰنٌ مُّبِيْنٌ ﴿۱۵۶﴾ فَاْتُوْا بِكِتٰبِكُمْ اِنْ كُنْتُمْ صٰدِقِيْنَ ﴿۱۵۷﴾
وَجَعَلُوْا بَيْنَهٗ وَبَيْنَ الْجِنَّةِ نَسَبًا ؕ وَلَقَدْ عَلِمَتِ الْجِنَّةُ
اِنَّهُمْ لَمُحْضَرُوْنَ ﴿۱۵۸﴾ سُبْحٰنَ اللّٰهِ عَمَّا يَصِفُوْنَ ﴿۱۵۹﴾ اِلَّا عِبَادَ
اللّٰهِ الْمُخْلَصِيْنَ ﴿۱۶۰﴾ فَاِنَّكُمْ وَمَا تَعْبُدُوْنَ ﴿۱۶۱﴾ مَاۤ اَنْتُمْ
عَلَيْهِ بِفٰتِنِيْنَ ﴿۱۶۲﴾ اِلَّا مَنْ هُوَ صَالِ الْجَحِيْمِ ﴿۱۶۳﴾ وَمَا مِنَّاۤ
اِلَّا لَهٗ مَقَامٌ مَّعْلُوْمٌ ﴿۱۶۴﴾ وَّاِنَّا لَنَحْنُ الصَّآفُّوْنَ ﴿۱۶۵﴾ وَاِنَّا
لَنَحْنُ الْمُسَبِّحُوْنَ ﴿۱۶۶﴾ وَاِنْ كَانُوْا لَيَقُوْلُوْنَ ﴿۱۶۷﴾ لَوْ اَنَّ عِنْدَنَا
ذِكْرًا مِّنَ الْاَوَّلِيْنَ ﴿۱۶۸﴾ لَكُنَّا عِبَادَ اللّٰهِ الْمُخْلَصِيْنَ ﴿۱۶۹﴾
فَكَفَرُوْا بِهٖ فَسَوْفَ يَعْلَمُوْنَ ﴿۱۷۰﴾ وَلَقَدْ سَبَقَتْ كَلِمَتُنَا
لِعِبَادِنَا الْمُرْسَلِيْنَ ﴿۱۷۱﴾ اِنَّهُمْ لَهُمُ الْمَنْصُوْرُوْنَ ﴿۱۷۲﴾ وَاِنَّ
جُنْدَنَا لَهُمُ الْغٰلِبُوْنَ ﴿۱۷۳﴾ فَتَوَلَّ عَنْهُمْ حَتّٰى حِيْنٍ ﴿۱۷۴﴾ وَّ
اَبْصِرْهُمْ فَسَوْفَ يُبْصِرُوْنَ ﴿۱۷۵﴾ اَفَبِعَذَابِنَا يَسْتَعْجِلُوْنَ ﴿۱۷۶﴾
فَاِذَا نَزَلَ بِسَاحَتِهِمْ فَسَآءَ صَبَاحُ الْمُنْذَرِيْنَ ﴿۱۷۷﴾ وَتَوَلَّ

منزل ٦

عَنْهُمْ حَتّٰى حِيْنٍ ﴿١٧٨﴾ وَّ اَبْصِرْ فَسَوْفَ يُبْصِرُوْنَ ﴿١٧٩﴾
سُبْحٰنَ رَبِّكَ رَبِّ الْعِزَّةِ عَمَّا يَصِفُوْنَ ﴿١٨٠﴾ وَ سَلٰمٌ
عَلَى الْمُرْسَلِيْنَ ﴿١٨١﴾ وَالْحَمْدُ لِلّٰهِ رَبِّ الْعٰلَمِيْنَ ﴿١٨٢﴾ ع

(٣٨) سُوْرَةُ صٓ مَكِّيَّةٌ (٣٨) اٰيَاتُهَا ٨٨ رُكُوْعَاتُهَا ٥

بِسْمِ اللّٰهِ الرَّحْمٰنِ الرَّحِيْمِ

صٓ وَالْقُرْاٰنِ ذِي الذِّكْرِ ﴿١﴾ بَلِ الَّذِيْنَ كَفَرُوْا فِيْ
عِزَّةٍ وَّ شِقَاقٍ ﴿٢﴾ كَمْ اَهْلَكْنَا مِنْ قَبْلِهِمْ مِّنْ قَرْنٍ
فَنَادَوْا وَّلَاتَ حِيْنَ مَنَاصٍ ﴿٣﴾ وَعَجِبُوْٓا اَنْ جَآءَهُمْ
مُّنْذِرٌ مِّنْهُمْ وَقَالَ الْكٰفِرُوْنَ هٰذَا سٰحِرٌ كَذَّابٌ ﴿٤﴾
اَجَعَلَ الْاٰلِهَةَ اِلٰهًا وَّاحِدًا اِنَّ هٰذَا لَشَيْءٌ عُجَابٌ ﴿٥﴾
وَانْطَلَقَ الْمَلَاُ مِنْهُمْ اَنِ امْشُوْا وَاصْبِرُوْا عَلٰٓى اٰلِهَتِكُمْ
اِنَّ هٰذَا لَشَيْءٌ يُّرَادُ ﴿٦﴾ مَا سَمِعْنَا بِهٰذَا فِي الْمِلَّةِ
الْاٰخِرَةِ اِنْ هٰذَآ اِلَّا اخْتِلَاقٌ ﴿٧﴾ ءَاُنْزِلَ عَلَيْهِ الذِّكْرُ

منزل ٦

Ikhfa اِخفا · Ikhfa Meem Saakin اِخفامیم ساکن · Qalqala قلقله · Qalb قلب · Idghaam اِدغام · Idghaam Meem Saakin اِدغام میم ساکن · Ghunna غُنّہ

مِنۢ بَيۡنِنَا ؕ بَلۡ هُمۡ فِيۡ شَكٍّ مِّنۡ ذِكۡرِيۡ ۚ بَلۡ لَّمَّا
يَذُوۡقُوۡا عَذَابِ ؕ ﴿٨﴾ اَمۡ عِنۡدَهُمۡ خَزَآئِنُ رَحۡمَةِ رَبِّكَ
الۡعَزِيۡزِ الۡوَهَّابِ ۚ ﴿٩﴾ اَمۡ لَهُمۡ مُّلۡكُ السَّمٰوٰتِ وَالۡاَرۡضِ وَمَا
بَيۡنَهُمَا قف فَلۡيَرۡتَقُوۡا فِى الۡاَسۡبَابِ ﴿١٠﴾ جُنۡدٌ مَّا هُنَالِكَ
مَهۡزُوۡمٌ مِّنَ الۡاَحۡزَابِ ﴿١١﴾ كَذَّبَتۡ قَبۡلَهُمۡ قَوۡمُ نُوۡحٍ وَّعَادٌ
وَّفِرۡعَوۡنُ ذُو الۡاَوۡتَادِ ۙ ﴿١٢﴾ وَثَمُوۡدُ وَقَوۡمُ لُوۡطٍ وَّاَصۡحٰبُ
لۡئَيۡكَةِ ؕ اُولٰٓئِكَ الۡاَحۡزَابُ ﴿١٣﴾ اِنۡ كُلٌّ اِلَّا كَذَّبَ منزل ٦
ع ٤ الرُّسُلَ فَحَقَّ عِقَابِ ع ﴿١٤﴾ وَمَا يَنۡظُرُ هٰٓؤُلَآءِ اِلَّا صَيۡحَةً
وَّاحِدَةً مَّا لَهَا مِنۡ فَوَاقٍ ﴿١٥﴾ وَقَالُوۡا رَبَّنَا عَجِّلۡ لَّنَا
قِطَّنَا قَبۡلَ يَوۡمِ الۡحِسَابِ ﴿١٦﴾ اِصۡبِرۡ عَلٰى مَا يَقُوۡلُوۡنَ
وَاذۡكُرۡ عَبۡدَنَا دَاوٗدَ ذَا الۡاَيۡدِ ۚ اِنَّهٗۤ اَوَّابٌ ﴿١٧﴾ اِنَّا سَخَّرۡنَا
الۡجِبَالَ مَعَهٗ يُسَبِّحۡنَ بِالۡعَشِيِّ وَالۡاِشۡرَاقِ ۙ ﴿١٨﴾ وَالطَّيۡرَ
مَحۡشُوۡرَةً ؕ كُلٌّ لَّهٗۤ اَوَّابٌ ﴿١٩﴾ وَشَدَدۡنَا مُلۡكَهٗ وَاٰتَيۡنٰهُ

Ikhfa اِخفا | Ikhfa Meem Saakin اِخفامیم ساکن | Qalqala قلقلہ | Qalb قلب | Idghaam اِدغام | Idghaam Meem Saakin اِدغام میم ساکن | Ghunna غُنّہ

الْحِكْمَةَ وَفَصْلَ الْخِطَابِ ﴿٢٠﴾ وَهَلْ اَتٰىكَ نَبَؤُا الْخَصْمِ اِذْ وقف لازم
تَسَوَّرُوا الْمِحْرَابَ ﴿٢١﴾ اِذْ دَخَلُوْا عَلٰى دَاوٗدَ فَفَزِعَ مِنْهُمْ قَالُوْا
لَا تَخَفْ ۚ خَصْمٰنِ بَغٰى بَعْضُنَا عَلٰى بَعْضٍ فَاحْكُمْ بَيْنَنَا
بِالْحَقِّ وَلَا تُشْطِطْ وَاهْدِنَاۤ اِلٰى سَوَآءِ الصِّرَاطِ ﴿٢٢﴾ اِنَّ هٰذَاۤ
اَخِیْ قف لَهٗ تِسْعٌ وَّتِسْعُوْنَ نَعْجَةً وَّلِیَ نَعْجَةٌ وَّاحِدَةٌ قف
فَقَالَ اَكْفِلْنِيْهَا وَعَزَّنِیْ فِی الْخِطَابِ ﴿٢٣﴾ قَالَ لَقَدْ ظَلَمَكَ
منزل ٦ بِسُؤَالِ نَعْجَتِكَ اِلٰى نِعَاجِهٖ ؕ وَاِنَّ كَثِيْرًا مِّنَ الْخُلَطَآءِ
لَيَبْغِیْ بَعْضُهُمْ عَلٰى بَعْضٍ اِلَّا الَّذِيْنَ اٰمَنُوْا وَعَمِلُوا الصّٰلِحٰتِ
وَقَلِيْلٌ مَّا هُمْ ؕ وَظَنَّ دَاوٗدُ اَنَّمَا فَتَنّٰهُ فَاسْتَغْفَرَ رَبَّهٗ
وَخَرَّ رَاكِعًا وَّاَنَابَ ۩ ﴿٢٤﴾ السجدة فَغَفَرْنَا لَهٗ ذٰلِكَ ؕ وَاِنَّ لَهٗ السجدة (١٠)
عِنْدَنَا لَزُلْفٰى وَحُسْنَ مَاٰبٍ ﴿٢٥﴾ يٰدَاوٗدُ اِنَّا جَعَلْنٰكَ
خَلِيْفَةً فِی الْاَرْضِ فَاحْكُمْ بَيْنَ النَّاسِ بِالْحَقِّ وَلَا تَتَّبِعِ
الْهَوٰى فَيُضِلَّكَ عَنْ سَبِيْلِ اللّٰهِ ؕ اِنَّ الَّذِيْنَ يَضِلُّوْنَ

Ikhfa إخفا | Ikhfa Meem Saakin إخفاميم ساكن | Qalqala قلقله | Qalb قلب | Idghaam ادغام | Idghaam Meem Saakin ادغام ميم ساكن | Ghunna غنّه

عَنۡ سَبِيۡلِ اللّٰهِ لَهُمۡ عَذَابٌ شَدِيۡدٌۢ بِمَا نَسُوۡا يَوۡمَ
الۡحِسَابِ ﴿۲۶﴾ وَمَا خَلَقۡنَا السَّمَآءَ وَالۡاَرۡضَ وَمَا بَيۡنَهُمَا ع ٢ ١١
بَاطِلًا ؕ ذٰلِكَ ظَنُّ الَّذِيۡنَ كَفَرُوۡا ۚ فَوَيۡلٌ لِّلَّذِيۡنَ كَفَرُوۡا
مِنَ النَّارِ ؕ﴿۲۷﴾ اَمۡ نَجۡعَلُ الَّذِيۡنَ اٰمَنُوۡا وَعَمِلُوا الصّٰلِحٰتِ
كَالۡمُفۡسِدِيۡنَ فِى الۡاَرۡضِ ۫ اَمۡ نَجۡعَلُ الۡمُتَّقِيۡنَ كَالۡفُجَّارِ ﴿۲۸﴾
كِتٰبٌ اَنۡزَلۡنٰهُ اِلَيۡكَ مُبٰرَكٌ لِّيَدَّبَّرُوۡۤا اٰيٰتِهٖ وَلِيَتَذَكَّرَ اُولُوا
الۡاَلۡبَابِ ﴿۲۹﴾ وَوَهَبۡنَا لِدَاوٗدَ سُلَيۡمٰنَ ؕ نِعۡمَ الۡعَبۡدُ ؕ اِنَّهٗۤ منزل ٦
اَوَّابٌ ؕ﴿۳۰﴾ اِذۡ عُرِضَ عَلَيۡهِ بِالۡعَشِىِّ الصّٰفِنٰتُ الۡجِيَادُ ۙ﴿۳۱﴾
فَقَالَ اِنِّىۡۤ اَحۡبَبۡتُ حُبَّ الۡخَيۡرِ عَنۡ ذِكۡرِ رَبِّىۡ ۚ حَتّٰى
تَوَارَتۡ بِالۡحِجَابِ ﴿۳۲﴾ (وقفة) رُدُّوۡهَا عَلَىَّ ؕ فَطَفِقَ مَسۡحًۢا بِالسُّوۡقِ
وَالۡاَعۡنَاقِ ﴿۳۳﴾ وَلَقَدۡ فَتَنَّا سُلَيۡمٰنَ وَاَلۡقَيۡنَا عَلٰى كُرۡسِيِّهٖ
جَسَدًا ثُمَّ اَنَابَ ﴿۳۴﴾ قَالَ رَبِّ اغۡفِرۡ لِىۡ وَهَبۡ لِىۡ مُلۡكًا لَّا
يَنۡۢبَغِىۡ لِاَحَدٍ مِّنۡۢ بَعۡدِىۡ ۚ اِنَّكَ اَنۡتَ الۡوَهَّابُ ﴿۳۵﴾ فَسَخَّرۡنَا

Ikhfa إخفا · Ikhfa Meem Saakin إخفاميم ساكن · Qalqala قلقله · Qalb قلب · Idghaam إدغام · Idghaam Meem Saakin إدغام ميم ساكن · Ghunna غنّہ

لَهُ الرِّيْحَ تَجْرِيْ بِاَمْرِهٖ رُخَآءً حَيْثُ اَصَابَ ﴿٣٦﴾ وَالشَّيٰطِيْنَ
كُلَّ بَنَّآءٍ وَّغَوَّاصٍ ﴿٣٧﴾ وَّاٰخَرِيْنَ مُقَرَّنِيْنَ فِى الْاَصْفَادِ ﴿٣٨﴾
هٰذَا عَطَآؤُنَا فَامْنُنْ اَوْ اَمْسِكْ بِغَيْرِ حِسَابٍ ﴿٣٩﴾ وَاِنَّ
لَهٗ عِنْدَنَا لَزُلْفٰى وَحُسْنَ مَاٰبٍ ﴿٤٠﴾ وَاذْكُرْ عَبْدَنَآ اَيُّوْبَ م
اِذْ نَادٰى رَبَّهٗٓ اَنِّىْ مَسَّنِىَ الشَّيْطٰنُ بِنُصْبٍ وَّعَذَابٍ ﴿٤١﴾ ط
اُرْكُضْ بِرِجْلِكَ ج هٰذَا مُغْتَسَلٌۢ بَارِدٌ وَّشَرَابٌ ﴿٤٢﴾ وَ
وَهَبْنَا لَهٗٓ اَهْلَهٗ وَمِثْلَهُمْ مَّعَهُمْ رَحْمَةً مِّنَّا وَذِكْرٰى
لِاُولِى الْاَلْبَابِ ﴿٤٣﴾ وَخُذْ بِيَدِكَ ضِغْثًا فَاضْرِبْ بِّهٖ
وَلَا تَحْنَثْ ط اِنَّا وَجَدْنٰهُ صَابِرًا ط نِعْمَ الْعَبْدُ ط اِنَّهٗٓ
اَوَّابٌ ﴿٤٤﴾ وَاذْكُرْ عِبٰدَنَآ اِبْرٰهِيْمَ وَاِسْحٰقَ وَيَعْقُوْبَ اُولِى
الْاَيْدِىْ وَالْاَبْصَارِ ﴿٤٥﴾ اِنَّآ اَخْلَصْنٰهُمْ بِخَالِصَةٍ ذِكْرَى
الدَّارِ ﴿٤٦﴾ ج وَاِنَّهُمْ عِنْدَنَا لَمِنَ الْمُصْطَفَيْنَ الْاَخْيَارِ ﴿٤٧﴾ ط
وَاذْكُرْ اِسْمٰعِيْلَ وَالْيَسَعَ وَذَا الْكِفْلِ ط وَكُلٌّ مِّنَ الْاَخْيَارِ ﴿٤٨﴾ ط

وقف لازم ع ٤

Ikhfa إخفا | Ikhfa Meem Saakin إخفامیم ساکن | Qalqala قلقلہ | Qalb قلب | Idghaam ادغام | Idghaam Meem Saakin ادغام میم ساکن | Ghunna غُنّہ

هٰذَا ذِكْرٌ ؕ وَاِنَّ لِلْمُتَّقِيْنَ لَحُسْنَ مَاٰبٍ ﴿۴۹﴾ جَنّٰتِ
عَدْنٍ مُّفَتَّحَةً لَّهُمُ الْاَبْوَابُ ﴿۵۰﴾ مُتَّكِـِٕيْنَ فِيْهَا يَدْعُوْنَ
فِيْهَا بِفَاكِهَةٍ كَثِيْرَةٍ وَّشَرَابٍ ﴿۵۱﴾ وَعِنْدَهُمْ قٰصِرٰتُ
الطَّرْفِ اَتْرَابٌ ﴿۵۲﴾ هٰذَا مَا تُوْعَدُوْنَ لِيَوْمِ الْحِسَابِ ﴿۵۳﴾ اِنَّ
هٰذَا لَرِزْقُنَا مَا لَهٗ مِنْ نَّفَادٍ ﴿۵۴﴾ هٰذَا ؕ وَاِنَّ لِلطّٰغِيْنَ
لَشَرَّ مَاٰبٍ ﴿۵۵﴾ جَهَنَّمَ ۚ يَصْلَوْنَهَا ۚ فَبِئْسَ الْمِهَادُ ﴿۵۶﴾ هٰذَا ۙ
فَلْيَذُوْقُوْهُ حَمِيْمٌ وَّغَسَّاقٌ ﴿۵۷﴾ وَّاٰخَرُ مِنْ شَكْلِهٖٓ اَزْوَاجٌ ؕ ﴿۵۸﴾
هٰذَا فَوْجٌ مُّقْتَحِمٌ مَّعَكُمْ ۚ لَا مَرْحَبًا بِهِمْ ؕ اِنَّهُمْ صَالُوا
النَّارِ ﴿۵۹﴾ قَالُوْا بَلْ اَنْتُمْ ۟ لَا مَرْحَبًا بِكُمْ ؕ اَنْتُمْ قَدَّمْتُمُوْهُ
لَنَا ۚ فَبِئْسَ الْقَرَارُ ﴿۶۰﴾ قَالُوْا رَبَّنَا مَنْ قَدَّمَ لَنَا هٰذَا
فَزِدْهُ عَذَابًا ضِعْفًا فِى النَّارِ ﴿۶۱﴾ وَقَالُوْا مَا لَنَا لَا نَرٰى
رِجَالًا كُنَّا نَعُدُّهُمْ مِّنَ الْاَشْرَارِ ؕ ﴿۶۲﴾ اَتَّخَذْنٰهُمْ سِخْرِيًّا
اَمْ زَاغَتْ عَنْهُمُ الْاَبْصَارُ ﴿۶۳﴾ اِنَّ ذٰلِكَ لَحَقٌّ تَخَاصُمُ

الثّلٰثة

منزل ٦

اَهْلِ النَّارِ ﴿٦٤﴾ قُلْ اِنَّمَآ اَنَا مُنْذِرٌ ۖ وَّمَا مِنْ اِلٰهٍ اِلَّا ع ٢٤ ١٣
اللّٰهُ الْوَاحِدُ الْقَهَّارُ ﴿٦٥﴾ رَبُّ السَّمٰوٰتِ وَالْاَرْضِ وَمَا
بَيْنَهُمَا الْعَزِيْزُ الْغَفَّارُ ﴿٦٦﴾ قُلْ هُوَ نَبَؤٌا عَظِيْمٌ ﴿٦٧﴾ اَنْتُمْ
عَنْهُ مُعْرِضُوْنَ ﴿٦٨﴾ مَا كَانَ لِىَ مِنْ عِلْمٍۢ بِالْمَلَاِ الْاَعْلٰٓى
اِذْ يَخْتَصِمُوْنَ ﴿٦٩﴾ اِنْ يُّوْحٰٓى اِلَىَّ اِلَّآ اَنَّمَآ اَنَا نَذِيْرٌ
مُّبِيْنٌ ﴿٧٠﴾ اِذْ قَالَ رَبُّكَ لِلْمَلٰٓئِكَةِ اِنِّىْ خَالِقٌۢ بَشَرًا مِّنْ
طِيْنٍ ﴿٧١﴾ فَاِذَا سَوَّيْتُهٗ وَنَفَخْتُ فِيْهِ مِنْ رُّوْحِىْ فَقَعُوْا
لَهٗ سٰجِدِيْنَ ﴿٧٢﴾ فَسَجَدَ الْمَلٰٓئِكَةُ كُلُّهُمْ اَجْمَعُوْنَ ﴿٧٣﴾ اِلَّآ
اِبْلِيْسَ ۭ اِسْتَكْبَرَ وَكَانَ مِنَ الْكٰفِرِيْنَ ﴿٧٤﴾ قَالَ يٰٓاِبْلِيْسُ
مَا مَنَعَكَ اَنْ تَسْجُدَ لِمَا خَلَقْتُ بِيَدَىَّ ۭ اَسْتَكْبَرْتَ
اَمْ كُنْتَ مِنَ الْعَالِيْنَ ﴿٧٥﴾ قَالَ اَنَا خَيْرٌ مِّنْهُ ۭ خَلَقْتَنِىْ مِنْ
نَّارٍ وَّخَلَقْتَهٗ مِنْ طِيْنٍ ﴿٧٦﴾ قَالَ فَاخْرُجْ مِنْهَا فَاِنَّكَ
رَجِيْمٌ ﴿٧٧﴾ ۖ وَّاِنَّ عَلَيْكَ لَعْنَتِىْٓ اِلٰى يَوْمِ الدِّيْنِ ﴿٧٨﴾

منزل ٦

قَالَ رَبِّ فَاَنْظِرْنِيْٓ اِلٰى يَوْمِ يُبْعَثُوْنَ ﴿٧٩﴾ قَالَ فَاِنَّكَ
مِنَ الْمُنْظَرِيْنَ ﴿٨٠﴾ اِلٰى يَوْمِ الْوَقْتِ الْمَعْلُوْمِ ﴿٨١﴾ قَالَ
فَبِعِزَّتِكَ لَاُغْوِيَنَّهُمْ اَجْمَعِيْنَ ﴿٨٢﴾ اِلَّا عِبَادَكَ مِنْهُمُ
الْمُخْلَصِيْنَ ﴿٨٣﴾ قَالَ فَالْحَقُّ ز وَالْحَقَّ اَقُوْلُ ﴿٨٤﴾ لَاَمْلَئَنَّ
جَهَنَّمَ مِنْكَ وَمِمَّنْ تَبِعَكَ مِنْهُمْ اَجْمَعِيْنَ ﴿٨٥﴾ قُلْ مَآ
اَسْئَلُكُمْ عَلَيْهِ مِنْ اَجْرٍ وَّمَآ اَنَا مِنَ الْمُتَكَلِّفِيْنَ ﴿٨٦﴾ اِنْ
هُوَ اِلَّا ذِكْرٌ لِّلْعٰلَمِيْنَ ﴿٨٧﴾ وَلَتَعْلَمُنَّ نَبَاَهٗ بَعْدَ حِيْنٍ ﴿٨٨﴾ ع

ع ٥ / ٢٤ / ١٤ — منزل ٦

اٰيَاتُهَا ٧٥ (٣٩) سُوْرَةُ الزُّمَرِ مَكِّيَّةٌ (٥٩) رُكُوْعَاتُهَا ٨

بِسْمِ اللّٰهِ الرَّحْمٰنِ الرَّحِيْمِ

تَنْزِيْلُ الْكِتٰبِ مِنَ اللّٰهِ الْعَزِيْزِ الْحَكِيْمِ ﴿١﴾ اِنَّآ اَنْزَلْنَآ
اِلَيْكَ الْكِتٰبَ بِالْحَقِّ فَاعْبُدِ اللّٰهَ مُخْلِصًا لَّهُ
الدِّيْنَ ﴿٢﴾ ط اَلَا لِلّٰهِ الدِّيْنُ الْخَالِصُ ط وَالَّذِيْنَ اتَّخَذُوْا
مِنْ دُوْنِهٖٓ اَوْلِيَآءَ م مَا نَعْبُدُهُمْ اِلَّا لِيُقَرِّبُوْنَآ اِلَى اللّٰهِ

وقف لازم

Ikhfa اِخفا | Ikhfa Meem Saakin اِخفامیم ساکن | Qalqala قلقلہ | Qalb قلب | Idghaam اِدغام | Idghaam Meem Saakin اِدغام میم ساکن | Ghunna غُنّہ

زُلْفٰى ؕ اِنَّ اللّٰهَ يَحْكُمُ بَيْنَهُمْ فِىْ مَا هُمْ فِيْهِ يَخْتَلِفُوْنَ ؕ
اِنَّ اللّٰهَ لَا يَهْدِىْ مَنْ هُوَ كٰذِبٌ كَفَّارٌ ﴿٣﴾ لَوْ اَرَادَ
اللّٰهُ اَنْ يَّتَّخِذَ وَلَدًا لَّاصْطَفٰى مِمَّا يَخْلُقُ مَا يَشَآءُ ۙ
سُبْحٰنَهٗ ؕ هُوَ اللّٰهُ الْوَاحِدُ الْقَهَّارُ ﴿٤﴾ خَلَقَ السَّمٰوٰتِ
وَالْاَرْضَ بِالْحَقِّ ۚ يُكَوِّرُ الَّيْلَ عَلَى النَّهَارِ وَيُكَوِّرُ
النَّهَارَ عَلَى الَّيْلِ وَسَخَّرَ الشَّمْسَ وَالْقَمَرَ ؕ كُلٌّ
يَّجْرِىْ لِاَجَلٍ مُّسَمًّى ؕ اَلَا هُوَ الْعَزِيْزُ الْغَفَّارُ ﴿٥﴾ خَلَقَكُمْ
مِّنْ نَّفْسٍ وَّاحِدَةٍ ثُمَّ جَعَلَ مِنْهَا زَوْجَهَا وَاَنْزَلَ
لَكُمْ مِّنَ الْاَنْعَامِ ثَمٰنِيَةَ اَزْوَاجٍ ؕ يَخْلُقُكُمْ فِىْ بُطُوْنِ
اُمَّهٰتِكُمْ خَلْقًا مِّنْۢ بَعْدِ خَلْقٍ فِىْ ظُلُمٰتٍ ثَلٰثٍ ؕ
ذٰلِكُمُ اللّٰهُ رَبُّكُمْ لَهُ الْمُلْكُ ؕ لَاۤ اِلٰهَ اِلَّا هُوَ ۚ فَاَنّٰى
تُصْرَفُوْنَ ﴿٦﴾ اِنْ تَكْفُرُوْا فَاِنَّ اللّٰهَ غَنِىٌّ عَنْكُمْ قف
وَلَا يَرْضٰى لِعِبَادِهِ الْكُفْرَ ۚ وَاِنْ تَشْكُرُوْا يَرْضَهُ لَكُمْ ؕ

وَلَا تَزِرُ وَازِرَةٌ وِّزْرَ اُخْرٰی ؕ ثُمَّ اِلٰی رَبِّكُمْ
مَّرْجِعُكُمْ فَيُنَبِّئُكُمْ بِمَا كُنْتُمْ تَعْمَلُوْنَ ؕ اِنَّهٗ عَلِيْمٌۢ
بِذَاتِ الصُّدُوْرِ ۝٧ وَاِذَا مَسَّ الْاِنْسَانَ ضُرٌّ
دَعَا رَبَّهٗ مُنِيْبًا اِلَيْهِ ثُمَّ اِذَا خَوَّلَهٗ نِعْمَةً مِّنْهُ
نَسِيَ مَا كَانَ يَدْعُوْٓا اِلَيْهِ مِنْ قَبْلُ وَجَعَلَ لِلّٰهِ
اَنْدَادًا لِّيُضِلَّ عَنْ سَبِيْلِهٖ ؕ قُلْ تَمَتَّعْ بِكُفْرِكَ
قَلِيْلًا ۖۗ اِنَّكَ مِنْ اَصْحٰبِ النَّارِ ۝٨ اَمَّنْ هُوَ قَانِتٌ
اٰنَآءَ الَّيْلِ سَاجِدًا وَّقَآئِمًا يَّحْذَرُ الْاٰخِرَةَ وَيَرْجُوْا
رَحْمَةَ رَبِّهٖ ؕ قُلْ هَلْ يَسْتَوِي الَّذِيْنَ يَعْلَمُوْنَ
وَالَّذِيْنَ لَا يَعْلَمُوْنَ ؕ اِنَّمَا يَتَذَكَّرُ اُولُوا الْاَلْبَابِ ۝٩ ع
قُلْ يٰعِبَادِ الَّذِيْنَ اٰمَنُوا اتَّقُوْا رَبَّكُمْ ؕ لِلَّذِيْنَ
اَحْسَنُوْا فِيْ هٰذِهِ الدُّنْيَا حَسَنَةٌ ؕ وَاَرْضُ اللّٰهِ
وَاسِعَةٌ ؕ اِنَّمَا يُوَفَّى الصّٰبِرُوْنَ اَجْرَهُمْ بِغَيْرِ حِسَابٍ ۝١٠

منزل ٦

ع ٩/١٥

قُلْ اِنِّيْٓ اُمِرْتُ اَنْ اَعْبُدَ اللّٰهَ مُخْلِصًا لَّهُ
الدِّيْنَ ﴿١١﴾ وَاُمِرْتُ لِاَنْ اَكُوْنَ اَوَّلَ الْمُسْلِمِيْنَ ﴿١٢﴾
قُلْ اِنِّيْٓ اَخَافُ اِنْ عَصَيْتُ رَبِّيْ عَذَابَ يَوْمٍ
عَظِيْمٍ ﴿١٣﴾ قُلِ اللّٰهَ اَعْبُدُ مُخْلِصًا لَّهٗ دِيْنِيْ ﴿١٤﴾
فَاعْبُدُوْا مَا شِئْتُمْ مِّنْ دُوْنِهٖ ؕ قُلْ اِنَّ الْخٰسِرِيْنَ
الَّذِيْنَ خَسِرُوْٓا اَنْفُسَهُمْ وَاَهْلِيْهِمْ يَوْمَ الْقِيٰمَةِ ؕ
اَلَا ذٰلِكَ هُوَ الْخُسْرَانُ الْمُبِيْنُ ﴿١٥﴾ لَهُمْ مِّنْ فَوْقِهِمْ
ظُلَلٌ مِّنَ النَّارِ وَمِنْ تَحْتِهِمْ ظُلَلٌ ؕ ذٰلِكَ يُخَوِّفُ
اللّٰهُ بِهٖ عِبَادَهٗ ؕ يٰعِبَادِ فَاتَّقُوْنِ ﴿١٦﴾ وَالَّذِيْنَ
اجْتَنَبُوا الطَّاغُوْتَ اَنْ يَّعْبُدُوْهَا وَاَنَابُوْٓا اِلَى
اللّٰهِ لَهُمُ الْبُشْرٰى ۚ فَبَشِّرْ عِبَادِ ﴿١٧﴾ الَّذِيْنَ
يَسْتَمِعُوْنَ الْقَوْلَ فَيَتَّبِعُوْنَ اَحْسَنَهٗ ؕ اُولٰٓئِكَ
الَّذِيْنَ هَدٰىهُمُ اللّٰهُ وَاُولٰٓئِكَ هُمْ اُولُوا الْاَلْبَابِ ﴿١٨﴾

Ikhfa إخفا | Ikhfa Meem Saakin إخفاميم ساكن | Qalqala قلقلہ | Qalb قلب | Idghaam ادغام | Idghaam Meem Saakin ادغام میم ساکن | Ghunna غُنّہ

اَفَمَنْ حَقَّ عَلَيْهِ كَلِمَةُ الْعَذَابِ ؕ اَفَاَنْتَ تُنْقِذُ
مَنْ فِي النَّارِ ﴿١٩﴾ لٰكِنِ الَّذِيْنَ اتَّقَوْا رَبَّهُمْ لَهُمْ غُرَفٌ
مِّنْ فَوْقِهَا غُرَفٌ مَّبْنِيَّةٌ ۙ تَجْرِيْ مِنْ تَحْتِهَا الْاَنْهٰرُ ؕ
وَعْدَ اللّٰهِ ؕ لَا يُخْلِفُ اللّٰهُ الْمِيْعَادَ ﴿٢٠﴾ اَلَمْ تَرَ اَنَّ اللّٰهَ
اَنْزَلَ مِنَ السَّمَآءِ مَآءً فَسَلَكَهٗ يَنَابِيْعَ فِي الْاَرْضِ ثُمَّ
يُخْرِجُ بِهٖ زَرْعًا مُّخْتَلِفًا اَلْوَانُهٗ ثُمَّ يَهِيْجُ فَتَرٰىهُ مُصْفَرًّا
منزل ٦ ثُمَّ يَجْعَلُهٗ حُطَامًا ؕ اِنَّ فِيْ ذٰلِكَ لَذِكْرٰى لِاُولِي
الْاَلْبَابِ ﴿٢١﴾ ع اَفَمَنْ شَرَحَ اللّٰهُ صَدْرَهٗ لِلْاِسْلَامِ ع ٢ ١٢ ١٦
فَهُوَ عَلٰى نُوْرٍ مِّنْ رَّبِّهٖ ؕ فَوَيْلٌ لِّلْقٰسِيَةِ قُلُوْبُهُمْ
مِّنْ ذِكْرِ اللّٰهِ ؕ اُولٰٓئِكَ فِيْ ضَلٰلٍ مُّبِيْنٍ ﴿٢٢﴾ اَللّٰهُ
نَزَّلَ اَحْسَنَ الْحَدِيْثِ كِتٰبًا مُّتَشَابِهًا مَّثَانِيَ ۖ تَقْشَعِرُّ
مِنْهُ جُلُوْدُ الَّذِيْنَ يَخْشَوْنَ رَبَّهُمْ ۚ ثُمَّ تَلِيْنُ جُلُوْدُهُمْ
وَقُلُوْبُهُمْ اِلٰى ذِكْرِ اللّٰهِ ؕ ذٰلِكَ هُدَى اللّٰهِ يَهْدِيْ بِهٖ

Ikhfa إخفا | Ikhfa Meem Saakin إخفاميم ساكن | Qalqala قلقله | Qalb قلب | Idghaam إدغام | Idghaam Meem Saakin إدغام ميم ساكن | Ghunna غُنّه

مَنْ يَّشَآءُ ط وَمَنْ يُّضْلِلِ اللّٰهُ فَمَا لَهٗ مِنْ هَادٍ ﴿٢٣﴾
اَفَمَنْ يَّتَّقِيْ بِوَجْهِهٖ سُوْٓءَ الْعَذَابِ يَوْمَ الْقِيٰمَةِ ط
وَقِيْلَ لِلظّٰلِمِيْنَ ذُوْقُوْا مَا كُنْتُمْ تَكْسِبُوْنَ ﴿٢٤﴾ كَذَّبَ
الَّذِيْنَ مِنْ قَبْلِهِمْ فَاَتٰىهُمُ الْعَذَابُ مِنْ حَيْثُ لَا
يَشْعُرُوْنَ ﴿٢٥﴾ فَاَذَاقَهُمُ اللّٰهُ الْخِزْيَ فِي الْحَيٰوةِ الدُّنْيَا ج
وَلَعَذَابُ الْاٰخِرَةِ اَكْبَرُ م لَوْ كَانُوْا يَعْلَمُوْنَ ﴿٢٦﴾ وَلَقَدْ وقف لازم
منزل ٦ ضَرَبْنَا لِلنَّاسِ فِيْ هٰذَا الْقُرْاٰنِ مِنْ كُلِّ مَثَلٍ
لَّعَلَّهُمْ يَتَذَكَّرُوْنَ ﴿٢٧﴾ ج قُرْاٰنًا عَرَبِيًّا غَيْرَ ذِيْ
عِوَجٍ لَّعَلَّهُمْ يَتَّقُوْنَ ﴿٢٨﴾ ضَرَبَ اللّٰهُ مَثَلًا رَّجُلًا
فِيْهِ شُرَكَآءُ مُتَشٰكِسُوْنَ وَرَجُلًا سَلَمًا لِّرَجُلٍ ط
هَلْ يَسْتَوِيٰنِ مَثَلًا ط اَلْحَمْدُ لِلّٰهِ ج بَلْ اَكْثَرُهُمْ
لَا يَعْلَمُوْنَ ﴿٢٩﴾ اِنَّكَ مَيِّتٌ وَّاِنَّهُمْ مَّيِّتُوْنَ ﴿٣٠﴾ ز ثُمَّ
اِنَّكُمْ يَوْمَ الْقِيٰمَةِ عِنْدَ رَبِّكُمْ تَخْتَصِمُوْنَ ﴿٣١﴾ ع ٣ ع ١٠ ١٧

Ikhfa إخفا | Ikhfa Meem Saakin إخفاميم ساكن | Qalqala قلقله | Qalb قلب | Idghaam إدغام | Idghaam Meem Saakin إدغام ميم ساكن | Ghunna غُنّہ

فَمَنْ اَظْلَمُ مِمَّنْ كَذَبَ عَلَى اللّٰهِ وَكَذَّبَ بِالصِّدْقِ اِذْ
جَآءَهٗ ؕ اَلَيْسَ فِيْ جَهَنَّمَ مَثْوًى لِّلْكٰفِرِيْنَ ﴿۳۲﴾ وَالَّذِيْ
جَآءَ بِالصِّدْقِ وَصَدَّقَ بِهٖٓ اُولٰٓئِكَ هُمُ الْمُتَّقُوْنَ ﴿۳۳﴾
لَهُمْ مَّا يَشَآءُوْنَ عِنْدَ رَبِّهِمْ ؕ ذٰلِكَ جَزٰٓؤُا الْمُحْسِنِيْنَ ﴿۳۴﴾ ۚۖ
لِيُكَفِّرَ اللّٰهُ عَنْهُمْ اَسْوَاَ الَّذِيْ عَمِلُوْا وَيَجْزِيَهُمْ اَجْرَهُمْ
بِاَحْسَنِ الَّذِيْ كَانُوْا يَعْمَلُوْنَ ﴿۳۵﴾ اَلَيْسَ اللّٰهُ بِكَافٍ عَبْدَهٗ ؕ
وَيُخَوِّفُوْنَكَ بِالَّذِيْنَ مِنْ دُوْنِهٖ ؕ وَمَنْ يُّضْلِلِ اللّٰهُ فَمَا لَهٗ
مِنْ هَادٍ ﴿۳۶﴾ ۚ وَمَنْ يَّهْدِ اللّٰهُ فَمَا لَهٗ مِنْ مُّضِلٍّ ؕ اَلَيْسَ
اللّٰهُ بِعَزِيْزٍ ذِي انْتِقَامٍ ﴿۳۷﴾ وَلَئِنْ سَاَلْتَهُمْ مَّنْ خَلَقَ
السَّمٰوٰتِ وَالْاَرْضَ لَيَقُوْلُنَّ اللّٰهُ ؕ قُلْ اَفَرَءَيْتُمْ مَّا تَدْعُوْنَ
مِنْ دُوْنِ اللّٰهِ اِنْ اَرَادَنِيَ اللّٰهُ بِضُرٍّ هَلْ هُنَّ كٰشِفٰتُ
ضُرِّهٖٓ اَوْ اَرَادَنِيْ بِرَحْمَةٍ هَلْ هُنَّ مُمْسِكٰتُ رَحْمَتِهٖ ؕ
قُلْ حَسْبِيَ اللّٰهُ ؕ عَلَيْهِ يَتَوَكَّلُ الْمُتَوَكِّلُوْنَ ﴿۳۸﴾ قُلْ يٰقَوْمِ

اَلْجُزْءُ الرَّابِعُ وَالْعِشْرُوْنَ (۲۴)

منزل ٦

Ghunna غُنّه · Idghaam Meem Saakin اِدغام میم ساکن · Idghaam اِدغام · Qalb قلب · Qalqala قلقله · Ikhfa Meem Saakin اِخفا میم ساکن · Ikhfa اِخفا

اعْمَلُوْا عَلٰى مَكَانَتِكُمْ اِنِّىْ عَامِلٌ ۚ فَسَوْفَ تَعْلَمُوْنَ ﴿٣٩﴾ مَنْ
يَّاْتِيْهِ عَذَابٌ يُّخْزِيْهِ وَيَحِلُّ عَلَيْهِ عَذَابٌ مُّقِيْمٌ ﴿٤٠﴾ اِنَّآ
اَنْزَلْنَا عَلَيْكَ الْكِتٰبَ لِلنَّاسِ بِالْحَقِّ ۚ فَمَنِ اهْتَدٰى
فَلِنَفْسِهٖ ۚ وَمَنْ ضَلَّ فَاِنَّمَا يَضِلُّ عَلَيْهَا ۚ وَمَآ اَنْتَ
عَلَيْهِمْ بِوَكِيْلٍ ﴿٤١﴾ ع اَللّٰهُ يَتَوَفَّى الْاَنْفُسَ حِيْنَ مَوْتِهَا وَ ع ٤ ١٠
الَّتِىْ لَمْ تَمُتْ فِىْ مَنَامِهَا ۚ فَيُمْسِكُ الَّتِىْ قَضٰى عَلَيْهَا
الْمَوْتَ وَيُرْسِلُ الْاُخْرٰٓى اِلٰٓى اَجَلٍ مُّسَمًّى ؕ اِنَّ فِىْ ذٰلِكَ
لَاٰيٰتٍ لِّقَوْمٍ يَّتَفَكَّرُوْنَ ﴿٤٢﴾ اَمِ اتَّخَذُوْا مِنْ دُوْنِ اللّٰهِ
شُفَعَآءَ ؕ قُلْ اَوَلَوْ كَانُوْا لَا يَمْلِكُوْنَ شَيْـًٔا وَّلَا يَعْقِلُوْنَ ﴿٤٣﴾
قُلْ لِّلّٰهِ الشَّفَاعَةُ جَمِيْعًا ؕ لَهٗ مُلْكُ السَّمٰوٰتِ وَالْاَرْضِ ؕ
ثُمَّ اِلَيْهِ تُرْجَعُوْنَ ﴿٤٤﴾ وَاِذَا ذُكِرَ اللّٰهُ وَحْدَهُ اشْمَاَزَّتْ
قُلُوْبُ الَّذِيْنَ لَا يُؤْمِنُوْنَ بِالْاٰخِرَةِ ۚ وَاِذَا ذُكِرَ الَّذِيْنَ
مِنْ دُوْنِهٖٓ اِذَا هُمْ يَسْتَبْشِرُوْنَ ﴿٤٥﴾ قُلِ اللّٰهُمَّ فَاطِرَ السَّمٰوٰتِ

منزل ٦

وَالْاَرْضِ عٰلِمَ الْغَيْبِ وَ الشَّهَادَةِ اَنْتَ تَحْكُمُ بَيْنَ
عِبَادِكَ فِيْ مَا كَانُوْا فِيْهِ يَخْتَلِفُوْنَ ﴿٤٦﴾ وَلَوْ اَنَّ لِلَّذِيْنَ
ظَلَمُوْا مَا فِي الْاَرْضِ جَمِيْعًا وَّمِثْلَهٗ مَعَهٗ لَافْتَدَوْا
بِهٖ مِنْ سُوْٓءِ الْعَذَابِ يَوْمَ الْقِيٰمَةِ ؕ وَبَدَا لَهُمْ مِّنَ
اللّٰهِ مَا لَمْ يَكُوْنُوْا يَحْتَسِبُوْنَ ﴿٤٧﴾ وَبَدَا لَهُمْ سَيِّاٰتُ مَا
كَسَبُوْا وَحَاقَ بِهِمْ مَّا كَانُوْا بِهٖ يَسْتَهْزِءُوْنَ ﴿٤٨﴾ فَاِذَا مَسَّ
الْاِنْسَانَ ضُرٌّ دَعَانَا ز ثُمَّ اِذَا خَوَّلْنٰهُ نِعْمَةً مِّنَّا ۙ قَالَ منزل ٦
اِنَّمَآ اُوْتِيْتُهٗ عَلٰى عِلْمٍ ؕ بَلْ هِيَ فِتْنَةٌ وَّلٰكِنَّ اَكْثَرَهُمْ
لَا يَعْلَمُوْنَ ﴿٤٩﴾ قَدْ قَالَهَا الَّذِيْنَ مِنْ قَبْلِهِمْ فَمَآ اَغْنٰى
عَنْهُمْ مَّا كَانُوْا يَكْسِبُوْنَ ﴿٥٠﴾ فَاَصَابَهُمْ سَيِّاٰتُ مَا كَسَبُوْا ؕ
وَالَّذِيْنَ ظَلَمُوْا مِنْ هٰٓؤُلَآءِ سَيُصِيْبُهُمْ سَيِّاٰتُ مَا كَسَبُوْا ۙ
وَمَا هُمْ بِمُعْجِزِيْنَ ﴿٥١﴾ اَوَلَمْ يَعْلَمُوْٓا اَنَّ اللّٰهَ يَبْسُطُ الرِّزْقَ
ع ٥ ١١ ٢ لِمَنْ يَّشَآءُ وَيَقْدِرُ ؕ اِنَّ فِيْ ذٰلِكَ لَاٰيٰتٍ لِّقَوْمٍ يُّؤْمِنُوْنَ ﴿٥٢﴾ ع

Ikhfa اِخفا | Ikhfa Meem Saakin اِخفامیم ساکن | Qalqala قلقلہ | Qalb قلب | Idghaam اِدغام | Idghaam Meem Saakin اِدغام میم ساکن | Ghunna غُنّہ

قُلْ يٰعِبَادِيَ الَّذِيْنَ اَسْرَفُوْا عَلٰٓى اَنْفُسِهِمْ لَا تَقْنَطُوْا مِنْ
رَّحْمَةِ اللّٰهِ ؕ اِنَّ اللّٰهَ يَغْفِرُ الذُّنُوْبَ جَمِيْعًا ؕ اِنَّهٗ هُوَ
الْغَفُوْرُ الرَّحِيْمُ ﴿٥٣﴾ وَاَنِيْبُوْٓا اِلٰى رَبِّكُمْ وَاَسْلِمُوْا لَهٗ مِنْ
قَبْلِ اَنْ يَّاْتِيَكُمُ الْعَذَابُ ثُمَّ لَا تُنْصَرُوْنَ ﴿٥٤﴾ وَاتَّبِعُوْٓا
اَحْسَنَ مَآ اُنْزِلَ اِلَيْكُمْ مِّنْ رَّبِّكُمْ مِّنْ قَبْلِ اَنْ يَّاْتِيَكُمُ
الْعَذَابُ بَغْتَةً وَّاَنْتُمْ لَا تَشْعُرُوْنَ ﴿٥٥﴾ ۙ اَنْ تَقُوْلَ نَفْسٌ
يّٰحَسْرَتٰى عَلٰى مَا فَرَّطْتُّ فِيْ جَنْۢبِ اللّٰهِ وَاِنْ كُنْتُ لَمِنَ
السّٰخِرِيْنَ ﴿٥٦﴾ ۙ اَوْ تَقُوْلَ لَوْ اَنَّ اللّٰهَ هَدٰىنِيْ لَكُنْتُ مِنَ
الْمُتَّقِيْنَ ﴿٥٧﴾ ۙ اَوْ تَقُوْلَ حِيْنَ تَرَى الْعَذَابَ لَوْ اَنَّ لِيْ
كَرَّةً فَاَكُوْنَ مِنَ الْمُحْسِنِيْنَ ﴿٥٨﴾ بَلٰى قَدْ جَآءَتْكَ اٰيٰتِيْ
فَكَذَّبْتَ بِهَا وَاسْتَكْبَرْتَ وَكُنْتَ مِنَ الْكٰفِرِيْنَ ﴿٥٩﴾ وَيَوْمَ
الْقِيٰمَةِ تَرَى الَّذِيْنَ كَذَبُوْا عَلَى اللّٰهِ وُجُوْهُهُمْ مُّسْوَدَّةٌ ؕ
اَلَيْسَ فِيْ جَهَنَّمَ مَثْوًى لِّلْمُتَكَبِّرِيْنَ ﴿٦٠﴾ وَيُنَجِّي اللّٰهُ الَّذِيْنَ

منزل ٦

اتَّقَوْا بِمَفَازَتِهِمْ ۫ لَا يَمَسُّهُمُ السُّوْٓءُ وَلَا هُمْ يَحْزَنُوْنَ ﴿٦١﴾ اَللّٰهُ
خَالِقُ كُلِّ شَيْءٍ ۫ وَّهُوَ عَلٰى كُلِّ شَيْءٍ وَّكِيْلٌ ﴿٦٢﴾ لَهٗ مَقَالِيْدُ
السَّمٰوٰتِ وَالْاَرْضِ ؕ وَالَّذِيْنَ كَفَرُوْا بِاٰيٰتِ اللّٰهِ اُولٰٓئِكَ
هُمُ الْخٰسِرُوْنَ ﴿٦٣﴾ قُلْ اَفَغَيْرَ اللّٰهِ تَاْمُرُوْٓنِّيْٓ اَعْبُدُ اَيُّهَا ع ١١/٦
الْجٰهِلُوْنَ ﴿٦٤﴾ وَلَقَدْ اُوْحِيَ اِلَيْكَ وَاِلَى الَّذِيْنَ مِنْ قَبْلِكَ ۚ
لَئِنْ اَشْرَكْتَ لَيَحْبَطَنَّ عَمَلُكَ وَلَتَكُوْنَنَّ مِنَ الْخٰسِرِيْنَ ﴿٦٥﴾
منزل ٦ بَلِ اللّٰهَ فَاعْبُدْ وَكُنْ مِّنَ الشّٰكِرِيْنَ ﴿٦٦﴾ وَمَا قَدَرُوا اللّٰهَ
حَقَّ قَدْرِهٖ ۖۗ وَالْاَرْضُ جَمِيْعًا قَبْضَتُهٗ يَوْمَ الْقِيٰمَةِ وَ
السَّمٰوٰتُ مَطْوِيّٰتٌۢ بِيَمِيْنِهٖ ؕ سُبْحٰنَهٗ وَتَعٰلٰى عَمَّا يُشْرِكُوْنَ ﴿٦٧﴾
وَنُفِخَ فِي الصُّوْرِ فَصَعِقَ مَنْ فِي السَّمٰوٰتِ وَمَنْ فِي
الْاَرْضِ اِلَّا مَنْ شَآءَ اللّٰهُ ؕ ثُمَّ نُفِخَ فِيْهِ اُخْرٰى فَاِذَا هُمْ
قِيَامٌ يَّنْظُرُوْنَ ﴿٦٨﴾ وَاَشْرَقَتِ الْاَرْضُ بِنُوْرِ رَبِّهَا وَوُضِعَ
الْكِتٰبُ وَجِايْٓءَ بِالنَّبِيّٖنَ وَالشُّهَدَآءِ وَقُضِيَ بَيْنَهُمْ

بِالْحَقِّ وَهُمْ لَا يُظْلَمُوْنَ ﴿۶۹﴾ وَوُفِّيَتْ كُلُّ نَفْسٍ مَّا عَمِلَتْ

وَهُوَ اَعْلَمُ بِمَا يَفْعَلُوْنَ ﴿۷۰﴾ ع وَسِيْقَ الَّذِيْنَ كَفَرُوْٓا اِلٰى ع ۷ ۴

جَهَنَّمَ زُمَرًا ؕ حَتّٰٓى اِذَا جَآءُوْهَا فُتِحَتْ اَبْوَابُهَا وَقَالَ

لَهُمْ خَزَنَتُهَآ اَلَمْ يَاْتِكُمْ رُسُلٌ مِّنْكُمْ يَتْلُوْنَ عَلَيْكُمْ

اٰيٰتِ رَبِّكُمْ وَيُنْذِرُوْنَكُمْ لِقَآءَ يَوْمِكُمْ هٰذَا ؕ قَالُوْا

بَلٰى وَلٰكِنْ حَقَّتْ كَلِمَةُ الْعَذَابِ عَلَى الْكٰفِرِيْنَ ﴿۷۱﴾

قِيْلَ ادْخُلُوْٓا اَبْوَابَ جَهَنَّمَ خٰلِدِيْنَ فِيْهَا ۚ فَبِئْسَ

مَثْوَى الْمُتَكَبِّرِيْنَ ﴿۷۲﴾ وَسِيْقَ الَّذِيْنَ اتَّقَوْا رَبَّهُمْ اِلَى

الْجَنَّةِ زُمَرًا ؕ حَتّٰٓى اِذَا جَآءُوْهَا وَفُتِحَتْ اَبْوَابُهَا وَقَالَ

لَهُمْ خَزَنَتُهَا سَلٰمٌ عَلَيْكُمْ طِبْتُمْ فَادْخُلُوْهَا خٰلِدِيْنَ ﴿۷۳﴾

وَقَالُوا الْحَمْدُ لِلّٰهِ الَّذِيْ صَدَقَنَا وَعْدَهٗ وَاَوْرَثَنَا

الْاَرْضَ نَتَبَوَّاُ مِنَ الْجَنَّةِ حَيْثُ نَشَآءُ ۚ فَنِعْمَ اَجْرُ

الْعٰمِلِيْنَ ﴿۷۴﴾ وَتَرَى الْمَلٰٓئِكَةَ حَآفِّيْنَ مِنْ حَوْلِ

منزل ۶

الْعَرْشِ يُسَبِّحُوْنَ بِحَمْدِ رَبِّهِمْ ۚ وَقُضِيَ بَيْنَهُمْ بِالْحَقِّ
وَقِيْلَ الْحَمْدُ لِلّٰهِ رَبِّ الْعٰلَمِيْنَ ﴿٧٥﴾ ع

الربع ٥ ع ٥

اٰيَاتُهَا ٨٥ (٤٠) سُوْرَةُ الْمُؤْمِنِ مَكِّيَّةٌ (٦٠) رُكُوْعَاتُهَا ٩

بِسْمِ اللّٰهِ الرَّحْمٰنِ الرَّحِيْمِ

حٰمٓ ﴿١﴾ تَنْزِيْلُ الْكِتٰبِ مِنَ اللّٰهِ الْعَزِيْزِ الْعَلِيْمِ ﴿٢﴾ لا
غَافِرِ الذَّنْۢبِ وَقَابِلِ التَّوْبِ شَدِيْدِ الْعِقَابِ ۙ ذِي
الطَّوْلِ ؕ لَآ اِلٰهَ اِلَّا هُوَ ؕ اِلَيْهِ الْمَصِيْرُ ﴿٣﴾ مَا يُجَادِلُ
فِيْٓ اٰيٰتِ اللّٰهِ اِلَّا الَّذِيْنَ كَفَرُوْا فَلَا يَغْرُرْكَ تَقَلُّبُهُمْ
فِي الْبِلَادِ ﴿٤﴾ كَذَّبَتْ قَبْلَهُمْ قَوْمُ نُوْحٍ وَّالْاَحْزَابُ مِنْۢ
بَعْدِهِمْ ۖ وَهَمَّتْ كُلُّ اُمَّةٍۢ بِرَسُوْلِهِمْ لِيَاْخُذُوْهُ وَ
جٰدَلُوْا بِالْبَاطِلِ لِيُدْحِضُوْا بِهِ الْحَقَّ فَاَخَذْتُهُمْ ۫ فَكَيْفَ
كَانَ عِقَابِ ﴿٥﴾ وَكَذٰلِكَ حَقَّتْ كَلِمَتُ رَبِّكَ عَلَى
الَّذِيْنَ كَفَرُوْٓا اَنَّهُمْ اَصْحٰبُ النَّارِ ﴿٦﴾ ؗ اَلَّذِيْنَ يَحْمِلُوْنَ

منزل ٦

وقف لازم وقف النبي صلى الله عليه وآله وسلم

الْعَرْشَ وَمَنْ حَوْلَهٗ يُسَبِّحُوْنَ بِحَمْدِ رَبِّهِمْ وَ يُؤْمِنُوْنَ
بِهٖ وَ يَسْتَغْفِرُوْنَ لِلَّذِيْنَ اٰمَنُوْا ۚ رَبَّنَا وَسِعْتَ كُلَّ شَيْءٍ
رَّحْمَةً وَّعِلْمًا فَاغْفِرْ لِلَّذِيْنَ تَابُوْا وَاتَّبَعُوْا سَبِيْلَكَ
وَقِهِمْ عَذَابَ الْجَحِيْمِ ﴿٧﴾ رَبَّنَا وَاَدْخِلْهُمْ جَنّٰتِ عَدْنِ
الَّتِيْ وَعَدْتَّهُمْ وَمَنْ صَلَحَ مِنْ اٰبَآئِهِمْ وَاَزْوَاجِهِمْ وَ
ذُرِّيّٰتِهِمْ ۭ اِنَّكَ اَنْتَ الْعَزِيْزُ الْحَكِيْمُ ﴿٨﴾ وَقِهِمُ السَّيِّاٰتِ ۭ
منزل ٦ وَمَنْ تَقِ السَّيِّاٰتِ يَوْمَىِٕذٍ فَقَدْ رَحِمْتَهٗ ۭ وَذٰلِكَ هُوَ
الْفَوْزُ الْعَظِيْمُ ﴿٩﴾ ع اِنَّ الَّذِيْنَ كَفَرُوْا يُنَادَوْنَ لَمَقْتُ اللّٰهِ ع ٩ ٢
اَكْبَرُ مِنْ مَّقْتِكُمْ اَنْفُسَكُمْ اِذْ تُدْعَوْنَ اِلَى الْاِيْمَانِ
فَتَكْفُرُوْنَ ﴿١٠﴾ قَالُوْا رَبَّنَآ اَمَتَّنَا اثْنَتَيْنِ وَاَحْيَيْتَنَا
اثْنَتَيْنِ فَاعْتَرَفْنَا بِذُنُوْبِنَا فَهَلْ اِلٰى خُرُوْجٍ مِّنْ
سَبِيْلٍ ﴿١١﴾ ذٰلِكُمْ بِاَنَّهٗٓ اِذَا دُعِيَ اللّٰهُ وَحْدَهٗ كَفَرْتُمْ ۚ وَاِنْ
يُّشْرَكْ بِهٖ تُؤْمِنُوْا ۭ فَالْحُكْمُ لِلّٰهِ الْعَلِيِّ الْكَبِيْرِ ﴿١٢﴾ هُوَ

Ikhfa إخفا | Ikhfa Meem Saakin إخفاميم ساكن | Qalqala قلقله | Qalb قلب | Idghaam إدغام | Idghaam Meem Saakin إدغام ميم ساكن | Ghunna غنّه

الَّذِیْ یُرِیْكُمْ اٰیٰتِهٖ وَ یُنَزِّلُ لَكُمْ مِّنَ السَّمَآءِ رِزْقًا ؕ
وَمَا یَتَذَكَّرُ اِلَّا مَنْ یُّنِیْبُ ﴿۱۳﴾ فَادْعُوا اللّٰهَ مُخْلِصِیْنَ
لَهُ الدِّیْنَ وَلَوْ كَرِهَ الْكٰفِرُوْنَ ﴿۱۴﴾ رَفِیْعُ الدَّرَجٰتِ
ذُو الْعَرْشِ ۚ یُلْقِی الرُّوْحَ مِنْ اَمْرِهٖ عَلٰی مَنْ یَّشَآءُ مِنْ
عِبَادِهٖ لِیُنْذِرَ یَوْمَ التَّلَاقِ ﴿۱۵﴾ لا یَوْمَ هُمْ بٰرِزُوْنَ ۚ۵
لَا یَخْفٰی عَلَی اللّٰهِ مِنْهُمْ شَیْءٌ ؕ لِمَنِ الْمُلْكُ الْیَوْمَ ؕ
لِلّٰهِ الْوَاحِدِ الْقَهَّارِ ﴿۱۶﴾ اَلْیَوْمَ تُجْزٰی كُلُّ نَفْسٍۭ بِمَا
كَسَبَتْ ؕ لَا ظُلْمَ الْیَوْمَ ؕ اِنَّ اللّٰهَ سَرِیْعُ الْحِسَابِ ﴿۱۷﴾
وَاَنْذِرْهُمْ یَوْمَ الْاٰزِفَةِ اِذِ الْقُلُوْبُ لَدَی الْحَنَاجِرِ
كٰظِمِیْنَ ۵ مَا لِلظّٰلِمِیْنَ مِنْ حَمِیْمٍ وَّلَا شَفِیْعٍ
یُّطَاعُ ؕ ﴿۱۸﴾ یَعْلَمُ خَآئِنَةَ الْاَعْیُنِ وَمَا تُخْفِی الصُّدُوْرُ ﴿۱۹﴾
وَاللّٰهُ یَقْضِیْ بِالْحَقِّ ؕ وَالَّذِیْنَ یَدْعُوْنَ مِنْ دُوْنِهٖ
لَا یَقْضُوْنَ بِشَیْءٍ ؕ اِنَّ اللّٰهَ هُوَ السَّمِیْعُ الْبَصِیْرُ ﴿۲۰﴾ ع ۲ ۱۱ ۷

منزل ٦

Ikhfa اِخفا | Ikhfa Meem Saakin اِخفامیم ساکن | Qalqala قلقلہ | Qalb قلب | Idghaam اِدغام | Idghaam Meem Saakin اِدغام میم ساکن | Ghunna غُنّہ

اَوَلَمْ يَسِيْرُوْا فِي الْاَرْضِ فَيَنْظُرُوْا كَيْفَ كَانَ عَاقِبَةُ
الَّذِيْنَ كَانُوْا مِنْ قَبْلِهِمْ ؕ كَانُوْا هُمْ اَشَدَّ مِنْهُمْ قُوَّةً وَّ
اٰثَارًا فِي الْاَرْضِ فَاَخَذَهُمُ اللّٰهُ بِذُنُوْبِهِمْ ؕ وَمَا كَانَ
لَهُمْ مِّنَ اللّٰهِ مِنْ وَّاقٍ ﴿٢١﴾ ذٰلِكَ بِاَنَّهُمْ كَانَتْ تَّاْتِيْهِمْ
رُسُلُهُمْ بِالْبَيِّنٰتِ فَكَفَرُوْا فَاَخَذَهُمُ اللّٰهُ ؕ اِنَّهٗ قَوِيٌّ
شَدِيْدُ الْعِقَابِ ﴿٢٢﴾ وَلَقَدْ اَرْسَلْنَا مُوْسٰى بِاٰيٰتِنَا وَ
سُلْطٰنٍ مُّبِيْنٍ ۙ﴿٢٣﴾ اِلٰى فِرْعَوْنَ وَهَامٰنَ وَقَارُوْنَ فَقَالُوْا
سٰحِرٌ كَذَّابٌ ﴿٢٤﴾ فَلَمَّا جَآءَهُمْ بِالْحَقِّ مِنْ عِنْدِنَا قَالُوا
اقْتُلُوْۤا اَبْنَآءَ الَّذِيْنَ اٰمَنُوْا مَعَهٗ وَاسْتَحْيُوْا نِسَآءَهُمْ ؕ
وَمَا كَيْدُ الْكٰفِرِيْنَ اِلَّا فِيْ ضَلٰلٍ ﴿٢٥﴾ وَقَالَ فِرْعَوْنُ
ذَرُوْنِيْۤ اَقْتُلْ مُوْسٰى وَلْيَدْعُ رَبَّهٗ ۚ اِنِّيْۤ اَخَافُ اَنْ
يُّبَدِّلَ دِيْنَكُمْ اَوْ اَنْ يُّظْهِرَ فِي الْاَرْضِ الْفَسَادَ ﴿٢٦﴾
وَقَالَ مُوْسٰۤى اِنِّيْ عُذْتُ بِرَبِّيْ وَرَبِّكُمْ مِّنْ كُلِّ مُتَكَبِّرٍ

منزل ٦

ع ٣ ٧ ٨

لَا يُؤْمِنُ بِيَوْمِ الْحِسَابِ ﴿٢٧﴾ وَقَالَ رَجُلٌ مُّؤْمِنٌ ۖ
مِّنْ اٰلِ فِرْعَوْنَ يَكْتُمُ اِيْمَانَهٗٓ اَتَقْتُلُوْنَ رَجُلًا اَنْ
يَّقُوْلَ رَبِّيَ اللّٰهُ وَقَدْ جَآءَكُمْ بِالْبَيِّنٰتِ مِنْ رَّبِّكُمْ ۭ
وَاِنْ يَّكُ كَاذِبًا فَعَلَيْهِ كَذِبُهٗ ۚ وَاِنْ يَّكُ صَادِقًا
يُّصِبْكُمْ بَعْضُ الَّذِيْ يَعِدُكُمْ ۭ اِنَّ اللّٰهَ لَا يَهْدِيْ مَنْ
هُوَ مُسْرِفٌ كَذَّابٌ ﴿٢٨﴾ يٰقَوْمِ لَكُمُ الْمُلْكُ الْيَوْمَ
ظٰهِرِيْنَ فِي الْاَرْضِ ۡ فَمَنْ يَّنْصُرُنَا مِنْۢ بَاْسِ اللّٰهِ منزل ٦
اِنْ جَآءَنَا ۭ قَالَ فِرْعَوْنُ مَآ اُرِيْكُمْ اِلَّا مَآ اَرٰى وَمَآ
اَهْدِيْكُمْ اِلَّا سَبِيْلَ الرَّشَادِ ﴿٢٩﴾ وَقَالَ الَّذِيْٓ اٰمَنَ يٰقَوْمِ
اِنِّيْٓ اَخَافُ عَلَيْكُمْ مِّثْلَ يَوْمِ الْاَحْزَابِ ﴿٣٠﴾ ۙ مِثْلَ دَاْبِ
قَوْمِ نُوْحٍ وَّعَادٍ وَّثَمُوْدَ وَالَّذِيْنَ مِنْۢ بَعْدِهِمْ ۭ وَمَا
اللّٰهُ يُرِيْدُ ظُلْمًا لِّلْعِبَادِ ﴿٣١﴾ وَيٰقَوْمِ اِنِّيْٓ اَخَافُ عَلَيْكُمْ
يَوْمَ التَّنَادِ ﴿٣٢﴾ ۙ يَوْمَ تُوَلُّوْنَ مُدْبِرِيْنَ ۚ مَا لَكُمْ مِّنَ اللّٰهِ

Ikhfa إخفا | Ikhfa Meem Saakin إخفاميم ساكن | Qalqala قلقله | Qalb قلب | Idghaam إدغام | Idghaam Meem Saakin إدغام ميم ساكن | Ghunna غُنّه

مِنْ عَاصِمٍ ۚ وَمَنْ يُّضْلِلِ اللّٰهُ فَمَا لَهٗ مِنْ هَادٍ ﴿٣٣﴾
وَلَقَدْ جَآءَكُمْ يُوْسُفُ مِنْ قَبْلُ بِالْبَيِّنٰتِ فَمَا زِلْتُمْ
فِيْ شَكٍّ مِّمَّا جَآءَكُمْ بِهٖ ؕ حَتّٰۤى اِذَا هَلَكَ قُلْتُمْ لَنْ
يَّبْعَثَ اللّٰهُ مِنْۢ بَعْدِهٖ رَسُوْلًا ؕ كَذٰلِكَ يُضِلُّ اللّٰهُ
مَنْ هُوَ مُسْرِفٌ مُّرْتَابُ ۚۖ ﴿٣٤﴾ الَّذِيْنَ يُجَادِلُوْنَ فِيْۤ
اٰيٰتِ اللّٰهِ بِغَيْرِ سُلْطٰنٍ اَتٰىهُمْ ؕ كَبُرَ مَقْتًا عِنْدَ اللّٰهِ وَ
منزل ٦ عِنْدَ الَّذِيْنَ اٰمَنُوْا ؕ كَذٰلِكَ يَطْبَعُ اللّٰهُ عَلٰى كُلِّ قَلْبِ
مُتَكَبِّرٍ جَبَّارٍ ﴿٣٥﴾ وَقَالَ فِرْعَوْنُ يٰهَامٰنُ ابْنِ لِيْ
صَرْحًا لَّعَلِّيْۤ اَبْلُغُ الْاَسْبَابَ ۙ ﴿٣٦﴾ اَسْبَابَ السَّمٰوٰتِ
فَاَطَّلِعَ اِلٰۤى اِلٰهِ مُوْسٰى وَاِنِّيْ لَاَظُنُّهٗ كَاذِبًا ؕ وَكَذٰلِكَ
زُيِّنَ لِفِرْعَوْنَ سُوْٓءُ عَمَلِهٖ وَصُدَّ عَنِ السَّبِيْلِ ؕ وَمَا
كَيْدُ فِرْعَوْنَ اِلَّا فِيْ تَبَابٍ ﴿٣٧﴾ ع وَقَالَ الَّذِيْۤ اٰمَنَ ع ١٠ ٩
يٰقَوْمِ اتَّبِعُوْنِ اَهْدِكُمْ سَبِيْلَ الرَّشَادِ ۚ ﴿٣٨﴾ يٰقَوْمِ اِنَّمَا

هٰذِهِ الْحَيٰوةُ الدُّنْيَا مَتَاعٌ ز وَّاِنَّ الْاٰخِرَةَ هِيَ دَارُ
الْقَرَارِ ﴿٣٩﴾ مَنْ عَمِلَ سَيِّئَةً فَلَا يُجْزٰٓى اِلَّا مِثْلَهَا ج
وَمَنْ عَمِلَ صَالِحًا مِّنْ ذَكَرٍ اَوْ اُنْثٰى وَ هُوَ مُؤْمِنٌ
فَاُولٰٓئِكَ يَدْخُلُوْنَ الْجَنَّةَ يُرْزَقُوْنَ فِيْهَا بِغَيْرِ
حِسَابٍ ﴿٤٠﴾ وَيٰقَوْمِ مَا لِيْٓ اَدْعُوْكُمْ اِلَى النَّجٰوةِ وَ
تَدْعُوْنَنِيْٓ اِلَى النَّارِ ط ﴿٤١﴾ تَدْعُوْنَنِيْ لِاَكْفُرَ بِاللّٰهِ وَ
اُشْرِكَ بِهٖ مَا لَيْسَ لِيْ بِهٖ عِلْمٌ ز وَّاَنَا اَدْعُوْكُمْ اِلَى
الْعَزِيْزِ الْغَفَّارِ ﴿٤٢﴾ لَا جَرَمَ اَنَّمَا تَدْعُوْنَنِيْٓ اِلَيْهِ
لَيْسَ لَهٗ دَعْوَةٌ فِي الدُّنْيَا وَلَا فِي الْاٰخِرَةِ وَاَنَّ
مَرَدَّنَآ اِلَى اللّٰهِ وَاَنَّ الْمُسْرِفِيْنَ هُمْ اَصْحٰبُ النَّارِ ﴿٤٣﴾
فَسَتَذْكُرُوْنَ مَآ اَقُوْلُ لَكُمْ ط وَاُفَوِّضُ اَمْرِيْٓ اِلَى اللّٰهِ ط
اِنَّ اللّٰهَ بَصِيْرٌۢ بِالْعِبَادِ ﴿٤٤﴾ فَوَقٰىهُ اللّٰهُ سَيِّاٰتِ مَا
مَكَرُوْا وَحَاقَ بِاٰلِ فِرْعَوْنَ سُوْٓءُ الْعَذَابِ ﴿٤٥﴾ ج

النصف

منزل ٦

اَلنَّارُ يُعْرَضُوْنَ عَلَيْهَا غُدُوًّا وَّ عَشِيًّا ج وَ يَوْمَ تَقُوْمُ
السَّاعَةُ قف اَدْخِلُوْٓا اٰلَ فِرْعَوْنَ اَشَدَّ الْعَذَابِ ﴿٤٦﴾ وَ
اِذْ يَتَحَآجُّوْنَ فِى النَّارِ فَيَقُوْلُ الضُّعَفٰٓؤُا لِلَّذِيْنَ
اسْتَكْبَرُوْٓا اِنَّا كُنَّا لَكُمْ تَبَعًا فَهَلْ اَنْتُمْ مُّغْنُوْنَ
عَنَّا نَصِيْبًا مِّنَ النَّارِ ﴿٤٧﴾ قَالَ الَّذِيْنَ اسْتَكْبَرُوْٓا اِنَّا
كُلٌّ فِيْهَآ اِنَّ اللّٰهَ قَدْ حَكَمَ بَيْنَ الْعِبَادِ ﴿٤٨﴾ وَقَالَ
الَّذِيْنَ فِى النَّارِ لِخَزَنَةِ جَهَنَّمَ ادْعُوْا رَبَّكُمْ يُخَفِّفْ
عَنَّا يَوْمًا مِّنَ الْعَذَابِ ﴿٤٩﴾ قَالُوْٓا اَوَلَمْ تَكُ تَاْتِيْكُمْ
رُسُلُكُمْ بِالْبَيِّنٰتِ ط قَالُوْا بَلٰى ط قَالُوْا فَادْعُوْا ج وَمَا
دُعٰٓؤُا الْكٰفِرِيْنَ اِلَّا فِىْ ضَلٰلٍ ﴿٥٠﴾ ع اِنَّا لَنَنْصُرُ رُسُلَنَا وَ ع ٥ ١٣ ١٠
الَّذِيْنَ اٰمَنُوْا فِى الْحَيٰوةِ الدُّنْيَا وَيَوْمَ يَقُوْمُ الْاَشْهَادُ ﴿٥١﴾ لا
يَوْمَ لَا يَنْفَعُ الظّٰلِمِيْنَ مَعْذِرَتُهُمْ وَ لَهُمُ اللَّعْنَةُ
وَلَهُمْ سُوْٓءُ الدَّارِ ﴿٥٢﴾ وَلَقَدْ اٰتَيْنَا مُوْسَى الْهُدٰى

منزل ٦

Ikhfa إخفا | Ikhfa Meem Saakin إخفاميم ساكن | Qalqala قلقله | Qalb قلب | Idghaam ادغام | Idghaam Meem Saakin ادغام ميم ساكن | Ghunna غنّه

وَاَوْرَثْنَا بَنِیْٓ اِسْرَآءِیْلَ الْكِتٰبَ ۙ﴿۵۳﴾ هُدًی وَّ
ذِكْرٰی لِاُولِی الْاَلْبَابِ ﴿۵۴﴾ فَاصْبِرْ اِنَّ وَعْدَ اللّٰهِ حَقٌّ
وَّاسْتَغْفِرْ لِذَنْۢبِكَ وَسَبِّحْ بِحَمْدِ رَبِّكَ بِالْعَشِیِّ وَ
الْاِبْكَارِ ﴿۵۵﴾ اِنَّ الَّذِیْنَ یُجَادِلُوْنَ فِیْٓ اٰیٰتِ اللّٰهِ بِغَیْرِ
سُلْطٰنٍ اَتٰىهُمْ ۙ اِنْ فِیْ صُدُوْرِهِمْ اِلَّا كِبْرٌ مَّا هُمْ
بِبَالِغِیْهِ ۚ فَاسْتَعِذْ بِاللّٰهِ ؕ اِنَّهٗ هُوَ السَّمِیْعُ الْبَصِیْرُ ﴿۵۶﴾
منزل ٦ لَخَلْقُ السَّمٰوٰتِ وَالْاَرْضِ اَكْبَرُ مِنْ خَلْقِ النَّاسِ وَ
لٰكِنَّ اَكْثَرَ النَّاسِ لَا یَعْلَمُوْنَ ﴿۵۷﴾ وَمَا یَسْتَوِی الْاَعْمٰی
وَالْبَصِیْرُ ۙ۬ وَالَّذِیْنَ اٰمَنُوْا وَعَمِلُوا الصّٰلِحٰتِ وَلَا
الْمُسِیْٓءُ ؕ قَلِیْلًا مَّا تَتَذَكَّرُوْنَ ﴿۵۸﴾ اِنَّ السَّاعَةَ لَاٰتِیَةٌ
لَّا رَیْبَ فِیْهَا وَلٰكِنَّ اَكْثَرَ النَّاسِ لَا یُؤْمِنُوْنَ ﴿۵۹﴾
وَقَالَ رَبُّكُمُ ادْعُوْنِیْٓ اَسْتَجِبْ لَكُمْ ؕ اِنَّ الَّذِیْنَ
یَسْتَكْبِرُوْنَ عَنْ عِبَادَتِیْ سَیَدْخُلُوْنَ جَهَنَّمَ دٰخِرِیْنَ ﴿۶۰﴾ ع ٦ ١١

Ikhfa إخفا | Ikhfa Meem Saakin إخفاميم ساكن | Qalqala قلقله | Qalb قلب | Idghaam ادغام | Idghaam Meem Saakin ادغام میم ساکن | Ghunna غُنّہ

اَللّٰهُ الَّذِیْ جَعَلَ لَكُمُ الَّیْلَ لِتَسْكُنُوْا فِیْهِ وَالنَّهَارَ
مُبْصِرًا ؕ اِنَّ اللّٰهَ لَذُوْ فَضْلٍ عَلَى النَّاسِ وَلٰكِنَّ اَكْثَرَ
النَّاسِ لَا یَشْكُرُوْنَ ۝٦١ ذٰلِكُمُ اللّٰهُ رَبُّكُمْ خَالِقُ كُلِّ
شَیْءٍ ۘ لَاۤ اِلٰهَ اِلَّا هُوَ ۫ فَاَنّٰی تُؤْفَكُوْنَ ۝٦٢ كَذٰلِكَ وقف لازم
یُؤْفَكُ الَّذِیْنَ كَانُوْا بِاٰیٰتِ اللّٰهِ یَجْحَدُوْنَ ۝٦٣ اَللّٰهُ
الَّذِیْ جَعَلَ لَكُمُ الْاَرْضَ قَرَارًا وَّالسَّمَآءَ بِنَآءً وَّ
صَوَّرَكُمْ فَاَحْسَنَ صُوَرَكُمْ وَرَزَقَكُمْ مِّنَ الطَّیِّبٰتِ ؕ
ذٰلِكُمُ اللّٰهُ رَبُّكُمْ ۚۖ فَتَبٰرَكَ اللّٰهُ رَبُّ الْعٰلَمِیْنَ ۝٦٤ هُوَ
الْحَیُّ لَاۤ اِلٰهَ اِلَّا هُوَ فَادْعُوْهُ مُخْلِصِیْنَ لَهُ الدِّیْنَ ؕ
اَلْحَمْدُ لِلّٰهِ رَبِّ الْعٰلَمِیْنَ ۝٦٥ قُلْ اِنِّیْ نُهِیْتُ اَنْ اَعْبُدَ
الَّذِیْنَ تَدْعُوْنَ مِنْ دُوْنِ اللّٰهِ لَمَّا جَآءَنِیَ الْبَیِّنٰتُ
مِنْ رَّبِّیْ ۫ وَاُمِرْتُ اَنْ اُسْلِمَ لِرَبِّ الْعٰلَمِیْنَ ۝٦٦ هُوَ
الَّذِیْ خَلَقَكُمْ مِّنْ تُرَابٍ ثُمَّ مِنْ نُّطْفَةٍ ثُمَّ مِنْ

منزل ٦

Ikhfa إخفا | Ikhfa Meem Saakin إخفاميم ساكن | Qalqala قلقله | Qalb قلب | Idghaam إدغام | Idghaam Meem Saakin إدغام ميم ساكن | Ghunna غُنّه

عَلَقَةٍ ثُمَّ يُخْرِجُكُمْ طِفْلًا ثُمَّ لِتَبْلُغُوْٓا اَشُدَّكُمْ
ثُمَّ لِتَكُوْنُوْا شُيُوْخًا ۚ وَمِنْكُمْ مَّنْ يُّتَوَفّٰى مِنْ قَبْلُ
وَلِتَبْلُغُوْٓا اَجَلًا مُّسَمًّى وَّلَعَلَّكُمْ تَعْقِلُوْنَ ﴿٦٧﴾ هُوَ
الَّذِيْ يُحْيٖ وَيُمِيْتُ ۚ فَاِذَا قَضٰٓى اَمْرًا فَاِنَّمَا يَقُوْلُ
لَهٗ كُنْ فَيَكُوْنُ ﴿٦٨﴾ ع اَلَمْ تَرَ اِلَى الَّذِيْنَ يُجَادِلُوْنَ
فِيْٓ اٰيٰتِ اللّٰهِ ؕ اَنّٰى يُصْرَفُوْنَ ﴿٦٩﴾ ج الَّذِيْنَ كَذَّبُوْا
بِالْكِتٰبِ وَبِمَآ اَرْسَلْنَا بِهٖ رُسُلَنَا ۛ قف فَسَوْفَ يَعْلَمُوْنَ ﴿٧٠﴾ لا
اِذِ الْاَغْلٰلُ فِيْٓ اَعْنَاقِهِمْ وَالسَّلٰسِلُ ؕ يُسْحَبُوْنَ ﴿٧١﴾ لا
فِي الْحَمِيْمِ ۙ ثُمَّ فِي النَّارِ يُسْجَرُوْنَ ﴿٧٢﴾ ج ثُمَّ قِيْلَ
لَهُمْ اَيْنَ مَا كُنْتُمْ تُشْرِكُوْنَ ﴿٧٣﴾ لا مِنْ دُوْنِ اللّٰهِ ؕ
قَالُوْا ضَلُّوْا عَنَّا بَلْ لَّمْ نَكُنْ نَّدْعُوْا مِنْ قَبْلُ شَيْـًٔا ؕ
كَذٰلِكَ يُضِلُّ اللّٰهُ الْكٰفِرِيْنَ ﴿٧٤﴾ ذٰلِكُمْ بِمَا كُنْتُمْ
تَفْرَحُوْنَ فِي الْاَرْضِ بِغَيْرِ الْحَقِّ وَبِمَا كُنْتُمْ

ع ٨/٧ ١٢ — معانقة ١٣ عند المتاخرين ١٢

منزل ٦

تَمْرَحُوْنَ ﴿٧٥﴾ اُدْخُلُوْٓا اَبْوَابَ جَهَنَّمَ خٰلِدِيْنَ
فِيْهَا ۚ فَبِئْسَ مَثْوَى الْمُتَكَبِّرِيْنَ ﴿٧٦﴾ فَاصْبِرْ
اِنَّ وَعْدَ اللّٰهِ حَقٌّ ۚ فَاِمَّا نُرِيَنَّكَ بَعْضَ الَّذِىْ
نَعِدُهُمْ اَوْ نَتَوَفَّيَنَّكَ فَاِلَيْنَا يُرْجَعُوْنَ ﴿٧٧﴾ وَ
لَقَدْ اَرْسَلْنَا رُسُلًا مِّنْ قَبْلِكَ مِنْهُمْ مَّنْ قَصَصْنَا
عَلَيْكَ وَمِنْهُمْ مَّنْ لَّمْ نَقْصُصْ عَلَيْكَ ؕ وَمَا كَانَ
لِرَسُوْلٍ اَنْ يَّاْتِىَ بِاٰيَةٍ اِلَّا بِاِذْنِ اللّٰهِ ۚ فَاِذَا جَآءَ
اَمْرُ اللّٰهِ قُضِىَ بِالْحَقِّ وَخَسِرَ هُنَالِكَ الْمُبْطِلُوْنَ ﴿٧٨﴾ ع
اَللّٰهُ الَّذِىْ جَعَلَ لَكُمُ الْاَنْعَامَ لِتَرْكَبُوْا مِنْهَا وَ
مِنْهَا تَاْكُلُوْنَ ﴿٧٩﴾ وَلَكُمْ فِيْهَا مَنَافِعُ وَلِتَبْلُغُوْا
عَلَيْهَا حَاجَةً فِىْ صُدُوْرِكُمْ وَعَلَيْهَا وَعَلَى الْفُلْكِ
تُحْمَلُوْنَ ﴿٨٠﴾ ؕ وَيُرِيْكُمْ اٰيٰتِهٖ ۖۗ فَاَىَّ اٰيٰتِ اللّٰهِ
تُنْكِرُوْنَ ﴿٨١﴾ اَفَلَمْ يَسِيْرُوْا فِى الْاَرْضِ فَيَنْظُرُوْا

ع ٨ ١٠ ١٣

منزل ٦

كَيْفَ كَانَ عَاقِبَةُ الَّذِيْنَ مِنْ قَبْلِهِمْ ؕ كَانُوْٓا اَكْثَرَ
مِنْهُمْ وَاَشَدَّ قُوَّةً وَّاٰثَارًا فِي الْاَرْضِ فَمَآ اَغْنٰى
عَنْهُمْ مَّا كَانُوْا يَكْسِبُوْنَ ﴿٨٢﴾ فَلَمَّا جَآءَتْهُمْ
رُسُلُهُمْ بِالْبَيِّنٰتِ فَرِحُوْا بِمَا عِنْدَهُمْ مِّنَ الْعِلْمِ وَ
حَاقَ بِهِمْ مَّا كَانُوْا بِهٖ يَسْتَهْزِءُوْنَ ﴿٨٣﴾ فَلَمَّا رَاَوْا
بَاْسَنَا قَالُوْٓا اٰمَنَّا بِاللّٰهِ وَحْدَهٗ وَكَفَرْنَا بِمَا كُنَّا بِهٖ
مُشْرِكِيْنَ ﴿٨٤﴾ فَلَمْ يَكُ يَنْفَعُهُمْ اِيْمَانُهُمْ لَمَّا رَاَوْا منزل ٦
بَاْسَنَا ؕ سُنَّتَ اللّٰهِ الَّتِيْ قَدْ خَلَتْ فِيْ عِبَادِهٖ ۚ
ع ٩/٧ ١٤ وَخَسِرَ هُنَالِكَ الْكٰفِرُوْنَ ﴿٨٥﴾ ع

اٰيَاتُهَا ٥٤ (٤١) سُوْرَةُ حٰمٓ السَّجْدَةِ مَكِّيَّةٌ (٦١) رُكُوْعَاتُهَا ٦

بِسْمِ اللّٰهِ الرَّحْمٰنِ الرَّحِيْمِ

حٰمٓ ﴿١﴾ ۚ تَنْزِيْلٌ مِّنَ الرَّحْمٰنِ الرَّحِيْمِ ﴿٢﴾ ۚ كِتٰبٌ
فُصِّلَتْ اٰيٰتُهٗ قُرْاٰنًا عَرَبِيًّا لِّقَوْمٍ يَّعْلَمُوْنَ ﴿٣﴾ لا

Ikhfa اِخفا | Ikhfa Meem Saakin اِخفامیم ساکن | Qalqala قلقلہ | Qalb قلب | Idghaam اِدغام | Idghaam Meem Saakin اِدغام میم ساکن | Ghunna غُنّہ

بَشِيْرًا وَّنَذِيْرًا ۚ فَاَعْرَضَ اَكْثَرُهُمْ فَهُمْ لَا يَسْمَعُوْنَ ﴿٤﴾
وَقَالُوْا قُلُوْبُنَا فِيْٓ اَكِنَّةٍ مِّمَّا تَدْعُوْنَآ اِلَيْهِ وَ
فِيْٓ اٰذَانِنَا وَقْرٌ وَّمِنْۢ بَيْنِنَا وَبَيْنِكَ حِجَابٌ
فَاعْمَلْ اِنَّنَا عٰمِلُوْنَ ﴿٥﴾ قُلْ اِنَّمَآ اَنَا بَشَرٌ مِّثْلُكُمْ الثلثة
يُوْحٰٓى اِلَيَّ اَنَّمَآ اِلٰهُكُمْ اِلٰهٌ وَّاحِدٌ فَاسْتَقِيْمُوْٓا
اِلَيْهِ وَاسْتَغْفِرُوْهُ ؕ وَوَيْلٌ لِّلْمُشْرِكِيْنَ ﴿٦﴾ ۙ
منزل ٦ الَّذِيْنَ لَا يُؤْتُوْنَ الزَّكٰوةَ وَهُمْ بِالْاٰخِرَةِ هُمْ
كٰفِرُوْنَ ﴿٧﴾ اِنَّ الَّذِيْنَ اٰمَنُوْا وَعَمِلُوا الصّٰلِحٰتِ
لَهُمْ اَجْرٌ غَيْرُ مَمْنُوْنٍ ﴿٨﴾ ع قُلْ اَئِنَّكُمْ لَتَكْفُرُوْنَ ع ٨ ١٥
بِالَّذِيْ خَلَقَ الْاَرْضَ فِيْ يَوْمَيْنِ وَتَجْعَلُوْنَ لَهٗٓ
اَنْدَادًا ؕ ذٰلِكَ رَبُّ الْعٰلَمِيْنَ ﴿٩﴾ ۚ وَجَعَلَ فِيْهَا
رَوَاسِيَ مِنْ فَوْقِهَا وَبٰرَكَ فِيْهَا وَقَدَّرَ فِيْهَآ
اَقْوَاتَهَا فِيْٓ اَرْبَعَةِ اَيَّامٍ ؕ سَوَآءً لِّلسَّآئِلِيْنَ ﴿١٠﴾

ثُمَّ اسْتَوٰٓى اِلَى السَّمَآءِ وَهِىَ دُخَانٌ فَقَالَ
لَهَا وَلِلْاَرْضِ ائْتِيَا طَوْعًا اَوْ كَرْهًا ؕ قَالَتَآ
اَتَيْنَا طَآئِعِيْنَ ﴿١١﴾ فَقَضٰىهُنَّ سَبْعَ سَمٰوَاتٍ
فِىْ يَوْمَيْنِ وَاَوْحٰى فِىْ كُلِّ سَمَآءٍ اَمْرَهَا ؕ وَ
زَيَّنَّا السَّمَآءَ الدُّنْيَا بِمَصَابِيْحَ ۖۗ وَحِفْظًا ؕ
ذٰلِكَ تَقْدِيْرُ الْعَزِيْزِ الْعَلِيْمِ ﴿١٢﴾ فَاِنْ اَعْرَضُوْا
فَقُلْ اَنْذَرْتُكُمْ صٰعِقَةً مِّثْلَ صٰعِقَةِ عَادٍ وَّ
ثَمُوْدَ ؕ ﴿١٣﴾ اِذْ جَآءَتْهُمُ الرُّسُلُ مِنْۢ بَيْنِ اَيْدِيْهِمْ
وَمِنْ خَلْفِهِمْ اَلَّا تَعْبُدُوْٓا اِلَّا اللّٰهَ ؕ قَالُوْا لَوْ شَآءَ
رَبُّنَا لَاَنْزَلَ مَلٰٓئِكَةً فَاِنَّا بِمَآ اُرْسِلْتُمْ بِهٖ
كٰفِرُوْنَ ﴿١٤﴾ فَاَمَّا عَادٌ فَاسْتَكْبَرُوْا فِى الْاَرْضِ بِغَيْرِ
الْحَقِّ وَقَالُوْا مَنْ اَشَدُّ مِنَّا قُوَّةً ؕ اَوَلَمْ يَرَوْا اَنَّ
اللّٰهَ الَّذِىْ خَلَقَهُمْ هُوَ اَشَدُّ مِنْهُمْ قُوَّةً ؕ وَكَانُوْا

بِاٰيٰتِنَا يَجْحَدُوْنَ ﴿١٥﴾ فَاَرْسَلْنَا عَلَيْهِمْ رِيْحًا صَرْصَرًا
فِيْٓ اَيَّامٍ نَّحِسَاتٍ لِّنُذِيْقَهُمْ عَذَابَ الْخِزْيِ
فِي الْحَيٰوةِ الدُّنْيَا ؕ وَلَعَذَابُ الْاٰخِرَةِ اَخْزٰى
وَهُمْ لَا يُنْصَرُوْنَ ﴿١٦﴾ وَاَمَّا ثَمُوْدُ فَهَدَيْنٰهُمْ فَاسْتَحَبُّوا
الْعَمٰى عَلَى الْهُدٰى فَاَخَذَتْهُمْ صٰعِقَةُ الْعَذَابِ
الْهُوْنِ بِمَا كَانُوْا يَكْسِبُوْنَ ﴿١٧﴾ وَنَجَّيْنَا الَّذِيْنَ
اٰمَنُوْا وَكَانُوْا يَتَّقُوْنَ ﴿١٨﴾ وَيَوْمَ يُحْشَرُ اَعْدَآءُ
اللّٰهِ اِلَى النَّارِ فَهُمْ يُوْزَعُوْنَ ﴿١٩﴾ حَتّٰٓى اِذَا مَا
جَآءُوْهَا شَهِدَ عَلَيْهِمْ سَمْعُهُمْ وَاَبْصَارُهُمْ وَجُلُوْدُهُمْ
بِمَا كَانُوْا يَعْمَلُوْنَ ﴿٢٠﴾ وَقَالُوْا لِجُلُوْدِهِمْ لِمَ شَهِدْتُّمْ
عَلَيْنَا ؕ قَالُوْٓا اَنْطَقَنَا اللّٰهُ الَّذِيْٓ اَنْطَقَ كُلَّ شَيْءٍ
وَّهُوَ خَلَقَكُمْ اَوَّلَ مَرَّةٍ وَّاِلَيْهِ تُرْجَعُوْنَ ﴿٢١﴾ وَمَا
كُنْتُمْ تَسْتَتِرُوْنَ اَنْ يَّشْهَدَ عَلَيْكُمْ سَمْعُكُمْ وَلَآ

ع ١٠/٢ — منزل ٦

اَبْصَارُكُمْ وَلَا جُلُوْدُكُمْ وَلٰكِنْ ظَنَنْتُمْ اَنَّ اللّٰهَ لَا
يَعْلَمُ كَثِيْرًا مِّمَّا تَعْمَلُوْنَ ﴿٢٢﴾ وَذٰلِكُمْ ظَنُّكُمُ الَّذِيْ
ظَنَنْتُمْ بِرَبِّكُمْ اَرْدٰىكُمْ فَاَصْبَحْتُمْ مِّنَ الْخٰسِرِيْنَ ﴿٢٣﴾
فَاِنْ يَّصْبِرُوْا فَالنَّارُ مَثْوًى لَّهُمْ ۚ وَاِنْ يَّسْتَعْتِبُوْا
فَمَا هُمْ مِّنَ الْمُعْتَبِيْنَ ﴿٢٤﴾ وَقَيَّضْنَا لَهُمْ قُرَنَآءَ
فَزَيَّنُوْا لَهُمْ مَّا بَيْنَ اَيْدِيْهِمْ وَمَا خَلْفَهُمْ وَ
حَقَّ عَلَيْهِمُ الْقَوْلُ فِيْٓ اُمَمٍ قَدْ خَلَتْ مِنْ قَبْلِهِمْ منزل ٦
٣٦ ع ١٧ مِّنَ الْجِنِّ وَالْاِنْسِ ۚ اِنَّهُمْ كَانُوْا خٰسِرِيْنَ ﴿٢٥﴾ ع
وَقَالَ الَّذِيْنَ كَفَرُوْا لَا تَسْمَعُوْا لِهٰذَا الْقُرْاٰنِ
وَالْغَوْا فِيْهِ لَعَلَّكُمْ تَغْلِبُوْنَ ﴿٢٦﴾ فَلَنُذِيْقَنَّ الَّذِيْنَ
كَفَرُوْا عَذَابًا شَدِيْدًا ۙ وَّلَنَجْزِيَنَّهُمْ اَسْوَاَ الَّذِيْ
كَانُوْا يَعْمَلُوْنَ ﴿٢٧﴾ ذٰلِكَ جَزَآءُ اَعْدَآءِ اللّٰهِ النَّارُ ۚ
لَهُمْ فِيْهَا دَارُ الْخُلْدِ ۗ جَزَآءًۢ بِمَا كَانُوْا بِاٰيٰتِنَا

يَجْحَدُوْنَ ﴿٢٨﴾ وَقَالَ الَّذِيْنَ كَفَرُوْا رَبَّنَآ اَرِنَا
الَّذَيْنِ اَضَلّٰنَا مِنَ الْجِنِّ وَالْاِنْسِ نَجْعَلْهُمَا تَحْتَ
اَقْدَامِنَا لِيَكُوْنَا مِنَ الْاَسْفَلِيْنَ ﴿٢٩﴾ اِنَّ الَّذِيْنَ
قَالُوْا رَبُّنَا اللّٰهُ ثُمَّ اسْتَقَامُوْا تَتَنَزَّلُ عَلَيْهِمُ
الْمَلٰٓئِكَةُ اَلَّا تَخَافُوْا وَلَا تَحْزَنُوْا وَاَبْشِرُوْا بِالْجَنَّةِ
الَّتِيْ كُنْتُمْ تُوْعَدُوْنَ ﴿٣٠﴾ نَحْنُ اَوْلِيٰٓؤُكُمْ فِي الْحَيٰوةِ
الدُّنْيَا وَفِي الْاٰخِرَةِ ج وَلَكُمْ فِيْهَا مَا تَشْتَهِيْٓ
اَنْفُسُكُمْ وَلَكُمْ فِيْهَا مَا تَدَّعُوْنَ ﴿٣١﴾ ط نُزُلًا مِّنْ غَفُوْرٍ
رَّحِيْمٍ ﴿٣٢﴾ ع وَمَنْ اَحْسَنُ قَوْلًا مِّمَّنْ دَعَآ اِلَى اللّٰهِ وَ ع ٧ ١٨
عَمِلَ صَالِحًا وَّقَالَ اِنَّنِيْ مِنَ الْمُسْلِمِيْنَ ﴿٣٣﴾ وَلَا تَسْتَوِي
الْحَسَنَةُ وَلَا السَّيِّئَةُ ط اِدْفَعْ بِالَّتِيْ هِيَ اَحْسَنُ
فَاِذَا الَّذِيْ بَيْنَكَ وَبَيْنَهٗ عَدَاوَةٌ كَاَنَّهٗ وَلِيٌّ
حَمِيْمٌ ﴿٣٤﴾ وَمَا يُلَقّٰىهَآ اِلَّا الَّذِيْنَ صَبَرُوْا ج وَمَا

منزل ٦

يُلَقّٰىهَآ اِلَّا ذُوْ حَظٍّ عَظِيْمٍ ﴿٣٥﴾ وَ اِمَّا يَنْزَغَنَّكَ مِنَ
الشَّيْطٰنِ نَزْغٌ فَاسْتَعِذْ بِاللّٰهِ ؕ اِنَّهٗ هُوَ السَّمِيْعُ
الْعَلِيْمُ ﴿٣٦﴾ وَمِنْ اٰيٰتِهِ الَّيْلُ وَالنَّهَارُ وَ الشَّمْسُ
وَالْقَمَرُ ؕ لَا تَسْجُدُوْا لِلشَّمْسِ وَلَا لِلْقَمَرِ وَاسْجُدُوْا
لِلّٰهِ الَّذِيْ خَلَقَهُنَّ اِنْ كُنْتُمْ اِيَّاهُ تَعْبُدُوْنَ ﴿٣٧﴾
فَاِنِ اسْتَكْبَرُوْا فَالَّذِيْنَ عِنْدَ رَبِّكَ يُسَبِّحُوْنَ
لَهٗ بِالَّيْلِ وَالنَّهَارِ وَهُمْ لَا يَسْئَمُوْنَ ﴿٣٨﴾ السَّجْدَة وَمِنْ اٰيٰتِهٖٓ
اَنَّكَ تَرَى الْاَرْضَ خَاشِعَةً فَاِذَآ اَنْزَلْنَا عَلَيْهَا
الْمَآءَ اهْتَزَّتْ وَرَبَتْ ؕ اِنَّ الَّذِيْٓ اَحْيَاهَا لَمُحْيِ
الْمَوْتٰى ؕ اِنَّهٗ عَلٰى كُلِّ شَيْءٍ قَدِيْرٌ ﴿٣٩﴾ اِنَّ الَّذِيْنَ
يُلْحِدُوْنَ فِيْٓ اٰيٰتِنَا لَا يَخْفَوْنَ عَلَيْنَا ؕ اَفَمَنْ
يُّلْقٰى فِي النَّارِ خَيْرٌ اَمْ مَّنْ يَّاْتِيْٓ اٰمِنًا يَّوْمَ الْقِيٰمَةِ ؕ
اِعْمَلُوْا مَا شِئْتُمْ ۙ اِنَّهٗ بِمَا تَعْمَلُوْنَ بَصِيْرٌ ﴿٤٠﴾ اِنَّ

السَّجْدَة (١١)

منزل ٦

الَّذِيْنَ كَفَرُوْا بِالذِّكْرِ لَمَّا جَآءَهُمْ ۚ وَاِنَّهٗ لَكِتٰبٌ
عَزِيْزٌ ۙ﴿٤١﴾ لَّا يَاْتِيْهِ الْبَاطِلُ مِنْۢ بَيْنِ يَدَيْهِ وَلَا
مِنْ خَلْفِهٖ ؕ تَنْزِيْلٌ مِّنْ حَكِيْمٍ حَمِيْدٍ ﴿٤٢﴾ مَا
يُقَالُ لَكَ اِلَّا مَا قَدْ قِيْلَ لِلرُّسُلِ مِنْ قَبْلِكَ ؕ اِنَّ
رَبَّكَ لَذُوْ مَغْفِرَةٍ وَّذُوْ عِقَابٍ اَلِيْمٍ ﴿٤٣﴾ وَلَوْ جَعَلْنٰهُ
قُرْاٰنًا اَعْجَمِيًّا لَّقَالُوْا لَوْلَا فُصِّلَتْ اٰيٰتُهٗ ؕ ءَاَعْجَمِيٌّ
وَّعَرَبِيٌّ ؕ قُلْ هُوَ لِلَّذِيْنَ اٰمَنُوْا هُدًى وَّشِفَآءٌ ؕ
وَالَّذِيْنَ لَا يُؤْمِنُوْنَ فِيْۤ اٰذَانِهِمْ وَقْرٌ وَّهُوَ عَلَيْهِمْ
عَمًى ؕ اُولٰٓئِكَ يُنَادَوْنَ مِنْ مَّكَانٍۢ بَعِيْدٍ ﴿٤٤﴾ ع
وَلَقَدْ اٰتَيْنَا مُوْسَى الْكِتٰبَ فَاخْتُلِفَ فِيْهِ ؕ وَلَوْلَا
كَلِمَةٌ سَبَقَتْ مِنْ رَّبِّكَ لَقُضِيَ بَيْنَهُمْ ؕ وَاِنَّهُمْ
لَفِيْ شَكٍّ مِّنْهُ مُرِيْبٍ ﴿٤٥﴾ مَنْ عَمِلَ صَالِحًا فَلِنَفْسِهٖ
وَمَنْ اَسَآءَ فَعَلَيْهَا ؕ وَمَا رَبُّكَ بِظَلَّامٍ لِّلْعَبِيْدِ ﴿٤٦﴾

قرأ حفص بتسهيل الهمزة الثانية ١٢

ع ٥ ٢ ١٩

Ikhfa إخفا | Ikhfa Meem Saakin إخفاميم ساكن | Qalqala قلقله | Qalb قلب | Idghaam إدغام | Idghaam Meem Saakin إدغام ميم ساكن | Ghunna غنّه

اِلَيۡهِ يُرَدُّ عِلۡمُ السَّاعَةِ ؕ وَمَا تَخۡرُجُ مِنۡ ثَمَرٰتٍ
مِّنۡ اَكۡمَامِهَا وَمَا تَحۡمِلُ مِنۡ اُنۡثٰى وَلَا تَضَعُ اِلَّا
بِعِلۡمِهٖ ؕ وَيَوۡمَ يُنَادِيۡهِمۡ اَيۡنَ شُرَكَآءِىۡ ۙ قَالُوۡۤا
اٰذَنّٰكَ ۙ مَا مِنَّا مِنۡ شَهِيۡدٍ ۚ ﴿٤٧﴾ وَضَلَّ عَنۡهُمۡ مَّا
كَانُوۡا يَدۡعُوۡنَ مِنۡ قَبۡلُ وَظَنُّوۡا مَا لَهُمۡ مِّنۡ
مَّحِيۡصٍ ﴿٤٨﴾ لَا يَسۡـَٔمُ الۡاِنۡسَانُ مِنۡ دُعَآءِ الۡخَيۡرِ ۫
وَاِنۡ مَّسَّهُ الشَّرُّ فَيَـُٔوۡسٌ قَنُوۡطٌ ﴿٤٩﴾ وَلَٮِٕنۡ اَذَقۡنٰهُ
رَحۡمَةً مِّنَّا مِنۡۢ بَعۡدِ ضَرَّآءَ مَسَّتۡهُ لَيَقُوۡلَنَّ هٰذَا
لِىۡ ۙ وَمَاۤ اَظُنُّ السَّاعَةَ قَآٮِٕمَةً ۙ وَّلَٮِٕنۡ رُّجِعۡتُ اِلٰى
رَبِّىۡۤ اِنَّ لِىۡ عِنۡدَهٗ لَلۡحُسۡنٰى ۚ فَلَنُنَبِّئَنَّ الَّذِيۡنَ كَفَرُوۡا
بِمَا عَمِلُوۡا ۫ وَلَنُذِيۡقَنَّهُمۡ مِّنۡ عَذَابٍ غَلِيۡظٍ ﴿٥٠﴾
وَاِذَاۤ اَنۡعَمۡنَا عَلَى الۡاِنۡسَانِ اَعۡرَضَ وَنَاٰ بِجَانِبِهٖ ۚ
وَاِذَا مَسَّهُ الشَّرُّ فَذُوۡ دُعَآءٍ عَرِيۡضٍ ﴿٥١﴾ قُلۡ

اَرَءَيۡتُمۡ اِنۡ كَانَ مِنۡ عِنۡدِ اللّٰهِ ثُمَّ كَفَرۡتُمۡ
بِهٖ مَنۡ اَضَلُّ مِمَّنۡ هُوَ فِىۡ شِقَاقٍۢ بَعِيۡدٍ ﴿۵۲﴾
سَنُرِيۡهِمۡ اٰيٰتِنَا فِى الۡاٰفَاقِ وَفِىۡۤ اَنۡفُسِهِمۡ حَتّٰى
يَتَبَيَّنَ لَهُمۡ اَنَّهُ الۡحَـقُّ ؕ اَوَلَمۡ يَكۡفِ بِرَبِّكَ اَنَّهٗ
عَلٰى كُلِّ شَىۡءٍ شَهِيۡدٌ ﴿۵۳﴾ اَلَاۤ اِنَّهُمۡ فِىۡ مِرۡيَةٍ
مِّنۡ لِّقَآءِ رَبِّهِمۡ ؕ اَلَاۤ اِنَّهٗ بِكُلِّ شَىۡءٍ مُّحِيۡطٌ ﴿۵۴﴾ ع ٦

ع ٦ ١٠

منزل ٦

اٰيَاتُهَا ۵۳ (۴۲) سُوۡرَةُ الشُّوۡرٰى مَكِّيَّةٌ (۶۲) رُكُوۡعَاتُهَا ۵

بِسۡمِ اللّٰهِ الرَّحۡمٰنِ الرَّحِيۡمِ

حٰمٓ ﴿۱﴾ عٓسٓقٓ ﴿۲﴾ كَذٰلِكَ يُوۡحِىۡۤ اِلَيۡكَ وَاِلَى
الَّذِيۡنَ مِنۡ قَبۡلِكَ ۙ اللّٰهُ الۡعَزِيۡزُ الۡحَكِيۡمُ ﴿۳﴾ لَهٗ
مَا فِى السَّمٰوٰتِ وَمَا فِى الۡاَرۡضِ ؕ وَهُوَ الۡعَلِىُّ
الۡعَظِيۡمُ ﴿۴﴾ تَكَادُ السَّمٰوٰتُ يَتَفَطَّرۡنَ مِنۡ
فَوۡقِهِنَّ وَالۡمَلٰٓئِكَةُ يُسَبِّحُوۡنَ بِحَمۡدِ رَبِّهِمۡ

Ikhfa إخفا | Ikhfa Meem Saakin إخفاميم ساكن | Qalqala قلقله | Qalb قلب | Idghaam إدغام | Idghaam Meem Saakin إدغام ميم ساكن | Ghunna غُنّه

وَيَسْتَغْفِرُوْنَ لِمَنْ فِى الْاَرْضِ ؕ اَلَآ اِنَّ اللّٰهَ
هُوَ الْغَفُوْرُ الرَّحِيْمُ ۝٥ وَالَّذِيْنَ اتَّخَذُوْا مِنْ
دُوْنِهٖۤ اَوْلِيَآءَ اللّٰهُ حَفِيْظٌ عَلَيْهِمْ ۖ وَمَآ اَنْتَ
عَلَيْهِمْ بِوَكِيْلٍ ۝٦ وَكَذٰلِكَ اَوْحَيْنَآ اِلَيْكَ
قُرْاٰنًا عَرَبِيًّا لِّتُنْذِرَ اُمَّ الْقُرٰى وَمَنْ حَوْلَهَا
وَتُنْذِرَ يَوْمَ الْجَمْعِ لَا رَيْبَ فِيْهِ ؕ فَرِيْقٌ فِى الْجَنَّةِ
وَفَرِيْقٌ فِى السَّعِيْرِ ۝٧ وَلَوْ شَآءَ اللّٰهُ لَجَعَلَهُمْ اُمَّةً منزل ٦
وَّاحِدَةً وَّلٰكِنْ يُّدْخِلُ مَنْ يَّشَآءُ فِىْ رَحْمَتِهٖ ؕ
وَالظّٰلِمُوْنَ مَا لَهُمْ مِّنْ وَّلِىٍّ وَّلَا نَصِيْرٍ ۝٨ اَمِ
اتَّخَذُوْا مِنْ دُوْنِهٖۤ اَوْلِيَآءَ ۚ فَاللّٰهُ هُوَ الْوَلِىُّ
وَهُوَ يُحْىِ الْمَوْتٰى ۫ وَهُوَ عَلٰى كُلِّ شَىْءٍ قَدِيْرٌ ۝٩ ع ١/٢
وَمَا اخْتَلَفْتُمْ فِيْهِ مِنْ شَىْءٍ فَحُكْمُهٗۤ اِلَى اللّٰهِ ؕ
ذٰلِكُمُ اللّٰهُ رَبِّىْ عَلَيْهِ تَوَكَّلْتُ ۖۗ وَاِلَيْهِ اُنِيْبُ ۝١٠

فَاطِرُ السَّمٰوٰتِ وَ الۡاَرۡضِ ؕ جَعَلَ لَكُمۡ مِّنۡ
اَنۡفُسِكُمۡ اَزۡوَاجًا وَّمِنَ الۡاَنۡعَامِ اَزۡوَاجًا ۚ
يَذۡرَؤُكُمۡ فِيۡهِ ؕ لَيۡسَ كَمِثۡلِهٖ شَىۡءٌ ۚ وَهُوَ السَّمِيۡعُ
الۡبَصِيۡرُ ﴿١١﴾ لَهٗ مَقَالِيۡدُ السَّمٰوٰتِ وَالۡاَرۡضِ ۚ يَبۡسُطُ
الرِّزۡقَ لِمَنۡ يَّشَآءُ وَيَقۡدِرُ ؕ اِنَّهٗ بِكُلِّ شَىۡءٍ
عَلِيۡمٌ ﴿١٢﴾ شَرَعَ لَكُمۡ مِّنَ الدِّيۡنِ مَا وَصّٰى بِهٖ
نُوۡحًا وَّالَّذِىۡۤ اَوۡحَيۡنَاۤ اِلَيۡكَ وَمَا وَصَّيۡنَا بِهٖۤ
اِبۡرٰهِيۡمَ وَمُوۡسٰى وَعِيۡسٰٓى اَنۡ اَقِيۡمُوا الدِّيۡنَ
وَلَا تَتَفَرَّقُوۡا فِيۡهِ ؕ كَبُرَ عَلَى الۡمُشۡرِكِيۡنَ مَا
تَدۡعُوۡهُمۡ اِلَيۡهِ ؕ اَللّٰهُ يَجۡتَبِىۡۤ اِلَيۡهِ مَنۡ يَّشَآءُ
وَيَهۡدِىۡۤ اِلَيۡهِ مَنۡ يُّنِيۡبُ ﴿١٣﴾ وَمَا تَفَرَّقُوۡۤا اِلَّا
مِنۡۢ بَعۡدِ مَا جَآءَهُمُ الۡعِلۡمُ بَغۡيًاۢ بَيۡنَهُمۡ ؕ وَلَوۡلَا
كَلِمَةٌ سَبَقَتۡ مِنۡ رَّبِّكَ اِلٰٓى اَجَلٍ مُّسَمًّى لَّقُضِىَ

منزل ٦

بَيۡنَهُمۡ ؕ وَاِنَّ الَّذِيۡنَ اُوۡرِثُوا الۡكِتٰبَ مِنۡۢ بَعۡدِهِمۡ
لَفِىۡ شَكٍّ مِّنۡهُ مُرِيۡبٍ ﴿۱۴﴾ فَلِذٰلِكَ فَادۡعُ ۚ
وَاسۡتَقِمۡ كَمَاۤ اُمِرۡتَ ۚ وَلَا تَتَّبِعۡ اَهۡوَآءَهُمۡ ۚ وَقُلۡ
اٰمَنۡتُ بِمَاۤ اَنۡزَلَ اللّٰهُ مِنۡ كِتٰبٍ ۚ وَ اُمِرۡتُ
لِاَعۡدِلَ بَيۡنَكُمۡ ؕ اَللّٰهُ رَبُّنَا وَرَبُّكُمۡ ؕ لَنَاۤ اَعۡمَالُنَا
وَلَكُمۡ اَعۡمَالُكُمۡ ؕ لَا حُجَّةَ بَيۡنَنَا وَبَيۡنَكُمۡ ؕ اَللّٰهُ
يَجۡمَعُ بَيۡنَنَا ۚ وَاِلَيۡهِ الۡمَصِيۡرُ ﴿۱۵﴾ وَالَّذِيۡنَ يُحَآجُّوۡنَ
فِى اللّٰهِ مِنۡۢ بَعۡدِ مَا اسۡتُجِيۡبَ لَهٗ حُجَّتُهُمۡ
دَاحِضَةٌ عِنۡدَ رَبِّهِمۡ وَعَلَيۡهِمۡ غَضَبٌ وَّلَهُمۡ عَذَابٌ
شَدِيۡدٌ ﴿۱۶﴾ اَللّٰهُ الَّذِىۡۤ اَنۡزَلَ الۡكِتٰبَ بِالۡحَـقِّ
وَالۡمِيۡزَانَ ؕ وَمَا يُدۡرِيۡكَ لَعَلَّ السَّاعَةَ
قَرِيۡبٌ ﴿۱۷﴾ يَسۡتَعۡجِلُ بِهَا الَّذِيۡنَ لَا يُؤۡمِنُوۡنَ بِهَا ۚ
وَالَّذِيۡنَ اٰمَنُوۡا مُشۡفِقُوۡنَ مِنۡهَا ۙ وَيَعۡلَمُوۡنَ اَنَّهَا

منزل ٦

الْحَقِّ ط اَلَا اِنَّ الَّذِيْنَ يُمَارُوْنَ فِى السَّاعَةِ
لَفِىْ ضَلٰلٍۢ بَعِيْدٍ ﴿١٨﴾ اَللّٰهُ لَطِيْفٌۢ بِعِبَادِهٖ يَرْزُقُ
مَنْ يَّشَآءُ ج وَهُوَ الْقَوِىُّ الْعَزِيْزُ ﴿١٩﴾ مَنْ كَانَ ع ٢ ١٠
يُرِيْدُ حَرْثَ الْاٰخِرَةِ نَزِدْ لَهٗ فِىْ حَرْثِهٖ ج وَمَنْ
كَانَ يُرِيْدُ حَرْثَ الدُّنْيَا نُؤْتِهٖ مِنْهَا ۙ وَمَا لَهٗ فِى
الْاٰخِرَةِ مِنْ نَّصِيْبٍ ﴿٢٠﴾ اَمْ لَهُمْ شُرَكٰٓؤُا شَرَعُوْا
منزل ٦ لَهُمْ مِّنَ الدِّيْنِ مَا لَمْ يَاْذَنْۢ بِهِ اللّٰهُ ط وَلَوْلَا كَلِمَةُ
الْفَصْلِ لَقُضِىَ بَيْنَهُمْ ط وَاِنَّ الظّٰلِمِيْنَ لَهُمْ
عَذَابٌ اَلِيْمٌ ﴿٢١﴾ تَرَى الظّٰلِمِيْنَ مُشْفِقِيْنَ مِمَّا
كَسَبُوْا وَهُوَ وَاقِعٌۢ بِهِمْ ط وَالَّذِيْنَ اٰمَنُوْا وَعَمِلُوا
الصّٰلِحٰتِ فِىْ رَوْضٰتِ الْجَنّٰتِ ج لَهُمْ مَّا يَشَآءُوْنَ
عِنْدَ رَبِّهِمْ ط ذٰلِكَ هُوَ الْفَضْلُ الْكَبِيْرُ ﴿٢٢﴾ ذٰلِكَ الَّذِىْ
يُبَشِّرُ اللّٰهُ عِبَادَهُ الَّذِيْنَ اٰمَنُوْا وَعَمِلُوا الصّٰلِحٰتِ ط

Ikhfa إخفا | Ikhfa Meem Saakin إخفاميم ساكن | Qalqala قلقله | Qalb قلب | Idghaam إدغام | Idghaam Meem Saakin إدغام ميم ساكن | Ghunna غُنّہ

قُلۡ لَّاۤ اَسۡـَٔلُكُمۡ عَلَيۡهِ اَجۡرًا اِلَّا الۡمَوَدَّةَ فِى الۡقُرۡبٰى ؕ
وَمَنۡ يَّقۡتَرِفۡ حَسَنَةً نَّزِدۡ لَهٗ فِيۡهَا حُسۡنًا ؕ اِنَّ اللّٰهَ
غَفُوۡرٌ شَكُوۡرٌ ﴿۲۳﴾ اَمۡ يَقُوۡلُوۡنَ افۡتَرٰى عَلَى اللّٰهِ كَذِبًا ۚ
فَاِنۡ يَّشَاِ اللّٰهُ يَخۡتِمۡ عَلٰى قَلۡبِكَ ؕ وَيَمۡحُ اللّٰهُ
الۡبَاطِلَ وَيُحِقُّ الۡحَقَّ بِكَلِمٰتِهٖ ؕ اِنَّهٗ عَلِيۡمٌ ۢ
بِذَاتِ الصُّدُوۡرِ ﴿۲۴﴾ وَهُوَ الَّذِىۡ يَقۡبَلُ التَّوۡبَةَ
عَنۡ عِبَادِهٖ وَيَعۡفُوۡا عَنِ السَّيِّاٰتِ وَيَعۡلَمُ مَا
تَفۡعَلُوۡنَ ﴿۲۵﴾ ۙ وَيَسۡتَجِيۡبُ الَّذِيۡنَ اٰمَنُوۡا وَعَمِلُوا
الصّٰلِحٰتِ وَيَزِيۡدُهُمۡ مِّنۡ فَضۡلِهٖ ؕ وَالۡكٰفِرُوۡنَ لَهُمۡ
عَذَابٌ شَدِيۡدٌ ﴿۲۶﴾ وَلَوۡ بَسَطَ اللّٰهُ الرِّزۡقَ لِعِبَادِهٖ
لَبَغَوۡا فِى الۡاَرۡضِ وَلٰكِنۡ يُّنَزِّلُ بِقَدَرٍ مَّا يَشَآءُ ؕ
اِنَّهٗ بِعِبَادِهٖ خَبِيۡرٌۢ بَصِيۡرٌ ﴿۲۷﴾ وَهُوَ الَّذِىۡ يُنَزِّلُ
الۡغَيۡثَ مِنۡۢ بَعۡدِ مَا قَنَطُوۡا وَيَنۡشُرُ رَحۡمَتَهٗ ؕ وَهُوَ

منزل ٦

الْوَلِيُّ الْحَمِيْدُ ﴿٢٨﴾ وَمِنْ اٰيٰتِهٖ خَلْقُ السَّمٰوٰتِ وَ
الْاَرْضِ وَمَا بَثَّ فِيْهِمَا مِنْ دَآبَّةٍ ؕ وَهُوَ عَلٰى
جَمْعِهِمْ اِذَا يَشَآءُ قَدِيْرٌ ﴿٢٩﴾ وَمَآ اَصَابَكُمْ مِّنْ ع ١٠
مُّصِيْبَةٍ فَبِمَا كَسَبَتْ اَيْدِيْكُمْ وَيَعْفُوْا عَنْ كَثِيْرٍ ﴿٣٠﴾ؕ
وَمَآ اَنْتُمْ بِمُعْجِزِيْنَ فِي الْاَرْضِ ۚۖ وَمَا لَكُمْ مِّنْ
دُوْنِ اللّٰهِ مِنْ وَّلِيٍّ وَّلَا نَصِيْرٍ ﴿٣١﴾ وَمِنْ اٰيٰتِهِ الْجَوَارِ
فِي الْبَحْرِ كَالْاَعْلَامِ ﴿٣٢﴾ؕ اِنْ يَّشَاْ يُسْكِنِ الرِّيْحَ فَيَظْلَلْنَ
رَوَاكِدَ عَلٰى ظَهْرِهٖ ؕ اِنَّ فِيْ ذٰلِكَ لَاٰيٰتٍ لِّكُلِّ صَبَّارٍ
شَكُوْرٍ ﴿٣٣﴾ۙ اَوْ يُوْبِقْهُنَّ بِمَا كَسَبُوْا وَيَعْفُ عَنْ
كَثِيْرٍ ﴿٣٤﴾ۙ وَّيَعْلَمَ الَّذِيْنَ يُجَادِلُوْنَ فِيْٓ اٰيٰتِنَا ؕ مَا
لَهُمْ مِّنْ مَّحِيْصٍ ﴿٣٥﴾ فَمَآ اُوْتِيْتُمْ مِّنْ شَيْءٍ فَمَتَاعُ
الْحَيٰوةِ الدُّنْيَا ۚ وَمَا عِنْدَ اللّٰهِ خَيْرٌ وَّاَبْقٰى لِلَّذِيْنَ
اٰمَنُوْا وَعَلٰى رَبِّهِمْ يَتَوَكَّلُوْنَ ﴿٣٦﴾ۚ وَالَّذِيْنَ يَجْتَنِبُوْنَ

منزل ٦

كَبٰٓئِرَ الۡاِثۡمِ وَالۡفَوَاحِشَ وَاِذَا مَا غَضِبُوۡا هُمۡ يَغۡفِرُوۡنَ ۚ﴿۳۷﴾
وَالَّذِيۡنَ اسۡتَجَابُوۡا لِرَبِّهِمۡ وَاَقَامُوا الصَّلٰوةَ ۖ وَاَمۡرُهُمۡ
شُوۡرٰى بَيۡنَهُمۡ ۖ وَمِمَّا رَزَقۡنٰهُمۡ يُنۡفِقُوۡنَ ۚ﴿۳۸﴾ وَالَّذِيۡنَ
اِذَاۤ اَصَابَهُمُ الۡبَغۡىُ هُمۡ يَنۡتَصِرُوۡنَ ﴿۳۹﴾ وَجَزٰٓؤُا سَيِّئَةٍ
سَيِّئَةٌ مِّثۡلُهَا ۚ فَمَنۡ عَفَا وَاَصۡلَحَ فَاَجۡرُهٗ عَلَى
اللّٰهِ ؕ اِنَّهٗ لَا يُحِبُّ الظّٰلِمِيۡنَ ﴿۴۰﴾ وَلَمَنِ انۡتَصَرَ بَعۡدَ
ظُلۡمِهٖ فَاُولٰۤئِكَ مَا عَلَيۡهِمۡ مِّنۡ سَبِيۡلٍ ؕ﴿۴۱﴾ اِنَّمَا السَّبِيۡلُ منزل ٦
عَلَى الَّذِيۡنَ يَظۡلِمُوۡنَ النَّاسَ وَيَبۡغُوۡنَ فِى الۡاَرۡضِ
بِغَيۡرِ الۡحَقِّ ؕ اُولٰۤئِكَ لَهُمۡ عَذَابٌ اَلِيۡمٌ ﴿۴۲﴾ وَلَمَنۡ صَبَرَ
ع ٤/٤ ٥ وَغَفَرَ اِنَّ ذٰلِكَ لَمِنۡ عَزۡمِ الۡاُمُوۡرِ ﴿۴۳﴾ ع وَمَنۡ يُّضۡلِلِ
اللّٰهُ فَمَا لَهٗ مِنۡ وَّلِىٍّ مِّنۡۢ بَعۡدِهٖ ؕ وَتَرَى الظّٰلِمِيۡنَ
لَمَّا رَاَوُا الۡعَذَابَ يَقُوۡلُوۡنَ هَلۡ اِلٰى مَرَدٍّ مِّنۡ
سَبِيۡلٍ ﴿۴۴﴾ ۚ وَتَرٰىهُمۡ يُعۡرَضُوۡنَ عَلَيۡهَا خٰشِعِيۡنَ مِنَ

الذُّلِّ يَنْظُرُوْنَ مِنْ طَرْفٍ خَفِيٍّ ط وَقَالَ الَّذِيْنَ

اٰمَنُوْٓا اِنَّ الْخٰسِرِيْنَ الَّذِيْنَ خَسِرُوْٓا اَنْفُسَهُمْ وَ

اَهْلِيْهِمْ يَوْمَ الْقِيٰمَةِ ط اَلَآ اِنَّ الظّٰلِمِيْنَ فِيْ

عَذَابٍ مُّقِيْمٍ ﴿٤٥﴾ وَمَا كَانَ لَهُمْ مِّنْ اَوْلِيَآءَ

يَنْصُرُوْنَهُمْ مِّنْ دُوْنِ اللّٰهِ ط وَمَنْ يُّضْلِلِ اللّٰهُ

فَمَا لَهٗ مِنْ سَبِيْلٍ ﴿٤٦﴾ ط اِسْتَجِيْبُوْا لِرَبِّكُمْ مِّنْ

قَبْلِ اَنْ يَّاْتِيَ يَوْمٌ لَّا مَرَدَّ لَهٗ مِنَ اللّٰهِ ط مَا لَكُمْ

مِّنْ مَّلْجَاٍ يَّوْمَئِذٍ وَّمَا لَكُمْ مِّنْ نَّكِيْرٍ ﴿٤٧﴾ فَاِنْ

اَعْرَضُوْا فَمَآ اَرْسَلْنٰكَ عَلَيْهِمْ حَفِيْظًا ط اِنْ عَلَيْكَ

اِلَّا الْبَلٰغُ ط وَاِنَّآ اِذَآ اَذَقْنَا الْاِنْسَانَ مِنَّا رَحْمَةً

فَرِحَ بِهَا ج وَاِنْ تُصِبْهُمْ سَيِّئَةٌ ۢ بِمَا قَدَّمَتْ اَيْدِيْهِمْ

فَاِنَّ الْاِنْسَانَ كَفُوْرٌ ﴿٤٨﴾ لِلّٰهِ مُلْكُ السَّمٰوٰتِ وَ

الْاَرْضِ ط يَخْلُقُ مَا يَشَآءُ ط يَهَبُ لِمَنْ يَّشَآءُ اِنَاثًا

منزل ٦

وَّيَهَبُ لِمَنۡ يَّشَآءُ الذُّكُوۡرَ ۙ﴿۴۹﴾ اَوۡ يُزَوِّجُهُمۡ ذُكۡرَانًا وَّ
اِنَاثًا ۚ وَيَجۡعَلُ مَنۡ يَّشَآءُ عَقِيۡمًا ؕ اِنَّهٗ عَلِيۡمٌ قَدِيۡرٌ ﴿۵۰﴾
وَمَا كَانَ لِبَشَرٍ اَنۡ يُّكَلِّمَهُ اللّٰهُ اِلَّا وَحۡيًا اَوۡ مِنۡ
وَّرَآىٴِ حِجَابٍ اَوۡ يُرۡسِلَ رَسُوۡلًا فَيُوۡحِىَ بِاِذۡنِهٖ
مَا يَشَآءُ ؕ اِنَّهٗ عَلِىٌّ حَكِيۡمٌ ﴿۵۱﴾ وَكَذٰلِكَ اَوۡحَيۡنَاۤ
اِلَيۡكَ رُوۡحًا مِّنۡ اَمۡرِنَا ؕ مَا كُنۡتَ تَدۡرِىۡ مَا الۡكِتٰبُ
وَلَا الۡاِيۡمَانُ وَلٰـكِنۡ جَعَلۡنٰهُ نُوۡرًا نَّهۡدِىۡ بِهٖ مَنۡ — منزل ٦
نَّشَآءُ مِنۡ عِبَادِنَا ؕ وَاِنَّكَ لَتَهۡدِىۡۤ اِلٰى صِرَاطٍ مُّسۡتَقِيۡمٍ ۙ﴿۵۲﴾
صِرَاطِ اللّٰهِ الَّذِىۡ لَهٗ مَا فِى السَّمٰوٰتِ وَمَا فِى
ع ۵ / ۱۰ الۡاَرۡضِ ؕ اَلَاۤ اِلَى اللّٰهِ تَصِيۡرُ الۡاُمُوۡرُ ﴿۵۳﴾ ع

اٰيَاتُهَا ۸۹ (۴۳) سُوۡرَةُ الزُّخۡرُفِ مَكِّيَّةٌ (۶۳) رُكُوۡعَاتُهَا ۷

بِسۡمِ اللّٰهِ الرَّحۡمٰنِ الرَّحِيۡمِ

معٓ ۱۱ عند المتقدمين ۱۲ حٰمٓ ۚ﴿۱﴾ وَالۡكِتٰبِ الۡمُبِيۡنِ ۛ﴿۲﴾ اِنَّا جَعَلۡنٰهُ قُرۡءٰنًا

Ikhfa إخفا | Ikhfa Meem Saakin إخفاميم ساكن | Qalqala قلقله | Qalb قلب | Idghaam إدغام | Idghaam Meem Saakin إدغام ميم ساكن | Ghunna غنّه

عَرَبِيًّا لَّعَلَّكُمْ تَعْقِلُوْنَ ۚ ﴿٣﴾ وَاِنَّهٗ فِيْۤ اُمِّ الْكِتٰبِ

لَدَيْنَا لَعَلِيٌّ حَكِيْمٌ ؕ ﴿٤﴾ اَفَنَضْرِبُ عَنْكُمُ الذِّكْرَ صَفْحًا

اَنْ كُنْتُمْ قَوْمًا مُّسْرِفِيْنَ ﴿٥﴾ وَكَمْ اَرْسَلْنَا مِنْ نَّبِيٍّ

فِي الْاَوَّلِيْنَ ﴿٦﴾ وَمَا يَاْتِيْهِمْ مِّنْ نَّبِيٍّ اِلَّا كَانُوْا بِهٖ

يَسْتَهْزِءُوْنَ ﴿٧﴾ فَاَهْلَكْنَاۤ اَشَدَّ مِنْهُمْ بَطْشًا وَّمَضٰى

مَثَلُ الْاَوَّلِيْنَ ﴿٨﴾ وَلَئِنْ سَاَلْتَهُمْ مَّنْ خَلَقَ السَّمٰوٰتِ

وَالْاَرْضَ لَيَقُوْلُنَّ خَلَقَهُنَّ الْعَزِيْزُ الْعَلِيْمُ ۙ ﴿٩﴾ الَّذِيْ

جَعَلَ لَكُمُ الْاَرْضَ مَهْدًا وَّجَعَلَ لَكُمْ فِيْهَا سُبُلًا

لَّعَلَّكُمْ تَهْتَدُوْنَ ۚ ﴿١٠﴾ وَالَّذِيْ نَزَّلَ مِنَ السَّمَآءِ مَآءًۢ

بِقَدَرٍ ۚ فَاَنْشَرْنَا بِهٖ بَلْدَةً مَّيْتًا ۚ كَذٰلِكَ تُخْرَجُوْنَ ﴿١١﴾

وَالَّذِيْ خَلَقَ الْاَزْوَاجَ كُلَّهَا وَجَعَلَ لَكُمْ مِّنَ

الْفُلْكِ وَالْاَنْعَامِ مَا تَرْكَبُوْنَ ۙ ﴿١٢﴾ لِتَسْتَوٗا عَلٰى ظُهُوْرِهٖ

ثُمَّ تَذْكُرُوْا نِعْمَةَ رَبِّكُمْ اِذَا اسْتَوَيْتُمْ عَلَيْهِ وَ

منزل ٦

Ikhfa اِخفا | Ikhfa Meem Saakin اِخفامیم ساکن | Qalqala قلقلہ | Qalb قلب | Idghaam اِدغام | Idghaam Meem Saakin اِدغام میم ساکن | Ghunna غُنّہ

تَقُوۡلُوۡا سُبۡحٰنَ الَّذِىۡ سَخَّرَ لَنَا هٰذَا وَمَا كُنَّا لَهٗ
مُقۡرِنِيۡنَ ۙ﴿۱۳﴾ وَاِنَّاۤ اِلٰى رَبِّنَا لَمُنۡقَلِبُوۡنَ ﴿۱۴﴾ وَجَعَلُوۡا لَهٗ
مِنۡ عِبَادِهٖ جُزۡءًا ؕ اِنَّ الۡاِنۡسَانَ لَكَفُوۡرٌ مُّبِيۡنٌ ؕ﴿۱۵﴾ ع ۱۵
اَمِ اتَّخَذَ مِمَّا يَخۡلُقُ بَنٰتٍ وَّاَصۡفٰكُمۡ بِالۡبَنِيۡنَ ﴿۱۶﴾
وَاِذَا بُشِّرَ اَحَدُهُمۡ بِمَا ضَرَبَ لِلرَّحۡمٰنِ مَثَلًا ظَلَّ
وَجۡهُهٗ مُسۡوَدًّا وَّهُوَ كَظِيۡمٌ ﴿۱۷﴾ اَوَمَنۡ يُّنَشَّؤُا فِى
الۡحِلۡيَةِ وَهُوَ فِى الۡخِصَامِ غَيۡرُ مُبِيۡنٍ ﴿۱۸﴾ وَجَعَلُوا منزل ٦
الۡمَلٰۤئِكَةَ الَّذِيۡنَ هُمۡ عِبٰدُ الرَّحۡمٰنِ اِنَاثًا ؕ اَشَهِدُوۡا
خَلۡقَهُمۡ ؕ سَتُكۡتَبُ شَهَادَتُهُمۡ وَيُسۡـَٔلُوۡنَ ﴿۱۹﴾ وَقَالُوۡا
لَوۡ شَآءَ الرَّحۡمٰنُ مَا عَبَدۡنٰهُمۡ ؕ مَا لَهُمۡ بِذٰلِكَ مِنۡ عِلۡمٍ
اِنۡ هُمۡ اِلَّا يَخۡرُصُوۡنَ ﴿۲۰﴾ اَمۡ اٰتَيۡنٰهُمۡ كِتٰبًا مِّنۡ قَبۡلِهٖ
فَهُمۡ بِهٖ مُسۡتَمۡسِكُوۡنَ ﴿۲۱﴾ بَلۡ قَالُوۡۤا اِنَّا وَجَدۡنَاۤ اٰبَآءَنَا
عَلٰٓى اُمَّةٍ وَّاِنَّا عَلٰٓى اٰثٰرِهِمۡ مُّهۡتَدُوۡنَ ﴿۲۲﴾ وَكَذٰلِكَ مَاۤ

اَرْسَلْنَا مِنْ قَبْلِكَ فِىْ قَرْيَةٍ مِّنْ نَّذِيْرٍ اِلَّا قَالَ

مُتْرَفُوْهَا ۙ اِنَّا وَجَدْنَا اٰبَآءَنَا عَلٰٓى اُمَّةٍ وَّاِنَّا عَلٰٓى

اٰثٰرِهِمْ مُّقْتَدُوْنَ ﴿٢٣﴾ قٰلَ اَوَلَوْ جِئْتُكُمْ بِاَهْدٰى مِمَّا

وَجَدْتُّمْ عَلَيْهِ اٰبَآءَكُمْ ؕ قَالُوْٓا اِنَّا بِمَآ اُرْسِلْتُمْ بِهٖ

كٰفِرُوْنَ ﴿٢٤﴾ فَانْتَقَمْنَا مِنْهُمْ فَانْظُرْ كَيْفَ كَانَ

عَاقِبَةُ الْمُكَذِّبِيْنَ ﴿٢٥﴾ ع وَاِذْ قَالَ اِبْرٰهِيْمُ لِاَبِيْهِ الربع ع ٣ ١٠ ٨

وَقَوْمِهٖٓ اِنَّنِىْ بَرَآءٌ مِّمَّا تَعْبُدُوْنَ ﴿٢٦﴾ لا اِلَّا الَّذِىْ فَطَرَنِىْ منزل ٦

فَاِنَّهٗ سَيَهْدِيْنِ ﴿٢٧﴾ وَجَعَلَهَا كَلِمَةًۢ بَاقِيَةً فِىْ

عَقِبِهٖ لَعَلَّهُمْ يَرْجِعُوْنَ ﴿٢٨﴾ بَلْ مَتَّعْتُ هٰٓؤُلَآءِ وَ

اٰبَآءَهُمْ حَتّٰى جَآءَهُمُ الْحَقُّ وَرَسُوْلٌ مُّبِيْنٌ ﴿٢٩﴾ وَلَمَّا

جَآءَهُمُ الْحَقُّ قَالُوْا هٰذَا سِحْرٌ وَّاِنَّا بِهٖ كٰفِرُوْنَ ﴿٣٠﴾

وَقَالُوْا لَوْلَا نُزِّلَ هٰذَا الْقُرْاٰنُ عَلٰى رَجُلٍ مِّنَ

الْقَرْيَتَيْنِ عَظِيْمٍ ﴿٣١﴾ اَهُمْ يَقْسِمُوْنَ رَحْمَتَ رَبِّكَ ؕ

نَحْنُ قَسَمْنَا بَيْنَهُمْ مَّعِيْشَتَهُمْ فِي الْحَيٰوةِ الدُّنْيَا وَ
رَفَعْنَا بَعْضَهُمْ فَوْقَ بَعْضٍ دَرَجٰتٍ لِّيَتَّخِذَ بَعْضُهُمْ
بَعْضًا سُخْرِيًّا ؕ وَرَحْمَتُ رَبِّكَ خَيْرٌ مِّمَّا يَجْمَعُوْنَ ﴿٣٢﴾ وَلَوْلَاۤ
اَنْ يَّكُوْنَ النَّاسُ اُمَّةً وَّاحِدَةً لَّجَعَلْنَا لِمَنْ يَّكْفُرُ
بِالرَّحْمٰنِ لِبُيُوْتِهِمْ سُقُفًا مِّنْ فِضَّةٍ وَّمَعَارِجَ عَلَيْهَا
يَظْهَرُوْنَ ﴿٣٣﴾ ۙ وَلِبُيُوْتِهِمْ اَبْوَابًا وَّسُرُرًا عَلَيْهَا
يَتَّكِـُٔوْنَ ﴿٣٤﴾ ۙ وَزُخْرُفًا ؕ وَاِنْ كُلُّ ذٰلِكَ لَمَّا مَتَاعُ
الْحَيٰوةِ الدُّنْيَا ؕ وَالْاٰخِرَةُ عِنْدَ رَبِّكَ لِلْمُتَّقِيْنَ ﴿٣٥﴾ ع وَمَنْ
يَّعْشُ عَنْ ذِكْرِ الرَّحْمٰنِ نُقَيِّضْ لَهٗ شَيْطٰنًا فَهُوَ لَهٗ
قَرِيْنٌ ﴿٣٦﴾ وَاِنَّهُمْ لَيَصُدُّوْنَهُمْ عَنِ السَّبِيْلِ وَيَحْسَبُوْنَ
اَنَّهُمْ مُّهْتَدُوْنَ ﴿٣٧﴾ حَتّٰۤى اِذَا جَآءَنَا قَالَ يٰلَيْتَ بَيْنِيْ
وَبَيْنَكَ بُعْدَ الْمَشْرِقَيْنِ فَبِئْسَ الْقَرِيْنُ ﴿٣٨﴾ وَلَنْ
يَّنْفَعَكُمُ الْيَوْمَ اِذْ ظَّلَمْتُمْ اَنَّكُمْ فِي الْعَذَابِ

منزل ٦

٣ ع ١٠ ٩

مُشْتَرِكُوْنَ ﴿٣٩﴾ اَفَاَنْتَ تُسْمِعُ الصُّمَّ اَوْ تَهْدِي الْعُمْيَ
وَمَنْ كَانَ فِيْ ضَلٰلٍ مُّبِيْنٍ ﴿٤٠﴾ فَاِمَّا نَذْهَبَنَّ بِكَ
فَاِنَّا مِنْهُمْ مُّنْتَقِمُوْنَ ﴿٤١﴾ لا اَوْ نُرِيَنَّكَ الَّذِيْ وَعَدْنٰهُمْ
فَاِنَّا عَلَيْهِمْ مُّقْتَدِرُوْنَ ﴿٤٢﴾ فَاسْتَمْسِكْ بِالَّذِيْٓ اُوْحِيَ
اِلَيْكَ ج اِنَّكَ عَلٰى صِرَاطٍ مُّسْتَقِيْمٍ ﴿٤٣﴾ وَاِنَّهٗ لَذِكْرٌ لَّكَ
وَلِقَوْمِكَ ج وَسَوْفَ تُسْـَٔلُوْنَ ﴿٤٤﴾ وَسْـَٔلْ مَنْ اَرْسَلْنَا
مِنْ قَبْلِكَ مِنْ رُّسُلِنَآ اَجَعَلْنَا مِنْ دُوْنِ الرَّحْمٰنِ
اٰلِهَةً يُّعْبَدُوْنَ ﴿٤٥﴾ ع وَلَقَدْ اَرْسَلْنَا مُوْسٰى بِاٰيٰتِنَآ اِلٰى ع
فِرْعَوْنَ وَمَلَا۟ئِهٖ فَقَالَ اِنِّيْ رَسُوْلُ رَبِّ الْعٰلَمِيْنَ ﴿٤٦﴾
فَلَمَّا جَآءَهُمْ بِاٰيٰتِنَآ اِذَا هُمْ مِّنْهَا يَضْحَكُوْنَ ﴿٤٧﴾ وَمَا نُرِيْهِمْ
مِّنْ اٰيَةٍ اِلَّا هِيَ اَكْبَرُ مِنْ اُخْتِهَا ز وَاَخَذْنٰهُمْ بِالْعَذَابِ
لَعَلَّهُمْ يَرْجِعُوْنَ ﴿٤٨﴾ وَقَالُوْا يٰٓاَيُّهَ السّٰحِرُ ادْعُ لَنَا رَبَّكَ
بِمَا عَهِدَ عِنْدَكَ ج اِنَّنَا لَمُهْتَدُوْنَ ﴿٤٩﴾ فَلَمَّا كَشَفْنَا

منزل ٦

عَنْهُمُ الْعَذَابَ اِذَا هُمْ يَنْكُثُوْنَ ﴿٥٠﴾ وَنَادٰى فِرْعَوْنُ
فِیْ قَوْمِهٖ قَالَ یٰقَوْمِ اَلَیْسَ لِیْ مُلْكُ مِصْرَ وَ هٰذِهِ
الْاَنْهٰرُ تَجْرِیْ مِنْ تَحْتِیْ ۚ اَفَلَا تُبْصِرُوْنَ ﴿٥١﴾ؕ اَمْ اَنَا
خَیْرٌ مِّنْ هٰذَا الَّذِیْ هُوَ مَهِیْنٌ ۙ۵ وَّلَا یَكَادُ یُبِیْنُ ﴿٥٢﴾
فَلَوْلَاۤ اُلْقِیَ عَلَیْهِ اَسْوِرَةٌ مِّنْ ذَهَبٍ اَوْ جَآءَ مَعَهُ
الْمَلٰٓئِكَةُ مُقْتَرِنِیْنَ ﴿٥٣﴾ فَاسْتَخَفَّ قَوْمَهٗ فَاَطَاعُوْهُ ؕ
اِنَّهُمْ كَانُوْا قَوْمًا فٰسِقِیْنَ ﴿٥٤﴾ فَلَمَّاۤ اٰسَفُوْنَا انْتَقَمْنَا منزل ٦
مِنْهُمْ فَاَغْرَقْنٰهُمْ اَجْمَعِیْنَ ﴿٥٥﴾ۙ فَجَعَلْنٰهُمْ سَلَفًا وَّ مَثَلًا
ع ٥ ١١ لِّلْاٰخِرِیْنَ ﴿٥٦﴾ع وَلَمَّا ضُرِبَ ابْنُ مَرْیَمَ مَثَلًا اِذَا قَوْمُكَ
مِنْهُ یَصِدُّوْنَ ﴿٥٧﴾ وَقَالُوْۤا ءَاٰلِهَتُنَا خَیْرٌ اَمْ هُوَ ؕ مَا
ضَرَبُوْهُ لَكَ اِلَّا جَدَلًا ؕ بَلْ هُمْ قَوْمٌ خَصِمُوْنَ ﴿٥٨﴾
اِنْ هُوَ اِلَّا عَبْدٌ اَنْعَمْنَا عَلَیْهِ وَجَعَلْنٰهُ مَثَلًا لِّبَنِیْۤ
اِسْرَآءِیْلَ ﴿٥٩﴾ؕ وَلَوْ نَشَآءُ لَجَعَلْنَا مِنْكُمْ مَّلٰٓئِكَةً فِی

Ikhfa اِخفا | Ikhfa Meem Saakin اِخفامیم ساکن | Qalqala قلقلہ | Qalb قلب | Idghaam اِدغام | Idghaam Meem Saakin اِدغام میم ساکن | Ghunna غُنّہ

الْاَرْضِ يَخْلُفُوْنَ ۝٦٠ وَاِنَّهٗ لَعِلْمٌ لِّلسَّاعَةِ فَلَا تَمْتَرُنَّ
بِهَا وَاتَّبِعُوْنِ ؕ هٰذَا صِرَاطٌ مُّسْتَقِيْمٌ ۝٦١ وَلَا يَصُدَّنَّكُمُ
الشَّيْطٰنُ ۚ اِنَّهٗ لَكُمْ عَدُوٌّ مُّبِيْنٌ ۝٦٢ وَلَمَّا جَآءَ عِيْسٰى
بِالْبَيِّنٰتِ قَالَ قَدْ جِئْتُكُمْ بِالْحِكْمَةِ وَلِاُبَيِّنَ لَكُمْ
بَعْضَ الَّذِيْ تَخْتَلِفُوْنَ فِيْهِ ۚ فَاتَّقُوا اللّٰهَ وَاَطِيْعُوْنِ ۝٦٣
اِنَّ اللّٰهَ هُوَ رَبِّيْ وَرَبُّكُمْ فَاعْبُدُوْهُ ؕ هٰذَا صِرَاطٌ
مُّسْتَقِيْمٌ ۝٦٤ فَاخْتَلَفَ الْاَحْزَابُ مِنْۢ بَيْنِهِمْ ۚ منزل ٦
فَوَيْلٌ لِّلَّذِيْنَ ظَلَمُوْا مِنْ عَذَابِ يَوْمٍ اَلِيْمٍ ۝٦٥ هَلْ
يَنْظُرُوْنَ اِلَّا السَّاعَةَ اَنْ تَاْتِيَهُمْ بَغْتَةً وَّهُمْ لَا
يَشْعُرُوْنَ ۝٦٦ اَلْاَخِلَّآءُ يَوْمَئِذٍۭ بَعْضُهُمْ لِبَعْضٍ عَدُوٌّ
ع ٦ ١١ ١٢ اِلَّا الْمُتَّقِيْنَ ۝٦٧ ؑ يٰعِبَادِ لَا خَوْفٌ عَلَيْكُمُ الْيَوْمَ وَلَآ اَنْتُمْ
تَحْزَنُوْنَ ۝٦٨ ۚ اَلَّذِيْنَ اٰمَنُوْا بِاٰيٰتِنَا وَكَانُوْا مُسْلِمِيْنَ ۝٦٩ ۚ
اُدْخُلُوا الْجَنَّةَ اَنْتُمْ وَاَزْوَاجُكُمْ تُحْبَرُوْنَ ۝٧٠ يُطَافُ

Ikhfa اِخفا | Ikhfa Meem Saakin اِخفامیم ساکن | Qalqala قلقله | Qalb قلب | Idghaam اِدغام | Idghaam Meem Saakin اِدغام میم ساکن | Ghunna غُنّہ

عَلَيْهِمْ بِصِحَافٍ مِّنْ ذَهَبٍ وَّاَكْوَابٍ ۚ وَفِيْهَا
مَا تَشْتَهِيْهِ الْاَنْفُسُ وَتَلَذُّ الْاَعْيُنُ ۚ وَاَنْتُمْ فِيْهَا
خٰلِدُوْنَ ۚ ﴿٧١﴾ وَتِلْكَ الْجَنَّةُ الَّتِيْٓ اُوْرِثْتُمُوْهَا بِمَا كُنْتُمْ
تَعْمَلُوْنَ ﴿٧٢﴾ لَكُمْ فِيْهَا فَاكِهَةٌ كَثِيْرَةٌ مِّنْهَا تَاْكُلُوْنَ ﴿٧٣﴾
اِنَّ الْمُجْرِمِيْنَ فِيْ عَذَابِ جَهَنَّمَ خٰلِدُوْنَ ﴿٧٤﴾ ۚۖ لَا
يُفَتَّرُ عَنْهُمْ وَهُمْ فِيْهِ مُبْلِسُوْنَ ۚ ﴿٧٥﴾ وَمَا ظَلَمْنٰهُمْ
وَلٰكِنْ كَانُوْا هُمُ الظّٰلِمِيْنَ ﴿٧٦﴾ وَنَادَوْا يٰمٰلِكُ لِيَقْضِ
عَلَيْنَا رَبُّكَ ۭ قَالَ اِنَّكُمْ مّٰكِثُوْنَ ﴿٧٧﴾ لَقَدْ جِئْنٰكُمْ
بِالْحَقِّ وَلٰكِنَّ اَكْثَرَكُمْ لِلْحَقِّ كٰرِهُوْنَ ﴿٧٨﴾ اَمْ اَبْرَمُوْٓا
اَمْرًا فَاِنَّا مُبْرِمُوْنَ ۚ ﴿٧٩﴾ اَمْ يَحْسَبُوْنَ اَنَّا لَا نَسْمَعُ سِرَّهُمْ
وَنَجْوٰىهُمْ ۭ بَلٰى وَرُسُلُنَا لَدَيْهِمْ يَكْتُبُوْنَ ﴿٨٠﴾ قُلْ اِنْ
كَانَ لِلرَّحْمٰنِ وَلَدٌ ۖۗ فَاَنَا اَوَّلُ الْعٰبِدِيْنَ ﴿٨١﴾ سُبْحٰنَ
رَبِّ السَّمٰوٰتِ وَالْاَرْضِ رَبِّ الْعَرْشِ عَمَّا يَصِفُوْنَ ﴿٨٢﴾

منزل ٦

Ikhfa اِخفا | Ikhfa Meem Saakin اِخفامیم ساکن | Qalqala قلقلہ | Qalb قلب | Idghaam اِدغام | Idghaam Meem Saakin اِدغام میم ساکن | Ghunna غُنّہ

فَذَرۡهُمۡ يَخُوۡضُوۡا وَ يَلۡعَبُوۡا حَتّٰى يُلٰقُوۡا يَوۡمَهُمُ
الَّذِىۡ يُوۡعَدُوۡنَ ﴿۸۳﴾ وَهُوَ الَّذِىۡ فِى السَّمَآءِ اِلٰهٌ
وَّفِى الۡاَرۡضِ اِلٰهٌ ؕ وَهُوَ الۡحَكِيۡمُ الۡعَلِيۡمُ ﴿۸۴﴾ وَ تَبٰرَكَ
الَّذِىۡ لَهٗ مُلۡكُ السَّمٰوٰتِ وَالۡاَرۡضِ وَمَا بَيۡنَهُمَا ۚ
وَعِنۡدَهٗ عِلۡمُ السَّاعَةِ ۚ وَاِلَيۡهِ تُرۡجَعُوۡنَ ﴿۸۵﴾ وَلَا
يَمۡلِكُ الَّذِيۡنَ يَدۡعُوۡنَ مِنۡ دُوۡنِهِ الشَّفَاعَةَ اِلَّا
مَنۡ شَهِدَ بِالۡحَقِّ وَهُمۡ يَعۡلَمُوۡنَ ﴿۸۶﴾ وَلَئِنۡ سَاَلۡتَهُمۡ
مَّنۡ خَلَقَهُمۡ لَيَقُوۡلُنَّ اللّٰهُ فَاَنّٰى يُؤۡفَكُوۡنَ ﴿۸۷﴾ ۙ وَقِيۡلِهٖ
يٰرَبِّ اِنَّ هٰٓؤُلَآءِ قَوۡمٌ لَّا يُؤۡمِنُوۡنَ ﴿۸۸﴾ ۘ فَاصۡفَحۡ عَنۡهُمۡ
وَقُلۡ سَلٰمٌ ؕ فَسَوۡفَ يَعۡلَمُوۡنَ ﴿۸۹﴾ ع

وقف لازم ع ۲۲ ۱۳

سُوۡرَةُ الدُّخَانِ مَكِّيَّةٌ (۶۴) (۴۴)

اٰيَاتُهَا ۵۹ رُكُوۡعَاتُهَا ۳

بِسۡمِ اللّٰهِ الرَّحۡمٰنِ الرَّحِيۡمِ

حٰمٓ ۚ ﴿۱﴾ وَالۡكِتٰبِ الۡمُبِيۡنِ ﴿۲﴾ ۛ اِنَّاۤ اَنۡزَلۡنٰهُ فِىۡ لَيۡلَةٍ

مع ۱۲ عند المتقدمين ۱۲

منزل ٦

مُّبٰرَكَةٍ اِنَّا كُنَّا مُنۡذِرِيۡنَ ﴿٣﴾ فِيۡهَا يُفۡرَقُ
كُلُّ اَمۡرٍ حَكِيۡمٍ ﴿٤﴾ ۙ اَمۡرًا مِّنۡ عِنۡدِنَا ؕ اِنَّا كُنَّا
مُرۡسِلِيۡنَ ﴿٥﴾ ۚ رَحۡمَةً مِّنۡ رَّبِّكَ ؕ اِنَّهٗ هُوَ السَّمِيۡعُ
الۡعَلِيۡمُ ﴿٦﴾ ۙ رَبِّ السَّمٰوٰتِ وَالۡاَرۡضِ وَمَا بَيۡنَهُمَا ۘ — وقف لازم
اِنۡ كُنۡتُمۡ مُّوۡقِنِيۡنَ ﴿٧﴾ لَاۤ اِلٰهَ اِلَّا هُوَ يُحۡىٖ وَيُمِيۡتُ ؕ
رَبُّكُمۡ وَرَبُّ اٰبَآٮِٕكُمُ الۡاَوَّلِيۡنَ ﴿٨﴾ بَلۡ هُمۡ
فِىۡ شَكٍّ يَّلۡعَبُوۡنَ ﴿٩﴾ فَارۡتَقِبۡ يَوۡمَ تَاۡتِى السَّمَآءُ — منزل ٦
بِدُخَانٍ مُّبِيۡنٍ ﴿١٠﴾ ۙ يَّغۡشَى النَّاسَ ؕ هٰذَا عَذَابٌ
اَلِيۡمٌ ﴿١١﴾ رَبَّنَا اكۡشِفۡ عَنَّا الۡعَذَابَ اِنَّا مُؤۡمِنُوۡنَ ﴿١٢﴾
اَنّٰى لَهُمُ الذِّكۡرٰى وَقَدۡ جَآءَهُمۡ رَسُوۡلٌ مُّبِيۡنٌ ﴿١٣﴾ ۙ
ثُمَّ تَوَلَّوۡا عَنۡهُ وَقَالُوۡا مُعَلَّمٌ مَّجۡنُوۡنٌ ﴿١٤﴾ ۘ اِنَّا — وقف لازم وقف لازم
كَاشِفُوا الۡعَذَابِ قَلِيۡلًا اِنَّكُمۡ عَآٮِٕدُوۡنَ ﴿١٥﴾ ۘ
يَوۡمَ نَبۡطِشُ الۡبَطۡشَةَ الۡكُبۡرٰى ۚ اِنَّا مُنۡتَقِمُوۡنَ ﴿١٦﴾

وَلَقَدْ فَتَنَّا قَبْلَهُمْ قَوْمَ فِرْعَوْنَ وَجَآءَهُمْ رَسُوْلٌ
كَرِيْمٌ ﴿١٧﴾ لا اَنْ اَدُّوْٓا اِلَيَّ عِبَادَ اللّٰهِ ط اِنِّيْ لَكُمْ
رَسُوْلٌ اَمِيْنٌ ﴿١٨﴾ لا وَّاَنْ لَّا تَعْلُوْا عَلَى اللّٰهِ ج اِنِّيْٓ
اٰتِيْكُمْ بِسُلْطٰنٍ مُّبِيْنٍ ﴿١٩﴾ ج وَاِنِّيْ عُذْتُ بِرَبِّيْ
وَرَبِّكُمْ اَنْ تَرْجُمُوْنِ ﴿٢٠﴾ ز وَاِنْ لَّمْ تُؤْمِنُوْا لِيْ
فَاعْتَزِلُوْنِ ﴿٢١﴾ فَدَعَا رَبَّهٗٓ اَنَّ هٰٓؤُلَآءِ قَوْمٌ
منزل ٦ مُّجْرِمُوْنَ ﴿٢٢﴾ الثلثة فَاَسْرِ بِعِبَادِيْ لَيْلًا اِنَّكُمْ مُّتَّبَعُوْنَ ﴿٢٣﴾ لا الثلثة
وَاتْرُكِ الْبَحْرَ رَهْوًا ط اِنَّهُمْ جُنْدٌ مُّغْرَقُوْنَ ﴿٢٤﴾
كَمْ تَرَكُوْا مِنْ جَنّٰتٍ وَّعُيُوْنٍ ﴿٢٥﴾ لا وَّزُرُوْعٍ وَّ
مَقَامٍ كَرِيْمٍ ﴿٢٦﴾ لا وَّنَعْمَةٍ كَانُوْا فِيْهَا فٰكِهِيْنَ ﴿٢٧﴾ لا
كَذٰلِكَ قف وَاَوْرَثْنٰهَا قَوْمًا اٰخَرِيْنَ ﴿٢٨﴾ فَمَا
بَكَتْ عَلَيْهِمُ السَّمَآءُ وَالْاَرْضُ وَمَا كَانُوْا
مُنْظَرِيْنَ ﴿٢٩﴾ ع وَلَقَدْ نَجَّيْنَا بَنِيْٓ اِسْرَآءِيْلَ مِنَ ع ٢٩ ١٤

الْعَذَابِ الْمُهِيْنِ ﴿٣٠﴾ مِنْ فِرْعَوْنَ ؕ اِنَّهٗ كَانَ
عَالِيًا مِّنَ الْمُسْرِفِيْنَ ﴿٣١﴾ وَلَقَدِ اخْتَرْنٰهُمْ عَلٰى
عِلْمٍ عَلَى الْعٰلَمِيْنَ ﴿٣٢﴾ وَاٰتَيْنٰهُمْ مِّنَ الْاٰيٰتِ مَا
فِيْهِ بَلٰٓؤٌا مُّبِيْنٌ ﴿٣٣﴾ اِنَّ هٰٓؤُلَآءِ لَيَقُوْلُوْنَ ﴿٣٤﴾
اِنْ هِيَ اِلَّا مَوْتَتُنَا الْاُوْلٰى وَمَا نَحْنُ بِمُنْشَرِيْنَ ﴿٣٥﴾
فَاْتُوْا بِاٰبَآئِنَآ اِنْ كُنْتُمْ صٰدِقِيْنَ ﴿٣٦﴾
اَهُمْ خَيْرٌ اَمْ قَوْمُ تُبَّعٍ ۙ وَّالَّذِيْنَ مِنْ قَبْلِهِمْ ؕ
اَهْلَكْنٰهُمْ ۫ اِنَّهُمْ كَانُوْا مُجْرِمِيْنَ ﴿٣٧﴾ وَمَا
خَلَقْنَا السَّمٰوٰتِ وَالْاَرْضَ وَمَا بَيْنَهُمَا لٰعِبِيْنَ ﴿٣٨﴾
مَا خَلَقْنٰهُمَآ اِلَّا بِالْحَقِّ وَلٰكِنَّ اَكْثَرَهُمْ لَا
يَعْلَمُوْنَ ﴿٣٩﴾ اِنَّ يَوْمَ الْفَصْلِ مِيْقَاتُهُمْ اَجْمَعِيْنَ ﴿٤٠﴾
يَوْمَ لَا يُغْنِيْ مَوْلًى عَنْ مَّوْلًى شَيْـًٔا وَّلَا هُمْ
يُنْصَرُوْنَ ﴿٤١﴾ اِلَّا مَنْ رَّحِمَ اللّٰهُ ؕ اِنَّهٗ هُوَ

منزل ٦

Ikhfa اِخفا | Ikhfa Meem Saakin اِخفامیم ساکن | Qalqala قلقلہ | Qalb قلب | Idghaam اِدغام | Idghaam Meem Saakin اِدغام میم ساکن | Ghunna غُنّہ

الۡعَزِيۡزُ الرَّحِيۡمُ ﴿٤٢﴾ اِنَّ شَجَرَتَ الزَّقُّوۡمِ ﴿٤٣﴾ طَعَامُ
الۡاَثِيۡمِ ﴿٤٤﴾ كَالۡمُهۡلِ ۚ يَغۡلِىۡ فِى الۡبُطُوۡنِ ﴿٤٥﴾ كَغَلۡىِ
الۡحَمِيۡمِ ﴿٤٦﴾ خُذُوۡهُ فَاعۡتِلُوۡهُ اِلٰى سَوَآءِ الۡجَحِيۡمِ ﴿٤٧﴾
ثُمَّ صُبُّوۡا فَوۡقَ رَاۡسِهٖ مِنۡ عَذَابِ الۡحَمِيۡمِ ﴿٤٨﴾
ذُقۡ ۚ اِنَّكَ اَنۡتَ الۡعَزِيۡزُ الۡكَرِيۡمُ ﴿٤٩﴾ اِنَّ
هٰذَا مَا كُنۡتُمۡ بِهٖ تَمۡتَرُوۡنَ ﴿٥٠﴾ اِنَّ الۡمُتَّقِيۡنَ
فِىۡ مَقَامٍ اَمِيۡنٍ ﴿٥١﴾ فِىۡ جَنّٰتٍ وَّعُيُوۡنٍ ﴿٥٢﴾
يَّلۡبَسُوۡنَ مِنۡ سُنۡدُسٍ وَّاِسۡتَبۡرَقٍ مُّتَقٰبِلِيۡنَ ﴿٥٣﴾
كَذٰلِكَ وَزَوَّجۡنٰهُمۡ بِحُوۡرٍ عِيۡنٍ ﴿٥٤﴾ يَدۡعُوۡنَ
فِيۡهَا بِكُلِّ فَاكِهَةٍ اٰمِنِيۡنَ ﴿٥٥﴾ لَا يَذُوۡقُوۡنَ
فِيۡهَا الۡمَوۡتَ اِلَّا الۡمَوۡتَةَ الۡاُوۡلٰى ۚ وَوَقٰهُمۡ
عَذَابَ الۡجَحِيۡمِ ﴿٥٦﴾ فَضۡلًا مِّنۡ رَّبِّكَ ؕ ذٰلِكَ
هُوَ الۡفَوۡزُ الۡعَظِيۡمُ ﴿٥٧﴾ فَاِنَّمَا يَسَّرۡنٰهُ بِلِسَانِكَ

منزل ٦

معانقة ١٢ عند المتاخرين ١٢

لَعَلَّهُمْ يَتَذَكَّرُوْنَ ﴿٥٨﴾ فَارْتَقِبْ اِنَّهُمْ مُّرْتَقِبُوْنَ ﴿٥٩﴾ ع ٣ ١٧ ١٦

اٰيَاتُهَا ٣٧ | سُوْرَةُ الْجَاثِيَةِ مَكِّيَّةٌ (٤٥) (٦٥) | رُكُوْعَاتُهَا ٤

بِسْمِ اللّٰهِ الرَّحْمٰنِ الرَّحِيْمِ

حٰمٓ ﴿١﴾ تَنْزِيْلُ الْكِتٰبِ مِنَ اللّٰهِ الْعَزِيْزِ الْحَكِيْمِ ﴿٢﴾

اِنَّ فِى السَّمٰوٰتِ وَ الْاَرْضِ لَاٰيٰتٍ لِّلْمُؤْمِنِيْنَ ﴿٣﴾ ط

وَ فِيْ خَلْقِكُمْ وَمَا يَبُثُّ مِنْ دَآبَّةٍ اٰيٰتٌ

لِّقَوْمٍ يُّوْقِنُوْنَ ﴿٤﴾ وَاخْتِلَافِ الَّيْلِ وَ النَّهَارِ منزل ٦

وَمَآ اَنْزَلَ اللّٰهُ مِنَ السَّمَآءِ مِنْ رِّزْقٍ فَاَحْيَا

بِهِ الْاَرْضَ بَعْدَ مَوْتِهَا وَتَصْرِيْفِ الرِّيٰحِ

اٰيٰتٌ لِّقَوْمٍ يَّعْقِلُوْنَ ﴿٥﴾ تِلْكَ اٰيٰتُ اللّٰهِ نَتْلُوْهَا

عَلَيْكَ بِالْحَقِّ ج فَبِاَيِّ حَدِيْثٍ بَعْدَ اللّٰهِ وَ

اٰيٰتِهٖ يُؤْمِنُوْنَ ﴿٦﴾ وَيْلٌ لِّكُلِّ اَفَّاكٍ اَثِيْمٍ ﴿٧﴾ لا

يَّسْمَعُ اٰيٰتِ اللّٰهِ تُتْلٰى عَلَيْهِ ثُمَّ يُصِرُّ مُسْتَكْبِرًا

كَاَنْ لَّمْ يَسْمَعْهَا ۚ فَبَشِّرْهُ بِعَذَابٍ اَلِيْمٍ ﴿٨﴾
وَاِذَا عَلِمَ مِنْ اٰيٰتِنَا شَيْئَا ِۨ اتَّخَذَهَا هُزُوًا ؕ
اُولٰٓئِكَ لَهُمْ عَذَابٌ مُّهِيْنٌ ﴿٩﴾ؕ مِنْ وَّرَآئِهِمْ
جَهَنَّمُ ۚ وَلَا يُغْنِىْ عَنْهُمْ مَّا كَسَبُوْا شَيْئًا وَّلَا
مَا اتَّخَذُوْا مِنْ دُوْنِ اللّٰهِ اَوْلِيَآءَ ۚ وَلَهُمْ عَذَابٌ
عَظِيْمٌ ﴿١٠﴾ؕ هٰذَا هُدًى ۚ وَالَّذِيْنَ كَفَرُوْا بِاٰيٰتِ
رَبِّهِمْ لَهُمْ عَذَابٌ مِّنْ رِّجْزٍ اَلِيْمٌ ﴿١١﴾ع اَللّٰهُ ع ١١/١٧
الَّذِىْ سَخَّرَ لَكُمُ الْبَحْرَ لِتَجْرِىَ الْفُلْكُ
فِيْهِ بِاَمْرِهٖ وَلِتَبْتَغُوْا مِنْ فَضْلِهٖ وَلَعَلَّكُمْ
تَشْكُرُوْنَ ﴿١٢﴾ج وَسَخَّرَ لَكُمْ مَّا فِى السَّمٰوٰتِ وَمَا
فِى الْاَرْضِ جَمِيْعًا مِّنْهُ ؕ اِنَّ فِىْ ذٰلِكَ لَاٰيٰتٍ
لِّقَوْمٍ يَّتَفَكَّرُوْنَ ﴿١٣﴾ قُلْ لِّلَّذِيْنَ اٰمَنُوْا يَغْفِرُوْا
لِلَّذِيْنَ لَا يَرْجُوْنَ اَيَّامَ اللّٰهِ لِيَجْزِىَ قَوْمًا

منزل ٦

بِمَا كَانُوۡا يَكۡسِبُوۡنَ ﴿١٤﴾ مَنۡ عَمِلَ صَالِحًا
فَلِنَفۡسِهٖ ۚ وَمَنۡ اَسَآءَ فَعَلَيۡهَا ؗ ثُمَّ اِلٰى رَبِّكُمۡ
تُرۡجَعُوۡنَ ﴿١٥﴾ وَلَقَدۡ اٰتَيۡنَا بَنِىۡۤ اِسۡرَآءِيۡلَ
الۡكِتٰبَ وَالۡحُكۡمَ وَالنُّبُوَّةَ وَرَزَقۡنٰهُمۡ مِّنَ
الطَّيِّبٰتِ وَفَضَّلۡنٰهُمۡ عَلَى الۡعٰلَمِيۡنَ ۚ ﴿١٦﴾ وَاٰتَيۡنٰهُمۡ
بَيِّنٰتٍ مِّنَ الۡاَمۡرِ ۚ فَمَا اخۡتَلَفُوۡۤا اِلَّا مِنۡۢ بَعۡدِ
مَا جَآءَهُمُ الۡعِلۡمُ ۙ بَغۡيًاۢ بَيۡنَهُمۡ ؕ اِنَّ رَبَّكَ
يَقۡضِىۡ بَيۡنَهُمۡ يَوۡمَ الۡقِيٰمَةِ فِيۡمَا كَانُوۡا فِيۡهِ
يَخۡتَلِفُوۡنَ ﴿١٧﴾ ثُمَّ جَعَلۡنٰكَ عَلٰى شَرِيۡعَةٍ مِّنَ الۡاَمۡرِ
فَاتَّبِعۡهَا وَلَا تَتَّبِعۡ اَهۡوَآءَ الَّذِيۡنَ لَا يَعۡلَمُوۡنَ ﴿١٨﴾
اِنَّهُمۡ لَنۡ يُّغۡنُوۡا عَنۡكَ مِنَ اللّٰهِ شَيۡـًٔا ؕ وَاِنَّ
الظّٰلِمِيۡنَ بَعۡضُهُمۡ اَوۡلِيَآءُ بَعۡضٍ ۚ وَاللّٰهُ وَلِىُّ
الۡمُتَّقِيۡنَ ﴿١٩﴾ هٰذَا بَصَآئِرُ لِلنَّاسِ وَهُدًى

منزل ٦

وَّرَحْمَةٌ لِّقَوْمٍ يُّوْقِنُوْنَ ﴿٢٠﴾ اَمْ حَسِبَ الَّذِيْنَ
اجْتَرَحُوا السَّيِّاٰتِ اَنْ نَّجْعَلَهُمْ كَالَّذِيْنَ
اٰمَنُوْا وَعَمِلُوا الصّٰلِحٰتِ ۙ سَوَآءً مَّحْيَاهُمْ
وَمَمَاتُهُمْ ۭ سَآءَ مَا يَحْكُمُوْنَ ﴿٢١﴾ وَخَلَقَ اللّٰهُ ع ٢ ١٠ ١٨
السَّمٰوٰتِ وَالْاَرْضَ بِالْحَقِّ وَلِتُجْزٰى كُلُّ
نَفْسٍۢ بِمَا كَسَبَتْ وَهُمْ لَا يُظْلَمُوْنَ ﴿٢٢﴾ اَفَرَءَيْتَ
مَنِ اتَّخَذَ اِلٰهَهٗ هَوٰىهُ وَاَضَلَّهُ اللّٰهُ عَلٰى عِلْمٍ
وَّخَتَمَ عَلٰى سَمْعِهٖ وَقَلْبِهٖ وَجَعَلَ عَلٰى بَصَرِهٖ
غِشٰوَةً ۭ فَمَنْ يَّهْدِيْهِ مِنْۢ بَعْدِ اللّٰهِ ۭ اَفَلَا
تَذَكَّرُوْنَ ﴿٢٣﴾ وَقَالُوْا مَا هِيَ اِلَّا حَيَاتُنَا
الدُّنْيَا نَمُوْتُ وَنَحْيَا وَمَا يُهْلِكُنَآ اِلَّا الدَّهْرُ ۚ
وَمَا لَهُمْ بِذٰلِكَ مِنْ عِلْمٍ ۚ اِنْ هُمْ اِلَّا
يَظُنُّوْنَ ﴿٢٤﴾ وَاِذَا تُتْلٰى عَلَيْهِمْ اٰيٰتُنَا بَيِّنٰتٍ

منزل ٦

Ikhfa إخفا | Ikhfa Meem Saakin إخفاميم ساكن | Qalqala قلقله | Qalb قلب | Idghaam إدغام | Idghaam Meem Saakin إدغام ميم ساكن | Ghunna غنّه

مَا كَانَ حُجَّتَهُمْ اِلَّآ اَنْ قَالُوا ائْتُوْا
بِاٰبَآئِنَآ اِنْ كُنْتُمْ صٰدِقِيْنَ ﴿٢٥﴾ قُلِ اللّٰهُ
يُحْيِيْكُمْ ثُمَّ يُمِيْتُكُمْ ثُمَّ يَجْمَعُكُمْ اِلٰى يَوْمِ
الْقِيٰمَةِ لَا رَيْبَ فِيْهِ وَلٰكِنَّ اَكْثَرَ النَّاسِ
لَا يَعْلَمُوْنَ ﴿٢٦﴾ ع وَلِلّٰهِ مُلْكُ السَّمٰوٰتِ وَالْاَرْضِ ؕ ٣ ع ٥ ١٩
وَيَوْمَ تَقُوْمُ السَّاعَةُ يَوْمَئِذٍ يَّخْسَرُ الْمُبْطِلُوْنَ ﴿٢٧﴾
منزل ٦ وَتَرٰى كُلَّ اُمَّةٍ جَاثِيَةً قف كُلُّ اُمَّةٍ تُدْعٰٓى
اِلٰى كِتٰبِهَا ؕ اَلْيَوْمَ تُجْزَوْنَ مَا كُنْتُمْ تَعْمَلُوْنَ ﴿٢٨﴾
هٰذَا كِتٰبُنَا يَنْطِقُ عَلَيْكُمْ بِالْحَقِّ ؕ اِنَّا
كُنَّا نَسْتَنْسِخُ مَا كُنْتُمْ تَعْمَلُوْنَ ﴿٢٩﴾ فَاَمَّا
الَّذِيْنَ اٰمَنُوْا وَعَمِلُوا الصّٰلِحٰتِ فَيُدْخِلُهُمْ
رَبُّهُمْ فِيْ رَحْمَتِهٖ ؕ ذٰلِكَ هُوَ الْفَوْزُ الْمُبِيْنُ ﴿٣٠﴾
وَاَمَّا الَّذِيْنَ كَفَرُوْا قف اَفَلَمْ تَكُنْ اٰيٰتِيْ تُتْلٰى

عَلَيۡكُمۡ فَاسۡتَكۡبَرۡتُمۡ وَكُنۡتُمۡ قَوۡمًا مُّجۡرِمِيۡنَ ﴿٣١﴾
وَاِذَا قِيۡلَ اِنَّ وَعۡدَ اللّٰهِ حَقٌّ وَّ السَّاعَةُ
لَا رَيۡبَ فِيۡهَا قُلۡتُمۡ مَّا نَدۡرِىۡ مَا السَّاعَةُ ۙ
اِنۡ نَّظُنُّ اِلَّا ظَنًّا وَّمَا نَحۡنُ بِمُسۡتَيۡقِنِيۡنَ ﴿٣٢﴾
وَبَدَا لَهُمۡ سَيِّاٰتُ مَا عَمِلُوۡا وَحَاقَ بِهِمۡ مَّا
كَانُوۡا بِهٖ يَسۡتَهۡزِءُوۡنَ ﴿٣٣﴾ وَقِيۡلَ الۡيَوۡمَ نَنۡسٰكُمۡ
كَمَا نَسِيۡتُمۡ لِقَآءَ يَوۡمِكُمۡ هٰذَا وَمَاۡوٰٮكُمُ النَّارُ
وَمَا لَكُمۡ مِّنۡ نّٰصِرِيۡنَ ﴿٣٤﴾ ذٰلِكُمۡ بِاَنَّكُمُ اتَّخَذۡتُمۡ
اٰيٰتِ اللّٰهِ هُزُوًا وَّ غَرَّتۡكُمُ الۡحَيٰوةُ الدُّنۡيَا ۚ
فَالۡيَوۡمَ لَا يُخۡرَجُوۡنَ مِنۡهَا وَلَا هُمۡ يُسۡتَعۡتَبُوۡنَ ﴿٣٥﴾
فَلِلّٰهِ الۡحَمۡدُ رَبِّ السَّمٰوٰتِ وَرَبِّ الۡاَرۡضِ رَبِّ
الۡعٰلَمِيۡنَ ﴿٣٦﴾ وَلَهُ الۡكِبۡرِيَآءُ فِى السَّمٰوٰتِ وَ
الۡاَرۡضِ ۖ وَهُوَ الۡعَزِيۡزُ الۡحَكِيۡمُ ﴿٣٧﴾ ع

منزل ٦

ع ٤ ١١ ٢٠

سُوۡرَةُ الۡاَحۡقَافِ مَكِّيَّةٌ

اٰيَاتُهَا ٣٥ (٤٦) (٦٦) رُكُوۡعَاتُهَا ٤

بِسۡمِ اللّٰهِ الرَّحۡمٰنِ الرَّحِيۡمِ

حٰمٓ ۚ ﴿١﴾ تَنۡزِيۡلُ الۡكِتٰبِ مِنَ اللّٰهِ الۡعَزِيۡزِ الۡحَكِيۡمِ ﴿٢﴾

مَا خَلَقۡنَا السَّمٰوٰتِ وَ الۡاَرۡضَ وَمَا بَيۡنَهُمَاۤ اِلَّا

بِالۡحَقِّ وَ اَجَلٍ مُّسَمًّى ؕ وَ الَّذِيۡنَ كَفَرُوۡا عَمَّاۤ

اُنۡذِرُوۡا مُعۡرِضُوۡنَ ﴿٣﴾ قُلۡ اَرَءَيۡتُمۡ مَّا تَدۡعُوۡنَ

مِنۡ دُوۡنِ اللّٰهِ اَرُوۡنِىۡ مَا ذَا خَلَقُوۡا مِنَ الۡاَرۡضِ

اَمۡ لَهُمۡ شِرۡكٌ فِى السَّمٰوٰتِ ؕ اِيۡتُوۡنِىۡ بِكِتٰبٍ مِّنۡ

قَبۡلِ هٰذَاۤ اَوۡ اَثٰرَةٍ مِّنۡ عِلۡمٍ اِنۡ كُنۡتُمۡ صٰدِقِيۡنَ ﴿٤﴾

وَمَنۡ اَضَلُّ مِمَّنۡ يَّدۡعُوۡا مِنۡ دُوۡنِ اللّٰهِ مَنۡ

لَّا يَسۡتَجِيۡبُ لَهٗۤ اِلٰى يَوۡمِ الۡقِيٰمَةِ وَهُمۡ عَنۡ

دُعَآئِهِمۡ غٰفِلُوۡنَ ﴿٥﴾ وَاِذَا حُشِرَ النَّاسُ كَانُوۡا لَهُمۡ

اَعۡدَآءً وَّكَانُوۡا بِعِبَادَتِهِمۡ كٰفِرِيۡنَ ﴿٦﴾ وَاِذَا تُتۡلٰى

Ikhfa إخفا | Ikhfa Meem Saakin إخفاميم ساكن | Qalqala قلقله | Qalb قلب | Idghaam إدغام | Idghaam Meem Saakin إدغام ميم ساكن | Ghunna غُنّه

عَلَيْهِمْ اٰيٰتُنَا بَيِّنٰتٍ قَالَ الَّذِيْنَ كَفَرُوْا لِلْحَقِّ

لَمَّا جَآءَهُمْ ۙ هٰذَا سِحْرٌ مُّبِيْنٌ ؕ ﴿٧﴾ اَمْ يَقُوْلُوْنَ

افْتَرٰىهُ ؕ قُلْ اِنِ افْتَرَيْتُهٗ فَلَا تَمْلِكُوْنَ لِيْ مِنَ

اللّٰهِ شَيْـًٔا ؕ هُوَ اَعْلَمُ بِمَا تُفِيْضُوْنَ فِيْهِ ؕ كَفٰى بِهٖ

شَهِيْدًۢا بَيْنِيْ وَبَيْنَكُمْ ؕ وَهُوَ الْغَفُوْرُ الرَّحِيْمُ ﴿٨﴾

قُلْ مَا كُنْتُ بِدْعًا مِّنَ الرُّسُلِ وَمَاۤ اَدْرِيْ مَا

يُفْعَلُ بِيْ وَلَا بِكُمْ ؕ اِنْ اَتَّبِعُ اِلَّا مَا يُوْحٰۤى منزل ٦

اِلَيَّ وَمَاۤ اَنَا اِلَّا نَذِيْرٌ مُّبِيْنٌ ﴿٩﴾ قُلْ اَرَءَيْتُمْ اِنْ

كَانَ مِنْ عِنْدِ اللّٰهِ وَكَفَرْتُمْ بِهٖ وَشَهِدَ شَاهِدٌ

مِّنْۢ بَنِيْۤ اِسْرَآءِيْلَ عَلٰى مِثْلِهٖ فَاٰمَنَ وَ

ع ١٠ اسْتَكْبَرْتُمْ ؕ اِنَّ اللّٰهَ لَا يَهْدِي الْقَوْمَ الظّٰلِمِيْنَ ﴿١٠﴾ ع

وَقَالَ الَّذِيْنَ كَفَرُوْا لِلَّذِيْنَ اٰمَنُوْا لَوْ كَانَ خَيْرًا مَّا

سَبَقُوْنَاۤ اِلَيْهِ ؕ وَاِذْ لَمْ يَهْتَدُوْا بِهٖ فَسَيَقُوْلُوْنَ

هٰذَآ اِفۡكٌ قَدِيۡمٌ ﴿۱۱﴾ وَمِنۡ قَبۡلِهٖ كِتٰبُ مُوۡسٰٓى
اِمَامًا وَّرَحۡمَةً ؕ وَهٰذَا كِتٰبٌ مُّصَدِّقٌ لِّسَانًا
عَرَبِيًّا لِّيُنۡذِرَ الَّذِيۡنَ ظَلَمُوۡا ۖ وَبُشۡرٰى لِلۡمُحۡسِنِيۡنَ ﴿۱۲﴾ ۚ
اِنَّ الَّذِيۡنَ قَالُوۡا رَبُّنَا اللّٰهُ ثُمَّ اسۡتَقَامُوۡا فَلَا خَوۡفٌ
عَلَيۡهِمۡ وَلَا هُمۡ يَحۡزَنُوۡنَ ﴿۱۳﴾ ۚ اُولٰٓئِكَ اَصۡحٰبُ الۡجَنَّةِ
خٰلِدِيۡنَ فِيۡهَا ۚ جَزَآءًۢ بِمَا كَانُوۡا يَعۡمَلُوۡنَ ﴿۱۴﴾ وَ
وَصَّيۡنَا الۡاِنۡسَانَ بِوَالِدَيۡهِ اِحۡسٰنًا ؕ حَمَلَتۡهُ
اُمُّهٗ كُرۡهًا وَّوَضَعَتۡهُ كُرۡهًا ؕ وَحَمۡلُهٗ وَفِصٰلُهٗ
ثَلٰثُوۡنَ شَهۡرًا ؕ حَتّٰٓى اِذَا بَلَغَ اَشُدَّهٗ وَبَلَغَ اَرۡبَعِيۡنَ
سَنَةً ۙ قَالَ رَبِّ اَوۡزِعۡنِىۡۤ اَنۡ اَشۡكُرَ نِعۡمَتَكَ الَّتِىۡۤ
اَنۡعَمۡتَ عَلَىَّ وَعَلٰى وَالِدَىَّ وَاَنۡ اَعۡمَلَ صَالِحًا
تَرۡضٰٮهُ وَاَصۡلِحۡ لِىۡ فِىۡ ذُرِّيَّتِىۡ ؕ اِنِّىۡ تُبۡتُ
اِلَيۡكَ وَاِنِّىۡ مِنَ الۡمُسۡلِمِيۡنَ ﴿۱۵﴾ اُولٰٓئِكَ الَّذِيۡنَ

منزل ٦

نَتَقَبَّلُ عَنۡهُمۡ اَحۡسَنَ مَا عَمِلُوۡا وَنَتَجَاوَزُ عَنۡ سَيِّاٰتِهِمۡ
فِىۡۤ اَصۡحٰبِ الۡجَـنَّةِ ؕ وَعۡدَ الصِّدۡقِ الَّذِىۡ كَانُوۡا
يُوۡعَدُوۡنَ ﴿١٦﴾ وَالَّذِىۡ قَالَ لِـوَالِدَيۡهِ اُفٍّ لَّـكُمَاۤ
اَتَعِدٰنِنِىۡۤ اَنۡ اُخۡرَجَ وَقَدۡ خَلَتِ الۡقُرُوۡنُ مِنۡ قَبۡلِىۡ ۚ
وَهُمَا يَسۡتَغِيۡثٰنِ اللّٰهَ وَيۡلَكَ اٰمِنۡ ۖ اِنَّ وَعۡدَ اللّٰهِ
حَقٌّ ۖۚ فَيَقُوۡلُ مَا هٰذَاۤ اِلَّاۤ اَسَاطِيۡرُ الۡاَوَّلِيۡنَ ﴿١٧﴾
اُولٰۤـئِكَ الَّذِيۡنَ حَقَّ عَلَيۡهِمُ الۡقَوۡلُ فِىۡۤ اُمَمٍ قَدۡ خَلَتۡ
مِنۡ قَبۡلِهِمۡ مِّنَ الۡجِنِّ وَالۡاِنۡسِ ؕ اِنَّهُمۡ كَانُوۡا
خٰسِرِيۡنَ ﴿١٨﴾ وَلِكُلٍّ دَرَجٰتٌ مِّمَّا عَمِلُوۡا ۚ وَلِيُوَفِّيَهُمۡ
اَعۡمَالَهُمۡ وَهُمۡ لَا يُظۡلَمُوۡنَ ﴿١٩﴾ وَيَوۡمَ يُعۡرَضُ
الَّذِيۡنَ كَفَرُوۡا عَلَى النَّارِ ؕ اَذۡهَبۡتُمۡ طَيِّبٰتِكُمۡ فِىۡ
حَيَاتِكُمُ الدُّنۡيَا وَاسۡتَمۡتَعۡتُمۡ بِهَا ۚ فَالۡيَوۡمَ تُجۡزَوۡنَ
عَذَابَ الۡهُوۡنِ بِمَا كُنۡتُمۡ تَسۡتَكۡبِرُوۡنَ فِى

منزل ٦

Ikhfa إخفا | Ikhfa Meem Saakin إخفاميم ساكن | Qalqala قلقله | Qalb قلب | Idghaam إدغام | Idghaam Meem Saakin إدغام ميم ساكن | Ghunna غُنّه

ع ٢/١٠ ٢

الْاَرْضِ بِغَيْرِ الْحَقِّ وَبِمَا كُنْتُمْ تَفْسُقُوْنَ ﴿٢٠﴾ ع وَاذْكُرْ
اَخَا عَادٍ ؕ اِذْ اَنْذَرَ قَوْمَهٗ بِالْاَحْقَافِ وَقَدْ خَلَتِ
النُّذُرُ مِنْۢ بَيْنِ يَدَيْهِ وَمِنْ خَلْفِهٖۤ اَلَّا تَعْبُدُوْۤا
اِلَّا اللّٰهَ ؕ اِنِّیْۤ اَخَافُ عَلَيْكُمْ عَذَابَ يَوْمٍ عَظِيْمٍ ﴿٢١﴾
قَالُوْۤا اَجِئْتَنَا لِتَاْفِكَنَا عَنْ اٰلِهَتِنَا ۚ فَاْتِنَا بِمَا تَعِدُنَاۤ
اِنْ كُنْتَ مِنَ الصّٰدِقِيْنَ ﴿٢٢﴾ قَالَ اِنَّمَا الْعِلْمُ عِنْدَ
اللّٰهِ ۖ وَاُبَلِّغُكُمْ مَّاۤ اُرْسِلْتُ بِهٖ وَلٰكِنِّیْۤ اَرٰىكُمْ قَوْمًا
تَجْهَلُوْنَ ﴿٢٣﴾ فَلَمَّا رَاَوْهُ عَارِضًا مُّسْتَقْبِلَ اَوْدِيَتِهِمْ ۙ
قَالُوْا هٰذَا عَارِضٌ مُّمْطِرُنَا ؕ بَلْ هُوَ مَا اسْتَعْجَلْتُمْ بِهٖ ؕ
رِيْحٌ فِيْهَا عَذَابٌ اَلِيْمٌ ﴿٢٤﴾ ۙ تُدَمِّرُ كُلَّ شَیْءٍۭ بِاَمْرِ
رَبِّهَا فَاَصْبَحُوْا لَا يُرٰۤى اِلَّا مَسٰكِنُهُمْ ؕ كَذٰلِكَ نَجْزِی
الْقَوْمَ الْمُجْرِمِيْنَ ﴿٢٥﴾ وَلَقَدْ مَكَّنّٰهُمْ فِيْمَاۤ اِنْ
مَّكَّنّٰكُمْ فِيْهِ وَجَعَلْنَا لَهُمْ سَمْعًا وَّاَبْصَارًا وَّ

منزل ٦

اَفْـِٕدَةً ۚۖ فَمَآ اَغْنٰى عَنْهُمْ سَمْعُهُمْ وَلَآ اَبْصَارُهُمْ
وَلَآ اَفْـِٕدَتُهُمْ مِّنْ شَيْءٍ اِذْ كَانُوْا يَجْحَدُوْنَ ۙ بِاٰيٰتِ
اللّٰهِ وَحَاقَ بِهِمْ مَّا كَانُوْا بِهٖ يَسْتَهْزِءُوْنَ ﴿٢٦﴾ وَلَقَدْ ع ٣
اَهْلَكْنَا مَا حَوْلَكُمْ مِّنَ الْقُرٰى وَصَرَّفْنَا الْاٰيٰتِ
لَعَلَّهُمْ يَرْجِعُوْنَ ﴿٢٧﴾ فَلَوْلَا نَصَرَهُمُ الَّذِيْنَ اتَّخَذُوْا
مِنْ دُوْنِ اللّٰهِ قُرْبَانًا اٰلِهَةً ؕ بَلْ ضَلُّوْا عَنْهُمْ ۚ
منزل ٦ وَذٰلِكَ اِفْكُهُمْ وَمَا كَانُوْا يَفْتَرُوْنَ ﴿٢٨﴾ وَاِذْ
صَرَفْنَآ اِلَيْكَ نَفَرًا مِّنَ الْجِنِّ يَسْتَمِعُوْنَ الْقُرْاٰنَ ۚ
فَلَمَّا حَضَرُوْهُ قَالُوْٓا اَنْصِتُوْا ۚ فَلَمَّا قُضِيَ وَلَّوْا
اِلٰى قَوْمِهِمْ مُّنْذِرِيْنَ ﴿٢٩﴾ قَالُوْا يٰقَوْمَنَآ اِنَّا سَمِعْنَا
كِتٰبًا اُنْزِلَ مِنْ بَعْدِ مُوْسٰى مُصَدِّقًا لِّمَا بَيْنَ
يَدَيْهِ يَهْدِيْٓ اِلَى الْحَقِّ وَاِلٰى طَرِيْقٍ مُّسْتَقِيْمٍ ﴿٣٠﴾
يٰقَوْمَنَآ اَجِيْبُوْا دَاعِيَ اللّٰهِ وَاٰمِنُوْا بِهٖ يَغْفِرْ لَكُمْ

مِّنْ ذُنُوْبِكُمْ وَيُجِرْكُمْ مِّنْ عَذَابٍ اَلِيْمٍ ﴿۳۱﴾ وَمَنْ لَّا
يُجِبْ دَاعِیَ اللّٰهِ فَلَيْسَ بِمُعْجِزٍ فِی الْاَرْضِ وَ
لَيْسَ لَهٗ مِنْ دُوْنِهٖۤ اَوْلِيَآءُ ؕ اُولٰٓئِكَ فِیْ ضَلٰلٍ
مُّبِيْنٍ ﴿۳۲﴾ اَوَلَمْ يَرَوْا اَنَّ اللّٰهَ الَّذِیْ خَلَقَ السَّمٰوٰتِ
وَالْاَرْضَ وَلَمْ يَعْیَ بِخَلْقِهِنَّ بِقٰدِرٍ عَلٰۤى اَنْ
يُّحْیِۦَ الْمَوْتٰى ؕ بَلٰۤى اِنَّهٗ عَلٰى كُلِّ شَیْءٍ قَدِيْرٌ ﴿۳۳﴾
وَيَوْمَ يُعْرَضُ الَّذِيْنَ كَفَرُوْا عَلَى النَّارِ ؕ اَلَيْسَ
هٰذَا بِالْحَقِّ ؕ قَالُوْا بَلٰى وَرَبِّنَا ؕ قَالَ فَذُوْقُوا
الْعَذَابَ بِمَا كُنْتُمْ تَكْفُرُوْنَ ﴿۳۴﴾ فَاصْبِرْ كَمَا
صَبَرَ اُولُوا الْعَزْمِ مِنَ الرُّسُلِ وَلَا تَسْتَعْجِلْ
لَّهُمْ ؕ كَاَنَّهُمْ يَوْمَ يَرَوْنَ مَا يُوْعَدُوْنَ ۙ لَمْ
يَلْبَثُوْۤا اِلَّا سَاعَةً مِّنْ نَّهَارٍ ؕ بَلٰغٌ ۚ فَهَلْ يُهْلَكُ
اِلَّا الْقَوْمُ الْفٰسِقُوْنَ ﴿۳۵﴾ ع

منزل ٦

اٰیَاتُهَا ٣٨ (٤٧) سُوْرَةُ مُحَمَّدٍ مَّدَنِیَّةٌ (٩٥) رُکُوْعَاتُهَا ٤

بِسْمِ اللّٰهِ الرَّحْمٰنِ الرَّحِیْمِ ○

اَلَّذِیْنَ كَفَرُوْا وَصَدُّوْا عَنْ سَبِیْلِ اللّٰهِ اَضَلَّ اَعْمَالَهُمْ ①
وَالَّذِیْنَ اٰمَنُوْا وَعَمِلُوا الصّٰلِحٰتِ وَاٰمَنُوْا بِمَا نُزِّلَ عَلٰى
مُحَمَّدٍ وَّهُوَ الْحَقُّ مِنْ رَّبِّهِمْ ۙ كَفَّرَ عَنْهُمْ سَیِّاٰتِهِمْ
وَاَصْلَحَ بَالَهُمْ ② ذٰلِكَ بِاَنَّ الَّذِیْنَ كَفَرُوا اتَّبَعُوا
الْبَاطِلَ وَاَنَّ الَّذِیْنَ اٰمَنُوا اتَّبَعُوا الْحَقَّ مِنْ رَّبِّهِمْ ؕ
كَذٰلِكَ یَضْرِبُ اللّٰهُ لِلنَّاسِ اَمْثَالَهُمْ ③ فَاِذَا
لَقِیْتُمُ الَّذِیْنَ كَفَرُوْا فَضَرْبَ الرِّقَابِ ؕ حَتّٰۤى اِذَاۤ
اَثْخَنْتُمُوْهُمْ فَشُدُّوا الْوَثَاقَ ۙ فَاِمَّا مَنًّۢا بَعْدُ وَ اِمَّا
فِدَآءً حَتّٰى تَضَعَ الْحَرْبُ اَوْزَارَهَا ۛ ذٰلِكَ ؕ وَلَوْ
یَشَآءُ اللّٰهُ لَانْتَصَرَ مِنْهُمْ ۙ وَلٰكِنْ لِّیَبْلُوَاۡ بَعْضَكُمْ
بِبَعْضٍ ؕ وَ الَّذِیْنَ قُتِلُوْا فِیْ سَبِیْلِ اللّٰهِ فَلَنْ

مع ٤٢ عندالمتقدمين وقد بينت بأبعد ذلك وقوله ذلك ولكن حسن اتصاله بما قبله ويوقف على ذلك ١٢

Ikhfa إخفا | Ikhfa Meem Saakin إخفا میم ساکن | Qalqala قلقلہ | Qalb قلب | Idghaam إدغام | Idghaam Meem Saakin إدغام میم ساکن | Ghunna غُنّہ

يُضِلَّ اَعۡمَالَهُمۡ ﴿٤﴾ سَيَهۡدِيۡهِمۡ وَيُصۡلِحُ بَالَهُمۡ ﴿٥﴾ ۚ وَ
يُدۡخِلُهُمُ الۡجَنَّةَ عَرَّفَهَا لَهُمۡ ﴿٦﴾ يٰۤاَيُّهَا الَّذِيۡنَ
اٰمَنُوۡۤا اِنۡ تَنۡصُرُوا اللّٰهَ يَنۡصُرۡكُمۡ وَيُثَبِّتۡ اَقۡدَامَكُمۡ ﴿٧﴾
وَالَّذِيۡنَ كَفَرُوۡا فَتَعۡسًا لَّهُمۡ وَاَضَلَّ اَعۡمَالَهُمۡ ﴿٨﴾
ذٰلِكَ بِاَنَّهُمۡ كَرِهُوۡا مَاۤ اَنۡزَلَ اللّٰهُ فَاَحۡبَطَ اَعۡمَالَهُمۡ ﴿٩﴾
اَفَلَمۡ يَسِيۡرُوۡا فِى الۡاَرۡضِ فَيَنۡظُرُوۡا كَيۡفَ كَانَ عَاقِبَةُ
الَّذِيۡنَ مِنۡ قَبۡلِهِمۡ ؕ دَمَّرَ اللّٰهُ عَلَيۡهِمۡ ۫ وَلِلۡكٰفِرِيۡنَ منزل ٦
اَمۡثَالُهَا ﴿١٠﴾ ذٰلِكَ بِاَنَّ اللّٰهَ مَوۡلَى الَّذِيۡنَ اٰمَنُوۡا وَاَنَّ
ع ١١/٥ الۡكٰفِرِيۡنَ لَا مَوۡلٰى لَهُمۡ ﴿١١﴾ ۧ اِنَّ اللّٰهَ يُدۡخِلُ الَّذِيۡنَ
اٰمَنُوۡا وَعَمِلُوا الصّٰلِحٰتِ جَنّٰتٍ تَجۡرِىۡ مِنۡ تَحۡتِهَا
الۡاَنۡهٰرُ ؕ وَالَّذِيۡنَ كَفَرُوۡا يَتَمَتَّعُوۡنَ وَيَاۡكُلُوۡنَ كَمَا
تَاۡكُلُ الۡاَنۡعَامُ وَالنَّارُ مَثۡوًى لَّهُمۡ ﴿١٢﴾ وَكَاَيِّنۡ مِّنۡ
قَرۡيَةٍ هِىَ اَشَدُّ قُوَّةً مِّنۡ قَرۡيَتِكَ الَّتِىۡۤ اَخۡرَجَتۡكَ ۚ

أَهْلَكْنٰهُمْ فَلَا نَاصِرَ لَهُمْ ﴿١٣﴾ أَفَمَنْ كَانَ عَلٰى بَيِّنَةٍ
مِّنْ رَّبِّهٖ كَمَنْ زُيِّنَ لَهٗ سُوْٓءُ عَمَلِهٖ وَاتَّبَعُوْٓا أَهْوَآءَهُمْ ﴿١٤﴾
مَثَلُ الْجَنَّةِ الَّتِيْ وُعِدَ الْمُتَّقُوْنَ ؕ فِيْهَآ أَنْهٰرٌ مِّنْ
مَّآءٍ غَيْرِ اٰسِنٍ ۚ وَأَنْهٰرٌ مِّنْ لَّبَنٍ لَّمْ يَتَغَيَّرْ طَعْمُهٗ ۚ
وَأَنْهٰرٌ مِّنْ خَمْرٍ لَّذَّةٍ لِّلشّٰرِبِيْنَ ۚ۬ وَأَنْهٰرٌ مِّنْ
عَسَلٍ مُّصَفًّى ؕ وَلَهُمْ فِيْهَا مِنْ كُلِّ الثَّمَرٰتِ
وَمَغْفِرَةٌ مِّنْ رَّبِّهِمْ ؕ كَمَنْ هُوَ خَالِدٌ فِي النَّارِ وَ
سُقُوْا مَآءً حَمِيْمًا فَقَطَّعَ أَمْعَآءَهُمْ ﴿١٥﴾ وَمِنْهُمْ مَّنْ
يَّسْتَمِعُ إِلَيْكَ ۚ حَتّٰٓى إِذَا خَرَجُوْا مِنْ عِنْدِكَ قَالُوْا
لِلَّذِيْنَ أُوْتُوا الْعِلْمَ مَاذَا قَالَ اٰنِفًا ۣ قف أُولٰٓئِكَ
الَّذِيْنَ طَبَعَ اللّٰهُ عَلٰى قُلُوْبِهِمْ وَاتَّبَعُوْٓا أَهْوَآءَهُمْ ﴿١٦﴾
وَالَّذِيْنَ اهْتَدَوْا زَادَهُمْ هُدًى وَّاٰتٰىهُمْ تَقْوٰىهُمْ ﴿١٧﴾
فَهَلْ يَنْظُرُوْنَ إِلَّا السَّاعَةَ أَنْ تَأْتِيَهُمْ بَغْتَةً ۚ

منزل ٦

Ikhfa إخفا | Ikhfa Meem Saakin إخفاميم ساكن | Qalqala قلقله | Qalb قلب | Idghaam إدغام | Idghaam Meem Saakin إدغام ميم ساكن | Ghunna غُنّہ

فَقَدْ جَآءَ اَشْرَاطُهَا ۚ فَاَنّٰى لَهُمْ اِذَا جَآءَتْهُمْ
ذِكْرٰىهُمْ ﴿١٨﴾ فَاعْلَمْ اَنَّهٗ لَآ اِلٰهَ اِلَّا اللّٰهُ وَاسْتَغْفِرْ
لِذَنْۢبِكَ وَلِلْمُؤْمِنِيْنَ وَالْمُؤْمِنٰتِ ؕ وَاللّٰهُ يَعْلَمُ
مُتَقَلَّبَكُمْ وَمَثْوٰىكُمْ ﴿١٩﴾ ع وَيَقُوْلُ الَّذِيْنَ اٰمَنُوْا لَوْلَا ع ٨ ٢ ٦
نُزِّلَتْ سُوْرَةٌ ۚ فَاِذَآ اُنْزِلَتْ سُوْرَةٌ مُّحْكَمَةٌ
وَّذُكِرَ فِيْهَا الْقِتَالُ ۙ رَاَيْتَ الَّذِيْنَ فِيْ قُلُوْبِهِمْ
منزل ٦ مَّرَضٌ يَّنْظُرُوْنَ اِلَيْكَ نَظَرَ الْمَغْشِيِّ عَلَيْهِ مِنَ
الْمَوْتِ ؕ فَاَوْلٰى لَهُمْ ﴿٢٠﴾ ۚ طَاعَةٌ وَّقَوْلٌ مَّعْرُوْفٌ ۫ قف
فَاِذَا عَزَمَ الْاَمْرُ ۫ قف فَلَوْ صَدَقُوا اللّٰهَ لَكَانَ خَيْرًا
لَّهُمْ ﴿٢١﴾ ۚ فَهَلْ عَسَيْتُمْ اِنْ تَوَلَّيْتُمْ اَنْ تُفْسِدُوْا فِي
الْاَرْضِ وَتُقَطِّعُوْٓا اَرْحَامَكُمْ ﴿٢٢﴾ اُولٰٓئِكَ الَّذِيْنَ
لَعَنَهُمُ اللّٰهُ فَاَصَمَّهُمْ وَاَعْمٰٓى اَبْصَارَهُمْ ﴿٢٣﴾ اَفَلَا
يَتَدَبَّرُوْنَ الْقُرْاٰنَ اَمْ عَلٰى قُلُوْبٍ اَقْفَالُهَا ﴿٢٤﴾ اِنَّ

الَّذِيْنَ ارْتَدُّوْا عَلٰٓى اَدْبَارِهِمْ مِّنْۢ بَعْدِ مَا تَبَيَّنَ
لَهُمُ الْهُدَى ۙ الشَّيْطٰنُ سَوَّلَ لَهُمْ ؕ وَاَمْلٰى لَهُمْ ﴿٢٥﴾
ذٰلِكَ بِاَنَّهُمْ قَالُوْا لِلَّذِيْنَ كَرِهُوْا مَا نَزَّلَ اللّٰهُ
سَنُطِيْعُكُمْ فِيْ بَعْضِ الْاَمْرِ ۚ وَاللّٰهُ يَعْلَمُ اِسْرَارَهُمْ ﴿٢٦﴾
فَكَيْفَ اِذَا تَوَفَّتْهُمُ الْمَلٰٓئِكَةُ يَضْرِبُوْنَ وُجُوْهَهُمْ
وَاَدْبَارَهُمْ ﴿٢٧﴾ ذٰلِكَ بِاَنَّهُمُ اتَّبَعُوْا مَآ اَسْخَطَ
اللّٰهَ وَكَرِهُوْا رِضْوَانَهٗ فَاَحْبَطَ اَعْمَالَهُمْ ﴿٢٨﴾ ع اَمْ ع ٩ ٣
حَسِبَ الَّذِيْنَ فِيْ قُلُوْبِهِمْ مَّرَضٌ اَنْ لَّنْ يُّخْرِجَ
اللّٰهُ اَضْغَانَهُمْ ﴿٢٩﴾ وَلَوْ نَشَآءُ لَاَرَيْنٰكَهُمْ فَلَعَرَفْتَهُمْ
بِسِيْمٰهُمْ ؕ وَلَتَعْرِفَنَّهُمْ فِيْ لَحْنِ الْقَوْلِ ؕ وَاللّٰهُ يَعْلَمُ
اَعْمَالَكُمْ ﴿٣٠﴾ وَلَنَبْلُوَنَّكُمْ حَتّٰى نَعْلَمَ الْمُجٰهِدِيْنَ
مِنْكُمْ وَالصّٰبِرِيْنَ ۙ وَنَبْلُوَا۟ اَخْبَارَكُمْ ﴿٣١﴾ اِنَّ
الَّذِيْنَ كَفَرُوْا وَصَدُّوْا عَنْ سَبِيْلِ اللّٰهِ وَشَآقُّوا

منزل ٦

الرَّسُوْلَ مِنْۢ بَعْدِ مَا تَبَيَّنَ لَهُمُ الْهُدٰى ۙ لَنْ
يَّضُرُّوا اللّٰهَ شَيْـًٔا ؕ وَسَيُحْبِطُ اَعْمَالَهُمْ ﴿٣٢﴾ يٰۤاَيُّهَا
الَّذِيْنَ اٰمَنُوْۤا اَطِيْعُوا اللّٰهَ وَاَطِيْعُوا الرَّسُوْلَ وَلَا
تُبْطِلُوْۤا اَعْمَالَكُمْ ﴿٣٣﴾ اِنَّ الَّذِيْنَ كَفَرُوْا وَصَدُّوْا
عَنْ سَبِيْلِ اللّٰهِ ثُمَّ مَاتُوْا وَهُمْ كُفَّارٌ فَلَنْ يَّغْفِرَ
اللّٰهُ لَهُمْ ﴿٣٤﴾ فَلَا تَهِنُوْا وَتَدْعُوْۤا اِلَى السَّلْمِ ۖۗ وَاَنْتُمُ
الْاَعْلَوْنَ ۖۗ وَاللّٰهُ مَعَكُمْ وَلَنْ يَّتِرَكُمْ اَعْمَالَكُمْ ﴿٣٥﴾ منزل ٦
اِنَّمَا الْحَيٰوةُ الدُّنْيَا لَعِبٌ وَّلَهْوٌ ؕ وَاِنْ تُؤْمِنُوْا وَ
تَتَّقُوْا يُؤْتِكُمْ اُجُوْرَكُمْ وَلَا يَسْـَٔلْكُمْ اَمْوَالَكُمْ ﴿٣٦﴾
اِنْ يَّسْـَٔلْكُمُوْهَا فَيُحْفِكُمْ تَبْخَلُوْا وَيُخْرِجْ اَضْغَانَكُمْ ﴿٣٧﴾
هٰۤاَنْتُمْ هٰۤؤُلَاۤءِ تُدْعَوْنَ لِتُنْفِقُوْا فِيْ سَبِيْلِ
اللّٰهِ ۚ فَمِنْكُمْ مَّنْ يَّبْخَلُ ۚ وَمَنْ يَّبْخَلْ فَاِنَّمَا
يَبْخَلُ عَنْ نَّفْسِهٖ ؕ وَاللّٰهُ الْغَنِيُّ وَاَنْتُمُ الْفُقَرَآءُ ۚ

وَاِنْ تَتَوَلَّوْا يَسْتَبْدِلْ قَوْمًا غَيْرَكُمْ ۙ ثُمَّ لَا

يَكُوْنُوْٓا اَمْثَالَكُمْ ﴿٣٨﴾ ع

ع ٨

اٰيَاتُهَا ٢٩ (٤٨) سُوْرَةُ الْفَتْحِ مَدَنِيَّةٌ (١١١) رُكُوْعَاتُهَا ٤

بِسْمِ اللّٰهِ الرَّحْمٰنِ الرَّحِيْمِ

اِنَّا فَتَحْنَا لَكَ فَتْحًا مُّبِيْنًا ﴿١﴾ ۙ لِّيَغْفِرَ لَكَ اللّٰهُ مَا

تَقَدَّمَ مِنْ ذَنْۢبِكَ وَمَا تَاَخَّرَ وَيُتِمَّ نِعْمَتَهٗ عَلَيْكَ

وَيَهْدِيَكَ صِرَاطًا مُّسْتَقِيْمًا ﴿٢﴾ ۙ وَّيَنْصُرَكَ اللّٰهُ

نَصْرًا عَزِيْزًا ﴿٣﴾ هُوَ الَّذِيْٓ اَنْزَلَ السَّكِيْنَةَ فِيْ قُلُوْبِ

الْمُؤْمِنِيْنَ لِيَزْدَادُوْٓا اِيْمَانًا مَّعَ اِيْمَانِهِمْ ۭ وَلِلّٰهِ

جُنُوْدُ السَّمٰوٰتِ وَالْاَرْضِ ۭ وَكَانَ اللّٰهُ عَلِيْمًا

حَكِيْمًا ﴿٤﴾ ۙ لِّيُدْخِلَ الْمُؤْمِنِيْنَ وَالْمُؤْمِنٰتِ جَنّٰتٍ

تَجْرِيْ مِنْ تَحْتِهَا الْاَنْهٰرُ خٰلِدِيْنَ فِيْهَا وَيُكَفِّرَ

عَنْهُمْ سَيِّاٰتِهِمْ ۭ وَكَانَ ذٰلِكَ عِنْدَ اللّٰهِ فَوْزًا

منزل ٦

Ikhfa إخفا | Ikhfa Meem Saakin إخفاميم ساكن | Qalqala قلقله | Qalb قلب | Idghaam إدغام | Idghaam Meem Saakin إدغام ميم ساكن | Ghunna غُنّه

عَظِيْمًا ۝٥ ۙ وَّيُعَذِّبَ الْمُنٰفِقِيْنَ وَ الْمُنٰفِقٰتِ وَ
الْمُشْرِكِيْنَ وَالْمُشْرِكٰتِ الظَّآنِّيْنَ بِاللّٰهِ ظَنَّ
السَّوْءِ ؕ عَلَيْهِمْ دَآئِرَةُ السَّوْءِ ۚ وَ غَضِبَ اللّٰهُ
عَلَيْهِمْ وَلَعَنَهُمْ وَاَعَدَّ لَهُمْ جَهَنَّمَ ؕ وَسَآءَتْ
مَصِيْرًا ۝٦ وَلِلّٰهِ جُنُوْدُ السَّمٰوٰتِ وَ الْاَرْضِ ؕ
وَكَانَ اللّٰهُ عَزِيْزًا حَكِيْمًا ۝٧ اِنَّآ اَرْسَلْنٰكَ
شَاهِدًا وَّمُبَشِّرًا وَّنَذِيْرًا ۝٨ ۙ لِّتُؤْمِنُوْا بِاللّٰهِ وَ منزل ٦
رَسُوْلِهٖ وَتُعَزِّرُوْهُ وَتُوَقِّرُوْهُ ؕ وَتُسَبِّحُوْهُ بُكْرَةً
وَّاَصِيْلًا ۝٩ اِنَّ الَّذِيْنَ يُبَايِعُوْنَكَ اِنَّمَا يُبَايِعُوْنَ
اللّٰهَ ؕ يَدُ اللّٰهِ فَوْقَ اَيْدِيْهِمْ ۚ فَمَنْ نَّكَثَ
فَاِنَّمَا يَنْكُثُ عَلٰى نَفْسِهٖ ۚ وَمَنْ اَوْفٰى بِمَا عٰهَدَ
عَلَيْهُ اللّٰهَ فَسَيُؤْتِيْهِ اَجْرًا عَظِيْمًا ۝١٠ ع سَيَقُوْلُ ع ١٠/٩
لَكَ الْمُخَلَّفُوْنَ مِنَ الْاَعْرَابِ شَغَلَتْنَآ اَمْوَالُنَا

وَاَهْلُوْنَا فَاسْتَغْفِرْ لَنَا ۚ يَقُوْلُوْنَ بِاَلْسِنَتِهِمْ
مَّا لَيْسَ فِيْ قُلُوْبِهِمْ ؕ قُلْ فَمَنْ يَّمْلِكُ لَكُمْ
مِّنَ اللّٰهِ شَيْـًٔا اِنْ اَرَادَ بِكُمْ ضَرًّا اَوْ اَرَادَ
بِكُمْ نَفْعًا ؕ بَلْ كَانَ اللّٰهُ بِمَا تَعْمَلُوْنَ خَبِيْرًا ﴿۱۱﴾
بَلْ ظَنَنْتُمْ اَنْ لَّنْ يَّنْقَلِبَ الرَّسُوْلُ وَالْمُؤْمِنُوْنَ
اِلٰۤى اَهْلِيْهِمْ اَبَدًا وَّزُيِّنَ ذٰلِكَ فِيْ قُلُوْبِكُمْ
وَظَنَنْتُمْ ظَنَّ السَّوْءِ ۖۚ وَكُنْتُمْ قَوْمًا بُوْرًا ﴿۱۲﴾
وَمَنْ لَّمْ يُؤْمِنْ بِاللّٰهِ وَرَسُوْلِهٖ فَاِنَّاۤ اَعْتَدْنَا
لِلْكٰفِرِيْنَ سَعِيْرًا ﴿۱۳﴾ وَلِلّٰهِ مُلْكُ السَّمٰوٰتِ وَالْاَرْضِ ؕ
يَغْفِرُ لِمَنْ يَّشَآءُ وَيُعَذِّبُ مَنْ يَّشَآءُ ؕ وَكَانَ اللّٰهُ
غَفُوْرًا رَّحِيْمًا ﴿۱۴﴾ سَيَقُوْلُ الْمُخَلَّفُوْنَ اِذَا انْطَلَقْتُمْ
اِلٰى مَغَانِمَ لِتَاْخُذُوْهَا ذَرُوْنَا نَتَّبِعْكُمْ ۚ
يُرِيْدُوْنَ اَنْ يُّبَدِّلُوْا كَلٰمَ اللّٰهِ ؕ قُلْ لَّنْ تَتَّبِعُوْنَا

كَذٰلِكُمۡ قَالَ اللّٰهُ مِنۡ قَبۡلُ ۚ فَسَيَقُوۡلُوۡنَ بَلۡ
تَحۡسُدُوۡنَنَا ؕ بَلۡ كَانُوۡا لَا يَفۡقَهُوۡنَ اِلَّا قَلِيۡلًا ﴿۱۵﴾
قُلۡ لِّلۡمُخَلَّفِيۡنَ مِنَ الۡاَعۡرَابِ سَتُدۡعَوۡنَ اِلٰى
قَوۡمٍ اُولِىۡ بَاۡسٍ شَدِيۡدٍ تُقَاتِلُوۡنَهُمۡ اَوۡ يُسۡلِمُوۡنَ ۚ
فَاِنۡ تُطِيۡعُوۡا يُؤۡتِكُمُ اللّٰهُ اَجۡرًا حَسَنًا ۚ وَاِنۡ
تَتَوَلَّوۡا كَمَا تَوَلَّيۡتُمۡ مِّنۡ قَبۡلُ يُعَذِّبۡكُمۡ عَذَابًا
اَلِيۡمًا ﴿۱۶﴾ لَيۡسَ عَلَى الۡاَعۡمٰى حَرَجٌ وَّلَا عَلَى الۡاَعۡرَجِ
حَرَجٌ وَّلَا عَلَى الۡمَرِيۡضِ حَرَجٌ ؕ وَمَنۡ يُّطِعِ اللّٰهَ
وَرَسُوۡلَهٗ يُدۡخِلۡهُ جَنّٰتٍ تَجۡرِىۡ مِنۡ تَحۡتِهَا
الۡاَنۡهٰرُ ۚ وَمَنۡ يَّتَوَلَّ يُعَذِّبۡهُ عَذَابًا اَلِيۡمًا ﴿۱۷﴾ ع
لَقَدۡ رَضِىَ اللّٰهُ عَنِ الۡمُؤۡمِنِيۡنَ اِذۡ يُبَايِعُوۡنَكَ
تَحۡتَ الشَّجَرَةِ فَعَلِمَ مَا فِىۡ قُلُوۡبِهِمۡ فَاَنۡزَلَ
السَّكِيۡنَةَ عَلَيۡهِمۡ وَاَثَابَهُمۡ فَتۡحًا قَرِيۡبًا ﴿۱۸﴾ وَّمَغَانِمَ

منزل ٦

ع ٢ النصف

كَثِيْرَةً يَّاْخُذُوْنَهَا ط وَكَانَ اللّٰهُ عَزِيْزًا حَكِيْمًا ١٩
وَعَدَكُمُ اللّٰهُ مَغَانِمَ كَثِيْرَةً تَاْخُذُوْنَهَا فَعَجَّلَ
لَكُمْ هٰذِهٖ وَكَفَّ اَيْدِيَ النَّاسِ عَنْكُمْ ج وَلِتَكُوْنَ
اٰيَةً لِّلْمُؤْمِنِيْنَ وَيَهْدِيَكُمْ صِرَاطًا مُّسْتَقِيْمًا ٢٠ لا
وَّاُخْرٰى لَمْ تَقْدِرُوْا عَلَيْهَا قَدْ اَحَاطَ اللّٰهُ بِهَا ط
وَكَانَ اللّٰهُ عَلٰى كُلِّ شَيْءٍ قَدِيْرًا ٢١ وَلَوْ قٰتَلَكُمُ
الَّذِيْنَ كَفَرُوْا لَوَلَّوُا الْاَدْبَارَ ثُمَّ لَا يَجِدُوْنَ وَلِيًّا
وَّلَا نَصِيْرًا ٢٢ سُنَّةَ اللّٰهِ الَّتِيْ قَدْ خَلَتْ مِنْ
قَبْلُ صلے وَلَنْ تَجِدَ لِسُنَّةِ اللّٰهِ تَبْدِيْلًا ٢٣ وَهُوَ
الَّذِيْ كَفَّ اَيْدِيَهُمْ عَنْكُمْ وَاَيْدِيَكُمْ عَنْهُمْ
بِبَطْنِ مَكَّةَ مِنْۢ بَعْدِ اَنْ اَظْفَرَكُمْ عَلَيْهِمْ ط
وَكَانَ اللّٰهُ بِمَا تَعْمَلُوْنَ بَصِيْرًا ٢٤ هُمُ الَّذِيْنَ
كَفَرُوْا وَصَدُّوْكُمْ عَنِ الْمَسْجِدِ الْحَرَامِ وَالْهَدْيَ

منزل ٦

مَعْكُوْفًا اَنْ يَّبْلُغَ مَحِلَّهٗ ؕ وَلَوْلَا رِجَالٌ مُّؤْمِنُوْنَ
وَنِسَآءٌ مُّؤْمِنٰتٌ لَّمْ تَعْلَمُوْهُمْ اَنْ تَطَـُٔوْهُمْ
فَتُصِيْبَكُمْ مِّنْهُمْ مَّعَرَّةٌۢ بِغَيْرِ عِلْمٍ ۚ لِيُدْخِلَ
اللّٰهُ فِيْ رَحْمَتِهٖ مَنْ يَّشَآءُ ۚ لَوْ تَزَيَّلُوْا لَعَذَّبْنَا
الَّذِيْنَ كَفَرُوْا مِنْهُمْ عَذَابًا اَلِيْمًا ﴿٢٥﴾ اِذْ جَعَلَ
الَّذِيْنَ كَفَرُوْا فِيْ قُلُوْبِهِمُ الْحَمِيَّةَ حَمِيَّةَ
الْجَاهِلِيَّةِ فَاَنْزَلَ اللّٰهُ سَكِيْنَتَهٗ عَلٰى رَسُوْلِهٖ منزل ٦
وَعَلَى الْمُؤْمِنِيْنَ وَاَلْزَمَهُمْ كَلِمَةَ التَّقْوٰى وَكَانُوْٓا
اَحَقَّ بِهَا وَاَهْلَهَا ؕ وَكَانَ اللّٰهُ بِكُلِّ شَيْءٍ عَلِيْمًا ﴿٢٦﴾ ع ٣ ٩ ١١
لَقَدْ صَدَقَ اللّٰهُ رَسُوْلَهُ الرُّءْيَا بِالْحَقِّ ۚ لَتَدْخُلُنَّ
الْمَسْجِدَ الْحَرَامَ اِنْ شَآءَ اللّٰهُ اٰمِنِيْنَ ۙ مُحَلِّقِيْنَ
رُءُوْسَكُمْ وَمُقَصِّرِيْنَ ۙ لَا تَخَافُوْنَ ؕ فَعَلِمَ مَا لَمْ
تَعْلَمُوْا فَجَعَلَ مِنْ دُوْنِ ذٰلِكَ فَتْحًا قَرِيْبًا ﴿٢٧﴾

هُوَ الَّذِیْۤ اَرْسَلَ رَسُوْلَهٗ بِالْهُدٰی وَ دِیْنِ الْحَقِّ
لِیُظْهِرَهٗ عَلَی الدِّیْنِ كُلِّهٖ ؕ وَ كَفٰی بِاللّٰهِ شَهِیْدًا ؕ ﴿۲۸﴾
مُحَمَّدٌ رَّسُوْلُ اللّٰهِ ؕ وَ الَّذِیْنَ مَعَهٗۤ اَشِدَّآءُ عَلَی
الْكُفَّارِ رُحَمَآءُ بَیْنَهُمْ تَرٰىهُمْ رُكَّعًا سُجَّدًا یَّبْتَغُوْنَ
فَضْلًا مِّنَ اللّٰهِ وَ رِضْوَانًا ز سِیْمَاهُمْ فِیْ وُجُوْهِهِمْ
مِّنْ اَثَرِ السُّجُوْدِ ؕ ذٰلِكَ مَثَلُهُمْ فِی التَّوْرٰىةِ ۛۚ وَ
مَثَلُهُمْ فِی الْاِنْجِیْلِ ۚ۫ۛ كَزَرْعٍ اَخْرَجَ شَطْـَٔهٗ فَاٰزَرَهٗ
فَاسْتَغْلَظَ فَاسْتَوٰی عَلٰی سُوْقِهٖ یُعْجِبُ الزُّرَّاعَ
لِیَغِیْظَ بِهِمُ الْكُفَّارَ ؕ وَعَدَ اللّٰهُ الَّذِیْنَ اٰمَنُوْا وَ
عَمِلُوا الصّٰلِحٰتِ مِنْهُمْ مَّغْفِرَةً وَّ اَجْرًا عَظِیْمًا ﴿۲۹﴾ ع

مُعانقة ۱۵ عند المتأخرين ۱۲

ع ۴ ۳ / ۱۲

منزل ٦

(٤٩) سُوْرَةُ الْحُجُرٰتِ مَدَنِیَّةٌ (١٠٦)

اٰیَاتُهَا ١٨ — رُكُوْعَاتُهَا ٢

بِسْمِ اللّٰهِ الرَّحْمٰنِ الرَّحِیْمِ ○

یٰۤاَیُّهَا الَّذِیْنَ اٰمَنُوْا لَا تُقَدِّمُوْا بَیْنَ یَدَیِ اللّٰهِ

Ikhfa إخفا | Ikhfa Meem Saakin إخفاميم ساكن | Qalqala قلقله | Qalb قلب | Idghaam إدغام | Idghaam Meem Saakin إدغام ميم ساكن | Ghunna غُنّه

وَرَسُوْلِهٖ وَاتَّقُوا اللّٰهَ ؕ اِنَّ اللّٰهَ سَمِيْعٌ عَلِيْمٌ ①
يٰۤاَيُّهَا الَّذِيْنَ اٰمَنُوْا لَا تَرْفَعُوْۤا اَصْوَاتَكُمْ فَوْقَ
صَوْتِ النَّبِيِّ وَلَا تَجْهَرُوْا لَهٗ بِالْقَوْلِ كَجَهْرِ
بَعْضِكُمْ لِبَعْضٍ اَنْ تَحْبَطَ اَعْمَالُكُمْ وَاَنْتُمْ
لَا تَشْعُرُوْنَ ② اِنَّ الَّذِيْنَ يَغُضُّوْنَ اَصْوَاتَهُمْ
عِنْدَ رَسُوْلِ اللّٰهِ اُولٰٓئِكَ الَّذِيْنَ امْتَحَنَ اللّٰهُ
قُلُوْبَهُمْ لِلتَّقْوٰى ؕ لَهُمْ مَّغْفِرَةٌ وَّاَجْرٌ عَظِيْمٌ ③
اِنَّ الَّذِيْنَ يُنَادُوْنَكَ مِنْ وَّرَآءِ الْحُجُرٰتِ اَكْثَرُهُمْ
لَا يَعْقِلُوْنَ ④ وَلَوْ اَنَّهُمْ صَبَرُوْا حَتّٰى تَخْرُجَ
اِلَيْهِمْ لَكَانَ خَيْرًا لَّهُمْ ؕ وَاللّٰهُ غَفُوْرٌ رَّحِيْمٌ ⑤
يٰۤاَيُّهَا الَّذِيْنَ اٰمَنُوْۤا اِنْ جَآءَكُمْ فَاسِقٌۢ بِنَبَاٍ
فَتَبَيَّنُوْۤا اَنْ تُصِيْبُوْا قَوْمًۢا بِجَهَالَةٍ فَتُصْبِحُوْا عَلٰى
مَا فَعَلْتُمْ نٰدِمِيْنَ ⑥ وَاعْلَمُوْۤا اَنَّ فِيْكُمْ رَسُوْلَ

منزل ٦

اللّٰهِ ؕ لَوْ يُطِيْعُكُمْ فِيْ كَثِيْرٍ مِّنَ الْاَمْرِ لَعَنِتُّمْ
وَلٰكِنَّ اللّٰهَ حَبَّبَ اِلَيْكُمُ الْاِيْمَانَ وَزَيَّنَهٗ فِيْ
قُلُوْبِكُمْ وَكَرَّهَ اِلَيْكُمُ الْكُفْرَ وَالْفُسُوْقَ وَالْعِصْيَانَ ؕ
اُولٰٓئِكَ هُمُ الرّٰشِدُوْنَ ۙ ﴿٧﴾ فَضْلًا مِّنَ اللّٰهِ وَ
نِعْمَةً ؕ وَاللّٰهُ عَلِيْمٌ حَكِيْمٌ ﴿٨﴾ وَاِنْ طَآئِفَتٰنِ
مِنَ الْمُؤْمِنِيْنَ اقْتَتَلُوْا فَاَصْلِحُوْا بَيْنَهُمَا ۚ فَاِنْۢ
بَغَتْ اِحْدٰىهُمَا عَلَى الْاُخْرٰى فَقَاتِلُوا الَّتِيْ
تَبْغِيْ حَتّٰى تَفِيْٓءَ اِلٰٓى اَمْرِ اللّٰهِ ۚ فَاِنْ فَآءَتْ
فَاَصْلِحُوْا بَيْنَهُمَا بِالْعَدْلِ وَاَقْسِطُوْا ؕ اِنَّ
اللّٰهَ يُحِبُّ الْمُقْسِطِيْنَ ﴿٩﴾ اِنَّمَا الْمُؤْمِنُوْنَ اِخْوَةٌ
فَاَصْلِحُوْا بَيْنَ اَخَوَيْكُمْ وَاتَّقُوا اللّٰهَ لَعَلَّكُمْ
تُرْحَمُوْنَ ﴿١٠﴾ ع يٰٓاَيُّهَا الَّذِيْنَ اٰمَنُوْا لَا يَسْخَرْ قَوْمٌ
مِّنْ قَوْمٍ عَسٰٓى اَنْ يَّكُوْنُوْا خَيْرًا مِّنْهُمْ وَلَا

منزل ٦ — ع ١٠ ١٣

Ikhfa إخفا | Ikhfa Meem Saakin إخفاميم ساكن | Qalqala قلقلہ | Qalb قلب | Idghaam إدغام | Idghaam Meem Saakin إدغام ميم ساكن | Ghunna غُنّہ

نِسَآءٌ مِّنْ نِّسَآءٍ عَسٰٓى اَنْ يَّكُنَّ خَيْرًا مِّنْهُنَّ ۚ
وَلَا تَلْمِزُوْٓا اَنْفُسَكُمْ وَلَا تَنَابَزُوْا بِالْاَلْقَابِ ؕ
بِئْسَ الِاسْمُ الْفُسُوْقُ بَعْدَ الْاِيْمَانِ ۚ وَمَنْ
لَّمْ يَتُبْ فَاُولٰٓئِكَ هُمُ الظّٰلِمُوْنَ ﴿١١﴾ يٰٓاَيُّهَا
الَّذِيْنَ اٰمَنُوا اجْتَنِبُوْا كَثِيْرًا مِّنَ الظَّنِّ ۫ اِنَّ
بَعْضَ الظَّنِّ اِثْمٌ وَّلَا تَجَسَّسُوْا وَلَا يَغْتَبْ
بَّعْضُكُمْ بَعْضًا ؕ اَيُحِبُّ اَحَدُكُمْ اَنْ يَّاْكُلَ لَحْمَ
اَخِيْهِ مَيْتًا فَكَرِهْتُمُوْهُ ؕ وَاتَّقُوا اللّٰهَ ؕ اِنَّ
اللّٰهَ تَوَّابٌ رَّحِيْمٌ ﴿١٢﴾ يٰٓاَيُّهَا النَّاسُ اِنَّا خَلَقْنٰكُمْ
مِّنْ ذَكَرٍ وَّاُنْثٰى وَجَعَلْنٰكُمْ شُعُوْبًا وَّقَبَآئِلَ
لِتَعَارَفُوْا ؕ اِنَّ اَكْرَمَكُمْ عِنْدَ اللّٰهِ اَتْقٰىكُمْ ؕ
اِنَّ اللّٰهَ عَلِيْمٌ خَبِيْرٌ ﴿١٣﴾ قَالَتِ الْاَعْرَابُ اٰمَنَّا ؕ
قُلْ لَّمْ تُؤْمِنُوْا وَلٰكِنْ قُوْلُوْٓا اَسْلَمْنَا وَلَمَّا

يَدْخُلِ الْاِيْمَانُ فِيْ قُلُوْبِكُمْ ؕ وَاِنْ تُطِيْعُوا
اللّٰهَ وَرَسُوْلَهٗ لَا يَلِتْكُمْ مِّنْ اَعْمَالِكُمْ شَيْـًٔا ؕ
اِنَّ اللّٰهَ غَفُوْرٌ رَّحِيْمٌ ﴿١٤﴾ اِنَّمَا الْمُؤْمِنُوْنَ الَّذِيْنَ
اٰمَنُوْا بِاللّٰهِ وَرَسُوْلِهٖ ثُمَّ لَمْ يَرْتَابُوْا وَجٰهَدُوْا
بِاَمْوَالِهِمْ وَاَنْفُسِهِمْ فِيْ سَبِيْلِ اللّٰهِ ؕ اُولٰٓئِكَ
هُمُ الصّٰدِقُوْنَ ﴿١٥﴾ قُلْ اَتُعَلِّمُوْنَ اللّٰهَ بِدِيْنِكُمْ ؕ
وَاللّٰهُ يَعْلَمُ مَا فِي السَّمٰوٰتِ وَمَا فِي الْاَرْضِ ؕ
وَاللّٰهُ بِكُلِّ شَيْءٍ عَلِيْمٌ ﴿١٦﴾ يَمُنُّوْنَ عَلَيْكَ
اَنْ اَسْلَمُوْا ؕ قُلْ لَّا تَمُنُّوْا عَلَيَّ اِسْلَامَكُمْ ج
بَلِ اللّٰهُ يَمُنُّ عَلَيْكُمْ اَنْ هَدٰىكُمْ لِلْاِيْمَانِ
اِنْ كُنْتُمْ صٰدِقِيْنَ ﴿١٧﴾ اِنَّ اللّٰهَ يَعْلَمُ
غَيْبَ السَّمٰوٰتِ وَالْاَرْضِ ؕ وَاللّٰهُ بَصِيْرٌ بِمَا
تَعْمَلُوْنَ ﴿١٨﴾ ع

منزل ٦

ع ٢ ١٨ ١٤

اٰیَاتُهَا ٤٥ سُوْرَةُ قٓ مَكِّيَّةٌ (٥٠) (٣٤) رُكُوْعَاتُهَا ٣

بِسْمِ اللّٰهِ الرَّحْمٰنِ الرَّحِيْمِ

قٓ ۚ وَالْقُرْاٰنِ الْمَجِيْدِ ۚ ١ بَلْ عَجِبُوْٓا اَنْ جَآءَهُمْ
مُّنْذِرٌ مِّنْهُمْ فَقَالَ الْكٰفِرُوْنَ هٰذَا شَيْءٌ
عَجِيْبٌ ۚ ٢ ءَاِذَا مِتْنَا وَكُنَّا تُرَابًا ۚ ذٰلِكَ رَجْعٌۢ
بَعِيْدٌ ٣ قَدْ عَلِمْنَا مَا تَنْقُصُ الْاَرْضُ مِنْهُمْ ۚ
وَعِنْدَنَا كِتٰبٌ حَفِيْظٌ ٤ بَلْ كَذَّبُوْا بِالْحَقِّ
لَمَّا جَآءَهُمْ فَهُمْ فِيْٓ اَمْرٍ مَّرِيْجٍ ٥ اَفَلَمْ يَنْظُرُوْٓا
اِلَى السَّمَآءِ فَوْقَهُمْ كَيْفَ بَنَيْنٰهَا وَزَيَّنّٰهَا وَمَا لَهَا مِنْ
فُرُوْجٍ ٦ وَالْاَرْضَ مَدَدْنٰهَا وَاَلْقَيْنَا فِيْهَا
رَوَاسِيَ وَاَنْۢبَتْنَا فِيْهَا مِنْ كُلِّ زَوْجٍۭ بَهِيْجٍ ٧
تَبْصِرَةً وَّذِكْرٰى لِكُلِّ عَبْدٍ مُّنِيْبٍ ٨ وَنَزَّلْنَا
مِنَ السَّمَآءِ مَآءً مُّبٰرَكًا فَاَنْۢبَتْنَا بِهٖ جَنّٰتٍ وَّحَبَّ

المنزل السابع (٧)
منزل ٧

الْحَصِیْدِ ۙ﴿۹﴾ وَالنَّخْلَ بٰسِقٰتٍ لَّهَا طَلْعٌ نَّضِیْدٌ ۙ﴿۱۰﴾
رِّزْقًا لِّلْعِبَادِ ۙ وَاَحْیَیْنَا بِهٖ بَلْدَةً مَّیْتًا ؕ كَذٰلِكَ
الْخُرُوْجُ ﴿۱۱﴾ كَذَّبَتْ قَبْلَهُمْ قَوْمُ نُوْحٍ وَّاَصْحٰبُ الرَّسِّ
وَثَمُوْدُ ۙ﴿۱۲﴾ وَعَادٌ وَّفِرْعَوْنُ وَاِخْوَانُ لُوْطٍ ۙ﴿۱۳﴾ وَّاَصْحٰبُ
الْاَیْكَةِ وَقَوْمُ تُبَّعٍ ؕ كُلٌّ كَذَّبَ الرُّسُلَ فَحَقَّ وَعِیْدِ ﴿۱۴﴾
اَفَعَیِیْنَا بِالْخَلْقِ الْاَوَّلِ ؕ بَلْ هُمْ فِیْ لَبْسٍ مِّنْ خَلْقٍ
منزل ۷ جَدِیْدٍ ﴿۱۵﴾ ع وَلَقَدْ خَلَقْنَا الْاِنْسَانَ وَنَعْلَمُ مَا تُوَسْوِسُ ع ۱۵ ۱۵
بِهٖ نَفْسُهٗ ۚۖ وَنَحْنُ اَقْرَبُ اِلَیْهِ مِنْ حَبْلِ الْوَرِیْدِ ﴿۱۶﴾
اِذْ یَتَلَقَّى الْمُتَلَقِّیٰنِ عَنِ الْیَمِیْنِ وَعَنِ الشِّمَالِ
قَعِیْدٌ ﴿۱۷﴾ مَا یَلْفِظُ مِنْ قَوْلٍ اِلَّا لَدَیْهِ رَقِیْبٌ
عَتِیْدٌ ﴿۱۸﴾ وَجَآءَتْ سَكْرَةُ الْمَوْتِ بِالْحَقِّ ؕ ذٰلِكَ
مَا كُنْتَ مِنْهُ تَحِیْدُ ﴿۱۹﴾ وَنُفِخَ فِی الصُّوْرِ ؕ ذٰلِكَ
یَوْمُ الْوَعِیْدِ ﴿۲۰﴾ وَجَآءَتْ كُلُّ نَفْسٍ مَّعَهَا سَآئِقٌ

وَّ شَهِيْدٌ ﴿٢١﴾ لَقَدْ كُنْتَ فِيْ غَفْلَةٍ مِّنْ هٰذَا فَكَشَفْنَا
عَنْكَ غِطَآءَكَ فَبَصَرُكَ الْيَوْمَ حَدِيْدٌ ﴿٢٢﴾ وَ قَالَ
قَرِيْنُهٗ هٰذَا مَا لَدَيَّ عَتِيْدٌ ﴿٢٣﴾ اَلْقِيَا فِيْ جَهَنَّمَ
كُلَّ كَفَّارٍ عَنِيْدٍ ﴿٢٤﴾ مَّنَّاعٍ لِّلْخَيْرِ مُعْتَدٍ مُّرِيْبِ ﴿٢٥﴾
الَّذِيْ جَعَلَ مَعَ اللّٰهِ اِلٰهًا اٰخَرَ فَاَلْقِيٰهُ فِي الْعَذَابِ
الشَّدِيْدِ ﴿٢٦﴾ قَالَ قَرِيْنُهٗ رَبَّنَا مَآ اَطْغَيْتُهٗ وَ لٰكِنْ
كَانَ فِيْ ضَلٰلٍ بَعِيْدٍ ﴿٢٧﴾ قَالَ لَا تَخْتَصِمُوْا لَدَيَّ منزل ٧
وَقَدْ قَدَّمْتُ اِلَيْكُمْ بِالْوَعِيْدِ ﴿٢٨﴾ مَا يُبَدَّلُ الْقَوْلُ
ع ١٤/١٦ ٢ لَدَيَّ وَمَآ اَنَا بِظَلَّامٍ لِّلْعَبِيْدِ ﴿٢٩﴾ يَوْمَ نَقُوْلُ لِجَهَنَّمَ
هَلِ امْتَلَاْتِ وَتَقُوْلُ هَلْ مِنْ مَّزِيْدٍ ﴿٣٠﴾ وَاُزْلِفَتِ
الْجَنَّةُ لِلْمُتَّقِيْنَ غَيْرَ بَعِيْدٍ ﴿٣١﴾ هٰذَا مَا تُوْعَدُوْنَ
لِكُلِّ اَوَّابٍ حَفِيْظٍ ﴿٣٢﴾ مَنْ خَشِيَ الرَّحْمٰنَ بِالْغَيْبِ
وَجَآءَ بِقَلْبٍ مُّنِيْبِ ﴿٣٣﴾ ادْخُلُوْهَا بِسَلٰمٍ ذٰلِكَ يَوْمُ

الْخُلُودِ ﴿٣٤﴾ لَهُم مَّا يَشَآءُونَ فِيهَا وَلَدَيْنَا مَزِيدٌ ﴿٣٥﴾
وَكَمْ اَهْلَكْنَا قَبْلَهُم مِّن قَرْنٍ هُمْ اَشَدُّ مِنْهُم
بَطْشًا فَنَقَّبُوا فِي الْبِلَادِ ؕ هَلْ مِن مَّحِيصٍ ﴿٣٦﴾ اِنَّ
فِي ذٰلِكَ لَذِكْرٰى لِمَن كَانَ لَهُ قَلْبٌ اَوْ اَلْقَى
السَّمْعَ وَهُوَ شَهِيدٌ ﴿٣٧﴾ وَلَقَدْ خَلَقْنَا السَّمٰوٰتِ وَ
الْاَرْضَ وَمَا بَيْنَهُمَا فِي سِتَّةِ اَيَّامٍ ۖ وَّمَا مَسَّنَا
مِن لُّغُوبٍ ﴿٣٨﴾ فَاصْبِرْ عَلٰى مَا يَقُولُونَ وَسَبِّحْ بِحَمْدِ
رَبِّكَ قَبْلَ طُلُوعِ الشَّمْسِ وَ قَبْلَ الْغُرُوبِ ﴿٣٩﴾ ج
وَمِنَ الَّيْلِ فَسَبِّحْهُ وَ اَدْبَارَ السُّجُودِ ﴿٤٠﴾ وَاسْتَمِعْ
يَوْمَ يُنَادِ الْمُنَادِ مِن مَّكَانٍ قَرِيبٍ ﴿٤١﴾ يَّوْمَ يَسْمَعُونَ
الصَّيْحَةَ بِالْحَقِّ ؕ ذٰلِكَ يَوْمُ الْخُرُوجِ ﴿٤٢﴾ اِنَّا نَحْنُ
نُحْيِ وَنُمِيتُ وَ اِلَيْنَا الْمَصِيرُ ﴿٤٣﴾ يَوْمَ تَشَقَّقُ
الْاَرْضُ عَنْهُمْ سِرَاعًا ؕ ذٰلِكَ حَشْرٌ عَلَيْنَا يَسِيرٌ ﴿٤٤﴾

منزل ٧

نَحْنُ اَعْلَمُ بِمَا يَقُوْلُوْنَ وَمَآ اَنْتَ عَلَيْهِمْ بِجَبَّارٍ قف

فَذَكِّرْ بِالْقُرْاٰنِ مَنْ يَّخَافُ وَعِيْدِ ﴿٤٥﴾ ع

ركوع ٣/٢ ١٧

اٰيَاتُهَا ٦٠ (٥١) سُوْرَةُ الذّٰرِيٰتِ مَكِّيَّةٌ (٦٧) رُكُوْعَاتُهَا ٣

بِسْمِ اللّٰهِ الرَّحْمٰنِ الرَّحِيْمِ ○

وَالذّٰرِيٰتِ ذَرْوًا ﴿١﴾ لا فَالْحٰمِلٰتِ وِقْرًا ﴿٢﴾ لا فَالْجٰرِيٰتِ

يُسْرًا ﴿٣﴾ لا فَالْمُقَسِّمٰتِ اَمْرًا ﴿٤﴾ لا اِنَّمَا تُوْعَدُوْنَ

لَصَادِقٌ ﴿٥﴾ لا وَّاِنَّ الدِّيْنَ لَوَاقِعٌ ﴿٦﴾ ط وَالسَّمَآءِ ذَاتِ

الْحُبُكِ ﴿٧﴾ لا اِنَّكُمْ لَفِيْ قَوْلٍ مُّخْتَلِفٍ ﴿٨﴾ لا يُّؤْفَكُ عَنْهُ

مَنْ اُفِكَ ﴿٩﴾ ط قُتِلَ الْخَرّٰصُوْنَ ﴿١٠﴾ لا الَّذِيْنَ هُمْ فِيْ

غَمْرَةٍ سَاهُوْنَ ﴿١١﴾ لا يَسْـَٔلُوْنَ اَيَّانَ يَوْمُ الدِّيْنِ ﴿١٢﴾ ط

يَوْمَ هُمْ عَلَى النَّارِ يُفْتَنُوْنَ ﴿١٣﴾ ذُوْقُوْا فِتْنَتَكُمْ ط هٰذَا

الَّذِيْ كُنْتُمْ بِهٖ تَسْتَعْجِلُوْنَ ﴿١٤﴾ اِنَّ الْمُتَّقِيْنَ فِيْ

جَنّٰتٍ وَّعُيُوْنٍ ﴿١٥﴾ لا اٰخِذِيْنَ مَآ اٰتٰىهُمْ رَبُّهُمْ ط اِنَّهُمْ

منزل ٧

كَانُوْا قَبْلَ ذٰلِكَ مُحْسِنِيْنَ ﴿١٦﴾ؕ كَانُوْا قَلِيْلًا مِّنَ الَّيْلِ
مَا يَهْجَعُوْنَ ﴿١٧﴾ وَبِالْاَسْحَارِ هُمْ يَسْتَغْفِرُوْنَ ﴿١٨﴾ وَفِيْٓ
اَمْوَالِهِمْ حَقٌّ لِّلسَّآئِلِ وَالْمَحْرُوْمِ ﴿١٩﴾ وَفِي الْاَرْضِ اٰيٰتٌ
لِّلْمُوْقِنِيْنَ ﴿٢٠﴾ۙ وَفِيْٓ اَنْفُسِكُمْ ؕ اَفَلَا تُبْصِرُوْنَ ﴿٢١﴾ وَفِي
السَّمَآءِ رِزْقُكُمْ وَمَا تُوْعَدُوْنَ ﴿٢٢﴾ فَوَرَبِّ السَّمَآءِ
وَالْاَرْضِ اِنَّهٗ لَحَقٌّ مِّثْلَ مَآ اَنَّكُمْ تَنْطِقُوْنَ ﴿٢٣﴾ع هَلْ
اَتٰىكَ حَدِيْثُ ضَيْفِ اِبْرٰهِيْمَ الْمُكْرَمِيْنَ ﴿٢٤﴾م اِذْ دَخَلُوْا
عَلَيْهِ فَقَالُوْا سَلٰمًا ؕ قَالَ سَلٰمٌ ۚ قَوْمٌ مُّنْكَرُوْنَ ﴿٢٥﴾
فَرَاغَ اِلٰٓى اَهْلِهٖ فَجَآءَ بِعِجْلٍ سَمِيْنٍ ﴿٢٦﴾ۙ فَقَرَّبَهٗٓ اِلَيْهِمْ
قَالَ اَلَا تَاْكُلُوْنَ ﴿٢٧﴾ز فَاَوْجَسَ مِنْهُمْ خِيْفَةً ؕ قَالُوْا لَا
تَخَفْ ؕ وَبَشَّرُوْهُ بِغُلٰمٍ عَلِيْمٍ ﴿٢٨﴾ فَاَقْبَلَتِ امْرَاَتُهٗ فِيْ
صَرَّةٍ فَصَكَّتْ وَجْهَهَا وَقَالَتْ عَجُوْزٌ عَقِيْمٌ ﴿٢٩﴾ قَالُوْا
كَذٰلِكِ ۙ قَالَ رَبُّكِ ؕ اِنَّهٗ هُوَ الْحَكِيْمُ الْعَلِيْمُ ﴿٣٠﴾

ع ٢٣ / ١٨
وقف لازم

منزل ٧

قَالَ فَمَا خَطْبُكُمْ اَيُّهَا الْمُرْسَلُوْنَ ﴿٣١﴾ قَالُوْٓا اِنَّآ
اُرْسِلْنَآ اِلٰى قَوْمٍ مُّجْرِمِيْنَ ﴿٣٢﴾ لِنُرْسِلَ عَلَيْهِمْ حِجَارَةً
مِّنْ طِيْنٍ ﴿٣٣﴾ مُّسَوَّمَةً عِنْدَ رَبِّكَ لِلْمُسْرِفِيْنَ ﴿٣٤﴾
فَاَخْرَجْنَا مَنْ كَانَ فِيْهَا مِنَ الْمُؤْمِنِيْنَ ﴿٣٥﴾ فَمَا
وَجَدْنَا فِيْهَا غَيْرَ بَيْتٍ مِّنَ الْمُسْلِمِيْنَ ﴿٣٦﴾ وَتَرَكْنَا
فِيْهَآ اٰيَةً لِّلَّذِيْنَ يَخَافُوْنَ الْعَذَابَ الْاَلِيْمَ ﴿٣٧﴾
وَفِيْ مُوْسٰٓى اِذْ اَرْسَلْنٰهُ اِلٰى فِرْعَوْنَ بِسُلْطٰنٍ
مُّبِيْنٍ ﴿٣٨﴾ فَتَوَلّٰى بِرُكْنِهٖ وَقَالَ سٰحِرٌ اَوْ مَجْنُوْنٌ ﴿٣٩﴾
فَاَخَذْنٰهُ وَجُنُوْدَهٗ فَنَبَذْنٰهُمْ فِي الْيَمِّ وَهُوَ مُلِيْمٌ ﴿٤٠﴾
وَفِيْ عَادٍ اِذْ اَرْسَلْنَا عَلَيْهِمُ الرِّيْحَ الْعَقِيْمَ ﴿٤١﴾ مَا
تَذَرُ مِنْ شَيْءٍ اَتَتْ عَلَيْهِ اِلَّا جَعَلَتْهُ كَالرَّمِيْمِ ﴿٤٢﴾
وَفِيْ ثَمُوْدَ اِذْ قِيْلَ لَهُمْ تَمَتَّعُوْا حَتّٰى حِيْنٍ ﴿٤٣﴾ فَعَتَوْا
عَنْ اَمْرِ رَبِّهِمْ فَاَخَذَتْهُمُ الصّٰعِقَةُ وَهُمْ يَنْظُرُوْنَ ﴿٤٤﴾

فَمَا اسْتَطَاعُوْا مِنْ قِيَامٍ وَّمَا كَانُوْا مُنْتَصِرِيْنَ ﴿٤٥﴾ ۙ
وَقَوْمَ نُوْحٍ مِّنْ قَبْلُ ؕ اِنَّهُمْ كَانُوْا قَوْمًا فٰسِقِيْنَ ﴿٤٦﴾ ع ٢ ٢٣ ١
وَالسَّمَآءَ بَنَيْنٰهَا بِاَيْىدٍ وَّاِنَّا لَمُوْسِعُوْنَ ﴿٤٧﴾ وَالْاَرْضَ
فَرَشْنٰهَا فَنِعْمَ الْمٰهِدُوْنَ ﴿٤٨﴾ وَمِنْ كُلِّ شَیْءٍ
خَلَقْنَا زَوْجَيْنِ لَعَلَّكُمْ تَذَكَّرُوْنَ ﴿٤٩﴾ فَفِرُّوْٓا اِلَى
اللّٰهِ ؕ اِنِّیْ لَكُمْ مِّنْهُ نَذِيْرٌ مُّبِيْنٌ ﴿٥٠﴾ ج وَلَا تَجْعَلُوْا مَعَ
منزل ٧ اللّٰهِ اِلٰهًا اٰخَرَ ؕ اِنِّیْ لَكُمْ مِّنْهُ نَذِيْرٌ مُّبِيْنٌ ﴿٥١﴾ كَذٰلِكَ
مَآ اَتَى الَّذِيْنَ مِنْ قَبْلِهِمْ مِّنْ رَّسُوْلٍ اِلَّا قَالُوْا سَاحِرٌ
اَوْ مَجْنُوْنٌ ﴿٥٢﴾ ج اَتَوَاصَوْا بِهٖ ج بَلْ هُمْ قَوْمٌ طَاغُوْنَ ﴿٥٣﴾ ج
فَتَوَلَّ عَنْهُمْ فَمَآ اَنْتَ بِمَلُوْمٍ ﴿٥٤﴾ ز وَّذَكِّرْ فَاِنَّ الذِّكْرٰى
تَنْفَعُ الْمُؤْمِنِيْنَ ﴿٥٥﴾ وَمَا خَلَقْتُ الْجِنَّ وَالْاِنْسَ اِلَّا
لِيَعْبُدُوْنِ ﴿٥٦﴾ مَآ اُرِيْدُ مِنْهُمْ مِّنْ رِّزْقٍ وَّمَآ اُرِيْدُ اَنْ
يُّطْعِمُوْنِ ﴿٥٧﴾ اِنَّ اللّٰهَ هُوَ الرَّزَّاقُ ذُو الْقُوَّةِ الْمَتِيْنُ ﴿٥٨﴾

فَاِنَّ لِلَّذِيْنَ ظَلَمُوْا ذَنُوْبًا مِّثْلَ ذَنُوْبِ اَصْحٰبِهِمْ
فَلَا يَسْتَعْجِلُوْنِ ﴿٥٩﴾ فَوَيْلٌ لِّلَّذِيْنَ كَفَرُوْا مِنْ
يَّوْمِهِمُ الَّذِيْ يُوْعَدُوْنَ ﴿٦٠﴾ ع

ع ٢ ع ٣

اٰيَاتُهَا ٤٩ — (٥٢) سُوْرَةُ الطُّوْرِ مَكِّيَّةٌ (٧٦) — رُكُوْعَاتُهَا ٢

بِسْمِ اللّٰهِ الرَّحْمٰنِ الرَّحِيْمِ

وَالطُّوْرِ ﴿١﴾ وَكِتٰبٍ مَّسْطُوْرٍ ﴿٢﴾ فِيْ رَقٍّ مَّنْشُوْرٍ ﴿٣﴾
وَّالْبَيْتِ الْمَعْمُوْرِ ﴿٤﴾ وَالسَّقْفِ الْمَرْفُوْعِ ﴿٥﴾ وَالْبَحْرِ
الْمَسْجُوْرِ ﴿٦﴾ اِنَّ عَذَابَ رَبِّكَ لَوَاقِعٌ ﴿٧﴾ مَّا لَهٗ
مِنْ دَافِعٍ ﴿٨﴾ يَّوْمَ تَمُوْرُ السَّمَآءُ مَوْرًا ﴿٩﴾ وَّتَسِيْرُ
الْجِبَالُ سَيْرًا ﴿١٠﴾ فَوَيْلٌ يَّوْمَئِذٍ لِّلْمُكَذِّبِيْنَ ﴿١١﴾
الَّذِيْنَ هُمْ فِيْ خَوْضٍ يَّلْعَبُوْنَ ﴿١٢﴾ يَوْمَ يُدَعُّوْنَ
اِلٰى نَارِ جَهَنَّمَ دَعًّا ﴿١٣﴾ هٰذِهِ النَّارُ الَّتِيْ كُنْتُمْ
بِهَا تُكَذِّبُوْنَ ﴿١٤﴾ اَفَسِحْرٌ هٰذَآ اَمْ اَنْتُمْ لَا تُبْصِرُوْنَ ﴿١٥﴾

منزل ٧

وقف لازم

اِصْلَوْهَا فَاصْبِرُوْٓا اَوْ لَا تَصْبِرُوْا ۚ سَوَآءٌ عَلَيْكُمْ ؕ
اِنَّمَا تُجْزَوْنَ مَا كُنْتُمْ تَعْمَلُوْنَ ﴿١٦﴾ اِنَّ الْمُتَّقِيْنَ
فِيْ جَنّٰتٍ وَّ نَعِيْمٍ ﴿١٧﴾ فٰكِهِيْنَ بِمَآ اٰتٰىهُمْ رَبُّهُمْ ۚ وَوَقٰىهُمْ
رَبُّهُمْ عَذَابَ الْجَحِيْمِ ﴿١٨﴾ كُلُوْا وَاشْرَبُوْا هَنِيْٓــًٔا بِمَا
كُنْتُمْ تَعْمَلُوْنَ ﴿١٩﴾ مُتَّكِـِٕيْنَ عَلٰى سُرُرٍ مَّصْفُوْفَةٍ ۚ وَ
زَوَّجْنٰهُمْ بِحُوْرٍ عِيْنٍ ﴿٢٠﴾ وَالَّذِيْنَ اٰمَنُوْا وَ اتَّبَعَتْهُمْ
ذُرِّيَّتُهُمْ بِاِيْمَانٍ اَلْحَقْنَا بِهِمْ ذُرِّيَّتَهُمْ وَمَآ اَلَتْنٰهُمْ
مِّنْ عَمَلِهِمْ مِّنْ شَيْءٍ ؕ كُلُّ امْرِئٍۢ بِمَا كَسَبَ رَهِيْنٌ ﴿٢١﴾
وَاَمْدَدْنٰهُمْ بِفَاكِهَةٍ وَّلَحْمٍ مِّمَّا يَشْتَهُوْنَ ﴿٢٢﴾ يَتَنَازَعُوْنَ
فِيْهَا كَاْسًا لَّا لَغْوٌ فِيْهَا وَلَا تَاْثِيْمٌ ﴿٢٣﴾ وَ يَطُوْفُ
عَلَيْهِمْ غِلْمَانٌ لَّهُمْ كَاَنَّهُمْ لُؤْلُؤٌ مَّكْنُوْنٌ ﴿٢٤﴾ وَ اَقْبَلَ
بَعْضُهُمْ عَلٰى بَعْضٍ يَّتَسَآءَلُوْنَ ﴿٢٥﴾ قَالُوْٓا اِنَّا كُنَّا
قَبْلُ فِيْٓ اَهْلِنَا مُشْفِقِيْنَ ﴿٢٦﴾ فَمَنَّ اللّٰهُ عَلَيْنَا

منزل ٧

وَوَقٰىنَا عَذَابَ السَّمُوْمِ ﴿۲۷﴾ اِنَّا كُنَّا مِنْ قَبْلُ نَدْعُوْهُ ؕ
اِنَّهٗ هُوَ الْبَرُّ الرَّحِيْمُ ﴿۲۸﴾ ع فَذَكِّرْ فَمَاۤ اَنْتَ بِنِعْمَتِ ع ۲۸ ۳
رَبِّكَ بِكَاهِنٍ وَّلَا مَجْنُوْنٍ ﴿۲۹﴾ ؕ اَمْ يَقُوْلُوْنَ شَاعِرٌ
نَّتَرَبَّصُ بِهٖ رَيْبَ الْمَنُوْنِ ﴿۳۰﴾ قُلْ تَرَبَّصُوْا فَاِنِّيْ
مَعَكُمْ مِّنَ الْمُتَرَبِّصِيْنَ ﴿۳۱﴾ ؕ اَمْ تَاْمُرُهُمْ اَحْلَامُهُمْ
بِهٰذَاۤ اَمْ هُمْ قَوْمٌ طَاغُوْنَ ﴿۳۲﴾ ۚ اَمْ يَقُوْلُوْنَ تَقَوَّلَهٗ ۚ
منزل ۷ بَلْ لَّا يُؤْمِنُوْنَ ﴿۳۳﴾ ۚ فَلْيَاْتُوْا بِحَدِيْثٍ مِّثْلِهٖۤ اِنْ كَانُوْا
صٰدِقِيْنَ ﴿۳۴﴾ ؕ اَمْ خُلِقُوْا مِنْ غَيْرِ شَيْءٍ اَمْ هُمُ الْخٰلِقُوْنَ ﴿۳۵﴾ ؕ
اَمْ خَلَقُوا السَّمٰوٰتِ وَالْاَرْضَ ۚ بَلْ لَّا يُوْقِنُوْنَ ﴿۳۶﴾ ؕ
اَمْ عِنْدَهُمْ خَزَآئِنُ رَبِّكَ اَمْ هُمُ الْمُصَۜيْطِرُوْنَ ﴿۳۷﴾ ؕ
اَمْ لَهُمْ سُلَّمٌ يَّسْتَمِعُوْنَ فِيْهِ ۚ فَلْيَاْتِ مُسْتَمِعُهُمْ
بِسُلْطٰنٍ مُّبِيْنٍ ﴿۳۸﴾ ؕ اَمْ لَهُ الْبَنٰتُ وَلَكُمُ الْبَنُوْنَ ﴿۳۹﴾ ؕ
اَمْ تَسْـَٔلُهُمْ اَجْرًا فَهُمْ مِّنْ مَّغْرَمٍ مُّثْقَلُوْنَ ﴿۴۰﴾ ؕ اَمْ

عِنْدَهُمُ الْغَيْبُ فَهُمْ يَكْتُبُوْنَ ﴿٤١﴾ؕ اَمْ يُرِيْدُوْنَ
كَيْدًا ؕ فَالَّذِيْنَ كَفَرُوْا هُمُ الْمَكِيْدُوْنَ ﴿٤٢﴾ؕ اَمْ لَهُمْ
اِلٰهٌ غَيْرُ اللّٰهِ ؕ سُبْحٰنَ اللّٰهِ عَمَّا يُشْرِكُوْنَ ﴿٤٣﴾ وَاِنْ
يَّرَوْا كِسْفًا مِّنَ السَّمَآءِ سَاقِطًا يَّقُوْلُوْا سَحَابٌ
مَّرْكُوْمٌ ﴿٤٤﴾ فَذَرْهُمْ حَتّٰى يُلٰقُوْا يَوْمَهُمُ الَّذِيْ فِيْهِ
يُصْعَقُوْنَ ﴿٤٥﴾ۙ يَوْمَ لَا يُغْنِيْ عَنْهُمْ كَيْدُهُمْ شَيْـًٔا
وَّلَا هُمْ يُنْصَرُوْنَ ﴿٤٦﴾ؕ وَاِنَّ لِلَّذِيْنَ ظَلَمُوْا عَذَابًا
دُوْنَ ذٰلِكَ وَلٰكِنَّ اَكْثَرَهُمْ لَا يَعْلَمُوْنَ ﴿٤٧﴾ وَاصْبِرْ
لِحُكْمِ رَبِّكَ فَاِنَّكَ بِاَعْيُنِنَا وَسَبِّحْ بِحَمْدِ رَبِّكَ حِيْنَ
تَقُوْمُ ﴿٤٨﴾ۙ وَمِنَ الَّيْلِ فَسَبِّحْهُ وَاِدْبَارَ النُّجُوْمِ ﴿٤٩﴾ع ع ٢

منزل ٧

اٰيَاتُهَا ٦٢ (٥٣) سُوْرَةُ النَّجْمِ مَكِّيَّةٌ (٢٣) رُكُوْعَاتُهَا ٣

بِسْمِ اللّٰهِ الرَّحْمٰنِ الرَّحِيْمِ

وَالنَّجْمِ اِذَا هَوٰى ﴿١﴾ۙ مَا ضَلَّ صَاحِبُكُمْ وَمَا غَوٰى ﴿٢﴾ج

وَمَا يَنْطِقُ عَنِ الْهَوٰى ۝٣ اِنْ هُوَ اِلَّا وَحْیٌ یُّوْحٰی ۝٤

عَلَّمَهٗ شَدِیْدُ الْقُوٰی ۝٥ ذُوْ مِرَّةٍ ؕ فَاسْتَوٰی ۝٦ وَهُوَ

بِالْاُفُقِ الْاَعْلٰی ۝٧ ثُمَّ دَنَا فَتَدَلّٰی ۝٨ فَكَانَ قَابَ

قَوْسَیْنِ اَوْ اَدْنٰی ۝٩ فَاَوْحٰۤی اِلٰی عَبْدِهٖ مَاۤ اَوْحٰی ۝١٠ مَا

كَذَبَ الْفُؤَادُ مَا رَاٰی ۝١١ اَفَتُمٰرُوْنَهٗ عَلٰی مَا یَرٰی ۝١٢

وَلَقَدْ رَاٰهُ نَزْلَةً اُخْرٰی ۝١٣ عِنْدَ سِدْرَةِ الْمُنْتَهٰی ۝١٤

عِنْدَهَا جَنَّةُ الْمَاْوٰی ۝١٥ اِذْ یَغْشَی السِّدْرَةَ مَا یَغْشٰی ۝١٦

مَا زَاغَ الْبَصَرُ وَمَا طَغٰی ۝١٧ لَقَدْ رَاٰی مِنْ اٰیٰتِ رَبِّهِ

الْكُبْرٰی ۝١٨ اَفَرَءَیْتُمُ اللّٰتَ وَالْعُزّٰی ۝١٩ وَمَنٰوةَ الثَّالِثَةَ

الْاُخْرٰی ۝٢٠ اَلَكُمُ الذَّكَرُ وَلَهُ الْاُنْثٰی ۝٢١ تِلْكَ اِذًا قِسْمَةٌ

ضِیْزٰی ۝٢٢ اِنْ هِیَ اِلَّاۤ اَسْمَآءٌ سَمَّیْتُمُوْهَاۤ اَنْتُمْ وَ

اٰبَآؤُكُمْ مَّاۤ اَنْزَلَ اللّٰهُ بِهَا مِنْ سُلْطٰنٍ ؕ اِنْ یَّتَّبِعُوْنَ

اِلَّا الظَّنَّ وَمَا تَهْوَی الْاَنْفُسُ ۚ وَلَقَدْ جَآءَهُمْ مِّنْ

رَبِّهِمُ الْهُدٰى ﴿٢٣﴾ اَمْ لِلْاِنْسَانِ مَا تَمَنّٰى ﴿٢٤﴾ فَلِلّٰهِ
الْاٰخِرَةُ وَالْاُوْلٰى ﴿٢٥﴾ وَكَمْ مِّنْ مَّلَكٍ فِى السَّمٰوٰتِ لَا ع ٥
تُغْنِىْ شَفَاعَتُهُمْ شَيْـًٔا اِلَّا مِنْۢ بَعْدِ اَنْ يَّاْذَنَ اللّٰهُ
لِمَنْ يَّشَآءُ وَيَرْضٰى ﴿٢٦﴾ اِنَّ الَّذِيْنَ لَا يُؤْمِنُوْنَ بِالْاٰخِرَةِ
لَيُسَمُّوْنَ الْمَلٰٓئِكَةَ تَسْمِيَةَ الْاُنْثٰى ﴿٢٧﴾ وَمَا لَهُمْ بِهٖ
مِنْ عِلْمٍ ؕ اِنْ يَّتَّبِعُوْنَ اِلَّا الظَّنَّ ۚ وَاِنَّ الظَّنَّ لَا
يُغْنِىْ مِنَ الْحَقِّ شَيْـًٔا ﴿٢٨﴾ ۚ فَاَعْرِضْ عَنْ مَّنْ تَوَلّٰى ۵
عَنْ ذِكْرِنَا وَلَمْ يُرِدْ اِلَّا الْحَيٰوةَ الدُّنْيَا ﴿٢٩﴾ ؕ ذٰلِكَ
مَبْلَغُهُمْ مِّنَ الْعِلْمِ ؕ اِنَّ رَبَّكَ هُوَ اَعْلَمُ بِمَنْ ضَلَّ
عَنْ سَبِيْلِهٖ ۙ وَهُوَ اَعْلَمُ بِمَنِ اهْتَدٰى ﴿٣٠﴾ وَلِلّٰهِ مَا الربع
فِى السَّمٰوٰتِ وَمَا فِى الْاَرْضِ ۙ لِيَجْزِىَ الَّذِيْنَ
اَسَآءُوْا بِمَا عَمِلُوْا وَيَجْزِىَ الَّذِيْنَ اَحْسَنُوْا بِالْحُسْنٰى ﴿٣١﴾ ۚ
اَلَّذِيْنَ يَجْتَنِبُوْنَ كَبٰٓئِرَ الْاِثْمِ وَالْفَوَاحِشَ اِلَّا اللَّمَمَ ؕ

منزل ٧

اِنَّ رَبَّكَ وَاسِعُ الْمَغْفِرَةِ ؕ هُوَ اَعْلَمُ بِكُمْ اِذْ اَنْشَاَكُمْ
مِّنَ الْاَرْضِ وَاِذْ اَنْتُمْ اَجِنَّةٌ فِىْ بُطُوْنِ اُمَّهٰتِكُمْ ۚ
فَلَا تُزَكُّوْٓا اَنْفُسَكُمْ ؕ هُوَ اَعْلَمُ بِمَنِ اتَّقٰى ﴿٣٢﴾ اَفَرَءَيْتَ ع
الَّذِىْ تَوَلّٰى ﴿٣٣﴾ وَاَعْطٰى قَلِيْلًا وَّاَكْدٰى ﴿٣٤﴾ اَعِنْدَهٗ
عِلْمُ الْغَيْبِ فَهُوَ يَرٰى ﴿٣٥﴾ اَمْ لَمْ يُنَبَّاْ بِمَا فِىْ صُحُفِ
مُوْسٰى ﴿٣٦﴾ وَاِبْرٰهِيْمَ الَّذِىْ وَفّٰٓى ﴿٣٧﴾ اَلَّا تَزِرُ وَازِرَةٌ
وِّزْرَ اُخْرٰى ﴿٣٨﴾ وَاَنْ لَّيْسَ لِلْاِنْسَانِ اِلَّا مَا سَعٰى ﴿٣٩﴾ منزل ٧
وَاَنَّ سَعْيَهٗ سَوْفَ يُرٰى ﴿٤٠﴾ ثُمَّ يُجْزٰىهُ الْجَزَآءَ الْاَوْفٰى ﴿٤١﴾
وَاَنَّ اِلٰى رَبِّكَ الْمُنْتَهٰى ﴿٤٢﴾ وَاَنَّهٗ هُوَ اَضْحَكَ وَاَبْكٰى ﴿٤٣﴾
وَاَنَّهٗ هُوَ اَمَاتَ وَاَحْيَا ﴿٤٤﴾ وَاَنَّهٗ خَلَقَ الزَّوْجَيْنِ
الذَّكَرَ وَالْاُنْثٰى ﴿٤٥﴾ مِنْ نُّطْفَةٍ اِذَا تُمْنٰى ﴿٤٦﴾ وَاَنَّ عَلَيْهِ
النَّشْاَةَ الْاُخْرٰى ﴿٤٧﴾ وَاَنَّهٗ هُوَ اَغْنٰى وَاَقْنٰى ﴿٤٨﴾ وَاَنَّهٗ
هُوَ رَبُّ الشِّعْرٰى ﴿٤٩﴾ وَاَنَّهٗٓ اَهْلَكَ عَادَا ۨالْاُوْلٰى ﴿٥٠﴾

Ikhfa إخفا | Ikhfa Meem Saakin إخفامیم ساکن | Qalqala قلقلہ | Qalb قلب | Idghaam إدغام | Idghaam Meem Saakin إدغام میم ساکن | Ghunna غُنّہ

وَثَمُوْدَاۡ فَمَآ اَبْقٰى ﴿٥١﴾ وَقَوْمَ نُوْحٍ مِّنْ قَبْلُ ؕ اِنَّهُمْ

كَانُوْا هُمْ اَظْلَمَ وَاَطْغٰى ﴿٥٢﴾ وَالْمُؤْتَفِكَةَ اَهْوٰى ﴿٥٣﴾

فَغَشّٰىهَا مَا غَشّٰى ﴿٥٤﴾ فَبِاَيِّ اٰلَآءِ رَبِّكَ تَتَمَارٰى ﴿٥٥﴾

هٰذَا نَذِيْرٌ مِّنَ النُّذُرِ الْاُوْلٰى ﴿٥٦﴾ اَزِفَتِ الْاٰزِفَةُ ﴿٥٧﴾

لَيْسَ لَهَا مِنْ دُوْنِ اللّٰهِ كَاشِفَةٌ ﴿٥٨﴾ اَفَمِنْ هٰذَا

الْحَدِيْثِ تَعْجَبُوْنَ ﴿٥٩﴾ وَتَضْحَكُوْنَ وَلَا تَبْكُوْنَ ﴿٦٠﴾ وَ

اَنْتُمْ سٰمِدُوْنَ ﴿٦١﴾ فَاسْجُدُوْا لِلّٰهِ وَاعْبُدُوْا ﴿٦٢﴾ السَّجدة ع

منزل ٧ — السجدة ١٣ ع ٣ (١٢)

اٰيَاتُهَا ٥٥ — (٥٤) سُوْرَةُ الْقَمَرِ مَكِّيَّةٌ (٣٧) — رُكُوْعَاتُهَا ٣

بِسْمِ اللّٰهِ الرَّحْمٰنِ الرَّحِيْمِ

اِقْتَرَبَتِ السَّاعَةُ وَانْشَقَّ الْقَمَرُ ﴿١﴾ وَاِنْ يَّرَوْا اٰيَةً

يُّعْرِضُوْا وَيَقُوْلُوْا سِحْرٌ مُّسْتَمِرٌّ ﴿٢﴾ وَكَذَّبُوْا وَاتَّبَعُوْٓا

اَهْوَآءَهُمْ وَكُلُّ اَمْرٍ مُّسْتَقِرٌّ ﴿٣﴾ وَلَقَدْ جَآءَهُمْ مِّنَ

الْاَنْبَآءِ مَا فِيْهِ مُزْدَجَرٌ ﴿٤﴾ حِكْمَةٌ ۢ بَالِغَةٌ فَمَا

Ikhfa إخفا | Ikhfa Meem Saakin إخفا میم ساکن | Qalqala قلقلہ | Qalb قلب | Idghaam اِدغام | Idghaam Meem Saakin اِدغام میم ساکن | Ghunna غُنّہ

وقف لازم

تُغْنِ النُّذُرُ ۝٥ فَتَوَلَّ عَنْهُمْ ۘ يَوْمَ يَدْعُ الدَّاعِ اِلٰى
شَيْءٍ نُّكُرٍ ۝٦ خُشَّعًا اَبْصَارُهُمْ يَخْرُجُوْنَ مِنَ
الْاَجْدَاثِ كَاَنَّهُمْ جَرَادٌ مُّنْتَشِرٌ ۝٧ مُّهْطِعِيْنَ اِلَى
الدَّاعِ ؕ يَقُوْلُ الْكٰفِرُوْنَ هٰذَا يَوْمٌ عَسِرٌ ۝٨ كَذَّبَتْ
قَبْلَهُمْ قَوْمُ نُوْحٍ فَكَذَّبُوْا عَبْدَنَا وَقَالُوْا مَجْنُوْنٌ
وَّازْدُجِرَ ۝٩ فَدَعَا رَبَّهٗۤ اَنِّيْ مَغْلُوْبٌ فَانْتَصِرْ ۝١٠
فَفَتَحْنَاۤ اَبْوَابَ السَّمَآءِ بِمَآءٍ مُّنْهَمِرٍ ۝١١ وَّفَجَّرْنَا
الْاَرْضَ عُيُوْنًا فَالْتَقَى الْمَآءُ عَلٰۤى اَمْرٍ قَدْ قُدِرَ ۝١٢ ج
وَحَمَلْنٰهُ عَلٰى ذَاتِ اَلْوَاحٍ وَّدُسُرٍ ۝١٣ تَجْرِيْ بِاَعْيُنِنَا ج
جَزَآءً لِّمَنْ كَانَ كُفِرَ ۝١٤ وَلَقَدْ تَّرَكْنٰهَاۤ اٰيَةً فَهَلْ
مِنْ مُّدَّكِرٍ ۝١٥ فَكَيْفَ كَانَ عَذَابِيْ وَنُذُرِ ۝١٦ وَلَقَدْ
يَسَّرْنَا الْقُرْاٰنَ لِلذِّكْرِ فَهَلْ مِنْ مُّدَّكِرٍ ۝١٧ كَذَّبَتْ
عَادٌ فَكَيْفَ كَانَ عَذَابِيْ وَنُذُرِ ۝١٨ اِنَّاۤ اَرْسَلْنَا عَلَيْهِمْ

منزل ٧

رِيْحًا صَرْصَرًا فِیْ يَوْمِ نَحْسٍ مُّسْتَمِرٍّ ﴿١٩﴾ تَنْزِعُ النَّاسَ ۙ
كَاَنَّهُمْ اَعْجَازُ نَخْلٍ مُّنْقَعِرٍ ﴿٢٠﴾ فَكَيْفَ كَانَ عَذَابِیْ وَ
نُذُرِ ﴿٢١﴾ وَلَقَدْ يَسَّرْنَا الْقُرْاٰنَ لِلذِّكْرِ فَهَلْ مِنْ
مُّدَّكِرٍ ﴿٢٢﴾ ع كَذَّبَتْ ثَمُوْدُ بِالنُّذُرِ ﴿٢٣﴾ فَقَالُوْٓا اَبَشَرًا مِّنَّا ع ٢٢ ٨
وَاحِدًا نَّتَّبِعُهٗۤ ۙ اِنَّآ اِذًا لَّفِیْ ضَلٰلٍ وَّسُعُرٍ ﴿٢٤﴾ ءَاُلْقِیَ
الذِّكْرُ عَلَيْهِ مِنْۢ بَيْنِنَا بَلْ هُوَ كَذَّابٌ اَشِرٌ ﴿٢٥﴾
سَيَعْلَمُوْنَ غَدًا مَّنِ الْكَذَّابُ الْاَشِرُ ﴿٢٦﴾ اِنَّا مُرْسِلُوا منزل ٧
النَّاقَةِ فِتْنَةً لَّهُمْ فَارْتَقِبْهُمْ وَاصْطَبِرْ ﴿٢٧﴾ وَنَبِّئْهُمْ
اَنَّ الْمَآءَ قِسْمَةٌۢ بَيْنَهُمْ ۚ كُلُّ شِرْبٍ مُّحْتَضَرٌ ﴿٢٨﴾ فَنَادَوْا
صَاحِبَهُمْ فَتَعَاطٰى فَعَقَرَ ﴿٢٩﴾ فَكَيْفَ كَانَ عَذَابِیْ وَ
نُذُرِ ﴿٣٠﴾ اِنَّآ اَرْسَلْنَا عَلَيْهِمْ صَيْحَةً وَّاحِدَةً فَكَانُوْا
كَهَشِيْمِ الْمُحْتَظِرِ ﴿٣١﴾ وَلَقَدْ يَسَّرْنَا الْقُرْاٰنَ لِلذِّكْرِ
فَهَلْ مِنْ مُّدَّكِرٍ ﴿٣٢﴾ كَذَّبَتْ قَوْمُ لُوْطٍۭ بِالنُّذُرِ ﴿٣٣﴾

Ikhfa إخفا | Ikhfa Meem Saakin إخفاميم ساكن | Qalqala قلقله | Qalb قلب | Idghaam إدغام | Idghaam Meem Saakin إدغام ميم ساكن | Ghunna غُنّه

إِنَّآ أَرْسَلْنَا عَلَيْهِمْ حَاصِبًا إِلَّآ ءَالَ لُوطٍ ۖ نَّجَّيْنَٰهُم

بِسَحَرٍ ﴿٣٤﴾ نِّعْمَةً مِّنْ عِندِنَا ۚ كَذَٰلِكَ نَجْزِى مَن

شَكَرَ ﴿٣٥﴾ وَلَقَدْ أَنذَرَهُم بَطْشَتَنَا فَتَمَارَوْا بِٱلنُّذُرِ ﴿٣٦﴾

وَلَقَدْ رَٰوَدُوهُ عَن ضَيْفِهِۦ فَطَمَسْنَآ أَعْيُنَهُمْ فَذُوقُوا

عَذَابِى وَنُذُرِ ﴿٣٧﴾ وَلَقَدْ صَبَّحَهُم بُكْرَةً عَذَابٌ

مُّسْتَقِرٌّ ﴿٣٨﴾ ج فَذُوقُوا عَذَابِى وَنُذُرِ ﴿٣٩﴾ وَلَقَدْ يَسَّرْنَا

ٱلْقُرْءَانَ لِلذِّكْرِ فَهَلْ مِن مُّدَّكِرٍ ﴿٤٠﴾ ع وَلَقَدْ

جَآءَ ءَالَ فِرْعَوْنَ ٱلنُّذُرُ ﴿٤١﴾ ج كَذَّبُوا بِـَٔايَٰتِنَا كُلِّهَا

فَأَخَذْنَٰهُمْ أَخْذَ عَزِيزٍ مُّقْتَدِرٍ ﴿٤٢﴾ أَكُفَّارُكُمْ خَيْرٌ مِّنْ

أُو۟لَٰٓئِكُمْ أَمْ لَكُم بَرَآءَةٌ فِى ٱلزُّبُرِ ﴿٤٣﴾ ج أَمْ يَقُولُونَ

نَحْنُ جَمِيعٌ مُّنتَصِرٌ ﴿٤٤﴾ سَيُهْزَمُ ٱلْجَمْعُ وَيُوَلُّونَ ٱلدُّبُرَ ﴿٤٥﴾

بَلِ ٱلسَّاعَةُ مَوْعِدُهُمْ وَٱلسَّاعَةُ أَدْهَىٰ وَأَمَرُّ ﴿٤٦﴾

إِنَّ ٱلْمُجْرِمِينَ فِى ضَلَٰلٍ وَسُعُرٍ ﴿٤٧﴾ يَوْمَ يُسْحَبُونَ

منزل ٧

ع ١٨ ٢ ٩

وقف لازم

Ikhfa إخفا | Ikhfa Meem Saakin إخفاميم ساكن | Qalqala قلقله | Qalb قلب | Idghaam ادغام | Idghaam Meem Saakin ادغام ميم ساكن | Ghunna غُنّه

فِى النَّارِ عَلٰى وُجُوْهِهِمْ ؕ ذُوْقُوْا مَسَّ سَقَرَ ﴿۴۸﴾ اِنَّا
كُلَّ شَىْءٍ خَلَقْنٰهُ بِقَدَرٍ ﴿۴۹﴾ وَمَآ اَمْرُنَآ اِلَّا وَاحِدَةٌ
كَلَمْحٍ بِالْبَصَرِ ﴿۵۰﴾ وَلَقَدْ اَهْلَكْنَآ اَشْيَاعَكُمْ فَهَلْ
مِنْ مُّدَّكِرٍ ﴿۵۱﴾ وَكُلُّ شَىْءٍ فَعَلُوْهُ فِى الزُّبُرِ ﴿۵۲﴾ وَكُلُّ
صَغِيْرٍ وَّكَبِيْرٍ مُّسْتَطَرٌ ﴿۵۳﴾ اِنَّ الْمُتَّقِيْنَ فِىْ جَنّٰتٍ وَّ
نَهَرٍ ﴿۵۴﴾ فِىْ مَقْعَدِ صِدْقٍ عِنْدَ مَلِيْكٍ مُّقْتَدِرٍ ﴿۵۵﴾ ع ١٥ ٣

اٰيَاتُهَا ٧٨ (٥٥) سُوْرَةُ الرَّحْمٰنِ مَدَنِيَّةٌ (٩٧) رُكُوْعَاتُهَا ٣

بِسْمِ اللّٰهِ الرَّحْمٰنِ الرَّحِيْمِ ○

اَلرَّحْمٰنُ ﴿۱﴾ عَلَّمَ الْقُرْاٰنَ ﴿۲﴾ خَلَقَ الْاِنْسَانَ ﴿۳﴾ عَلَّمَهُ
الْبَيَانَ ﴿۴﴾ اَلشَّمْسُ وَالْقَمَرُ بِحُسْبَانٍ ﴿۵﴾ وَّالنَّجْمُ وَ
الشَّجَرُ يَسْجُدٰنِ ﴿۶﴾ وَالسَّمَآءَ رَفَعَهَا وَوَضَعَ الْمِيْزَانَ ﴿۷﴾
اَلَّا تَطْغَوْا فِى الْمِيْزَانِ ﴿۸﴾ وَاَقِيْمُوا الْوَزْنَ بِالْقِسْطِ وَلَا
تُخْسِرُوا الْمِيْزَانَ ﴿۹﴾ وَالْاَرْضَ وَضَعَهَا لِلْاَنَامِ ﴿۱۰﴾

منزل ٧

فِيهَا فَاكِهَةٌ وَّالنَّخْلُ ذَاتُ الْاَكْمَامِ ﴿۱۱﴾ وَالْحَبُّ
ذُو الْعَصْفِ وَ الرَّيْحَانُ ﴿۱۲﴾ فَبِاَيِّ اٰلَآءِ رَبِّكُمَا
تُكَذِّبٰنِ ﴿۱۳﴾ خَلَقَ الْاِنْسَانَ مِنْ صَلْصَالٍ كَالْفَخَّارِ ﴿۱۴﴾
وَخَلَقَ الْجَآنَّ مِنْ مَّارِجٍ مِّنْ نَّارٍ ﴿۱۵﴾ فَبِاَيِّ اٰلَآءِ
رَبِّكُمَا تُكَذِّبٰنِ ﴿۱۶﴾ رَبُّ الْمَشْرِقَيْنِ وَرَبُّ الْمَغْرِبَيْنِ ﴿۱۷﴾
فَبِاَيِّ اٰلَآءِ رَبِّكُمَا تُكَذِّبٰنِ ﴿۱۸﴾ مَرَجَ الْبَحْرَيْنِ
يَلْتَقِيٰنِ ﴿۱۹﴾ بَيْنَهُمَا بَرْزَخٌ لَّا يَبْغِيٰنِ ﴿۲۰﴾ فَبِاَيِّ اٰلَآءِ
رَبِّكُمَا تُكَذِّبٰنِ ﴿۲۱﴾ يَخْرُجُ مِنْهُمَا اللُّؤْلُؤُ وَالْمَرْجَانُ ﴿۲۲﴾
فَبِاَيِّ اٰلَآءِ رَبِّكُمَا تُكَذِّبٰنِ ﴿۲۳﴾ وَلَهُ الْجَوَارِ الْمُنْشَئٰتُ
فِي الْبَحْرِ كَالْاَعْلَامِ ﴿۲۴﴾ فَبِاَيِّ اٰلَآءِ رَبِّكُمَا تُكَذِّبٰنِ ﴿۲۵﴾ ع ۲۵ النصف ۱۱
كُلُّ مَنْ عَلَيْهَا فَانٍ ﴿۲۶﴾ وَّ يَبْقٰى وَجْهُ رَبِّكَ
ذُو الْجَلٰلِ وَالْاِكْرَامِ ﴿۲۷﴾ فَبِاَيِّ اٰلَآءِ رَبِّكُمَا
تُكَذِّبٰنِ ﴿۲۸﴾ يَسْئَلُهُ مَنْ فِي السَّمٰوٰتِ وَ الْاَرْضِ

منزل ۷

Ikhfa إخفا | Ikhfa Meem Saakin إخفاميم ساكن | Qalqala قلقله | Qalb قلب | Idghaam إدغام | Idghaam Meem Saakin إدغام ميم ساكن | Ghunna غُنّه

كُلَّ يَوْمٍ هُوَ فِيْ شَاْنٍ ۚ ﴿٢٩﴾ فَبِاَيِّ اٰلَآءِ رَبِّكُمَا تُكَذِّبٰنِ ﴿٣٠﴾
سَنَفْرُغُ لَكُمْ اَيُّهَ الثَّقَلٰنِ ۚ ﴿٣١﴾ فَبِاَيِّ اٰلَآءِ رَبِّكُمَا
تُكَذِّبٰنِ ﴿٣٢﴾ يٰمَعْشَرَ الْجِنِّ وَالْاِنْسِ اِنِ اسْتَطَعْتُمْ
اَنْ تَنْفُذُوْا مِنْ اَقْطَارِ السَّمٰوٰتِ وَالْاَرْضِ
فَانْفُذُوْا ؕ لَا تَنْفُذُوْنَ اِلَّا بِسُلْطٰنٍ ۚ ﴿٣٣﴾ فَبِاَيِّ اٰلَآءِ
رَبِّكُمَا تُكَذِّبٰنِ ﴿٣٤﴾ يُرْسَلُ عَلَيْكُمَا شُوَاظٌ مِّنْ
نَّارٍ ۙ وَّنُحَاسٌ فَلَا تَنْتَصِرٰنِ ۚ ﴿٣٥﴾ فَبِاَيِّ اٰلَآءِ رَبِّكُمَا
تُكَذِّبٰنِ ﴿٣٦﴾ فَاِذَا انْشَقَّتِ السَّمَآءُ فَكَانَتْ وَرْدَةً
كَالدِّهَانِ ۚ ﴿٣٧﴾ فَبِاَيِّ اٰلَآءِ رَبِّكُمَا تُكَذِّبٰنِ ﴿٣٨﴾
فَيَوْمَئِذٍ لَّا يُسْئَلُ عَنْ ذَنْۢبِهٖۤ اِنْسٌ وَّلَا جَآنٌّ ۚ ﴿٣٩﴾
فَبِاَيِّ اٰلَآءِ رَبِّكُمَا تُكَذِّبٰنِ ﴿٤٠﴾ يُعْرَفُ الْمُجْرِمُوْنَ بِسِيْمٰهُمْ
فَيُؤْخَذُ بِالنَّوَاصِيْ وَالْاَقْدَامِ ۚ ﴿٤١﴾ فَبِاَيِّ اٰلَآءِ
رَبِّكُمَا تُكَذِّبٰنِ ﴿٤٢﴾ هٰذِهٖ جَهَنَّمُ الَّتِيْ يُكَذِّبُ بِهَا

منزل ٧

الْمُجْرِمُوْنَ ﴿٤٣﴾ يَطُوْفُوْنَ بَيْنَهَا وَبَيْنَ حَمِيْمٍ اٰنٍ ﴿٤٤﴾ ج
فَبِاَيِّ اٰلَآءِ رَبِّكُمَا تُكَذِّبٰنِ ﴿٤٥﴾ ع وَلِمَنْ خَافَ
مَقَامَ رَبِّهٖ جَنَّتٰنِ ﴿٤٦﴾ ج فَبِاَيِّ اٰلَآءِ رَبِّكُمَا تُكَذِّبٰنِ ﴿٤٧﴾ لا
ذَوَاتَآ اَفْنَانٍ ﴿٤٨﴾ ج فَبِاَيِّ اٰلَآءِ رَبِّكُمَا تُكَذِّبٰنِ ﴿٤٩﴾
فِيْهِمَا عَيْنٰنِ تَجْرِيٰنِ ﴿٥٠﴾ ج فَبِاَيِّ اٰلَآءِ رَبِّكُمَا
تُكَذِّبٰنِ ﴿٥١﴾ فِيْهِمَا مِنْ كُلِّ فَاكِهَةٍ زَوْجٰنِ ﴿٥٢﴾ ج
فَبِاَيِّ اٰلَآءِ رَبِّكُمَا تُكَذِّبٰنِ ﴿٥٣﴾ مُتَّكِـِٕيْنَ عَلٰى فُرُشٍۭ
بَطَآىِٕنُهَا مِنْ اِسْتَبْرَقٍ ؕ وَجَنَا الْجَنَّتَيْنِ دَانٍ ﴿٥٤﴾ ج
فَبِاَيِّ اٰلَآءِ رَبِّكُمَا تُكَذِّبٰنِ ﴿٥٥﴾ فِيْهِنَّ قٰصِرٰتُ
الطَّرْفِ ۙ لَمْ يَطْمِثْهُنَّ اِنْسٌ قَبْلَهُمْ وَلَا جَآنٌّ ﴿٥٦﴾ ج
فَبِاَيِّ اٰلَآءِ رَبِّكُمَا تُكَذِّبٰنِ ﴿٥٧﴾ ج كَاَنَّهُنَّ الْيَاقُوْتُ
وَالْمَرْجَانُ ﴿٥٨﴾ ج فَبِاَيِّ اٰلَآءِ رَبِّكُمَا تُكَذِّبٰنِ ﴿٥٩﴾
هَلْ جَزَآءُ الْاِحْسَانِ اِلَّا الْاِحْسَانُ ﴿٦٠﴾ ج فَبِاَيِّ

منزل ٧

اٰلَآءِ رَبِّكُمَا تُكَذِّبٰنِ ﴿٦١﴾ وَمِنْ دُوْنِهِمَا
جَنَّتٰنِ ﴿٦٢﴾ فَبِاَيِّ اٰلَآءِ رَبِّكُمَا تُكَذِّبٰنِ ﴿٦٣﴾
مُدْهَآمَّتٰنِ ﴿٦٤﴾ فَبِاَيِّ اٰلَآءِ رَبِّكُمَا تُكَذِّبٰنِ ﴿٦٥﴾
فِيْهِمَا عَيْنٰنِ نَضَّاخَتٰنِ ﴿٦٦﴾ فَبِاَيِّ اٰلَآءِ رَبِّكُمَا
تُكَذِّبٰنِ ﴿٦٧﴾ فِيْهِمَا فَاكِهَةٌ وَّنَخْلٌ وَّرُمَّانٌ ﴿٦٨﴾
فَبِاَيِّ اٰلَآءِ رَبِّكُمَا تُكَذِّبٰنِ ﴿٦٩﴾ فِيْهِنَّ خَيْرٰتٌ
حِسَانٌ ﴿٧٠﴾ فَبِاَيِّ اٰلَآءِ رَبِّكُمَا تُكَذِّبٰنِ ﴿٧١﴾ حُوْرٌ
مَّقْصُوْرٰتٌ فِي الْخِيَامِ ﴿٧٢﴾ فَبِاَيِّ اٰلَآءِ رَبِّكُمَا
تُكَذِّبٰنِ ﴿٧٣﴾ لَمْ يَطْمِثْهُنَّ اِنْسٌ قَبْلَهُمْ وَلَا جَآنٌّ ﴿٧٤﴾
فَبِاَيِّ اٰلَآءِ رَبِّكُمَا تُكَذِّبٰنِ ﴿٧٥﴾ مُتَّكِـِٕيْنَ عَلٰى
رَفْرَفٍ خُضْرٍ وَّعَبْقَرِيٍّ حِسَانٍ ﴿٧٦﴾ فَبِاَيِّ اٰلَآءِ
رَبِّكُمَا تُكَذِّبٰنِ ﴿٧٧﴾ تَبٰرَكَ اسْمُ رَبِّكَ ذِي الْجَلٰلِ
وَالْاِكْرَامِ ﴿٧٨﴾

منزل ٧

ع ٣ ١٣

Ikhfa إخفا | Ikhfa Meem Saakin إخفاميم ساكن | Qalqala قلقله | Qalb قلب | Idghaam إدغام | Idghaam Meem Saakin إدغام ميم ساكن | Ghunna غُنّہ

سُوْرَةُ الْوَاقِعَةِ مَكِّيَّةٌ (٥٦) (٤٦)
اٰيَاتُهَا ٩٦ رُكُوْعَاتُهَا ٣

بِسْمِ اللّٰهِ الرَّحْمٰنِ الرَّحِيْمِ ○

وقف لازم

اِذَا وَقَعَتِ الْوَاقِعَةُ ۙ﴿١﴾ لَيْسَ لِوَقْعَتِهَا كَاذِبَةٌ ۘ﴿٢﴾
خَافِضَةٌ رَّافِعَةٌ ۙ﴿٣﴾ اِذَا رُجَّتِ الْاَرْضُ رَجًّا ۙ﴿٤﴾
وَّ بُسَّتِ الْجِبَالُ بَسًّا ۙ﴿٥﴾ فَكَانَتْ هَبَآءً مُّنْۢبَثًّا ۙ﴿٦﴾
وَّكُنْتُمْ اَزْوَاجًا ثَلٰثَةً ؕ﴿٧﴾ فَاَصْحٰبُ الْمَيْمَنَةِ ۙ۵
مَا اَصْحٰبُ الْمَيْمَنَةِ ؕ﴿٨﴾ وَ اَصْحٰبُ الْمَشْئَمَةِ ۙ۵
مَا اَصْحٰبُ الْمَشْئَمَةِ ؕ﴿٩﴾ وَالسّٰبِقُوْنَ السّٰبِقُوْنَ ۚ﴿١٠﴾
اُولٰٓئِكَ الْمُقَرَّبُوْنَ ۚ﴿١١﴾ فِیْ جَنّٰتِ النَّعِيْمِ ﴿١٢﴾
ثُلَّةٌ مِّنَ الْاَوَّلِيْنَ ۙ﴿١٣﴾ وَقَلِيْلٌ مِّنَ الْاٰخِرِيْنَ ؕ﴿١٤﴾
عَلٰى سُرُرٍ مَّوْضُوْنَةٍ ۙ﴿١٥﴾ مُّتَّكِـِٕيْنَ عَلَيْهَا مُتَقٰبِلِيْنَ ﴿١٦﴾
يَطُوْفُ عَلَيْهِمْ وِلْدَانٌ مُّخَلَّدُوْنَ ۙ﴿١٧﴾ بِاَكْوَابٍ
وَّ اَبَارِيْقَ ۙ۵ وَكَاْسٍ مِّنْ مَّعِيْنٍ ۙ﴿١٨﴾ لَّا يُصَدَّعُوْنَ

منزل ٧

عَنْهَا وَلَا يُنْزِفُوْنَ ﴿١٩﴾ ۙ وَفَاكِهَةٍ مِّمَّا يَتَخَيَّرُوْنَ ﴿٢٠﴾ ۙ
وَلَحْمِ طَيْرٍ مِّمَّا يَشْتَهُوْنَ ﴿٢١﴾ ؕ وَحُوْرٌ عِيْنٌ ﴿٢٢﴾ ۙ
كَاَمْثَالِ اللُّؤْلُؤِ الْمَكْنُوْنِ ﴿٢٣﴾ ۚ جَزَآءًۢ بِمَا كَانُوْا
يَعْمَلُوْنَ ﴿٢٤﴾ لَا يَسْمَعُوْنَ فِيْهَا لَغْوًا وَّلَا تَاْثِيْمًا ﴿٢٥﴾ ۙ
اِلَّا قِيْلًا سَلٰمًا سَلٰمًا ﴿٢٦﴾ وَاَصْحٰبُ الْيَمِيْنِ ۙ۬ مَاۤ
اَصْحٰبُ الْيَمِيْنِ ﴿٢٧﴾ ؕ فِيْ سِدْرٍ مَّخْضُوْدٍ ﴿٢٨﴾ ۙ وَّطَلْحٍ
مَّنْضُوْدٍ ﴿٢٩﴾ ۙ وَّظِلٍّ مَّمْدُوْدٍ ﴿٣٠﴾ ۙ وَّمَآءٍ مَّسْكُوْبٍ ﴿٣١﴾ ۙ وَّ
فَاكِهَةٍ كَثِيْرَةٍ ﴿٣٢﴾ ۙ لَّا مَقْطُوْعَةٍ وَّلَا مَمْنُوْعَةٍ ﴿٣٣﴾ ۙ
وَّفُرُشٍ مَّرْفُوْعَةٍ ﴿٣٤﴾ ؕ اِنَّاۤ اَنْشَاْنٰهُنَّ اِنْشَآءً ﴿٣٥﴾ ۙ
فَجَعَلْنٰهُنَّ اَبْكَارًا ﴿٣٦﴾ ۙ عُرُبًا اَتْرَابًا ﴿٣٧﴾ ۙ لِّاَصْحٰبِ
الْيَمِيْنِ ﴿٣٨﴾ ؕع ثُلَّةٌ مِّنَ الْاَوَّلِيْنَ ﴿٣٩﴾ ۙ وَثُلَّةٌ مِّنَ ع ٣٨ ١٤
الْاٰخِرِيْنَ ﴿٤٠﴾ ؕ وَاَصْحٰبُ الشِّمَالِ ۙ۬ مَاۤ اَصْحٰبُ
الشِّمَالِ ﴿٤١﴾ ؕ فِيْ سَمُوْمٍ وَّحَمِيْمٍ ﴿٤٢﴾ ۙ وَّظِلٍّ مِّنْ

منزل ٧

يَّحْمُوْمٍ ﴿٤٣﴾ لَّا بَارِدٍ وَّلَا كَرِيْمٍ ﴿٤٤﴾ اِنَّهُمْ كَانُوْا
قَبْلَ ذٰلِكَ مُتْرَفِيْنَ ﴿٤٥﴾ وَكَانُوْا يُصِرُّوْنَ
عَلَى الْحِنْثِ الْعَظِيْمِ ﴿٤٦﴾ وَكَانُوْا يَقُوْلُوْنَ اَئِذَا
مِتْنَا وَكُنَّا تُرَابًا وَّعِظَامًا ءَاِنَّا لَمَبْعُوْثُوْنَ ﴿٤٧﴾
اَوَاٰبَآؤُنَا الْاَوَّلُوْنَ ﴿٤٨﴾ قُلْ اِنَّ الْاَوَّلِيْنَ وَ
الْاٰخِرِيْنَ ﴿٤٩﴾ لَمَجْمُوْعُوْنَ اِلٰى مِيْقَاتِ يَوْمٍ
مَّعْلُوْمٍ ﴿٥٠﴾ ثُمَّ اِنَّكُمْ اَيُّهَا الضَّآلُّوْنَ الْمُكَذِّبُوْنَ ﴿٥١﴾
لَاٰكِلُوْنَ مِنْ شَجَرٍ مِّنْ زَقُّوْمٍ ﴿٥٢﴾ فَمَالِئُوْنَ
مِنْهَا الْبُطُوْنَ ﴿٥٣﴾ فَشٰرِبُوْنَ عَلَيْهِ مِنَ
الْحَمِيْمِ ﴿٥٤﴾ فَشٰرِبُوْنَ شُرْبَ الْهِيْمِ ﴿٥٥﴾ هٰذَا
نُزُلُهُمْ يَوْمَ الدِّيْنِ ﴿٥٦﴾ نَحْنُ خَلَقْنٰكُمْ فَلَوْلَا
تُصَدِّقُوْنَ ﴿٥٧﴾ اَفَرَءَيْتُمْ مَّا تُمْنُوْنَ ﴿٥٨﴾ ءَاَنْتُمْ
تَخْلُقُوْنَهٗٓ اَمْ نَحْنُ الْخٰلِقُوْنَ ﴿٥٩﴾ نَحْنُ قَدَّرْنَا

بَيْنَكُمُ الْمَوْتَ وَمَا نَحْنُ بِمَسْبُوْقِيْنَ ﴿٦٠﴾ عَلٰٓى اَنْ
نُّبَدِّلَ اَمْثَالَكُمْ وَنُنْشِئَكُمْ فِيْ مَا لَا تَعْلَمُوْنَ ﴿٦١﴾
وَلَقَدْ عَلِمْتُمُ النَّشْاَةَ الْاُوْلٰى فَلَوْلَا تَذَكَّرُوْنَ ﴿٦٢﴾
اَفَرَءَيْتُمْ مَّا تَحْرُثُوْنَ ﴿٦٣﴾ ءَاَنْتُمْ تَزْرَعُوْنَهٗٓ اَمْ
نَحْنُ الزّٰرِعُوْنَ ﴿٦٤﴾ لَوْ نَشَآءُ لَجَعَلْنٰهُ حُطَامًا
فَظَلْتُمْ تَفَكَّهُوْنَ ﴿٦٥﴾ اِنَّا لَمُغْرَمُوْنَ ﴿٦٦﴾ بَلْ نَحْنُ
مَحْرُوْمُوْنَ ﴿٦٧﴾ اَفَرَءَيْتُمُ الْمَآءَ الَّذِيْ تَشْرَبُوْنَ ﴿٦٨﴾
ءَاَنْتُمْ اَنْزَلْتُمُوْهُ مِنَ الْمُزْنِ اَمْ نَحْنُ الْمُنْزِلُوْنَ ﴿٦٩﴾
لَوْ نَشَآءُ جَعَلْنٰهُ اُجَاجًا فَلَوْلَا تَشْكُرُوْنَ ﴿٧٠﴾
اَفَرَءَيْتُمُ النَّارَ الَّتِيْ تُوْرُوْنَ ﴿٧١﴾ ءَاَنْتُمْ اَنْشَاْتُمْ
شَجَرَتَهَآ اَمْ نَحْنُ الْمُنْشِـُٔوْنَ ﴿٧٢﴾ نَحْنُ جَعَلْنٰهَا
تَذْكِرَةً وَّمَتَاعًا لِّلْمُقْوِيْنَ ﴿٧٣﴾ فَسَبِّحْ بِاسْمِ
رَبِّكَ الْعَظِيْمِ ﴿٧٤﴾ فَلَآ اُقْسِمُ بِمَوٰقِعِ النُّجُوْمِ ﴿٧٥﴾

منزل ٧

ع ٢/٣٦ ١٥

وَاِنَّهٗ لَقَسَمٌ لَّوْ تَعْلَمُوْنَ عَظِيْمٌ ﴿۷۶﴾ ۙ اِنَّهٗ لَقُرْاٰنٌ
كَرِيْمٌ ﴿۷۷﴾ ۙ فِيْ كِتٰبٍ مَّكْنُوْنٍ ﴿۷۸﴾ ۙ لَّا يَمَسُّهٗۤ اِلَّا
الْمُطَهَّرُوْنَ ﴿۷۹﴾ ؕ تَنْزِيْلٌ مِّنْ رَّبِّ الْعٰلَمِيْنَ ﴿۸۰﴾
اَفَبِهٰذَا الْحَدِيْثِ اَنْتُمْ مُّدْهِنُوْنَ ﴿۸۱﴾ ۙ وَتَجْعَلُوْنَ
رِزْقَكُمْ اَنَّكُمْ تُكَذِّبُوْنَ ﴿۸۲﴾ فَلَوْلَاۤ اِذَا بَلَغَتِ
الْحُلْقُوْمَ ﴿۸۳﴾ ۙ وَاَنْتُمْ حِيْنَئِذٍ تَنْظُرُوْنَ ﴿۸۴﴾ ۙ وَنَحْنُ
اَقْرَبُ اِلَيْهِ مِنْكُمْ وَلٰكِنْ لَّا تُبْصِرُوْنَ ﴿۸۵﴾ فَلَوْلَاۤ
اِنْ كُنْتُمْ غَيْرَ مَدِيْنِيْنَ ﴿۸۶﴾ ۙ تَرْجِعُوْنَهَاۤ اِنْ كُنْتُمْ
صٰدِقِيْنَ ﴿۸۷﴾ فَاَمَّاۤ اِنْ كَانَ مِنَ الْمُقَرَّبِيْنَ ﴿۸۸﴾ ۙ
فَرَوْحٌ وَّرَيْحَانٌ ۙ۵ وَّجَنَّتُ نَعِيْمٍ ﴿۸۹﴾ وَاَمَّاۤ اِنْ
كَانَ مِنْ اَصْحٰبِ الْيَمِيْنِ ﴿۹۰﴾ ۙ فَسَلٰمٌ لَّكَ مِنْ
اَصْحٰبِ الْيَمِيْنِ ﴿۹۱﴾ ؕ وَاَمَّاۤ اِنْ كَانَ مِنَ الْمُكَذِّبِيْنَ
الضَّآلِّيْنَ ﴿۹۲﴾ ۙ فَنُزُلٌ مِّنْ حَمِيْمٍ ﴿۹۳﴾ ۙ وَّتَصْلِيَةُ

جَحِيْمٍ ﴿٩٤﴾ اِنَّ هٰذَا لَهُوَ حَقُّ الْيَقِيْنِ ﴿٩٥﴾ فَسَبِّحْ
بِاسْمِ رَبِّكَ الْعَظِيْمِ ﴿٩٦﴾

ع ٣ ١٦

اٰيَاتُهَا ٢٩ (٥٧) سُوْرَةُ الْحَدِيْدِ مَدَنِيَّةٌ (٩٤) رُكُوْعَاتُهَا ٤

بِسْمِ اللّٰهِ الرَّحْمٰنِ الرَّحِيْمِ

سَبَّحَ لِلّٰهِ مَا فِي السَّمٰوٰتِ وَ الْاَرْضِ ۚ وَهُوَ الْعَزِيْزُ
الْحَكِيْمُ ﴿١﴾ لَهٗ مُلْكُ السَّمٰوٰتِ وَ الْاَرْضِ ۚ يُحْيٖ وَ
يُمِيْتُ ۚ وَهُوَ عَلٰى كُلِّ شَيْءٍ قَدِيْرٌ ﴿٢﴾ هُوَ الْاَوَّلُ
وَ الْاٰخِرُ وَ الظَّاهِرُ وَ الْبَاطِنُ ۚ وَهُوَ بِكُلِّ شَيْءٍ
عَلِيْمٌ ﴿٣﴾ هُوَ الَّذِيْ خَلَقَ السَّمٰوٰتِ وَ الْاَرْضَ
فِيْ سِتَّةِ اَيَّامٍ ثُمَّ اسْتَوٰى عَلَى الْعَرْشِ ؕ يَعْلَمُ مَا
يَلِجُ فِي الْاَرْضِ وَمَا يَخْرُجُ مِنْهَا وَمَا يَنْزِلُ
مِنَ السَّمَآءِ وَمَا يَعْرُجُ فِيْهَا ؕ وَهُوَ مَعَكُمْ اَيْنَ
مَا كُنْتُمْ ؕ وَ اللّٰهُ بِمَا تَعْمَلُوْنَ بَصِيْرٌ ﴿٤﴾ لَهٗ

منزل ٧

مُلۡكُ السَّمٰوٰتِ وَ الۡاَرۡضِ ؕ وَ اِلَى اللّٰهِ تُرۡجَعُ
الۡاُمُوۡرُ ﴿۵﴾ يُوۡلِجُ الَّيۡلَ فِى النَّهَارِ وَيُوۡلِجُ النَّهَارَ
فِى الَّيۡلِ ؕ وَهُوَ عَلِيۡمٌۢ بِذَاتِ الصُّدُوۡرِ ﴿۶﴾ اٰمِنُوۡا
بِاللّٰهِ وَرَسُوۡلِهٖ وَاَنۡفِقُوۡا مِمَّا جَعَلَكُمۡ مُّسۡتَخۡلَفِيۡنَ
فِيۡهِ ؕ فَالَّذِيۡنَ اٰمَنُوۡا مِنۡكُمۡ وَاَنۡفَقُوۡا لَهُمۡ اَجۡرٌ
كَبِيۡرٌ ﴿۷﴾ وَمَا لَكُمۡ لَا تُؤۡمِنُوۡنَ بِاللّٰهِ ۚ وَالرَّسُوۡلُ
يَدۡعُوۡكُمۡ لِتُؤۡمِنُوۡا بِرَبِّكُمۡ وَقَدۡ اَخَذَ مِيۡثَاقَكُمۡ
اِنۡ كُنۡتُمۡ مُّؤۡمِنِيۡنَ ﴿۸﴾ هُوَ الَّذِىۡ يُنَزِّلُ عَلٰى
عَبۡدِهٖۤ اٰيٰتٍۢ بَيِّنٰتٍ لِّيُخۡرِجَكُمۡ مِّنَ الظُّلُمٰتِ
اِلَى النُّوۡرِؕ وَاِنَّ اللّٰهَ بِكُمۡ لَرَءُوۡفٌ رَّحِيۡمٌ ﴿۹﴾ وَمَا
لَكُمۡ اَلَّا تُنۡفِقُوۡا فِىۡ سَبِيۡلِ اللّٰهِ وَلِلّٰهِ مِيۡرَاثُ
السَّمٰوٰتِ وَالۡاَرۡضِ ؕ لَا يَسۡتَوِىۡ مِنۡكُمۡ مَّنۡ اَنۡفَقَ
مِنۡ قَبۡلِ الۡفَتۡحِ وَ قٰتَلَ ؕ اُولٰٓئِكَ اَعۡظَمُ دَرَجَةً

منزل ٧

مِّنَ الَّذِيْنَ اَنْفَقُوْا مِنْۢ بَعْدُ وَ قٰتَلُوْا ؕ وَكُلًّا

وَّعَدَ اللّٰهُ الْحُسْنٰى ؕ وَاللّٰهُ بِمَا تَعْمَلُوْنَ خَبِيْرٌ ﴿١٠﴾ ع ١٠/١٧

مَنْ ذَا الَّذِيْ يُقْرِضُ اللّٰهَ قَرْضًا حَسَنًا فَيُضٰعِفَهٗ

لَهٗ وَلَهٗۤ اَجْرٌ كَرِيْمٌ ﴿١١﴾ يَوْمَ تَرَى الْمُؤْمِنِيْنَ وَ

الْمُؤْمِنٰتِ يَسْعٰى نُوْرُهُمْ بَيْنَ اَيْدِيْهِمْ وَبِاَيْمَانِهِمْ

بُشْرٰىكُمُ الْيَوْمَ جَنّٰتٌ تَجْرِيْ مِنْ تَحْتِهَا الْاَنْهٰرُ

خٰلِدِيْنَ فِيْهَا ؕ ذٰلِكَ هُوَ الْفَوْزُ الْعَظِيْمُ ﴿١٢﴾ يَوْمَ

منزل ٧

يَقُوْلُ الْمُنٰفِقُوْنَ وَ الْمُنٰفِقٰتُ لِلَّذِيْنَ اٰمَنُوا

انْظُرُوْنَا نَقْتَبِسْ مِنْ نُّوْرِكُمْ ۚ قِيْلَ ارْجِعُوْا

وَرَآءَكُمْ فَالْتَمِسُوْا نُوْرًا ؕ فَضُرِبَ بَيْنَهُمْ بِسُوْرٍ لَّهٗ

بَابٌ ؕ بَاطِنُهٗ فِيْهِ الرَّحْمَةُ وَظَاهِرُهٗ مِنْ قِبَلِهِ

الْعَذَابُ ﴿١٣﴾ يُنَادُوْنَهُمْ اَلَمْ نَكُنْ مَّعَكُمْ ؕ قَالُوْا بَلٰى

وَلٰكِنَّكُمْ فَتَنْتُمْ اَنْفُسَكُمْ وَتَرَبَّصْتُمْ وَارْتَبْتُمْ

وَغَرَّتْكُمُ الْاَمَانِیُّ حَتّٰی جَآءَ اَمْرُ اللّٰهِ وَ غَرَّكُمْ
بِاللّٰهِ الْغَرُوْرُ ﴿۱۴﴾ فَالْیَوْمَ لَا یُؤْخَذُ مِنْكُمْ فِدْیَةٌ
وَّلَا مِنَ الَّذِیْنَ كَفَرُوْا ؕ مَاْوٰىكُمُ النَّارُ ؕ هِیَ
مَوْلٰىكُمْ ؕ وَبِئْسَ الْمَصِیْرُ ﴿۱۵﴾ اَلَمْ یَاْنِ لِلَّذِیْنَ
اٰمَنُوْۤا اَنْ تَخْشَعَ قُلُوْبُهُمْ لِذِكْرِ اللّٰهِ وَمَا نَزَلَ
مِنَ الْحَقِّ ۙ وَلَا یَكُوْنُوْا كَالَّذِیْنَ اُوْتُوا الْكِتٰبَ
مِنْ قَبْلُ فَطَالَ عَلَیْهِمُ الْاَمَدُ فَقَسَتْ قُلُوْبُهُمْ ؕ منزل ۷
وَكَثِیْرٌ مِّنْهُمْ فٰسِقُوْنَ ﴿۱۶﴾ اِعْلَمُوْۤا اَنَّ اللّٰهَ
یُحْیِ الْاَرْضَ بَعْدَ مَوْتِهَا ؕ قَدْ بَیَّنَّا لَكُمُ
الْاٰیٰتِ لَعَلَّكُمْ تَعْقِلُوْنَ ﴿۱۷﴾ اِنَّ الْمُصَّدِّقِیْنَ
وَالْمُصَّدِّقٰتِ وَاَقْرَضُوا اللّٰهَ قَرْضًا حَسَنًا یُّضٰعَفُ
لَهُمْ وَلَهُمْ اَجْرٌ كَرِیْمٌ ﴿۱۸﴾ وَالَّذِیْنَ اٰمَنُوْا
بِاللّٰهِ وَرُسُلِهٖۤ اُولٰٓئِكَ هُمُ الصِّدِّیْقُوْنَ ۖۗ وَالشُّهَدَآءُ

عِنْدَ رَبِّهِمْ ؕ لَهُمْ اَجْرُهُمْ وَ نُوْرُهُمْ ؕ وَ الَّذِيْنَ

كَفَرُوْا وَ كَذَّبُوْا بِاٰيٰتِنَاۤ اُولٰٓئِكَ اَصْحٰبُ

الْجَحِيْمِ ﴿۱۹﴾ اِعْلَمُوْۤا اَنَّمَا الْحَيٰوةُ الدُّنْيَا لَعِبٌ ع ۲ ۹ ۱۸

وَّ لَهْوٌ وَّ زِيْنَةٌ وَّ تَفَاخُرٌۢ بَيْنَكُمْ وَ تَكَاثُرٌ فِي

الْاَمْوَالِ وَ الْاَوْلَادِ ؕ كَمَثَلِ غَيْثٍ اَعْجَبَ الْكُفَّارَ

نَبَاتُهٗ ثُمَّ يَهِيْجُ فَتَرٰىهُ مُصْفَرًّا ثُمَّ يَكُوْنُ

حُطَامًا ؕ وَ فِي الْاٰخِرَةِ عَذَابٌ شَدِيْدٌ ۙ وَّ مَغْفِرَةٌ

مِّنَ اللّٰهِ وَ رِضْوَانٌ ؕ وَ مَا الْحَيٰوةُ الدُّنْيَاۤ

اِلَّا مَتَاعُ الْغُرُوْرِ ﴿۲۰﴾ سَابِقُوْۤا اِلٰى مَغْفِرَةٍ

مِّنْ رَّبِّكُمْ وَ جَنَّةٍ عَرْضُهَا كَعَرْضِ السَّمَآءِ

وَ الْاَرْضِ ۙ اُعِدَّتْ لِلَّذِيْنَ اٰمَنُوْا بِاللّٰهِ وَ

رُسُلِهٖ ؕ ذٰلِكَ فَضْلُ اللّٰهِ يُؤْتِيْهِ مَنْ يَّشَآءُ ؕ

وَ اللّٰهُ ذُو الْفَضْلِ الْعَظِيْمِ ﴿۲۱﴾ مَاۤ اَصَابَ مِنْ

منزل ۷

مُّصِيْبَةٍ فِى الْاَرْضِ وَلَا فِيْٓ اَنْفُسِكُمْ اِلَّا
فِيْ كِتٰبٍ مِّنْ قَبْلِ اَنْ نَّبْرَاَهَا ؕ اِنَّ ذٰلِكَ
عَلَى اللّٰهِ يَسِيْرٌ ۚ ۖ ﴿٢٢﴾ لِّكَيْلَا تَاْسَوْا عَلٰى مَا
فَاتَكُمْ وَلَا تَفْرَحُوْا بِمَآ اٰتٰىكُمْ ؕ وَ اللّٰهُ لَا
يُحِبُّ كُلَّ مُخْتَالٍ فَخُوْرِ ۙ ﴿٢٣﴾ الَّذِيْنَ يَبْخَلُوْنَ
وَيَاْمُرُوْنَ النَّاسَ بِالْبُخْلِ ؕ وَمَنْ يَّتَوَلَّ
فَاِنَّ اللّٰهَ هُوَ الْغَنِيُّ الْحَمِيْدُ ﴿٢٤﴾ لَقَدْ اَرْسَلْنَا
رُسُلَنَا بِالْبَيِّنٰتِ وَ اَنْزَلْنَا مَعَهُمُ الْكِتٰبَ
وَالْمِيْزَانَ لِيَقُوْمَ النَّاسُ بِالْقِسْطِ ۚ وَ اَنْزَلْنَا
الْحَدِيْدَ فِيْهِ بَاْسٌ شَدِيْدٌ وَّ مَنَافِعُ لِلنَّاسِ
وَلِيَعْلَمَ اللّٰهُ مَنْ يَّنْصُرُهٗ وَرُسُلَهٗ بِالْغَيْبِ ؕ
اِنَّ اللّٰهَ قَوِيٌّ عَزِيْزٌ ﴿٢٥﴾ ع وَلَقَدْ اَرْسَلْنَا نُوْحًا وَّ
اِبْرٰهِيْمَ وَجَعَلْنَا فِيْ ذُرِّيَّتِهِمَا النُّبُوَّةَ وَالْكِتٰبَ

منزل ٧

ع ٣ ١٩

فَمِنْهُمْ مُّهْتَدٍ ۚ وَكَثِيْرٌ مِّنْهُمْ فٰسِقُوْنَ ﴿٢٦﴾ ثُمَّ
قَفَّيْنَا عَلٰٓى اٰثَارِهِمْ بِرُسُلِنَا وَقَفَّيْنَا بِعِيْسَى
ابْنِ مَرْيَمَ وَاٰتَيْنٰهُ الْاِنْجِيْلَ ۙ وَجَعَلْنَا فِيْ
قُلُوْبِ الَّذِيْنَ اتَّبَعُوْهُ رَاْفَةً وَّرَحْمَةً ؕ وَرَهْبَانِيَّةَ ۨ
ابْتَدَعُوْهَا مَا كَتَبْنٰهَا عَلَيْهِمْ اِلَّا ابْتِغَآءَ رِضْوَانِ
اللّٰهِ فَمَا رَعَوْهَا حَقَّ رِعَايَتِهَا ۚ فَاٰتَيْنَا الَّذِيْنَ
اٰمَنُوْا مِنْهُمْ اَجْرَهُمْ ۚ وَكَثِيْرٌ مِّنْهُمْ فٰسِقُوْنَ ﴿٢٧﴾
يٰٓاَيُّهَا الَّذِيْنَ اٰمَنُوا اتَّقُوا اللّٰهَ وَاٰمِنُوْا بِرَسُوْلِهٖ
يُؤْتِكُمْ كِفْلَيْنِ مِنْ رَّحْمَتِهٖ وَيَجْعَلْ لَّكُمْ نُوْرًا
تَمْشُوْنَ بِهٖ وَيَغْفِرْ لَكُمْ ؕ وَاللّٰهُ غَفُوْرٌ رَّحِيْمٌ ﴿٢٨﴾ ۙ
لِّئَلَّا يَعْلَمَ اَهْلُ الْكِتٰبِ اَلَّا يَقْدِرُوْنَ عَلٰى شَيْءٍ
مِّنْ فَضْلِ اللّٰهِ وَاَنَّ الْفَضْلَ بِيَدِ اللّٰهِ يُؤْتِيْهِ
مَنْ يَّشَآءُ ؕ وَاللّٰهُ ذُو الْفَضْلِ الْعَظِيْمِ ﴿٢٩﴾ ع

منزل ٧

ع ٤

Ikhfa إخفا | Ikhfa Meem Saakin إخفاميم ساکن | Qalqala قلقله | Qalb قلب | Idghaam إدغام | Idghaam Meem Saakin إدغام میم ساکن | Ghunna غُنّہ

آیاتها ٢٢ ‏ (٥٨) سُوْرَةُ الْمُجَادِلَةِ مَدَنِيَّةٌ (١٠٥) ‏ رکوعاتها ٣

بِسْمِ اللّٰهِ الرَّحْمٰنِ الرَّحِیْمِ ○

قَدْ سَمِعَ اللّٰهُ قَوْلَ الَّتِیْ تُجَادِلُكَ فِیْ زَوْجِهَا
وَ تَشْتَكِیْۤ اِلَى اللّٰهِ ۖۗ وَ اللّٰهُ یَسْمَعُ تَحَاوُرَكُمَا ؕ اِنَّ اللّٰهَ
سَمِیْعٌۢ بَصِیْرٌ (١) اَلَّذِیْنَ یُظٰهِرُوْنَ مِنْكُمْ مِّنْ نِّسَآىٕهِمْ
مَّا هُنَّ اُمَّهٰتِهِمْ ؕ اِنْ اُمَّهٰتُهُمْ اِلَّا الّٰٓـِٔیْ وَلَدْنَهُمْ ؕ وَ
اِنَّهُمْ لَیَقُوْلُوْنَ مُنْكَرًا مِّنَ الْقَوْلِ وَ زُوْرًا ؕ وَ اِنَّ اللّٰهَ
لَعَفُوٌّ غَفُوْرٌ (٢) وَ الَّذِیْنَ یُظٰهِرُوْنَ مِنْ نِّسَآىٕهِمْ
ثُمَّ یَعُوْدُوْنَ لِمَا قَالُوْا فَتَحْرِیْرُ رَقَبَةٍ مِّنْ قَبْلِ اَنْ
یَّتَمَآسَّا ؕ ذٰلِكُمْ تُوْعَظُوْنَ بِهٖ ؕ وَ اللّٰهُ بِمَا تَعْمَلُوْنَ
خَبِیْرٌ (٣) فَمَنْ لَّمْ یَجِدْ فَصِیَامُ شَهْرَیْنِ مُتَتَابِعَیْنِ
مِنْ قَبْلِ اَنْ یَّتَمَآسَّا ؕ فَمَنْ لَّمْ یَسْتَطِعْ فَاِطْعَامُ سِتِّیْنَ
مِسْكِیْنًا ؕ ذٰلِكَ لِتُؤْمِنُوْا بِاللّٰهِ وَ رَسُوْلِهٖ ؕ وَ تِلْكَ حُدُوْدُ

اللّٰهِ ؕ وَلِلْكٰفِرِيْنَ عَذَابٌ اَلِيْمٌ ﴿۴﴾ اِنَّ الَّذِيْنَ يُحَآدُّوْنَ
اللّٰهَ وَرَسُوْلَهٗ كُبِتُوْا كَمَا كُبِتَ الَّذِيْنَ مِنْ قَبْلِهِمْ وَ قَدْ
اَنْزَلْنَآ اٰيٰتٍۢ بَيِّنٰتٍ ؕ وَلِلْكٰفِرِيْنَ عَذَابٌ مُّهِيْنٌ ﴿۵﴾ ج
يَوْمَ يَبْعَثُهُمُ اللّٰهُ جَمِيْعًا فَيُنَبِّئُهُمْ بِمَا عَمِلُوْا ؕ
اَحْصٰىهُ اللّٰهُ وَنَسُوْهُ ؕ وَاللّٰهُ عَلٰى كُلِّ شَيْءٍ شَهِيْدٌ ﴿۶﴾ ع
اَلَمْ تَرَ اَنَّ اللّٰهَ يَعْلَمُ مَا فِي السَّمٰوٰتِ وَمَا فِي الْاَرْضِ ؕ
مَا يَكُوْنُ مِنْ نَّجْوٰى ثَلٰثَةٍ اِلَّا هُوَ رَابِعُهُمْ وَلَا خَمْسَةٍ
اِلَّا هُوَ سَادِسُهُمْ وَلَآ اَدْنٰى مِنْ ذٰلِكَ وَلَآ اَكْثَرَ اِلَّا هُوَ
مَعَهُمْ اَيْنَ مَا كَانُوْا ۚ ثُمَّ يُنَبِّئُهُمْ بِمَا عَمِلُوْا يَوْمَ الْقِيٰمَةِ ؕ
اِنَّ اللّٰهَ بِكُلِّ شَيْءٍ عَلِيْمٌ ﴿۷﴾ اَلَمْ تَرَ اِلَى الَّذِيْنَ نُهُوْا
عَنِ النَّجْوٰى ثُمَّ يَعُوْدُوْنَ لِمَا نُهُوْا عَنْهُ وَيَتَنٰجَوْنَ
بِالْاِثْمِ وَالْعُدْوَانِ وَمَعْصِيَتِ الرَّسُوْلِ ز وَاِذَا جَآءُوْكَ
حَيَّوْكَ بِمَا لَمْ يُحَيِّكَ بِهِ اللّٰهُ ۙ وَيَقُوْلُوْنَ فِيْٓ اَنْفُسِهِمْ

ع ٢ ١

منزل ٧

لَوْلَا يُعَذِّبُنَا اللّٰهُ بِمَا نَقُوْلُ ؕ حَسْبُهُمْ جَهَنَّمُ ۚ يَصْلَوْنَهَا ۚ
فَبِئْسَ الْمَصِيْرُ ﴿۸﴾ يٰۤاَيُّهَا الَّذِيْنَ اٰمَنُوْۤا اِذَا تَنَاجَيْتُمْ فَلَا
تَتَنَاجَوْا بِالْاِثْمِ وَالْعُدْوَانِ وَمَعْصِيَتِ الرَّسُوْلِ
وَتَنَاجَوْا بِالْبِرِّ وَالتَّقْوٰى ؕ وَاتَّقُوا اللّٰهَ الَّذِيْۤ اِلَيْهِ
تُحْشَرُوْنَ ﴿۹﴾ اِنَّمَا النَّجْوٰى مِنَ الشَّيْطٰنِ لِيَحْزُنَ
الَّذِيْنَ اٰمَنُوْا وَلَيْسَ بِضَآرِّهِمْ شَيْئًا اِلَّا بِاِذْنِ اللّٰهِ ؕ
وَعَلَى اللّٰهِ فَلْيَتَوَكَّلِ الْمُؤْمِنُوْنَ ﴿۱۰﴾ يٰۤاَيُّهَا الَّذِيْنَ اٰمَنُوْۤا
اِذَا قِيْلَ لَكُمْ تَفَسَّحُوْا فِي الْمَجٰلِسِ فَافْسَحُوْا يَفْسَحِ
اللّٰهُ لَكُمْ ۚ وَاِذَا قِيْلَ انْشُزُوْا فَانْشُزُوْا يَرْفَعِ اللّٰهُ
الَّذِيْنَ اٰمَنُوْا مِنْكُمْ ۙ وَالَّذِيْنَ اُوْتُوا الْعِلْمَ دَرَجٰتٍ ؕ
وَاللّٰهُ بِمَا تَعْمَلُوْنَ خَبِيْرٌ ﴿۱۱﴾ يٰۤاَيُّهَا الَّذِيْنَ اٰمَنُوْۤا
اِذَا نَاجَيْتُمُ الرَّسُوْلَ فَقَدِّمُوْا بَيْنَ يَدَيْ نَجْوٰىكُمْ
صَدَقَةً ؕ ذٰلِكَ خَيْرٌ لَّكُمْ وَاَطْهَرُ ؕ فَاِنْ لَّمْ تَجِدُوْا

منزل ٧

فَاِنَّ اللّٰهَ غَفُوْرٌ رَّحِيْمٌ ﴿١٢﴾ ءَاَشْفَقْتُمْ اَنْ تُقَدِّمُوْا بَيْنَ
يَدَيْ نَجْوٰىكُمْ صَدَقٰتٍ ؕ فَاِذْ لَمْ تَفْعَلُوْا وَتَابَ اللّٰهُ
عَلَيْكُمْ فَاَقِيْمُوا الصَّلٰوةَ وَاٰتُوا الزَّكٰوةَ وَاَطِيْعُوا اللّٰهَ
وَرَسُوْلَهٗ ؕ وَاللّٰهُ خَبِيْرٌۢ بِمَا تَعْمَلُوْنَ ﴿١٣﴾ ع اَلَمْ تَرَ اِلَى ع ٢ ٧ ٢
الَّذِيْنَ تَوَلَّوْا قَوْمًا غَضِبَ اللّٰهُ عَلَيْهِمْ ؕ مَا هُمْ مِّنْكُمْ
وَلَا مِنْهُمْ ۙ وَيَحْلِفُوْنَ عَلَى الْكَذِبِ وَهُمْ يَعْلَمُوْنَ ﴿١٤﴾ ج
اَعَدَّ اللّٰهُ لَهُمْ عَذَابًا شَدِيْدًا ؕ اِنَّهُمْ سَآءَ مَا كَانُوْا
يَعْمَلُوْنَ ﴿١٥﴾ اِتَّخَذُوْٓا اَيْمَانَهُمْ جُنَّةً فَصَدُّوْا عَنْ
سَبِيْلِ اللّٰهِ فَلَهُمْ عَذَابٌ مُّهِيْنٌ ﴿١٦﴾ لَنْ تُغْنِيَ
عَنْهُمْ اَمْوَالُهُمْ وَلَآ اَوْلَادُهُمْ مِّنَ اللّٰهِ شَيْـًٔا ؕ
اُولٰٓئِكَ اَصْحٰبُ النَّارِ ؕ هُمْ فِيْهَا خٰلِدُوْنَ ﴿١٧﴾ يَوْمَ
يَبْعَثُهُمُ اللّٰهُ جَمِيْعًا فَيَحْلِفُوْنَ لَهٗ كَمَا يَحْلِفُوْنَ لَكُمْ
وَيَحْسَبُوْنَ اَنَّهُمْ عَلٰى شَيْءٍ ؕ اَلَآ اِنَّهُمْ هُمُ الْكٰذِبُوْنَ ﴿١٨﴾

منزل ٧

اِسْتَحْوَذَ عَلَيْهِمُ الشَّيْطٰنُ فَاَنْسٰىهُمْ ذِكْرَ اللّٰهِ ؕ اُولٰٓئِكَ حِزْبُ
الشَّيْطٰنِ ؕ اَلَآ اِنَّ حِزْبَ الشَّيْطٰنِ هُمُ الْخٰسِرُوْنَ ﴿۱۹﴾ اِنَّ
الَّذِيْنَ يُحَآدُّوْنَ اللّٰهَ وَرَسُوْلَهٗۤ اُولٰٓئِكَ فِى الْاَذَلِّيْنَ ﴿۲۰﴾
كَتَبَ اللّٰهُ لَاَغْلِبَنَّ اَنَا وَرُسُلِىْ ؕ اِنَّ اللّٰهَ قَوِىٌّ عَزِيْزٌ ﴿۲۱﴾
لَا تَجِدُ قَوْمًا يُّؤْمِنُوْنَ بِاللّٰهِ وَالْيَوْمِ الْاٰخِرِ يُوَآدُّوْنَ
مَنْ حَآدَّ اللّٰهَ وَرَسُوْلَهٗ وَلَوْ كَانُوْۤا اٰبَآءَهُمْ اَوْ اَبْنَآءَهُمْ
اَوْ اِخْوَانَهُمْ اَوْ عَشِيْرَتَهُمْ ؕ اُولٰٓئِكَ كَتَبَ فِىْ قُلُوْبِهِمُ منزل ۷
الْاِيْمَانَ وَاَيَّدَهُمْ بِرُوْحٍ مِّنْهُ ؕ وَيُدْخِلُهُمْ جَنّٰتٍ تَجْرِىْ
مِنْ تَحْتِهَا الْاَنْهٰرُ خٰلِدِيْنَ فِيْهَا ؕ رَضِىَ اللّٰهُ عَنْهُمْ وَرَضُوْا
ع ۳/۹ عَنْهُ ؕ اُولٰٓئِكَ حِزْبُ اللّٰهِ ؕ اَلَآ اِنَّ حِزْبَ اللّٰهِ هُمُ الْمُفْلِحُوْنَ ﴿۲۲﴾ ع

اٰيَاتُهَا ۲۴ (۵۹) سُوْرَةُ الْحَشْرِ مَدَنِيَّةٌ (۱۰۱) رُكُوْعَاتُهَا ۳

بِسْمِ اللّٰهِ الرَّحْمٰنِ الرَّحِيْمِ

سَبَّحَ لِلّٰهِ مَا فِى السَّمٰوٰتِ وَمَا فِى الْاَرْضِ ۚ وَهُوَ

الْعَزِيْزُ الْحَكِيْمُ ﴿١﴾ هُوَ الَّذِيْٓ اَخْرَجَ الَّذِيْنَ كَفَرُوْا مِنْ
اَهْلِ الْكِتٰبِ مِنْ دِيَارِهِمْ لِاَوَّلِ الْحَشْرِ ؕ مَا ظَنَنْتُمْ اَنْ
يَّخْرُجُوْا وَظَنُّوْٓا اَنَّهُمْ مَّانِعَتُهُمْ حُصُوْنُهُمْ مِّنَ اللّٰهِ فَاَتٰىهُمُ
اللّٰهُ مِنْ حَيْثُ لَمْ يَحْتَسِبُوْا وَقَذَفَ فِيْ قُلُوْبِهِمُ
الرُّعْبَ يُخْرِبُوْنَ بُيُوْتَهُمْ بِاَيْدِيْهِمْ وَاَيْدِي الْمُؤْمِنِيْنَ ق
فَاعْتَبِرُوْا يٰٓاُولِي الْاَبْصَارِ ﴿٢﴾ وَلَوْلَآ اَنْ كَتَبَ اللّٰهُ عَلَيْهِمُ
الْجَلَآءَ لَعَذَّبَهُمْ فِي الدُّنْيَا ؕ وَلَهُمْ فِي الْاٰخِرَةِ عَذَابُ
النَّارِ ﴿٣﴾ ذٰلِكَ بِاَنَّهُمْ شَآقُّوا اللّٰهَ وَرَسُوْلَهٗ ج وَمَنْ
يُّشَآقِّ اللّٰهَ فَاِنَّ اللّٰهَ شَدِيْدُ الْعِقَابِ ﴿٤﴾ مَا قَطَعْتُمْ
مِّنْ لِّيْنَةٍ اَوْ تَرَكْتُمُوْهَا قَآئِمَةً عَلٰٓى اُصُوْلِهَا فَبِاِذْنِ
اللّٰهِ وَلِيُخْزِيَ الْفٰسِقِيْنَ ﴿٥﴾ وَمَآ اَفَآءَ اللّٰهُ عَلٰى رَسُوْلِهٖ
مِنْهُمْ فَمَآ اَوْجَفْتُمْ عَلَيْهِ مِنْ خَيْلٍ وَّلَا رِكَابٍ
وَّلٰكِنَّ اللّٰهَ يُسَلِّطُ رُسُلَهٗ عَلٰى مَنْ يَّشَآءُ ؕ وَاللّٰهُ عَلٰى

وقف النبی صلی اللّٰه علیه وآله وسلم ١٢

منزل ٧

Ikhfa إخفا | Ikhfa Meem Saakin إخفاميم ساكن | Qalqala قلقله | Qalb قلب | Idghaam إدغام | Idghaam Meem Saakin إدغام ميم ساكن | Ghunna غُنّه

كُلِّ شَيْءٍ قَدِيْرٌ ﴿٦﴾ مَآ اَفَآءَ اللّٰهُ عَلٰى رَسُوْلِهٖ مِنْ اَهْلِ
الْقُرٰى فَلِلّٰهِ وَلِلرَّسُوْلِ وَلِذِي الْقُرْبٰى وَالْيَتٰمٰى وَ
الْمَسٰكِيْنِ وَابْنِ السَّبِيْلِ ۙ كَيْ لَا يَكُوْنَ دُوْلَةًۢ بَيْنَ
الْاَغْنِيَآءِ مِنْكُمْ ؕ وَمَآ اٰتٰىكُمُ الرَّسُوْلُ فَخُذُوْهُ ۚ وَمَا
نَهٰىكُمْ عَنْهُ فَانْتَهُوْا ۚ وَاتَّقُوا اللّٰهَ ؕ اِنَّ اللّٰهَ شَدِيْدُ
الْعِقَابِ ﴿٧﴾ لِلْفُقَرَآءِ الْمُهٰجِرِيْنَ الَّذِيْنَ اُخْرِجُوْا
مِنْ دِيَارِهِمْ وَاَمْوَالِهِمْ يَبْتَغُوْنَ فَضْلًا مِّنَ اللّٰهِ
وَرِضْوَانًا وَّيَنْصُرُوْنَ اللّٰهَ وَرَسُوْلَهٗ ؕ اُولٰٓئِكَ هُمُ
الصّٰدِقُوْنَ ﴿٨﴾ ۚ وَالَّذِيْنَ تَبَوَّءُو الدَّارَ وَالْاِيْمَانَ
مِنْ قَبْلِهِمْ يُحِبُّوْنَ مَنْ هَاجَرَ اِلَيْهِمْ وَلَا يَجِدُوْنَ
فِيْ صُدُوْرِهِمْ حَاجَةً مِّمَّآ اُوْتُوْا وَيُؤْثِرُوْنَ عَلٰٓى
اَنْفُسِهِمْ وَلَوْ كَانَ بِهِمْ خَصَاصَةٌ ؕ وَمَنْ يُّوْقَ شُحَّ
نَفْسِهٖ فَاُولٰٓئِكَ هُمُ الْمُفْلِحُوْنَ ﴿٩﴾ ۚ وَالَّذِيْنَ جَآءُوْ

وقف لازم

منزل ٧

مِنْۢ بَعْدِهِمْ يَقُوْلُوْنَ رَبَّنَا اغْفِرْ لَنَا وَ لِاِخْوَانِنَا
الَّذِيْنَ سَبَقُوْنَا بِالْاِيْمَانِ وَلَا تَجْعَلْ فِيْ قُلُوْبِنَا
غِلًّا لِّلَّذِيْنَ اٰمَنُوْا رَبَّنَآ اِنَّكَ رَءُوْفٌ رَّحِيْمٌ ⑩ ع اَلَمْ
تَرَ اِلَى الَّذِيْنَ نَافَقُوْا يَقُوْلُوْنَ لِاِخْوَانِهِمُ الَّذِيْنَ
كَفَرُوْا مِنْ اَهْلِ الْكِتٰبِ لَئِنْ اُخْرِجْتُمْ لَنَخْرُجَنَّ
مَعَكُمْ وَلَا نُطِيْعُ فِيْكُمْ اَحَدًا اَبَدًا ۙ وَّاِنْ
قُوْتِلْتُمْ لَنَنْصُرَنَّكُمْ ؕ وَاللّٰهُ يَشْهَدُ اِنَّهُمْ لَكٰذِبُوْنَ ⑪
لَئِنْ اُخْرِجُوْا لَا يَخْرُجُوْنَ مَعَهُمْ ۚ وَلَئِنْ قُوْتِلُوْا لَا
يَنْصُرُوْنَهُمْ ۚ وَلَئِنْ نَّصَرُوْهُمْ لَيُوَلُّنَّ الْاَدْبَارَ ۟ قف ثُمَّ لَا
يُنْصَرُوْنَ ⑫ لَاَنْتُمْ اَشَدُّ رَهْبَةً فِيْ صُدُوْرِهِمْ
مِّنَ اللّٰهِ ؕ ذٰلِكَ بِاَنَّهُمْ قَوْمٌ لَّا يَفْقَهُوْنَ ⑬ لَا
يُقَاتِلُوْنَكُمْ جَمِيْعًا اِلَّا فِيْ قُرًى مُّحَصَّنَةٍ اَوْ مِنْ
وَّرَآءِ جُدُرٍ ؕ بَاْسُهُمْ بَيْنَهُمْ شَدِيْدٌ ؕ تَحْسَبُهُمْ جَمِيْعًا

الربع ١٠

منزل ٧

وَّ قُلُوْبُهُمْ شَتّٰى ؕ ذٰلِكَ بِاَنَّهُمْ قَوْمٌ لَّا يَعْقِلُوْنَ ۚ ﴿١٤﴾

كَمَثَلِ الَّذِيْنَ مِنْ قَبْلِهِمْ قَرِيْبًا ذَاقُوْا وَبَالَ اَمْرِهِمْ ۚ

وَلَهُمْ عَذَابٌ اَلِيْمٌ ۚ ﴿١٥﴾ كَمَثَلِ الشَّيْطٰنِ اِذْ قَالَ

لِلْاِنْسَانِ اكْفُرْ ۚ فَلَمَّا كَفَرَ قَالَ اِنِّیْ بَرِیْٓءٌ مِّنْكَ اِنِّیْٓ

اَخَافُ اللّٰهَ رَبَّ الْعٰلَمِيْنَ ﴿١٦﴾ فَكَانَ عَاقِبَتَهُمَآ اَنَّهُمَا فِى

ع ٢ ٧ ٥ النَّارِ خَالِدَيْنِ فِيْهَا ؕ وَذٰلِكَ جَزٰٓؤُا الظّٰلِمِيْنَ ۧ ﴿١٧﴾

يٰٓاَيُّهَا الَّذِيْنَ اٰمَنُوا اتَّقُوا اللّٰهَ وَلْتَنْظُرْ نَفْسٌ منزل ٧

مَّا قَدَّمَتْ لِغَدٍ ۚ وَاتَّقُوا اللّٰهَ ؕ اِنَّ اللّٰهَ خَبِيْرٌۢ بِمَا

تَعْمَلُوْنَ ﴿١٨﴾ وَلَا تَكُوْنُوْا كَالَّذِيْنَ نَسُوا اللّٰهَ فَاَنْسٰهُمْ

اَنْفُسَهُمْ ؕ اُولٰٓئِكَ هُمُ الْفٰسِقُوْنَ ﴿١٩﴾ لَا يَسْتَوِیْٓ

اَصْحٰبُ النَّارِ وَاَصْحٰبُ الْجَنَّةِ ؕ اَصْحٰبُ الْجَنَّةِ هُمُ

الْفَآئِزُوْنَ ﴿٢٠﴾ لَوْ اَنْزَلْنَا هٰذَا الْقُرْاٰنَ عَلٰى جَبَلٍ

لَّرَاَيْتَهٗ خَاشِعًا مُّتَصَدِّعًا مِّنْ خَشْيَةِ اللّٰهِ ؕ

وَ تِلْكَ الْاَمْثَالُ نَضْرِبُهَا لِلنَّاسِ لَعَلَّهُمْ
يَتَفَكَّرُوْنَ ﴿٢١﴾ هُوَ اللّٰهُ الَّذِيْ لَآ اِلٰهَ اِلَّا هُوَ ۚ
عٰلِمُ الْغَيْبِ وَ الشَّهَادَةِ ۚ هُوَ الرَّحْمٰنُ الرَّحِيْمُ ﴿٢٢﴾
هُوَ اللّٰهُ الَّذِيْ لَآ اِلٰهَ اِلَّا هُوَ ۚ اَلْمَلِكُ الْقُدُّوْسُ
السَّلٰمُ الْمُؤْمِنُ الْمُهَيْمِنُ الْعَزِيْزُ الْجَبَّارُ الْمُتَكَبِّرُ ؕ
سُبْحٰنَ اللّٰهِ عَمَّا يُشْرِكُوْنَ ﴿٢٣﴾ هُوَ اللّٰهُ الْخَالِقُ الْبَارِئُ
الْمُصَوِّرُ لَهُ الْاَسْمَآءُ الْحُسْنٰى ؕ يُسَبِّحُ لَهٗ مَا فِي
السَّمٰوٰتِ وَ الْاَرْضِ ۚ وَهُوَ الْعَزِيْزُ الْحَكِيْمُ ﴿٢٤﴾ ع

منزل ٧

ع ٣/٧

ايَاتُهَا ١٣ (٦٠) سُوْرَةُ الْمُمْتَحِنَةِ مَدَنِيَّةٌ (٩١) رُكُوْعَاتُهَا ٢

بِسْمِ اللّٰهِ الرَّحْمٰنِ الرَّحِيْمِ

يٰۤاَيُّهَا الَّذِيْنَ اٰمَنُوْا لَا تَتَّخِذُوْا عَدُوِّيْ وَ عَدُوَّكُمْ
اَوْلِيَآءَ تُلْقُوْنَ اِلَيْهِمْ بِالْمَوَدَّةِ وَقَدْ كَفَرُوْا بِمَا
جَآءَكُمْ مِّنَ الْحَقِّ ۚ يُخْرِجُوْنَ الرَّسُوْلَ وَ اِيَّاكُمْ

اَنْ تُؤْمِنُوْا بِاللّٰهِ رَبِّكُمْ ؕ اِنْ كُنْتُمْ خَرَجْتُمْ جِهَادًا فِيْ
سَبِيْلِيْ وَابْتِغَآءَ مَرْضَاتِيْ ۖ تُسِرُّوْنَ اِلَيْهِمْ بِالْمَوَدَّةِ ۖ ۗ
وَاَنَا اَعْلَمُ بِمَآ اَخْفَيْتُمْ وَمَآ اَعْلَنْتُمْ ؕ وَمَنْ يَّفْعَلْهُ
مِنْكُمْ فَقَدْ ضَلَّ سَوَآءَ السَّبِيْلِ ﴿١﴾ اِنْ يَّثْقَفُوْكُمْ
يَكُوْنُوْا لَكُمْ اَعْدَآءً وَّيَبْسُطُوْٓا اِلَيْكُمْ اَيْدِيَهُمْ
وَاَلْسِنَتَهُمْ بِالسُّوْٓءِ وَوَدُّوْا لَوْ تَكْفُرُوْنَ ﴿٢﴾ ؕ لَنْ تَنْفَعَكُمْ
اَرْحَامُكُمْ وَلَآ اَوْلَادُكُمْ ۛۚ يَوْمَ الْقِيٰمَةِ ۛۚ يَفْصِلُ بَيْنَكُمْ ؕ
وَاللّٰهُ بِمَا تَعْمَلُوْنَ بَصِيْرٌ ﴿٣﴾ قَدْ كَانَتْ لَكُمْ اُسْوَةٌ
حَسَنَةٌ فِيْٓ اِبْرٰهِيْمَ وَالَّذِيْنَ مَعَهٗ ۚ اِذْ قَالُوْا
لِقَوْمِهِمْ اِنَّا بُرَءٰٓؤُا مِنْكُمْ وَمِمَّا تَعْبُدُوْنَ مِنْ
دُوْنِ اللّٰهِ ؗ كَفَرْنَا بِكُمْ وَبَدَا بَيْنَنَا وَبَيْنَكُمُ
الْعَدَاوَةُ وَالْبَغْضَآءُ اَبَدًا حَتّٰى تُؤْمِنُوْا بِاللّٰهِ وَحْدَهٗٓ
اِلَّا قَوْلَ اِبْرٰهِيْمَ لِاَبِيْهِ لَاَسْتَغْفِرَنَّ لَكَ وَمَآ

مُعانقة ١٢ عند البعض بين الثناء الوقف على القيمة ١٢

اَمْلِكُ لَكَ مِنَ اللّٰهِ مِنْ شَيْءٍ ط رَبَّنَا عَلَيْكَ تَوَكَّلْنَا
وَاِلَيْكَ اَنَبْنَا وَاِلَيْكَ الْمَصِيْرُ ﴿٤﴾ رَبَّنَا لَا تَجْعَلْنَا
فِتْنَةً لِّلَّذِيْنَ كَفَرُوْا وَاغْفِرْ لَنَا رَبَّنَا ج اِنَّكَ اَنْتَ
الْعَزِيْزُ الْحَكِيْمُ ﴿٥﴾ لَقَدْ كَانَ لَكُمْ فِيْهِمْ اُسْوَةٌ حَسَنَةٌ
لِّمَنْ كَانَ يَرْجُوا اللّٰهَ وَالْيَوْمَ الْاٰخِرَ ط وَمَنْ يَّتَوَلَّ
فَاِنَّ اللّٰهَ هُوَ الْغَنِيُّ الْحَمِيْدُ ﴿٦﴾ ع عَسَى اللّٰهُ اَنْ يَّجْعَلَ ع ٦ ١
منزل ٧ بَيْنَكُمْ وَبَيْنَ الَّذِيْنَ عَادَيْتُمْ مِّنْهُمْ مَّوَدَّةً ط وَاللّٰهُ
قَدِيْرٌ ط وَاللّٰهُ غَفُوْرٌ رَّحِيْمٌ ﴿٧﴾ لَا يَنْهٰىكُمُ اللّٰهُ عَنِ
الَّذِيْنَ لَمْ يُقَاتِلُوْكُمْ فِي الدِّيْنِ وَلَمْ يُخْرِجُوْكُمْ
مِّنْ دِيَارِكُمْ اَنْ تَبَرُّوْهُمْ وَتُقْسِطُوْٓا اِلَيْهِمْ ط اِنَّ
اللّٰهَ يُحِبُّ الْمُقْسِطِيْنَ ﴿٨﴾ اِنَّمَا يَنْهٰىكُمُ اللّٰهُ عَنِ
الَّذِيْنَ قٰتَلُوْكُمْ فِي الدِّيْنِ وَاَخْرَجُوْكُمْ مِّنْ
دِيَارِكُمْ وَظٰهَرُوْا عَلٰٓى اِخْرَاجِكُمْ اَنْ تَوَلَّوْهُمْ ج

Ikhfa إخفا | Ikhfa Meem Saakin إخفاميم ساكن | Qalqala قلقله | Qalb قلب | Idghaam إدغام | Idghaam Meem Saakin إدغام ميم ساكن | Ghunna غنّه

وَمَنۡ يَّتَوَلَّهُمۡ فَاُولٰٓـئِكَ هُمُ الظّٰلِمُوۡنَ ﴿۹﴾ يٰۤاَيُّهَا
الَّذِيۡنَ اٰمَنُوۡۤا اِذَا جَآءَكُمُ الۡمُؤۡمِنٰتُ مُهٰجِرٰتٍ
فَامۡتَحِنُوۡهُنَّ‌ؕ اَللّٰهُ اَعۡلَمُ بِاِيۡمَانِهِنَّ‌ ۚ فَاِنۡ عَلِمۡتُمُوۡهُنَّ
مُؤۡمِنٰتٍ فَلَا تَرۡجِعُوۡهُنَّ اِلَى الۡكُفَّارِ‌ؕ لَا هُنَّ حِلٌّ
لَّهُمۡ وَلَا هُمۡ يَحِلُّوۡنَ لَهُنَّ‌ ؕ وَاٰتُوۡهُمۡ مَّاۤ اَنۡفَقُوۡا‌ ؕ
وَلَا جُنَاحَ عَلَيۡكُمۡ اَنۡ تَنۡكِحُوۡهُنَّ اِذَاۤ اٰتَيۡتُمُوۡهُنَّ
اُجُوۡرَهُنَّ‌ ؕ وَلَا تُمۡسِكُوۡا بِعِصَمِ الۡكَوَافِرِ وَسۡـَٔلُوۡا مَاۤ
اَنۡفَقۡتُمۡ وَلۡيَسۡـَٔلُوۡا مَاۤ اَنۡفَقُوۡا‌ ؕ ذٰلِكُمۡ حُكۡمُ اللّٰهِ‌ ؕ
يَحۡكُمُ بَيۡنَكُمۡ‌ ؕ وَاللّٰهُ عَلِيۡمٌ حَكِيۡمٌ‏ ﴿۱۰﴾ وَاِنۡ فَاتَكُمۡ
شَىۡءٌ مِّنۡ اَزۡوَاجِكُمۡ اِلَى الۡكُفَّارِ فَعَاقَبۡتُمۡ فَاٰتُوا
الَّذِيۡنَ ذَهَبَتۡ اَزۡوَاجُهُمۡ مِّثۡلَ مَاۤ اَنۡفَقُوۡا‌ ؕ وَاتَّقُوا
اللّٰهَ الَّذِىۡۤ اَنۡتُمۡ بِهٖ مُؤۡمِنُوۡنَ‏ ﴿۱۱﴾ يٰۤاَيُّهَا النَّبِىُّ اِذَا
جَآءَكَ الۡمُؤۡمِنٰتُ يُبَايِعۡنَكَ عَلٰٓى اَنۡ لَّا يُشۡرِكۡنَ

منزل ٧

بِاللّٰهِ شَيْـًٔا وَّلَا يَسْرِقْنَ وَلَا يَزْنِيْنَ وَلَا يَقْتُلْنَ
اَوْلَادَهُنَّ وَلَا يَاْتِيْنَ بِبُهْتَانٍ يَّفْتَرِيْنَهٗ بَيْنَ اَيْدِيْهِنَّ
وَاَرْجُلِهِنَّ وَلَا يَعْصِيْنَكَ فِيْ مَعْرُوْفٍ فَبَايِعْهُنَّ وَ
اسْتَغْفِرْ لَهُنَّ اللّٰهَ ؕ اِنَّ اللّٰهَ غَفُوْرٌ رَّحِيْمٌ ﴿١٢﴾ يٰۤاَيُّهَا
الَّذِيْنَ اٰمَنُوْا لَا تَتَوَلَّوْا قَوْمًا غَضِبَ اللّٰهُ عَلَيْهِمْ قَدْ يَئِسُوْا
مِنَ الْاٰخِرَةِ كَمَا يَئِسَ الْكُفَّارُ مِنْ اَصْحٰبِ الْقُبُوْرِ ﴿١٣﴾ ع

الممتحنة ٢ ع ٨

آيَاتُهَا ١٤ (٦١) سُوْرَةُ الصَّفِّ مَدَنِيَّةٌ (١٠٩) رُكُوْعَاتُهَا ٢

بِسْمِ اللّٰهِ الرَّحْمٰنِ الرَّحِيْمِ

سَبَّحَ لِلّٰهِ مَا فِي السَّمٰوٰتِ وَمَا فِي الْاَرْضِ ۚ وَهُوَ الْعَزِيْزُ
الْحَكِيْمُ ﴿١﴾ يٰۤاَيُّهَا الَّذِيْنَ اٰمَنُوْا لِمَ تَقُوْلُوْنَ مَا لَا
تَفْعَلُوْنَ ﴿٢﴾ كَبُرَ مَقْتًا عِنْدَ اللّٰهِ اَنْ تَقُوْلُوْا مَا لَا
تَفْعَلُوْنَ ﴿٣﴾ اِنَّ اللّٰهَ يُحِبُّ الَّذِيْنَ يُقَاتِلُوْنَ فِيْ
سَبِيْلِهٖ صَفًّا كَاَنَّهُمْ بُنْيَانٌ مَّرْصُوْصٌ ﴿٤﴾ وَاِذْ

منزل ٧

قَالَ مُوْسٰى لِقَوْمِهٖ يٰقَوْمِ لِمَ تُؤْذُوْنَنِيْ وَقَدْ تَّعْلَمُوْنَ
اَنِّيْ رَسُوْلُ اللّٰهِ اِلَيْكُمْ ؕ فَلَمَّا زَاغُوْٓا اَزَاغَ اللّٰهُ
قُلُوْبَهُمْ ؕ وَاللّٰهُ لَا يَهْدِي الْقَوْمَ الْفٰسِقِيْنَ ۝٥ وَاِذْ
قَالَ عِيْسَى ابْنُ مَرْيَمَ يٰبَنِيْٓ اِسْرَآءِيْلَ اِنِّيْ رَسُوْلُ
اللّٰهِ اِلَيْكُمْ مُّصَدِّقًا لِّمَا بَيْنَ يَدَيَّ مِنَ التَّوْرٰىةِ
وَمُبَشِّرًاۢ بِرَسُوْلٍ يَّاْتِيْ مِنْۢ بَعْدِي اسْمُهٗٓ اَحْمَدُ ؕ
فَلَمَّا جَآءَهُمْ بِالْبَيِّنٰتِ قَالُوْا هٰذَا سِحْرٌ مُّبِيْنٌ ۝٦ وَمَنْ
اَظْلَمُ مِمَّنِ افْتَرٰى عَلَى اللّٰهِ الْكَذِبَ وَهُوَ يُدْعٰٓى
اِلَى الْاِسْلَامِ ؕ وَاللّٰهُ لَا يَهْدِي الْقَوْمَ الظّٰلِمِيْنَ ۝٧ ۚ
يُرِيْدُوْنَ لِيُطْفِـُٔوْا نُوْرَ اللّٰهِ بِاَفْوَاهِهِمْ ؕ وَاللّٰهُ
مُتِمُّ نُوْرِهٖ وَلَوْ كَرِهَ الْكٰفِرُوْنَ ۝٨ هُوَ الَّذِيْٓ اَرْسَلَ
رَسُوْلَهٗ بِالْهُدٰى وَدِيْنِ الْحَقِّ لِيُظْهِرَهٗ عَلَى
الدِّيْنِ كُلِّهٖ وَلَوْ كَرِهَ الْمُشْرِكُوْنَ ۝٩ ع يٰٓاَيُّهَا الَّذِيْنَ

منزل ٧

اٰمَنُوْا هَلْ اَدُلُّكُمْ عَلٰى تِجَارَةٍ تُنْجِيْكُمْ مِّنْ عَذَابٍ
اَلِيْمٍ ﴿١٠﴾ تُؤْمِنُوْنَ بِاللّٰهِ وَرَسُوْلِهٖ وَ تُجَاهِدُوْنَ
فِىْ سَبِيْلِ اللّٰهِ بِاَمْوَالِكُمْ وَاَنْفُسِكُمْ ؕ ذٰلِكُمْ خَيْرٌ
لَّكُمْ اِنْ كُنْتُمْ تَعْلَمُوْنَ ﴿١١﴾ يَغْفِرْ لَكُمْ ذُنُوْبَكُمْ
وَيُدْخِلْكُمْ جَنّٰتٍ تَجْرِىْ مِنْ تَحْتِهَا الْاَنْهٰرُ وَ
مَسٰكِنَ طَيِّبَةً فِىْ جَنّٰتِ عَدْنٍ ؕ ذٰلِكَ الْفَوْزُ
الْعَظِيْمُ ﴿١٢﴾ وَاُخْرٰى تُحِبُّوْنَهَا ؕ نَصْرٌ مِّنَ اللّٰهِ وَ فَتْحٌ
قَرِيْبٌ ؕ وَبَشِّرِ الْمُؤْمِنِيْنَ ﴿١٣﴾ يٰۤاَيُّهَا الَّذِيْنَ اٰمَنُوْا
كُوْنُوْۤا اَنْصَارَ اللّٰهِ كَمَا قَالَ عِيْسَى ابْنُ مَرْيَمَ
لِلْحَوَارِيّٖنَ مَنْ اَنْصَارِىْۤ اِلَى اللّٰهِ ؕ قَالَ الْحَوَارِيُّوْنَ
نَحْنُ اَنْصَارُ اللّٰهِ فَاٰمَنَتْ طَّآئِفَةٌ مِّنْ بَنِىْۤ اِسْرَآءِيْلَ
وَكَفَرَتْ طَّآئِفَةٌ ۚ فَاَيَّدْنَا الَّذِيْنَ اٰمَنُوْا عَلٰى
عَدُوِّهِمْ فَاَصْبَحُوْا ظٰهِرِيْنَ ﴿١٤﴾ ع ٢ ع ١٠

منزل ٧

اٰيَاتُهَا ١١ سُوْرَةُ الْجُمُعَةِ مَدَنِيَّةٌ (٦٢) (١١٠) رُكُوْعَاتُهَا ٢

بِسْمِ اللّٰهِ الرَّحْمٰنِ الرَّحِيْمِ

يُسَبِّحُ لِلّٰهِ مَا فِى السَّمٰوٰتِ وَمَا فِى الْاَرْضِ الْمَلِكِ
الْقُدُّوْسِ الْعَزِيْزِ الْحَكِيْمِ ۝١ هُوَ الَّذِىْ بَعَثَ فِى
الْاُمِّيّٖنَ رَسُوْلًا مِّنْهُمْ يَتْلُوْا عَلَيْهِمْ اٰيٰتِهٖ وَيُزَكِّيْهِمْ
وَيُعَلِّمُهُمُ الْكِتٰبَ وَالْحِكْمَةَ ۚ وَاِنْ كَانُوْا مِنْ قَبْلُ
لَفِىْ ضَلٰلٍ مُّبِيْنٍ ۝٢ وَّاٰخَرِيْنَ مِنْهُمْ لَمَّا يَلْحَقُوْا بِهِمْ ؕ
وَهُوَ الْعَزِيْزُ الْحَكِيْمُ ۝٣ ذٰلِكَ فَضْلُ اللّٰهِ يُؤْتِيْهِ
مَنْ يَّشَآءُ ؕ وَاللّٰهُ ذُو الْفَضْلِ الْعَظِيْمِ ۝٤ مَثَلُ
الَّذِيْنَ حُمِّلُوا التَّوْرٰىةَ ثُمَّ لَمْ يَحْمِلُوْهَا كَمَثَلِ الْحِمَارِ
يَحْمِلُ اَسْفَارًا ؕ بِئْسَ مَثَلُ الْقَوْمِ الَّذِيْنَ كَذَّبُوْا
بِاٰيٰتِ اللّٰهِ ؕ وَاللّٰهُ لَا يَهْدِى الْقَوْمَ الظّٰلِمِيْنَ ۝٥ قُلْ
يٰۤاَيُّهَا الَّذِيْنَ هَادُوْۤا اِنْ زَعَمْتُمْ اَنَّكُمْ اَوْلِيَآءُ

منزل ٧

Ikhfa اِخفا | Ikhfa Meem Saakin اخفامیم ساکن | Qalqala قلقلہ | Qalb قلب | Idghaam ادغام | Idghaam Meem Saakin ادغام میم ساکن | Ghunna غُنّہ

لِلّٰهِ مِنْ دُوْنِ النَّاسِ فَتَمَنَّوُا الْمَوْتَ اِنْ كُنْتُمْ
صٰدِقِيْنَ ۝٦ وَلَا يَتَمَنَّوْنَهٗۤ اَبَدًاۢ بِمَا قَدَّمَتْ اَيْدِيْهِمْ ؕ
وَاللّٰهُ عَلِيْمٌۢ بِالظّٰلِمِيْنَ ۝٧ قُلْ اِنَّ الْمَوْتَ الَّذِىْ
تَفِرُّوْنَ مِنْهُ فَاِنَّهٗ مُلٰقِيْكُمْ ثُمَّ تُرَدُّوْنَ اِلٰى عٰلِمِ
الْغَيْبِ وَالشَّهَادَةِ فَيُنَبِّئُكُمْ بِمَا كُنْتُمْ تَعْمَلُوْنَ ۝٨ ع ٨
يٰۤاَيُّهَا الَّذِيْنَ اٰمَنُوْۤا اِذَا نُوْدِىَ لِلصَّلٰوةِ مِنْ يَّوْمِ
منزل ٧ الْجُمُعَةِ فَاسْعَوْا اِلٰى ذِكْرِ اللّٰهِ وَذَرُوا الْبَيْعَ ؕ ذٰلِكُمْ
خَيْرٌ لَّكُمْ اِنْ كُنْتُمْ تَعْلَمُوْنَ ۝٩ فَاِذَا قُضِيَتِ
الصَّلٰوةُ فَانْتَشِرُوْا فِى الْاَرْضِ وَابْتَغُوْا مِنْ فَضْلِ
اللّٰهِ وَاذْكُرُوا اللّٰهَ كَثِيْرًا لَّعَلَّكُمْ تُفْلِحُوْنَ ۝١٠ وَاِذَا
رَاَوْا تِجَارَةً اَوْ لَهْوًا ۟انْفَضُّوْۤا اِلَيْهَا وَتَرَكُوْكَ
قَآئِمًا ؕ قُلْ مَا عِنْدَ اللّٰهِ خَيْرٌ مِّنَ اللَّهْوِ وَمِنَ
التِّجَارَةِ ؕ وَاللّٰهُ خَيْرُ الرّٰزِقِيْنَ ۝١١ ع ٢ ١٢

اٰيَاتُهَا ١١ (٦٣) سُوْرَةُ الْمُنٰفِقُوْنَ مَدَنِيَّةٌ (١٠٤) رُكُوْعَاتُهَا ٢

بِسْمِ اللّٰهِ الرَّحْمٰنِ الرَّحِيْمِ ○

اِذَا جَآءَكَ الْمُنٰفِقُوْنَ قَالُوْا نَشْهَدُ اِنَّكَ لَرَسُوْلُ اللّٰهِ م
وَ اللّٰهُ يَعْلَمُ اِنَّكَ لَرَسُوْلُهٗ ط وَ اللّٰهُ يَشْهَدُ اِنَّ
الْمُنٰفِقِيْنَ لَكٰذِبُوْنَ ﴿١﴾ اِتَّخَذُوْٓا اَيْمَانَهُمْ جُنَّةً
فَصَدُّوْا عَنْ سَبِيْلِ اللّٰهِ ط اِنَّهُمْ سَآءَ مَا كَانُوْا
يَعْمَلُوْنَ ﴿٢﴾ ذٰلِكَ بِاَنَّهُمْ اٰمَنُوْا ثُمَّ كَفَرُوْا فَطُبِعَ عَلٰى
قُلُوْبِهِمْ فَهُمْ لَا يَفْقَهُوْنَ ﴿٣﴾ وَ اِذَا رَاَيْتَهُمْ تُعْجِبُكَ
اَجْسَامُهُمْ ط وَ اِنْ يَّقُوْلُوْا تَسْمَعْ لِقَوْلِهِمْ ط كَاَنَّهُمْ
خُشُبٌ مُّسَنَّدَةٌ ط يَحْسَبُوْنَ كُلَّ صَيْحَةٍ عَلَيْهِمْ ط هُمُ
الْعَدُوُّ فَاحْذَرْهُمْ ط قٰتَلَهُمُ اللّٰهُ ز اَنّٰى يُؤْفَكُوْنَ ﴿٤﴾ وَ
اِذَا قِيْلَ لَهُمْ تَعَالَوْا يَسْتَغْفِرْ لَكُمْ رَسُوْلُ اللّٰهِ
لَوَّوْا رُءُوْسَهُمْ وَ رَاَيْتَهُمْ يَصُدُّوْنَ وَ هُمْ مُّسْتَكْبِرُوْنَ ﴿٥﴾

وقف لازم

منزل ٧

سَوَآءٌ عَلَيْهِمْ اَسْتَغْفَرْتَ لَهُمْ اَمْ لَمْ تَسْتَغْفِرْ

لَهُمْ ؕ لَنْ يَّغْفِرَ اللّٰهُ لَهُمْ ؕ اِنَّ اللّٰهَ لَا يَهْدِى

الْقَوْمَ الْفٰسِقِيْنَ ﴿۶﴾ هُمُ الَّذِيْنَ يَقُوْلُوْنَ لَا تُنْفِقُوْا

عَلٰى مَنْ عِنْدَ رَسُوْلِ اللّٰهِ حَتّٰى يَنْفَضُّوْا ؕ وَ لِلّٰهِ

خَزَآئِنُ السَّمٰوٰتِ وَالْاَرْضِ وَلٰكِنَّ الْمُنٰفِقِيْنَ لَا

يَفْقَهُوْنَ ﴿۷﴾ يَقُوْلُوْنَ لَئِنْ رَّجَعْنَآ اِلَى الْمَدِيْنَةِ

منزل ۷ لَيُخْرِجَنَّ الْاَعَزُّ مِنْهَا الْاَذَلَّ ؕ وَلِلّٰهِ الْعِزَّةُ وَلِرَسُوْلِهٖ

وَلِلْمُؤْمِنِيْنَ وَلٰكِنَّ الْمُنٰفِقِيْنَ لَا يَعْلَمُوْنَ ﴿۸﴾ ع يٰۤاَيُّهَا ع ۸ ۱۳

الَّذِيْنَ اٰمَنُوْا لَا تُلْهِكُمْ اَمْوَالُكُمْ وَلَآ اَوْلَادُكُمْ

عَنْ ذِكْرِ اللّٰهِ ۚ وَمَنْ يَّفْعَلْ ذٰلِكَ فَاُولٰٓئِكَ

هُمُ الْخٰسِرُوْنَ ﴿۹﴾ وَاَنْفِقُوْا مِنْ مَّا رَزَقْنٰكُمْ مِّنْ

قَبْلِ اَنْ يَّاْتِيَ اَحَدَكُمُ الْمَوْتُ فَيَقُوْلَ رَبِّ لَوْلَآ

اَخَّرْتَنِيْٓ اِلٰٓى اَجَلٍ قَرِيْبٍ ۙ فَاَصَّدَّقَ وَ اَكُنْ مِّنَ

الصّٰلِحِيْنَ ﴿١٠﴾ وَلَنْ يُّؤَخِّرَ اللّٰهُ نَفْسًا اِذَا جَآءَ اَجَلُهَا ؕ
وَ اللّٰهُ خَبِيْرٌۢ بِمَا تَعْمَلُوْنَ ﴿١١﴾ ع

اٰيَاتُهَا ١٨ (٦٤) سُوْرَةُ التَّغَابُنِ مَدَنِيَّةٌ (١٠٨) رُكُوْعَاتُهَا ٢

بِسْمِ اللّٰهِ الرَّحْمٰنِ الرَّحِيْمِ

يُسَبِّحُ لِلّٰهِ مَا فِى السَّمٰوٰتِ وَمَا فِى الْاَرْضِ ۚ لَهُ
الْمُلْكُ وَلَهُ الْحَمْدُ ۫ وَهُوَ عَلٰى كُلِّ شَىْءٍ قَدِيْرٌ ﴿١﴾
هُوَ الَّذِىْ خَلَقَكُمْ فَمِنْكُمْ كَافِرٌ وَّمِنْكُمْ مُّؤْمِنٌ ؕ
وَاللّٰهُ بِمَا تَعْمَلُوْنَ بَصِيْرٌ ﴿٢﴾ خَلَقَ السَّمٰوٰتِ وَ
الْاَرْضَ بِالْحَقِّ وَصَوَّرَكُمْ فَاَحْسَنَ صُوَرَكُمْ ۚ
وَاِلَيْهِ الْمَصِيْرُ ﴿٣﴾ يَعْلَمُ مَا فِى السَّمٰوٰتِ وَالْاَرْضِ
وَيَعْلَمُ مَا تُسِرُّوْنَ وَمَا تُعْلِنُوْنَ ؕ وَاللّٰهُ عَلِيْمٌۢ
بِذَاتِ الصُّدُوْرِ ﴿٤﴾ اَلَمْ يَاْتِكُمْ نَبَؤُا الَّذِيْنَ كَفَرُوْا
مِنْ قَبْلُ ۫ فَذَاقُوْا وَبَالَ اَمْرِهِمْ وَلَهُمْ عَذَابٌ

٢٤ع ١٤

منزل ٧

Ikhfa إخفا | Ikhfa Meem Saakin إخفاميم ساكن | Qalqala قلقله | Qalb قلب | Idghaam إدغام | Idghaam Meem Saakin إدغام ميم ساكن | Ghunna غنّه

اَلِيۡمٌ ﴿٥﴾ ذٰلِكَ بِاَنَّهٗ كَانَتۡ تَّاۡتِيۡهِمۡ رُسُلُهُمۡ
بِالۡبَيِّنٰتِ فَقَالُوۡۤا اَبَشَرٌ يَّهۡدُوۡنَنَا ۡز فَكَفَرُوۡا وَ
تَوَلَّوۡا وَّاسۡتَغۡنَى اللّٰهُ ؕ وَاللّٰهُ غَنِىٌّ حَمِيۡدٌ ﴿٦﴾ زَعَمَ
الَّذِيۡنَ كَفَرُوۡۤا اَنۡ لَّنۡ يُّبۡعَثُوۡا ؕ قُلۡ بَلٰى وَرَبِّىۡ
لَتُبۡعَثُنَّ ثُمَّ لَتُنَبَّؤُنَّ بِمَا عَمِلۡتُمۡ ؕ وَذٰلِكَ عَلَى
اللّٰهِ يَسِيۡرٌ ﴿٧﴾ فَاٰمِنُوۡا بِاللّٰهِ وَرَسُوۡلِهٖ وَالنُّوۡرِ الَّذِىۡۤ
اَنۡزَلۡنَا ؕ وَاللّٰهُ بِمَا تَعۡمَلُوۡنَ خَبِيۡرٌ ﴿٨﴾ يَوۡمَ يَجۡمَعُكُمۡ
لِيَوۡمِ الۡجَمۡعِ ذٰلِكَ يَوۡمُ التَّغَابُنِ ؕ وَمَنۡ يُّؤۡمِنۡۢ
بِاللّٰهِ وَيَعۡمَلۡ صَالِحًا يُّكَفِّرۡ عَنۡهُ سَيِّاٰتِهٖ
وَيُدۡخِلۡهُ جَنّٰتٍ تَجۡرِىۡ مِنۡ تَحۡتِهَا الۡاَنۡهٰرُ
خٰلِدِيۡنَ فِيۡهَاۤ اَبَدًا ؕ ذٰلِكَ الۡفَوۡزُ الۡعَظِيۡمُ ﴿٩﴾ وَ
الَّذِيۡنَ كَفَرُوۡا وَكَذَّبُوۡا بِاٰيٰتِنَاۤ اُولٰۤٮِٕكَ اَصۡحٰبُ
النَّارِ خٰلِدِيۡنَ فِيۡهَا ؕ وَبِئۡسَ الۡمَصِيۡرُ ﴿١٠﴾ ع مَاۤ اَصَابَ

منزل ٧

الربع ع ١٥

مِنْ مُّصِيْبَةٍ اِلَّا بِاِذْنِ اللّٰهِ ؕ وَمَنْ يُّؤْمِنْۢ بِاللّٰهِ
يَهْدِ قَلْبَهٗ ؕ وَاللّٰهُ بِكُلِّ شَیْءٍ عَلِيْمٌ ﴿١١﴾ وَ اَطِيْعُوا
اللّٰهَ وَ اَطِيْعُوا الرَّسُوْلَ ۚ فَاِنْ تَوَلَّيْتُمْ فَاِنَّمَا
عَلٰى رَسُوْلِنَا الْبَلٰغُ الْمُبِيْنُ ﴿١٢﴾ اَللّٰهُ لَاۤ اِلٰهَ اِلَّا هُوَ ؕ
وَعَلَى اللّٰهِ فَلْيَتَوَكَّلِ الْمُؤْمِنُوْنَ ﴿١٣﴾ يٰۤاَيُّهَا
الَّذِيْنَ اٰمَنُوْۤا اِنَّ مِنْ اَزْوَاجِكُمْ وَ اَوْلَادِكُمْ عَدُوًّا
لَّكُمْ فَاحْذَرُوْهُمْ ۚ وَاِنْ تَعْفُوْا وَتَصْفَحُوْا وَ تَغْفِرُوْا
فَاِنَّ اللّٰهَ غَفُوْرٌ رَّحِيْمٌ ﴿١٤﴾ اِنَّمَاۤ اَمْوَالُكُمْ وَ
اَوْلَادُكُمْ فِتْنَةٌ ؕ وَاللّٰهُ عِنْدَهٗۤ اَجْرٌ عَظِيْمٌ ﴿١٥﴾
فَاتَّقُوا اللّٰهَ مَا اسْتَطَعْتُمْ وَاسْمَعُوْا وَ اَطِيْعُوْا
وَ اَنْفِقُوْا خَيْرًا لِّاَنْفُسِكُمْ ؕ وَمَنْ يُّوْقَ شُحَّ
نَفْسِهٖ فَاُولٰٓئِكَ هُمُ الْمُفْلِحُوْنَ ﴿١٦﴾ اِنْ تُقْرِضُوا
اللّٰهَ قَرْضًا حَسَنًا يُّضٰعِفْهُ لَكُمْ وَيَغْفِرْ لَكُمْ ؕ

منزل ٧

Ikhfa اِخفا | Ikhfa Meem Saakin اِخفامیم ساکن | Qalqala قلقلہ | Qalb قلب | Idghaam اِدغام | Idghaam Meem Saakin اِدغام میم ساکن | Ghunna غُنّہ

وَاللّٰهُ شَكُوْرٌ حَلِيْمٌ ۙ﴿۱۷﴾ عٰلِمُ الْغَيْبِ وَ الشَّهَادَةِ
الْعَزِيْزُ الْحَكِيْمُ ﴿۱۸﴾ ع ٨/٢ ١٦

اٰيَاتُهَا ١٢ (٦٥) سُوْرَةُ الطَّلَاقِ مَدَنِيَّةٌ (٩٩) رُكُوْعَاتُهَا ٢

بِسْمِ اللّٰهِ الرَّحْمٰنِ الرَّحِيْمِ

يٰۤاَيُّهَا النَّبِيُّ اِذَا طَلَّقْتُمُ النِّسَآءَ فَطَلِّقُوْهُنَّ
لِعِدَّتِهِنَّ وَاَحْصُوا الْعِدَّةَ ۚ وَاتَّقُوا اللّٰهَ رَبَّكُمْ ۚ
لَا تُخْرِجُوْهُنَّ مِنْۢ بُيُوْتِهِنَّ وَلَا يَخْرُجْنَ
اِلَّاۤ اَنْ يَّاْتِيْنَ بِفَاحِشَةٍ مُّبَيِّنَةٍ ؕ وَ تِلْكَ
حُدُوْدُ اللّٰهِ ؕ وَمَنْ يَّتَعَدَّ حُدُوْدَ اللّٰهِ فَقَدْ
ظَلَمَ نَفْسَهٗ ؕ لَا تَدْرِيْ لَعَلَّ اللّٰهَ يُحْدِثُ
بَعْدَ ذٰلِكَ اَمْرًا ﴿۱﴾ فَاِذَا بَلَغْنَ اَجَلَهُنَّ
فَاَمْسِكُوْهُنَّ بِمَعْرُوْفٍ اَوْ فَارِقُوْهُنَّ بِمَعْرُوْفٍ
وَّاَشْهِدُوْا ذَوَيْ عَدْلٍ مِّنْكُمْ وَاَقِيْمُوا

منزل ٧

الشَّهَادَةَ لِلّٰهِ ؕ ذٰلِكُمْ يُوْعَظُ بِهٖ مَنْ كَانَ

يُؤْمِنُ بِاللّٰهِ وَالْيَوْمِ الْاٰخِرِ ۬ؕ وَمَنْ يَّتَّقِ اللّٰهَ

يَجْعَلْ لَّهٗ مَخْرَجًا ۙ﴿٢﴾ وَّيَرْزُقْهُ مِنْ حَيْثُ لَا

يَحْتَسِبُ ؕ وَمَنْ يَّتَوَكَّلْ عَلَى اللّٰهِ فَهُوَ حَسْبُهٗ ؕ

اِنَّ اللّٰهَ بَالِغُ اَمْرِهٖ ؕ قَدْ جَعَلَ اللّٰهُ لِكُلِّ شَیْءٍ

قَدْرًا ﴿٣﴾ وَالّٰٓـِٔیْ يَىِٕسْنَ مِنَ الْمَحِيْضِ مِنْ نِّسَآئِكُمْ

اِنِ ارْتَبْتُمْ فَعِدَّتُهُنَّ ثَلٰثَةُ اَشْهُرٍ ۙ وَّالّٰٓـِٔیْ لَمْ

يَحِضْنَ ؕ وَاُولَاتُ الْاَحْمَالِ اَجَلُهُنَّ اَنْ

يَّضَعْنَ حَمْلَهُنَّ ؕ وَمَنْ يَّتَّقِ اللّٰهَ يَجْعَلْ لَّهٗ

مِنْ اَمْرِهٖ يُسْرًا ﴿٤﴾ ذٰلِكَ اَمْرُ اللّٰهِ اَنْزَلَهٗۤ

اِلَيْكُمْ ؕ وَمَنْ يَّتَّقِ اللّٰهَ يُكَفِّرْ عَنْهُ سَيِّاٰتِهٖ

وَيُعْظِمْ لَهٗۤ اَجْرًا ﴿٥﴾ اَسْكِنُوْهُنَّ مِنْ حَيْثُ

سَكَنْتُمْ مِّنْ وُّجْدِكُمْ وَلَا تُضَآرُّوْهُنَّ لِتُضَيِّقُوْا

منزل ٧

Ikhfa إخفا | Ikhfa Meem Saakin إخفاميم ساكن | Qalqala قلقله | Qalb قلب | Idghaam إدغام | Idghaam Meem Saakin إدغام ميم ساكن | Ghunna غنّه

عَلَيْهِنَّ ۚ وَاِنْ كُنَّ اُولَاتِ حَمْلٍ فَاَنْفِقُوْا عَلَيْهِنَّ

حَتّٰى يَضَعْنَ حَمْلَهُنَّ ۚ فَاِنْ اَرْضَعْنَ لَكُمْ فَاٰتُوْهُنَّ

اُجُوْرَهُنَّ ۚ وَاْتَمِرُوْا بَيْنَكُمْ بِمَعْرُوْفٍ ۚ وَاِنْ

تَعَاسَرْتُمْ فَسَتُرْضِعُ لَهٗٓ اُخْرٰى ۗ ﴿٦﴾ لِيُنْفِقْ ذُوْ سَعَةٍ

مِّنْ سَعَتِهٖ ۭ وَمَنْ قُدِرَ عَلَيْهِ رِزْقُهٗ فَلْيُنْفِقْ

مِمَّآ اٰتٰىهُ اللّٰهُ ۭ لَا يُكَلِّفُ اللّٰهُ نَفْسًا اِلَّا مَآ اٰتٰىهَا ۭ

منزل ٧ سَيَجْعَلُ اللّٰهُ بَعْدَ عُسْرٍ يُّسْرًا ﴿٧﴾ ع وَكَاَيِّنْ مِّنْ قَرْيَةٍ ع ١٧ ٧

عَتَتْ عَنْ اَمْرِ رَبِّهَا وَرُسُلِهٖ فَحَاسَبْنٰهَا حِسَابًا

شَدِيْدًا ۙ وَّعَذَّبْنٰهَا عَذَابًا نُّكْرًا ﴿٨﴾ فَذَاقَتْ

وَبَالَ اَمْرِهَا وَكَانَ عَاقِبَةُ اَمْرِهَا خُسْرًا ﴿٩﴾

اَعَدَّ اللّٰهُ لَهُمْ عَذَابًا شَدِيْدًا ۙ فَاتَّقُوا

اللّٰهَ يٰٓاُولِي الْاَلْبَابِ ۚ صلے ۵ الَّذِيْنَ اٰمَنُوْا ۛ مع ١٤ عند المتقدمين ١٢

قَدْ اَنْزَلَ اللّٰهُ اِلَيْكُمْ ذِكْرًا ﴿١٠﴾ ۙ رَّسُوْلًا يَّتْلُوْا

عَلَيْكُمْ اٰيٰتِ اللّٰهِ مُبَيِّنٰتٍ لِّيُخْرِجَ الَّذِيْنَ

اٰمَنُوْا وَ عَمِلُوا الصّٰلِحٰتِ مِنَ الظُّلُمٰتِ

اِلَى النُّوْرِ ؕ وَ مَنْ يُّؤْمِنْ بِاللّٰهِ وَ يَعْمَلْ

صَالِحًا يُّدْخِلْهُ جَنّٰتٍ تَجْرِيْ مِنْ تَحْتِهَا

الْاَنْهٰرُ خٰلِدِيْنَ فِيْهَاۤ اَبَدًا ؕ قَدْ اَحْسَنَ

اللّٰهُ لَهٗ رِزْقًا ⑪ اَللّٰهُ الَّذِيْ خَلَقَ سَبْعَ

سَمٰوٰتٍ وَّمِنَ الْاَرْضِ مِثْلَهُنَّ ؕ يَتَنَزَّلُ

الْاَمْرُ بَيْنَهُنَّ لِتَعْلَمُوْۤا اَنَّ اللّٰهَ عَلٰى كُلِّ

شَيْءٍ قَدِيْرٌ ۙ۬ وَّ اَنَّ اللّٰهَ قَدْ اَحَاطَ بِكُلِّ

ع ٢ ٥ ١٨ شَيْءٍ عِلْمًا ⑫ ع

اٰيَاتُهَا ١٢ (٦٦) سُوْرَةُ التَّحْرِيْمِ مَدَنِيَّةٌ (١٠٧) رُكُوْعَاتُهَا ٢

بِسْمِ اللّٰهِ الرَّحْمٰنِ الرَّحِيْمِ ○

يٰۤاَيُّهَا النَّبِيُّ لِمَ تُحَرِّمُ مَاۤ اَحَلَّ اللّٰهُ لَكَ ۚ

مَنْزِل ٧

Ikhfa إخفا | Ikhfa Meem Saakin إخفاميم ساكن | Qalqala قلقله | Qalb قلب | Idghaam إدغام | Idghaam Meem Saakin إدغام ميم ساكن | Ghunna غُنّه

تَبْتَغِيْ مَرْضَاتَ اَزْوَاجِكَ ؕ وَ اللّٰهُ غَفُوْرٌ

رَّحِيْمٌ ۝١ قَدْ فَرَضَ اللّٰهُ لَكُمْ تَحِلَّةَ اَيْمَانِكُمْ ۚ

وَ اللّٰهُ مَوْلٰىكُمْ ۚ وَ هُوَ الْعَلِيْمُ الْحَكِيْمُ ۝٢ وَ

اِذْ اَسَرَّ النَّبِيُّ اِلٰى بَعْضِ اَزْوَاجِهٖ حَدِيْثًا ۚ

فَلَمَّا نَبَّاَتْ بِهٖ وَ اَظْهَرَهُ اللّٰهُ عَلَيْهِ عَرَّفَ

بَعْضَهٗ وَ اَعْرَضَ عَنْۢ بَعْضٍ ۚ فَلَمَّا نَبَّاَهَا بِهٖ

قَالَتْ مَنْ اَنْۢبَاَكَ هٰذَا ؕ قَالَ نَبَّاَنِيَ الْعَلِيْمُ منزل ٧

الْخَبِيْرُ ۝٣ اِنْ تَتُوْبَاۤ اِلَى اللّٰهِ فَقَدْ صَغَتْ

قُلُوْبُكُمَا ۚ وَ اِنْ تَظٰهَرَا عَلَيْهِ فَاِنَّ اللّٰهَ هُوَ

مَوْلٰىهُ وَ جِبْرِيْلُ وَ صَالِحُ الْمُؤْمِنِيْنَ ۚ وَ الْمَلٰٓئِكَةُ

بَعْدَ ذٰلِكَ ظَهِيْرٌ ۝٤ عَسٰى رَبُّهٗۤ اِنْ طَلَّقَكُنَّ

اَنْ يُّبْدِلَهٗۤ اَزْوَاجًا خَيْرًا مِّنْكُنَّ مُسْلِمٰتٍ

مُّؤْمِنٰتٍ قٰنِتٰتٍ تٰٓئِبٰتٍ عٰبِدٰتٍ سٰٓئِحٰتٍ

ثَيِّبٰتٍ وَّ اَبْكَارًا ﴿٥﴾ يٰۤاَيُّهَا الَّذِيْنَ اٰمَنُوْا
قُوْۤا اَنْفُسَكُمْ وَ اَهْلِيْكُمْ نَارًا وَّقُوْدُهَا النَّاسُ
وَ الْحِجَارَةُ عَلَيْهَا مَلٰٓئِكَةٌ غِلَاظٌ شِدَادٌ
لَّا يَعْصُوْنَ اللّٰهَ مَاۤ اَمَرَهُمْ وَ يَفْعَلُوْنَ مَا
يُؤْمَرُوْنَ ﴿٦﴾ يٰۤاَيُّهَا الَّذِيْنَ كَفَرُوْا لَا تَعْتَذِرُوا
الْيَوْمَ ؕ اِنَّمَا تُجْزَوْنَ مَا كُنْتُمْ تَعْمَلُوْنَ ﴿٧﴾ ع
يٰۤاَيُّهَا الَّذِيْنَ اٰمَنُوْا تُوْبُوْۤا اِلَى اللّٰهِ تَوْبَةً
نَّصُوْحًا ؕ عَسٰى رَبُّكُمْ اَنْ يُّكَفِّرَ عَنْكُمْ
سَيِّاٰتِكُمْ وَيُدْخِلَكُمْ جَنّٰتٍ تَجْرِيْ مِنْ
تَحْتِهَا الْاَنْهٰرُ ۙ يَوْمَ لَا يُخْزِي اللّٰهُ النَّبِيَّ
وَ الَّذِيْنَ اٰمَنُوْا مَعَهٗ ۚ نُوْرُهُمْ يَسْعٰى بَيْنَ
اَيْدِيْهِمْ وَ بِاَيْمَانِهِمْ يَقُوْلُوْنَ رَبَّنَاۤ اَتْمِمْ لَنَا
نُوْرَنَا وَاغْفِرْ لَنَا ۚ اِنَّكَ عَلٰى كُلِّ شَيْءٍ قَدِيْرٌ ﴿٨﴾

منزل ٧

يٰۤاَيُّهَا النَّبِيُّ جَاهِدِ الْكُفَّارَ وَ الْمُنٰفِقِيْنَ
وَاغْلُظْ عَلَيْهِمْ ؕ وَمَاْوٰىهُمْ جَهَنَّمُ ؕ وَبِئْسَ
الْمَصِيْرُ ۝٩ ضَرَبَ اللّٰهُ مَثَلًا لِّلَّذِيْنَ كَفَرُوا امْرَاَتَ
نُوْحٍ وَّ امْرَاَتَ لُوْطٍ ؕ كَانَتَا تَحْتَ عَبْدَيْنِ مِنْ
عِبَادِنَا صَالِحَيْنِ فَخَانَتٰهُمَا فَلَمْ يُغْنِيَا
عَنْهُمَا مِنَ اللّٰهِ شَيْـًٔا وَّقِيْلَ ادْخُلَا النَّارَ
منزل ۷ مَعَ الدّٰخِلِيْنَ ۝١٠ وَضَرَبَ اللّٰهُ مَثَلًا لِّلَّذِيْنَ
اٰمَنُوا امْرَاَتَ فِرْعَوْنَ ۘ اِذْ قَالَتْ رَبِّ ابْنِ وقف لازم
لِيْ عِنْدَكَ بَيْتًا فِي الْجَنَّةِ وَنَجِّنِيْ مِنْ
فِرْعَوْنَ وَعَمَلِهٖ وَ نَجِّنِيْ مِنَ الْقَوْمِ الظّٰلِمِيْنَ ۝١١ ۙ
وَمَرْيَمَ ابْنَتَ عِمْرٰنَ الَّتِيْۤ اَحْصَنَتْ فَرْجَهَا
فَنَفَخْنَا فِيْهِ مِنْ رُّوْحِنَا وَ صَدَّقَتْ بِكَلِمٰتِ
رَبِّهَا وَكُتُبِهٖ وَكَانَتْ مِنَ الْقٰنِتِيْنَ ۝١٢ ع ۲۰ ع ۵

بِسْمِ اللّٰهِ الرَّحْمٰنِ الرَّحِيْمِ

تَبٰرَكَ الَّذِىْ بِيَدِهِ الْمُلْكُ ۡ وَهُوَ عَلٰى كُلِّ شَىْءٍ
قَدِيْرُ ۨ ۙ ﴿١﴾ الَّذِىْ خَلَقَ الْمَوْتَ وَالْحَيٰوةَ لِيَبْلُوَكُمْ
اَيُّكُمْ اَحْسَنُ عَمَلًا ؕ وَهُوَ الْعَزِيْزُ الْغَفُوْرُ ۙ ﴿٢﴾ الَّذِىْ
خَلَقَ سَبْعَ سَمٰوٰتٍ طِبَاقًا ؕ مَا تَرٰى فِىْ خَلْقِ الرَّحْمٰنِ
مِنْ تَفٰوُتٍ ؕ فَارْجِعِ الْبَصَرَ ۙ هَلْ تَرٰى مِنْ فُطُوْرٍ ﴿٣﴾
ثُمَّ ارْجِعِ الْبَصَرَ كَرَّتَيْنِ يَنْقَلِبْ اِلَيْكَ الْبَصَرُ
خَاسِئًا وَّهُوَ حَسِيْرٌ ﴿٤﴾ وَلَقَدْ زَيَّنَّا السَّمَآءَ الدُّنْيَا
بِمَصَابِيْحَ وَجَعَلْنٰهَا رُجُوْمًا لِّلشَّيٰطِيْنِ وَاَعْتَدْنَا لَهُمْ
عَذَابَ السَّعِيْرِ ﴿٥﴾ وَلِلَّذِيْنَ كَفَرُوْا بِرَبِّهِمْ عَذَابُ
جَهَنَّمَ ؕ وَبِئْسَ الْمَصِيْرُ ﴿٦﴾ اِذَآ اُلْقُوْا فِيْهَا سَمِعُوْا
لَهَا شَهِيْقًا وَّهِىَ تَفُوْرُ ۙ ﴿٧﴾ تَكَادُ تَمَيَّزُ مِنَ الْغَيْظِ ؕ

Ikhfa إخفا | Ikhfa Meem Saakin إخفاميم ساكن | Qalqala قلقلہ | Qalb قلب | Idghaam إدغام | Idghaam Meem Saakin إدغام ميم ساكن | Ghunna غُنّہ

كُلَّمَآ اُلْقِيَ فِيْهَا فَوْجٌ سَاَلَهُمْ خَزَنَتُهَآ اَلَمْ يَاْتِكُمْ
نَذِيْرٌ ﴿٨﴾ قَالُوْا بَلٰى قَدْ جَآءَنَا نَذِيْرٌ ۵ۙ فَكَذَّبْنَا
وَقُلْنَا مَا نَزَّلَ اللّٰهُ مِنْ شَيْءٍ ۚۖ اِنْ اَنْتُمْ اِلَّا فِيْ
ضَلٰلٍ كَبِيْرٍ ﴿٩﴾ وَقَالُوْا لَوْ كُنَّا نَسْمَعُ اَوْ نَعْقِلُ مَا
كُنَّا فِيْٓ اَصْحٰبِ السَّعِيْرِ ﴿١٠﴾ فَاعْتَرَفُوْا بِذَنْۢبِهِمْ ۚ
فَسُحْقًا لِّاَصْحٰبِ السَّعِيْرِ ﴿١١﴾ اِنَّ الَّذِيْنَ يَخْشَوْنَ
رَبَّهُمْ بِالْغَيْبِ لَهُمْ مَّغْفِرَةٌ وَّاَجْرٌ كَبِيْرٌ ﴿١٢﴾ وَاَسِرُّوْا منزل ۷
قَوْلَكُمْ اَوِ اجْهَرُوْا بِهٖ ۭ اِنَّهٗ عَلِيْمٌۢ بِذَاتِ الصُّدُوْرِ ﴿١٣﴾
اَلَا يَعْلَمُ مَنْ خَلَقَ ۭ وَهُوَ اللَّطِيْفُ الْخَبِيْرُ ﴿١٤﴾ ع هُوَ ع ۱۴ ۱
الَّذِيْ جَعَلَ لَكُمُ الْاَرْضَ ذَلُوْلًا فَامْشُوْا فِيْ مَنَاكِبِهَا
وَكُلُوْا مِنْ رِّزْقِهٖ ۭ وَاِلَيْهِ النُّشُوْرُ ﴿١٥﴾ ءَاَمِنْتُمْ مَّنْ
فِي السَّمَآءِ اَنْ يَّخْسِفَ بِكُمُ الْاَرْضَ فَاِذَا هِيَ
تَمُوْرُ ﴿١٦﴾ اَمْ اَمِنْتُمْ مَّنْ فِي السَّمَآءِ اَنْ يُّرْسِلَ عَلَيْكُمْ

حَاصِبًا ؕ فَسَتَعْلَمُوْنَ كَیْفَ نَذِیْرِ ﴿١٧﴾ وَلَقَدْ كَذَّبَ
الَّذِیْنَ مِنْ قَبْلِهِمْ فَكَیْفَ كَانَ نَكِیْرِ ﴿١٨﴾ اَوَلَمْ یَرَوْا
اِلَى الطَّیْرِ فَوْقَهُمْ صٰٓفّٰتٍ وَّیَقْبِضْنَ ؔۘ مَا یُمْسِكُهُنَّ
اِلَّا الرَّحْمٰنُ ؕ اِنَّهٗ بِكُلِّ شَیْءٍۭ بَصِیْرٌ ﴿١٩﴾ اَمَّنْ هٰذَا
الَّذِیْ هُوَ جُنْدٌ لَّكُمْ یَنْصُرُكُمْ مِّنْ دُوْنِ الرَّحْمٰنِ ؕ
اِنِ الْكٰفِرُوْنَ اِلَّا فِیْ غُرُوْرٍ ﴿٢٠﴾ ۚ اَمَّنْ هٰذَا الَّذِیْ
یَرْزُقُكُمْ اِنْ اَمْسَكَ رِزْقَهٗ ۚ بَلْ لَّجُّوْا فِیْ عُتُوٍّ وَّ
نُفُوْرٍ ﴿٢١﴾ اَفَمَنْ یَّمْشِیْ مُكِبًّا عَلٰى وَجْهِهٖۤ اَهْدٰۤى
اَمَّنْ یَّمْشِیْ سَوِیًّا عَلٰى صِرَاطٍ مُّسْتَقِیْمٍ ﴿٢٢﴾ قُلْ هُوَ
الَّذِیْۤ اَنْشَاَكُمْ وَجَعَلَ لَكُمُ السَّمْعَ وَ الْاَبْصَارَ
وَ الْاَفْـِٕدَةَ ؕ قَلِیْلًا مَّا تَشْكُرُوْنَ ﴿٢٣﴾ قُلْ هُوَ الَّذِیْ
ذَرَاَكُمْ فِی الْاَرْضِ وَاِلَیْهِ تُحْشَرُوْنَ ﴿٢٤﴾ وَیَقُوْلُوْنَ
مَتٰى هٰذَا الْوَعْدُ اِنْ كُنْتُمْ صٰدِقِیْنَ ﴿٢٥﴾ قُلْ

وقف لازم
وقف غفران

منزل ٧

Ikhfa إخفا | Ikhfa Meem Saakin إخفاميم ساكن | Qalqala قلقله | Qalb قلب | Idghaam إدغام | Idghaam Meem Saakin إدغام میم ساکن | Ghunna غنّہ

اِنَّمَا الْعِلْمُ عِنْدَ اللّٰهِ ۖ وَاِنَّمَآ اَنَا نَذِيْرٌ مُّبِيْنٌ ﴿٢٦﴾
فَلَمَّا رَاَوْهُ زُلْفَةً سِيْٓـَٔتْ وُجُوْهُ الَّذِيْنَ كَفَرُوْا
وَقِيْلَ هٰذَا الَّذِىْ كُنْتُمْ بِهٖ تَدَّعُوْنَ ﴿٢٧﴾ قُلْ
اَرَءَيْتُمْ اِنْ اَهْلَكَنِىَ اللّٰهُ وَمَنْ مَّعِىَ اَوْ رَحِمَنَا ۙ
فَمَنْ يُّجِيْرُ الْكٰفِرِيْنَ مِنْ عَذَابٍ اَلِيْمٍ ﴿٢٨﴾ قُلْ هُوَ
الرَّحْمٰنُ اٰمَنَّا بِهٖ وَعَلَيْهِ تَوَكَّلْنَا ۚ فَسَتَعْلَمُوْنَ
مَنْ هُوَ فِىْ ضَلٰلٍ مُّبِيْنٍ ﴿٢٩﴾ قُلْ اَرَءَيْتُمْ اِنْ
اَصْبَحَ مَآؤُكُمْ غَوْرًا فَمَنْ يَّاْتِيْكُمْ بِمَآءٍ مَّعِيْنٍ ﴿٣٠﴾ ع

منزل ٧

ع ٢/٤

آياتها ٥٢ (٦٨) سُوْرَةُ الْقَلَمِ مَكِّيَّةٌ (٢) رکوعاتها ٢

بِسْمِ اللّٰهِ الرَّحْمٰنِ الرَّحِيْمِ

نٓ وَالْقَلَمِ وَمَا يَسْطُرُوْنَ ۙ ﴿١﴾ مَآ اَنْتَ بِنِعْمَةِ رَبِّكَ
بِمَجْنُوْنٍ ﴿٢﴾ وَاِنَّ لَكَ لَاَجْرًا غَيْرَ مَمْنُوْنٍ ۚ ﴿٣﴾ وَ
اِنَّكَ لَعَلٰى خُلُقٍ عَظِيْمٍ ﴿٤﴾ فَسَتُبْصِرُ وَيُبْصِرُوْنَ ۙ ﴿٥﴾

Ikhfa إخفا | Ikhfa Meem Saakin إخفاميم ساكن | Qalqala قلقله | Qalb قلب | Idghaam إدغام | Idghaam Meem Saakin إدغام ميم ساكن | Ghunna غُنّہ

بِاَيِّكُمُ الْمَفْتُوْنُ ۝٦ اِنَّ رَبَّكَ هُوَ اَعْلَمُ بِمَنْ ضَلَّ

عَنْ سَبِيْلِهٖ ۠ وَهُوَ اَعْلَمُ بِالْمُهْتَدِيْنَ ۝٧ فَلَا تُطِعِ

الْمُكَذِّبِيْنَ ۝٨ وَدُّوْا لَوْ تُدْهِنُ فَيُدْهِنُوْنَ ۝٩ وَلَا

تُطِعْ كُلَّ حَلَّافٍ مَّهِيْنٍ ۝١٠ هَمَّازٍ مَّشَّآءٍۭ بِنَمِيْمٍ ۝١١

مَّنَّاعٍ لِّلْخَيْرِ مُعْتَدٍ اَثِيْمٍ ۝١٢ عُتُلٍّۭ بَعْدَ ذٰلِكَ

زَنِيْمٍ ۝١٣ اَنْ كَانَ ذَا مَالٍ وَّبَنِيْنَ ۝١٤ اِذَا تُتْلٰى عَلَيْهِ

اٰيٰتُنَا قَالَ اَسَاطِيْرُ الْاَوَّلِيْنَ ۝١٥ سَنَسِمُهٗ عَلَى

الْخُرْطُوْمِ ۝١٦ اِنَّا بَلَوْنٰهُمْ كَمَا بَلَوْنَآ اَصْحٰبَ الْجَنَّةِ

اِذْ اَقْسَمُوْا لَيَصْرِمُنَّهَا مُصْبِحِيْنَ ۝١٧ وَلَا يَسْتَثْنُوْنَ ۝١٨

فَطَافَ عَلَيْهَا طَآئِفٌ مِّنْ رَّبِّكَ وَهُمْ نَآئِمُوْنَ ۝١٩

فَاَصْبَحَتْ كَالصَّرِيْمِ ۝٢٠ فَتَنَادَوْا مُصْبِحِيْنَ ۝٢١

اَنِ اغْدُوْا عَلٰى حَرْثِكُمْ اِنْ كُنْتُمْ صٰرِمِيْنَ ۝٢٢

فَانْطَلَقُوْا وَهُمْ يَتَخَافَتُوْنَ ۝٢٣ اَنْ لَّا يَدْخُلَنَّهَا

منزل ٧

الْيَوْمَ عَلَيْكُمْ مِّسْكِيْنٌ ﴿۲۴﴾ لا وَّغَدَوْا عَلٰى حَرْدٍ قٰدِرِيْنَ ﴿۲۵﴾

فَلَمَّا رَاَوْهَا قَالُوْٓا اِنَّا لَضَآلُّوْنَ ﴿۲۶﴾ لا بَلْ نَحْنُ

مَحْرُوْمُوْنَ ﴿۲۷﴾ قَالَ اَوْسَطُهُمْ اَلَمْ اَقُلْ لَّكُمْ لَوْلَا

تُسَبِّحُوْنَ ﴿۲۸﴾ قَالُوْا سُبْحٰنَ رَبِّنَآ اِنَّا كُنَّا ظٰلِمِيْنَ ﴿۲۹﴾

فَاَقْبَلَ بَعْضُهُمْ عَلٰى بَعْضٍ يَّتَلَاوَمُوْنَ ﴿۳۰﴾ قَالُوْا

يٰوَيْلَنَآ اِنَّا كُنَّا طٰغِيْنَ ﴿۳۱﴾ عَسٰى رَبُّنَآ اَنْ يُّبْدِلَنَا

خَيْرًا مِّنْهَآ اِنَّآ اِلٰى رَبِّنَا رٰغِبُوْنَ ﴿۳۲﴾ كَذٰلِكَ

الْعَذَابُ ط وَلَعَذَابُ الْاٰخِرَةِ اَكْبَرُ م لَوْ كَانُوْا

يَعْلَمُوْنَ ﴿۳۳﴾ ع اِنَّ لِلْمُتَّقِيْنَ عِنْدَ رَبِّهِمْ جَنّٰتِ

النَّعِيْمِ ﴿۳۴﴾ اَفَنَجْعَلُ الْمُسْلِمِيْنَ كَالْمُجْرِمِيْنَ ﴿۳۵﴾ ط

مَا لَكُمْ وقفة كَيْفَ تَحْكُمُوْنَ ﴿۳۶﴾ ج اَمْ لَكُمْ كِتٰبٌ فِيْهِ

تَدْرُسُوْنَ ﴿۳۷﴾ لا اِنَّ لَكُمْ فِيْهِ لَمَا تَخَيَّرُوْنَ ﴿۳۸﴾ ج اَمْ لَكُمْ

اَيْمَانٌ عَلَيْنَا بَالِغَةٌ اِلٰى يَوْمِ الْقِيٰمَةِ لا اِنَّ لَكُمْ

منزل ۷

وقف لازم

ع ۳۳ ۳

Ikhfa إخفا | Ikhfa Meem Saakin إخفامیم ساکن | Qalqala قلقلہ | Qalb قلب | Idghaam اِدغام | Idghaam Meem Saakin اِدغام میم ساکن | Ghunna غُنّہ

لَمَا تَحْكُمُوْنَ ﴿٣٩﴾ ج سَلْهُمْ اَيُّهُمْ بِذٰلِكَ زَعِيْمٌ ﴿٤٠﴾ ج
اَمْ لَهُمْ شُرَكَآءُ ج فَلْيَاْتُوْا بِشُرَكَآئِهِمْ اِنْ كَانُوْا
صٰدِقِيْنَ ﴿٤١﴾ يَوْمَ يُكْشَفُ عَنْ سَاقٍ وَّيُدْعَوْنَ
اِلَى السُّجُوْدِ فَلَا يَسْتَطِيْعُوْنَ ﴿٤٢﴾ لا خَاشِعَةً اَبْصَارُهُمْ
تَرْهَقُهُمْ ذِلَّةٌ ط وَقَدْ كَانُوْا يُدْعَوْنَ اِلَى السُّجُوْدِ
وَهُمْ سٰلِمُوْنَ ﴿٤٣﴾ فَذَرْنِيْ وَمَنْ يُّكَذِّبُ بِهٰذَا
الْحَدِيْثِ ط سَنَسْتَدْرِجُهُمْ مِّنْ حَيْثُ لَا يَعْلَمُوْنَ ﴿٤٤﴾ لا
وَاُمْلِيْ لَهُمْ ط اِنَّ كَيْدِيْ مَتِيْنٌ ﴿٤٥﴾ اَمْ تَسْـَٔلُهُمْ اَجْرًا
فَهُمْ مِّنْ مَّغْرَمٍ مُّثْقَلُوْنَ ﴿٤٦﴾ ج اَمْ عِنْدَهُمُ الْغَيْبُ
فَهُمْ يَكْتُبُوْنَ ﴿٤٧﴾ فَاصْبِرْ لِحُكْمِ رَبِّكَ وَلَا تَكُنْ
كَصَاحِبِ الْحُوْتِ م اِذْ نَادٰى وَهُوَ مَكْظُوْمٌ ﴿٤٨﴾ ط لَوْلَآ
اَنْ تَدٰرَكَهٗ نِعْمَةٌ مِّنْ رَّبِّهٖ لَنُبِذَ بِالْعَرَآءِ وَهُوَ
مَذْمُوْمٌ ﴿٤٩﴾ فَاجْتَبٰهُ رَبُّهٗ فَجَعَلَهٗ مِنَ الصّٰلِحِيْنَ ﴿٥٠﴾

مع٥ عند المتقدمين ١٢

منزل ٧

وقف لازم

Ghunna غُنّه | Idghaam Meem Saakin اِدغام میم ساکن | Idghaam اِدغام | Qalb قلب | Qalqala قلقله | Ikhfa Meem Saakin اِخفا میم ساکن | Ikhfa اِخفا

وَاِنْ يَّكَادُ الَّذِيْنَ كَفَرُوْا لَيُزْلِقُوْنَكَ بِاَبْصَارِهِمْ
لَمَّا سَمِعُوا الذِّكْرَ وَيَقُوْلُوْنَ اِنَّهٗ لَمَجْنُوْنٌ ۘ ﴿٥١﴾
وَمَا هُوَ اِلَّا ذِكْرٌ لِّلْعٰلَمِيْنَ ﴿٥٢﴾ ع

وقف لازم — الربع ٢ ١٩

اٰيَاتُهَا ٥٢ — (٦٩) سُوْرَةُ الْحَاۗقَّةِ مَكِّيَّةٌ (٧٨) — رُكُوْعَاتُهَا ٢

بِسْمِ اللّٰهِ الرَّحْمٰنِ الرَّحِيْمِ

اَلْحَاۗقَّةُ ۙ﴿١﴾ مَا الْحَاۗقَّةُ ۚ﴿٢﴾ وَمَاۤ اَدْرٰىكَ مَا الْحَاۗقَّةُ ؕ﴿٣﴾
كَذَّبَتْ ثَمُوْدُ وَعَادٌۢ بِالْقَارِعَةِ ﴿٤﴾ فَاَمَّا ثَمُوْدُ
فَاُهْلِكُوْا بِالطَّاغِيَةِ ﴿٥﴾ وَاَمَّا عَادٌ فَاُهْلِكُوْا بِرِيْحٍ
صَرْصَرٍ عَاتِيَةٍ ۙ﴿٦﴾ سَخَّرَهَا عَلَيْهِمْ سَبْعَ لَيَالٍ وَّثَمٰنِيَةَ
اَيَّامٍ ۙ حُسُوْمًا فَتَرَى الْقَوْمَ فِيْهَا صَرْعٰى ۙ كَاَنَّهُمْ
اَعْجَازُ نَخْلٍ خَاوِيَةٍ ۚ﴿٧﴾ فَهَلْ تَرٰى لَهُمْ مِّنْ
بَاقِيَةٍ ﴿٨﴾ وَجَآءَ فِرْعَوْنُ وَمَنْ قَبْلَهٗ وَالْمُؤْتَفِكٰتُ
بِالْخَاطِئَةِ ۚ﴿٩﴾ فَعَصَوْا رَسُوْلَ رَبِّهِمْ فَاَخَذَهُمْ اَخْذَةً

منزل ٧

Ikhfa إخفا | Ikhfa Meem Saakin إخفاميم ساكن | Qalqala قلقله | Qalb قلب | Idghaam إدغام | Idghaam Meem Saakin إدغام ميم ساكن | Ghunna غنّه

رَّابِيَةً ﴿١٠﴾ اِنَّا لَمَّا طَغَا الْمَآءُ حَمَلْنٰكُمْ فِي الْجَارِيَةِ ﴿١١﴾
لِنَجْعَلَهَا لَكُمْ تَذْكِرَةً وَّتَعِيَهَآ اُذُنٌ وَّاعِيَةٌ ﴿١٢﴾
فَاِذَا نُفِخَ فِي الصُّوْرِ نَفْخَةٌ وَّاحِدَةٌ ﴿١٣﴾ وَّحُمِلَتِ
الْاَرْضُ وَالْجِبَالُ فَدُكَّتَا دَكَّةً وَّاحِدَةً ﴿١٤﴾
فَيَوْمَئِذٍ وَّقَعَتِ الْوَاقِعَةُ ﴿١٥﴾ وَانْشَقَّتِ السَّمَآءُ فَهِيَ
يَوْمَئِذٍ وَّاهِيَةٌ ﴿١٦﴾ وَّالْمَلَكُ عَلٰٓى اَرْجَآئِهَا ؕ وَيَحْمِلُ
عَرْشَ رَبِّكَ فَوْقَهُمْ يَوْمَئِذٍ ثَمٰنِيَةٌ ﴿١٧﴾ يَوْمَئِذٍ
تُعْرَضُوْنَ لَا تَخْفٰى مِنْكُمْ خَافِيَةٌ ﴿١٨﴾ فَاَمَّا مَنْ اُوْتِيَ
كِتٰبَهٗ بِيَمِيْنِهٖ ۙ فَيَقُوْلُ هَآؤُمُ اقْرَءُوْا كِتٰبِيَهْ ﴿١٩﴾
اِنِّيْ ظَنَنْتُ اَنِّيْ مُلٰقٍ حِسَابِيَهْ ﴿٢٠﴾ فَهُوَ فِيْ عِيْشَةٍ
رَّاضِيَةٍ ﴿٢١﴾ فِيْ جَنَّةٍ عَالِيَةٍ ﴿٢٢﴾ قُطُوْفُهَا دَانِيَةٌ ﴿٢٣﴾
كُلُوْا وَاشْرَبُوْا هَنِيْٓـًٔا بِمَآ اَسْلَفْتُمْ فِي الْاَيَّامِ
الْخَالِيَةِ ﴿٢٤﴾ وَاَمَّا مَنْ اُوْتِيَ كِتٰبَهٗ بِشِمَالِهٖ ۵

منزل ٧

فَيَقُوۡلُ يٰلَيۡتَنِىۡ لَمۡ اُوۡتَ كِتٰبِيَهۡ ۚ﴿۲۵﴾ وَلَمۡ اَدۡرِ مَا

حِسَابِيَهۡ ۚ﴿۲۶﴾ يٰلَيۡتَهَا كَانَتِ الۡقَاضِيَةَ ۚ﴿۲۷﴾ مَاۤ

اَغۡنٰى عَنِّىۡ مَالِيَهۡ ۚ﴿۲۸﴾ هَلَكَ عَنِّىۡ سُلۡطٰنِيَهۡ ۚ﴿۲۹﴾

خُذُوۡهُ فَغُلُّوۡهُ ۙ﴿۳۰﴾ ثُمَّ الۡجَحِيۡمَ صَلُّوۡهُ ۙ﴿۳۱﴾ ثُمَّ فِىۡ

سِلۡسِلَةٍ ذَرۡعُهَا سَبۡعُوۡنَ ذِرَاعًا فَاسۡلُكُوۡهُ ؕ﴿۳۲﴾

اِنَّهٗ كَانَ لَا يُؤۡمِنُ بِاللّٰهِ الۡعَظِيۡمِ ۙ﴿۳۳﴾ وَلَا يَحُضُّ

عَلٰى طَعَامِ الۡمِسۡكِيۡنِ ؕ﴿۳۴﴾ فَلَيۡسَ لَهُ الۡيَوۡمَ هٰهُنَا

حَمِيۡمٌ ۙ﴿۳۵﴾ وَّلَا طَعَامٌ اِلَّا مِنۡ غِسۡلِيۡنٍ ۙ﴿۳۶﴾ لَّا يَاۡكُلُهٗۤ اِلَّا

عِ ۳۷ ۵ الۡخَاطِئُوۡنَ ﴿۳۷﴾ ع فَلَاۤ اُقۡسِمُ بِمَا تُبۡصِرُوۡنَ ۙ﴿۳۸﴾ وَمَا لَا

تُبۡصِرُوۡنَ ۙ﴿۳۹﴾ اِنَّهٗ لَقَوۡلُ رَسُوۡلٍ كَرِيۡمٍ ۚۙ﴿۴۰﴾ وَّمَا هُوَ

بِقَوۡلِ شَاعِرٍ ؕ قَلِيۡلًا مَّا تُؤۡمِنُوۡنَ ۙ﴿۴۱﴾ وَلَا بِقَوۡلِ

كَاهِنٍ ؕ قَلِيۡلًا مَّا تَذَكَّرُوۡنَ ؕ﴿۴۲﴾ تَنۡزِيۡلٌ

مِّنۡ رَّبِّ الۡعٰلَمِيۡنَ ﴿۴۳﴾ وَلَوۡ تَقَوَّلَ عَلَيۡنَا بَعۡضَ

منزل ۷

الْاَقَاوِيْلِ ﴿۴۴﴾ لَاَخَذْنَا مِنْهُ بِالْيَمِيْنِ ﴿۴۵﴾ ثُمَّ
لَقَطَعْنَا مِنْهُ الْوَتِيْنَ ﴿۴۶﴾ فَمَا مِنْكُمْ مِّنْ اَحَدٍ
عَنْهُ حٰجِزِيْنَ ﴿۴۷﴾ وَاِنَّهٗ لَتَذْكِرَةٌ لِّلْمُتَّقِيْنَ ﴿۴۸﴾
وَاِنَّا لَنَعْلَمُ اَنَّ مِنْكُمْ مُّكَذِّبِيْنَ ﴿۴۹﴾ وَاِنَّهٗ
لَحَسْرَةٌ عَلَى الْكٰفِرِيْنَ ﴿۵۰﴾ وَاِنَّهٗ لَحَقُّ الْيَقِيْنِ ﴿۵۱﴾
فَسَبِّحْ بِاسْمِ رَبِّكَ الْعَظِيْمِ ﴿۵۲﴾ ع

ع ۱۵ ۲

منزل ۷

اٰيَاتُهَا ۴۴ (۷۰) سُوْرَةُ الْمَعَارِجِ مَكِّيَّةٌ (۷۹) رُكُوْعَاتُهَا ۲

بِسْمِ اللّٰهِ الرَّحْمٰنِ الرَّحِيْمِ

سَاَلَ سَآئِلٌ بِعَذَابٍ وَّاقِعٍ ﴿۱﴾ لِّلْكٰفِرِيْنَ لَيْسَ
لَهٗ دَافِعٌ ﴿۲﴾ مِّنَ اللّٰهِ ذِي الْمَعَارِجِ ﴿۳﴾ تَعْرُجُ
الْمَلٰٓئِكَةُ وَالرُّوْحُ اِلَيْهِ فِيْ يَوْمٍ كَانَ مِقْدَارُهٗ
خَمْسِيْنَ اَلْفَ سَنَةٍ ﴿۴﴾ فَاصْبِرْ صَبْرًا جَمِيْلًا ﴿۵﴾
اِنَّهُمْ يَرَوْنَهٗ بَعِيْدًا ﴿۶﴾ وَّنَرٰىهُ قَرِيْبًا ﴿۷﴾ يَوْمَ

تَكُوْنُ السَّمَآءُ كَالْمُهْلِ ۙ۸ وَتَكُوْنُ الْجِبَالُ كَالْعِهْنِ ۙ۹
وَلَا يَسْـَٔلُ حَمِيْمٌ حَمِيْمًا ۚۖ۱۰ يُّبَصَّرُوْنَهُمْ ؕ يَوَدُّ
الْمُجْرِمُ لَوْ يَفْتَدِيْ مِنْ عَذَابِ يَوْمِىِٕذٍۭ بِبَنِيْهِ ۙ۱۱
وَصَاحِبَتِهٖ وَاَخِيْهِ ۙ۱۲ وَفَصِيْلَتِهِ الَّتِيْ تُـْٔوِيْهِ ۙ۱۳
وَمَنْ فِي الْاَرْضِ جَمِيْعًا ۙ ثُمَّ يُنْجِيْهِ ۙ۱۴ كَلَّا ؕ
اِنَّهَا لَظٰى ۙ۱۵ نَزَّاعَةً لِّلشَّوٰى ۚۖ۱۶ تَدْعُوْا مَنْ اَدْبَرَ
وَتَوَلّٰى ۙ۱۷ وَجَمَعَ فَاَوْعٰى ۱۸ اِنَّ الْاِنْسَانَ خُلِقَ
هَلُوْعًا ۙ۱۹ اِذَا مَسَّهُ الشَّرُّ جَزُوْعًا ۙ۲۰ وَّاِذَا مَسَّهُ
الْخَيْرُ مَنُوْعًا ۙ۲۱ اِلَّا الْمُصَلِّيْنَ ۙ۲۲ الَّذِيْنَ هُمْ عَلٰى
صَلَاتِهِمْ دَآئِمُوْنَ ۙ۲۳ وَالَّذِيْنَ فِيْٓ اَمْوَالِهِمْ حَقٌّ
مَّعْلُوْمٌ ۙ۲۴ لِّلسَّآئِلِ وَالْمَحْرُوْمِ ۙ۲۵ وَالَّذِيْنَ يُصَدِّقُوْنَ
بِيَوْمِ الدِّيْنِ ۙ۲۶ وَالَّذِيْنَ هُمْ مِّنْ عَذَابِ رَبِّهِمْ
مُّشْفِقُوْنَ ۚ۲۷ اِنَّ عَذَابَ رَبِّهِمْ غَيْرُ مَاْمُوْنٍ ۲۸

منزل ۷

وَالَّذِيْنَ هُمْ لِفُرُوْجِهِمْ حٰفِظُوْنَ ﴿٢٩﴾ اِلَّا عَلٰٓى
اَزْوَاجِهِمْ اَوْ مَا مَلَكَتْ اَيْمَانُهُمْ فَاِنَّهُمْ غَيْرُ
مَلُوْمِيْنَ ﴿٣٠﴾ فَمَنِ ابْتَغٰى وَرَآءَ ذٰلِكَ فَاُولٰٓئِكَ هُمُ
الْعٰدُوْنَ ﴿٣١﴾ وَالَّذِيْنَ هُمْ لِاَمٰنٰتِهِمْ وَعَهْدِهِمْ
رٰعُوْنَ ﴿٣٢﴾ وَالَّذِيْنَ هُمْ بِشَهٰدٰتِهِمْ قَآئِمُوْنَ ﴿٣٣﴾ وَ
الَّذِيْنَ هُمْ عَلٰى صَلَاتِهِمْ يُحَافِظُوْنَ ﴿٣٤﴾ اُولٰٓئِكَ
منزل ٧ فِيْ جَنّٰتٍ مُّكْرَمُوْنَ ﴿٣٥﴾ فَمَالِ الَّذِيْنَ كَفَرُوْا ع ٣٥ ٧
قِبَلَكَ مُهْطِعِيْنَ ﴿٣٦﴾ عَنِ الْيَمِيْنِ وَعَنِ الشِّمَالِ
عِزِيْنَ ﴿٣٧﴾ اَيَطْمَعُ كُلُّ امْرِئٍ مِّنْهُمْ اَنْ يُّدْخَلَ جَنَّةَ
نَعِيْمٍ ﴿٣٨﴾ كَلَّا ؕ اِنَّا خَلَقْنٰهُمْ مِّمَّا يَعْلَمُوْنَ ﴿٣٩﴾ فَلَآ
اُقْسِمُ بِرَبِّ الْمَشٰرِقِ وَالْمَغٰرِبِ اِنَّا لَقٰدِرُوْنَ ﴿٤٠﴾ عَلٰٓى
اَنْ نُّبَدِّلَ خَيْرًا مِّنْهُمْ ۙ وَمَا نَحْنُ بِمَسْبُوْقِيْنَ ﴿٤١﴾
فَذَرْهُمْ يَخُوْضُوْا وَيَلْعَبُوْا حَتّٰى يُلٰقُوْا يَوْمَهُمُ

Ikhfa اِخفا | Ikhfa Meem Saakin اِخفامیم ساکن | Qalqala قلقلہ | Qalb قلب | Idghaam اِدغام | Idghaam Meem Saakin اِدغام میم ساکن | Ghunna غُنّہ

الَّذِیْ یُوْعَدُوْنَ ﴿٤٢﴾ یَوْمَ یَخْرُجُوْنَ مِنَ الْاَجْدَاثِ
سِرَاعًا كَاَنَّهُمْ اِلٰى نُصُبٍ یُّوْفِضُوْنَ ﴿٤٣﴾ خَاشِعَةً
اَبْصَارُهُمْ تَرْهَقُهُمْ ذِلَّةٌ ؕ ذٰلِكَ الْیَوْمُ الَّذِیْ
كَانُوْا یُوْعَدُوْنَ ﴿٤٤﴾ ع ٢ ٩ ٨

اٰیَاتُهَا ٢٨ (٧١) سُوْرَةُ نُوْحٍ مَّكِّیَّةٌ (٧١) رُكُوْعَاتُهَا ٢

بِسْمِ اللّٰهِ الرَّحْمٰنِ الرَّحِیْمِ

منزل ٧ اِنَّاۤ اَرْسَلْنَا نُوْحًا اِلٰى قَوْمِهٖۤ اَنْ اَنْذِرْ قَوْمَكَ مِنْ
قَبْلِ اَنْ یَّاْتِیَهُمْ عَذَابٌ اَلِیْمٌ ﴿١﴾ قَالَ یٰقَوْمِ
اِنِّیْ لَكُمْ نَذِیْرٌ مُّبِیْنٌ ﴿٢﴾ اَنِ اعْبُدُوا اللّٰهَ وَاتَّقُوْهُ
وَاَطِیْعُوْنِ ﴿٣﴾ یَغْفِرْ لَكُمْ مِّنْ ذُنُوْبِكُمْ وَیُؤَخِّرْكُمْ اِلٰۤى
اَجَلٍ مُّسَمًّى ؕ اِنَّ اَجَلَ اللّٰهِ اِذَا جَآءَ لَا یُؤَخَّرُ ۘ وقف لازم
لَوْ كُنْتُمْ تَعْلَمُوْنَ ﴿٤﴾ قَالَ رَبِّ اِنِّیْ دَعَوْتُ قَوْمِیْ
لَیْلًا وَّنَهَارًا ﴿٥﴾ فَلَمْ یَزِدْهُمْ دُعَآءِیْۤ اِلَّا فِرَارًا ﴿٦﴾

وَاِنِّىۡ كُلَّمَا دَعَوۡتُهُمۡ لِتَغۡفِرَ لَهُمۡ جَعَلُوۡۤا اَصَابِعَهُمۡ
فِىۡۤ اٰذَانِهِمۡ وَاسۡتَغۡشَوۡا ثِيَابَهُمۡ وَاَصَرُّوۡا وَاسۡتَكۡبَرُوا
اسۡتِكۡبَارًا ۚ﴿۷﴾ ثُمَّ اِنِّىۡ دَعَوۡتُهُمۡ جِهَارًا ۙ﴿۸﴾ ثُمَّ اِنِّىۡۤ
اَعۡلَنۡتُ لَهُمۡ وَاَسۡرَرۡتُ لَهُمۡ اِسۡرَارًا ۙ﴿۹﴾ فَقُلۡتُ
اسۡتَغۡفِرُوۡا رَبَّكُمۡ ؕ اِنَّهٗ كَانَ غَفَّارًا ۙ﴿۱۰﴾ يُّرۡسِلِ السَّمَآءَ
عَلَيۡكُمۡ مِّدۡرَارًا ۙ﴿۱۱﴾ وَّيُمۡدِدۡكُمۡ بِاَمۡوَالٍ وَّبَنِيۡنَ وَ
يَجۡعَلۡ لَّكُمۡ جَنّٰتٍ وَّيَجۡعَلۡ لَّكُمۡ اَنۡهٰرًا ؕ﴿۱۲﴾ مَا لَكُمۡ منزل ٧
لَا تَرۡجُوۡنَ لِلّٰهِ وَقَارًا ۚ﴿۱۳﴾ وَقَدۡ خَلَقَكُمۡ اَطۡوَارًا ﴿۱۴﴾
اَلَمۡ تَرَوۡا كَيۡفَ خَلَقَ اللّٰهُ سَبۡعَ سَمٰوٰتٍ طِبَاقًا ۙ﴿۱۵﴾
وَّجَعَلَ الۡقَمَرَ فِيۡهِنَّ نُوۡرًا وَّجَعَلَ الشَّمۡسَ سِرَاجًا ﴿۱۶﴾
وَاللّٰهُ اَنۡۢبَتَكُمۡ مِّنَ الۡاَرۡضِ نَبَاتًا ۙ﴿۱۷﴾ ثُمَّ يُعِيۡدُكُمۡ
فِيۡهَا وَيُخۡرِجُكُمۡ اِخۡرَاجًا ﴿۱۸﴾ وَاللّٰهُ جَعَلَ لَكُمُ
ع ٢٠ ٩ الۡاَرۡضَ بِسَاطًا ۙ﴿۱۹﴾ لِّتَسۡلُكُوۡا مِنۡهَا سُبُلًا فِجَاجًا ﴿۲۰﴾ ع

Ikhfa إخفا | Ikhfa Meem Saakin إخفاميم ساكن | Qalqala قلقله | Qalb قلب | Idghaam إدغام | Idghaam Meem Saakin إدغام ميم ساكن | Ghunna غنّہ

قَالَ نُوْحٌ رَّبِّ اِنَّهُمْ عَصَوْنِیْ وَاتَّبَعُوْا مَنْ لَّمْ
یَزِدْهُ مَالُهٗ وَوَلَدُهٗۤ اِلَّا خَسَارًا ۚ ﴿٢١﴾ وَمَكَرُوْا
مَكْرًا كُبَّارًا ۚ ﴿٢٢﴾ وَقَالُوْا لَا تَذَرُنَّ اٰلِهَتَكُمْ وَلَا
تَذَرُنَّ وَدًّا وَّلَا سُوَاعًا ۙ۬ وَّلَا یَغُوْثَ وَیَعُوْقَ
وَنَسْرًا ۚ ﴿٢٣﴾ وَقَدْ اَضَلُّوْا كَثِیْرًا ۚ۬ وَلَا تَزِدِ
الظّٰلِمِیْنَ اِلَّا ضَلٰلًا ﴿٢٤﴾ مِمَّا خَطِیْٓـٰٔتِهِمْ اُغْرِقُوْا
فَاُدْخِلُوْا نَارًا ۙ۬ فَلَمْ یَجِدُوْا لَهُمْ مِّنْ دُوْنِ
اللّٰهِ اَنْصَارًا ﴿٢٥﴾ وَقَالَ نُوْحٌ رَّبِّ لَا تَذَرْ عَلَى
الْاَرْضِ مِنَ الْكٰفِرِیْنَ دَیَّارًا ﴿٢٦﴾ اِنَّكَ اِنْ
تَذَرْهُمْ یُضِلُّوْا عِبَادَكَ وَلَا یَلِدُوْۤا اِلَّا فَاجِرًا
كَفَّارًا ﴿٢٧﴾ رَبِّ اغْفِرْ لِیْ وَلِوَالِدَیَّ وَلِمَنْ دَخَلَ
بَیْتِیَ مُؤْمِنًا وَّلِلْمُؤْمِنِیْنَ وَالْمُؤْمِنٰتِ ؕ وَلَا تَزِدِ
الظّٰلِمِیْنَ اِلَّا تَبَارًا ﴿٢٨﴾ ع

منزل ٧

ع ٢ ٨

آیاتها ٢٨ (٧٢) سُوْرَةُ الْجِنِّ مَكِّيَّةٌ (٤٠) رکوعاتها ٢

بِسْمِ اللّٰهِ الرَّحْمٰنِ الرَّحِیْمِ

قُلْ اُوْحِیَ اِلَیَّ اَنَّهُ اسْتَمَعَ نَفَرٌ مِّنَ الْجِنِّ فَقَالُوْٓا
اِنَّا سَمِعْنَا قُرْاٰنًا عَجَبًا ۙ﴿١﴾ یَّهْدِیْٓ اِلَی الرُّشْدِ
فَاٰمَنَّا بِهٖ ؕ وَلَنْ نُّشْرِكَ بِرَبِّنَآ اَحَدًا ۙ﴿٢﴾ وَّاَنَّهٗ
تَعٰلٰی جَدُّ رَبِّنَا مَا اتَّخَذَ صَاحِبَةً وَّلَا وَلَدًا ۙ﴿٣﴾
وَّاَنَّهٗ كَانَ یَقُوْلُ سَفِیْهُنَا عَلَی اللّٰهِ شَطَطًا ۙ﴿٤﴾
وَّاَنَّا ظَنَنَّآ اَنْ لَّنْ تَقُوْلَ الْاِنْسُ وَالْجِنُّ عَلَی اللّٰهِ
كَذِبًا ۙ﴿٥﴾ وَّاَنَّهٗ كَانَ رِجَالٌ مِّنَ الْاِنْسِ یَعُوْذُوْنَ
بِرِجَالٍ مِّنَ الْجِنِّ فَزَادُوْهُمْ رَهَقًا ۙ﴿٦﴾ وَّاَنَّهُمْ ظَنُّوْا
كَمَا ظَنَنْتُمْ اَنْ لَّنْ یَّبْعَثَ اللّٰهُ اَحَدًا ۙ﴿٧﴾ وَّاَنَّا لَمَسْنَا
السَّمَآءَ فَوَجَدْنٰهَا مُلِئَتْ حَرَسًا شَدِیْدًا وَّشُهُبًا ۙ﴿٨﴾
وَّاَنَّا كُنَّا نَقْعُدُ مِنْهَا مَقَاعِدَ لِلسَّمْعِ ؕ فَمَنْ

منزل ٧

Ikhfa إخفا | Ikhfa Meem Saakin إخفاميم ساكن | Qalqala قلقله | Qalb قلب | Idghaam إدغام | Idghaam Meem Saakin إدغام ميم ساكن | Ghunna غنّه

يَّسْتَمِعِ الْاٰنَ يَجِدْ لَهٗ شِهَابًا رَّصَدًا ۙ﴿٩﴾ وَّاَنَّا لَا
نَدْرِیْٓ اَشَرٌّ اُرِيْدَ بِمَنْ فِی الْاَرْضِ اَمْ اَرَادَ بِهِمْ
رَبُّهُمْ رَشَدًا ۙ﴿١٠﴾ وَّاَنَّا مِنَّا الصّٰلِحُوْنَ وَمِنَّا دُوْنَ
ذٰلِكَ ؕ كُنَّا طَرَآئِقَ قِدَدًا ۙ﴿١١﴾ وَّاَنَّا ظَنَنَّآ اَنْ لَّنْ
نُّعْجِزَ اللّٰهَ فِی الْاَرْضِ وَلَنْ نُّعْجِزَهٗ هَرَبًا ۙ﴿١٢﴾ وَّاَنَّا
لَمَّا سَمِعْنَا الْهُدٰۤی اٰمَنَّا بِهٖ ؕ فَمَنْ يُّؤْمِنْۢ بِرَبِّهٖ
فَلَا يَخَافُ بَخْسًا وَّلَا رَهَقًا ۙ﴿١٣﴾ وَّاَنَّا مِنَّا الْمُسْلِمُوْنَ
وَمِنَّا الْقٰسِطُوْنَ ؕ فَمَنْ اَسْلَمَ فَاُولٰٓئِكَ تَحَرَّوْا
رَشَدًا ﴿١٤﴾ وَاَمَّا الْقٰسِطُوْنَ فَكَانُوْا لِجَهَنَّمَ حَطَبًا ۙ﴿١٥﴾
وَّاَنْ لَّوِ اسْتَقَامُوْا عَلَى الطَّرِيْقَةِ لَاَسْقَيْنٰهُمْ مَّآءً
غَدَقًا ۙ﴿١٦﴾ لِّنَفْتِنَهُمْ فِيْهِ ؕ وَمَنْ يُّعْرِضْ عَنْ ذِكْرِ رَبِّهٖ
يَسْلُكْهُ عَذَابًا صَعَدًا ۙ﴿١٧﴾ وَّاَنَّ الْمَسٰجِدَ لِلّٰهِ فَلَا
تَدْعُوْا مَعَ اللّٰهِ اَحَدًا ۙ﴿١٨﴾ وَّاَنَّهٗ لَمَّا قَامَ عَبْدُ اللّٰهِ

منزل ٧

Ikhfa إخفا | Ikhfa Meem Saakin إخفاميم ساكن | Qalqala قلقله | Qalb قلب | Idghaam إدغام | Idghaam Meem Saakin إدغام ميم ساكن | Ghunna غنّہ

يَدْعُوْهُ كَادُوْا يَكُوْنُوْنَ عَلَيْهِ لِبَدًا ؑ ﴿۱۹﴾ قُلْ اِنَّمَآ ع ۱۹ ۱
اَدْعُوْا رَبِّيْ وَلَآ اُشْرِكُ بِهٖٓ اَحَدًا ﴿۲۰﴾ قُلْ اِنِّيْ
لَآ اَمْلِكُ لَكُمْ ضَرًّا وَّلَا رَشَدًا ﴿۲۱﴾ قُلْ اِنِّيْ لَنْ
يُّجِيْرَنِيْ مِنَ اللّٰهِ اَحَدٌ ۙ۵ وَّلَنْ اَجِدَ مِنْ دُوْنِهٖ
مُلْتَحَدًا ﴿۲۲﴾ۙ اِلَّا بَلٰغًا مِّنَ اللّٰهِ وَرِسٰلٰتِهٖ ؕ وَمَنْ
يَّعْصِ اللّٰهَ وَرَسُوْلَهٗ فَاِنَّ لَهٗ نَارَ جَهَنَّمَ خٰلِدِيْنَ
منزل ۷ فِيْهَآ اَبَدًا ﴿۲۳﴾ؕ حَتّٰٓى اِذَا رَاَوْا مَا يُوْعَدُوْنَ فَسَيَعْلَمُوْنَ
مَنْ اَضْعَفُ نَاصِرًا وَّاَقَلُّ عَدَدًا ﴿۲۴﴾ قُلْ اِنْ
اَدْرِيْٓ اَقَرِيْبٌ مَّا تُوْعَدُوْنَ اَمْ يَجْعَلُ لَهٗ
رَبِّيْٓ اَمَدًا ﴿۲۵﴾ عٰلِمُ الْغَيْبِ فَلَا يُظْهِرُ عَلٰى غَيْبِهٖٓ
اَحَدًا ﴿۲۶﴾ۙ اِلَّا مَنِ ارْتَضٰى مِنْ رَّسُوْلٍ فَاِنَّهٗ
يَسْلُكُ مِنْۢ بَيْنِ يَدَيْهِ وَمِنْ خَلْفِهٖ رَصَدًا ﴿۲۷﴾ۙ
لِّيَعْلَمَ اَنْ قَدْ اَبْلَغُوْا رِسٰلٰتِ رَبِّهِمْ وَاَحَاطَ

بِمَا لَدَيْهِمْ وَاَحْصٰى كُلَّ شَیْءٍ عَدَدًا ﴿٢٨﴾ ع ٢ ٩ ١٢

اٰیَاتُهَا ٢٠ (٧٣) سُوْرَةُ الْمُزَّمِّلِ مَكِّيَّةٌ (٣) رُكُوْعَاتُهَا ٢

بِسْمِ اللّٰهِ الرَّحْمٰنِ الرَّحِيْمِ

يٰۤاَيُّهَا الْمُزَّمِّلُ ﴿١﴾ قُمِ الَّيْلَ اِلَّا قَلِيْلًا ﴿٢﴾ نِّصْفَهٗۤ
اَوِ انْقُصْ مِنْهُ قَلِيْلًا ﴿٣﴾ اَوْ زِدْ عَلَيْهِ وَرَتِّلِ
الْقُرْاٰنَ تَرْتِيْلًا ﴿٤﴾ اِنَّا سَنُلْقِيْ عَلَيْكَ قَوْلًا ثَقِيْلًا ﴿٥﴾
اِنَّ نَاشِئَةَ الَّيْلِ هِيَ اَشَدُّ وَطْاً وَّاَقْوَمُ قِيْلًا ﴿٦﴾
اِنَّ لَكَ فِي النَّهَارِ سَبْحًا طَوِيْلًا ﴿٧﴾ وَاذْكُرِ اسْمَ رَبِّكَ
وَتَبَتَّلْ اِلَيْهِ تَبْتِيْلًا ﴿٨﴾ رَبُّ الْمَشْرِقِ وَالْمَغْرِبِ
لَاۤ اِلٰهَ اِلَّا هُوَ فَاتَّخِذْهُ وَكِيْلًا ﴿٩﴾ وَاصْبِرْ عَلٰى مَا
يَقُوْلُوْنَ وَاهْجُرْهُمْ هَجْرًا جَمِيْلًا ﴿١٠﴾ وَذَرْنِيْ وَ
الْمُكَذِّبِيْنَ اُولِي النَّعْمَةِ وَمَهِّلْهُمْ قَلِيْلًا ﴿١١﴾ اِنَّ لَدَيْنَاۤ
اَنْكَالًا وَّجَحِيْمًا ﴿١٢﴾ وَّطَعَامًا ذَا غُصَّةٍ وَّعَذَابًا

منزل ٧

Ikhfa إخفا | Ikhfa Meem Saakin إخفاميم ساكن | Qalqala قلقله | Qalb قلب | Idghaam ادغام | Idghaam Meem Saakin ادغام ميم ساكن | Ghunna غنّه

اَلِیْمًا ﴿۱۳﴾ یَوْمَ تَرْجُفُ الْاَرْضُ وَ الْجِبَالُ وَ كَانَتِ
الْجِبَالُ كَثِیْبًا مَّهِیْلًا ﴿۱۴﴾ اِنَّاۤ اَرْسَلْنَاۤ اِلَیْكُمْ
رَسُوْلًا ۙ۬ شَاهِدًا عَلَیْكُمْ كَمَاۤ اَرْسَلْنَاۤ اِلٰی فِرْعَوْنَ
رَسُوْلًا ﴿۱۵﴾ فَعَصٰی فِرْعَوْنُ الرَّسُوْلَ فَاَخَذْنٰهُ اَخْذًا
وَّبِیْلًا ﴿۱۶﴾ فَكَیْفَ تَتَّقُوْنَ اِنْ كَفَرْتُمْ یَوْمًا
یَّجْعَلُ الْوِلْدَانَ شِیْبَا ﴿۱۷﴾ السَّمَآءُ مُنْفَطِرٌۢ بِهٖ ؕ
كَانَ وَعْدُهٗ مَفْعُوْلًا ﴿۱۸﴾ اِنَّ هٰذِهٖ تَذْكِرَةٌ ۚ فَمَنْ
شَآءَ اتَّخَذَ اِلٰی رَبِّهٖ سَبِیْلًا ﴿۱۹﴾ اِنَّ رَبَّكَ یَعْلَمُ اَنَّكَ
تَقُوْمُ اَدْنٰی مِنْ ثُلُثَیِ الَّیْلِ وَ نِصْفَهٗ وَ ثُلُثَهٗ وَ
طَآىِٕفَةٌ مِّنَ الَّذِیْنَ مَعَكَ ؕ وَ اللّٰهُ یُقَدِّرُ الَّیْلَ وَ
النَّهَارَ ؕ عَلِمَ اَنْ لَّنْ تُحْصُوْهُ فَتَابَ عَلَیْكُمْ
فَاقْرَءُوْا مَا تَیَسَّرَ مِنَ الْقُرْاٰنِ ؕ عَلِمَ اَنْ سَیَكُوْنُ
مِنْكُمْ مَّرْضٰی ۙ وَ اٰخَرُوْنَ یَضْرِبُوْنَ فِی الْاَرْضِ

منزل ۷

ع ۱۹ ۱۴

يَبْتَغُوْنَ مِنْ فَضْلِ اللّٰهِ ۙ وَاٰخَرُوْنَ يُقَاتِلُوْنَ
فِيْ سَبِيْلِ اللّٰهِ ۖ فَاقْرَءُوْا مَا تَيَسَّرَ مِنْهُ ۙ وَاَقِيْمُوا
الصَّلٰوةَ وَاٰتُوا الزَّكٰوةَ وَاَقْرِضُوا اللّٰهَ قَرْضًا حَسَنًا ؕ
وَمَا تُقَدِّمُوْا لِاَنْفُسِكُمْ مِّنْ خَيْرٍ تَجِدُوْهُ عِنْدَ
اللّٰهِ هُوَ خَيْرًا وَّاَعْظَمَ اَجْرًا ؕ وَاسْتَغْفِرُوا اللّٰهَ ؕ
اِنَّ اللّٰهَ غَفُوْرٌ رَّحِيْمٌ ﴿٢٠﴾ ع ٢ ع ١٤

منزل ٧

اٰيَاتُهَا ٥٦ (٧٤) سُوْرَةُ الْمُدَّثِّرِ مَكِّيَّةٌ (٤) رُكُوْعَاتُهَا ٢

بِسْمِ اللّٰهِ الرَّحْمٰنِ الرَّحِيْمِ

يٰۤاَيُّهَا الْمُدَّثِّرُ ۙ ﴿١﴾ قُمْ فَاَنْذِرْ ۙ ﴿٢﴾ وَرَبَّكَ فَكَبِّرْ ۙ ﴿٣﴾
وَثِيَابَكَ فَطَهِّرْ ۙ ﴿٤﴾ وَالرُّجْزَ فَاهْجُرْ ۙ ﴿٥﴾ وَلَا تَمْنُنْ
تَسْتَكْثِرُ ۙ ﴿٦﴾ وَلِرَبِّكَ فَاصْبِرْ ؕ ﴿٧﴾ فَاِذَا نُقِرَ فِي النَّاقُوْرِ ۙ ﴿٨﴾
فَذٰلِكَ يَوْمَئِذٍ يَّوْمٌ عَسِيْرٌ ۙ ﴿٩﴾ عَلَى الْكٰفِرِيْنَ غَيْرُ
يَسِيْرٍ ﴿١٠﴾ ذَرْنِيْ وَمَنْ خَلَقْتُ وَحِيْدًا ۙ ﴿١١﴾ وَّجَعَلْتُ

لَهٗ مَالًا مَّمْدُوْدًا ﴿۱۲﴾ وَّبَنِیْنَ شُهُوْدًا ﴿۱۳﴾ وَّمَهَّدْتُّ لَهٗ

تَمْهِیْدًا ﴿۱۴﴾ ثُمَّ یَطْمَعُ اَنْ اَزِیْدَ ﴿۱۵﴾ كَلَّا ؕ اِنَّهٗ

كَانَ لِاٰیٰتِنَا عَنِیْدًا ﴿۱۶﴾ سَاُرْهِقُهٗ صَعُوْدًا ﴿۱۷﴾ اِنَّهٗ

فَكَّرَ وَ قَدَّرَ ﴿۱۸﴾ فَقُتِلَ كَیْفَ قَدَّرَ ﴿۱۹﴾ ثُمَّ قُتِلَ كَیْفَ

قَدَّرَ ﴿۲۰﴾ ثُمَّ نَظَرَ ﴿۲۱﴾ ثُمَّ عَبَسَ وَ بَسَرَ ﴿۲۲﴾ ثُمَّ اَدْبَرَ وَ

اسْتَكْبَرَ ﴿۲۳﴾ فَقَالَ اِنْ هٰذَاۤ اِلَّا سِحْرٌ یُّؤْثَرُ ﴿۲۴﴾ اِنْ

هٰذَاۤ اِلَّا قَوْلُ الْبَشَرِ ﴿۲۵﴾ سَاُصْلِیْهِ سَقَرَ ﴿۲۶﴾ وَمَاۤ

اَدْرٰىكَ مَا سَقَرُ ﴿۲۷﴾ لَا تُبْقِیْ وَلَا تَذَرُ ﴿۲۸﴾ لَوَّاحَةٌ

لِّلْبَشَرِ ﴿۲۹﴾ عَلَیْهَا تِسْعَةَ عَشَرَ ﴿۳۰﴾ وَمَا جَعَلْنَاۤ اَصْحٰبَ

النَّارِ اِلَّا مَلٰٓىِٕكَةً ۪ وَّمَا جَعَلْنَا عِدَّتَهُمْ اِلَّا

فِتْنَةً لِّلَّذِیْنَ كَفَرُوْا ۙ لِیَسْتَیْقِنَ الَّذِیْنَ اُوْتُوا

الْكِتٰبَ وَیَزْدَادَ الَّذِیْنَ اٰمَنُوْۤا اِیْمَانًا وَّلَا یَرْتَابَ

الَّذِیْنَ اُوْتُوا الْكِتٰبَ وَالْمُؤْمِنُوْنَ ۙ وَلِیَقُوْلَ الَّذِیْنَ

منزل ۷

فِیْ قُلُوْبِهِمْ مَّرَضٌ وَّالْكٰفِرُوْنَ مَاذَآ اَرَادَ اللّٰهُ
بِهٰذَا مَثَلًا ؕ كَذٰلِكَ یُضِلُّ اللّٰهُ مَنْ یَّشَآءُ وَ
یَهْدِیْ مَنْ یَّشَآءُ ؕ وَمَا یَعْلَمُ جُنُوْدَ رَبِّكَ اِلَّا
هُوَ ؕ وَمَا هِیَ اِلَّا ذِكْرٰی لِلْبَشَرِ ۟ ع ۳۱ كَلَّا وَالْقَمَرِ ۟ ۳۲ ۱۵
وَالَّیْلِ اِذْ اَدْبَرَ ۟ ۳۳ وَالصُّبْحِ اِذَآ اَسْفَرَ ۟ ۳۴ اِنَّهَا لَاِحْدَی
الْكُبَرِ ۟ ۳۵ نَذِیْرًا لِّلْبَشَرِ ۟ ۳۶ لِمَنْ شَآءَ مِنْكُمْ اَنْ
یَّتَقَدَّمَ اَوْ یَتَاَخَّرَ ۟ ۳۷ كُلُّ نَفْسٍۭ بِمَا كَسَبَتْ رَهِیْنَةٌ ۟ ۳۸
اِلَّاۤ اَصْحٰبَ الْیَمِیْنِ ۟ ۳۹ فِیْ جَنّٰتٍ ۛ یَتَسَآءَلُوْنَ ۟ ۴۰ عَنِ
الْمُجْرِمِیْنَ ۟ ۴۱ مَا سَلَكَكُمْ فِیْ سَقَرَ ۟ ۴۲ قَالُوْا لَمْ
نَكُ مِنَ الْمُصَلِّیْنَ ۟ ۴۳ وَلَمْ نَكُ نُطْعِمُ الْمِسْكِیْنَ ۟ ۴۴
وَكُنَّا نَخُوْضُ مَعَ الْخَآىِٕضِیْنَ ۟ ۴۵ وَكُنَّا نُكَذِّبُ
بِیَوْمِ الدِّیْنِ ۟ ۴۶ حَتّٰۤی اَتٰىنَا الْیَقِیْنُ ۟ ۴۷ فَمَا
تَنْفَعُهُمْ شَفَاعَةُ الشّٰفِعِیْنَ ۟ ۴۸ فَمَا لَهُمْ عَنِ

معانقة: مع ٦ عند المتقدمين ١٢

منزل ٧

التَّذْكِرَةِ مُعْرِضِيْنَ ﴿٤٩﴾ كَاَنَّهُمْ حُمُرٌ مُّسْتَنْفِرَةٌ ﴿٥٠﴾ فَرَّتْ

مِنْ قَسْوَرَةٍ ﴿٥١﴾ بَلْ يُرِيْدُ كُلُّ امْرِئٍ مِّنْهُمْ اَنْ

يُّؤْتٰى صُحُفًا مُّنَشَّرَةً ﴿٥٢﴾ كَلَّا ؕ بَلْ لَّا يَخَافُوْنَ

الْاٰخِرَةَ ﴿٥٣﴾ كَلَّاۤ اِنَّهٗ تَذْكِرَةٌ ﴿٥٤﴾ فَمَنْ شَآءَ ذَكَرَهٗ ﴿٥٥﴾

وَمَا يَذْكُرُوْنَ اِلَّاۤ اَنْ يَّشَآءَ اللّٰهُ ؕ هُوَ اَهْلُ التَّقْوٰى

وَاَهْلُ الْمَغْفِرَةِ ﴿٥٦﴾

ع ٢ — منزل ٧

اٰياتها ٤٠ (٧٥) سُوْرَةُ الْقِيٰمَةِ مَكِّيَّةٌ (٣١) رُكُوْعَاتُهَا ٢

بِسْمِ اللّٰهِ الرَّحْمٰنِ الرَّحِيْمِ

لَاۤ اُقْسِمُ بِيَوْمِ الْقِيٰمَةِ ﴿١﴾ وَلَاۤ اُقْسِمُ بِالنَّفْسِ

اللَّوَّامَةِ ﴿٢﴾ اَيَحْسَبُ الْاِنْسَانُ اَلَّنْ نَّجْمَعَ عِظَامَهٗ ﴿٣﴾

بَلٰى قٰدِرِيْنَ عَلٰۤى اَنْ نُّسَوِّيَ بَنَانَهٗ ﴿٤﴾ بَلْ يُرِيْدُ

الْاِنْسَانُ لِيَفْجُرَ اَمَامَهٗ ﴿٥﴾ يَسْـَٔلُ اَيَّانَ يَوْمُ الْقِيٰمَةِ ﴿٦﴾

فَاِذَا بَرِقَ الْبَصَرُ ﴿٧﴾ وَخَسَفَ الْقَمَرُ ﴿٨﴾ وَجُمِعَ الشَّمْسُ

وَالْقَمَرُ ﴿٩﴾ ۙ يَقُوْلُ الْاِنْسَانُ يَوْمَئِذٍ اَيْنَ الْمَفَرُّ ﴿١٠﴾ ۚ
كَلَّا لَا وَزَرَ ﴿١١﴾ ؕ اِلٰى رَبِّكَ يَوْمَئِذِ ۨالْمُسْتَقَرُّ ﴿١٢﴾ ؕ
يُنَبَّؤُا الْاِنْسَانُ يَوْمَئِذٍۭ بِمَا قَدَّمَ وَاَخَّرَ ﴿١٣﴾ ؕ بَلِ
الْاِنْسَانُ عَلٰى نَفْسِهٖ بَصِيْرَةٌ ﴿١٤﴾ ۙ وَّلَوْ اَلْقٰى مَعَاذِيْرَهٗ ﴿١٥﴾ ؕ
لَا تُحَرِّكْ بِهٖ لِسَانَكَ لِتَعْجَلَ بِهٖ ﴿١٦﴾ ؕ اِنَّ عَلَيْنَا جَمْعَهٗ
وَقُرْاٰنَهٗ ﴿١٧﴾ ۚۖ فَاِذَا قَرَاْنٰهُ فَاتَّبِعْ قُرْاٰنَهٗ ﴿١٨﴾ ۚ ثُمَّ اِنَّ
عَلَيْنَا بَيَانَهٗ ﴿١٩﴾ ؕ كَلَّا بَلْ تُحِبُّوْنَ الْعَاجِلَةَ ﴿٢٠﴾ ۙ وَتَذَرُوْنَ
الْاٰخِرَةَ ﴿٢١﴾ ؕ وُجُوْهٌ يَّوْمَئِذٍ نَّاضِرَةٌ ﴿٢٢﴾ ۙ اِلٰى رَبِّهَا
نَاظِرَةٌ ﴿٢٣﴾ ۚ وَوُجُوْهٌ يَّوْمَئِذٍۭ بَاسِرَةٌ ﴿٢٤﴾ ۙ تَظُنُّ اَنْ
يُّفْعَلَ بِهَا فَاقِرَةٌ ﴿٢٥﴾ ؕ كَلَّآ اِذَا بَلَغَتِ التَّرَاقِيَ ﴿٢٦﴾ ۙ
وَقِيْلَ مَنْ سكتة رَاقٍ ﴿٢٧﴾ ۙ وَّظَنَّ اَنَّهُ الْفِرَاقُ ﴿٢٨﴾ ۙ وَ
الْتَفَّتِ السَّاقُ بِالسَّاقِ ﴿٢٩﴾ ۙ اِلٰى رَبِّكَ يَوْمَئِذِ ۨ
الْمَسَاقُ ﴿٣٠﴾ ؕع فَلَا صَدَّقَ وَلَا صَلّٰى ﴿٣١﴾ ۙ وَلٰكِنْ كَذَّبَ وَتَوَلّٰى ﴿٣٢﴾ ۙ ع ٣٠ ١٧

منزل ٧

Ikhfa إخفا | Ikhfa Meem Saakin إخفاميم ساكن | Qalqala قلقلہ | Qalb قلب | Idghaam إدغام | Idghaam Meem Saakin إدغام ميم ساكن | Ghunna غنّہ

ثُمَّ ذَهَبَ اِلٰۤى اَهْلِهٖ يَتَمَطّٰى ﴿٣٣﴾ اَوْلٰى لَكَ فَاَوْلٰى ﴿٣٤﴾ ثُمَّ اَوْلٰى
لَكَ فَاَوْلٰى ﴿٣٥﴾ اَيَحْسَبُ الْاِنْسَانُ اَنْ يُّتْرَكَ سُدًى ﴿٣٦﴾
اَلَمْ يَكُ نُطْفَةً مِّنْ مَّنِيٍّ يُّمْنٰى ﴿٣٧﴾ ثُمَّ كَانَ عَلَقَةً
فَخَلَقَ فَسَوّٰى ﴿٣٨﴾ فَجَعَلَ مِنْهُ الزَّوْجَيْنِ الذَّكَرَ وَ
الْاُنْثٰى ﴿٣٩﴾ اَلَيْسَ ذٰلِكَ بِقٰدِرٍ عَلٰۤى اَنْ يُّحْیِۦَ الْمَوْتٰى ﴿٤٠﴾ ع ١٠ ٢ ١٨

اٰیاتها ٣١ (٧٦) سُوْرَةُ الدَّهْرِ مَدَنِيَّةٌ (٩٨) رکوعاتها ٢

منزل ٧ بِسْمِ اللّٰهِ الرَّحْمٰنِ الرَّحِيْمِ

هَلْ اَتٰى عَلَى الْاِنْسَانِ حِيْنٌ مِّنَ الدَّهْرِ لَمْ يَكُنْ
شَيْـًٔا مَّذْكُوْرًا ﴿١﴾ اِنَّا خَلَقْنَا الْاِنْسَانَ مِنْ نُّطْفَةٍ
اَمْشَاجٍ ۖۗ نَّبْتَلِيْهِ فَجَعَلْنٰهُ سَمِيْعًۢا بَصِيْرًا ﴿٢﴾ اِنَّا هَدَيْنٰهُ
السَّبِيْلَ اِمَّا شَاكِرًا وَّاِمَّا كَفُوْرًا ﴿٣﴾ اِنَّاۤ اَعْتَدْنَا
لِلْكٰفِرِيْنَ سَلٰسِلَا۠ وَاَغْلٰلًا وَّسَعِيْرًا ﴿٤﴾ اِنَّ الْاَبْرَارَ
يَشْرَبُوْنَ مِنْ كَاْسٍ كَانَ مِزَاجُهَا كَافُوْرًا ﴿٥﴾ ۚ عَيْنًا يَّشْرَبُ

بِهَا عِبَادُ اللّٰهِ يُفَجِّرُوْنَهَا تَفْجِيْرًا ﴿٦﴾ يُوْفُوْنَ
بِالنَّذْرِ وَيَخَافُوْنَ يَوْمًا كَانَ شَرُّهٗ مُسْتَطِيْرًا ﴿٧﴾ وَ
يُطْعِمُوْنَ الطَّعَامَ عَلٰى حُبِّهٖ مِسْكِيْنًا وَّيَتِيْمًا
وَّاَسِيْرًا ﴿٨﴾ اِنَّمَا نُطْعِمُكُمْ لِوَجْهِ اللّٰهِ لَا نُرِيْدُ مِنْكُمْ
جَزَآءً وَّلَا شُكُوْرًا ﴿٩﴾ اِنَّا نَخَافُ مِنْ رَّبِّنَا يَوْمًا
عَبُوْسًا قَمْطَرِيْرًا ﴿١٠﴾ فَوَقٰىهُمُ اللّٰهُ شَرَّ ذٰلِكَ الْيَوْمِ
وَلَقّٰىهُمْ نَضْرَةً وَّسُرُوْرًا ﴿١١﴾ وَجَزٰىهُمْ بِمَا صَبَرُوْا
جَنَّةً وَّحَرِيْرًا ﴿١٢﴾ مُّتَّكِـِٕيْنَ فِيْهَا عَلَى الْاَرَآئِكِ ج لَا
يَرَوْنَ فِيْهَا شَمْسًا وَّلَا زَمْهَرِيْرًا ﴿١٣﴾ وَدَانِيَةً
عَلَيْهِمْ ظِلٰلُهَا وَذُلِّلَتْ قُطُوْفُهَا تَذْلِيْلًا ﴿١٤﴾ وَ
يُطَافُ عَلَيْهِمْ بِاٰنِيَةٍ مِّنْ فِضَّةٍ وَّاَكْوَابٍ
كَانَتْ قَوَارِيْرَا۠ لا ﴿١٥﴾ قَوَارِيْرَا۠ مِنْ فِضَّةٍ قَدَّرُوْهَا
تَقْدِيْرًا ﴿١٦﴾ وَيُسْقَوْنَ فِيْهَا كَاْسًا كَانَ مِزَاجُهَا

منزل ٧

قرأ حفص بغير الألف في الوصل فيهما ووقف على الأول بالألف وعلى الثاني بغير الألف ١٢

زَنْجَبِيْلًا ﴿١٧﴾ عَيْنًا فِيْهَا تُسَمّٰى سَلْسَبِيْلًا ﴿١٨﴾ وَ
يَطُوْفُ عَلَيْهِمْ وِلْدَانٌ مُّخَلَّدُوْنَ ۚ اِذَا رَاَيْتَهُمْ
حَسِبْتَهُمْ لُؤْلُؤًا مَّنْثُوْرًا ﴿١٩﴾ وَاِذَا رَاَيْتَ ثَمَّ رَاَيْتَ
نَعِيْمًا وَّمُلْكًا كَبِيْرًا ﴿٢٠﴾ عٰلِيَهُمْ ثِيَابُ سُنْدُسٍ
خُضْرٌ وَّاِسْتَبْرَقٌ ز وَّحُلُّوْٓا اَسَاوِرَ مِنْ فِضَّةٍ ۚ وَسَقٰهُمْ
رَبُّهُمْ شَرَابًا طَهُوْرًا ﴿٢١﴾ اِنَّ هٰذَا كَانَ لَكُمْ جَزَآءً وَّ
كَانَ سَعْيُكُمْ مَّشْكُوْرًا ﴿٢٢﴾ ع اِنَّا نَحْنُ نَزَّلْنَا عَلَيْكَ
الْقُرْاٰنَ تَنْزِيْلًا ﴿٢٣﴾ فَاصْبِرْ لِحُكْمِ رَبِّكَ وَلَا تُطِعْ
مِنْهُمْ اٰثِمًا اَوْ كَفُوْرًا ﴿٢٤﴾ ج وَاذْكُرِ اسْمَ رَبِّكَ بُكْرَةً
وَّاَصِيْلًا ﴿٢٥﴾ صلے وَمِنَ الَّيْلِ فَاسْجُدْ لَهٗ وَ سَبِّحْهُ
لَيْلًا طَوِيْلًا ﴿٢٦﴾ اِنَّ هٰٓؤُلَآءِ يُحِبُّوْنَ الْعَاجِلَةَ وَ
يَذَرُوْنَ وَرَآءَهُمْ يَوْمًا ثَقِيْلًا ﴿٢٧﴾ نَحْنُ خَلَقْنٰهُمْ
وَشَدَدْنَآ اَسْرَهُمْ ۚ وَاِذَا شِئْنَا بَدَّلْنَآ اَمْثَالَهُمْ

ع ٢٢ ١٩ منزل ٧

تَبْدِيْلًا ﴿٢٨﴾ اِنَّ هٰذِهٖ تَذْكِرَةٌ ۚ فَمَنْ شَآءَ
اتَّخَذَ اِلٰى رَبِّهٖ سَبِيْلًا ﴿٢٩﴾ وَمَا تَشَآءُوْنَ اِلَّآ
اَنْ يَّشَآءَ اللّٰهُ ۭ اِنَّ اللّٰهَ كَانَ عَلِيْمًا حَكِيْمًا ﴿٣٠﴾ ۖ
يُّدْخِلُ مَنْ يَّشَآءُ فِيْ رَحْمَتِهٖ ۭ وَالظّٰلِمِيْنَ
اَعَدَّ لَهُمْ عَذَابًا اَلِيْمًا ﴿٣١﴾ ع ٢ع٩

اٰيَاتُهَا ٥٠ (٧٧) سُوْرَةُ الْمُرْسَلٰتِ مَكِّيَّةٌ (٣٣) رُكُوْعَاتُهَا ٢

بِسْمِ اللّٰهِ الرَّحْمٰنِ الرَّحِيْمِ

وَالْمُرْسَلٰتِ عُرْفًا ﴿١﴾ لا فَالْعٰصِفٰتِ عَصْفًا ﴿٢﴾ لا
وَّالنّٰشِرٰتِ نَشْرًا ﴿٣﴾ لا فَالْفٰرِقٰتِ فَرْقًا ﴿٤﴾ لا
فَالْمُلْقِيٰتِ ذِكْرًا ﴿٥﴾ لا عُذْرًا اَوْ نُذْرًا ﴿٦﴾ لا
اِنَّمَا تُوْعَدُوْنَ لَوَاقِعٌ ﴿٧﴾ ط فَاِذَا النُّجُوْمُ طُمِسَتْ ﴿٨﴾ لا
وَاِذَا السَّمَآءُ فُرِجَتْ ﴿٩﴾ لا وَاِذَا الْجِبَالُ نُسِفَتْ ﴿١٠﴾ لا
وَاِذَا الرُّسُلُ اُقِّتَتْ ﴿١١﴾ ط لِاَيِّ يَوْمٍ اُجِّلَتْ ﴿١٢﴾ ط

منزل ٧

لِيَوۡمِ الۡفَصۡلِ ۚ ﴿۱۳﴾ وَمَاۤ اَدۡرٰٮكَ مَا يَوۡمُ الۡفَصۡلِ ؕ ﴿۱۴﴾
وَيۡلٌ يَّوۡمَٮِٕذٍ لِّلۡمُكَذِّبِيۡنَ ﴿۱۵﴾ اَلَمۡ نُهۡلِكِ الۡاَوَّلِيۡنَ ؕ ﴿۱۶﴾
ثُمَّ نُتۡبِعُهُمُ الۡاٰخِرِيۡنَ ﴿۱۷﴾ كَذٰلِكَ نَفۡعَلُ
بِالۡمُجۡرِمِيۡنَ ﴿۱۸﴾ وَيۡلٌ يَّوۡمَٮِٕذٍ لِّلۡمُكَذِّبِيۡنَ ﴿۱۹﴾ اَلَمۡ
نَخۡلُقْكُّمۡ مِّنۡ مَّآءٍ مَّهِيۡنٍ ۙ ﴿۲۰﴾ فَجَعَلۡنٰهُ فِىۡ قَرَارٍ
مَّكِيۡنٍ ۙ ﴿۲۱﴾ اِلٰى قَدَرٍ مَّعۡلُوۡمٍ ۙ ﴿۲۲﴾ فَقَدَرۡنَا ۖ فَنِعۡمَ
الۡقٰدِرُوۡنَ ﴿۲۳﴾ وَيۡلٌ يَّوۡمَٮِٕذٍ لِّلۡمُكَذِّبِيۡنَ ﴿۲۴﴾ اَلَمۡ
نَجۡعَلِ الۡاَرۡضَ كِفَاتًا ۙ ﴿۲۵﴾ اَحۡيَآءً وَّاَمۡوَاتًا ۙ ﴿۲۶﴾
وَّجَعَلۡنَا فِيۡهَا رَوَاسِىَ شٰمِخٰتٍ وَّاَسۡقَيۡنٰكُمۡ مَّآءً
فُرَاتًا ؕ ﴿۲۷﴾ وَيۡلٌ يَّوۡمَٮِٕذٍ لِّلۡمُكَذِّبِيۡنَ ﴿۲۸﴾ اِنۡطَلِقُوۡۤا
اِلٰى مَا كُنۡتُمۡ بِهٖ تُكَذِّبُوۡنَ ۚ ﴿۲۹﴾ اِنۡطَلِقُوۡۤا اِلٰى
ظِلٍّ ذِىۡ ثَلٰثِ شُعَبٍ ۙ ﴿۳۰﴾ لَّا ظَلِيۡلٍ وَّلَا يُغۡنِىۡ
مِنَ اللَّهَبِ ؕ ﴿۳۱﴾ اِنَّهَا تَرۡمِىۡ بِشَرَرٍ كَالۡقَصۡرِ ۚ ﴿۳۲﴾

منزل ۷

كَاَنَّهٗ جِمٰلَتٌ صُفْرٌ ﴿٣٣﴾ وَيْلٌ يَّوْمَئِذٍ لِّلْمُكَذِّبِيْنَ ﴿٣٤﴾
هٰذَا يَوْمُ لَا يَنْطِقُوْنَ ﴿٣٥﴾ وَلَا يُؤْذَنُ لَهُمْ فَيَعْتَذِرُوْنَ ﴿٣٦﴾
وَيْلٌ يَّوْمَئِذٍ لِّلْمُكَذِّبِيْنَ ﴿٣٧﴾ هٰذَا يَوْمُ الْفَصْلِ ج
جَمَعْنٰكُمْ وَالْاَوَّلِيْنَ ﴿٣٨﴾ فَاِنْ كَانَ لَكُمْ كَيْدٌ
فَكِيْدُوْنِ ﴿٣٩﴾ وَيْلٌ يَّوْمَئِذٍ لِّلْمُكَذِّبِيْنَ ﴿٤٠﴾ ع اِنَّ ع ١ ٢١
الْمُتَّقِيْنَ فِيْ ظِلٰلٍ وَّعُيُوْنٍ ﴿٤١﴾ وَّفَوَاكِهَ مِمَّا
يَشْتَهُوْنَ ﴿٤٢﴾ كُلُوْا وَاشْرَبُوْا هَنِيْٓــًٔا بِمَا كُنْتُمْ
تَعْمَلُوْنَ ﴿٤٣﴾ اِنَّا كَذٰلِكَ نَجْزِي الْمُحْسِنِيْنَ ﴿٤٤﴾
وَيْلٌ يَّوْمَئِذٍ لِّلْمُكَذِّبِيْنَ ﴿٤٥﴾ كُلُوْا وَتَمَتَّعُوْا
قَلِيْلًا اِنَّكُمْ مُّجْرِمُوْنَ ﴿٤٦﴾ وَيْلٌ يَّوْمَئِذٍ
لِّلْمُكَذِّبِيْنَ ﴿٤٧﴾ وَاِذَا قِيْلَ لَهُمُ ارْكَعُوْا لَا
يَرْكَعُوْنَ ﴿٤٨﴾ وَيْلٌ يَّوْمَئِذٍ لِّلْمُكَذِّبِيْنَ ﴿٤٩﴾ فَبِاَيِّ
حَدِيْثٍۭ بَعْدَهٗ يُؤْمِنُوْنَ ﴿٥٠﴾ ع ع ٢ ٢٢

منزل ٧

Ikhfa إخفا | Ikhfa Meem Saakin إخفامیم ساکن | Qalqala قلقلہ | Qalb قلب | Idghaam إدغام | Idghaam Meem Saakin إدغام میم ساکن | Ghunna غُنّہ

اٰيَاتُهَا ٤٠ (٧٨) سُوْرَةُ النَّبَاِ مَكِّيَّةٌ (٨٠) رُكُوْعَاتُهَا ٢

بِسْمِ اللّٰهِ الرَّحْمٰنِ الرَّحِيْمِ

عَمَّ يَتَسَآءَلُوْنَ ۝١ عَنِ النَّبَاِ الْعَظِيْمِ ۝٢ الَّذِيْ هُمْ فِيْهِ
مُخْتَلِفُوْنَ ۝٣ كَلَّا سَيَعْلَمُوْنَ ۝٤ ثُمَّ كَلَّا سَيَعْلَمُوْنَ ۝٥ اَلَمْ نَجْعَلِ
الْاَرْضَ مِهٰدًا ۝٦ وَّالْجِبَالَ اَوْتَادًا ۝٧ وَّخَلَقْنٰكُمْ اَزْوَاجًا ۝٨
وَّجَعَلْنَا نَوْمَكُمْ سُبَاتًا ۝٩ وَّجَعَلْنَا الَّيْلَ لِبَاسًا ۝١٠ وَّجَعَلْنَا
النَّهَارَ مَعَاشًا ۝١١ وَّبَنَيْنَا فَوْقَكُمْ سَبْعًا شِدَادًا ۝١٢ وَّجَعَلْنَا
سِرَاجًا وَّهَّاجًا ۝١٣ وَّاَنْزَلْنَا مِنَ الْمُعْصِرٰتِ مَآءً ثَجَّاجًا ۝١٤
لِّنُخْرِجَ بِهٖ حَبًّا وَّنَبَاتًا ۝١٥ وَّجَنّٰتٍ اَلْفَافًا ۝١٦ اِنَّ يَوْمَ الْفَصْلِ
كَانَ مِيْقَاتًا ۝١٧ يَّوْمَ يُنْفَخُ فِي الصُّوْرِ فَتَاْتُوْنَ اَفْوَاجًا ۝١٨ وَّ
فُتِحَتِ السَّمَآءُ فَكَانَتْ اَبْوَابًا ۝١٩ وَّسُيِّرَتِ الْجِبَالُ فَكَانَتْ
سَرَابًا ۝٢٠ اِنَّ جَهَنَّمَ كَانَتْ مِرْصَادًا ۝٢١ لِّلطّٰغِيْنَ مَاٰبًا ۝٢٢
لّٰبِثِيْنَ فِيْهَآ اَحْقَابًا ۝٢٣ لَا يَذُوْقُوْنَ فِيْهَا بَرْدًا وَّلَا شَرَابًا ۝٢٤

Ikhfa إخفا | Ikhfa Meem Saakin إخفاميم ساكن | Qalqala قلقله | Qalb قلب | Idghaam إدغام | Idghaam Meem Saakin إدغام ميم ساكن | Ghunna غُنّه

اِلَّا حَمِيۡمًا وَّ غَسَّاقًا ۙ﴿۲۵﴾ جَزَآءً وِّفَاقًا ؕ﴿۲۶﴾ اِنَّهُمۡ كَانُوۡا لَا يَرۡجُوۡنَ
حِسَابًا ۙ﴿۲۷﴾ وَّ كَذَّبُوۡا بِاٰيٰتِنَا كِذَّابًا ؕ﴿۲۸﴾ وَ كُلَّ شَىۡءٍ اَحۡصَيۡنٰهُ
كِتٰبًا ۙ﴿۲۹﴾ فَذُوۡقُوۡا فَلَنۡ نَّزِيۡدَكُمۡ اِلَّا عَذَابًا ؑ﴿۳۰﴾ اِنَّ لِلۡمُتَّقِيۡنَ ع ۱
مَفَازًا ۙ﴿۳۱﴾ حَدَآئِقَ وَ اَعۡنَابًا ۙ﴿۳۲﴾ وَّ كَوَاعِبَ اَتۡرَابًا ۙ﴿۳۳﴾ وَّ كَاۡسًا
دِهَاقًا ؕ﴿۳۴﴾ لَا يَسۡمَعُوۡنَ فِيۡهَا لَغۡوًا وَّ لَا كِذّٰبًا ۚ﴿۳۵﴾ جَزَآءً مِّنۡ رَّبِّكَ عَطَآءً
حِسَابًا ۙ﴿۳۶﴾ رَّبِّ السَّمٰوٰتِ وَ الۡاَرۡضِ وَ مَا بَيۡنَهُمَا الرَّحۡمٰنِ لَا يَمۡلِكُوۡنَ
منزل ۷ مِنۡهُ خِطَابًا ۚ﴿۳۷﴾ يَوۡمَ يَقُوۡمُ الرُّوۡحُ وَ الۡمَلٰٓئِكَةُ صَفًّا ۟ۙ لَّا يَتَكَلَّمُوۡنَ
اِلَّا مَنۡ اَذِنَ لَهُ الرَّحۡمٰنُ وَ قَالَ صَوَابًا ﴿۳۸﴾ ذٰلِكَ الۡيَوۡمُ الۡحَقُّ ۚ فَمَنۡ
شَآءَ اتَّخَذَ اِلٰى رَبِّهٖ مَاٰبًا ﴿۳۹﴾ اِنَّاۤ اَنۡذَرۡنٰكُمۡ عَذَابًا قَرِيۡبًا ۖۚ يَّوۡمَ يَنۡظُرُ
الۡمَرۡءُ مَا قَدَّمَتۡ يَدٰهُ وَ يَقُوۡلُ الۡكٰفِرُ يٰلَيۡتَنِىۡ كُنۡتُ تُرٰبًا ؑ﴿۴۰﴾ ع ۲

اٰيَاتُهَا ۴۶ (۷۹) سُوۡرَةُ النّٰزِعٰتِ مَكِّيَّةٌ (۸۱) رُكُوۡعَاتُهَا ۲

بِسۡمِ اللّٰهِ الرَّحۡمٰنِ الرَّحِيۡمِ

وَ النّٰزِعٰتِ غَرۡقًا ۙ﴿۱﴾ وَّ النّٰشِطٰتِ نَشۡطًا ۙ﴿۲﴾ وَّ السّٰبِحٰتِ

سَبۡحًا ﴿۳﴾ فَالسّٰبِقٰتِ سَبۡقًا ﴿۴﴾ فَالۡمُدَبِّرٰتِ اَمۡرًا ﴿۵﴾ یَوۡمَ وقف لازم
تَرۡجُفُ الرَّاجِفَةُ ﴿۶﴾ تَتۡبَعُهَا الرَّادِفَةُ ﴿۷﴾ قُلُوۡبٌ
یَّوۡمَئِذٍ وَّاجِفَةٌ ﴿۸﴾ اَبۡصَارُهَا خَاشِعَةٌ ﴿۹﴾ یَقُوۡلُوۡنَ وقف لازم
ءَاِنَّا لَمَرۡدُوۡدُوۡنَ فِی الۡحَافِرَةِ ﴿۱۰﴾ ءَاِذَا كُنَّا عِظَامًا نَّخِرَةً ﴿۱۱﴾
قَالُوۡا تِلۡكَ اِذًا كَرَّةٌ خَاسِرَةٌ ﴿۱۲﴾ فَاِنَّمَا هِیَ زَجۡرَةٌ وَّاحِدَةٌ ﴿۱۳﴾ وقف لازم
فَاِذَا هُمۡ بِالسَّاهِرَةِ ﴿۱۴﴾ هَلۡ اَتٰىكَ حَدِیۡثُ مُوۡسٰی ﴿۱۵﴾ وقف لازم وقف لازم
منزل ٧ اِذۡ نَادٰىهُ رَبُّهٗ بِالۡوَادِ الۡمُقَدَّسِ طُوًی ﴿۱۶﴾ اِذۡهَبۡ اِلٰی
فِرۡعَوۡنَ اِنَّهٗ طَغٰی ﴿۱۷﴾ فَقُلۡ هَلۡ لَّكَ اِلٰۤی اَنۡ تَزَكّٰی ﴿۱۸﴾ وَ
اَهۡدِیَكَ اِلٰی رَبِّكَ فَتَخۡشٰی ﴿۱۹﴾ فَاَرٰىهُ الۡاٰیَةَ الۡكُبۡرٰی ﴿۲۰﴾
فَكَذَّبَ وَعَصٰی ﴿۲۱﴾ ثُمَّ اَدۡبَرَ یَسۡعٰی ﴿۲۲﴾ فَحَشَرَ فَنَادٰی ﴿۲۳﴾
فَقَالَ اَنَا رَبُّكُمُ الۡاَعۡلٰی ﴿۲۴﴾ فَاَخَذَهُ اللّٰهُ نَكَالَ الۡاٰخِرَةِ
وَالۡاُوۡلٰی ﴿۲۵﴾ اِنَّ فِیۡ ذٰلِكَ لَعِبۡرَةً لِّمَنۡ یَّخۡشٰی ﴿۲۶﴾ ع ٢٦ ٣
ءَاَنۡتُمۡ اَشَدُّ خَلۡقًا اَمِ السَّمَآءُ بَنٰىهَا ﴿۲۷﴾ رَفَعَ سَمۡكَهَا

Ikhfa إخفا | Ikhfa Meem Saakin إخفاميم ساكن | Qalqala قلقله | Qalb قلب | Idghaam إدغام | Idghaam Meem Saakin إدغام ميم ساكن | Ghunna غنّه

فَسَوّٰىهَا ﴿۲۸﴾ وَاَغْطَشَ لَيْلَهَا وَاَخْرَجَ ضُحٰىهَا ﴿۲۹﴾ وَالْاَرْضَ بَعْدَ
ذٰلِكَ دَحٰىهَا ﴿۳۰﴾ اَخْرَجَ مِنْهَا مَآءَهَا وَمَرْعٰىهَا ﴿۳۱﴾ وَالْجِبَالَ
اَرْسٰىهَا ﴿۳۲﴾ مَتَاعًا لَّكُمْ وَلِاَنْعَامِكُمْ ﴿۳۳﴾ فَاِذَا جَآءَتِ الطَّآمَّةُ
الْكُبْرٰى ﴿۳۴﴾ يَوْمَ يَتَذَكَّرُ الْاِنْسَانُ مَا سَعٰى ﴿۳۵﴾ وَبُرِّزَتِ الْجَحِيْمُ
لِمَنْ يَّرٰى ﴿۳۶﴾ فَاَمَّا مَنْ طَغٰى ﴿۳۷﴾ وَاٰثَرَ الْحَيٰوةَ الدُّنْيَا ﴿۳۸﴾ فَاِنَّ
الْجَحِيْمَ هِيَ الْمَاْوٰى ﴿۳۹﴾ وَاَمَّا مَنْ خَافَ مَقَامَ رَبِّهٖ وَنَهَى
النَّفْسَ عَنِ الْهَوٰى ﴿۴۰﴾ فَاِنَّ الْجَنَّةَ هِيَ الْمَاْوٰى ﴿۴۱﴾ يَسْئَلُوْنَكَ
عَنِ السَّاعَةِ اَيَّانَ مُرْسٰىهَا ﴿۴۲﴾ فِيْمَ اَنْتَ مِنْ ذِكْرٰىهَا ﴿۴۳﴾
اِلٰى رَبِّكَ مُنْتَهٰىهَا ﴿۴۴﴾ اِنَّمَاۤ اَنْتَ مُنْذِرُ مَنْ يَّخْشٰىهَا ﴿۴۵﴾
كَاَنَّهُمْ يَوْمَ يَرَوْنَهَا لَمْ يَلْبَثُوْۤا اِلَّا عَشِيَّةً اَوْ ضُحٰىهَا ﴿۴۶﴾ ع ۲

منزل ۷

اٰيَاتُهَا ۴۲ (۸۰) سُوْرَةُ عَبَسَ مَكِّيَّةٌ (۲۴) رُكُوْعُهَا ۱

بِسْمِ اللّٰهِ الرَّحْمٰنِ الرَّحِيْمِ

عَبَسَ وَتَوَلّٰۤى ﴿۱﴾ اَنْ جَآءَهُ الْاَعْمٰى ﴿۲﴾ وَمَا يُدْرِيْكَ لَعَلَّهٗ

Ghunna غُنّہ | Idghaam Meem Saakin ادغام میم ساکن | Idghaam ادغام | Qalb قلب | Qalqala قلقلہ | Ikhfa Meem Saakin اخفا میم ساکن | Ikhfa اِخفا

يَزَّكّٰىٓ ۝٣ اَوْ يَذَّكَّرُ فَتَنْفَعَهُ الذِّكْرٰى ۝٤ اَمَّا مَنِ اسْتَغْنٰى ۝٥
فَاَنْتَ لَهٗ تَصَدّٰى ۝٦ وَمَا عَلَيْكَ اَلَّا يَزَّكّٰى ۝٧ وَاَمَّا مَنْ جَآءَكَ
يَسْعٰى ۝٨ وَهُوَ يَخْشٰى ۝٩ فَاَنْتَ عَنْهُ تَلَهّٰى ۝١٠ كَلَّآ اِنَّهَا
تَذْكِرَةٌ ۝١١ فَمَنْ شَآءَ ذَكَرَهٗ ۝١٢ فِيْ صُحُفٍ مُّكَرَّمَةٍ ۝١٣ مَّرْفُوْعَةٍ
مُّطَهَّرَةٍ ۝١٤ بِاَيْدِيْ سَفَرَةٍ ۝١٥ كِرَامٍ بَرَرَةٍ ۝١٦ قُتِلَ الْاِنْسَانُ
مَآ اَكْفَرَهٗ ۝١٧ مِنْ اَيِّ شَيْءٍ خَلَقَهٗ ۝١٨ مِنْ نُّطْفَةٍ
خَلَقَهٗ فَقَدَّرَهٗ ۝١٩ ثُمَّ السَّبِيْلَ يَسَّرَهٗ ۝٢٠ ثُمَّ اَمَاتَهٗ فَاَقْبَرَهٗ ۝٢١
ثُمَّ اِذَا شَآءَ اَنْشَرَهٗ ۝٢٢ كَلَّا لَمَّا يَقْضِ مَآ اَمَرَهٗ ۝٢٣ فَلْيَنْظُرِ
الْاِنْسَانُ اِلٰى طَعَامِهٖٓ ۝٢٤ اَنَّا صَبَبْنَا الْمَآءَ صَبًّا ۝٢٥ ثُمَّ شَقَقْنَا
الْاَرْضَ شَقًّا ۝٢٦ فَاَنْۢبَتْنَا فِيْهَا حَبًّا ۝٢٧ وَّعِنَبًا وَّقَضْبًا ۝٢٨
وَّزَيْتُوْنًا وَّنَخْلًا ۝٢٩ وَّحَدَآئِقَ غُلْبًا ۝٣٠ وَّفَاكِهَةً وَّاَبًّا ۝٣١
مَّتَاعًا لَّكُمْ وَلِاَنْعَامِكُمْ ۝٣٢ فَاِذَا جَآءَتِ الصَّآخَّةُ ۝٣٣
يَوْمَ يَفِرُّ الْمَرْءُ مِنْ اَخِيْهِ ۝٣٤ وَاُمِّهٖ وَاَبِيْهِ ۝٣٥ وَصَاحِبَتِهٖ

وقف لازم

منزل ٧

Ikhfa إخفا | Ikhfa Meem Saakin إخفاميم ساكن | Qalqala قلقله | Qalb قلب | Idghaam إدغام | Idghaam Meem Saakin إدغام ميم ساكن | Ghunna غُنّه

وَبَنِيۡهِ ؕ﴿۳۶﴾ لِكُلِّ امۡرِیًٔ مِّنۡهُمۡ يَوۡمَئِذٍ شَاۡنٌ يُّغۡنِيۡهِ ؕ﴿۳۷﴾
وُجُوۡهٌ يَّوۡمَئِذٍ مُّسۡفِرَةٌ ۙ﴿۳۸﴾ ضَاحِكَةٌ مُّسۡتَبۡشِرَةٌ ۚ﴿۳۹﴾
وَوُجُوۡهٌ يَّوۡمَئِذٍ عَلَيۡهَا غَبَرَةٌ ۙ﴿۴۰﴾ تَرۡهَقُهَا قَتَرَةٌ ؕ﴿۴۱﴾
اُولٰٓئِكَ هُمُ الۡكَفَرَةُ الۡفَجَرَةُ ﴿۴۲﴾ ع ۴۲ ۱ ۵

اٰيَاتُهَا ۲۹ (۸۱) سُوۡرَةُ التَّكۡوِيۡرِ مَكِّيَّةٌ (۷) رُكُوۡعُهَا ۱

بِسۡمِ اللّٰهِ الرَّحۡمٰنِ الرَّحِيۡمِ

منزل ۷
اِذَا الشَّمۡسُ كُوِّرَتۡ ۖ﴿۱﴾ وَاِذَا النُّجُوۡمُ انۡكَدَرَتۡ ۖ﴿۲﴾ وَاِذَا الۡجِبَالُ
سُيِّرَتۡ ۖ﴿۳﴾ وَاِذَا الۡعِشَارُ عُطِّلَتۡ ۖ﴿۴﴾ وَاِذَا الۡوُحُوۡشُ حُشِرَتۡ ۖ﴿۵﴾
وَاِذَا الۡبِحَارُ سُجِّرَتۡ ۖ﴿۶﴾ وَاِذَا النُّفُوۡسُ زُوِّجَتۡ ۖ﴿۷﴾ وَاِذَا
الۡمَوۡءٗدَةُ سُئِلَتۡ ۖ﴿۸﴾ بِاَیِّ ذَنۡۢبٍ قُتِلَتۡ ۚ﴿۹﴾ وَاِذَا الصُّحُفُ
نُشِرَتۡ ۖ﴿۱۰﴾ وَاِذَا السَّمَآءُ كُشِطَتۡ ۖ﴿۱۱﴾ وَاِذَا الۡجَحِيۡمُ سُعِّرَتۡ ۖ﴿۱۲﴾
وَاِذَا الۡجَنَّةُ اُزۡلِفَتۡ ۖ﴿۱۳﴾ عَلِمَتۡ نَفۡسٌ مَّاۤ اَحۡضَرَتۡ ؕ﴿۱۴﴾ فَلَاۤ
اُقۡسِمُ بِالۡخُنَّسِ ۙ﴿۱۵﴾ الۡجَوَارِ الۡكُنَّسِ ۙ﴿۱۶﴾ وَالَّيۡلِ اِذَا عَسۡعَسَ ۙ﴿۱۷﴾

وَالصُّبۡحِ اِذَا تَنَفَّسَ ﴿١٨﴾ اِنَّهٗ لَقَوۡلُ رَسُوۡلٍ كَرِيۡمٍ ﴿١٩﴾ ذِىۡ
قُوَّةٍ عِنۡدَ ذِى الۡعَرۡشِ مَكِيۡنٍ ﴿٢٠﴾ مُّطَاعٍ ثَمَّ اَمِيۡنٍ ﴿٢١﴾
وَمَا صَاحِبُكُمۡ بِمَجۡنُوۡنٍ ﴿٢٢﴾ وَلَقَدۡ رَاٰهُ بِالۡاُفُقِ الۡمُبِيۡنِ ﴿٢٣﴾
وَمَا هُوَ عَلَى الۡغَيۡبِ بِضَنِيۡنٍ ﴿٢٤﴾ وَمَا هُوَ بِقَوۡلِ شَيۡطٰنٍ
رَّجِيۡمٍ ﴿٢٥﴾ فَاَيۡنَ تَذۡهَبُوۡنَ ﴿٢٦﴾ اِنۡ هُوَ اِلَّا ذِكۡرٌ لِّلۡعٰلَمِيۡنَ ﴿٢٧﴾
لِمَنۡ شَآءَ مِنۡكُمۡ اَنۡ يَّسۡتَقِيۡمَ ﴿٢٨﴾ وَمَا تَشَآءُوۡنَ اِلَّاۤ
ع ٢٩/١ اَنۡ يَّشَآءَ اللّٰهُ رَبُّ الۡعٰلَمِيۡنَ ﴿٢٩﴾ منزل ٧

اٰياتها ١٩ (٨٢) سُوۡرَةُ الۡاِنۡفِطَارِ مَكِّيَّةٌ (٨٢) رکوعها ١

بِسۡمِ اللّٰهِ الرَّحۡمٰنِ الرَّحِيۡمِ

اِذَا السَّمَآءُ انۡفَطَرَتۡ ﴿١﴾ وَاِذَا الۡكَوَاكِبُ انۡتَثَرَتۡ ﴿٢﴾ وَاِذَا الۡبِحَارُ
فُجِّرَتۡ ﴿٣﴾ وَاِذَا الۡقُبُوۡرُ بُعۡثِرَتۡ ﴿٤﴾ عَلِمَتۡ نَفۡسٌ مَّا قَدَّمَتۡ
وَاَخَّرَتۡ ﴿٥﴾ يٰۤاَيُّهَا الۡاِنۡسَانُ مَا غَرَّكَ بِرَبِّكَ الۡكَرِيۡمِ ﴿٦﴾
الَّذِىۡ خَلَقَكَ فَسَوّٰٮكَ فَعَدَلَكَ ﴿٧﴾ فِىۡۤ اَىِّ صُوۡرَةٍ مَّا شَآءَ

رَكَّبَكَ ؕ ٨ كَلَّا بَلْ تُكَذِّبُوْنَ بِالدِّيْنِ ۙ ٩ وَ اِنَّ عَلَيْكُمْ
لَحٰفِظِيْنَ ۙ ١٠ كِرَامًا كَاتِبِيْنَ ۙ ١١ يَعْلَمُوْنَ مَا تَفْعَلُوْنَ ١٢
اِنَّ الْاَبْرَارَ لَفِيْ نَعِيْمٍ ۙ ١٣ وَّ اِنَّ الْفُجَّارَ لَفِيْ جَحِيْمٍ ۚۖ ١٤
يَّصْلَوْنَهَا يَوْمَ الدِّيْنِ ١٥ وَ مَا هُمْ عَنْهَا بِغَآئِبِيْنَ ؕ ١٦ وَ مَاۤ
اَدْرٰىكَ مَا يَوْمُ الدِّيْنِ ۙ ١٧ ثُمَّ مَاۤ اَدْرٰىكَ مَا يَوْمُ الدِّيْنِ ؕ ١٨
يَوْمَ لَا تَمْلِكُ نَفْسٌ لِّنَفْسٍ شَيْـًٔا ؕ وَ الْاَمْرُ يَوْمَئِذٍ لِّلّٰهِ ١٩ ع ١٩

منزل ٧

اٰيَاتُهَا ٣٦ (٨٣) سُوْرَةُ الْمُطَفِّفِيْنَ مَكِّيَّةٌ (٨٦) رُكُوْعُهَا ١

بِسْمِ اللّٰهِ الرَّحْمٰنِ الرَّحِيْمِ

وَيْلٌ لِّلْمُطَفِّفِيْنَ ۙ ١ الَّذِيْنَ اِذَا اكْتَالُوْا عَلَى النَّاسِ
يَسْتَوْفُوْنَ ۖ ٢ وَ اِذَا كَالُوْهُمْ اَوْ وَّزَنُوْهُمْ يُخْسِرُوْنَ ؕ ٣
اَلَا يَظُنُّ اُولٰٓئِكَ اَنَّهُمْ مَّبْعُوْثُوْنَ ۙ ٤ لِيَوْمٍ عَظِيْمٍ ۙ ٥
يَّوْمَ يَقُوْمُ النَّاسُ لِرَبِّ الْعٰلَمِيْنَ ؕ ٦ كَلَّاۤ اِنَّ كِتٰبَ
الْفُجَّارِ لَفِيْ سِجِّيْنٍ ؕ ٧ وَ مَاۤ اَدْرٰىكَ مَا سِجِّيْنٌ ؕ ٨ كِتٰبٌ

Ikhfa إخفا | Ikhfa Meem Saakin إخفاميم ساكن | Qalqala قلقلہ | Qalb قلب | Idghaam ادغام | Idghaam Meem Saakin ادغام میم ساکن | Ghunna غنّہ

مَّرْقُوْمٌ ﴿٩﴾ وَيْلٌ يَّوْمَئِذٍ لِّلْمُكَذِّبِيْنَ ﴿١٠﴾ الَّذِيْنَ يُكَذِّبُوْنَ بِيَوْمِ
الدِّيْنِ ﴿١١﴾ وَمَا يُكَذِّبُ بِهٖٓ اِلَّا كُلُّ مُعْتَدٍ اَثِيْمٍ ﴿١٢﴾ اِذَا تُتْلٰى
عَلَيْهِ اٰيٰتُنَا قَالَ اَسَاطِيْرُ الْاَوَّلِيْنَ ﴿١٣﴾ كَلَّا بَلْ سكتة رَانَ
عَلٰى قُلُوْبِهِمْ مَّا كَانُوْا يَكْسِبُوْنَ ﴿١٤﴾ كَلَّآ اِنَّهُمْ عَنْ رَّبِّهِمْ
يَوْمَئِذٍ لَّمَحْجُوْبُوْنَ ﴿١٥﴾ ثُمَّ اِنَّهُمْ لَصَالُوا الْجَحِيْمِ ﴿١٦﴾ ثُمَّ
يُقَالُ هٰذَا الَّذِيْ كُنْتُمْ بِهٖ تُكَذِّبُوْنَ ﴿١٧﴾ كَلَّآ اِنَّ كِتٰبَ
الْاَبْرَارِ لَفِيْ عِلِّيِّيْنَ ﴿١٨﴾ وَمَآ اَدْرٰىكَ مَا عِلِّيُّوْنَ ﴿١٩﴾ كِتٰبٌ
مَّرْقُوْمٌ ﴿٢٠﴾ يَّشْهَدُهُ الْمُقَرَّبُوْنَ ﴿٢١﴾ اِنَّ الْاَبْرَارَ لَفِيْ نَعِيْمٍ ﴿٢٢﴾
عَلَى الْاَرَآئِكِ يَنْظُرُوْنَ ﴿٢٣﴾ تَعْرِفُ فِيْ وُجُوْهِهِمْ نَضْرَةَ
النَّعِيْمِ ﴿٢٤﴾ يُسْقَوْنَ مِنْ رَّحِيْقٍ مَّخْتُوْمٍ ﴿٢٥﴾ خِتٰمُهٗ مِسْكٌ وَفِيْ
ذٰلِكَ فَلْيَتَنَافَسِ الْمُتَنَافِسُوْنَ ﴿٢٦﴾ وَمِزَاجُهٗ مِنْ تَسْنِيْمٍ ﴿٢٧﴾
عَيْنًا يَّشْرَبُ بِهَا الْمُقَرَّبُوْنَ ﴿٢٨﴾ اِنَّ الَّذِيْنَ اَجْرَمُوْا كَانُوْا مِنَ
الَّذِيْنَ اٰمَنُوْا يَضْحَكُوْنَ ﴿٢٩﴾ وَاِذَا مَرُّوْا بِهِمْ يَتَغَامَزُوْنَ ﴿٣٠﴾

منزل ٧

وَاِذَا انْقَلَبُوْۤا اِلٰۤى اَهْلِهِمُ انْقَلَبُوْا فَكِهِيْنَ ﴿٣١﴾ۖ وَاِذَا رَاَوْهُمْ قَالُوْۤا
اِنَّ هٰۤؤُلَاۤءِ لَضَاۤلُّوْنَ ﴿٣٢﴾ۙ وَمَاۤ اُرْسِلُوْا عَلَيْهِمْ حٰفِظِيْنَ ﴿٣٣﴾ؕ فَالْيَوْمَ
الَّذِيْنَ اٰمَنُوْا مِنَ الْكُفَّارِ يَضْحَكُوْنَ ﴿٣٤﴾ۙ عَلَى الْاَرَآئِكِ ۙ
يَنْظُرُوْنَ ﴿٣٥﴾ؕ هَلْ ثُوِّبَ الْكُفَّارُ مَا كَانُوْا يَفْعَلُوْنَ ﴿٣٦﴾ؑ ع ٣٦ ٨

اٰيَاتُهَا ٢٥ — (٨٤) سُوْرَةُ الْاِنْشِقَاقِ مَكِّيَّةٌ (٨٣) — رُكُوْعُهَا ١

بِسْمِ اللّٰهِ الرَّحْمٰنِ الرَّحِيْمِ

منزل ٧ اِذَا السَّمَآءُ انْشَقَّتْ ﴿١﴾ۙ وَاَذِنَتْ لِرَبِّهَا وَحُقَّتْ ﴿٢﴾ۙ وَاِذَا
الْاَرْضُ مُدَّتْ ﴿٣﴾ؕ وَاَلْقَتْ مَا فِيْهَا وَتَخَلَّتْ ﴿٤﴾ۙ وَاَذِنَتْ
لِرَبِّهَا وَحُقَّتْ ﴿٥﴾ؕ يٰۤاَيُّهَا الْاِنْسَانُ اِنَّكَ كَادِحٌ اِلٰى رَبِّكَ
كَدْحًا فَمُلٰقِيْهِ ﴿٦﴾ۚ فَاَمَّا مَنْ اُوْتِىَ كِتٰبَهٗ بِيَمِيْنِهٖ ﴿٧﴾ۙ
فَسَوْفَ يُحَاسَبُ حِسَابًا يَّسِيْرًا ﴿٨﴾ۙ وَّيَنْقَلِبُ اِلٰۤى اَهْلِهٖ
مَسْرُوْرًا ﴿٩﴾ؕ وَاَمَّا مَنْ اُوْتِىَ كِتٰبَهٗ وَرَآءَ ظَهْرِهٖ ﴿١٠﴾ۙ فَسَوْفَ
يَدْعُوْا ثُبُوْرًا ﴿١١﴾ۙ وَّيَصْلٰى سَعِيْرًا ﴿١٢﴾ؕ اِنَّهٗ كَانَ فِيْۤ اَهْلِهٖ

مَسْرُوْرًا ﴿١٣﴾ اِنَّهٗ ظَنَّ اَنْ لَّنْ يَّحُوْرَ ﴿١٤﴾ بَلٰٓى ۚ اِنَّ رَبَّهٗ كَانَ
بِهٖ بَصِيْرًا ﴿١٥﴾ فَلَآ اُقْسِمُ بِالشَّفَقِ ﴿١٦﴾ وَالَّيْلِ وَمَا
وَسَقَ ﴿١٧﴾ وَالْقَمَرِ اِذَا اتَّسَقَ ﴿١٨﴾ لَتَرْكَبُنَّ طَبَقًا عَنْ طَبَقٍ ﴿١٩﴾
فَمَا لَهُمْ لَا يُؤْمِنُوْنَ ﴿٢٠﴾ وَاِذَا قُرِئَ عَلَيْهِمُ الْقُرْاٰنُ
لَا يَسْجُدُوْنَ ﴿٢١﴾ السَّجْدَة بَلِ الَّذِيْنَ كَفَرُوْا يُكَذِّبُوْنَ ﴿٢٢﴾ وَاللّٰهُ
اَعْلَمُ بِمَا يُوْعُوْنَ ﴿٢٣﴾ فَبَشِّرْهُمْ بِعَذَابٍ اَلِيْمٍ ﴿٢٤﴾ اِلَّا
الَّذِيْنَ اٰمَنُوْا وَعَمِلُوا الصّٰلِحٰتِ لَهُمْ اَجْرٌ غَيْرُ مَمْنُوْنٍ ﴿٢٥﴾ ع

معانقة ١٢ عند المتأخرين

السَّجْدَة (١٣)

ع ٢٥

منزل ٧

اٰيَاتُهَا ٢٢ (٨٥) سُوْرَةُ الْبُرُوْجِ مَكِّيَّةٌ (٢٧) رُكُوْعُهَا ١

بِسْمِ اللّٰهِ الرَّحْمٰنِ الرَّحِيْمِ

وَالسَّمَآءِ ذَاتِ الْبُرُوْجِ ﴿١﴾ وَالْيَوْمِ الْمَوْعُوْدِ ﴿٢﴾ وَشَاهِدٍ
وَّمَشْهُوْدٍ ﴿٣﴾ قُتِلَ اَصْحٰبُ الْاُخْدُوْدِ ﴿٤﴾ النَّارِ ذَاتِ
الْوَقُوْدِ ﴿٥﴾ اِذْ هُمْ عَلَيْهَا قُعُوْدٌ ﴿٦﴾ وَّهُمْ عَلٰى مَا يَفْعَلُوْنَ
بِالْمُؤْمِنِيْنَ شُهُوْدٌ ﴿٧﴾ وَمَا نَقَمُوْا مِنْهُمْ اِلَّآ اَنْ يُّؤْمِنُوْا

بِاللّٰهِ الْعَزِيْزِ الْحَمِيْدِ ۙ﴿٨﴾ الَّذِىْ لَهٗ مُلْكُ السَّمٰوٰتِ وَالْاَرْضِ ؕ
وَاللّٰهُ عَلٰى كُلِّ شَىْءٍ شَهِيْدٌ ؕ﴿٩﴾ اِنَّ الَّذِيْنَ فَتَنُوا الْمُؤْمِنِيْنَ
وَالْمُؤْمِنٰتِ ثُمَّ لَمْ يَتُوْبُوْا فَلَهُمْ عَذَابُ جَهَنَّمَ وَلَهُمْ عَذَابُ
الْحَرِيْقِ ؕ﴿١٠﴾ اِنَّ الَّذِيْنَ اٰمَنُوْا وَعَمِلُوا الصّٰلِحٰتِ لَهُمْ جَنّٰتٌ
تَجْرِىْ مِنْ تَحْتِهَا الْاَنْهٰرُ ؕ۬ ذٰلِكَ الْفَوْزُ الْكَبِيْرُ ؕ﴿١١﴾ اِنَّ اٰيۃ خصّۃ ١٢
بَطْشَ رَبِّكَ لَشَدِيْدٌ ؕ﴿١٢﴾ اِنَّهٗ هُوَ يُبْدِئُ وَيُعِيْدُ ۚ﴿١٣﴾ وَهُوَ
منزل ٧ الْغَفُوْرُ الْوَدُوْدُ ۙ﴿١٤﴾ ذُو الْعَرْشِ الْمَجِيْدُ ۙ﴿١٥﴾ فَعَّالٌ لِّمَا
يُرِيْدُ ؕ﴿١٦﴾ هَلْ اَتٰىكَ حَدِيْثُ الْجُنُوْدِ ۙ﴿١٧﴾ فِرْعَوْنَ وَثَمُوْدَ ؕ﴿١٨﴾
بَلِ الَّذِيْنَ كَفَرُوْا فِىْ تَكْذِيْبٍ ۙ﴿١٩﴾ وَّاللّٰهُ مِنْ وَّرَآئِهِمْ
مُّحِيْطٌ ۚ﴿٢٠﴾ بَلْ هُوَ قُرْاٰنٌ مَّجِيْدٌ ۙ﴿٢١﴾ فِىْ لَوْحٍ مَّحْفُوْظٍ ﴿٢٢﴾ ع ٢٢ ١٠

اٰيَاتُهَا ١٧ (٨٦) سُوْرَةُ الطَّارِقِ مَكِّيَّةٌ (٣٦) رُكُوْعُهَا ١

بِسْمِ اللّٰهِ الرَّحْمٰنِ الرَّحِيْمِ

وَالسَّمَآءِ وَالطَّارِقِ ۙ﴿١﴾ وَمَاۤ اَدْرٰىكَ مَا الطَّارِقُ ۙ﴿٢﴾ النَّجْمُ

Ikhfa إخفا | Ikhfa Meem Saakin إخفاميم ساكن | Qalqala قلقله | Qalb قلب | Idghaam إدغام | Idghaam Meem Saakin إدغام ميم ساكن | Ghunna غنّه

الثَّاقِبُ ۝٣ اِنْ كُلُّ نَفْسٍ لَّمَّا عَلَيْهَا حَافِظٌ ؕ ۝٤ فَلْيَنْظُرِ
الْاِنْسَانُ مِمَّ خُلِقَ ؕ ۝٥ خُلِقَ مِنْ مَّآءٍ دَافِقٍ ۝٦ يَّخْرُجُ مِنْۢ
بَيْنِ الصُّلْبِ وَالتَّرَآئِبِ ؕ ۝٧ اِنَّهٗ عَلٰى رَجْعِهٖ لَقَادِرٌ ؕ ۝٨
يَوْمَ تُبْلَى السَّرَآئِرُ ۝٩ فَمَا لَهٗ مِنْ قُوَّةٍ وَّلَا نَاصِرٍ ؕ ۝١٠ وَالسَّمَآءِ
ذَاتِ الرَّجْعِ ۝١١ وَالْاَرْضِ ذَاتِ الصَّدْعِ ۝١٢ اِنَّهٗ لَقَوْلٌ
فَصْلٌ ۝١٣ وَّمَا هُوَ بِالْهَزْلِ ؕ ۝١٤ اِنَّهُمْ يَكِيْدُوْنَ كَيْدًا ۝١٥
وَّاَكِيْدُ كَيْدًا ۚ ۝١٦ فَمَهِّلِ الْكٰفِرِيْنَ اَمْهِلْهُمْ رُوَيْدًا ۝١٧ ع

ع ١٧/١١   منزل ٧

اٰيَاتُهَا ١٩   (٨٧) سُوْرَةُ الْاَعْلٰى مَكِّيَّةٌ (٨)   رُكُوْعُهَا ١

بِسْمِ اللّٰهِ الرَّحْمٰنِ الرَّحِيْمِ

سَبِّحِ اسْمَ رَبِّكَ الْاَعْلَى ۝١ الَّذِيْ خَلَقَ فَسَوّٰى ۝٢ وَالَّذِيْ
قَدَّرَ فَهَدٰى ۝٣ وَالَّذِيْۤ اَخْرَجَ الْمَرْعٰى ۝٤ فَجَعَلَهٗ غُثَآءً
اَحْوٰى ؕ ۝٥ سَنُقْرِئُكَ فَلَا تَنْسٰۤى ۝٦ اِلَّا مَا شَآءَ اللّٰهُ ؕ اِنَّهٗ
يَعْلَمُ الْجَهْرَ وَمَا يَخْفٰى ؕ ۝٧ وَنُيَسِّرُكَ لِلْيُسْرٰى ۚ ۝٨ فَذَكِّرْ

اِنْ نَّفَعَتِ الذِّكْرٰى ﴿٩﴾ سَيَذَّكَّرُ مَنْ يَّخْشٰى ﴿١٠﴾ وَ
يَتَجَنَّبُهَا الْاَشْقَى ﴿١١﴾ الَّذِىْ يَصْلَى النَّارَ الْكُبْرٰى ﴿١٢﴾ ثُمَّ
لَا يَمُوْتُ فِيْهَا وَلَا يَحْيٰى ﴿١٣﴾ قَدْ اَفْلَحَ مَنْ تَزَكّٰى ﴿١٤﴾ وَ
ذَكَرَ اسْمَ رَبِّهٖ فَصَلّٰى ﴿١٥﴾ بَلْ تُؤْثِرُوْنَ الْحَيٰوةَ الدُّنْيَا ﴿١٦﴾
وَ الْاٰخِرَةُ خَيْرٌ وَّ اَبْقٰى ﴿١٧﴾ اِنَّ هٰذَا لَفِى الصُّحُفِ الْاُوْلٰى ﴿١٨﴾
صُحُفِ اِبْرٰهِيْمَ وَ مُوْسٰى ﴿١٩﴾ ع ١٩ ١٢

منزل ٧

رُكُوْعُهَا ١ (٨٨) سُوْرَةُ الْغَاشِيَةِ مَكِّيَّةٌ (٦٨) اٰيَاتُهَا ٢٦

بِسْمِ اللّٰهِ الرَّحْمٰنِ الرَّحِيْمِ

هَلْ اَتٰىكَ حَدِيْثُ الْغَاشِيَةِ ﴿١﴾ وُجُوْهٌ يَّوْمَئِذٍ خَاشِعَةٌ ﴿٢﴾
عَامِلَةٌ نَّاصِبَةٌ ﴿٣﴾ تَصْلٰى نَارًا حَامِيَةً ﴿٤﴾ تُسْقٰى مِنْ
عَيْنٍ اٰنِيَةٍ ﴿٥﴾ لَيْسَ لَهُمْ طَعَامٌ اِلَّا مِنْ ضَرِيْعٍ ﴿٦﴾ لَّا يُسْمِنُ
وَلَا يُغْنِىْ مِنْ جُوْعٍ ﴿٧﴾ وُجُوْهٌ يَّوْمَئِذٍ نَّاعِمَةٌ ﴿٨﴾
لِّسَعْيِهَا رَاضِيَةٌ ﴿٩﴾ فِىْ جَنَّةٍ عَالِيَةٍ ﴿١٠﴾ لَّا تَسْمَعُ فِيْهَا

لَاغِيَةً ﴿١١﴾ فِيهَا عَيْنٌ جَارِيَةٌ ﴿١٢﴾ فِيهَا سُرُرٌ مَّرْفُوعَةٌ ﴿١٣﴾ وقف لازم
وَّأَكْوَابٌ مَّوْضُوعَةٌ ﴿١٤﴾ وَّنَمَارِقُ مَصْفُوفَةٌ ﴿١٥﴾ وَّزَرَابِيُّ
مَبْثُوثَةٌ ﴿١٦﴾ أَفَلَا يَنْظُرُونَ إِلَى الْإِبِلِ كَيْفَ خُلِقَتْ ﴿١٧﴾
وَإِلَى السَّمَاءِ كَيْفَ رُفِعَتْ ﴿١٨﴾ وَإِلَى الْجِبَالِ كَيْفَ
نُصِبَتْ ﴿١٩﴾ وَإِلَى الْأَرْضِ كَيْفَ سُطِحَتْ ﴿٢٠﴾ فَذَكِّرْ إِنَّمَا
أَنْتَ مُذَكِّرٌ ﴿٢١﴾ لَسْتَ عَلَيْهِمْ بِمُصَيْطِرٍ ﴿٢٢﴾ إِلَّا مَنْ
منزل ٧ تَوَلَّى وَكَفَرَ ﴿٢٣﴾ فَيُعَذِّبُهُ اللَّهُ الْعَذَابَ الْأَكْبَرَ ﴿٢٤﴾ إِنَّ
إِلَيْنَا إِيَابَهُمْ ﴿٢٥﴾ ثُمَّ إِنَّ عَلَيْنَا حِسَابَهُمْ ﴿٢٦﴾ ع ٢٤ النصف

آياتها ٣٠ سُورَةُ الْفَجْرِ مَكِّيَّةٌ (٨٩) (١٠) رُكُوعُهَا ١

بِسْمِ اللَّهِ الرَّحْمَٰنِ الرَّحِيمِ

وَالْفَجْرِ ﴿١﴾ وَلَيَالٍ عَشْرٍ ﴿٢﴾ وَّالشَّفْعِ وَالْوَتْرِ ﴿٣﴾ وَاللَّيْلِ إِذَا
يَسْرِ ﴿٤﴾ هَلْ فِي ذَٰلِكَ قَسَمٌ لِّذِي حِجْرٍ ﴿٥﴾ أَلَمْ تَرَ كَيْفَ
فَعَلَ رَبُّكَ بِعَادٍ ﴿٦﴾ إِرَمَ ذَاتِ الْعِمَادِ ﴿٧﴾ الَّتِي لَمْ يُخْلَقْ

مِثْلُهَا فِي الْبِلَادِ ﴿٨﴾ وَثَمُوْدَ الَّذِيْنَ جَابُوا الصَّخْرَ بِالْوَادِ ﴿٩﴾
وَفِرْعَوْنَ ذِي الْاَوْتَادِ ﴿١٠﴾ الَّذِيْنَ طَغَوْا فِي الْبِلَادِ ﴿١١﴾
فَاَكْثَرُوْا فِيْهَا الْفَسَادَ ﴿١٢﴾ فَصَبَّ عَلَيْهِمْ رَبُّكَ سَوْطَ
عَذَابٍ ﴿١٣﴾ اِنَّ رَبَّكَ لَبِالْمِرْصَادِ ﴿١٤﴾ فَاَمَّا الْاِنْسَانُ اِذَا
مَا ابْتَلٰىهُ رَبُّهٗ فَاَكْرَمَهٗ وَنَعَّمَهٗ ۙ فَيَقُوْلُ رَبِّيْٓ اَكْرَمَنِ ﴿١٥﴾
وَاَمَّآ اِذَا مَا ابْتَلٰىهُ فَقَدَرَ عَلَيْهِ رِزْقَهٗ ۙ فَيَقُوْلُ رَبِّيْٓ
اَهَانَنِ ﴿١٦﴾ كَلَّا بَلْ لَّا تُكْرِمُوْنَ الْيَتِيْمَ ﴿١٧﴾ وَلَا تَحٰٓضُّوْنَ
عَلٰى طَعَامِ الْمِسْكِيْنِ ﴿١٨﴾ وَتَاْكُلُوْنَ التُّرَاثَ اَكْلًا لَّمًّا ﴿١٩﴾
وَّتُحِبُّوْنَ الْمَالَ حُبًّا جَمًّا ﴿٢٠﴾ كَلَّآ اِذَا دُكَّتِ الْاَرْضُ دَكًّا
دَكًّا ﴿٢١﴾ وَّجَآءَ رَبُّكَ وَالْمَلَكُ صَفًّا صَفًّا ﴿٢٢﴾ وَجِايْٓءَ يَوْمَئِذٍۢ
بِجَهَنَّمَ ۙ يَوْمَئِذٍ يَّتَذَكَّرُ الْاِنْسَانُ وَاَنّٰى لَهُ الذِّكْرٰى ﴿٢٣﴾
يَقُوْلُ يٰلَيْتَنِيْ قَدَّمْتُ لِحَيَاتِيْ ﴿٢٤﴾ فَيَوْمَئِذٍ لَّا يُعَذِّبُ
عَذَابَهٗٓ اَحَدٌ ﴿٢٥﴾ وَّلَا يُوْثِقُ وَثَاقَهٗٓ اَحَدٌ ﴿٢٦﴾ يٰٓاَيَّتُهَا

منزل ٧

النَّفْسُ الْمُطْمَئِنَّةُ ﴿٢٧﴾ ارْجِعِيٓ اِلٰى رَبِّكِ رَاضِيَةً مَّرْضِيَّةً ﴿٢٨﴾
فَادْخُلِيْ فِيْ عِبٰدِيْ ﴿٢٩﴾ وَادْخُلِيْ جَنَّتِيْ ﴿٣٠﴾

اٰيَاتُهَا ٢٠ (٩٠) سُوْرَةُ الْبَلَدِ مَكِّيَّةٌ (٣٥) رُكُوْعُهَا ١

بِسْمِ اللّٰهِ الرَّحْمٰنِ الرَّحِيْمِ

لَآ اُقْسِمُ بِهٰذَا الْبَلَدِ ﴿١﴾ وَاَنْتَ حِلٌّۢ بِهٰذَا الْبَلَدِ ﴿٢﴾ وَ
وَالِدٍ وَّمَا وَلَدَ ﴿٣﴾ لَقَدْ خَلَقْنَا الْاِنْسَانَ فِيْ كَبَدٍ ﴿٤﴾
اَيَحْسَبُ اَنْ لَّنْ يَّقْدِرَ عَلَيْهِ اَحَدٌ ﴿٥﴾ يَقُوْلُ اَهْلَكْتُ مَالًا
لُّبَدًا ﴿٦﴾ اَيَحْسَبُ اَنْ لَّمْ يَرَهٗٓ اَحَدٌ ﴿٧﴾ اَلَمْ نَجْعَلْ لَّهٗ
عَيْنَيْنِ ﴿٨﴾ وَلِسَانًا وَّشَفَتَيْنِ ﴿٩﴾ وَهَدَيْنٰهُ النَّجْدَيْنِ ﴿١٠﴾
فَلَا اقْتَحَمَ الْعَقَبَةَ ﴿١١﴾ وَمَآ اَدْرٰىكَ مَا الْعَقَبَةُ ﴿١٢﴾
فَكُّ رَقَبَةٍ ﴿١٣﴾ اَوْ اِطْعٰمٌ فِيْ يَوْمٍ ذِيْ مَسْغَبَةٍ ﴿١٤﴾ يَّتِيْمًا
ذَا مَقْرَبَةٍ ﴿١٥﴾ اَوْ مِسْكِيْنًا ذَا مَتْرَبَةٍ ﴿١٦﴾ ثُمَّ كَانَ مِنَ
الَّذِيْنَ اٰمَنُوْا وَتَوَاصَوْا بِالصَّبْرِ وَتَوَاصَوْا بِالْمَرْحَمَةِ ﴿١٧﴾

منزل ٧

وقف لازم

Ikhfa إخفا | Ikhfa Meem Saakin إخفاميم ساكن | Qalqala قلقله | Qalb قلب | Idghaam إدغام | Idghaam Meem Saakin إدغام ميم ساكن | Ghunna غُنّه

اُولٰٓئِكَ اَصۡحٰبُ الۡمَيۡمَنَةِ ؕ﴿١٨﴾ وَالَّذِيۡنَ كَفَرُوۡا بِاٰيٰتِنَا

هُمۡ اَصۡحٰبُ الۡمَشۡـَٔمَةِ ؕ﴿١٩﴾ عَلَيۡهِمۡ نَارٌ مُّؤۡصَدَةٌ ﴿٢٠﴾ ع ع ٢٠ ١٥

اٰيَاتُهَا ١٥ (٩١) سُوۡرَةُ الشَّمۡسِ مَكِّيَّةٌ (٢٦) رُكُوۡعُهَا ١

بِسۡمِ اللّٰهِ الرَّحۡمٰنِ الرَّحِيۡمِ ○

وَالشَّمۡسِ وَضُحٰهَا ۙ﴿١﴾ وَالۡقَمَرِ اِذَا تَلٰىهَا ۙ﴿٢﴾ وَالنَّهَارِ

اِذَا جَلّٰىهَا ۙ﴿٣﴾ وَالَّيۡلِ اِذَا يَغۡشٰىهَا ۙ﴿٤﴾ وَالسَّمَآءِ وَمَا

منزل ٧ بَنٰىهَا ۙ﴿٥﴾ وَالۡاَرۡضِ وَمَا طَحٰىهَا ۙ﴿٦﴾ وَنَفۡسٍ وَّمَا سَوّٰىهَا ۙ﴿٧﴾

فَاَلۡهَمَهَا فُجُوۡرَهَا وَتَقۡوٰىهَا ۙ﴿٨﴾ قَدۡ اَفۡلَحَ مَنۡ زَكّٰىهَا ۙ﴿٩﴾

وَقَدۡ خَابَ مَنۡ دَسّٰىهَا ؕ﴿١٠﴾ كَذَّبَتۡ ثَمُوۡدُ بِطَغۡوٰىهَاۤ ۙ﴿١١﴾

اِذِ انۡۢبَعَثَ اَشۡقٰىهَا ۙ﴿١٢﴾ فَقَالَ لَهُمۡ رَسُوۡلُ اللّٰهِ نَاقَةَ

اللّٰهِ وَسُقۡيٰهَا ؕ﴿١٣﴾ فَكَذَّبُوۡهُ فَعَقَرُوۡهَا ۙ ۵ فَدَمۡدَمَ

عَلَيۡهِمۡ رَبُّهُمۡ بِذَنۡۢبِهِمۡ فَسَوّٰىهَا ۙ﴿١٤﴾ وَلَا يَخَافُ

عُقۡبٰهَا ﴿١٥﴾ ع ع ١٥ ١٦

Ikhfa إخفا | Ikhfa Meem Saakin إخفاميم ساكن | Qalqala قلقله | Qalb قلب | Idghaam ادغام | Idghaam Meem Saakin ادغام ميم ساكن | Ghunna غُنّه

آیاتھا ۲۱ سُوْرَۃُ الَّیْلِ مَکِّیَّۃٌ (۹) (۹۲) رکوعھا ۱

بِسْمِ اللّٰہِ الرَّحْمٰنِ الرَّحِیْمِ

وَالَّیْلِ اِذَا یَغْشٰی ۝۱ وَالنَّھَارِ اِذَا تَجَلّٰی ۝۲ وَمَا خَلَقَ
الذَّکَرَ وَالْاُنْثٰٓی ۝۳ اِنَّ سَعْیَکُمْ لَشَتّٰی ۝۴ فَاَمَّا مَنْ اَعْطٰی
وَاتَّقٰی ۝۵ وَصَدَّقَ بِالْحُسْنٰی ۝۶ فَسَنُیَسِّرُہٗ لِلْیُسْرٰی ۝۷ وَ
اَمَّا مَنْۢ بَخِلَ وَاسْتَغْنٰی ۝۸ وَکَذَّبَ بِالْحُسْنٰی ۝۹ فَسَنُیَسِّرُہٗ
لِلْعُسْرٰی ۝۱۰ وَمَا یُغْنِیْ عَنْہُ مَالُہٗٓ اِذَا تَرَدّٰی ۝۱۱
اِنَّ عَلَیْنَا لَلْھُدٰی ۝۱۲ وَاِنَّ لَنَا لَلْاٰخِرَۃَ وَالْاُوْلٰی ۝۱۳
فَاَنْذَرْتُکُمْ نَارًا تَلَظّٰی ۝۱۴ لَا یَصْلٰھَآ اِلَّا الْاَشْقَی ۝۱۵
الَّذِیْ کَذَّبَ وَتَوَلّٰی ۝۱۶ وَسَیُجَنَّبُھَا الْاَتْقَی ۝۱۷ الَّذِیْ
یُؤْتِیْ مَالَہٗ یَتَزَکّٰی ۝۱۸ وَمَا لِاَحَدٍ عِنْدَہٗ مِنْ
نِّعْمَۃٍ تُجْزٰٓی ۝۱۹ اِلَّا ابْتِغَآءَ وَجْہِ رَبِّہِ الْاَعْلٰی ۝۲۰
وَلَسَوْفَ یَرْضٰی ۝۲۱

منزل ۷

ع ۱ / ۲۱ / ۱۷

اٰیاتُها ١١ (٩٣) سُوْرَةُ الضُّحٰى مَكِّيَّةٌ (١١) رُكُوعُها ١

بِسْمِ اللّٰهِ الرَّحْمٰنِ الرَّحِیْمِ

وَالضُّحٰى ۙ﴿۱﴾ وَالَّیْلِ اِذَا سَجٰى ۙ﴿۲﴾ مَا وَدَّعَكَ رَبُّكَ وَمَا قَلٰى ؕ﴿۳﴾ وَ

لَلْاٰخِرَةُ خَیْرٌ لَّكَ مِنَ الْاُوْلٰى ؕ﴿۴﴾ وَلَسَوْفَ یُعْطِیْكَ رَبُّكَ

فَتَرْضٰى ؕ﴿۵﴾ اَلَمْ یَجِدْكَ یَتِیْمًا فَاٰوٰى ۪﴿۶﴾ وَوَجَدَكَ ضَآلًّا

فَهَدٰى ۪﴿۷﴾ وَوَجَدَكَ عَآئِلًا فَاَغْنٰى ؕ﴿۸﴾ فَاَمَّا الْیَتِیْمَ فَلَا

تَقْهَرْ ؕ﴿۹﴾ وَاَمَّا السَّآئِلَ فَلَا تَنْهَرْ ؕ﴿۱۰﴾ وَاَمَّا بِنِعْمَةِ رَبِّكَ فَحَدِّثْ ع ﴿۱۱﴾ ع ۱۱ ۱۸

اٰیاتُها ٨ (٩٤) سُوْرَةُ الْاِنْشِرَاحِ مَكِّيَّةٌ (١٢) رُكُوعُها ١

بِسْمِ اللّٰهِ الرَّحْمٰنِ الرَّحِیْمِ

اَلَمْ نَشْرَحْ لَكَ صَدْرَكَ ۙ﴿۱﴾ وَوَضَعْنَا عَنْكَ وِزْرَكَ ۙ﴿۲﴾

الَّذِیْۤ اَنْقَضَ ظَهْرَكَ ۙ﴿۳﴾ وَرَفَعْنَا لَكَ ذِكْرَكَ ؕ﴿۴﴾ فَاِنَّ

مَعَ الْعُسْرِ یُسْرًا ۙ﴿۵﴾ اِنَّ مَعَ الْعُسْرِ یُسْرًا ؕ﴿۶﴾ فَاِذَا

فَرَغْتَ فَانْصَبْ ۙ﴿۷﴾ وَاِلٰى رَبِّكَ فَارْغَبْ ع ﴿۸﴾ ع ۸ ۱۹

منزل ٧

آیَاتُهَا ۸ سُوْرَةُ التِّیْنِ مَكِّیَّةٌ (۹۵) (۲۸) رُكُوْعُهَا ۱

بِسْمِ اللّٰهِ الرَّحْمٰنِ الرَّحِیْمِ ۝

وَالتِّیْنِ وَالزَّیْتُوْنِ ۝۱ وَطُوْرِ سِیْنِیْنَ ۝۲ وَهٰذَا الْبَلَدِ
الْاَمِیْنِ ۝۳ لَقَدْ خَلَقْنَا الْاِنْسَانَ فِیْٓ اَحْسَنِ
تَقْوِیْمٍ ۝۴ ثُمَّ رَدَدْنٰهُ اَسْفَلَ سٰفِلِیْنَ ۝۵ اِلَّا الَّذِیْنَ
اٰمَنُوْا وَعَمِلُوا الصّٰلِحٰتِ فَلَهُمْ اَجْرٌ غَیْرُ مَمْنُوْنٍ ۝۶ فَمَا
یُكَذِّبُكَ بَعْدُ بِالدِّیْنِ ۝۷ اَلَیْسَ اللّٰهُ بِاَحْكَمِ الْحٰكِمِیْنَ ۝۸

منزل ۷ ع ۸ ۲۰

آیَاتُهَا ۱۹ سُوْرَةُ الْعَلَقِ مَكِّیَّةٌ (۹۶) (۱) رُكُوْعُهَا ۱

بِسْمِ اللّٰهِ الرَّحْمٰنِ الرَّحِیْمِ ۝

اِقْرَاْ بِاسْمِ رَبِّكَ الَّذِیْ خَلَقَ ۝۱ خَلَقَ الْاِنْسَانَ مِنْ
عَلَقٍ ۝۲ اِقْرَاْ وَرَبُّكَ الْاَكْرَمُ ۝۳ الَّذِیْ عَلَّمَ بِالْقَلَمِ ۝۴
عَلَّمَ الْاِنْسَانَ مَا لَمْ یَعْلَمْ ۝۵ كَلَّآ اِنَّ الْاِنْسَانَ لَیَطْغٰۤی ۝۶
اَنْ رَّاٰهُ اسْتَغْنٰی ۝۷ اِنَّ اِلٰی رَبِّكَ الرُّجْعٰی ۝۸ اَرَءَیْتَ الَّذِیْ

Ikhfa إخفا | Ikhfa Meem Saakin إخفامیم ساکن | Qalqala قلقلہ | Qalb قلب | Idghaam ادغام | Idghaam Meem Saakin ادغام میم ساکن | Ghunna غُنّہ

يَنْهٰى ﴿٩﴾ عَبْدًا اِذَا صَلّٰى ﴿١٠﴾ اَرَءَيْتَ اِنْ كَانَ عَلَى
الْهُدٰٓى ﴿١١﴾ اَوْ اَمَرَ بِالتَّقْوٰى ﴿١٢﴾ اَرَءَيْتَ اِنْ كَذَّبَ وَتَوَلّٰى ﴿١٣﴾
اَلَمْ يَعْلَمْ بِاَنَّ اللّٰهَ يَرٰى ﴿١٤﴾ كَلَّا لَئِنْ لَّمْ يَنْتَهِ ۵ لَنَسْفَعًا
بِالنَّاصِيَةِ ﴿١٥﴾ نَاصِيَةٍ كَاذِبَةٍ خَاطِئَةٍ ﴿١٦﴾ فَلْيَدْعُ نَادِيَهٗ ﴿١٧﴾
سَنَدْعُ الزَّبَانِيَةَ ﴿١٨﴾ كَلَّا ؕ لَا تُطِعْهُ وَاسْجُدْ وَاقْتَرِبْ ﴿١٩﴾ ع

السجدة (١٤) ع ١٩ / ٢١

اٰيَاتُهَا ۵ (٩٧) سُوْرَةُ الْقَدْرِ مَكِّيَّةٌ (٢٥) رُكُوْعُهَا ١

بِسْمِ اللّٰهِ الرَّحْمٰنِ الرَّحِيْمِ

اِنَّآ اَنْزَلْنٰهُ فِيْ لَيْلَةِ الْقَدْرِ ﴿١﴾ وَمَآ اَدْرٰىكَ مَا لَيْلَةُ الْقَدْرِ ﴿٢﴾
لَيْلَةُ الْقَدْرِ ۵ خَيْرٌ مِّنْ اَلْفِ شَهْرٍ ﴿٣﴾ تَنَزَّلُ الْمَلٰٓئِكَةُ وَالرُّوْحُ
فِيْهَا بِاِذْنِ رَبِّهِمْ ۚ مِنْ كُلِّ اَمْرٍ ﴿٤﴾ سَلٰمٌ ۛ هِيَ حَتّٰى مَطْلَعِ الْفَجْرِ ﴿٥﴾ ع

وقف النبي صلى الله عليه وآله وسلم ١٢ — القدر ع ٥ / ٢٢ — معانقة عند المتأخرين ١٢

اٰيَاتُهَا ٨ (٩٨) سُوْرَةُ الْبَيِّنَةِ مَدَنِيَّةٌ (١٠٠) رُكُوْعُهَا ١

بِسْمِ اللّٰهِ الرَّحْمٰنِ الرَّحِيْمِ

لَمْ يَكُنِ الَّذِيْنَ كَفَرُوْا مِنْ اَهْلِ الْكِتٰبِ وَالْمُشْرِكِيْنَ مُنْفَكِّيْنَ

Ikhfa اِخفا | Ikhfa Meem Saakin اِخفامیم ساکن | Qalqala قلقلہ | Qalb قلب | Idghaam اِدغام | Idghaam Meem Saakin اِدغام میم ساکن | Ghunna غُنّہ

حَتّٰى تَاْتِيَهُمُ الْبَيِّنَةُ ۙ﴿۱﴾ رَسُوْلٌ مِّنَ اللّٰهِ يَتْلُوْا صُحُفًا مُّطَهَّرَةً ۙ﴿۲﴾

فِيْهَا كُتُبٌ قَيِّمَةٌ ؕ﴿۳﴾ وَمَا تَفَرَّقَ الَّذِيْنَ اُوْتُوا الْكِتٰبَ

اِلَّا مِنْۢ بَعْدِ مَا جَآءَتْهُمُ الْبَيِّنَةُ ؕ﴿۴﴾ وَمَاۤ اُمِرُوْۤا اِلَّا

لِيَعْبُدُوا اللّٰهَ مُخْلِصِيْنَ لَهُ الدِّيْنَ ۙ۵ حُنَفَآءَ وَيُقِيْمُوا

الصَّلٰوةَ وَيُؤْتُوا الزَّكٰوةَ وَذٰلِكَ دِيْنُ الْقَيِّمَةِ ؕ﴿۵﴾ اِنَّ الَّذِيْنَ

كَفَرُوْا مِنْ اَهْلِ الْكِتٰبِ وَالْمُشْرِكِيْنَ فِيْ نَارِ جَهَنَّمَ خٰلِدِيْنَ

منزل ۷ فِيْهَا ؕ اُولٰٓئِكَ هُمْ شَرُّ الْبَرِيَّةِ ؕ﴿۶﴾ اِنَّ الَّذِيْنَ اٰمَنُوْا وَعَمِلُوا

الصّٰلِحٰتِ ۙ اُولٰٓئِكَ هُمْ خَيْرُ الْبَرِيَّةِ ؕ﴿۷﴾ جَزَآؤُهُمْ عِنْدَ رَبِّهِمْ

جَنّٰتُ عَدْنٍ تَجْرِيْ مِنْ تَحْتِهَا الْاَنْهٰرُ خٰلِدِيْنَ فِيْهَاۤ اَبَدًا ؕ

رَضِيَ اللّٰهُ عَنْهُمْ وَرَضُوْا عَنْهُ ؕ ذٰلِكَ لِمَنْ خَشِيَ رَبَّهٗ ﴿۸﴾ ع ۱ ۸ ۲۳

اٰيَاتُهَا ۸ (۹۹) سُوْرَةُ الزِّلْزَالِ مَدَنِيَّةٌ (۹۳) رُكُوْعُهَا ۱

بِسْمِ اللّٰهِ الرَّحْمٰنِ الرَّحِيْمِ

اِذَا زُلْزِلَتِ الْاَرْضُ زِلْزَالَهَا ۙ﴿۱﴾ وَاَخْرَجَتِ الْاَرْضُ

اَثْقَالَهَا ۝٢ وَقَالَ الْاِنْسَانُ مَا لَهَا ۝٣ يَوْمَئِذٍ تُحَدِّثُ
اَخْبَارَهَا ۝٤ بِاَنَّ رَبَّكَ اَوْحٰى لَهَا ۝٥ يَوْمَئِذٍ يَّصْدُرُ النَّاسُ
اَشْتَاتًا ۝٥ لِّيُرَوْا اَعْمَالَهُمْ ۝٦ فَمَنْ يَّعْمَلْ مِثْقَالَ ذَرَّةٍ
خَيْرًا يَّرَهٗ ۝٧ وَمَنْ يَّعْمَلْ مِثْقَالَ ذَرَّةٍ شَرًّا يَّرَهٗ ۝٨ ع ٨/٢٤

اٰيَاتُهَا ١١ (١٠٠) سُوْرَةُ الْعٰدِيٰتِ مَكِّيَّةٌ (١٤) رُكُوْعُهَا ١

بِسْمِ اللّٰهِ الرَّحْمٰنِ الرَّحِيْمِ

وَالْعٰدِيٰتِ ضَبْحًا ۝١ فَالْمُوْرِيٰتِ قَدْحًا ۝٢ فَالْمُغِيْرٰتِ
صُبْحًا ۝٣ فَاَثَرْنَ بِهٖ نَقْعًا ۝٤ فَوَسَطْنَ بِهٖ جَمْعًا ۝٥
اِنَّ الْاِنْسَانَ لِرَبِّهٖ لَكَنُوْدٌ ۝٦ وَاِنَّهٗ عَلٰى
ذٰلِكَ لَشَهِيْدٌ ۝٧ وَاِنَّهٗ لِحُبِّ الْخَيْرِ لَشَدِيْدٌ ۝٨
اَفَلَا يَعْلَمُ اِذَا بُعْثِرَ مَا فِى الْقُبُوْرِ ۝٩ وَحُصِّلَ
مَا فِى الصُّدُوْرِ ۝١٠ اِنَّ رَبَّهُمْ بِهِمْ يَوْمَئِذٍ
لَّخَبِيْرٌ ۝١١ ع ١١/٢٥

منزل ٧

اٰیَاتُهَا ١١ | سُوْرَةُ الْقَارِعَةِ مَكِّيَّةٌ (١٠١) (٣٠) | رُكُوْعُهَا ١

بِسْمِ اللّٰهِ الرَّحْمٰنِ الرَّحِيْمِ ○

اَلْقَارِعَةُ ۙ﴿١﴾ مَا الْقَارِعَةُ ۚ﴿٢﴾ وَمَآ اَدْرٰىكَ مَا الْقَارِعَةُ ؕ﴿٣﴾
يَوْمَ يَكُوْنُ النَّاسُ كَالْفَرَاشِ الْمَبْثُوْثِ ۙ﴿٤﴾ وَتَكُوْنُ
الْجِبَالُ كَالْعِهْنِ الْمَنْفُوْشِ ؕ﴿٥﴾ فَاَمَّا مَنْ ثَقُلَتْ مَوَازِيْنُهٗ ۙ﴿٦﴾
فَهُوَ فِيْ عِيْشَةٍ رَّاضِيَةٍ ؕ﴿٧﴾ وَاَمَّا مَنْ خَفَّتْ مَوَازِيْنُهٗ ۙ﴿٨﴾
ع ١١ ٢٦ فَاُمُّهٗ هَاوِيَةٌ ؕ﴿٩﴾ وَمَآ اَدْرٰىكَ مَا هِيَهْ ؕ﴿١٠﴾ نَارٌ حَامِيَةٌ ع ﴿١١﴾ منزل ٧

اٰیَاتُهَا ٨ | سُوْرَةُ التَّكَاثُرِ مَكِّيَّةٌ (١٠٢) (١٦) | رُكُوْعُهَا ١

بِسْمِ اللّٰهِ الرَّحْمٰنِ الرَّحِيْمِ ○

اَلْهٰكُمُ التَّكَاثُرُ ۙ﴿١﴾ حَتّٰى زُرْتُمُ الْمَقَابِرَ ؕ﴿٢﴾ كَلَّا سَوْفَ
تَعْلَمُوْنَ ۙ﴿٣﴾ ثُمَّ كَلَّا سَوْفَ تَعْلَمُوْنَ ؕ﴿٤﴾ كَلَّا لَوْ تَعْلَمُوْنَ
عِلْمَ الْيَقِيْنِ ؕ﴿٥﴾ لَتَرَوُنَّ الْجَحِيْمَ ۙ﴿٦﴾ ثُمَّ لَتَرَوُنَّهَا
ع ٨ ٢٧ عَيْنَ الْيَقِيْنِ ۙ﴿٧﴾ ثُمَّ لَتُسْئَلُنَّ يَوْمَئِذٍ عَنِ النَّعِيْمِ ع ﴿٨﴾

Ghunna غُنّہ | Idghaam Meem Saakin ادغام میم ساکن | Idghaam ادغام | Qalb قلب | Qalqala قلقلہ | Ikhfa Meem Saakin اخفا میم ساکن | Ikhfa اخفا

اٰیَاتُهَا ٣ (١٠٣) سُوْرَةُ الْعَصْرِ مَكِّیَّةٌ (١٣) رُكُوْعُهَا ١

بِسْمِ اللّٰهِ الرَّحْمٰنِ الرَّحِیْمِ ○

وَالْعَصْرِ ﴿١﴾ اِنَّ الْاِنْسَانَ لَفِیْ خُسْرٍ ﴿٢﴾ اِلَّا الَّذِیْنَ اٰمَنُوْا
وَعَمِلُوا الصّٰلِحٰتِ وَتَوَاصَوْا بِالْحَقِّ ۙ۬ وَتَوَاصَوْا بِالصَّبْرِ ﴿٣﴾ ع ٣ ٢٨

اٰیَاتُهَا ٩ (١٠٤) سُوْرَةُ الْهُمَزَةِ مَكِّیَّةٌ (٣٢) رُكُوْعُهَا ١

بِسْمِ اللّٰهِ الرَّحْمٰنِ الرَّحِیْمِ ○

منزل ٧
وَیْلٌ لِّكُلِّ هُمَزَةٍ لُّمَزَةِ ۣ ﴿١﴾ الَّذِیْ جَمَعَ مَالًا وَّعَدَّدَهٗ ﴿٢﴾ یَحْسَبُ
اَنَّ مَالَهٗۤ اَخْلَدَهٗ ﴿٣﴾ كَلَّا لَیُنْۢبَذَنَّ فِی الْحُطَمَةِ ﴿٤﴾ وَمَاۤ
اَدْرٰىكَ مَا الْحُطَمَةُ ﴿٥﴾ نَارُ اللّٰهِ الْمُوْقَدَةُ ﴿٦﴾ الَّتِیْ تَطَّلِعُ
عَلَى الْاَفْـِٕدَةِ ﴿٧﴾ اِنَّهَا عَلَیْهِمْ مُّؤْصَدَةٌ ﴿٨﴾ فِیْ عَمَدٍ مُّمَدَّدَةٍ ﴿٩﴾ ع ٩ ٢٩

اٰیَاتُهَا ٥ (١٠٥) سُوْرَةُ الْفِیْلِ مَكِّیَّةٌ (١٩) رُكُوْعُهَا ١

بِسْمِ اللّٰهِ الرَّحْمٰنِ الرَّحِیْمِ ○

اَلَمْ تَرَ كَیْفَ فَعَلَ رَبُّكَ بِاَصْحٰبِ الْفِیْلِ ﴿١﴾ اَلَمْ یَجْعَلْ

كَيْدَهُمْ فِيْ تَضْلِيْلٍ ﴿۲﴾ وَّاَرْسَلَ عَلَيْهِمْ طَيْرًا اَبَابِيْلَ ۙ﴿۳﴾

ع ۵ ۳۰ تَرْمِيْهِمْ بِحِجَارَةٍ مِّنْ سِجِّيْلٍ ۙ﴿۴﴾ فَجَعَلَهُمْ كَعَصْفٍ مَّاْكُوْلٍ ﴿۵﴾ ع

اٰيَاتُهَا ۴ (۱۰۶) سُوْرَةُ قُرَيْشٍ مَّكِّيَّةٌ (۲۹) رُكُوْعُهَا ۱

بِسْمِ اللّٰهِ الرَّحْمٰنِ الرَّحِيْمِ

لِاِيْلٰفِ قُرَيْشٍ ۙ﴿۱﴾ اٖلٰفِهِمْ رِحْلَةَ الشِّتَآءِ وَالصَّيْفِ ۚ﴿۲﴾

فَلْيَعْبُدُوْا رَبَّ هٰذَا الْبَيْتِ ۙ﴿۳﴾ الَّذِيْۤ اَطْعَمَهُمْ مِّنْ

ع ۴ ۳۱ جُوْعٍ ۵ وَّاٰمَنَهُمْ مِّنْ خَوْفٍ ﴿۴﴾ ع منزل ۷

اٰيَاتُهَا ۷ (۱۰۷) سُوْرَةُ الْمَاعُوْنِ مَكِّيَّةٌ (۱۷) رُكُوْعُهَا ۱

بِسْمِ اللّٰهِ الرَّحْمٰنِ الرَّحِيْمِ

اَرَءَيْتَ الَّذِيْ يُكَذِّبُ بِالدِّيْنِ ؕ﴿۱﴾ فَذٰلِكَ الَّذِيْ يَدُعُّ

الْيَتِيْمَ ۙ﴿۲﴾ وَلَا يَحُضُّ عَلٰى طَعَامِ الْمِسْكِيْنِ ؕ﴿۳﴾ فَوَيْلٌ

لِّلْمُصَلِّيْنَ ۙ﴿۴﴾ الَّذِيْنَ هُمْ عَنْ صَلَاتِهِمْ سَاهُوْنَ ۙ﴿۵﴾

ع ۷ ۳۲ الَّذِيْنَ هُمْ يُرَآءُوْنَ ۙ﴿۶﴾ وَيَمْنَعُوْنَ الْمَاعُوْنَ ﴿۷﴾ ع

اٰيَاتُهَا ٣ | (١٠٨) سُوْرَةُ الْكَوْثَرِ مَكِّيَّةٌ (١٥) | رُكُوْعُهَا ١

بِسْمِ اللّٰهِ الرَّحْمٰنِ الرَّحِيْمِ ۝

إِنَّآ أَعْطَيْنٰكَ الْكَوْثَرَ ۝١ فَصَلِّ لِرَبِّكَ وَانْحَرْ ۝٢
إِنَّ شَانِئَكَ هُوَ الْأَبْتَرُ ۝٣ ع ٣ ٣٣

اٰيَاتُهَا ٦ | (١٠٩) سُوْرَةُ الْكٰفِرُوْنَ مَكِّيَّةٌ (١٨) | رُكُوْعُهَا ١

بِسْمِ اللّٰهِ الرَّحْمٰنِ الرَّحِيْمِ ۝

قُلْ يٰٓأَيُّهَا الْكٰفِرُوْنَ ۝١ لَآ أَعْبُدُ مَا تَعْبُدُوْنَ ۝٢ وَلَآ
أَنْتُمْ عٰبِدُوْنَ مَآ أَعْبُدُ ۝٣ وَلَآ أَنَا عَابِدٌ مَّا عَبَدْتُّمْ ۝٤ وَلَآ
أَنْتُمْ عٰبِدُوْنَ مَآ أَعْبُدُ ۝٥ لَكُمْ دِيْنُكُمْ وَلِيَ دِيْنِ ۝٦ ع ٦ ٣٤

منزل ٧

اٰيَاتُهَا ٣ | (١١٠) سُوْرَةُ النَّصْرِ مَدَنِيَّةٌ (١١٤) | رُكُوْعُهَا ١

بِسْمِ اللّٰهِ الرَّحْمٰنِ الرَّحِيْمِ ۝

إِذَا جَآءَ نَصْرُ اللّٰهِ وَالْفَتْحُ ۝١ وَرَأَيْتَ النَّاسَ
يَدْخُلُوْنَ فِيْ دِيْنِ اللّٰهِ أَفْوَاجًا ۝٢ فَسَبِّحْ بِحَمْدِ

Ikhfa إخفا | Ikhfa Meem Saakin إخفاميم ساكن | Qalqala قلقله | Qalb قلب | Idghaam ادغام | Idghaam Meem Saakin ادغام ميم ساكن | Ghunna غنّه

ع ٣/٥ رَبِّكَ وَاسْتَغْفِرْهُ ؕ اِنَّهٗ كَانَ تَوَّابًا ۳ ع

ایاتها ٥ (١١١) سُوْرَةُ اللَّهَبِ مَكِّيَّةٌ (٦) رکوعها ١

بِسْمِ اللّٰهِ الرَّحْمٰنِ الرَّحِيْمِ

وقف النبي صلى الله عليه وآله وسلم ١٢

تَبَّتْ يَدَآ اَبِيْ لَهَبٍ وَّتَبَّ ؕ ۱ مَآ اَغْنٰى عَنْهُ مَالُهٗ وَمَا

كَسَبَ ؕ ۲ سَيَصْلٰى نَارًا ذَاتَ لَهَبٍ ۳ ۚ وَّامْرَاَتُهٗ ؕ

ع ٥/٤ حَمَّالَةَ الْحَطَبِ ۴ ۚ فِيْ جِيْدِهَا حَبْلٌ مِّنْ مَّسَدٍ ۵ ع

منزل ٧

ایاتها ٤ (١١٢) سُوْرَةُ الْاِخْلَاصِ مَكِّيَّةٌ (٢٢) رکوعها ١

بِسْمِ اللّٰهِ الرَّحْمٰنِ الرَّحِيْمِ

قُلْ هُوَ اللّٰهُ اَحَدٌ ۚ ۱ اَللّٰهُ الصَّمَدُ ۚ ۲ لَمْ يَلِدْ ۙ ۵ وَلَمْ

ع ٦/٤ يُوْلَدْ ۙ ۳ وَلَمْ يَكُنْ لَّهٗ كُفُوًا اَحَدٌ ۴ ع

ایاتها ٥ (١١٣) سُوْرَةُ الْفَلَقِ مَكِّيَّةٌ (٢٠) رکوعها ١

بِسْمِ اللّٰهِ الرَّحْمٰنِ الرَّحِيْمِ

قُلْ اَعُوْذُ بِرَبِّ الْفَلَقِ ۙ ۱ مِنْ شَرِّ مَا خَلَقَ ۙ ۲ وَ

مِنْ شَرِّ غَاسِقٍ اِذَا وَقَبَ ﴿٣﴾ وَمِنْ شَرِّ النَّفّٰثٰتِ فِى

الْعُقَدِ ﴿٤﴾ وَمِنْ شَرِّ حَاسِدٍ اِذَا حَسَدَ ﴿٥﴾ ع ١-٥ ٣٨

اٰيَاتُهَا ٦ (١١٤) سُوْرَةُ النَّاسِ مَكِّيَّةٌ (٢١) رُكُوْعُهَا ١

بِسْمِ اللّٰهِ الرَّحْمٰنِ الرَّحِيْمِ

قُلْ اَعُوْذُ بِرَبِّ النَّاسِ ﴿١﴾ مَلِكِ النَّاسِ ﴿٢﴾ اِلٰهِ

النَّاسِ ﴿٣﴾ مِنْ شَرِّ الْوَسْوَاسِ ۵ الْخَنَّاسِ ﴿٤﴾ الَّذِىْ

يُوَسْوِسُ فِىْ صُدُوْرِ النَّاسِ ﴿٥﴾ مِنَ الْجِنَّةِ وَالنَّاسِ ﴿٦﴾ ع ٦-١ ٣٩

تَمَّتْ بِالْخَيْرِ

دُعَاءِ خَتْمِ الْقُرْاٰن

اَللّٰهُمَّ اٰنِسْ وَحْشَتِىْ فِىْ قَبْرِىْ اَللّٰهُمَّ ارْحَمْنِىْ بِالْقُرْاٰنِ الْعَظِيْمِ وَاجْعَلْهُ لِىْ اِمَامًا وَّنُوْرًا وَّ

هُدًى وَّرَحْمَةً اَللّٰهُمَّ ذَكِّرْنِىْ مِنْهُ مَا نَسِيْتُ وَعَلِّمْنِىْ مِنْهُ مَا جَهِلْتُ وَارْزُقْنِىْ تِلَاوَتَهٗ اٰنَاءَ

الَّيْلِ وَاٰنَاءَ النَّهَارِ وَاجْعَلْهُ لِىْ حُجَّةً يَّا رَبَّ الْعٰلَمِيْنَ

منزل ٧

قرآن مجید کی سورتوں کی فہرست

تَمَّتْ

PH: 0131- 2442408

Maulana Mohammad Imran Qasmi

مولانا محمد عمران قاسمی بگیانوی

FAZIL DARUL ULOOM DEOBAND - M.A. (ALIG.)
EX-ARABIC LECTURER
JAMIA TIBBIYA, G.T. ROAD. DEOBAND-247554

فاضل دارالعلوم دیوبند۔ ایم اے، مسلم یونیورسٹی علی گڑھ
سابق استاذ عربی جامعہ طبیہ دیوبند ضلع سہارنپور یوپی

RESI: 79, MOHALLA MAHMOOD NAGAR, GALI NO. 6 MUZAFFAR NAGAR (U.P) 251001

Date: 01/01/2004

بسم اللہ الرحمن الرحیم

Certificate of Authenticity

All Glory is for Allah. This humble servant has had the opportunity to go through Al-Qur'ân Al-Majeed (Colour Coded Tajweed Rules) published by the Islamic Book Service and have read it with utmost devotion and attention so that no mistake in Arabic words and spelling remains in its text.

I certify that inspite of my best efforts no mistake was discovered in words or spellings, or in the text.

Yet inspite of all my strivings it may be possible that some minor mistakes may not have caught my critical eye. Therefore, it is my request that if any well-informed person detects any error in the text, the same may be reported to the publisher so that it can be corrected subsequently.

Maulana Mohammad Imran Qasmi Bigyanvi
Darul Uloom Deoband

Government of India
Copyright Office
Extracts from Register of Copyrights

Dated: 05/05/2005

1.	Registration No:	L-23171/2005
2.	Name,address and nationality of the applicant:	ABDUL NAEEM, M/S ISLAMIC BOOK SERVICE 2241, KUCHE CHELAN, DARYAGANJ, NEW DELHI - 110002 INDIAN
3.	Nature of applicant's interest in the copyright of the work	OWNER
4.	Class and description of the work	LITERARY
5.	Title of the work:	THE HOLY QURAN COLOUR CODED TAJWEED RULES
6.	Language of the work:	ENGLISH/ARABIC
7.	Name, address and nationality of the author and if the author is deceased, date of his decease:	SAME AS IN COL. 2 ABOVE INDIAN
8.	Whether the work is published or unpublished:	PUBLISHED
9.	Year and country of the first publication and name, address and nationality of the publisher:	2002 INDIA SAME AS IN COL. 2 ABOVE INDIAN
10.	Years and countries of subsequent publications, if any, and names, addresses and nationalities of the publishers:	NIL
11.	Names, addresses and nationalities of the owners of various rights comprising the copyright in the work and the extent of rights held by each, together with particulars of assignments and licences, if any:	SAME AS IN COL. 2 ABOVE INDIAN
12.	Names, addresses and nationalities of other persons, if any, authorised to assign of licence of rights comprising the copyright:	SAME AS IN COL. 11 ABOVE INDIAN
13.	If the work is an Artistic work, the location of the original work, including name, address and nationality of the person in possession of it. (In the case of an architectural work, the year of completion of the work should also be shown)	N.A.
14.	Remarks:	

Diary No. 827/2004-CO/L
Date of Application: 14/06/2004
Date of Receipt: 13/07/2004

DEPUTY REGISTRAR OF COPYRIGHTS

THE HOLY QUR'ÂN

(with Colour Coded Tajweed Rules in English)

ISBN 81-7231-686-0

1st Edition: 2009
2nd Edition: 2011

Published by ***Abdul Naeem*** for

Islamic Book Service

4866/1, Harbans Singh Street, 24, Ansari Road
Darya Ganj, New Delhi - 110 002 **(INDIA)**
Ph.: 23253514, 23286551, 23244556 **Fax:** 23277913, 23247899
E-mail: islamic@eth.net / ibsdelhi@del2.vsnl.net.in
Website: www.islamicindia.in / www.islamicindia.co.in

Our Associates

- Al-Munna Book Shop Ltd. **(U.A.E.)**
  Sharjah ***Tel.:*** 06-561-5483, 06-561-4650
  Dubai ***Tel.:*** 04-352-9294
- Azhar Academy Ltd., **London (U.K.)**
  Tel.: 020 8911 9797
- Lautan Lestari (Lestari Books), **Jakarta (Indonesia)**
  Tel.: 0062-21-35-23456
- Husami Book Depot, **Hyderabad (India)**
  Tel.: 040-6680-6285

Printed in India

NOTES

اَحْكَامُ التَّجْوِيدِ الَّتِىْ تَجِبُ مُرَاعَاتُهَا عِنْدَ تِلَاوَةِ الْقُرْآنِ

TAJWEED RULES TO BE OBSERVED WHEN RECITING THE HOLY QUR'ÂN

CONTENTS

THE ETIQUETTES OF RECITING THE HOLY QUR'ÂN

- □ The reciter of the Holy Qur'ân must perform the ritual ablution (wudhu).

- □ The intention when reciting the Holy Qur'ân should be to gain the pleasure of Allah.

- □ The voice should not be raised to such an extent where your recital will disturb others who are also engaged in some form of worship.

- □ The reciter of the Holy Qur'ân must sit in a dignified position facing the Ka'bah.

- □ When commencing with the recitation of the Holy Qur'ân – start by reciting:

أَعُوْذُ بِاللّٰهِ مِنَ الشَّيْطٰنِ الرَّجِيْمِ

"I seek Allah's protection from Satan, the accursed."

And thereafter recite:

"In the name of Allah, Most Gracious, Most Merciful."

THE PLACE OF ORIGIN (مَخْرَجٌ/مَخَارِجٌ) OF THE ARABIC LETTERS

To know the origin of any letter of the Arabic Alphabet, place a Sukoon (ْ) on it and preceed it with an Alif (ا) with a Fatha (اَ).

Example : اَبْ will give us the origin of the letter بَ .

Name	Letter	Place of Origin
The aerial letters اَلْحُرُوْفُ الْهَوَائِيَّةُ	ا و ى	Originate from the emptiness of the mouth.
The guttural letters اَلْحُرُوْفُ الْحَلْقِيَّةُ	هـ	Originates from the back of the throat (larynx).
	ح ع	Originate from the centre of the throat.
	خ غ	Originate from the upper portion of the throat.
The velar letters اَلْحَرْفَانِ اللَّهَوِيَّتَانِ	ق ك	The back of the tongue rises and touches the soft palate.
The letters اَلْحُرُوْفُ الشَّجْرِيَّةُ	ج ش	The centre of the tongue touches the upper palate.
	ض	The upturned sides of the tongue touches the gums of the upper back teeth.

The liquid اَلْحُرُوفُ الذَّوْلَقِيَّةُ	ر ل ن	Originate when the tip of the tongue touches the upper hard palate.
The dental letters اَلْحُرُوفُ النِّطْعِيَّةُ	ت د ط	Originate when the tip of the tongue touches the gums of the upper two front teeth.
The gingival letters اَلْحُرُوفُ اللِّثَوِيَّةُ	ث ذ ظ	Originate when the tip of the tongue touches the edge of the upper two front teeth.
The letters اَلْحُرُوفُ الْأَسَلِيَّةُ	ز س ص	Originate when the tip of the tongue rises towards the upper palate, touching the gums behind the upper two front teeth.
The labial letters اَلْحُرُوفُ الشَّفَوِيَّةُ	ب م	Originate from the lips.
	ف	Originates when the inner portion of the bottom lip meets the edge on the two upper front teeth.

TAJWEED

Reciting the Holy Qur'ân with TAJWEED means to pronounce every letter with all its articulative qualities such as the correct prolongation, merging, conversion, distinctness, and pauses. Reciting the Qur'ân with TAJWEED allows the reciter to emphasise the accent, phonetics, rhythm and temper of the Qur'ânic recitation.

QALQALA

When the letters of QALQALA have a Sukoon (ْ) on it, it will be read with an echoing or jerking sound.

The letters of QALQALA are:

د	ج	ب	ط	ق

In the examples that follow, the QALQALA letter with a Sukoon appears in the red block. Care should be taken when reciting, not to jerk the letter to the extent where it will sound as if the letter has a FATHA on it.

Surah Number	Verse Number	Extract from Verse	Qalqala Letter
7	12	خَلَقْتَنِىْ مِنْ نَّارٍ وَّخَلَقْتَهٗ مِنْ	ق
37	10	خَطِفَ الْخَطْفَةَ فَاَتْبَعَهٗ شِهَابٌ ثَاقِبٌ ﴿١٠﴾	ط
2	34	قُلْنَا لِلْمَلٰٓئِكَةِ اسْجُدُوْا لِاٰدَمَ فَسَجَدُوْٓا اِلَّآ اِبْلِيْسَ ط	ب
37	19	فَاِنَّمَا هِىَ زَجْرَةٌ وَّاحِدَةٌ فَاِذَا هُمْ يَنْظُرُوْنَ ﴿١٩﴾	ج
33	4	جَعَلَ اَدْعِيَآءَكُمْ اَبْنَآءَكُمْ ط	د

When a stop is made at the end of the sentences below, the rule of QALQALA will apply. The last letter becomes SAAKIN irrespective of the vowel sign, thus resulting in the QALQALA letter being read with an echoing or jerking sound.

Surah Number	Verse Number	Extract from Verse	Qalqala Letter
37	5	وَمَا بَيْنَهُمَا وَرَبُّ الْمَشَارِقِ ۝٥	ق
11	70	إِنَّا أُرْسِلْنَا إِلَىٰ قَوْمِ لُوطٍ ۝٧٠	ط
37	10	خَطِفَ الْخَطْفَةَ فَأَتْبَعَهُ شِهَابٌ ثَاقِبٌ ۝١٠	ب
2	197	وَلَا فُسُوقَ وَلَا جِدَالَ فِي الْحَجِّ	ج
37	7	وَحِفْظًا مِّن كُلِّ شَيْطَانٍ مَّارِدٍ ۝٧	د

NOON AND MEEM MUSHADDADAH

When the letters ن and م have a SHADDAH (ّ) on it (مّ نّ), it will be recited with Ghunna. The nazalization should not exceed the duration of two harakah. (2 - 3 second duration).

Surah Number	Verse Number	Extract from Verse	Mushaddadah Letter
37	6	إِنَّا زَيَّنَّا السَّمَاءَ الدُّنْيَا	نّ
78	21	إِنَّ جَهَنَّمَ كَانَتْ مِرْصَادًا ۝٢١	نّ
27	70	وَلَا تَكُن فِي ضَيْقٍ مِّمَّا يَمْكُرُونَ ۝٧٠	مّ
7	11	وَلَقَدْ خَلَقْنَاكُمْ ثُمَّ صَوَّرْنَاكُمْ ثُمَّ قُلْنَا	مّ

THE RULE OF THE LETTER LAAM

When a letter with FATHA (ـَ) or DHAMMA (ـُ) appears before the name of ALLAH, it will be pronounced with a broad sound or full mouth.

Surah Number	Verse Number	Extract from Verse	Vowel Sign
5	114	قَالَ عِيسَى ابْنُ مَرْيَمَ اللّٰهُمَّ	ـَ
4	171	إِنَّمَا الْمَسِيحُ عِيسَى ابْنُ مَرْيَمَ رَسُولُ اللّٰهِ	ـُ

When a letter with a KASRA (ـِ) appears before the name of ALLAH, it will be pronounced with a thin sound or an empty mouth.

Surah Number	Verse Number	Extract from Verse	Vowel Sign
40	78	لِرَسُولٍ اَنْ يَّأْتِيَ بِاٰيَةٍ اِلَّا بِاِذْنِ اللّٰهِ	ـِ
4	35	يُّوَفِّقِ اللّٰهُ بَيْنَهُمَا	ـِ

However, the LAAM MUSHADDADAH (لّ) is read with a thin sound or empty mouth.

Surah Number	Verse Number	Extract from Verse	Laam Mushaddadah
2	255	اَللّٰهُ لَآ اِلٰهَ اِلَّا هُوَ اَلْحَيُّ الْقَيُّوْمُ	لّ
58	20	يُحَآدُّوْنَ اللّٰهَ وَرَسُوْلَهٗٓ اُولٰٓئِكَ فِي الْاَذَلِّيْنَ	
2	177	لَيْسَ الْبِرَّ اَنْ تُوَلُّوْا وُجُوْهَكُمْ قِبَلَ	
2	148	وَلِكُلٍّ وِّجْهَةٌ هُوَ مُوَلِّيْهَا فَاسْتَبِقُوْا	

THE RULE OF MEEM SAAKIN (مْ)

There are three rules regarding the MEEM SAAKIN مْ :

1. **Ikhfa Shafawi**
2. **Idghaam Shafawi**
3. **Ithaar Shafawi**

1. Ikhfa Shafawi – Meem Saakin

When the letter BA (ب) appears after a MEEM SAAKIN (مْ) there will be IKHFA SHAFAWI. It will be pronounced with a light nasal sound in the nose for a duration of 2 harakah. (2 - 3 second duration).

Surah Number	Verse Number	Extract from Verse	Ikhfa Shafawi Meem Saakin
34	8	أَفْتَرَىٰ عَلَى اللّٰهِ كَذِبًا أَمْ بِهٖ جِنَّةٌ ۗ ط	مْ ← ب

2. Idghaam Shafawi – Meem Saakin

If after a MEEM SAAKIN (مْ) there appears a MEEM MUSHADDADAH (مّ), IDGHAAM will occur. In other words, the two MEEMS will become incorporated and be read with GHUNNA (nasalization).

Surah Number	Verse Number	Extract from Verse	Idghaam Shafawi Meem Saakin
16	57	وَلَهُمْ مَّا يَشْتَهُوْنَ	مْ ← مّ

3. Ithaar Shafawi – Meem Saakin

When after a MEEM SAAKIN (مْ) there appear any of the 26 letters other than the letters BA (ب) and MEEM (م), there will be ITHAAR SHAFAWI. No GHUNNA will occur.

Surah Number	Verse Number	Extract from Verse	Ithaar Shafawi Meem Saakin
34	45	وَكَذَّبَ الَّذِيْنَ مِنْ قَبْلِهِمْ وَمَا بَلَغُوْا	26 letters other than ب or م

IKHFA – NOON SAAKIN AND TANWEEN

If any of the 15 letters of IKHFA below come after a Noon Saakin (نْ) or Tanween (ً ٍ ٌ), the word must be read with a light nasal sound in the nose for a duration of two harakah. (2 - 3 second duration).

The letters of IKHFA are :

ش	س	ز	ذ	د	ج	ث	ت
ك	ق	ف	ظ	ط	ض	ص	

Surah Number	Verse Number	Extract from Verse	Ikhfa Letter
5	118	وَاِنۡ تَغۡفِرۡ لَهُمۡ فَاِنَّكَ	ت
5	119	لَهُمۡ جَنّٰتٌ تَجۡرِىۡ مِنۡ تَحۡتِهَا	
13	8	تَحۡمِلُ كُلُّ اُنۡثٰى وَمَا تَغِيۡضُ الۡاَرۡحَامُ	ث
6	54	سُوۡٓءًاۢ بِجَهَالَةٍ ثُمَّ تَابَ مِنۡۢ بَعۡدِهٖ	
14	6	عَلَيۡكُمۡ اِذۡ اَنۡجٰٮكُمۡ مِّنۡ اٰلِ	ج
14	19	يَاۡتِ بِخَلۡقٍ جَدِيۡدٍ ۙ﴿۱۹﴾	
14	22	اَنۡ دَعَوۡتُكُمۡ فَاسۡتَجَبۡتُمۡ لِىۡ	د
6	99	وَمِنَ النَّخۡلِ مِنۡ طَلۡعِهَا قِنۡوَانٌ دَانِيَةٌ	
5	91	وَيَصُدَّكُمۡ عَنۡ ذِكۡرِ اللّٰهِ وَعَنِ	ذ
3	185	كُلُّ نَفۡسٍ ذَآئِقَةُ الۡمَوۡتِ ؕ	
3	185	فَمَنۡ زُحۡزِحَ عَنِ النَّارِ وَ اُدۡخِلَ الۡجَنَّةَ	ز
18	74	نَفۡسًا زَكِيَّةًۢ بِغَيۡرِ نَفۡسٍ ؕ	

Surah Number	Verse Number	Extract from Verse	Ikhfa Letter
17	83	وَاِذَآ اَنْعَمْنَا عَلَى الْاِنْسَانِ	س
18	22	وَيَقُوْلُوْنَ خَمْسَةٌ سَادِسُهُمْ كَلْبُهُمْ	
18	69	قَالَ سَتَجِدُنِيْٓ اِنْ شَآءَ اللّٰهُ صَابِرًا	ش
17	58	عَذَابًا شَدِيْدًا ؕ كَانَ ذٰلِكَ فِي الْكِتٰبِ	
18	43	وَلَمْ تَكُنْ لَّهٗ فِئَةٌ يَّنْصُرُوْنَهٗ	ص
33	23	مِنَ الْمُؤْمِنِيْنَ رِجَالٌ صَدَقُوْا مَا	
30	54	اَللّٰهُ الَّذِيْ خَلَقَكُمْ مِّنْ ضُعْفٍ	ض
30	54	بَعْدِ قُوَّةٍ ضُعْفًا وَّشَيْبَةً ؕ	
32	7	مِنْ طِيْنٍ ۚ ثُمَّ جَعَلَ نَسْلَهٗ مِنْ سُلٰلَةٍ	ط
34	15	بَلْدَةٌ طَيِّبَةٌ وَّرَبٌّ غَفُوْرٌ ﴿١٥﴾	
35	44	اَوَلَمْ يَسِيْرُوْا فِي الْاَرْضِ فَيَنْظُرُوْا كَيْفَ	ظ
4	57	وَّنُدْخِلُهُمْ ظِلًّا ظَلِيْلًا ﴿٥٧﴾	
4	71	حِذْرَكُمْ فَانْفِرُوْا ثُبَاتٍ اَوِ انْفِرُوْا جَمِيْعًا ﴿٧١﴾	ف
4	79	مَا اَصَابَكَ مِنْ حَسَنَةٍ فَمِنَ اللّٰهِ	
4	92	وَمَنْ قَتَلَ مُؤْمِنًا خَطَأً فَتَحْرِيْرُ رَقَبَةٍ	ق
4	141	وَاِنْ كَانَ لِلْكٰفِرِيْنَ نَصِيْبٌ ۙ قَالُوْٓا	
4	141	فَاِنْ كَانَ لَكُمْ فَتْحٌ مِّنَ اللّٰهِ	ك
4	31	سَيِّاٰتِكُمْ وَنُدْخِلْكُمْ مُّدْخَلًا كَرِيْمًا ﴿٣١﴾	

ITHAAR – NOON SAAKIN AND TANWEEN

When after a NOON SAKIN (نْ) or TANWEEN (ـًـٍـٌ) there appears any of the HUROOF HALQIYAH (throat letters) then it will be pronounced without GHUNNA (no nasalization).

The letters of HUROOF HALQIYAH are :

ه	ء	غ	ع	خ	ح

Surah Number	Verse Number	Extract from Verse	Huroof Halqiyah Letter
15	82	مُعۡرِضِيۡنَ ۝٨١ وَكَانُوۡا يَنۡحِتُوۡنَ	ح
2	35	وَكُلَا مِنۡهَا رَغَدًا حَيۡثُ شِئۡتُمَا	
4	35	وَاِنۡ خِفۡتُمۡ شِقَاقَ بَيۡنِهِمَا فَابۡعَثُوۡا	خ
4	35	اِنَّ اللّٰهَ كَانَ عَلِيۡمًا خَبِيۡرًا ۝٣٥	
6	54	نَفۡسِهِ الرَّحۡمَةَ ۙ اَنَّهٗ مَنۡ عَمِلَ مِنۡكُمۡ	ع
6	54	بِاٰيٰتِنَا فَقُلۡ سَلٰمٌ عَلَيۡكُمۡ كَتَبَ	
7	43	فِىۡ صُدُوۡرِهِمۡ مِّنۡ غِلٍّ تَجۡرِىۡ مِنۡ	غ
35	28	اِنَّ اللّٰهَ عَزِيۡزٌ غَفُوۡرٌ ۝٢٨	
5	32	مِنۡ اَجۡلِ ذٰلِكَ ۛ	ا / ء
38	29	كِتٰبٌ اَنۡزَلۡنٰهُ اِلَيۡكَ مُبٰرَكٌ لِّيَدَّبَّرُوۡۤا	
3	104	وَيَاۡمُرُوۡنَ بِالۡمَعۡرُوۡفِ وَيَنۡهَوۡنَ	ه
13	7	اَنۡتَ مُنۡذِرٌ وَّلِكُلِّ قَوۡمٍ هَادٍ ۝٧	

IDGHAAM – NOON SAAKIN AND TANWEEN

IDGHAAM refers to the assimilation of one letter into the other. The rule of IDGHAAM will apply when the letters ي ن م و is preceded by a NOON SAAKIN (نْ) or TANWEEN (ـًـٍـٌ). The emphasis will be on the succeeding letter because of the presence of a SHADDAH (ّ) and will be read with GHUNNA. The nasalization should not exceed the duration of two harakah.

(2 - 3 second duration).

Surah Number	Verse Number	Extract from Verse	Surah Number	Verse Number	Extract from Verse	Idghaam Letter
13	23	عَدْنٍ يَّدْخُلُوْنَهَا	18	5	اِنْ يَّقُوْلُوْنَ	ى
13	27	اٰيَةٌ مِّنْ رَّبِّهٖ	2	130	عَنْ مِّلَّةِ	م
15	45	جَنّٰتٍ وَّعُيُوْنٍ	13	11	مِنْ وَّالٍ	و
14	44	قَرِيْبٍ نُّجِبْ	14	11	لَنَآ اَنْ نَّاْتِيَكُمْ	ن

With regard to the letters LAAM (ل) and RAA (ر) the IDGHAAM will be without GHUNNA, but assimilation takes place.

Surah Number	Verse Number	Extract from Verse	Surah Number	Verse Number	Extract from Verse	Idghaam Letter
2	2	هُدًى لِّلْمُتَّقِيْنَ	36	47	مَنْ لَّوْ يَشَآءُ اللّٰهُ	ل
2	173	غَفُوْرٌ رَّحِيْمٌ	2	5	هُدًى مِّنْ رَّبِّهِمْ	ر

In the examples below, assimilation will not take place due to a lack of a SHADDAH (ّ) on the IDGHAAM letters.

Surah Number	Verse Number	Extract from Verse	Surah Number	Verse Number	Extract from Verse	Idghaam Letter
61	4	كَاَنَّهُمْ بُنْيَانٌ	30	7	الْحَيٰوةِ الدُّنْيَا	ى
6	99	طَلْعِهَا قِنْوَانٌ	13	4	نَخِيْلٌ صِنْوَانٌ	و

IDGHAAM MITHLAYN
(Assimilation of the same kind)

This rule applies when two letters following each other are the same. The first letter has a SAAKIN (ْ) and the second letter is vocal and has a SHADDAH (ّ) on it. When reciting the letters keep in mind that the SAAKIN letter becomes assimilated into the letter following it.

Surah Number	Verse Number	Extract from Verse	Surah Number	Verse Number	Extract from Verse
4	78	يُدْرِكْكُّمُ	2	16	رَبِحَتْ تِّجَارَتُهُمْ
18	78	مَالَمْ تَسْتَطِعْ عَّلَيْهِ	5	61	وَقَدْ دَّخَلُوْا
8	72	اٰوَوْا وَّ نَصَرُوْٓا	21	87	اِذْ ذَّهَبَ مُغَاضِبًا

IDGHAAM MUTAQAARIBAYN
(Assimilation of letters with similar origin)

This rule applies when a letter in a word is SAAKIN (ْ) and the letter following it has a SHADDAH (ّ). When pronounced appears to be close to the same place of origin as the SAAKIN letter. The SAAKIN letter will assimilate with the vocal letter when recited.

Surah Number	Verse Number	Extract from Verse	Few examples to illustrate Idghaam Mutaqaaribayn
77	20	نَخْلُقْكُّمْ مِّنْ مَّآءٍ مَّهِيْنٍ ﴿٢٠﴾	ق / ك
11	42	يٰبُنَيَّ ارْكَبْ مَّعَنَا	ب / م
17	80	وَقُلْ رَّبِّ اَدْخِلْنِيْ مُدْخَلَ	ل / ر
20	49	فَمَنْ رَّبُّكُمَا يٰمُوْسٰى ﴿٤٩﴾	ن / ر

IDGHAAM MUTAJAANISAYN
(Assimilation of related kind)

This rule applies when a letter in a word is SAAKIN (ْ) and the letter following it has a SHADDAH (ّ) and when pronounced has the same place of origin as the SAAKIN letter. The SAAKIN letter will assimilate with the vocal letter when recited.

Surah Number	Verse Number	Extract from Verse	Few examples to illustrate Idghaam Mutajaanisayn
5	28	لَئِنْ بَسَطْتَّ اِلَيَّ يَدَكَ	ط / ت
10	89	قَالَ قَدْ اُجِيْبَتْ دَّعْوَتُكُمَا	ت / د
4	64	اَنَّهُمْ اِذْ ظَّلَمُوْآ اَنْفُسَهُمْ	ذ / ظ
3	72	وَقَالَتْ طَّآئِفَةٌ مِّنْ اَهْلِ	ت / ط

IQLAAB – The Alteration (Noon Saakin and Tanween)

When after a NOON SAAKIN (نْ) or Tanween (ً ٍ ٌ) the letter BA (ب) appears then the NOON SAAKIN or TANWEEN will become substituted by a small MEEM SAAKIN (مْ) and will be recited with GHUNNA.

Surah Number	Verse Number	Extract from Verse
2	27	عَهْدَ اللّٰهِ مِنْۢ بَعْدِ
2	181	فَمَنْۢ بَدَّلَهٗ
2	18	صُمٌّۢ بُكْمٌ عُمْيٌ
2	282	فُسُوْقٌۢ بِكُمْ

The letter RAA

1. A RAA (ر) with a FATHA (ـَ) or DHAMMA (ـُ) on it should be pronounced with a full mouth.

Surah Number	Verse Number	Extract from Verse	The Letter
2	16	فَمَا رَبِحَتْ تِّجَارَتُهُمْ	رَ
2	28	تَكْفُرُوْنَ بِاللّٰهِ وَكُنْتُمْ	رُ

2. A RAA (ر) with a KASRA (ـِ) should be pronounced with an empty mouth.

Surah Number	Verse Number	Extract from Verse	The Letter
2	54	لَّكُمْ عِنْدَ بَارِئِكُمْ	رِ
2	75	كَلٰمَ اللّٰهِ ثُمَّ يُحَرِّفُوْنَهٗ	رِ

3. When a FATHA (ـَ) or DHAMMA (ـُ) appear before a RAA SAAKIN (رْ) the letter RAA SAAKIN (رْ) will be pronounced with a full mouth.

Surah Number	Verse Number	Extract from Verse	The Letter Raa Saakin
2	7	اَيَّامٍ وَّكَانَ عَرْشُهٗ عَلَى	ـَ رْ
2	252	وَاِنَّكَ لَمِنَ الْمُرْسَلِيْنَ ۝٢٥٢	ـُ رْ

4. If a KASRA (ـِ) appears before a RAA SAAKIN (رْ) the RAA SAAKIN (رْ) will be read with an empty mouth.

Surah Number	Verse Number	Extract from Verse	The Letter Raa Saakin
2	6	تُنْذِرْهُمْ لَا يُؤْمِنُوْنَ ۝٦	ـِ رْ

5. If a SHADDAH (ّ) appears on the letter RAA (ر) and has either a FATHA (َ) or DHAMMA (ُ) it will be pronounced with a full mouth.

Surah Number	Verse Number	Extract from Verse	Raa with a Shaddah
2	177	لَيْسَ الْبِرَّ اَنْ تُوَلُّوْا وُجُوْهَكُمْ قِبَلَ	رَّ
18	36	قَآئِمَةً ۙ وَّلَئِنْ رُّدِدْتُّ	رُّ

6. If a SHADDAH (ّ) appears on the letter RAA (ر) and has a KASRA (ِ) it will be pronounced with an empty mouth.

Surah Number	Verse Number	Extract from Verse	Raa with a Shaddah
113	2	مِنْ شَرِّ مَا خَلَقَ ۙ	رِّ
6	97	بِهَا فِيْ ظُلُمٰتِ الْبَرِّ وَالْبَحْرِ	رِّ

7. When a YAA SAAKIN (يْ) appears before a RAA MAUQOOF and the letter preceding the YAA SAAKIN has a KASRA (ِ) then the RAA (ر) will be recited with an empty mouth.

Surah Number	Verse Number	Extract from Verse	يْ preceded by a Kasra	
3	180	بِمَا تَعْمَلُوْنَ خَبِيْرٌ	يْ	ِ
34	12	نُذِقْهُ مِنْ عَذَابِ السَّعِيْرِ	يْ	ِ
17	1	اِنَّهٗ هُوَ السَّمِيْعُ الْبَصِيْرُ	يْ	ِ
3	184	وَالزُّبُرِ وَالْكِتٰبِ الْمُنِيْرِ	يْ	ِ

8. When a letter other than a YAA SAAKIN (یْ) appears before a RAA MAUQOOF, and the letter has a SUKOON (ْ) on it and the letter preceding it has either a FATHA (ـَ) or DHAMMA (ـُ) on it then the Raa (ر) will be recited with a full mouth.

Surah Number	Verse Number	Extract from Verse	Letter preceded by a Fatha/Dhamma	
103	3	وَتَوَاصَوْا بِالْحَقِّ ۙ وَتَوَاصَوْا بِالصَّبْرِ	ب	ـَ
103	2	اِنَّ الْاِنْسَانَ لَفِیْ خُسْرٍ	س	ـُ

The MADD – Elongation

The letters of HUROOFUL MADD are :

MADDUL ASLI – The Original Elongation of 2 Harakah (Qasr – shortness)

ALIF (ا) is one of the letters of MADD when it is preceded by a FATHA (ـَ).

WAW (و) is one of the letters of MADD when it is preceded by a DHAMMA (ـُ).

YAA (ی) is one of the letters of MADD when it is preceded by a KASRA (ـِ).

Surah Number	Verse Number	Extract from Verse	Hurooful Madd Letter
2	71	قَالَ اِنَّهٗ یَقُوْلُ اِنَّهَا	ا
2	26	الَّذِیْنَ كَفَرُوْا فَیَقُوْلُوْنَ مَاذَآ اَرَادَ اللّٰهُ	و
2	90	وَلِلْكٰفِرِیْنَ عَذَابٌ مُّهِیْنٌ	ی

MADDUL MUTTASIL ٓ
(The Joined Elongation)

When a HUROOFUL MADD letter (ا و ى) is followed by a HAMZA (ء) in the same word, the MADD is known as MADDUL MUTTASIL.
The length of recitation of the MADDUL MUTTASIL will be TOOL (lengthy). i.e. 4 to 6 HARAKAAT long. (4 - 6 second duration).

Surah Number	Verse Number	Extract from Verse	Surah Number	Verse Number	Extract from Verse	Hurooful Madd Letter
2	6	سَوَآءٌ عَلَيْهِمْ	110	1	إِذَا جَآءَ نَصْرُ	ا
13	25	سُوْٓءُ الدَّارِ ۞	4	110	سُوْٓءًا أَوْ يَظْلِمْ	و
89	23	وَجِاْىٓءَ يَوْمَئِذٍ	4	4	هَنِيْٓـًٔا مَّرِيْٓـًٔا	ى

MADDUL MUNFASIL ٓ
(The Detached Elongation)

If a word ends in one of the HUROOFUL MADD letters (ا و ى) and the following word begins with a HAMZA (ء/ا) then that MADD is known as MADDUL MUNFASIL. The length of recitation of the MADDUL MUNFASIL will be TAWASSUT (intermediate).
i.e. 3 to 5 HARAKAAT long. (3 -5 second duration).

Surah Number	Verse Number	Extract from Verse	Surah Number	Verse Number	Extract from Verse	Hurooful Madd Letter
97	1	إِنَّآ أَنْزَلْنٰهُ	108	1	إِنَّآ أَعْطَيْنٰكَ	ا
2	235	وَاعْلَمُوْٓا أَنَّ اللّٰهَ	66	6	قُوْٓا أَنْفُسَكُمْ	و
4	135	وَلَوْ عَلٰٓى أَنْفُسِكُمْ	51	21	وَفِيْٓ أَنْفُسِكُمْ ط	ى

MADDUL LAAZIM ـــ
(The Compulsory Elongation)

It is imperative to pronounce the HUROOF MUQATTA'AAT letters which appear at the beginning of a SURAH. This MADD is called MADDUL LAAZIM. The length of recitation of MADDUL LAAZIM will be TOOL (lengthy). i.e. 6 HARAKAAT long. (6 second duration).

Surah Number	Verse Number	Huroof Muqatta'aat	Surah Number	Verses Number	Huroof Muqatta'aat
50	1	قٓ وَالْقُرْاٰنِ الْمَجِيْدِ ۝١	19	1	كٓهٰيٰعٓصٓ ۝١
45	1	حٰمٓ ۝١ تَنْزِيْلُ	68	1	نٓ وَالْقَلَمِ وَمَا
42	2	حٰمٓ ۝١ عٓسٓقٓ ۝٢	2	1	الٓمّٓ ۝١

MADDUL AARIDH
(The Abrupt Stop)

If after any HUROOFUL MADD letter (ا و ى) there appears a SAAKIN which is caused by a WAQF (stop) then such a MADD is known as MADDUL AARIDH. The length of recitation of the MADDUL AARIDH will be TAWASSUT (intermediate), i.e. 2 to 5 HARAKAAT long. (2-5 second duration).

Surah Number	Verse Number	Extract from Verse	Hurooful Madd Letter
46	32	مِنْ دُوْنِهٖٓ اَوْلِيَآءُ	ا
67	27	هٰذَا الَّذِيْ كُنْتُمْ بِهٖ تَدَّعُوْنَ ۝٢٧	و
19	37	مِنْ مَّشْهَدِ يَوْمٍ عَظِيْمٍ ۝٣٧	ى

THE SUN LETTERS

When the definite article (اَلْ) is attached to an indefinite word, the TANWEEN (ـًـٍـٌ) changes into a short vowel, e.g. شَجَرَةٌ → اَلشَّجَرَةُ .

An indefinite word, e.g. شَجَرَةٌ beginning with a SUN LETTER and with the definite article (اَلْ) attached to it, (اَلشَّجَرَةُ) results in the LAAM (ل) not being pronounced.

The ALIF (ا) in the definite article (ال) is recited and merges with the SUN LETTER which now has a SHADDAH (ـّ) on it when recited, e.g. اَلشَّجَرَةُ .

The SHADDAH (ـّ) sign is an indication that the pronunciation must be hardened.

However, if the definite article (ال) is preceded by a word or letter then it will not be pronounced, e.g. تَحْتَ الشَّجَرَةِ .

The SUN letters are :

س	ز	ر	ذ	د	ث	ت
ن	ل	ظ	ط	ض	ص	ش

Surah Number	Verse Number	Definite article preceded by letter/word	Definite article attached to word	Sun Letter
95	1	وَالتِّيْنِ	التِّيْنِ	ت
3	195	حُسْنُ الثَّوَابِ ﴿١٩٥﴾	الثَّوَابِ	ث
1	3	يَوْمِ الدِّيْنِ ﴿٣﴾	الدِّيْنِ	د
51	1	وَالذّٰرِيٰتِ	الذّٰرِيٰتِ	ذ
2	143	وَيَكُوْنَ الرَّسُوْلُ	الرَّسُوْلُ	ر
2	277	وَاٰتَوُا الزَّكٰوةَ	الزَّكٰوةَ	ز
2	22	مِنَ السَّمَآءِ	السَّمَآءِ	س
25	29	وَكَانَ الشَّيْطٰنُ	الشَّيْطٰنُ	ش
112	2	اَللّٰهُ الصَّمَدُ ﴿٢﴾	الصَّمَدُ	ص
9	91	عَلَى الضُّعَفَآءِ	الضُّعَفَآءِ	ض
2	260	مِّنَ الطَّيْرِ	الطَّيْرِ	ط
4	75	هٰذِهِ الْقَرْيَةِ الظَّالِمِ	الظَّالِمِ	ظ
2	274	بِالَّيْلِ	الَّيْلِ	ل
75	2	بِالنَّفْسِ	النَّفْسِ	ن

THE MOON LETTERS

When the definite article (اَلْ) is attached to an indefinite word, the TANWEEN (ـًـٍـٌ) changes into a short vowel, e.g. مَسْجِدٌ ⟶ اَلْمَسْجِدُ .

An indefinite word, e.g. مَسْجِدٌ beginning with a MOON LETTER and with the definite article (اَلْ) attached to it, (اَلْمَسْجِدُ) results in the LAAM (ل) being pronounced as a LAAM SAAKIN (لْ). The ALIF (ا) in the definite article becomes HAMZATUL WASL i.e. the ALIF (ا) is written, but is not pronounced when a word or letter precedes it, e.g. فِي الْمَسْجِدِ .

However, if the definite noun (اَلْمَسْجِدُ) appears as the first word in a sentence then the ALIF will be pronounced.

The MOON letters are :

ح	ج	ب	ا/ء
ف	غ	ع	خ
و	م	ك	ق
	ى	ھ	

Surah Number	Verse Number	Definite article preceded by letter/word	Definite article attached to word	Moon Letter
12	6	تَاْوِيْلِ الْاَحَادِيْثِ	الْاَحَادِيْثِ	ء/ا
2	127	مِنَ الْبَيْتِ	الْبَيْتِ	ب
7	40	يَلِجَ الْجَمَلُ	الْجَمَلُ	ج
69	2	مَا الْحَآقَّةُ ۝٢	الْحَآقَّةُ	ح
52	35	اَمْ هُمُ الْخٰلِقُوْنَ ۝٣٥	الْخٰلِقُوْنَ	خ
10	88	يَرَوُا الْعَذَابَ	الْعَذَابَ	ع
10	90	اَدْرَكَهُ الْغَرَقُ	الْغَرَقُ	غ
2	191	وَالْفِتْنَةُ	الْفِتْنَةُ	ف
16	107	لَا يَهْدِى الْقَوْمَ	الْقَوْمَ	ق
18	9	اَصْحٰبَ الْكَهْفِ	الْكَهْفِ	ك
1	7	غَيْرِ الْمَغْضُوْبِ	الْمَغْضُوْبِ	م
56	1	وَقَعَتِ الْوَاقِعَةُ	الْوَاقِعَةُ	و
56	55	شُرْبَ الْهِيْمِ	الْهِيْمِ	ه
15	99	يَاْتِيَكَ الْيَقِيْنُ	الْيَقِيْنُ	ى

THE RULES OF STOPPING

If any of these signs (ـُــــِـــَـ) (ـٌـــٍـــً) appear on the last letter of a word when a stop is required, then the last letter is with a SAAKIN.

Surah Number	Verse Number	Extract from Verse	Surah Number	Verse Number	Extract from Verse
88	4	نَارًا حَامِيَةً ۙ﴿٤﴾	15	8	اِذًا مُّنْظَرِيْنَ ﴿٨﴾
7	24	اِلٰى حِيْنٍ ﴿٢٤﴾	88	1	حَدِيْثُ الْغَاشِيَةِ ؕ﴿١﴾
15	6	اِنَّكَ لَمَجْنُوْنٌ ؕ﴿٦﴾	89	27	النَّفْسُ الْمُطْمَئِنَّةُ ۖ﴿٢٧﴾

However, if the last letter has a FATHATAAN or MADD then the last letter is read as if it has a FATHA on it.

Surah Number	Verse Number	Extract from Verse	Surah Number	Verse Number	Extract from Verse
78	28	بِاٰيٰتِنَا كِذَّابًا ؕ﴿٢٨﴾	92	16	كَذَّبَ وَتَوَلّٰى ؕ﴿١٦﴾
79	19	رَبِّكَ فَتَخْشٰى ۚ﴿١٩﴾	89	20	حُبًّا جَمًّا ؕ﴿٢٠﴾
79	2	وَّالنّٰشِطٰتِ نَشْطًا ۙ﴿٢﴾	91	1	وَالشَّمْسِ وَضُحٰىهَا ۙ﴿١﴾

SYMBOLS DENOTING PAUSES

Compulsory stop

Surah Number	Verse Number	Extract from Verse	Symbol
19	16	وَاذْكُرْ فِي الْكِتٰبِ مَرْيَمَ ۘ اِذِ انْتَبَذَتْ	مـ

Necessary stop

Surah Number	Verse Number	Extract from Verse	Symbol
18	8	عَلَيْهَا صَعِيْدًا جُرُزًا ۟ ؕ	۟ؕ

Stop vocal sound for a moment without breaking the breath

Surah Number	Verse Number	Extract from Verse	Symbol
2	286	وَاعْفُ عَنَّا وقفة وَاغْفِرْ لَنَا وقفة وَارْحَمْنَا وقفة اَنْتَ	وقفة
83	14	كَلَّا بَلْ سكتة رَانَ	سكتة

Necessary to continue, do not pause

Surah Number	Verse Number	Extract from Verse	Symbol
20	14	فَاعْبُدْنِيْ ۙ وَاَقِمِ الصَّلٰوةَ لِذِكْرِيْ ۝	لا

Desirable to continue, do not pause

Surah Number	Verse Number	Extract from Verse	Symbol
18	24	إِلَّآ أَنْ يَّشَآءَ اللّٰهُ ز وَاذْكُرْ رَّبَّكَ	ز
19	17	حِجَابًا قف فَأَرْسَلْنَآ إِلَيْهَا رُوْحَنَا	ص
18	4/5	قَالُوا اتَّخَذَ اللّٰهُ وَلَدًا ۝ق مَا لَهُمْ بِهٖ	ق
18	13/14	وَزِدْنٰهُمْ هُدًى ۝صلے وَّرَبَطْنَا	صلے

Recommended pause

Surah Number	Verse Number	Extract from Verse	Symbol
2	285	وَمَلٰٓئِكَتِهٖ وَكُتُبِهٖ وَرُسُلِهٖ قف لَا نُفَرِّقُ	قف

Optional to pause or to continue

Surah Number	Verse Number	Extract from Verse	Symbol
18	27	رَبِّكَ ج لَا مُبَدِّلَ لِكَلِمٰتِهٖ ج وَلَنْ	ج

Any two of the three verses may be read in continuity

Surah Number	Verse Number	Extract from Verse	Symbol
25	32	وَقَالَ الَّذِيْنَ كَفَرُوْا لَوْلَا نُزِّلَ عَلَيْهِ الْقُرْاٰنُ جُمْلَةً وَّاحِدَةً ∴ كَذٰلِكَ ∴ لِنُثَبِّتَ بِهٖ فُؤَادَكَ وَرَتَّلْنٰهُ تَرْتِيْلًا ۝٣٢	∴

PROSTRATION IS TO BE MADE WHEN RECITING ANY OF THE FOLLOWING VERSES

Page Number	Surah Number	Verse Number	Extract from Verse	Sajda Number
247	7	206	وَيُسَبِّحُوْنَهٗ وَلَهٗ يَسْجُدُوْنَ ۩ ۝٢٠٦	1
351	13	15	وَلِلّٰهِ يَسْجُدُ مَنْ فِي السَّمٰوٰتِ وَالْاَرْضِ	2
381	16	49	وَلِلّٰهِ يَسْجُدُ مَا فِي السَّمٰوٰتِ وَمَا	3
410	17	107	لِلْاَذْقَانِ سُجَّدًا ۝١٠٧ وَّيَقُوْلُوْنَ سُبْحٰنَ	4
433	19	58	اٰيٰتُ الرَّحْمٰنِ خَرُّوْا سُجَّدًا وَّبُكِيًّا ۩ ۝٥٨	5
467	22	18	اَلَمْ تَرَ اَنَّ اللّٰهَ يَسْجُدُ لَهٗ	6
478	22	77	يٰٓاَيُّهَا الَّذِيْنَ اٰمَنُوا ارْكَعُوْا وَاسْجُدُوْا	*7
511	25	60	وَاِذَا قِيْلَ لَهُمُ اسْجُدُوْا لِلرَّحْمٰنِ قَالُوْا	8
530	27	25	اَلَّا يَسْجُدُوْا لِلّٰهِ الَّذِيْ يُخْرِجُ الْخَبْءَ	9
581	32	15	خَرُّوْا سُجَّدًا وَّسَبَّحُوْا بِحَمْدِ رَبِّهِمْ	10
632	38	24	وَخَرَّ رَاكِعًا وَّاَنَابَ ۩ ۝٢٤	11
667	41	37	لَا تَسْجُدُوْا لِلشَّمْسِ وَلَا لِلْقَمَرِ وَاسْجُدُوْا	12
738	53	62	فَاسْجُدُوْا لِلّٰهِ وَاعْبُدُوْا ۩ ۝٦٢	13
831	84	21	لَا يَسْجُدُوْنَ ۩ ۝٢١ بَلِ الَّذِيْنَ كَفَرُوْا يُكَذِّبُوْنَ	14
842	96	19	كَلَّا ۭ لَا تُطِعْهُ وَاسْجُدْ وَاقْتَرِبْ ۩ ۝١٩	15

* In all, fourteen places of prostration are agreed upon by all Muslim religious scholars and 'Ulema, while Imam Shafi'i suggests prostration at this place also.

The following invocations usually recited during the prostration:

«سَجَدَ وَجْهِيَ لِلَّذِي خَلَقَهُ وَصَوَّرَهُ وَشَقَّ سَمْعَهُ وَبَصَرَهُ تَبَارَكَ اللَّهُ أَحْسَنُ الْخَالِقِينَ»

Sajada wajhiya lillahi khalaqahu wa swwarahu, wa shqqa sam'ahu wa basarahu, tabarak Allaahu Ahsanul-Khaliqeen.

[Sahih Muslim, Vol. 4/ Hadith No. 201]

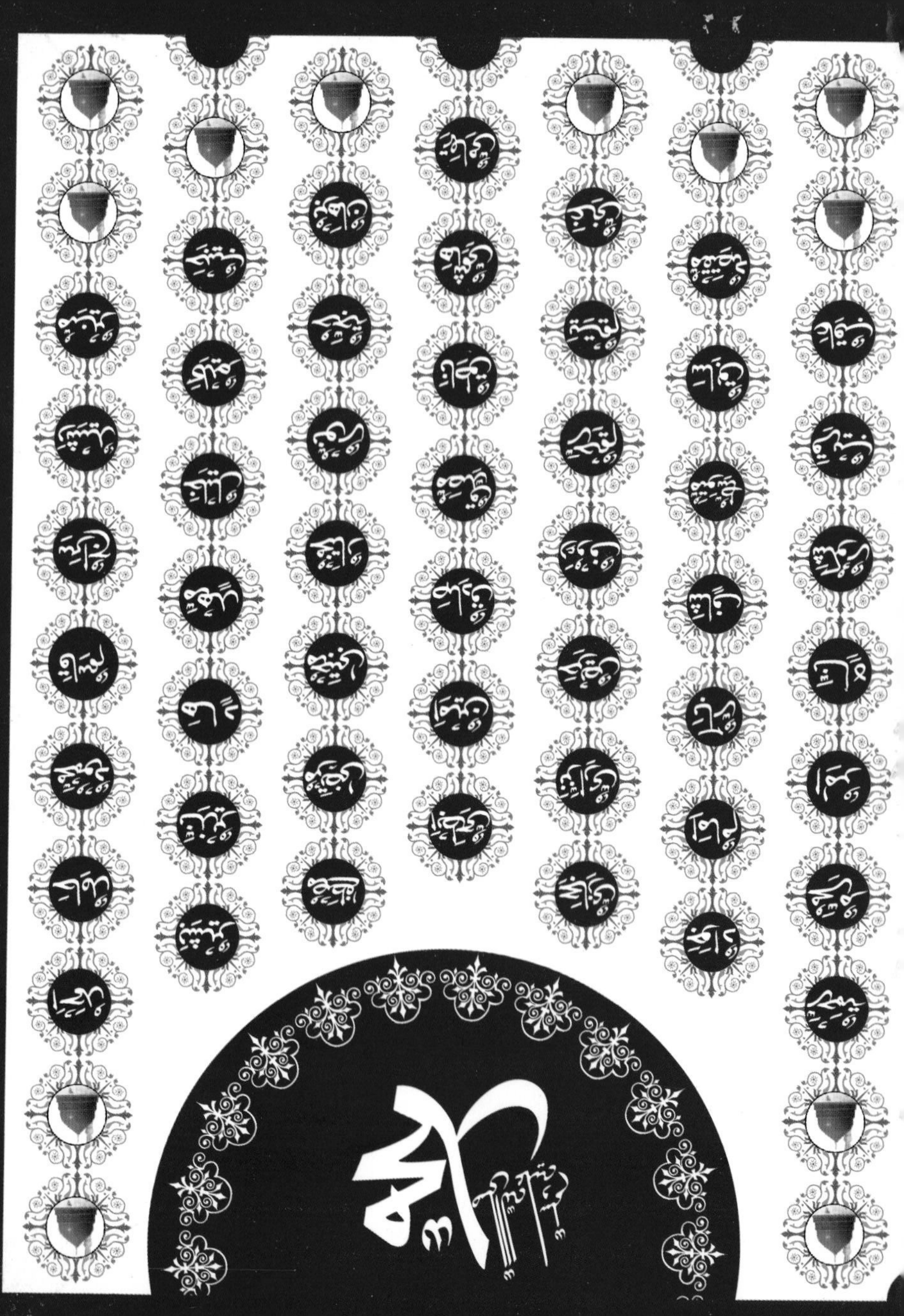